PEDIATRIA

2

PEDIATRIA

2

Redakcja naukowa

prof. dr hab. n. med. WANDA KAWALEC
prof. dr hab. n. med. RYSZARD GRENDA
dr hab. n. med. HELENA ZIÓŁKOWSKA

PZWL

UWAGA !!!
KOPIOWANIE
ZABIJA
KSIĄŻKĘ

Autorzy i Wydawnictwo dołożyli wszelkich starań, aby wybór i dawkowanie leków w tym opracowaniu były zgodne z aktualnymi wskazaniami i praktyką kliniczną. Mimo to, ze względu na stan wiedzy, zmiany regulacji prawnych i nieprzerwany napływ nowych wyników badań dotyczących podstawowych i niepożądanych działań leków, Czytelnik musi brać pod uwagę informacje zawarte w ulotce dołączonej do każdego opakowania, aby nie przeoczyć ewentualnych zmian we wskazaniach i dawkowaniu. Dotyczy to także specjalnych ostrzeżeń i środków ostrożności. Należy o tym pamiętać, zwłaszcza w przypadku nowych lub rzadko stosowanych substancji.

Redaktor ds. publikacji medycznych: *Anna Plewa*
Redaktor merytoryczny: *Zespół*
Redaktor techniczny: *Lidia Michalak-Mirońska*
Korekta: *Zespół*

Projekt okładki i stron tytułowych: *Lidia Michalak-Mirońska*
Ilustracja na okładce: Agencja Fotograficzna Fotolia

Wydanie I – 3 dodruk
Warszawa 2015

ISBN 978-83-200-4933-6 (t. 1-2)
ISBN 978-83-200-4932-9 (t. 2)

Wydawnictwo Lekarskie PZWL
02-460 Warszawa, ul. Gottlieba Daimlera 2
tel. 22 695-43-21; infolinia: 801 33 33 88
www.pzwl.pl

Księgarnia wysyłkowa:
tel. 22 695-44-80
e-mail: wysylkowa@pzwl.pl

Skład i łamanie: GABO s.c., Milanówek

AUTORZY

Dr n. med. *Ewa Adamska*

Dr n. med. *Małgorzata Aniszewska*

Dr hab. n. med. *Małgorzata Baka-Ostrowska*

Prof. dr hab. n. med. *Ewa Bernatowska*

Lek. *Teresa Bielecka*

Prof. nadzw. dr hab. n. med. *Grażyna Brzezińska-
-Rajszys*

Dr hab. n. med. *Danuta Celińska-Cedro*

Prof. dr hab. n. med. *Mieczysław Chmielik*

Prof. dr hab. n. med. *Mieczysława Czerwionka-
-Szaflarska*

Prof. CMKP dr hab. n. med. *Jarosław Czubak*

Dr n. med. *Sabina Dobosz*

Dr n. med. *Ewa Duszczyk*

Dr n. med. *Piotr Gietka*

Prof. dr hab. n. med. *Mirosława Grałek*

Prof. dr hab. n. med. *Ryszard Grenda*

Dr n. med. *Katarzyna Grzela*

Prof. dr hab. n. med. *Ewa Helwich*

Dr n. hum. *Anna Jakubowska-Winecka*

Prof. nadzw. dr hab. n. med. *Irena Jankowska*

Prof. dr hab. n. med. *Marek Kaciński*

Prof. dr hab. n. med. *Maciej Kaczmarski*

Prof. dr hab. n. med. *Andrzej Kamiński*

Prof. dr hab. n. med. *Wanda Kawalec*

Prof. dr hab. n. med. *Jerzy R. Kowalczyk*

Dr n. med. *Barbara Kowalik-Mikołajewska*

Dr n. med. *Agnieszka Krauze*

Lek. *Marta Krawiec*

Dr n. med. *Katarzyna Krenke*

Prof. dr hab. n. med. *Marek Kulus*

Dr n. med. *Zbigniew Kułaga*

Dr n. med. *Joanna Kuszyk*

Dr n. med. *Małgorzata Kwiatkowska*

Dr n. med. *Joanna Lange*

Prof. nadzw. dr hab. n. med. *Mieczysław Litwin*

Dr n. med. *Małgorzata Manowska*

Prof. dr hab. n. med. *Magdalena Marczyńska*

Prof. dr hab. n. med. *Tadeusz Mazurczak*

Prof. dr hab. n. med. *Irena Namysłowska*

Dr n. med. *Joanna Nazim*

Dr n. med. *Agnieszka Ołdakowska*

Dr hab. n. med. *Grzegorz Oracz*

Prof. dr hab. n. med. *Joanna Pawłowska*

Dr n. med. *Joanna Peradzyńska*

Prof. dr hab. n. med. *Danuta Perek*

Dr n. med. *Maria Pokorska-Śpiewak*

Dr n. med. *Jolanta Popielska*

Prof. dr hab. n. med. *Marcin Roszkowski*

Prof. dr hab. n. med. *Maria Respondek-Liberska*

Prof. nadzw. dr hab. n. med. *Magdalena Rutkowska*

Prof. nadzw. dr hab. n. med. *Lidia Rutkowska-Sak*

Prof. dr hab. n. med. *Józef Ryżko*

Dr hab. n. med. *Przemysław Sikora*

Prof. dr hab. n. med. *Piotr Socha*

Prof. dr hab. n. med. *Jerzy Starzyk*

Prof. nadzw. dr hab. n. med. *Jolanta Sykut-Cegielska*

Dr n. med. *Małgorzata Szczepańska-Putz*

Dr n. med. *Hanna Szymanik-Grzelak*

Dr n. med. *Ewa Talarek*

Dr n. med. *Anna Turska-Kmieć*

Prof. dr hab. n. med. *Barbara Woynarowska*

Dr n. med. *Małgorzata Wójcik*

Dr n. med. *Wioletta Zagórska*

Dr n. med. *Anna Zawadzka-Krajewska*

Dr hab. n. med. *Jan Zawadzki*

Dr hab. n. med. *Jerzy Ziołkowski*

Dr hab. n. med. *Helena Ziółkowska*

Dr n. med. *Lidia Ziółkowska*

Prof. dr hab. n. med. *Danuta Zwolińska*

Dr n. med. *Małgorzata Żuk*

SPIS ROZDZIAŁÓW TOMU 1

SPIS ROZDZIAŁÓW TOMU 2

Spis treści tomu 2

Rozdział 18

Reumatologia wieku rozwojowego

Rozdział 20

Choroby układu odpornościowego i szczepienia ochronne – *Ewa Bernatowska* 1048

Rozdział 21

Rozdział 22

Rozdział 23

Choroby nosa, uszu, gardła i krtani – *Mieczysław Chmielik* 1125

Rozdział 24

Wybrane zagadnienia z chirurgii, urologii, neurochirurgii i ortopedii dziecięcej – *red. Andrzej Kamiński* 1142

Rozdział 25

Postępowanie w stanach zagrożenia życia u dzieci – *Małgorzata Manowska*

Rozdział 26

CHOROBY UKŁADU NERWOWEGO | *Marek Kaciński*

15.1
ZAGADNIENIA OGÓLNE

15.1.1
Neuroanatomia czynnościowa

Układ nerwowy jest co prawda jednym z wielu układów organizmu, jednak u człowieka z uwagi na nadzwyczajnie rozwiniętą czynność korową stanowi układ niezwykły. Wyższa (korowa) czynność nerwowa to zarówno centrum zachowań człowieka, jak i funkcja, dzięki której przeżywa on swoje życie w środowisku. Nie dziwi więc fakt, że struktura kory mózgu człowieka jest bardzo rozbudowana (10 warstw). Zasiedlają ją neurocyty, które namnażają się (i zyskują tam doświadczenie) w głębiej położonych polach okołokomorowych, skąd wywędrowują na powierzchnię półkul mózgu. Dzieje się to z udziałem komórek glejowych, będących nie tylko elementem podporowym, ale również aktywnym w różnych procesach zachodzących w układzie nerwowym.

Z czynnością kory mózgu wiąże się świadome odbieranie bodźców wzrokowych (w płatach potylicznych), słuchowych (w płatach ciemieniowych), smakowych, węchowych i czuciowych. Reprezentacje korowe poszczególnych czynności sensorycznych są odzwierciedleniem stopnia ich rozwoju u dziecka. W związku ze świadomym odbiorem bodźców dziecko nabywa stopniowo doświadczenia życiowego, co stanowi podstawę jego indywidualnych reakcji na wpływy środowiska. Dzięki czynności korowej w miarę rozwoju osobniczego coraz bardziej doskonali się charakter odpowiedzi zarówno w obrębie własnego organizmu, jak i zewnętrznych (czytelnych dla środowiska).

Procesem wyróżniającym człowieka jest rozwój mowy, począwszy od rozumienia słów po ich wypowiadanie. Pomimo tego, że nie poznano szeregu szczegółowych etapów koniecznych dla jego pojawienia się, zidentyfikowano ogólny blok zjawisk, który go umożliwia. Tak jak ośrodki mowy znajdują się w sąsiadujących płatach mózgu, podobnie i inne złożone funkcje wynikają z lokalizacji w strukturach sąsiednich płatów. Umiejscowienie ośrodków mowy (zwykle w lewej półkuli mózgu) wiąże się z logicznym jej charakterem, podczas gdy druga półkula decyduje o emocjonalnych, wyobrażeniowych i artystycznych zdolnościach dziecka.

Znajomość wieku dziecka pozwala na śledzenie rozwoju jego procesów psychoruchowych. Początkowo są to przede wszystkim reakcje ruchowe, związane z zachowaniem i przyjmowaniem nowej postawy ciała oraz coraz bardziej dowolne ruchy w zakresie głowy, tułowia i kończyn. Szczególnie dużą reprezentację korową mają sfery oralna i ruchowa ręki.

Obok tych najpierw odruchowych, a następnie dowolnych (świadomych) reakcji, z czynnością kory mózgu wiążą się też inne reakcje organizmu, których ośrodka zwykle upatruje się w układzie nerwowym wegetatywnym. Są one jednocześnie skojarzone z emocjami pozostającymi pod kontrolą czynności korowej, w szczególności związanej ze strukturami układu brzeżnego (limbicznego). W jego skład wchodzą m.in. hipokamp z korą śródwęchową, zakręt obręczy i zakręty oczodołowe, ciało migdałowate (część brzuszna prążkowia oraz dolne obszary gałki bladej), przegroda przezroczysta i niektóre struktury między- i śródmózgowia. Dzięki tym ośrodkom możliwe jest istnienie życia wewnętrznego dziecka i pamięci, zaś wyraz ich harmonijnego rozwoju stanowi prawidłowy rozwój emocjonalny człowieka. Należyta równowaga między procesami czuciowo-ruchowymi i emocjonalnymi wymaga integracji obu tych sfer. Dokonuje się ona z jednej strony dzięki prawidłowo wykształconym strukturom mózgu, z drugiej w związku ze złożonymi procesami neurotransmisyjnymi. Niedobory w tym zakresie występują u dzieci z wrodzonymi wadami narządów zmysłów, kory mózgu i układu limbicznego, a także z nabytymi uszkodzeniami tych struktur i zaburzeniami ich funkcji.

Kora mózgu dziecka umożliwia również rozwój umiejętności zapamiętywania i tworzenie różnych rodzajów pamięci, dzięki którym jego aktywność może przybrać postać świadomego postępowania. Czynność korowa jest także niezbędna dla przebiegu procesów uwagi. Ich zaburzenie znacznie utrudnia życie w naturalnym dla człowieka środowisku.

Dominujący wpływ kory nie byłby możliwy, gdyby nie strukturalna i funkcjonalna jej łączność z głębiej położonymi strukturami układu nerwowego. Zapewnia ona stały dopływ informacji do kory i korowe sterowanie procesami reagowania i aktywności dziecka. Obecnie mówi się coraz bardziej precyzyjnie o istnieniu strukturalno-czynnościowych pętli korowo-podkorowych. Ich dysfunkcja jest przyczyną wielu zaburzeń świadomego życia, znacznie utrudniających harmonijny prawidłowy rozwój i integrację środowiskową.

Zachowanie wszystkich czynności ośrodkowego układu nerwowego (OUN) wymaga prawidłowej struktury i funkcji **pnia mózgu**, a w szczególności ośrodków życiowych (krążenia, oddychania, temperatury) i tworu siatkowatego. Jego część pobudzająca aktywuje korę mózgu, bez tego świadome życie nie jest możliwe, zaś część hamująca moduluje elementy życia. Struktury pnia mózgu pośredniczą też w przewodzeniu bodźców z wyższych pięter OUN na obwód. Mają połączenia z móżdżkiem i uchem wewnętrznym, co w okresie niemowlęcym odgrywa istotną rolę w przyjmowaniu określonej postawy ciała i rozwoju ruchowym dziecka. Czynności te w miarę dojrzewania OUN zostają podporządkowane aktywności wyższych jego pięter, a w końcu również świadomej regulacji korowej. Jeżeli wyższe ośrodki regulacyjne ulegają uszkodzeniu, to czynności sterowane przez ośrodki niższego rzędu nie podlegają hamowaniu, co decyduje o wystąpieniu nieprawidłowej posta-

wy i zaburzeniu funkcji ruchowych. W pniu mózgu zlokalizowane są jądra 12 nerwów czaszkowych. Dlatego występuje duże zróżnicowanie zespołów uszkodzenia poszczególnych części pnia, z reguły związanych z czuciowo-ruchowymi objawami uszkodzenia dróg nerwowych.

Oprócz dośrodkowego i odśrodkowego przewodzenia (pień mózgu–kora–pień mózgu), struktury podkorowe mózgu są niezbędne dla modulowania napięcia mięśniowego i siły dokorowych bodźców czuciowych. Ich uszkodzenie powoduje dotkliwe zaburzenia ruchowe i dolegliwości bólowe.

Tuż poniżej znajduje się **podwzgórze**, a w jego obrębie liczne jądra. To one produkują czynniki uwalniające dla hormonów przysadki mózgowej, uczestniczą więc w homeostazie neurohormonalnej organizmu. Efektorami tej osi są obwodowe gruczoły wydzielania wewnętrznego, które podlegają również istotnemu wpływowi **układu wegetatywnego**. Jego struktury znajdują się w pniu mózgu i wzdłuż rdzenia kręgowego, różne dla układu sympatycznego i parasympatycznego. Układ wegetatywny wpływa również na parametry czynności ważnych życiowo narządów krążenia, oddychania i odżywiania. W różnych cyklach i sytuacjach pomiędzy oboma częściami tego układu zachodzi stabilna nierównowaga, umożliwiająca poprawną realizację należnych zadań.

Struktury odpowiedzialne za funkcje czuciowo-ruchowe znajdują się w pniu mózgu oraz w obrębie **rdzenia kręgowego**, zarówno w postaci neurocytów, jak i dróg jądrowo-rdzeniowo-korowych i korowo-jądrowo-rdzeniowych. Uszkodzenia rdzenia powodują kalectwo ruchowe przy zachowanych funkcjach korowych i podkorowych. Obwodowe funkcje czuciowo-ruchowe wiążą się z istnieniem łuku odruchowego, którego przerwanie prowadzi do zniknięcia odruchów i zaniku efektora (mięśni). W nerwach obwodowych znajdują się włókna ruchowe i czuciowe, przewodzące skórne czucie dotyku, bólu i temperatury oraz czucie wibracji i położenia. Dla tych funkcji konieczne jest istnienie synaps między neuronami i nerwowo-mięśniowych, z ich receptorami, kanałami i neuroprzekaźnikami, spośród których najważniejszymi są acetylocholina i noradrenalina.

Układ nerwowy pozostaje w sprzężonym związku ze wszystkimi narządami organizmu. Odczuwa ich stan dzięki docierającym bodźcom zmysłowym i czuciowym. Kieruje też ich funkcją poprzez regulację czynności ruchowej, wegetatywnej, endokrynnej i immunologicznej, a także tworzy czynność nadrzędną.

15.1.2
Okresy życia w wieku rozwojowym

Okres noworodkowy trwa przez 1. mż. po urodzeniu i jest czasem, który dziecko w większości przesypia, a jego układ nerwowy steruje podstawowymi funkcjami życiowymi. W tym stanie intensywnie odbiera ono jednak liczne bodźce środowiskowe. Od 3. tż. wyraźnie reaguje, skupiając wzrok na twarzy obecnej przed nim.

Okres niemowlęcy to 1. rż., w którym z końcem kolejnych kwartałów dziecko pokonuje milowe kamienie rozwoju ruchowego – podnosi głowę, siada, wstaje i zaczyna chodzić. Jednocześnie od gruchania, poprzez gaworzenie i ciągi sylabowe, zaczyna mówić. Uzyskuje też pełną czynność chwytną ręki i zadowalającą koordynację wzrokowo-ruchową.

Okres poniemowlęcy to 2. i 3. rż. W tym czasie doskonali się równowaga i utrwala stabilność postawy ciała. Dziecko rozwija mowę do poziomu kilkuset słów. Jego potencjały ruchowy i poznawczy są ogromne. Dziecko przesypia wtedy 10–12 godzin nocy, z reguły także 1–2 godzin w ciągu dnia i jest samotnikiem.

Okres przedszkolny trwa od 4. do 6. rż. Doskonalą się wszystkie funkcje podstawowe. Dominuje zainteresowanie innymi osobami stanowiące podstawę dla uspołecznienia. W kontaktach z otoczeniem nadal przeważa forma zabawy.

Okres szkolny, czyli od 7. do 12. rż., wiąże się z poznawaniem norm życia społecznego i realizowaniem obowiązków. Następuje wyraźna identyfikacja płci i stabilizacja zasadniczego kształtu osobowości dziecka. Zabawa przestaje być konieczną formą realizacji aktywności życiowej.

Okres dojrzewania (adolescencji) trwający od 13. do 18. rż. jest czasem wielu wyzwań dla dorastającego człowieka, głównie w sferze społecznej i moralnej (seksualność, odpowiedzialność), a także rosnących szybko oczekiwań środowiskowych. Akty wolicjonalne dziecka i innych osób ścierają się i prowadzą do wykształcenia pełnej osobowości.

15.1.3
Życie indywidualne i środowiskowe

Dziecko już od chwili urodzenia jest osobą prowadzącą autonomiczne życie. Co prawda w niemowlęctwie wymaga pełnej pielęgnacji, ale miło się do otoczenia uśmiecha. Najpierw nie odróżniając swoich od obcych (do 5. mż.), a następnie już wybiórczo. Zaraz potem jednak (2.–3. rż.) zajmuje miejsce na drugim biegunie, manifestując swoją niezależność, a nawet odmienność. Jest to okres dość przykry dla rodziców, którzy przywykli do spolegliwego odnoszenia się do nich dziecka w 1. rż. W okresie poniemowlęcym dziecko silnie zaznacza swoją autonomię, a nawet próbuje kategorycznie przekonać do niej swoich najbliższych. W tym czasie byłoby nieporozumieniem umieszczać je z wyboru w żłobku lub jakiejś grupie rówieśników, z których każdy demonstruje podobne cechy.

Dla odmiany w okresie przedszkolnym dziecko lgnie do innych dzieci i chociaż naturalnie jest nadal sobą, to jednak nie w tak szorstki sposób. Co najważniejsze jednak, dziecko w tym wieku dobrze czuje się w towarzystwie rówieśników i nawet pewne dolegliwości odczuwa nie tak jednoznacznie, jak w poprzednim okresie rozwojowym. Tym samym dziecko w wieku przedszkolnym przygotowuje się naturalnie do współżycia z innymi osobami i do realizacji obowiązków życiowych, a czyni to bez cech buntu czy wyraźnej niechęci.

Wiek szkolny związany jest z etapem rozwoju układu nerwowego, który umożliwia nabywanie wiadomości i stopniowe, coraz bardziej krytyczne korzystanie z nich. Dziecko czuje w tym czasie, że nawet obowiązki (a nie tylko zabawa) mogą być źródłem pozytywnych doświadczeń.

Okres dojrzewania do wieku dorosłego stanowi prawdziwy przełom między względną nieodpowiedzialnością a pełną odpowiedzialnością. Adolescent przeżywa ten czas w znacznej autonomii środowiskowej, w kontaktach z wybranymi osobami, ale przede wszystkim z grupą rówieśniczą. Kumuluje nabywane doświadczenia dla wieku dorosłego.

15.1.4

Badanie neurologiczne dzieci

Podstawę badania neurologicznego dzieci stanowi klasyczne fizykalne badanie neurologiczne, jednak w wieku rozwojowym nie wystarczy sama jego znajomość. Wiąże się to z istnieniem kilku różnych okresów w życiu dziecka, w których konieczna jest znaczna adaptacja badania lub nawet odrębna technika. Nie można oczywiście od noworodka przepełnionego czynnością odruchową wymagać precyzyjnych reakcji ruchowych na bodziec czuciowy. Z kolei u dziecka starszego trudno sobie wyobrazić obecność reakcji odruchowych, zaburzających postawę ciała.

W okresie noworodkowym wywołuje się toniczne odruchy pierwotne w odpowiedzi na bodziec dotykowy lub słuchowy (patrz str. 20):

- Moro (dwufazowy odwiedzenia i przywiedzenia kończyn),
- szukania (z okolicy ust),
- ssania,
- chwytny górny (ręki) i dolny (stopy).

Odruchy te nie mają charakteru złożonego. Ich ośrodki leżą w dolnej części pnia mózgu. W tym wieku można przekonać się ponadto o odbieraniu bodźców smakowych, słuchowych (reakcja uszno-powiekowa) i wzrokowych przez dziecko.

W okresie niemowlęcym badanie neurologiczne różni się istotnie w czasie pierwszych 6. i kolejnych miesięcy życia. W pierwszym półroczu ma ono nadal charakter wywoływania czynności odruchowej, ale o charakterze złożonym. Najpierw są to odruchy postawy, a następnie prostowania. W ich powstawaniu bierze wciąż udział pień mózgu, ale poza tym również ucho wewnętrzne (narząd równowagi) i móżdżek. Aby harmonijnie doszło do rozwoju tych odruchów, zaniknąć muszą (lub zmniejszyć swoje nasilenie) odruchy pierwotne. Tak właśnie dzieje się w miarę wzrostu i dojrzewania układu nerwowego, wcześniejsze reakcje zanikają, a pojawiają się nowe – bardziej złożone.

W pierwszym półroczu życia rozwijają się i zanikają odruchy:

- spadochronowy (obronny przed spadaniem),
- szyjne (symetryczny i asymetryczny) – zależne od pozycji głowy w osi strzałkowej lub poprzecznej.

W drugim półroczu życia fizjologiczny odruch Landaua (grzbietowe wygięcie tułowia i głowy po podwieszeniu twarzą w dół) zaświadcza o prawidłowym dojrzewaniu układu nerwowego.

W 1. rż. dziecko widzi już ostro i dyskryminuje bodźce słuchowe oraz poprzez kolejne fazy rozwija mowę czynną, co wymaga w czasie badania cierpliwości.

W 2. rż. obserwacja chodu umożliwia ocenę prawidłowości rozwoju postawy i równowagi. Nie występuje już wtedy żaden z odruchów tonicznych (nawet chwytny dolny), a dziecko spełnia przynajmniej częściowo polecenia dotyczące elementów badania fizykalnego.

Dziecko w wieku przedszkolnym jest bardzo wdzięcznym obiektem do badania neurologicznego, spełnia bowiem polecenia, a jednocześnie jest dość precyzyjne w kreowaniu oczekiwanych reakcji. Stopniowo pojawiają się wszystkie elementy szczegółowego badania (nawet konwergencja oczu). Jednocześnie można dość dokładnie ocenić poziom rozwoju umysłowego, aktywności psychoruchowej, uwagi i odcieni życia emocjonalnego.

W wieku szkolnym upewnić się można, czy wszystkie elementy badania nerwów czaszkowych, tułowia i kończyn są prawidłowe. Niedowłady nerwów III–VI mogą współwystępować z przeciwstronnym niedowładem połowiczym. Nerw VII ulega niedowładowi ośrodkowemu lub obwodowemu, a niedowład nerwu VIII ma podwójny charakter (słuchowy i równowagi), podobnie jak IX (ruchowo-smakowy). Nerwy I i II podlegają adekwatnej ocenie zmysłowej, a XI i XII prostej ocenie ruchowej (w tym zaników mięśniowych). Jednocześnie ocenia się szczegółowo ogólny poziom rozwoju umysłowego i rozwój funkcji szczegółowych (czytania, pisania, liczenia). Równie istotna jest ocena rozwoju emocjonalnego dziecka oraz jego uwagi i pamięci. Ważny element badania neurologicznego w tym wieku stanowi także ocena stopnia kompensowania reakcji.

W wieku dorastania ocena fizykalna układu nerwowego jest mniej precyzyjna, gdyż młodociani skłonni są do swoistego reagowania, a nawet do reakcji opacznych (konwersyjnych). Neurolog dziecięcy jest wtedy zobligowany do szczególnie wnikliwego postępowania.

15.1.5

Przyczyny chorób układu nerwowego

Etiologia chorób układu nerwowego ujawniających się w wieku dziecięcym różni się od rozwijających się u dorosłych, gdyż w tym pierwszym okresie ujawnia się większość chorób genetycznie uwarunkowanych i wrodzonych. Choroby wrodzone powstają w okresie życia wewnątrzłonowego. Wynikają z nieprawidłowości własnych noworodka, np. o podłożu genetycznym, czasem z możliwością wczesnego rozpoznania, albo z chorób matki.

Wszystkie istotne choroby matki (cukrzyca, nadciśnienie tętnicze, choroby układu krążenia i oddechowego), w tym przede wszystkim o charakterze zapalnym, mogą doprowadzić do uszkodzenia układu nerwowego dziecka. Podobne konsekwencje mają matczyne niedobory (kwasu foliowego, jodu). Jednoznacznie toksycznie na rozwój układu nerwowego płodu działają toksyny (alkohol, leki). Udowodniono również negatywny wpływ czynników fizycznych (nadmierny wysiłek, urazy, promieniowanie gamma, ultrafiolet).

Znaczny odsetek uszkodzeń układu nerwowego (mózgu, rdzenia kręgowego, nerwów obwodowych) dziecka jest wynikiem urazu okołoporodowego, zarówno mechanicznego, jak i biochemicznego. W okresie porodu powstają również uszkodzenia zapalne związane z patogenami dróg rodnych.

Po urodzeniu do dysfunkcji układu nerwowego prowadzi wiele znanych czynników o charakterze genetycznym i nabytym. Zasadnicze znaczenie dla rozpoznawania chorób o tym podłożu ma wywiad lekarski co do rodzinnego ich występowania i specyficznych w wielu przypadkach elementów życia osobniczego i środowiskowego. Równie ważny jest wynik neuropediatrycznego badania fizykalnego, wskazujący na autonomiczną chorobę układu nerwowego, albo też na zajęcie układu nerwowego w przebiegu chorób innych narządów lub chorób ogólnoustrojowych. Czasami na właściwe rozpoznanie naprowadzają lekarza inne osoby – rodzice, opiekunowie, nauczyciel czy psycholog.

15.1.6

Objawy chorób układu nerwowego u dzieci

Podobnie jak u dorosłych, zasadniczymi objawami patologicznymi ze strony układu nerwowego u dzieci są objawy ogniskowego jego uszkodzenia, objawy oponowe i utrata lub zaburzenia świadomości. Ujawniają się one jednak z reguły w zaawansowanym lub piorunującym przebiegu choroby. Z reguły neurolog dziecięcy napotyka tylko na pewne elementy tych objawów, albo też oznaki lub objawy charakterystyczne dla wieku rozwojowego.

W wywiadzie szczególnie interesujące jest wystąpienie objawów o charakterze przemijającym, jak drgawki czy niedowłady. Należy poznać nie tylko rodzaj objawu, ale również porę jego wystąpienia, okoliczności mu towarzyszące oraz nasilenie, długość trwania i powtarzanie się.

Fizykalne objawy uszkodzenia układu nerwowego zależą przede wszystkim od lokalizacji zmiany i części układu nerwowego, jakiej ona dotyczy. Trzeba jednak zaznaczyć, że im młodsze dziecko i bardziej niedojrzały układ nerwowy, tym większa tendencja do uogólniania się objawów. **Objawy korowe** to:

■ zaburzenia i utrata świadomości,
■ nasilone zaburzenia nastroju,
■ drgawki i zaburzenia zmysłowe,
■ zaburzenia czucia,
■ niedowłady spastyczne.

Taka lokalizacja wpływa również na ujawnianie się objawów z niższych pięter układu nerwowego i powoduje upośledzenie lub degenerację rozwoju umysłowego. Niemała część tych objawów występuje w nocy i wymaga obiektywizacji poprzez badania diagnostyczne.

Objawy uszkodzenia układu pozapiramidowego są z reguły wyraźne i stosunkowo łatwe do rozpoznania. Ujawniają się jednak dopiero w miarę dojrzewania OUN ok. 2. rż. Mają charakter:

■ dystonii (uogólnionych zmian napięcia mięśniowego),
■ pląsawicy,
■ atetozy (zlokalizowanych zmian napięcia),
■ sztywności lub drżenia mięśniowego.

Objawy wzgórzowe to globalne lub jednostronne zaburzenia czucia lub ruchu, a **objawy podwzgórzowe** występują jako gama zaburzeń neuroendokrynologicznych wynikających z nieprawidłowego sterowania albo zaburzeń obwodowych.

Objawy uszkodzenia pnia mózgu stanowią najbardziej złowieszczą i jednocześnie czytelną lokalizacyjnie grupę chorób. Stanowią skutek uszkodzenia jąder nerwów czaszkowych, dróg ruchowych i czuciowych oraz struktur silnie połączonych z pniem, np. móżdżku.

Objawy uszkodzenia móżdżku to:

- oczopląs,
- zaburzenia równowagi i niewspółmierność ruchów dowolnych (ataksja).

W przypadku uszkodzenia jednej półkuli móżdżku objawy te są jednostronne.

Bardzo czytelny dla badającego jest **zespół objawów uszkodzenia rdzenia kręgowego**, zależny od jego wysokości. Stwierdza się wiotki (a następnie spastyczny) niedowład jednostronny lub obustronny wraz z zaburzeniem czynności zwieraczy. Podobnie jednoznaczny, jednostronny lub obustronny, jest poziom zaburzenia/zniesienia rodzajów czucia. Objaw uszkodzenia rdzenia kręgowego u dzieci to także pęcherz neurogenny.

Powoli narastające uszkodzenie komórek ruchowych rdzenia powoduje z kolei zanik mięśni (efektora), z objawami odnerwienia (fascykulacjami). Choroby nerwowo-mięśniowe są wynikiem uszkodzenia obwodowego łuku odruchowego i najczęściej stanowią konsekwencję uszkodzenia nerwów obwodowych, zarówno czuciowych, jak i ruchowych. Ostatecznej lokalizacji zmian dokonuje się dzięki badaniom neurofizjologicznym rodzajów włókien lub płytki nerwowo-mięśniowej. Zanik, rzekome przerosty, osłabienie siły i miotonia to objawy pierwotnego uszkodzenia samych mięśni.

Wyrazem uszkodzenia układu wegetatywnego nie jest jedynie pęcherz neurogenny, ale także objawy naczynioruchowe, sercowe, krążeniowe, potowe, okoruchowe i żołądkowo-jelitowe.

15.1.7
Neuroobrazowanie strukturalne

W czasie od 9. tygodnia życia wewnątrzłonowego do końca okresu niemowlęcego duże znaczenie ma obrazowanie za pomocą **ultrasonografii**. W najwcześniejszych stadiach pozwala ono na wykrycie holoprozencefalii, akranii, przepukliny mózgowej i mniejszych wad rozwojowych, a ponadto zmiany wielkości przestrzeni płynowych. **Badania dopplerowskie** już od 8.–9. tygodnia życia wewnątrzłonowego umożliwiają ocenę rozwoju układu naczyniowego mózgu. Po urodzeniu jest on obrazowany za pomocą angiografii TK i MR. Cyfrowa tomografia właściwie wyeliminowała klasyczną angiografię.

Już w okresie płodowym można dość szczegółowo uwidocznić ważne struktury układu nerwowego za pomocą rezonansu magnetycznego. I to właśnie **MR jest obecnie najważniejszą metodą obrazowania układu nerwowego**, pozwala bowiem na precyzyjniejsze ujawnienie szczegółów struktury niż tomografia komputerowa. TK ma przewagę jedynie w diagnozowaniu zwapnień mózgowych oraz obecności krwi w obrębie czaszki i kanału kręgowego, czyli po urazach. Łatwiej dostępna TK spełnia więc istotną rolę w ramach oddziału ratunkowego.

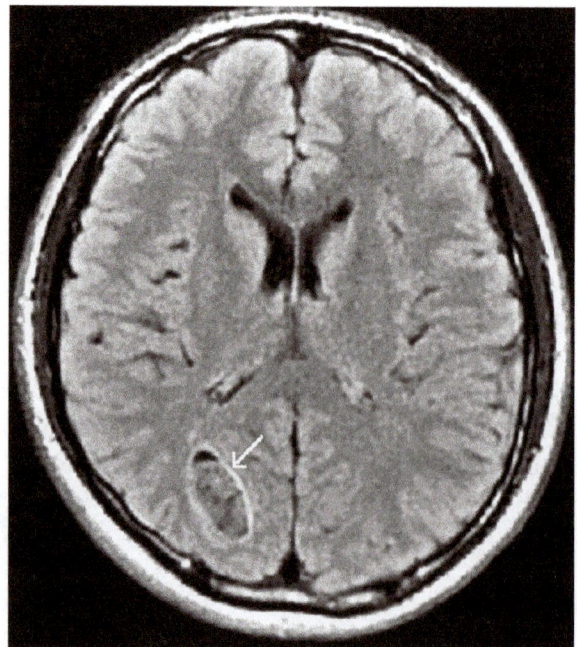

Rycina 15.1. Dysembrioplastyczny nowotwór neuroepitelialny okolicy ciemieniowo-potylicznej prawej u 16-letniego chłopca.

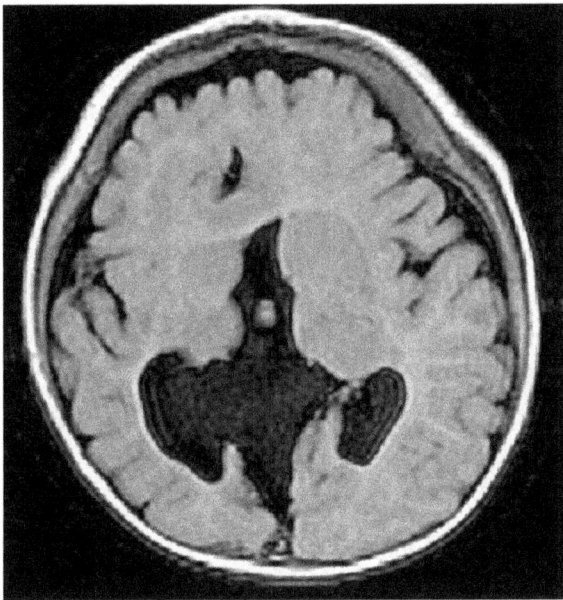

Rycina 15.2. Przodomózgowie jednokomorowe i polimikrogyria u 8-miesięcznego chłopca.

Złamania kości czaszki i kręgów oraz ich przesunięcia i zaburzenia rozwojowe skutecznie diagnozuje się za pomocą TK i klasycznych zdjęć radiologicznych.

Przy badaniu MR u dzieci małych, niewspółpracujących lub nieprzytomnych (a więc najbardziej potrzebujących tego badania) konieczna jest asysta anestezjologa i znieczulenie. Dobrze wykonane technicznie obrazowanie jednoznacznie ukazuje ogniska heterotopii, guzy nowotworowe (o różnym utkaniu, np. dysembrioplastyczny nowotwór neuroepitelialny) (ryc. 15.1) i nienowotworowe, stwardnienia i zaniki, ogniska zapalne i niedokrwienne, wady rozwojowe mózgu (ryc. 15.2) i rdzenia kręgowego, stan nerwów wzrokowych i korzonków nerwowych, gęstość istoty białej i szarej oraz ogniska demielinizacji.

15.1.8
Neuroobrazowanie funkcjonalne

Obrazowanie wielu znanych funkcji układu nerwowego za pomocą licznych technik. U dzieci często konieczne jest zastosowanie dwóch lub więcej spośród tych metod.

Elektroencefalografia (EEG) odzwierciedla bioelektryczną aktywność mózgu, a u dziecka także jego dojrzewanie. Stąd też konieczność praktycznej znajomości norm w odniesieniu do wieku. Ocenia się podstawową czynność bioelektryczną, symetrię i synchronię zapisu oraz występowanie grafoelementów nieprawidłowych (padaczkokształtnych – iglica, iglica lub fala ostra z falą wolną, wieloiglice z falą wolną). Najistotniejsze jest jednak poznanie woltażu zapisu (obniżony lub zerowy w ciężkich uszkodzeniach mózgu) oraz ew. obecności w nim zmian zlokalizowanych (m.in. guz mózgu i padaczka ogniskowa) (ryc. 15.3) czy napadowych (wyładowania bioelektryczne). Rzadko zapis EEG zawiera elementy specyficzne co do kształtu i rytmu pozwalające na rozpoznanie zespołu chorobowego (ryc. 15.4).

Wideoelektroencefalografia (wideo EEG) łączy zapis EEG z rejestracją wideo zjawisk klinicznych. Jest metodą z wyboru w diagnostyce napadów nieokreślonych. Dzięki niej rozpoznaje się napady rzekomopadaczkowe, a także wiele rodzajów napadów i zespołów padaczkowych w różnych porach dnia i nocy.

Holterowskie badanie EEG wykonywane w szpitalu lub w domu, stosowane jest przede wszystkim u dzieci źle tolerujących klasyczne nagranie EEG oraz z napadami atonicznymi i akinetycznymi. Bywa również pomocne w diagnostyce omdleń neurokardiogennych.

Ilościowe badanie EEG (QEEG) czynności bioelektrycznej mózgu to analiza czasowo-częstotliwościowa. Pozwala na niedostępną ocenie wzrokowej charakterystykę zapisu EEG w niektórych zaburzeniach OUN, jak bóle głowy czy zaburzenia emocji i zachowania. Stanowi także podstawę dla biofeedbacku, który wykorzystuje sprzężenie zwrotne dla metody neuroterapii instrumentalnej.

U podstaw neurofeedbacku leży znajomość stanu psychoneurologicznego dziecka oraz jego zapisu EEG, na podstawie analizy wzrokowej i QEEG. Metoda ta umożliwia istotną poprawę wzorca bioelektrycznego w wielu zaburzeniach (stres, autyzm, koncentracja uwagi, trudności w nauce, zaburzenia mowy czy napięcie emocjonalne i mięśniowe).

Spektroskopia MR (HMRS) to protonowa metoda dobrze obrazująca stan metaboliczny różnych części mózgu w przebiegu chorób OUN (padaczka, nowotwory i inne ogniskowe uszkodzenia mózgu z różnych przyczyn).

Dopplerowskie badanie przepływu krwi w naczyniach dogłowowych lub przezczaszkowe pozwala na określenie dynamiki przepływu, jego symetrii, braku lub nadmiaru, a także poznanie pulsacji i oporu naczyń.

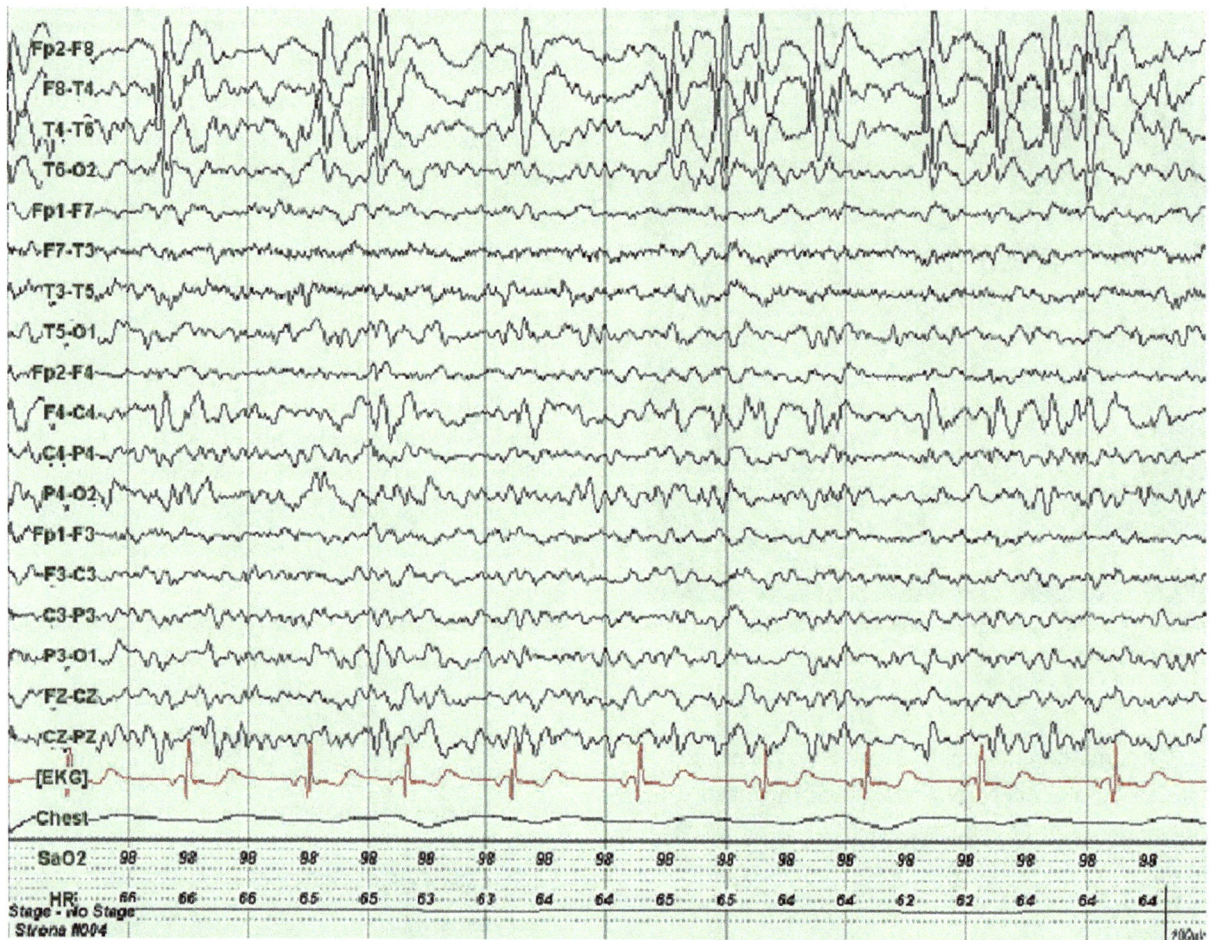

Rycina 15.3. Zmiany w prawej okolicy czołowo-przednioskroniowej w zapisie EEG u 10-letniej dziewczynki z padaczką z napadami wtórnie uogólnionymi.

Emisyjna tomografia komputerowa pojedynczego fotonu (SPECT) umożliwia wychwycenie przemijających zjawisk w obrębie OUN. Z uwagi na ten charakter zmian występujących w trakcie napadu padaczkowego ma znaczenie w diagnostyce przedoperacyjnej padaczki.

Pozytronowa tomografia emisyjna (PET) znalazła zastosowanie przede wszystkim w całościowej diagnostyce nowotworów. Dzięki różnym ligandom pozwala na precyzyjną lokalizację ognisk o zmienionym stanie uwodnienia czy z zaburzeniem metabolizmu glukozy i gęstości receptorów.

Potencjały wywołane (PW) stanowią neurofizjologiczną reakcję ośrodkową na bodziec z udziałem procesu poznania (endogenne) lub bez niego (egzogenne). Dla ich wywołania stosuje się bodźce wzrokowe, słuchowe bądź somatosensoryczne. Odpowiedź następuje szybko w zakresie potencjałów egzogennych lub później (po obróbce poznawczej) w przypadku potencjałów endogennych.

Elektromiografia (EMG) jest badaniem elektrycznej czynności mięśni, co wiąże się z negatywnym doznaniem bólu. W stanach chorobowych zapis EMG ma jednak zasadnicze znaczenie, wykazując pierwotnie mięśniowe lub neurogenne zmiany. Zarejestrować można również ciągi miotoniczne.

Elektroneurografia (ENG) to metoda badania szybkości przewodzenia bodźców bioelektrycznych w nerwach obwodowych. Pozwala na odróżnienie procesów demielinizacyjnych (ze znacznym zwolnieniem przewodzenia) od aksonalnych.

Diagnostyka zaburzeń transmisji nerwowo-mięśniowej to przede wszystkim elektrostymulacyjna próba nużliwości oraz EMG pojedynczego włókna (trudne do wykonania u dzieci). Podobnie dokuczliwa dla dziecka jest próba tężyczkowa EMG, ważna w diagnostyce chorób wieku rozwojowego (ryc. 15.5).

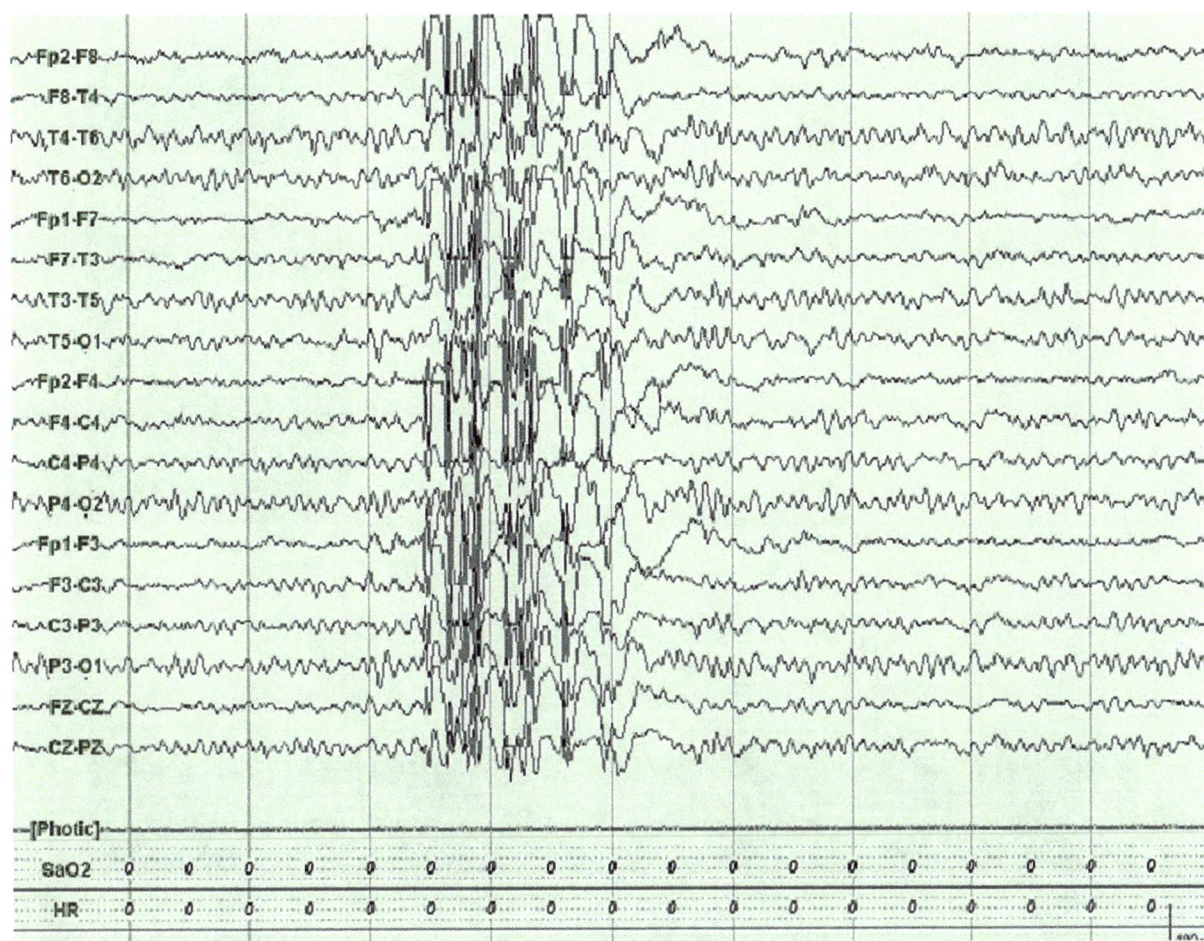

Rycina 15.4. Typowe zespoły wieloiglice–fale w zapisie EEG u 13-letniego chłopca z padaczką miokloniczną młodzieńczą.

15.1.9
Niezbędne konsultacje

Okulistyczna. Neurolog dziecięcy zobowiązany jest do umiejętności oceny dna oczu przez wąską źrenicę, co w istocie sprowadza się do oceny tarczy nerwu wzrokowego. Stanowi to konieczność w stanach pourazowych (obrzęk, wybroczyny), a także w innych przypadkach w ramach ostrego dyżuru, przed nakłuciem lędźwiowym. Specjalista okulistyki wykonuje badanie bardziej precyzyjnie i przez poszerzoną źrenicę ogląda całe dno oka. Dokonuje oceny plamki żółtej, co ma znaczenie dla diagnostyki wielu chorób układu nerwowego, zwłaszcza spichrzeniowych. W dnie oczu znajduje też ew. cechy i następstwa procesów zapalnych wrodzonych (TORCH) i nabytych, zwyrodnieniowych, metabolicznych, naczynioruchowych czy demielinizacyjnych. Ocenia ostrość wzroku, pole widzenia i ciśnienie śródgałkowe, a także stan odcinka przedniego oka.

Laryngologiczna. Znaczenie słuchu dla rozwoju dziecka oraz bliskość twarzoczaszki i mózgoczaszki wyznaczają duże znaczenie tej konsultacji. Badania przesiewowe słuchu zmieniły zdecydowanie diagnostykę niedosłuchu i wyznaczyły laryngologowi rolę terapeutyczną. Laryngolog często korzysta w diagnostyce z badań obrazowych (w szczególności zatok) zaleconych przez neurologa dziecięcego. Uczestniczy w procesie leczenia w przypadku zajęcia OUN przez proces toczący się w obrębie twarzoczaszki. Poprzez ocenę strun głosowych bierze udział w zapobieganiu niewydolności oddechowej.

Neurochirurgiczna. W przypadkach przebiegających z nadciśnieniem śródczaszkowym oraz w zespołach rdzeniowych konsultacja ta jest konieczna w try-

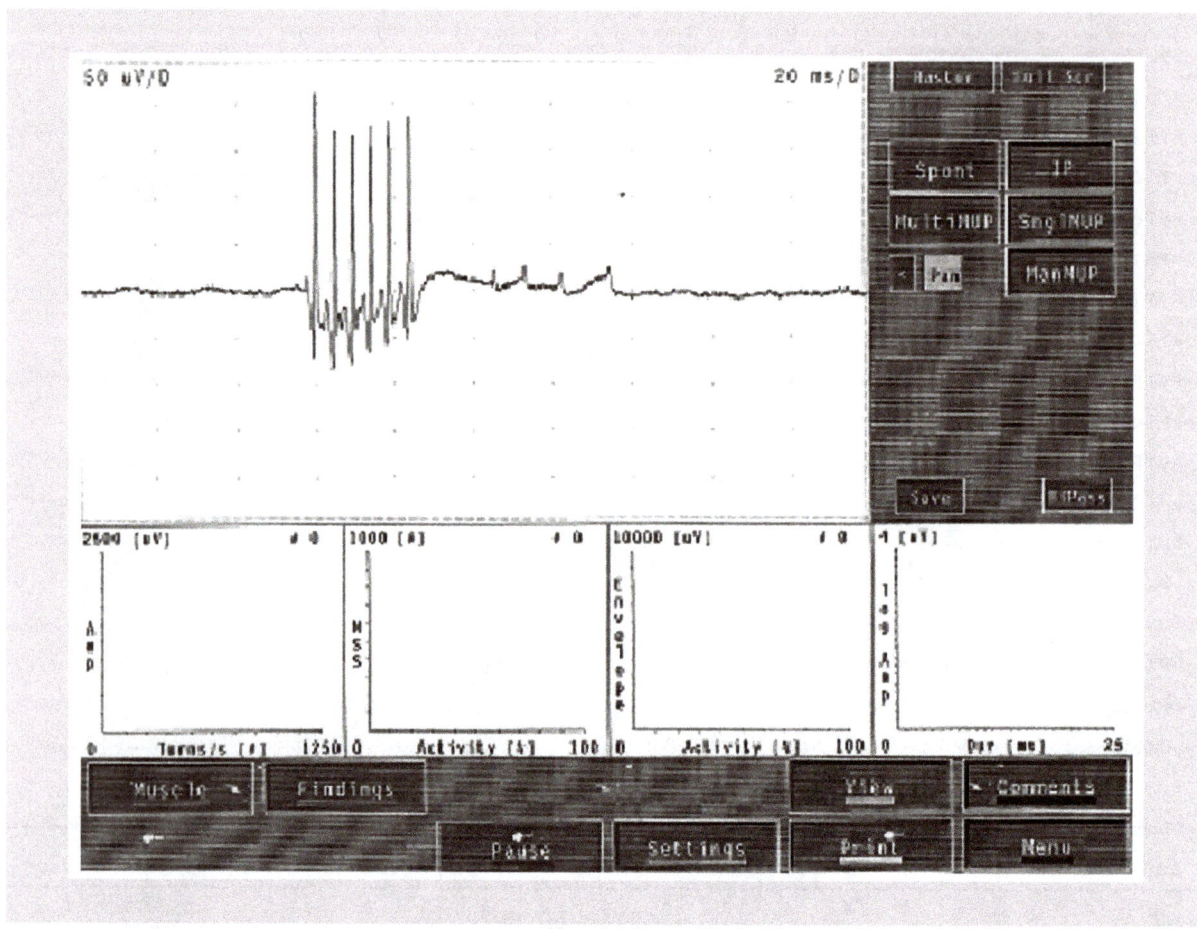

Rycina 15.5. Dodatnia elektrofizjologiczna próba tężyczkowa u 17-letniej dziewczynki.

bie doraźnym. W innych sytuacjach, takich jak ogniskowe zajęcie mózgu, rdzenia kręgowego czy korzonków i nerwów obwodowych, pozwala na kwalifikację do leczenia chirurgicznego. Neurolog dziecięcy z neurochirurgiem wymiennie biorą udział w orzekaniu o śmierci mózgu.

Psychologiczna. Psycholog kliniczny, a zwłaszcza neuropsycholog, uczestniczy istotnie w procesie diagnostycznym. Zasadniczą jego powinnością jest określenie poziomu rozwoju umysłowego, a ponadto ujawnienie wybiórczych zaburzeń rozwoju (dysleksji, dysgrafii, dyskalkulii). Psycholog opisuje również cechy osobowości dziecka, jego emocje, pamięć i koncentrację uwagi. Wnikliwie ocenia związki ze środowiskiem i ich zaburzenia w zakresie życia rodzinnego, szkolnego i rówieśniczego.

Logopedyczna. Ważność tej konsultacji wynika ze znaczenia mowy w życiu osobniczym. W wieku rozwojowym szczególne miejsce zajmują zaburzenia

w rozwoju mowy (dyslalia, alalia) oraz nabyte uszkodzenia mowy i wymowy (afazja, dyzartria). Nadrzędnym celem jest uzyskanie mowy czynnej lub jej przywrócenie, jakkolwiek w niektórych przypadkach wykorzystuje się tylko rozumienie mowy, zastępując wypowiedź innymi formami wyrazu lub urządzeniami.

Psychiatryczna. Ten typ konsultacji jest konieczny w przypadku całościowych zaburzeń rozwoju (przede wszystkim autyzmu) oraz w związku z zaburzeniami emocjonalnymi okresu dojrzewania. Konsultant współdecyduje wtedy o konieczności umieszczenia dziecka w ośrodku specjalnym czy podjęcia terapii w poradni psychiatrycznej. Konsultacja psychiatryczna jest wymagana ustawowo w przypadku usiłowania samobójstwa.

Kardiologiczna. Funkcje układu nerwowego, a w szczególności mózgu, uzależnione są od jego ukrwienia. Poza chorobami naczyń mózgowych także liczne choroby serca i naczyń dogłowowych powodują zaburzenia strukturalne (udar) i funkcjonalne (omdlenie) mózgu. Wykrycie tych chorób stanowi podstawę dla właściwego leczenia i postępowania.

Rehabilitacyjna. Lekarz i rehabilitanci z nim współpracujący zajmują się dzieckiem z już ustalonym rozpoznaniem klinicznym. Ich zadanie nie jest łatwe w perspektywie dążenia do powrotu do zdrowia lub przynajmniej zminimalizowania kalectwa wynikającego z chorób ośrodkowego i obwodowego układu nerwowego. Jeżeli tylko stan dziecka na to pozwala, wdraża się możliwie najbardziej wszechstronne postępowanie, od rehabilitacji oddechowej począwszy. Stosuje się jednostkowe metody leczenia albo kompilacje różnych technik, a postępowanie to zawsze jest czasochłonne. Aby fizykoterapia, a nawet terapia zajęciowa, nie przyniosła nieumyślnej szkody, konieczna jest ścisła współpraca z neurologiem dziecięcym. U wielu dzieci stosuje się zaopatrzenie ortopedyczne, ortezy i sprzęt pomocniczy (coraz częściej elektroniczny).

Ortopedyczna. Zniekształcenia narządu ruchu w przebiegu chorób układu nerwowego są nierzadkie i wymagają nadzoru ortopedycznego, który w wielu przypadkach przebiega równolegle z rehabilitacyjnym. Leczenie operacyjne w schorzeniach funkcjonalnych albo nieprawidłowy zakres operacji mogą prowadzić do pogorszenia możliwości ruchowych dziecka. Stąd szczególnie istotna jest decyzja o przeprowadzeniu zabiegu w odpowiednim wieku (postacie mózgowego porażenia dziecięcego, zwichnięcie stawu biodrowego, skolioza, wrodzone przykurcze stawowe, malformacje kręgosłupa, rwa kulszowa i niektóre choroby ogólnoustrojowe, jak mukopolisacharydozy).

Endokrynologiczna. Ścisłe sprzężenie, jakie zachodzi między ośrodkami OUN a obwodowymi gruczołami dokrewnymi, nasuwa konieczność tej konsultacji w niektórych zespołach chorobowych. Szczegółowego obrazowania wymagają zespoły podwzgórzowe i przysadkowe, zaś rutynowe obrazowanie ujawnia czasami zmiany w szyszynce. W chorobach endokrynologicznych następuje niekiedy zajęcie układu nerwowego w formie encefalopatii Hashimoto, neuropatii cukrzycowej czy miopatii nadnerczowej.

Onkologiczna. Niektóre zachorowania, jak neuroblastoma, który powoduje zarówno manifestację mózgową (zespół opsoklonii–mioklonii), jak i rdzeniową, wymagają po wykonaniu badań podstawowych konsultacji onkologa. Do zajęcia OUN dochodzi również w białaczkach i retinoblastoma. Odrębne zagadnienie stanowią guzy wtórne mózgu, rozwijające się po radioterapii i chemioterapii.

15.1.10
Badania laboratoryjne

W diagnostyce chorób układu nerwowego w każdym przypadku muszą być znane wyniki podstawowych badań laboratoryjnych.

Morfologia krwi daje wskazówkę co do możliwości występowania choroby o etiologii zapalnej, bakteryjnej lub innej. Na jej podstawie można też wnioskować o przyczynie udaru krwotocznego w małopłytkowości czy zaburzeń mózgowych w niedokrwistości lub czerwienicy. W diagnostyce chorób zapalnych ważne znaczenie ma poznanie OB i stężenia CRP.

Poziom glikemii (wynik pojedynczy, a zwłaszcza profil dobowy) ma zasadnicze znaczenie dla różnicowania stanów napadowych z padaczką.

Bardzo istotne jest poznanie **stężenia elektrolitów**, w tym dla obwodowego układu nerwowego zwłaszcza potasu (porażenia okresowe – ocena stężenia w kolejnym porażeniu przybliża właściwe rozpoznanie choroby). Hipokaliemia i hipomagnezemia są przyczynami drgawek i tężyczki, a zaburzenia sodowe prowadzą do nieprawidłowości w przepływie mózgowym i do obrzęku mózgu. Przypomnieć należy o zespole z niewłaściwym wydzielaniem wazopresyny (SIADH), który wymaga specyficznej terapii. Obrzęk i SIADH należą do stanów nagłych i wymagają zastosowania intensywnego leczenia przyczynowego.

Stan nagły u dzieci stanowi również śpiączka. Wtedy konieczna jest znajomość stężenia amoniaku, mocznika i kreatyniny oraz aktywności aminotransferaz w surowicy krwi. U podłoża zmian leżeć mogą choroby uwarunkowane genetycznie lub nabyte, co sprawia duże trudności diagnostyczne.

Jednym z istotnych zadań lekarza zajmującego się dzieckiem z objawami zaburzenia funkcji OUN jest pobranie i odpowiednie przechowanie materiału do badań (np. toksykologicznych, wirusologicznych, genetycznych). Diagnostyka wielu chorób układu nerwowego ma bowiem charakter etapowy.

W przypadkach infekcyjnych bardzo istotne jest badanie bakteriologiczne krwi (posocznica) i płynu mózgowo-rdzeniowego (zapalenie opon mózgowo-rdzeniowych). W wielu przypadkach zleca się badanie w kierunku wirusów neurotropowych i grzybów, bo chociaż trudne i czasochłonne, niekiedy odgrywa najistotniejszą rolę w terapii. Decydujące jest stwierdzenie obecności któregoś z tych patogenów w badaniu bezpośrednim, hodowli lub metodami genetycznymi, gdyż wyniki badań serologicznych budzą więcej wątpliwości. Przykładowo w diagnostyce neuroboreliozy nie można polegać na mianach przeciwciał w metodzie ELISA, ale na wynikach z metody western blot.

Inną grupę badań w diagnostyce chorób układu nerwowego stanowią **molekularne badania genetyczne**. Cechy dysmorfii i patologiczny wynik oceny dermatoglifów są przesłankami do wykonania kariotypu. Prawidłowy jego wynik nie stanowi żadnej przeszkody do przeprowadzenia innych badań dla ujawnienia mikrodelecji (np. FISH). Stan kliniczny i wyniki badań neurofizjologicznych (EEG, EMG) stanowią podstawę dla wykonania szczegółowych molekularnych analiz poszczególnych genów (padaczka mioklonicza młodzieńcza, rdzeniowy zanik mięśni, dystrofie mięśniowe). Inne znane klinicznie zespoły chorobowe (np. padaczkowe) oczekują na odkrycie nieznanych dotychczas mutacji.

W laboratorium immunologicznym wykonuje się badania niezbędne dla rozpoznania chorób układu nerwowego z niedoborami komórkowymi albo humoralnymi odporności (np. zespół ataksja-teleangiektazja). Tutaj wykrywa się produkcję przeciwciał przeciw strukturom układu nerwowego (stwardnienie rozsiane w OUN i zespół Guillaina-Barrégo z demielinizacją obwodową).

Wybrane laboratoria wykonują analizy w rzadkich chorobach (metaboliczne, lizosomalne, mitochondrialne, spichrzeniowe).

15.2
CHOROBY UKŁADU NERWOWEGO U DZIECI

15.2.1
Zaburzenia zachowania i nauki

łac. *hyperactivitas*

ang. behaviour and learning disability

▶ Definicja

Zaburzenia zachowania to wykraczające poza obowiązujące normy formy funkcjonowania, które są jednym z głównych powodów niepokoju rodziców i wychowawców dzieci. Uwidaczniają się zwłaszcza od początku realizacji obowiązku szkolnego, kiedy to od dziecka bez tych zaburzeń oczekuje się gotowości do znacznego podporządkowania kilkugodzinnemu obowiązkowi nauki. Trudności w nauce wynikają z różnych dysfunkcji, wśród których dominują zaburzenia rozwoju mowy (dysleksja) i zdolności matematycznych (dyskalkulia). Wszystkie zaburzenia wchodzące w skład tej kategorii przedstawiono w rozdziale 16 „Wybrane zagadnienia z psychiatrii dzieci i młodzieży".

▶ Epidemiologia

Zaburzenia zachowania występują bardzo często i trudno podać konkretną liczbę, skoro dla niektórych dorosłych zachowanie tego samego dziecka jest dobre, a dla innych wymaga korekty. Częstość występowania dysleksji i dyskalkulii w ogólnej populacji wynosi 5–6% dla każdej z nich. Stwierdza się je częściej u dziewczynek oraz dzieci z ADHD (patrz dalej), padaczką i niektórymi chorobami genetycznymi.

▶ Etiologia i patogeneza

Zaburzenia zachowania mogą być wynikiem prostych zaniedbań w procesie wychowania lub realnych chorób. O ile nie wchodzi w rachubę przyczyna wychowawcza, to należy poszukiwać innej etiologii. Najczęściej objawy wiążą się z zaburzeniami uwagi i nadruchliwością dziecka. Występują zarówno u dzieci z prawidłowym rozwojem intelektualnym, jak i z upośledzeniem. Mogą stanowić podstawę dla rozpoznania zespołu nadpobudliwości psychoruchowej z deficytem uwagi (attention deficit hyperactivity disorder, **ADHD**) lub zespołu deficytu uwagi (attention deficit disorder, ADD).

Według obecnego stanu wiedzy ADHD jest wynikiem zaburzenia funkcji okolic czołowo-podkorowych mózgu dziecka, widocznego w funkcjonalnym

MR. Występuje ono u około 6% dzieci w wieku szkolnym i także u większości z nich w wieku dorosłym (patrz rozdz. 16 „Wybrane zagadnienia z psychiatrii dzieci i młodzieży").

Mowa rozwija się szybciej u dzieci, których matki starały się istotnie oddziaływać na jej rozwój i nie stosowały modelu postępowania nakazowego w tym trudnym procesie. Obok zaburzeń mowy o charakterze neurorozwojowym, inną istotną grupę stanowią dzieci po urazach czaszkowo-mózgowych. Szczególnie podatne na powstanie deficytów językowych są w tej grupie dzieci młodsze, u których dodatkowo ważną rolę odgrywają zaburzenia procesów pamięci i szybkości myślenia.

Dyskalkulia jest wynikiem środowiskowych zaniedbań w nauczaniu, obniżenia ilorazu inteligencji, jak również predyspozycji rodzinno-genetycznej z zajęciem lewej okolicy ciemieniowo-skroniowej. Zaburzenia te mogą być skutkiem zarówno czynników genetycznych (wcześniactwo, dysrafia), jak również wpływu środowiska rodzinnego i szkolnego.

Inną ważną grupę stanowią dzieci chore na padaczkę, u których może dojść do uszkodzenia mowy w wyniku długotrwałej zlokalizowanej czynności napadowej. Niekiedy prowadzi ona również do niesprawności intelektualnej i związanych z nią zaburzeń autystycznych.

Wśród przyczyn autyzmu należy uwzględnić supramodalne funkcje umysłowe (w tym język, czytanie, uwagę, interpretację, wyobraźnię, planowanie, wybory i decyzje). Obserwacje genetyczne (5-krotnie częściej chorują chłopcy) przekonują o możliwości wieloczynnikowego uwarunkowania tej choroby. Jednak chodzi tu bardziej o wielofunkcyjne zajęcie układu nerwowego niż o defekt pojedynczych funkcji czuciowych czy ruchowych.

Obraz kliniczny

U poszczególnych dzieci z ADHD dominują objawy zaburzenia uwagi albo nadruchliwość i impulsywność, ew. objawy mieszane, które ujawniają się z reguły przed 7. rż. Ważnym kryterium diagnostycznym autyzmu jest natomiast zaburzenie umiejętności komunikacji z otoczeniem (w tym zdolności rozumienia i używania mowy).

Przebieg naturalny

Objawy autyzmu (zmniejszenie częstości płaczu, aktywności ruchowej i chęci jedzenia) występować

Tabela 15.1. Kryteria diagnostyczne autyzmu dziecięcego (ICD-10)

SFERA ROZWOJOWA	KRYTERIA DIAGNOSTYCZNE
Nieprawidłowy rozwój funkcji przed 3. rż. (co najmniej 1) oraz	■ Społeczne rozumienie języka ■ Kontakty społeczne ■ Zabawa
Zaburzenia interakcji społecznych (co najmniej 6)	■ Brak kontaktu wzrokowego, mimiki i postawy ciała ■ Brak związków rówieśniczych ■ Brak relacji społeczno-emocjonalnych ■ Brak potrzeby dzielenia się z innymi ■ Brak/opóźnienie rozwoju mowy czynnej ■ Brak inicjatywy i trwania konwersacji ■ Stereotypie słowne i wyrażeniowe ■ Brak spontaniczności zabawy ■ Trwanie stereotypowej zabawy ■ Kompulsywność przywiązania do czynności ■ Stereotypowe manieryzmy ruchowe ■ Niefunkcjonalność przedmiotów zabawy
Niemożność wyjaśnienia tych zaburzeń innymi zaburzeniami typu całościowego – **konieczny warunek**	

mogą już w wieku niemowlęcym, ale bywają niedostrzeżone. W zespole tym przede wszystkim chodzi jednak o brak lub niedobór zdolności do indywidualnego kreowania rzeczywistości (tab. 15.1). Poza tym stwierdza się zaburzenia sfery językowej, aktywności, manipulowania, zainteresowań i postawy ciała. Obecnie rozpoznanie autyzmu bywa stawiane zbyt często. Niektórzy zapominają, że u podstaw prawidłowego rozpoznania leżą zaburzenia komunikowania się z innymi osobami i obsesyjna chęć bycia z sobą samym.

Metody diagnostyczne

Proces diagnostyczny rozpoczyna się od zebrania dowodów koniecznych dla różnicowania. Dokonują tego racjonalnie zarówno lekarz, psycholog, nauczyciel, jak i właściwie każda inna osoba mająca codzienny kontakt z dzieckiem. Opinia pedagoga, o ile nie jest egzaltowana, przyczynia się pozytywnie do potrzeby (lub zaniechania) złożonej diagnostyki tych zespołów. Pewną rolę odgrywa również psycholog (najlepiej neuropsycholog), o ile stosuje mierzalne kryteria diagnostyczne i to najlepiej rygorystyczne.

Niełatwe jest uzmysłowienie osobom bliskim dziecku prozaicznych (wynikających np. z różnic postaw wychowawczych) przyczyn jego trudnych do tolerowania zachowań.

Proces czytania można obrazować za pomocą funkcjonalnego rezonansu magnetycznego. Uwidocznienie zmian w prawej okolicy skroniowo-ciemieniowej już w wieku przedszkolnym pozwala wskazać dzieci, u których występuje ryzyko pojawienia się dysleksji.

Różnicowanie

Ma na celu przede wszystkim odróżnienie patologii od szeroko rozumianej granicy zdrowia, a następnie poszukiwanie uwarunkowania zaburzeń. W tym procesie istotną rolę odgrywają lekarz i psycholog.

Leczenie

Leczenie dzieci z ADHD to równorzędne stosowanie leków psychostymulujących (metylofenidat, atomoksetyna) i biofeedbacku, wraz z cierpliwymi wysiłkami wychowawczymi. Niektórzy pacjenci w wieku rozwojowym nie odpowiadają należycie na farmakoterapię, zwłaszcza dzieci z obniżonym ilorazem inteligencji i z zaburzeniami uwagi. Wymagają one poszukiwania innych metod diagnostycznych, terapeutycznych i postępowania wychowawczego.

Już w wieku przedszkolnym matki mogą skutecznie oddziaływać na rozwój mowy swoich dzieci. Później należy stosować różne techniki reedukacji, a w niektórych przypadkach także biofeedback.

W leczenie autyzmu muszą być zaangażowani rodzice, rodzeństwo, dziadkowie, terapeuci, logopedzi i nauczyciele. Zaburzenia towarzyszące są łagodzone przez inhibitory zwrotnego wychwytu serotoniny oraz nowe leki antypsychotyczne i przeciwpadaczkowe.

Powikłania

Zaburzenia nastroju i związane z nimi zaburzenia zachowania mogą stanowić źródło konfliktów środowiskowych i prowadzić do ich przykrych następstw dla dziecka i jego otoczenia.

Rokowanie

Jeżeli rozpoznana zostanie prawidłowo przyczyna zaburzeń zachowania lub realizacji obowiązku szkolnego, to rokowanie jest dobre na miarę możliwości reedukacji.

15.2.2
Zaburzenia snu
łac. *dyssomnia*
ang. sleep disorders

Definicja
Zaburzenia snu są symptomami wykraczającymi poza fizjologiczne jego przejawy, czyli nierówny oddech lub łagodna aktywność ruchowa i wokalna.

Epidemiologia
Najczęstsze zaburzenia snu mają charakter oddechowy, ale znacznie trudniejsze diagnostycznie są zmiany występujące w chorobach neurologicznych (tab. 15.2).

Zaburzeniom snu często towarzyszą objawy wegetatywne i zmiany napięcia mięśniowego. Występują one w chorobach zarówno ośrodkowego, jak i obwodowego układu nerwowego, a szczególne miejsce zajmuje padaczka. Około 30% napadów padaczkowych u dzieci jest związana ze snem, w fazie REM lub NREM.

Etiologia i patogeneza
Dzieci z padaczką nocną uzyskują gorsze wyniki w testach psychologicznych i w ocenach szkolnych. Nie jest to dziwne, skoro bioelektryczny stan padaczkowy (bez drgawek) zajmuje nawet do 80% fazy NREM snu. Napady padaczkowe mogą być imitowane przez parasomnie, takie jak lęki nocne, zaburzenia okresu budzenia czy sennowłóctwo. Ważne miejsce wśród zaburzeń snu zajmuje zespół narkolepsja–kataplek-

Tabela 15.2. Choroby neurologiczne, którym mogą towarzyszyć zaburzenia snu

- Padaczka – czołowa, rolandyczna, bioelektryczny stan padaczkowy, napadowa dystonia nocna
- Łagodne mioklonie we śnie
- Bóle głowy – pierwotne (migrenowe, napięciowe, klasterowe), wtórne (pourazowe)
- Bezsenność
- Ślepota
- Depresja
- ADHS
- Zespół Tourette'a
- Zespół Retta
- Zespół Arnolda–Chiariego ⎫
- Zespół Downa ⎬ związane z zaburzeniami oddychania
- Zespół Pradera–Williego ⎭
- Achondroplazja
- Choroby mięśni, w tym miastenia

sja, który przebiega z kilkukrotnym skróceniem czasu fazy REM snu. Towarzyszą mu marzenia senne, halucynacje senne i obniżenie napięcia mięśniowego. Wielokrotne zasypianie w ciągu dnia powoduje wyraźne konsekwencje egzystencjalne. Towarzysząca narkolepsji katapleksja (nagła utrata napięcia mięśniowego w zakresie twarzy, kończyn, a nawet całego ciała) jest wywoływana przez śmiech lub przestrach.

Obraz kliniczny

Aktywność dzienna dziecka związana jest ściśle z jego snem, najpierw całodobowym (noworodek śpi 16 godzin na dobę), potem nocnym (w dzień w cyklu sen – czuwanie przeważa faza czuwania). Fazy snu REM i NREM występują w cyklach 90–100-minutowych, przy czym stopniowo do czasu wybudzenia rano wydłuża się stadium snu REM.

Klasyfikacja zaburzeń snu ustawicznie się zmienia jako wynik coraz lepszych i bardziej obiektywnych możliwości ich oceny, zwłaszcza w odniesieniu do poszczególnych faz snu. Większość zaburzeń to parasomnie, jednak o zróżnicowanym charakterze – mogą nie wiązać się z dodatkowymi zagrożeniami albo prowadzić do poważnych następstw (tab. 15.3).

Szczególne miejsce wśród zaburzeń napadowych snu zajmuje bezdech, najczęściej o charakterze obturacyjnym, ale występujący również w chorobach ogólnoustrojowych (posocznica, neuroinfekcja, zapalenia płuc, krztusiec) oraz ośrodkowych (stwardnienie rozsiane, udar mózgu) i obwodowych (nerwowych, mięśniowych) chorobach neurologicznych.

Metody diagnostyczne

Sen i jego zaburzenia ocenia się zarówno dzięki wnikliwej obserwacji, jak również przy użyciu różnych technik (tab. 15.4).

Podstawową metodę diagnostyczną snu stanowi **polisomnografia**, pozwalająca na ocenę klinicznych i elektrofizjologicznych elementów snu. W wielu przypadkach konieczne jest również neuroobrazowanie.

Leczenie

Ma zróżnicowany charakter (pediatryczny, alergologiczny, laryngologiczny, neurologiczny czy neurochirurgiczny). W niektórych typach parasomnii stosuje się leczenie farmakologiczne (benzodwuazepiny, lewodopa, imipramina) wraz z wybranym postępowaniem wychowawczym i psychologiczno-psychiatrycznym. W leczeniu zespołu narkolepsja–katapleksja podaje się amfetaminę (niezarejestrowaną w Polsce), a także selegilinę i imipraminę.

Powikłania

Bezpośrednie powikłania zaburzeń snu występują w bezdechach. Sennowłóctwo wiąże się z urazami, a obniżenie nastroju i jego konsekwencje z przewlekłymi zaburzeniami bioelektrycznymi we śnie.

Tabela 15.3. Rodzaje zaburzeń snu u dzieci

RODZAJ ZABURZEŃ	JEDNOSTKI CHOROBOWE
Zaburzenia fazy sen–czuwanie	■ Zrywania przysenne ■ Zrywania z przestrachu ■ Ruchy rytmiczne ■ Zespół niespokojnych nóg
Zaburzenia fazy wybudzania	■ Sennowłóctwo (somnambulizm) ■ Lęki nocne ■ Splątanie
Parasomnie fazy snu REM	■ Koszmary senne ■ Zaburzenia zachowania fazy REM ■ Porażenie przysenne ■ Zespół narkolepsja–katapleksja
Inne parasomnie	■ Bruksizm (zgrzytanie zębami) ■ Zrywania nocne ■ Napadowe dyskinezje
Parasomnie w innych chorobach	■ Sercowo-płucnych ■ Żołądkowo-jelitowych ■ Neurologicznych ■ Moczenie nocne
Zaburzenia wymagające szczególnego nadzoru	■ Bezdechy ■ Zespół nagłej śmierci niemowlęcia (SIDS)

Tabela 15.4. Ocena snu u dzieci

Parametry snu	Napady we śnie
■ Ruchy gałek ocznych ■ Częstość pracy serca i oddychania ■ Napięcie mięśniowe ■ Próg wybudzania ■ Reakcje autonomiczne	■ Rodzaj epizodów ■ Czas wystąpienia i ustąpienia ■ Powtarzalność rodzaju i czasu ■ Poziom świadomości ■ Pamięć epizodu i czasu koło niego ■ Okoliczności towarzyszące
Przyczyny zaburzeń snu	**Metody oceny snu**
■ Oddechowe ■ Rodzinne ■ Neurologiczne ■ Psychologiczne ■ Psychiatryczne ■ Lekowe ■ Urazowe	■ Obserwacja ■ Polisomnografia ■ Wideo EEG ■ EEG ■ Czujniki bezdechów ■ Pulsoksymetria

Rokowanie

Rokowanie jest na ogół dobre. Bywa jednak śmiertelne w patologicznej bezsenności (zwykle w przebiegu znanych chorób) i niepewne w przypadku mylnego rozpoznania.

15.2.3

Uraz układu nerwowego

łac. *contusio (trauma) systemae nervosum*

ang. nervous system trauma

Definicja

Zagadnienie to jest domeną neurochirurgii, jednak z uwagi na częstość występowania, następstwa i złożoność problematyki neurologicznej i rehabilitacyjnej, wymaga omówienia w tym rozdziale. Urazy występują bowiem już u noworodka, a w kolejnych latach życia dotyczą zarówno ośrodkowego (urazy czaszkowo-mózgowe), jak i obwodowego układu nerwowego.

Epidemiologia

U 40% wcześniaków z masą urodzeniową < 1500 g i u 60% z masą < 1000 g stwierdza się krwawienia dokomorowe, ze śmiertelnością do 90% w IV stopniu krwawienia. W tej grupie dzieci prawie połowa lżejszych urazów jest bezobjawowa, a wśród przeżywających u 40% występuje mózgowe porażenie dziecięce, u 30% upośledzenie rozwoju umysłowego, a u 5% padaczka.

Urazy splotu barkowego (porażenie części górnej – porażenie Erba, porażenie części dolnej – niedowład Klumpke) występują w 2 : 1000 żywych porodów. Rzadko u noworodków stwierdza się urazy rdzenia kręgowego spowodowane pociąganiem kręgosłupa, najczęściej w czasie porodu pośladkowego. Późniejsze urazy rdzenia kręgowego u dzieci stanowią ok. 0,2% wszystkich urazów do 16. rż. i około 5% wszystkich urazów rdzenia kręgowego u ludzi. Niestety większość z nich dotyczy odcinka szyjnego, a w 20% przypadków kilku części rdzenia kręgowego.

Etiologia i patogeneza

Najczęstsza postać urazów u noworodków to urazy czaszkowo-mózgowe, zwłaszcza jako konsekwencja wcześniactwa i powikłanych porodów. W kolejnych latach życia przyczynami są upadki, nurkowanie, sport i wypadki komunikacyjne. Urazy obwodowego układu nerwowego powodują zlokalizowane kalectwo w zakresie nerwów czaszkowych lub obwodo-

wych. Najczęstszym z nich jest obwodowe porażenie nerwu twarzowego typu Bella (w wyniku oziębienia, zapalenia czy ucisku). Mogą to być zatem zdarzenia gwałtowne, ale także przewlekle działający ucisk (neuropatia z ucisku).

Obraz kliniczny

U dzieci z urazami czaszkowo-mózgowymi badanie fizykalne dotyczy przede wszystkim podstawowych oznak życia oraz objawów nadciśnienia śródczaszkowego. Są one inne u noworodka (płacz, rozdrażnienie, senność, zaburzenia połykania, wymioty, powiększenie obwodu głowy) niż u dziecka starszego (bóle głowy, nudności, wymioty, diplopia, zez, obrzęk tarcz nerwów wzrokowych). Należy wtedy ocenić dziecko przy użyciu skali Glasgow lub pediatrycznej skali śpiączki (patrz str. 81). Poziom uszkodzenia urazowego określa się poprzez zbadanie odruchów źrenicznych, wykonanie usznej próby kalorycznej oraz określenie toru oddechowego i czynności ruchowej dziecka.

Przebieg naturalny

Jest zależny od lokalizacji i ciężkości urazu (w ciężkich urazach zmiany bywają nieodwracalne). Lekkie urazy nie pozostawiają objawów resztkowych.

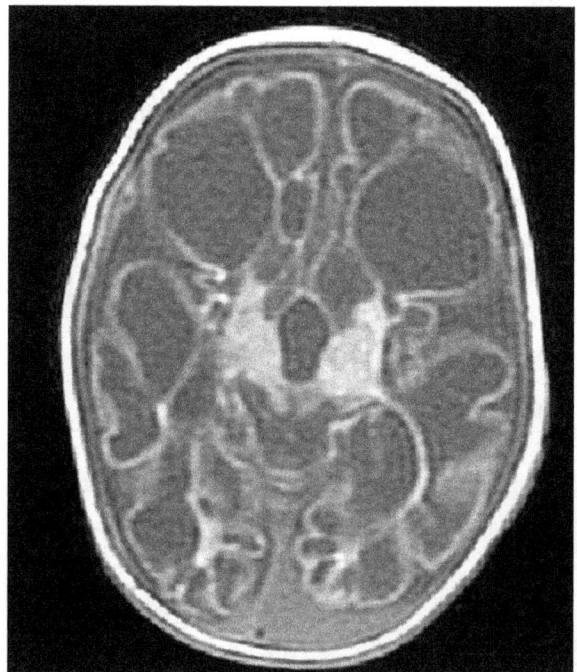

Rycina 15.6. MR OUN. Obraz encefalopatii niedotlenieniowo-niedokrwiennej u 6-miesięcznego dziecka.

Metody diagnostyczne

W diagnostyce stanów pourazowych istotną rolę od-grywają badania neuroobrazowe strukturalne (USG, TK, MR) (ryc. 15.6 i 15.7) i funkcjonalne (EEG, EMG, potencjały wywołane, doppler przezczaszkowy). Trzeba podkreślić, że nadal istotne są zarówno wyniki klasycznych badań radiologicznych, jak i nowoczesnych technik. Neuroobrazowanie w encefalopatii niedotlenieniowo-niedokrwiennej obrazuje ryc. 15.6.

Leczenie

W przypadku urazu istotna jest cała sekwencja postępowania, począwszy od wywiadu bezpośredniego oraz obserwacji w czasie i bezpośrednio po urazie. Przy dysproporcji między następstwami urazu a jego siłą i charakterem, należy pogłębić wywiad. Zbyt małe następstwa mogą być wynikiem napadu padaczkowego z urazem napadowym, a zbyt duże krwawienia śródczaszkowego, np. w wyniku potrząsania.

Po urazach układu nerwowego konieczne jest prowadzenie doraźnego (ratunkowe, operacyjne, farmakologiczne) i odległego leczenia, co ma istotne znaczenie dla zmniejszenia stopnia trwałych następstw

Tabela 15.5. Długoterminowe leczenie pourazowe
■ Ciągła wentylacja mechaniczna, przy uszkodzeniach poniżej C4 nauczanie oddychania przeponowego
■ Odsysanie, drenaż ułożeniowy, fizykoterapia oddechowa
■ Profilaktycznie – blokery receptorów H2 i sukralfat
■ Żywienie pozajelitowe lub enteralne
■ Działania antyobstrukcyjne
■ Postępowanie przeciwodleżynowe
■ Leki zmniejszające napięcie mięśniowe (baklofen, dantrolen), radikulotomia
■ Rehabilitacja oddechowa
■ Rehabilitacja ruchowa
■ Leczenie logopedyczne, w tym z zaopatrzeniem komputerowym
■ Opieka psychologiczna i psychiatryczna
■ Resocjalizacja

urazów. Chodzi przede wszystkim o zapobieganie uszkodzeniom rdzenia kręgowego (ułożenie, metyloprednizolon), leczenie nadciśnienia śródczaszkowego (ułożenie, odsysanie, mannitol, furosemid, hiperwentylacja) i krwiaków podtwardówkowych, jak i przywrócenie ciągłości nerwu obwodowego w leczeniu neurochirurgicznym. Leczenie drgawek pourazowych lub padaczki pourazowej prowadzone jest zgodnie z zasadami epileptologii dziecięcej. W przypadkach ciężkich terapię stosuje się przez kilka tygodni lub miesięcy na oddziale specjalistycznym, a następnie przez kolejne miesiące i lata w warunkach opieki hospicyjnej w domu rodzinnym dziecka (tab. 15.5).

Znaczenie leczenia następstw urazów układu nerwowego jest niepodważalne, jednak najważniejszą kwestię stanowi zapobieganie urazom. Składowe tej strategii to stałe stosowanie hełmu ochronnego w czasie jazdy na rowerze czy na nartach, wyeliminowanie skakania na głowę do zbiorników wodnych, ostrożność w uprawianiu sportów kontaktowych, jak i zminimalizowanie liczby porodów z pomocą ręczną.

Powikłania

Wodogłowie, trwałe uszkodzenia narządów zmysłów oraz upośledzenie rozwoju umysłowego i życia afektywnego.

Rokowanie

Zawsze jest bardzo poważne w urazach ciężkich. W pozostałych przypadkach zależy od ciężkości urazu oraz skuteczności i początku leczenia. Wczesna terapia może istotnie poprawić rokowanie.

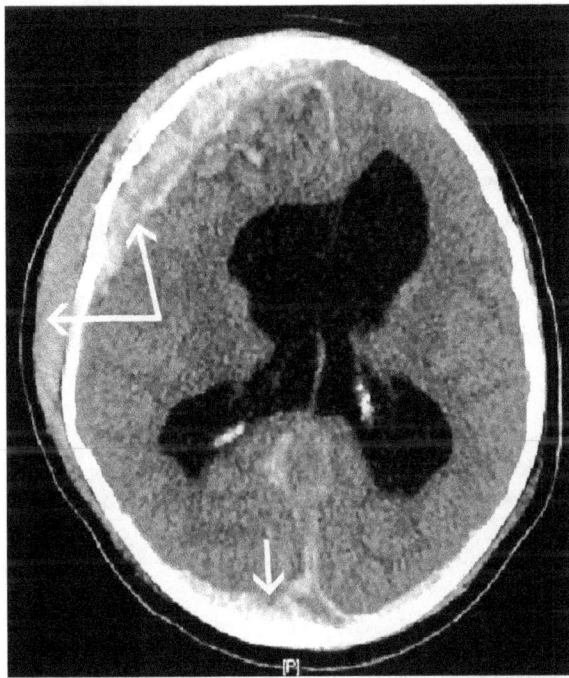

Rycina 15.7. TK głowy. Pourazowy krwiak podtwardówkowy i podokostnowy w okolicy czołowo-ciemieniowej prawej z efektem masy, a także krwiak w tylnej jamie czaszki u 15-letniej dziewczynki.

15.2.4

Nadciśnienie śródczaszkowe

łac. *hypertensio intracranialis*

ang. intracranial hypertension

Definicja

Za nadciśnienie śródczaszkowe uważa się stan, w którym dochodzi do zmniejszenia przepływu mózgowego krwi poniżej 50 ml/min/100 g tkanki mózgowej. Gdy ciśnienie przepływu mózgowego spada poniżej 50 cmH$_2$O, dochodzi do zaburzenia autoregulacji przepływu i śmierci mózgu.

Epidemiologia

Nadciśnienie śródczaszkowe jest obserwowane zwykle na oddziałach ratunkowych i neurochirurgicznych oraz oddziałach intensywnej terapii. Jednak z uwagi na zróżnicowane przyczyny występuje również u dzieci leczonych w innych jednostkach.

Etiologia i patogeneza

Do nadciśnienia prowadzi wzrost objętości wewnątrzczaszkowej krwi, tkanki mózgu lub płynu mózgowo-rdzeniowego. Zachowanie stanu prawidłowego przy tych patologiach jest dłużej możliwe u niemowląt i małych dzieci dzięki otwartym ciemiączkom i niezrośniętym szwom czaszkowym.

U dzieci najczęstsze przyczyny nadciśnienia śródczaszkowego stanowią zapalenia i urazy układu nerwowego oraz posocznica (tab. 15.6). Wszystkie dzieci z urazami czaszkowo-mózgowymi przebiegającymi z nadciśnieniem śródczaszkowym wymagają intensywnego nadzoru, a połowa z nich również interwencji chirurgicznej.

W guzie rzekomym mózgu (choroby twarzoczaszki, otyłość, antybiotykoterapia, odstawianie steroidów) nadciśnienie śródczaszkowe ma charakter przewlekły, a stan neurologiczny pacjenta jest zwykle prawidłowy, z wyjątkiem obrzęku tarcz nerwów wzrokowych i zeza w niektórych przypadkach.

Obraz kliniczny

Za nadciśnieniem śródczaszkowym w poszczególnym okresach wieku rozwojowego przemawiają różne objawy (tab. 15.7).

Przebieg naturalny

U dzieci < 10. rż. może dojść do rozejścia się szwów czaszkowych i niebezpiecznego, bo odwlekającego diagnozę, ustąpienia objawów nadciśnienia. Po wyczerpaniu możliwości adaptacyjnych dochodzi jednak do zmian niedokrwiennych w pniu mózgu, przejawiających się bradykardią, zaburzeniami oddychania i wzrostem ciśnienia śródczaszkowego.

Metody diagnostyczne

Stosowane są inwazyjne i nieinwazyjne techniki pomiaru ciśnienia śródczaszkowego pozwalające na obiektywizację jego wartości. Świadczy o nim także obrzęk tarcz nerwów wzrokowych oraz obraz zwężonych wewnątrzczaszkowych przestrzeni płynowych.

Różnicowanie

Możliwe dzięki wynikom kontrastowych badań neuroobrazowych, wywiadowi i ocenie neuropediatrycznej.

Leczenie

Ustalenie ostatecznego rozpoznania stanowi wytyczną dla trybu postępowania i rodzaju leczenia, które w ostrym nadciśnieniu śródczaszkowym musi być intensywne, gdyż ratuje życie i chroni przed kalectwem. Stosuje się: diuretyki (furosemid, mannitol) i kontrolowaną hiperwentylację. Leczenie chorób podstawowych i usuwanie przyczyn nadciśnienia stanowi kolejny etap postępowania. Postępowanie przy wzroście ciśnienia śródczaszkowego opisano w rozdziale 25 „Postępowanie w stanach zagrożenia życia u dzieci".

Tabela 15.6. Przyczyny nadciśnienia śródczaszkowego u dzieci

- Przyrost masy śródczaszkowej (guz, krwiak, ropień)
- Naczyniaki
- Torbiele mózgu i pajęczynówki
- Zakrzepy korowe
- Guz rzekomy mózgu
- Wgłobienia
- Nadciśnienie tętnicze
- Obrzęk mózgu (naczyniopochodny, cytotoksyczny, śródmiąższowy)

Tabela 15.7. Objawy nadciśnienia śródczaszkowego w wieku rozwojowym

NIEMOWLĘ	DZIECKO STARSZE
Tętnienie ciemiączka	Bóle głowy
Zaburzenia ssania	Nudności i wymioty
Powiększenie obwodu głowy	Podwójne widzenie
Przejmujący płacz	Zmiany w zachowaniu
Ustawienie gałek ocznych w dół	Obrzęk tarcz nerwów wzrokowych

Powikłania

Przeoczenie objawów narastającego nadciśnienia śródczaszkowego prowadzi bezpośrednio do wgłobienia tkanki mózgu pod sierp mózgu, namiot móżdżku lub do otworu potylicznego wielkiego. Szybkość tych zmian zależy od charakteru procesu chorobowego i jest na ogół wolniejsza w guzie mózgu, a szybsza w krwiaku śródczaszkowym. Wpływ ma na nią również elastyczność mózgu, która w wieku rozwojowym jest większa.

Rokowanie

Zależy od odwracalności nadciśnienia śródczaszkowego i możliwości kompensacyjnych mózgu, w tym autoregulacji metabolicznej.

15.2.5

Wtórne bóle głowy

łac. *cephalea secondaria*

ang. symptomatic headache

Definicja

Ból głowy jest odczuciem o subiektywnym nasileniu, występującym w każdym wieku.

Epidemiologia

Wtórne bóle głowy są zjawiskiem codziennym u dzieci.

Etiologia i patogeneza

Ból pochodzi z następujących struktur: powłok czaszki, oczu, uszu, zatok, zębów, naczyń, opon mózgowo-rdzeniowych, zwojów nerwów V, IX i X oraz korzeni C1–C3. Mnogość przyczyn bólów głowy wtórnych sprawiła, że w Klasyfikacji Międzynarodowego Towarzystwa Bólów Głowy zajmują one wiele pozycji (tab. 15.8).

Obraz kliniczny

Zależnie od wieku dziecko różnie manifestuje ból głowy, im starsze tym bardziej precyzyjnie. W wieku niemowlęcym wnosić można o bólu głowy na podstawie zachowania dziecka – jego niepokoju, braku łaknienia, wymiotów czy zaburzenia snu.

U dzieci w wieku 2–3 lat ból powoduje z reguły zmniejszenie aktywności ruchowej. Z kolei u dziecka starszego już na podstawie pytań można uzyskać dane o umiejscowieniu bólu, czasie jego trwania, charakterze, zależności od pozycji ciała, porze występowania i objawach towarzyszących. Umiejscowienie dolegliwości może sugerować lokalizację przyczyny:

- ból w okolicy czołowej – w strukturach przynosowych i nadnamiotowych (ryc. 15.8),
- ból w okolicy karku i potylicy – w tylnej jamie czaszki.

Metody diagnostyczne

Diagnostyka wtórnych bólów głowy wymaga przeprowadzenia wnikliwego wywiadu, wykonania dokładnego badania fizykalnego, poznania wyników badań podstawowych i konsultacji specjalistycznych oraz zastosowania metod obrazowania (MR, TK, RTG czaszki i kręgosłupa szyjnego) (ryc. 15.9) i neurofizjologicznych (EEG, EMG).

Tabela 15.8. Przyczyny wtórnych bólów głowy	
Ostre bez objawów oponowych	**Ostre z dodatnimi objawami oponowymi**
■ Zapalenie ucha i zatok przynosowych, zębopochodne	■ Krwawienie podpajęczynówkowe
■ Jaskra	■ Ostre zapalenie opon mózgowo-rdzeniowych
■ Ostre wodogłowie	■ Ogólne zakażenia z odczynem oponowym (*meningismus*)
■ Udar mózgu	■ Ból popunkcyjny
■ Nadciśnienie tętnicze	■ Podciśnienie śródczaszkowe
■ Uraz głowy (niekiedy dodatnie objawy oponowe)	■ Piorunujący ból głowy
■ Zatrucia	
Podostre	**Przewlekłe i nawracające**
■ Proces wypierający (guz, krwiak, ropień)	■ Pourazowe
■ Wodogłowie	■ Niedokrwienne
■ Guz rzekomy mózgu	■ Nadciśnieniowe
■ Przewlekłe zapalenie opon mózgowo-rdzeniowych	■ Polekowe, z odbicia
	■ Neuralgia nerwu trójdzielnego
	■ Nerwicowe, depresyjne

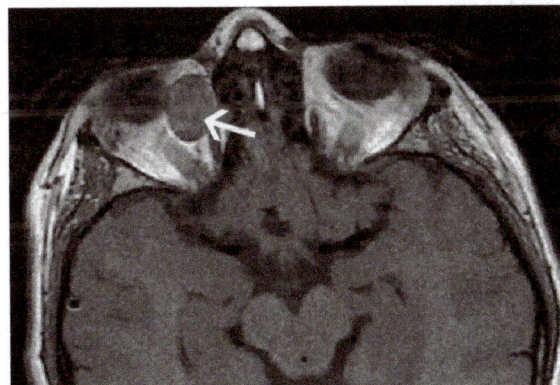

Rycina 15.8. MR. Guz w oczodole prawym u 9-letniej dziewczynki z bólami głowy i zaburzeniami okoruchowymi.

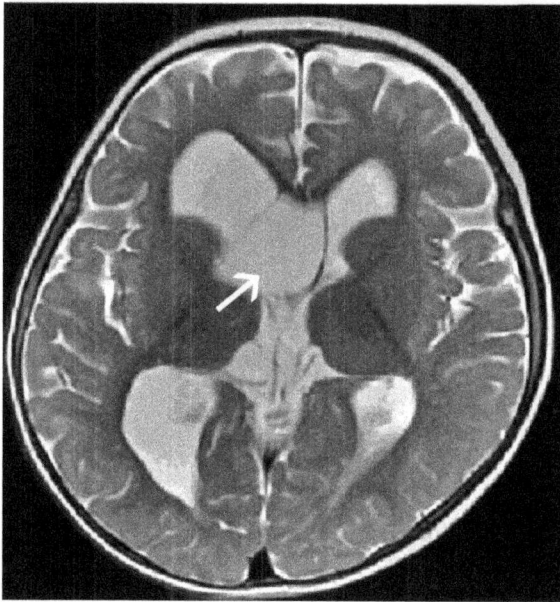

Rycina 15.9. MR. Duża torbiel międzypółkulowa u rocznego dziecka.

Różnicowanie

Bóle poranne z wymiotami przemawiają za guzem mózgu. Z uwagi na zajęcie różnych struktur i patofizjologię wyróżniono różne rodzaje bólu (tab. 15.9).

Niektóre z bólów (np. pourazowe) mogą mieć charakter zarówno ostry, podostry, jak i przewlekły.

Na szczególną uwagę zasługuje ból związany z **narastaniem krwiaka podtwardówkowego**, któremu towarzyszą senność, wymioty i objawy ogniskowe.

Krwawienie podpajęczynówkowe powoduje zawsze ostry i bardzo silny ból głowy, z zespołem oponowym i obecnością krwi w badaniu TK głowy.

Wtórnym bólom głowy czasem towarzyszy obrzęk tarcz nerwów wzrokowych świadczący o nadciśnieniu śródczaszkowym w przebiegu guza, guza rzekomego czy obrzęku mózgu.

Leczenie

Wdrożenie leczenia operacyjnego lub zachowawczego zależy od ustalenia ostatecznej przyczyny bólu.

Powikłania

Objawami alarmowymi w bólach głowy, sugerującymi poważne tło dolegliwości, są:

- nagły pierwszy w życiu ból głowy,
- najsilniejszy ból głowy,
- ból po posiłku,
- ból szybko narastający,
- ból z gorączką, zaczerwienieniem twarzy i sztywnością karku,

Tabela 15.9. Patofizjologia wtórnych bólów głowy

TYP BÓLU	PRZYCZYNY
Naczyniowe	■ Choroby naczyń mózgowych ■ Choroby gorączkowe ■ Nadciśnienie tętnicze ■ Zatrucia
Z pociągania i przemieszczenia	■ Guzy ■ Krwiaki ■ Ropnie ■ Obrzęk mózgu ■ Krwotoki ■ Zakrzepica ■ Niedokrwienie ■ Zapalenia ■ Popunkcyjne
Mięśniowe	■ Wady refrakcji ■ Zaburzenia żucia ■ Zmiany strukturalne kręgosłupa szyjnego
Promieniujące	■ Oczne ■ Uszne ■ Zatokowe ■ Zębopochodne
Nerwobóle	■ Bezpośrednie lub pośrednie zajęcie nerwów czaszkowych

- współistnienie ogniskowych objawów neurologicznych,
- ból z zaburzeniami psychicznymi,
- ból z tarczą zastoinową nerwów wzrokowych,
- ból u pacjenta z chorobą nowotworową lub zakażonego HIV.

Rokowanie

Jest zróżnicowane i zależy od przyczyny wtórnego bólu głowy.

15.2.6

Pierwotne bóle głowy

łac. *cephalea primaria*
ang. primary headache

Definicja

Ból głowy, zwany poprzednio mniej trafnie samoistnym, obejmuje m.in.:

- migrenę,
- napięciowy ból głowy,
- klasterowy ból głowy.

Migrena jest chorobą o charakterze napadowym i nawrotowym (podobnie jak padaczka). Przebiega z aurą lub bez aury. Napięciowe bóle głowy dzieli się na:

■ epizodyczne – trwające od 30 minut do 7 dni, ale nie dłużej niż 15 dni w miesiącu (w tym rzadkie i częste),
■ przewlekłe – występujące przez co najmniej 15 dni w miesiącu w czasie co najmniej 6 miesięcy.

Epidemiologia

Najczęściej, u ok. połowy dzieci i młodzieży, występują napięciowe bóle głowy. Migrena jest również chorobą częstą – występuje u 3–10% populacji dzieci i młodzieży, a do tego rodzinną – stwierdza się ją u połowy rodzin dzieci z migreną.

Etiologia i patogeneza

Istnieje kilka istotnych, ale nie do końca wyjaśnionych hipotez przyczyn pojawiania się migreny, z których najbardziej wiarygodna jest teoria szerzącej się depresji korowej (zmiany naczynioruchowe są wynikiem postępujących zmian bioelektrycznych mózgu).

U podłoża bólów napięciowych leży napięcie psychiczne i fizyczne. U dzieci najczęściej są wynikiem zaburzeń w funkcjonowaniu środowiska rodzinnego i szkolnego oraz stresu psychosocjalnego i lęku (tab. 15.10).

Obraz kliniczny

Napięciowe bóle głowy muszą spełniać co najmniej 2 spośród 4 następujących kryteriów:

■ uciskający lub ściskający (niepulsujący) charakter,
■ niewielka lub umiarkowana intensywność, która nie wyklucza z codziennej aktywności,
■ obustronność,
■ brak nasilania przez zwykłą aktywność fizyczną.

Tabela 15.10. Czynniki wywołujące napięciowe bóle głowy

■ Stres psychiczny i socjalny
■ Lęk i depresja
■ Zaburzenia konwersyjne
■ Dysfunkcje w zakresie jamy ustnej i żuchwy
■ Stres mięśniowy wynikający z postawy
■ Stres mięśniowy wynikający z długotrwałego napięcia mięśni będącego skutkiem emocji, zmęczenia czy braku snu
■ Nadużywanie leków przeciwbólowych

Tabela 15.11. Cechy napadu migrenowego

■ Napadowy i okresowy charakter bólu głowy
■ Obecność aury
■ Ból zwykle jednostronny (u dzieci częściej obustronny)
■ Ból pulsujący (rzadziej u dzieci), u dzieci czasem trwa tylko godzinę
■ Towarzyszące nudności i wymioty oraz zawroty głowy
■ Towarzyszący światłowstręt oraz nadwrażliwość na bodźce dźwiękowe i węchowe, chęć unikania ich
■ Nasilanie bólu przez zwykłą aktywność fizyczną
■ Obecność czynników prowokujących napady migrenowe
■ Senność i sen, po którym napad migrenowy mija
■ Negatywne wyniki badania przedmiotowego i badań laboratoryjnych
■ Ustępowanie pod wpływem agonistów receptora 5-HT1B/D (tryptamina, ergotamina)

Napad migrenowy ma charakterystyczny obraz kliniczny (tab. 15.11).

Przebieg naturalny

Występowaniu napadu migreny sprzyjają:

■ pokarmy zawierające prekursory serotoniny (ser żółty, czekolada, majonez, chipsy, owoce cytrusowe),
■ napoje z owoców egzotycznych, cola i wino,
■ bodźce fotogenne i atmosferyczne,
■ zmęczenie psychofizyczne,
■ zaburzenia snu i stres.

We wczesnym dzieciństwie rozpoznanie migreny jest trudne. W tym wieku występują dziecięce zespoły migrenowe:

■ napadowe zawroty głowy,
■ wymioty cykliczne,
■ napadowe bóle brzucha,
■ kręcz szyi,
■ porażenie połowicze naprzemienne.

Metody diagnostyczne

Należy przeprowadzić szczegółowe badanie neuropediatryczne, konsultacje specjalistyczne i kontrastowe badania neuroobrazowe. Istotne dla rozpoznania są wyniki badania psychologicznego, ale także innych badań, nawet podstawowych. W niektórych przypadkach (migreny padaczkowej) należy szczegółowo przeanalizować zapis EEG.

Różnicowanie

Bóle napięciowe epizodyczne wymagają różnicowania z migreną bez aury. W tych pierwszych ból jest

Tabela 15.12. Profilaktyka i postępowanie w migrenie u dzieci

- Wyeliminowanie z diety pokarmów zawierających prekursory serotoniny
- Unikanie zidentyfikowanych czynników wywołujących bóle
- Zapewnienie spokoju, wyciszenia i zaciemnienia
- Wczesne podanie NLPZ lub aspiryny
- Leki uspokajające (diazepam), przeciwdepresyjne (imipramina) i beta-blokery (propranolol)
- W niektórych przypadkach leczenie walproinianami

zwykle wielogodzinny i występuje w czasie różnych zajęć, jednak ich nie przerywa.

Leczenie

Leczenie bólów napięciowych obejmuje psychoterapię i fizykoterapię. W niektórych przypadkach znaczenie mają również techniki relaksacyjne i sprzężenia zwrotnego (np. biofeedback).

W migrenie stosuje się farmakoterapię, u dzieci raczej doraźną (tab. 15.12). W razie istotnej patologii w zapisie EEG podaje się leki przeciwpadaczkowe, zwłaszcza walproiniany.

Powikłania

Bardzo rzadkim, ale istotnym powikłaniem migreny jest udar niedokrwienny mózgu.

Rokowanie

W większości przypadków pierwotnych bólów głowy u dzieci rokowanie jest dobre.

15.2.7

Encefalopatie niepostępujące

łac. *encephalopathia non progressiva*
ang. non-progressive encephalopathy

Definicja

Encefalopatia to stan funkcjonowania umysłowego (i często ruchowego), który uniemożliwia zrealizowanie pełnej edukacji z uwagi na niemożność myślenia abstrakcyjnego. W grupie encefalopatii niepostępujących stan neuropsychologiczny dziecka nie pogarsza się z upływem czasu, podczas gdy w postępujących następuje jego pogorszenie.

Epidemiologia

Wśród encefalopatii niepostępujących zasadnicze miejsce zajmuje mózgowe porażenie dziecięce (MPDz), którego istotą jest zaburzenie ruchu i postawy dziecka ujawniające się już w pierwszych 2 latach życia. Częstość jego występowania wynosi 1,5––2,5 : 1000 żywo urodzonych dzieci. Około 50% przypadków MPDz ma przyczynę prenatalną, 35% okołoporodową, a 15% postnatalną (po 7. dż.).

Encefalopatia poudarowa (2,5 : 100 000 populacji) jest następstwem udarów mózgu niedokrwiennych i krwotocznych. Encefalopatie poszczepienne występują rzadko (1 : 140 000 szczepień). Encefalopatie toksyczne stanowią konsekwencję zatruć toksynami lub lekami i mają charakter przypadkowy lub samobójczy. Częstość ich występowania ustawicznie się zmienia.

Etiologia i patogeneza

Czynniki predysponujące do wystąpienia MPDz u dziecka to:

- wcześniactwo i wewnątrzmaciczne zaburzenia wzrostu,
- ciąże bliźniacze,
- cukrzyca matki,
- zagrożenia w utrzymaniu ciąży,
- niewydolność krążeniowo-oddechowa matki,
- urazy,
- anafilaksja,
- zatrucie CO,
- kokainizm matki.

U większości dzieci z MPDz wynik oceny w skali Apgar po urodzeniu jest prawidłowy.

Inną grupę wśród encefalopatii niepostępujących tworzą malformacje układu nerwowego, w tym przede wszystkim:

- wady cewy nerwowej:
  - przepuklina rdzeniowo-oponowa,
  - zespół Arnolda–Chiariego,
  - bezmózgowie,
  - przepuklina mózgowa,
- wady struktur tylnej jamy czaszki:
  - zespół Dandy–Walkera,
  - hipolazja móżdżku i spoidła mózgu wraz z wodogłowiem,
- zaburzenia migracji neuronalnej (związane z niektórymi z powyższych, stanowią przyczynę encefalopatii i padaczki):
  - bez-, drobno- i szerokozakrętowość,
  - heterotopie,
  - podwójna kora,
  - schizencefalia.

Niektóre zaburzenia wynikają z chromosomopatii, mutacji pojedynczego genu czy specyficznych zespołów chorobowych (np. zespół Nijmegen z małogłowiem). Innymi przyczynami ciężkich encefalopatii (i neuropatii) są zatrucia chemiczne i metalami ciężkimi (ołów, tal), których rozpoznanie nastręcza w wielu przypadkach znacznych trudności. U prawie połowy dzieci dochodzi wtedy do pogorszenia sprawności intelektualnej oraz do zaburzeń pamięci, koncentracji uwagi, grafomotoryki i emocji.

Obraz kliniczny

Rozpoznanie MPDz powinno być możliwie wczesne, ale zawsze musi nastąpić dopiero wtedy, gdy stwierdzi się u dziecka trwałe zaburzenia postawy i ruchu. Zależnie od postaci (tab. 15.13) ma to miejsce we wczesnym niemowlęctwie (postacie spastyczne i mieszane) lub w kolejnych miesiącach do 2. rż. (postacie dyskinetyczna i ataktyczna). Rozpoznanie dokonuje się na podstawie oceny czynności odruchowej (odruchów pierwotnych, postawy i prostowania), cech dysmorficznych i obwodu głowy, ale przede wszystkim napięcia mięśniowego, ruchów mimowolnych i tempa rozwoju psychoruchowego.

Charakterystyka postaci klinicznych MPDz:

- tetraplegiczna – najcięższa:
  - zespół rzekomoopuszkowy z zaburzeniami połykania i wymiotami,
  - upośledzenie rozwoju umysłowego,
  - padaczka (u 50% chorych),
  - zaburzenia widzenia,
- hemiplegiczna:
  - padaczka (u 50% chorych),

- rzadko – niepełnosprawność intelektualna w stopniu lekkim, zaburzenia mowy i zachowania,
- diplegiczna – występuje zwykle u wcześniaków:
  - zaburzenia słuchu, wzroku i czynności okoruchowej, dyzartria,
  - padaczka (u 25% chorych),
  - rozwój intelektualny zwykle nie odbiega od normy,
- dyskinetyczna:
  - rozwój intelektualny zwykle nie jest wyraźnie zaburzony,
  - prawidłowe funkcjonowanie utrudniają zaburzenia wymowy, słuchu i okoruchowe,
  - czasem znacznym problemem są zaburzenia połykania i odżywiania,
- ataktyczna:
  - rozwój intelektualny mieści się w granicach normy,
  - wyniki w nauce są zaniżone w związku z nasilonymi zaburzeniami koordynacji ruchowej i dyzartrią.

Spośród encefalopatii endokrynologicznych wymienić należy **encefalopatię Hashimoto**, przebiegającą ze śpiączką i drgawkami. Stwierdzenie znacznie zwiększonego miana przeciwciał przeciw mikrosomom tarczycy umożliwia jej rozpoznanie i zastosowanie steroidów. Problem encefalopatii w niedoczynności tarczycy zależy od szczelności skriningu tej endokrynopatii.

W przebiegu tocznia rumieniowatego układowego encefalopatia występuje z powodu zapalenia naczyń mózgowych, zaburzeń neurotoksycznych i steroidoterapii. Może mieć charakter psychozy, drgawek, bólów głowy czy niedowładów nerwów czaszkowych i kończyn.

Ważne miejsce zajmuje także **encefalopatia po urazach czaszkowo-mózgowych**, której nasilenie koreluje z ciężkością objawów po urazie, reakcją źrenic, oceną w skali śpiączki oraz czasem trwania zatrzymania krążenia. Następstwa urazów są rozległe, a najistotniejsze jest zapobieganie. Do tego typu encefalopatii należy również **encefalopatia oparzeniowa**, będąca wynikiem hipowolemii, hiponatremii i obrzęku mózgu. Rozwija się ona zwykle przy oparzeniach > 30% powierzchni ciała. Przebiega z drgawkami i zaburzeniami świadomości. Następstwami **zatru-**

Tabela 15.13. Postacie mózgowego porażenia dziecięcego [wg Hagberga]

POSTAĆ	ZESPÓŁ NEUROLOGICZNY
Spastyczna (75% przypadków)	■ Obustronne porażenie połowicze (tetraplegia) ■ Porażenie połowicze (hemiplegia) ■ Obustronne porażenie kurczowe (diplegia)
Dyskinetyczna (10%)	■ Pozapiramidowy (dystonia, atetoza, pląsawica)
Ataktyczna (5%)	■ Móżdżkowy (niezborność, oczopląs, hipotonia)
Mieszana (10%)	■ Piramidowo-pozapiramidowy ■ Piramidowo-móżdżkowy

cia CO są zaburzenia poznawcze, pamięci, mowy, drżenie, choreoatetoza, padaczka i neuropatia. Patomechanizm tego zatrucia związany jest z niedotlenieniem mózgu, do którego mogą prowadzić także inne przyczyny. Jedną z nich jest krztusiec. W encefalopatii wywołanej zakażeniem *Bordetella pertussis* dochodzi jednak zarówno do niedokrwienia, jak i krwawienia w obrębie mózgu, a zwłaszcza struktur podkorowych. Ich przyczynę stanowią nasilony kaszel i bezdechy, a czasami również bradykardia. I chociaż obecnie encefalopatia ta należy do rzadkości w Polsce, to jednak pamiętać należy, iż może się ona rozwinąć także po szczepieniu. Obserwuje się wtedy nieutulony płacz, gorączkę i tętnienie ciemiączka trwające od kilku minut do kilku godzin i występujące do 12 godzin po szczepieniu. Mogą pojawić się nawracające drgawki i zaburzenia świadomości, a nawet śpiączka.

Metody diagnostyczne

W MPDz konieczne jest wykonanie neuroobrazowania, najlepiej za pomocą MR. Wykazuje ono leukomalację okołokomorową, porencefalię (ryc. 15.10), zaniki korowe i podkorowe mózgu, hipoplazję lub agenezję móżdżku, stan dysmielinizacyjny jąder podkorowych, ale także schizencefalię (ryc. 15.11), hemimegalencefalię czy zaburzoną zakrętowość mózgu.

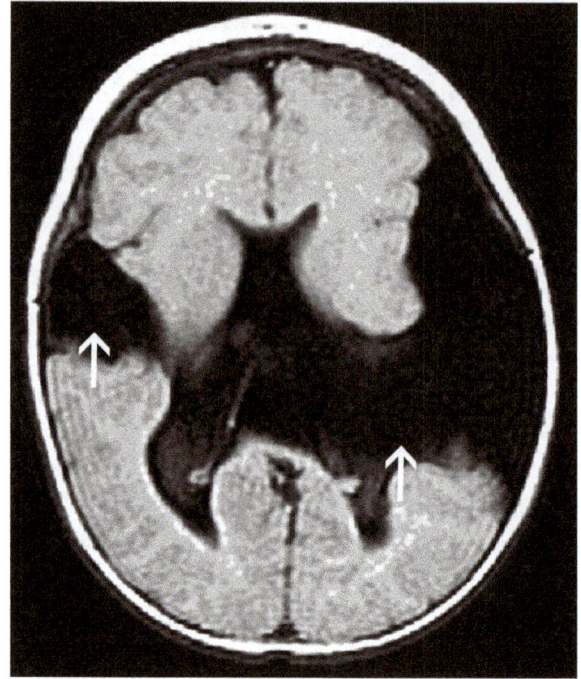

Rycina 15.11. MR. Obustronna schizencefalia u 6-miesięcznej dziewczynki.

Różnicowanie

Wymaga ono dokładnych wyników neuroobrazowania, a w niektórych przypadkach rozpoznania molekularnego. Konieczne jest m.in. różnicowanie z jedną z chorób o uwarunkowaniu genetycznym ważnych dla neurologii wieku rozwojowego, czyli stwardnieniem guzowatym, które ma przebieg zmienny stacjonarny i postępujący (ryc. 15.12).

Leczenie

Dzieci z MPDz wymagają kompleksowego leczenia, w którym obok neurologa dziecięcego bierze udział rehabilitant, psycholog, logopeda, pedagog, okulista, audiolog, ortodonta i ortopeda. W postępowaniu

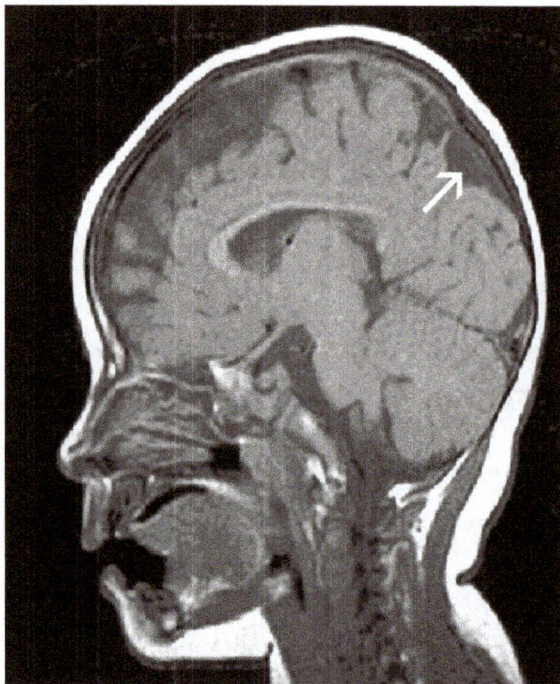

Rycina 15.10. MR. Porencefalia zewnętrzna u 11-miesięcznej dziewczynki.

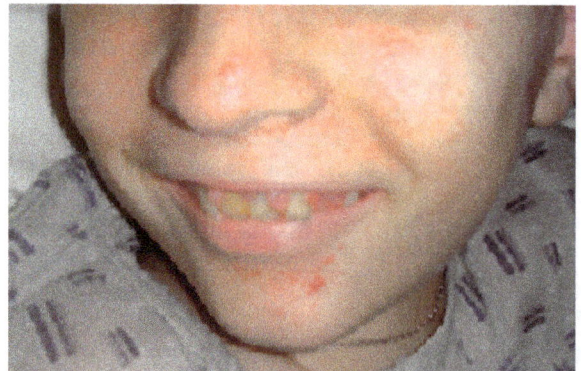

Rycina 15.12. Znamię Pringle'a i przerost dziąseł u 12-letniego chłopca ze stwardnieniem guzowatym.

Tabela 15.14. Cele funkcjonalne terapii neurorozwojowej

- Przygotowanie do ruchu
  - Mobilizacja poszczególnych stawów
  - Zapobieganie przykurczom
  - Przygotowanie czuciowe (poczucie położenia całego ciała i jego części, poczucie ruchu oraz czucia powierzchownego)
- Normalizacja napięcia postawnego mięśni
- Hamowanie nieprawidłowej aktywności odruchowej
- Torowanie reakcji nastawczych i równoważnych (manipulacja)
- Ułatwianie uzyskania prawidłowych wzorców czynnościowych

neurorehabilitacyjnym należy uwzględnić potencjał rozwojowy i wzorzec ruchowy dziecka. Wykorzystuje ono bowiem do poruszania się wzorce ruchowe w znacznej mierze nieprawidłowe. W postępowaniu tym tak steruje się kompensacją układu nerwowego, aby uzyskać możliwie najkorzystniejszy stan funkcjonalny i nie dopuścić do rozwoju pełnej patologicznej motoryki. Chodzi o systematyczne usprawnianie, więc rehabilitacja musi mieć charakter ciągły. Na etapie nabywania umiejętności ruchowych przez dziecko obowiązuje podejście neurorozwojowe i stąd korzystanie z metod Bobathów i Vojty (tab. 15.14).

Nieodłączną część rehabilitacji stanowią zabiegi pielęgnacyjne, podnoszenie i noszenie, karmienie, ubieranie i rozbieranie oraz czuwanie nad prawidłową pozycją podczas zabawy, nauki i spoczynku. Ważne jest likwidowanie barier architektonicznych i środowiskowych, a także stosowanie alternatywnych metod porozumiewania (np. komputerowych).

Rokowanie

W encefalopatiach toksycznych bardzo istotne znaczenie ma pogłębiony wywiad oraz postępowanie jak w stanie nagłym. Następstwa zatrucia CO w układzie nerwowym występują w strukturach najbardziej chłonnych energetycznie (kora mózgowa, jądra podkorowe) i dlatego jego konsekwencją bywa trwałe uszkodzenie tych struktur.

15.2.8

Encefalopatie postępujące

łac. *encephalopathia progressiva*
ang. progressive encephalopathy

Definicja

W tym typie encefalopatii brak jest postępu w rozwoju psychoruchowym dziecka, a nawet może docho-

dzić do degradacji poprzednio nabytej sprawności intelektualnej wraz z groźnymi objawami dodatkowymi.

Epidemiologia

Najczęstszą encefalopatią postępującą jest fenyloketonuria, choroba metaboliczna występująca z częstością 1 : 2000–20 000 urodzeń. Inne zaburzenia metaboliczne występują z częstością 1 : 100 000 urodzeń.

Etiologia i patogeneza

Największy odsetek wśród encefalopatii postępujących stanowią choroby metaboliczne (tab. 15.15 i 15.16).

Obraz kliniczny

Zmiany obejmują sterowane przez ośrodkowy układ nerwowy czynności globalne albo tylko wybiórcze. W wielu przypadkach następuje również zajęcie obwodowego układu nerwowego. Obok utraty wcześniej nabytych umiejętności pojawiają się niedowład spastyczny, wiotkość, ruchy pozapiramidowe, ataksja, nadwrażliwość na bodźce, zmiany na dnie oczu, padaczka, epizody udaropodobne, ubytek masy ciała, zmiany skórne, łysienie, kardiomiopatia, hepatosplenomegalia, uszkodzenia nerek i nadnerczy lub nawet śpiączka. Poniżej przedstawiono cechy niektórych z encefalopatii postępujących.

W **deficycie biotynidazy** (patrz str. 767 i 768) drgawki od pierwszych dni życia mogą być izolowanym objawem choroby. Występują również łysienie, wysypki skórne, zaburzenia oddechowe, wiotkość, ataksja, śpiączka i mielopatia.

Następstw **fenyloketonurii** w postaci encefalopatii nie stwierdza się obecnie na co dzień dzięki screeningowi w okresie noworodkowym i stosownemu leczeniu dietetycznemu. W wypadku braku terapii rozwój umysłowy ulega zahamowaniu, występuje małogłowie i padaczka. W postaciach nietypowych, pomimo

Tabela 15.15. Wrodzone metaboliczne przyczyny encefalopatii postępujących

- Uszkodzenie organelli komórkowych (lizosomów, paralizosomów, peroksysomów, mitochondriów)
- Niedobory w metabolizmie (aminokwasów, węglowodanów, kwasów organicznych, cyklu mocznikowego)
- Neuroimmunopatie
- Encefalopatie z towarzyszącymi miopatiami, neuropatiami i objawami wzrokowymi
- Niezdefiniowane choroby biochemiczne z zajęciem głównie istoty białej lub szarej mózgu, jąder podkorowych lub móżdżku

leczenia dietetycznego, obserwuje się wiotkość z postępującą degradacją rozwoju psychoruchowego, co wymaga zastosowania diety, kofaktora i lewodopy.

Choroba syropu klonowego (leucynoza) (patrz str. 258) jest wynikiem zaburzenia przemiany aminokwasów rozgałęzionych. Od 3.–5. dż. dziecko staje się apatyczne, areaktywne, obserwuje się objawy spastyczne, a następnie śpiączkę. Hipoglikemia z kwasicą przebiega w tych przypadkach ze zmianami gąbczastymi w istocie białej mózgu i zaburzeniami mielinizacji.

Niedobór syntazy metioninowej powoduje objawy neurologiczne (encefalopatia, mielopatia, neuropatia), hematologiczne (niedokrwistość megaloblastyczna) oraz biochemiczne. Stanowi wynik niedoboru kobalaminy i kwasu foliowego. Niedobory te prowadzą do dysrafii z przepukliną rdzeniowo-oponową.

Galaktozemia (patrz str. 267) jest chorobą ogólnoustrojową, która rozwija się od wprowadzenia karmienia z galaktozą. Wymioty od pierwszych dni życia, żółtaczka, hepatomegalia, zaćma, uszkodzenie nerek przemawiają za tym rozpoznaniem.

W chorobach przemiany węglowodanów ważne miejsce zajmują również glikogenozy, a wśród nich **choroba Pompego** o charakterze wieloukładowym (patrz str. 269).

Zaburzenia **łańcucha oddechowego** z powodów mitochondrialnych prowadzą do zaburzeń klinicznych, biochemicznych i strukturalnych w OUN. Co prawda większość z nich ma postać miopatii, ale część przebiega w formie encefalopatii, z wiotkością, opóźnieniem w rozwoju psychoruchowym, ataksją, objawami piramidowymi, głuchotą, retinopatią, padaczką, cechami dysmorfii, z różnym tempem narastania objawów. Mogą prowadzić do zgonu związanego z niewydolnością krążeniowo-oddechową.

Zaburzenia β-oksydacji kwasów tłuszczowych mogą być wywołane przez niedobory karnityny, palmitylotransferazy karnitynowej oraz dehydrogenaz CoA, z zaburzeniem produkcji ciał ketonowych. Występuje hiperamonemia, hipoglikemia i kwasica mleczanowa, z naturalnymi konsekwencjami dla OUN już od wieku noworodkowego.

Kwasica mewalonowa jest z kolei wynikiem zaburzenia wewnątrzkomórkowej produkcji cholesterolu, tak istotnego dla układu nerwowego. Stwierdza się ataksję, hepatosplenomegalię, niedokrwistość, limfadenopatię, zaćmę, retinopatię, hipotonię, opóźnienie rozwoju psychoruchowego oraz objawy uszkodzenia wielu innych układów. Defekt syntezy cholesterolu występuje też w **zespole Smitha–Lemliego–Opitza**, zaś nieprawidłowa estryfikacja wewnątrzkomórkowa cholesterolu w **chorobie Niemanna–Picka** typu C.

W **zespole Lescha–Nyhana** (zaburzenia przemiany puryn) już w 1. rż. występuje wiotkość, opóźnienie rozwoju psychoruchowego, a z czasem dystonia, samookaleczenia i drgawki.

Do zajęcia głównie istoty szarej mózgu prowadzą **poliodystrofie**, jak np. ceroidolipofuscynozy. Klinicznie objawiają się postępującą padaczką mioklonicznąy, z degradacją rozwoju psychoruchowego, w której w tkankach (m.in. w spojówkach) odkładają się charakterystyczne (np. skrętolinijne) wtręty.

Do neurodegeneracji z akumulacją żelaza w mózgu dochodzi u dzieci z **chorobą Hallervordena––Spatza**, przebiegającą z bolesną dystonią. Zwapnienia w jądrach podkorowych obserwuje się w **zespole Aicardiego–Goutiéresa**, ciężkiej postępującej rodzinnej encefalopatii z małogłowiem i wzrostem stężenia interferonu α w płynie mózgowo-rdzeniowym.

Zmiany w rozwoju i dojrzewaniu mieliny (zajmujące głównie istotę białą mózgu) są wynikiem wielu zaburzeń przemiany tłuszczów, białek i kwasów organicznych oraz metabolizmu energetycznego, wśród których główne miejsce zajmują **leukodystrofie**. Poza chorobami wymienionymi w tab. 15.17 wyróżnia się m.in. adrenoleukodystrofię, chorobę Pelizaeusa––Merzbachera, zespół Cockayne'a i chorobę Alexandra.

Należy również pamiętać o encefalopatiach postępujących w przebiegu podostrych i przewlekłych zapaleń OUN (jak podostre stwardniające zapalenie mózgu), chorób wywoływanych przez priony (jak choroba Creutzfeldta–Jakoba) oraz AIDS. W przebiegu AIDS u dzieci encefalopatia może przyjmować postać wczesną, poprzedzającą pojawienie się objawów AIDS, gdyż zakażenie możliwe jest w okresie życia wewnątrzłonowego i po urodzeniu (przez pokarm matki).

Metody diagnostyczne
Na rozpoznanie chorób metabolicznych naprowadza wywiad rodzinny, cechy zajęcia OUN, wymioty i epizody śpiączkowe. Takie objawy mogą występować już

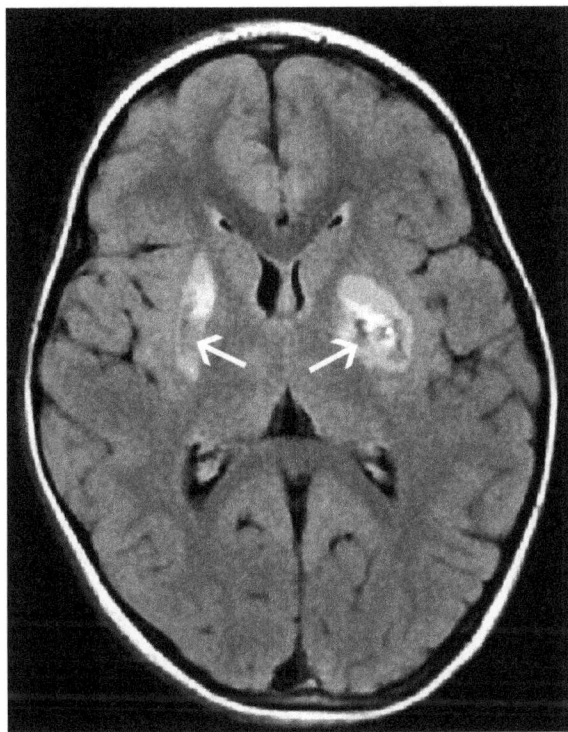

Rycina 15.13. MR. Zmiany patologiczne w jądrach podkorowych u 6-letniej dziewczynki z chorobą Leigha, której brat zmarł na tę chorobę.

u noworodka, kiedy to np. w hiperglicynemii nieketotycznej występuje również hiperamonemia. W niektórych chorobach metabolicznych dochodzi do wczesnego rozwoju zmian strukturalnych w badaniach neuroobrazowych, jak np. w chorobie Leigha (ryc. 15.13). W tabeli 15.16 wymieniono znane przyczyny encefalopatii postępujących wraz z możliwościami ich wczesnej diagnostyki.

Diagnostyka chorób będących przyczyną encefalopatii postępujących obejmuje badania biochemiczne, enzymatyczne, metaboliczne, biopsyjne i neuroobrazowe (MR, HMRS).

Leczenie

Zróżnicowane, przede wszystkim dietetyczne, z zastosowaniem koenzymów, leków przeciwzapalnych, przeciwwirusowych i objawowych (tab. 15.17).

Powikłania

Postępujący przebieg chorób stanowi powód wystąpienia powikłań ogólnoustrojowych, a zwłaszcza oddechowych.

Tabela 15.16. Encefalopatie postępujące i ich diagnostyka

CHOROBA	DIAGNOSTYKA
Niedobór biotynidazy	Obniżona aktywność biotynidazy we krwi, podwyższone stężenie kwasu mlekowego
Fenyloketonuria	Screening noworodkowy
Inne aminoacydopatie	Ilościowy aminogram osocza i płynu mózgowo-rdzeniowego
Kwasice organiczne	Metoda GC-MS* w moczu, kwasica mleczanowa
Zaburzenia β-oksydacji kwasów tłuszczowych	Metoda GC-MS w moczu, ocena stężenia karnityny
Choroby peroksysomalne (zespół Zellwegera, choroba Refsuma)	Stężenie bardzo długołańcuchowych kwasów tłuszczowych
Choroby mitochondrialne	Analiza DNA mitochondrialnego, kwasica mleczanowa
Zaburzenia cyklu mocznikowego	Stężenie mocznika i kwasu moczowego w surowicy krwi
Mukopolisacharydozy	Obniżenie aktywności enzymów i wzrost stężenia mukopolisacharydów w moczu
Leukodystrofia metachromatyczna	Obniżona aktywność arylosulfatazy we krwi
Choroba Sandhoffa	Obniżona aktywność heksoaminidazy A i B
Choroba Taya–Sachsa	Obniżona aktywność heksoaminidazy A
Choroba Gauchera	Obniżona aktywność β-glukocerebrozydazy
Choroba Krabbego	Obniżona aktywność β-galaktocerebrozydazy
Choroba Niemanna––Picka	Niedobór sfingomielinazy
Choroba Fabry'ego	Niedobór α-galaktozydazy
Choroba Canavan	Niedobór N-acetyloaspartazy, wzrost stężenia kwasu N-acetyloasparaginowego w moczu
Zespół Lescha–Nyhana	Wzrost stężenia kwasu moczowego w surowicy krwi, obniżenie aktywności fosforybozylotransferazy hipoksantynoguaninowej
Choroba Hallervordena––Spatza	Defekt genu kinazy pantotenianowej

* GC-MS – metoda chromatografii gazowej i spektrometrii masowej umożliwiająca identyfikację w moczu kwasic organicznych

Tabela 15.17. Leczenie w encefalopatiach postępujących

CHOROBA	LECZENIE
Fenyloketonuria	Dieta, kofaktor, lewodopa
Niedobór biotynidazy	Biotyna (5–10 mg/dobę), dieta niskobiałkowa
Galaktozemia	Dieta bezmleczna
Choroba syropu klonowego	Dieta, dializa, wlewy glukozy, wit. B$_1$, karnityna
Niedobór witaminy B$_{12}$	Witamina B$_{12}$ 60–100 µg/dobę
Niedobór kwasu foliowego	Kwas foliowy 5–10 mg/dobę
Zespół Hurler	Suplementacja enzymu L-iduronidazy
Choroba Gauchera i Niemanna–Picka typu C	Suplementacja enzymu β-glukocerebrozydazy, przeszczep szpiku
Zaburzenia β-oksydacji kwasów tłuszczowych	Unikanie głodu, karnityna, wlewy glukozy, witamina B$_2$
Adrenoleukodystrofia	Przeszczep szpiku, olej Lorenza
Zespół Lescha–Nyhana	Allopurynol 100–200 mg/dobę

Rokowanie

W wielu przypadkach jest korzystne, np. w fenyloketonurii, w innych niekorzystne, jak w ceroidolipofuscynozie.

15.2.9

Padaczka i inne stany napadowe

łac. *epilepsia et status paroxysmata*
ang. epilepsy and other paroxysmal events

Definicja

Padaczka to choroba o charakterze napadowym i nawrotowym, będąca wynikiem patologicznych wyładowań neuronów mózgowych.

Każdy napad padaczkowy może przejść w stan padaczkowy. Pojęcie to oznacza napad trwający co najmniej 30 minut lub serię napadów, pomiędzy którymi dziecko nie podejmuje należnych funkcji życiowych.

Epidemiologia

Padaczka występuje u ok. 0,5% populacji dzieci i młodzieży. U ok. 3% dzieci chorych na padaczkę obserwuje się stany padaczkowe, czasem jako pierwszą manifestację choroby.

Etiologia i patogeneza

Padaczki idiopatyczne nie mają według obecnego stanu wiedzy innej niż genetyczna przyczyny, objawowe zaś są skutkiem znanej choroby podstawowej. Trzecią grupę stanowią padaczki prawdopodobnie objawowe, których przyczyny (np. ogniskowych drgawek) nie dało się ustalić dostępnymi metodami. U dzieci z padaczką idiopatyczną wynik badania neurologicznego jest prawidłowy, a w pozostałych typach stwierdza się cechy encefalopatii lub ogniskowe objawy neurologiczne.

Obraz kliniczny

Objawy kliniczne są zróżnicowane i mają charakter napadów:

- nieświadomości,
- ruchowych,
- czuciowych,
- wegetatywnych,
- psychicznych,
- związanych z mową,
- bezdrgawkowych,
- polimorficznych.

W niektórych przypadkach są to objawy trudne do jednoznacznego określenia lub stanowią zespoły. Na ich podstawie opracowano klasyfikację padaczki Międzynarodowej Ligi Przeciwpadaczkowej (tab. 15.18).

Przebieg naturalny

Obecnie klasyfikuje się padaczki także zgodnie z ich naturalnym przebiegiem, a więc na zlokalizowane lub uogólnione, samoograniczające się lub ciągłe. W wieku rozwojowym cechą charakterystyczną jest występowanie zespołów padaczkowych, które charakteryzują się swoistymi cechami klinicznymi i elektroencefalograficznymi. Mogą mieć charakter zarówno idiopatyczny, jak i objawowy, czego przykładem jest niemowlęcy **zespół Westa** (w większości objawowy) z napadami skłonów i hipsarytmią w zapisie EEG. U dzieci w wieku przedszkolnym występuje z kolei **zespół Lennoxa–Gastauta**, w który przechodzi zresztą część wcześniejszych zespołów Westa. W obu tych zespołach rokowanie nie jest korzystne co do rozwoju psychoruchowego i intelektualnego, a nawet wiąże się z ich degradacją.

Tabela 15.18. Klasyfikacja padaczek wg Międzynarodowej Ligi Przeciwpadaczkowej (1985 r.)

PADACZKI	TYPY	ZESPOŁY
Zlokalizowane	Idiopatyczne	Rolandyczna, potyliczna, czytania
	Objawowe	Zapalenia mózgu, guzy mózgu
Pierwotnie uogólnione	Idiopatyczne	Noworodkowe, niemowlęce, dziecięce, młodzieńcze
	Idiopatyczne/objawowe	Zespół Westa, zespół Lennoxa–Gastauta, padaczka miokloniczno-astatyczna
	Objawowe	Choroby spichrzeniowe i metaboliczne
Nieokreślone	Z napadami częściowymi/ /uogólnionymi	Drgawki noworodkowe, zespół Landaua–Kleffnera (nabyta afazja padaczkowa), ciężka miokloniczna padaczka niemowlęca
Specjalne		Padaczka częściowa ciągła, napady wywołane (stres, alkohol, hormony, leki), drgawki gorączkowe*

* drgawki gorączkowe należą obecnie do klasyfikacji padaczki, pomimo że cechuje je zupełnie inna charakterystyka neurofizjologiczna i epidemiologiczna

Tabela 15.19. Padaczki genetycznie uwarunkowane

RODZAJ PADACZKI	DZIEDZICZENIE	MUTACJE
Łagodne rodzinne drgawki noworodkowe	AD	20q13.3; 8q24
Łagodne rodzinne drgawki niemowlęce	AD	19q11–13
Drgawki pirydoksynozależne	AR	2q31
Niedobór biotynidazy	AR	3p25
Hiperglicynemia nieketotyczna	AR	9p22
Uogólniona z drgawkami gorączkowymi plus	AD	15q24; 10q2
Dziecięca z napadami nieświadomości	AD	8q24; 16q
Młodzieńcza z napadami nieświadomości	AD	15q14; 6pEJMI
Rolandyczna	AD	16p12–11.2; 15q14
Nocna z płata czołowego	AD	20q13.2; 1p21
Częściowa z napadami słuchowymi	AD	15q24; 10q24; 20q13
Częściowa z ogniskiem wędrującym	AD	2q21–q33; 22q11–q12
Łagodna rodzinna skroniowa	AD	10q2.3
Wczesne ceroidolipofuscynozy	AR	1q; 11p15; 13p21–23
Choroba Lafory	AR	6p24
Choroba Unverrichta–Lundborga	AR	21q22.3
Bezzakrętowość	AR; X	17p13.3; Xq22.3–q23
Zespół łamliwego chromosomu X	X	Xq22
Stwardnienie guzowate	AD	9q34; 16p13.3
Nerwiakowłókniakowatość typu 1	AD	17q11
Zespół Angelmana	?	15q11–13

AD – autosomalne dominujące, AR – autosomalne recesywne, X – sprzężone z chromosomem X

W późniejszych zespołach padaczkowych (padaczka miokloniczno-astatyczna, padaczki dziecięca i młodzieńcza z napadami nieświadomości oraz miokloniczna młodzieńcza) rokowanie jest dobre. Zatem wczesne zachorowanie na padaczkę nie jest z reguły korzystne. W niektórych opracowaniach przeważają padaczki zlokalizowane, a w innych pierwotnie uogólnione.

Metody diagnostyczne

Niektóre padaczki idiopatyczne, zespoły padaczkowe, a także padaczki objawowe są genetycznie uwarunkowane (tab. 15.19).

Postępy w diagnozowaniu padaczek wieku rozwojowego są wynikiem technik neurofizjologicznych i neuroobrazowych strukturalnych i funkcjonalnych. W diagnostyce obrazowej należy stosować MR mózgu (TK może dawać fałszywe wyniki), w tym zawsze w napadach z komponentem zlokalizowanym (ryc. 15.14). Ujemny wynik MR może zachęcać do zastosowania technik funkcjonalnego obrazowania (SPECT, PET, HMRS, FMR).

Techniki neurofizjologiczne to nadal przede wszystkim zapis EEG klasyczny z odprowadzeń powierzchownych, ale także wideo EEG i badania polisomnograficzne. W niektórych przypadkach wyniki okazują się jednoznaczne, w innych wymagają powtórzenia lub zastosowania wybranych metod stymulacji zapisu.

Różnicowanie

Padaczka wymaga różnicowania z drgawkami gorączkowymi, które występują u około 5% populacji dziecięcej. Występują one rodzinnie i ustępują do 7. rż. U dzieci z tym typem drgawek (uogólnionych toniczno-klonicznych, trwających 3–5 minut) osobniczy wywiad neurologiczny, zapis EEG i rozwój umysłowy nie odbiegają od normy.

Równie często w klinice neurologii dziecięcej hospitalizowane są dzieci z omdleniami neurokardiogennymi, wymagającymi szczególnej wnikliwości i czujności. Odpowiednie metody diagnostyczne to wtedy EKG, EEG, test pochyleniowy i inne metody oceny układu wegetatywnego oraz Doppler przezczaszkowy. W części przypadków konieczne jest leczenie kardiologiczne i kardiochirurgiczne, w innych neurologiczne, zaś w większości jedynie unikanie czynników predysponujących do omdleń wazowagalnych.

Badania wskazują, że w ośrodkach epileptologii przygotowujących do leczenia operacyjnego padaczki, ok. 10% pacjentów przyjmowanych z pierwotnym rozpoznaniem lekoopornej padaczki okazuje się cierpieć na napady rzekomopadaczkowe. Mają one charakter psychogenny, a istotną rolę w rozpoznawaniu odgrywają wideo EEG i próba placebo.

Leczenie

Leczenie padaczki ma w większości przypadków charakter farmakologiczny, w niektórych neurochirurgiczny, a wyjątkowo inny (dieta, leki wspomagające, neurostymulatory). Leki przeciwpadaczkowe dzielą się na:

- stare – fenobarbital, fenytoina, primidon, benzodwuazepiny,
- nowe mające status leków I rzutu – karbamazepina, walproiniany,
- kolejne – wigabatryna, lamotrygina, felbamat, tiagabina, gabapentyna, lewetyracetam i inne.

Leczenie farmakologiczne powinno mieć charakter monoterapii kontrolowanej poziomem leku w surowicy krwi. Taka metoda wykazuje skuteczność u ok. 70% dzieci. U pozostałych stosuje się terapię dwulekową lub nawet wielolekową. W niektórych ze-

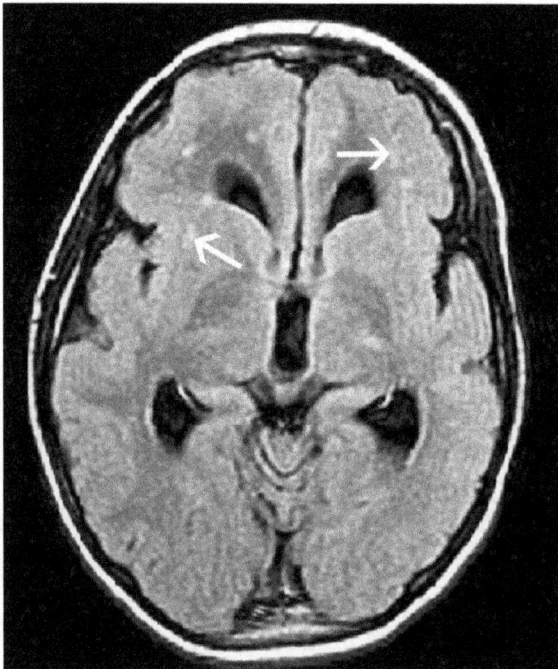

Rycina 15.14. MR. Liczne ogniska demielinizacji w mózgu 12-letniego chłopca z padaczką, którego matka była leczona w ciąży karbamazepiną.

społach padaczkowych rozpoczyna się od innych leków, np. wigabatryna w zespole Westa czy felbamat/ /topiramat/lewetyracetam w zespole Lennoxa–Gastauta.

Należy pamiętać, że metabolizm leków u dzieci jest bardzo zróżnicowany, mogą też występować interakcje (np. niebezpieczny wzrost stężenia karbamazepiny wywołany przez makrolidy). Niektóre leki przeciwpadaczkowe powodują nasilenie określonych typów napadów (np. karbamazepina i wigabatryna wywołują/nasilają napady miokloniczne).

Leki z wyboru w leczeniu stanu padaczkowego to benzodwuazepiny (diazepam 0,3 mg/kg mc./dawkę dożylnie albo klonazepam 0,05 mg/kg mc./dawkę dożylnie) (patrz rozdz. 26 „Badania i normy w pediatrii).

Pewne znaczenie w leczeniu padaczki lekoopornej ma dieta ketogenna – zakwaszenie organizmu i zmniejszenie pobudliwości bioelektrycznej mózgu. W wybranych przypadkach stosuje się ACTH, TRH, prednizon oraz acetazolamid.

Kwalifikacja do leczenia chirurgicznego padaczki wymaga zorganizowania odpowiednio wyposażonego ośrodka epileptologii.

W leczeniu drgawek gorączkowych stosuje się leki przeciwgorączkowe oraz benzodwuazepiny (Relsed 0,3 mg/kg mc. doodbytniczo lub dożylnie) doraźnie.

W napadach rzekomopadaczkowych po odstawieniu preparatów przeciwpadaczkowych, konieczne jest konsekwentne postępowanie najbliższych osób i personelu medycznego, zwłaszcza medycyny ratunkowej. Właściwą metodą leczenia w tym trudnym problemie zdrowotnym jest bowiem psychoterapia, a nie farmakoterapia.

Powikłania
Przedłużony napad ogniskowy powoduje porażenie Todda (utrzymujące się przez kilka minut lub godzin), a nawet trwałe ogniskowe uszkodzenie mózgu. W bardzo rzadkich przypadkach stan padaczkowy może prowadzić do zgonu.

Rokowanie
U 70% dzieci z padaczką rokowanie jest dobre, u 25% występują trudności w jej leczeniu, a u 5% padaczka ma charakter lekooporny.

15.2.10
Udary i choroby naczyniowe
łac. *ictus et morbus vascularis*
ang. stroke and vascular diseases

Definicja
Udar to gwałtowne przerwanie funkcji mózgu w wyniku jego niedokrwienia lub wystąpienia krwawie-

Tabela 15.20. Przyczyny udarów mózgu tętniczych u dzieci

Choroby serca	■ Wady wrodzone i nabyte ■ Zaburzenia rytmu serca ■ Zapalenie wsierdzia ■ Guzy w obrębie jam serca
Dysplazje naczyń mózgowych	■ Tętniak i naczyniaki ■ Nerwiakowłókniakowatość typu 1 ■ Choroba moya-moya ■ Zespół Williamsa
Inne choroby naczyniowe	■ Migrena ■ Uraz ■ Rozwarstwienia ■ Zespół antyfosfolipidowy ■ Choroba Fabry'ego
Zapalenia naczyń	■ W przebiegu tocznia rumieniowatego układowego ■ Choroba Takayashu ■ Choroba Schönleina–Henocha ■ Choroba Kawasakiego ■ Guzkowe zapalenie tętnic
Choroby tkanki łącznej	■ Zespół Marfana ■ Zespół Ehlersa–Danlosa ■ Mieszana choroba tkanki łącznej
Koagulopatie i choroby hematologiczne	■ Hemofilia ■ Małopłytkowość ■ Policytemia ■ Niedobory białek C i S, antytrombiny III, kofaktora II heparyny i plazminogenu ■ Niedokrwistość sierpowatokrwinkowa ■ Leczenie L-asparaginazą i metotreksatem
Choroby metaboliczne	■ Homocystynuria ■ Choroby mitochondrialne ■ Rozsiane wykrzepianie wewnątrznaczyniowe ■ Dyslipoproteinemie ■ Kwasice ■ Choroba Menkesa
Zapalenia	■ Struktur twarzoczaszki, bakteryjne i gruźlicze opon mózgowo-rdzeniowych, grzybicze, wirusowe (AIDS, VZV, Coxsackie)
Guzy mózgu	

nia. Może również mieć charakter metaboliczny – wtedy dotyczy przede wszystkim struktur najbardziej energochłonnych.

Epidemiologia

Udary niedokrwienne i krwotoczne występują w wieku rozwojowym z częstością 2,5 : 100 000. Zwykle zlokalizowane są w okolicy ośrodka mowy.

Etiologia i patogeneza

Przyczyny udarów mózgu u dzieci są liczne (tab. 15.20 i 15.21). Centrum ogniska udaru zajmuje martwica, a ku obwodowi występuje obszar penumbry (odwracalnego niedokrwienia), który decyduje o trwałości następstw udaru. Jeżeli w ciągu kilku godzin uda się przywrócić w nim krążenie, można spodziewać się nawet wyzdrowienia.

Szczególną postacią zmian naczyniowo-udarowych u dzieci jest encefalopatia niedotlenieniowo-niedokrwienna, występująca u 4 : 1000 donoszonych noworodków. W przebiegu niedotlenienia dochodzi u nich do lokalnego albo uogólnionego niedokrwienia mózgu. Brak tlenu, glukozy i mleczanów oraz nadmiar CO_2, amoniaku, kinazy kreatynowej, mocznika i kwasu mlekowego, doprowadzają ostatecznie do uszkodzenia mózgu. Proces martwicy jest niestety nieodwracalny, natomiast apoptoza (w strefie penumbry) zmniejsza się pod wpływem hipoter-

mii. O kształcie tej encefalopatii u płodu decydują etap rozwoju mózgu, anatomia układu naczyniowego i rozwój gleju.

Obraz kliniczny

Lokalizacja ogniska udarowego warunkuje różnicowanie klinicznych zespołów udarowych (ruchowe, czuciowe, afatyczne, ataktyczne, niedowłady nerwów czaszkowych, okoruchowe, wzrokowe).

Przebieg naturalny

Encefalopatia niedotlenieniowo-niedokrwienna przebiega ze stuporem, śpiączką, drgawkami, hipotonią, zaburzeniami ssania, połykania i okoruchowymi.

U dzieci starszych udar wywołuje ostry niedowład połowiczy, niedowłady nerwów czaszkowych, a ponadto zaburzenia czucia i mowy.

Metody diagnostyczne

W czasie porodu i u noworodka istotne znaczenie ma monitorowanie funkcji życiowych i parametrów laboratoryjnych. W diagnostyce encefalopatii niedotlenieniowo-niedokrwiennej obok wywiadu i oceny koniecznych parametrów istotne znaczenie ma powtarzany zapis EEG oraz badania neuroobrazowe, a w szczególności MR mózgu.

U dzieci należy dokonać pomiaru ciśnienia tętniczego krwi i ocenić szczegółowo układ krążenia (EKG, Holter, ECHO) oraz poszukać cech skazy

Tabela 15.21. Przyczyny udarów mózgu żylnych u dzieci	
Septyczne	■ Zapalenie ucha, zatok przynosowych ■ Zapalenia skóry twarzy i głowy ■ Zapalenia opon mózgowo-rdzeniowych ■ Posocznica
Aseptyczne	■ Odwodnienie ■ Przyjmowanie środków antykoncepcyjnych ■ Sinicze wady serca ■ Białaczki ■ Niedokrwistość hemolityczna ■ Toczeń rumieniowaty układowy ■ Rozsiane wykrzepianie wewnątrznaczyniowe ■ Cewnikowanie serca ■ Urazy ■ Cukrzyca ■ Niedobory białek C i S, antytrombiny III ■ Homocystynuria ■ Zespół nerczycowy
Skrytopochodne	■ Zakrzepy żylne u noworodków ■ Zakrzepy zatok jamistych u młodocianych

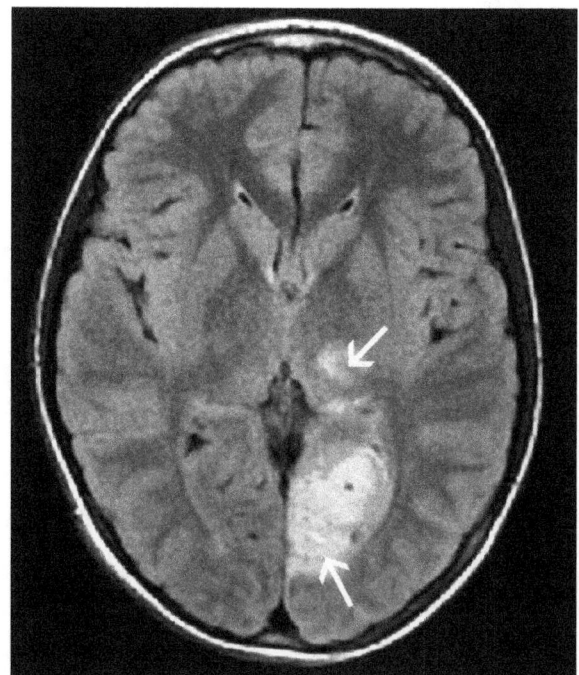

Rycina 15.15. MR. Dwa ogniska udarowe z nieznanej przyczyny w mózgu 13-letniego chłopca.

krwotocznej. Duże znaczenie diagnostyczne mają również zmiany naczyniowe skóry oraz plamki i guzki skórne (fakomatozy), a także stan twarzoczaszki i neuropediatryczny.

W poszukiwaniu przyczyny udaru konieczne jest wykonanie wielu badań obrazowych (ryc. 15.15), analitycznych, biochemicznych, bakteriologicznych, immunologicznych i genetycznych.

Różnicowanie

Ostry niedowład połowiczy należy różnicować z padaczkowym niedowładem ponapadowym i z przemijającym niedokrwieniem mózgu.

Leczenie

W celu zmniejszenia następstw klinicznych encefalopatii niedotlenieniowo-niedokrwiennej należy:

- zapobiegać asfiksji wewnątrzmacicznej,
- utrzymywać właściwą wentylację i perfuzję,
- dbać o wyrównanie glikemii,
- kontrolować skutecznie drgawki,
- leczyć obrzęk mózgu,
- stosować blokery kanałów wapniowych i wolnych rodników.

Leczenie udaru mózgu zależy od jego etiologii (tab. 15.22).

Tabela 15.22. Leczenie udaru mózgu

Choroby serca	Kardiochirurgiczne, kardiologiczne
Malformacje naczyniowe	Neurochirurgiczne, obliteracyjne
Zakrzepy w mózgu	Aktywatory plazminogenu
Urazy	Deksametazon, leczenie powikłań
Wylewy dokomorowe	Witamina E
Zapalenia	Antybiotyki, leki przeciwwirusowe i przeciwgrzybicze
Choroby tkanki łącznej	Steroidy, immunosupresja
Choroby metaboliczne	Farmakologiczne, dietetyczne, koenzymy
Koagulopatie	Czynniki krzepnięcia
Choroby mitochondrialne	Terapia genowa, koenzymy
Następstwa udarów	Rehabilitacyjne, logopedyczne
Anemia sierpowata	Transfuzje wymienne

Powikłania

Padaczka poudarowa występuje u ok. 20% dzieci z udarem mózgu.

Rokowanie

Rokowanie w udarze mózgu u dzieci jest zwykle dobre. Najczęściej pozostaje niewielki resztkowy niedowład połowiczy.

Odległymi następstwami encefalopatii niedotlenieniowo-niedokrwiennej mogą być upośledzenie umysłowe, tetrapareza spastyczna lub wiotka, padaczka, ataksja, porażenie opuszkowe i rzekomoopuszkowe oraz nadruchliwość i zaburzenia uwagi.

15.2.11
Choroby autonomicznego układu nerwowego

łac. *morbus vegetativa*
ang. autonomic nervous system diseases

Definicja

Choroby te są wynikiem zaburzenia homeostazy organizmu (ciśnienia krwi, rytmu serca, oddychania, termoregulacji) w wyniku uszkodzenia sympatycznej lub parasympatycznej części autonomicznego układu nerwowego (układu wegetatywnego).

Epidemiologia

Rodzinna dysautonomia występuje z częstością 1 : 10 000–20 000 żywych urodzeń. Jest ciężkim zespołem klinicznym związanym z zaburzeniami naczynioruchowymi i ortostatycznymi.

Etiologia i patogeneza

Omdlenia mają najczęściej charakter neurokardiogenny i są wynikiem zaburzeń przepływu mózgowego krwi (widocznych w dopplerowskim badaniu przezczaszkowym) wskutek niestabilności układu wegetatywnego. Z dysfunkcją autonomiczną wiąże się również patomechanizm migreny (choroby przebiegającej z zaburzeniami naczynioruchowymi) oraz choroby Hirschsprunga, achalazji przełyku i zespołu Raynauda, podobnie jak zatrucie atropiną.

Obraz kliniczny

Zajęcie układu wegetatywnego może powodować różne objawy (tab. 15.23).

Omdlenia są stosunkowo łagodną sytuacją kliniczną, zwykle niepowodującą urazów. W wieku niemowlęcym do utraty przytomności dochodzi w napadach afektywnego bezdechu (bladych i sinych). Upadki w dysautonomii bywają bardziej dotkliwe.

Tabela 15.23. Objawy zajęcia układu wegetatywnego

- Niedociśnienie postawne
- Wymioty
- Niestabilne ciśnienie tętnicze
- Osłabione łzawienie
- Wzmożona potliwość
- Osłabienie czucia bólu i temperatury
- Zaburzenia ukrwienia skóry
- Zaburzenie koordynacji ruchowej
- Niestabilność emocjonalna
- Napady wegetatywne

U dzieci starszych i młodzieży najczęściej stwierdza się omdlenia wazowagalne.

Przebieg naturalny

Omdlenie poprzedza stan przedomdleniowy, z uczuciem osłabienia, zawrotami głowy, mroczkami przed oczami i szumem w uszach. Występuje spocenie i zblednięcie, co wiąże się z zajęciem układu wegetatywnego.

Napady afektywnego bezdechu blade (rzadziej sine) doprowadzają do krótkiej utraty świadomości, a nawet zwiewnych drgawek klonicznych, będących wynikiem niedotlenienia mózgu.

Metody diagnostyczne

Do oceny układu wegetatywnego służą testy sercowo-naczyniowe (ciśnienia tętniczego, rytmu serca), pocenia, ogrzania i oziębienia ręki, źreniczny, łzawienia i histaminowy skórny. Zasadniczym testem diagnostycznym jest test pochyleniowy.

Różnicowanie

Utrata świadomości z upadkiem w wyniku padaczki częściej niż omdlenia wazowagalne powoduje urazy.

Leczenie

Zwykle wystarczy profilaktyka (np. omdleń, napadów migreny, zakładanie rękawiczek i odstawienie kawy przy objawie Raynauda). W niektórych przypadkach trzeba jednak zastosować leki, np.:

- fizostygminę w zatruciu atropiną,
- metacholinę czy pilokarpinę zmniejszające zajęcie układu parasympatycznego,
- propranolol w migrenie,
- leki przeciwpadaczkowe w migrenie padaczkowej.

W niektórych przypadkach konieczne jest leczenie operacyjne (w chorobie Hirschsprunga, achalazji przełyku czy zespole Raynauda).

Powikłania

Urazy związane z niektórymi upadkami oraz zaburzenia odżywiania.

Rokowanie

Bardzo zróżnicowane, od dobrego w omdleniach i migrenie, do poważnego w dysautonomii.

15.2.12
Choroby pozapiramidowe

łac. *morbus extrapiramidalis*
ang. extrapyramidal diseases

Definicja

Choroby te są wynikiem uszkodzenia struktur układu pozapiramidowego, a więc przede wszystkim jąder podstawnych (jądro ogoniaste, skorupa, gałka blada, jądro niskowzgórzowe i część siatkowata istoty czarnej), które mają połączenia z korą mózgową, wzgórzem i korą układu limbicznego.

Epidemiologia

Choroby te występują rzadko. Najczęstsze jest pozapiramidowe mózgowe porażenie dziecięce, które stanowi 10% wszystkich chorób tego typu.

Etiologia i patogeneza

Etiologia uszkodzenia struktur układu pozapiramidowego jest w wielu przypadkach trudna do ustalenia. Należy jej poszukiwać wśród przyczyn upośledzenia tworzenia energii (zatrucie CO, MPTP – narkotyk analogowy, topienie się, zabiegi w krążeniu pozaustrojowym, żółtaczka), w przebiegu różnych chorób (guzy, zapalenia, choroby zwyrodnieniowe) oraz w przyjmowanych lekach (metoklopramid, neuroleptyki). Jednostki chorobowe powodujące uszkodzenie struktur układu pozapiramidowego podano w tabeli 15.24 (patrz dalej).

Obraz kliniczny

Do objawów pozapiramidowych należą:

- dystonia,
- pląsawica,
- atetoza,
- tiki,
- parkinsonizm,
- mioklonie/opsoklonie,
- balizm,
- postacie mieszane.

Są to z reguły nasilone zespoły ruchowe, często upośledzające lokomocję i sprawność manualną oraz ogólną jakość życia.

Przebieg naturalny

Postać dystoniczną mózgowego porażenia dziecięcego rozpoznaje się dopiero w 2. rż.

Objawy uboczne polekowe ustępują szybko, zwłaszcza pod wpływem stosownej farmakoterapii. Niektóre zespoły pozapiramidowe przebiegają z komponentem psychiatrycznym (choroba Huntingtona, choroba Wilsona, choroba Hallervordena–Spatza, parkinsonizm młodzieńczy).

Metody diagnostyczne

W diagnostyce znaczenie mają MR/TK mózgu, ASO, OB, przeciwciała występujące w SLE, kwas mlekowy, kwas homowanilinowy i wanilinomigdałowy, hormony tarczycy, stężenie miedzi i ceruloplazminy, wymaz z gardła, EKG, ECHO, TK/MR klatki piersiowej i brzucha. Obrazowanie mózgu wykazuje rozrzedzenie struktury jąder podstawnych (jednostronne lub obustronne, ostre lub przewlekłe) lub ich zwapnienia (pozapalne, nowotworowe, naczyniopochodne, endokrynne, toksyczne, metaboliczne) (tab. 15.24).

Różnicowanie

Objawy pozapiramidowe wymagają różnicowania z miklonicznymi napadami padaczkowymi, kurczem pisarskim, kręczem szyi (np. migrenowym) i zespołem Sandifera (przepukliny rozworu przełykowego).

Leczenie

Leczenie ma zwykle charakter objawowy, z pewnymi wyjątkami, jak:

- plazmafereza, immunoglobuliny i steroidy w pląsawicy Sydenhama,
- usunięcie guza w zespole opsoklonii–mioklonii,
- penicylamina w chorobie Wilsona,
- lewodopa w chorobie Segawy (genetycznie uwarunkowanej z zaburzeniem syntezy tetrahydrobiopteryny).

Niezwykle rzadko stosuje się pompę baklofenową i operacyjne leczenie stereotaktyczne.

Powikłania

Powikłaniami zespołów pozapiramidowych o znacznym nasileniu są urazy, zwichnięcia, a nawet złamania kości kończyn.

Rokowanie

O ile zespół pozapiramidowy nie jest wynikiem działania ubocznego leków, to rokowanie ma zwykle charakter poważny, jak np. w zespole Tourette'a czy chorobie Segawy, lub zły, jak w innych dystoniach czy chorobie Hallervordena–Spatza.

15.2.13

Choroby móżdżku

łac. *morbus cerebellaris*

ang. cerebellar diseases

Definicja

Choroby wynikające z uszkodzenia robaka, półkul albo konarów móżdżku.

Epidemiologia

Objawy móżdżkowe spotyka się dość często w ramach ostrego dyżuru. W większości przypadków wynikają z zatrucia, ale czasem są konsekwencją ostrej ataksji móżdżkowej lub zapalenia móżdżku. Rdzeniak móżdżku (medulloblastoma) stanowi ok. 20% guzów układu nerwowego.

Etiologia i patogeneza

Choroby móżdżku mają charakter wrodzony lub nabyty. Wśród częstych ich przyczyn wymienić należy zatrucia, zapalenia i guzy nowotworowe. Rzadziej

---

Tabela 15.24. Przyczyny zmian strukturalnych stwierdzanych w zespołach pozapiramidowych

ROZRZEDZENIE STRUKTURY JĄDER PODSTAWNYCH	ZWAPNIENIA JĄDER PODSTAWNYCH
Ostre - Jednostronne – zawał tętniczy, zapalenia bakteryjne i wirusowe, uraz, zespół hemolityczno-mocznicowy - Obustronne – toksyczne (CO, metanol), metaboliczne, zamartwica okołoporodowa, uraz **Przewlekłe** - Jednostronne – guz, malformacje naczyniowe - Obustronne – mitochondrialne, choroba Wilsona, choroba Lebera	- Pozapalne – CMV, toksoplazmoza, HIV, gruźlica, zaburzenia odporności - Toksyczne – CO, witamina D, ołów, radioterapia - Endokrynne – niedoczynność i nadczynność przytarczyc - Guzy – stwardnienie guzowate, gwiaździak - Naczyniopochodne – encefalopatia niedotlenieniowo-niedokrwienna, pozawałowe, malformacje naczyniowe - Metaboliczne – MELAS (mitochondrialna encefalomiopatia z kwasicą mleczanową), zespół Cockayne'a, choroba Hallervordena–Spatza, - Inne – zespół Downa, SLE

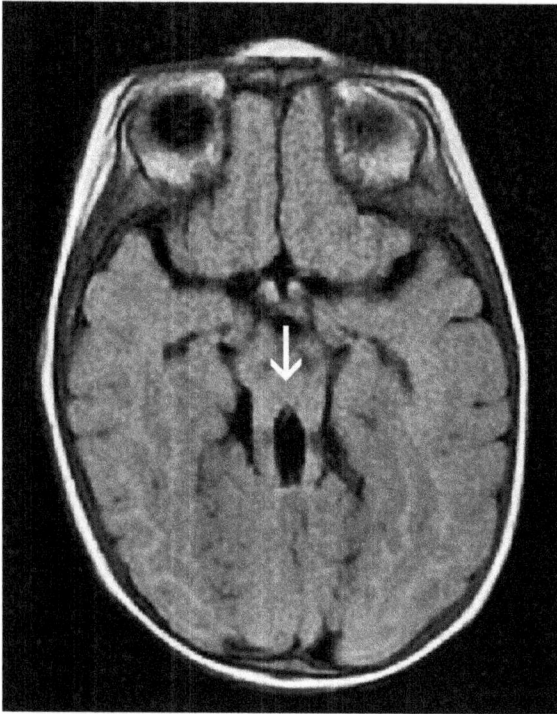

Rycina 15.16. MR. Objaw „molar tooth" widoczny w mózgu 5-letniego dziecka z zespołem Joubert.

występują zespoły genetycznie uwarunkowane (np. zespół Joubert z zaburzeniem rozwojowym robaka móżdżku) (ryc. 15.16), demielinizacja i malformacje naczyniowe.

Ataksje dzieli się na ostre/nawracające i przewlekłe/postępujące (tab. 15.25).

Obraz kliniczny

Uszkodzenia móżdżku lub jego połączeń z płatami czołowymi i kolumnami tylnymi rdzenia kręgowego powodują zaburzenia w kontroli postawy ciała i czynności ruchowej. Występują:

■ chód na szerokiej podstawie,
■ zaburzenia równowagi nasilające się po zamknięciu oczu,
■ hipotonia,
■ ataksja,
■ skandowana mowa,
■ oczopląs.

Przebieg naturalny

Objawy zatrucia mijają zwykle dość szybko i podobnie jak wirusowe choroby zapalne nie pozostawiają trwałych następstw. Zespoły wrodzone i strukturalne uszkodzenia móżdżku przebiegają natomiast pod postacią przewlekłej ataksji.

Metody diagnostyczne

Badania diagnostyczne przedstawiono w tabeli 15.26.

W przypadku podejrzenia zatrucia lekami należy pamiętać o potrzebie ograniczonego zaufania co do danych uzyskanych z wywiadu.

Różnicowanie

Ostrą ataksję móżdżkową i zapalenie móżdżku (struktur tylnej jamy czaszki) różnicuje się na podstawie wyniku badania płynu mózgowo-rdzeniowego (znaczna cytoza w zapaleniu móżdżku).

Zaburzenia równowagi z ataksją występują w zapaleniu ucha środkowego.

Rzadko spotyka się zespół Millera Fishera (typ zespołu Guillaina–Barrégo) przebiegający z ataksją, oftalmoplegią i arefleksją.

Migrena podstawna powoduje zaburzenia funkcji pnia mózgu i móżdżku, najczęściej w okresie dojrzewania i częściej u dziewczynek (ale także u małych dzieci).

Tabela 15.25. Przyczyny ataksji	
ATAKSJA OSTRA I NAWRACAJĄCA	**ATAKSJA PRZEWLEKŁA I POSTĘPUJĄCA**
■ Zatrucie lekami ■ Zapalne (ostra ataksja móżdżkowa, zapalenie móżdżku, stwardnienie rozsiane, zespół Millera Fishera) ■ Pourazowe ■ Guzy mózgu i móżdżku ■ Migrena ■ Genetyczne (ataksja rdzeniowo-móżdżkowa, niedobór dehydrogenazy pirogronianowej, choroba syropu klonowego, choroba Hartnupów) ■ Naczyniowe (krwawienia, choroba Kawasakiego) ■ Konwersyjne	■ Guzy nowotworowe ■ Naczyniaki ■ Malformacje wrodzone (zespół Arnolda–Chiariego, zespół Joubert, zespół Dandy'ego–Walkera), hipoplazja móżdżku ■ Choroby dziedziczne (zespół ataksja–teleangiektazja, choroba Friedreicha, choroba Refsuma, adrenoleukodystrofia, choroba Lebera, abetalipoproteinemia, gangliozydozy, neurolipidozy, zanik zębato-czerwienny)

Tabela 15.26. Postępowanie w ostrej ataksji móżdżkowej

Dodatni wywiad rodzinny	Migrena, dominująca ataksja nawracająca, błędy metabolizmu
Badanie toksykologiczne	Zatrucie lekami
MR/TK głowy	Guz mózgu, krwawienia, stwardnienie rozsiane
Płyn mózgowo-rdzeniowy	Zapalenie móżdżku, stwardnienie rozsiane, zespół Millera Fishera
MR/TK brzucha/klatki piersiowej	Neuroblastoma (zespół opsoklonii–mioklonii)
Kwas homowanilinowy i wanilinomigdałowy	Neuroblastoma
Kwas mlekowy/glukoza/ aminogram	Wrodzone błędy metabolizmu
EEG, wideo EEG	Pseudoataksja padaczkowa, konwersja

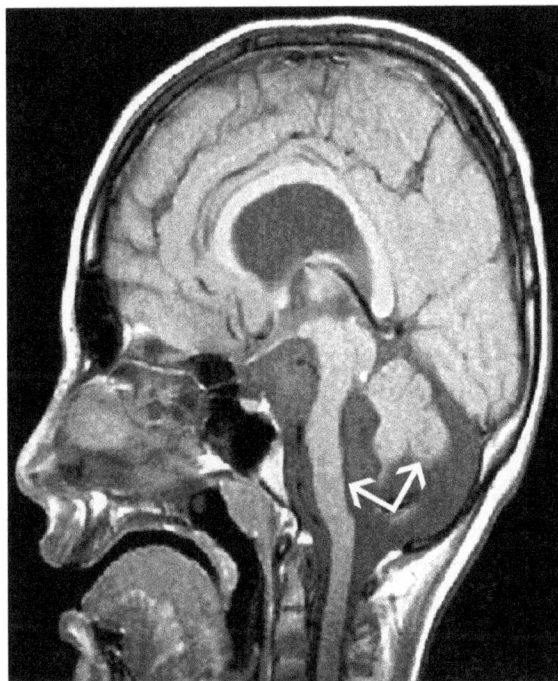

Rycina 15.17. MR. Hipoplazja robaka móżdżku i pnia mózgu u 12-letniego chłopca z wrodzoną dystrofią mięśniową Fukuyamy.

Ataksja występuje w przebiegu napadów padaczkowych i po zażyciu zbyt dużej dawki leków przeciwpadaczkowych albo przy interakcji lekowej.

Manifestacja kliniczna ataksji konwersyjnej jest dość typowa. Dziecko (zwykle dziewczynki w wieku 10–15 lat) ma trudności z utrzymaniem pozycji stojącej po wstaniu z prawidłowego siedzenia. Chodzi od sprzętu do sprzętu, jednak bez przyjmowania pozycji na szerokiej podstawie.

Spore trudności nastręcza wczesna diagnostyka neuroblastoma, gdyż guz ten może manifestować się zespołem opsoklonii–mioklonii, będącym specyficznym rodzajem oczopląsu. Poszukiwanie zmiany wymaga stosownego obrazowania strukturalnego oraz oznaczenia poziomu adrenaliny, noradrenaliny oraz kwasu homowanilinowego i wanilinomigdałowego.

Guz móżdżku jest zwykle przyczyną ataksji przewlekłej. Szybko rosnący w linii środkowej medulloblastoma (z wodogłowiem) i guz z krwawieniem do miąższu mogą jednak wywołać objawy ostre.

Stwardnienie rozsiane z lokalizacją móżdżkową rozpoznawane jest na podstawie MR.

Przewlekłe, ale również zaostrzające się objawy móżdżkowe występują w przebiegu chorób wrodzonych, dotyczących móżdżku i rdzenia przedłużonego, a niekiedy obejmujących również układ mięśniowy, np. we wrodzonej dystrofii mięśniowej Fukuyamy (ryc. 15.17).

Leczenie
W przypadku guzów nowotworowych powinno się przeprowadzić jak najszybsze leczenie operacyjne, a następnie podjąć terapię kompleksową. W przypadku zapalenia wirusowego struktur tylnej jamy czaszki należy stosować acyklowir. Leczenie choroby Kawasakiego omówiono w rozdziale 18 „Reumatologia wieku rozwojowego". Zespół Millera Fishera wymaga zastosowania plazmaferezy. Stwardnienie rozsiane leczy się steroidami i lekami immunomodulującymi.

Powikłania
Powikłaniem może być nadciśnienie śródczaszkowe wymagające doraźnej interwencji. Jako zejście chorób o różnej etiologii występować może resztkowy zespół móżdżkowy.

Rokowanie
Zwykle dobre w chorobach zapalnych, wątpliwe przy nieradykalnych zabiegach neurochirurgicznych i niepomyślne w postępujących ataksjach rdzeniowo-móżdżkowych.

15.2.14

Choroby rdzenia kręgowego

łac. *morbus caudae spinalis*

ang. spinal cord diseases

Definicja

Choroby wynikające z uszkodzenia różnych struktur rdzenia kręgowego (komórek ruchowych, dróg ruchowych i czuciowych).

Epidemiologia

Urazy rdzenia kręgowego są problemem codziennym medycyny ratunkowej, chociaż stanowią tylko nieznaczny odsetek wszystkich urazów czaszkowo-nerwowych. W klinice neurologii dziecięcej istotne zagadnienie stanowi rdzeniowy zanik mięśni, występujący z częstością 1 : 20 000 żywych urodzeń.

Etiologia i patogeneza

Rdzeń kręgowy to struktura, w której na małej przestrzeni skupione są komórki i drogi nerwowe, decydujące o podstawowych funkcjach ruchowych i lokomocji oraz o wszystkich rodzajach czucia. Wystarczy więc tylko niewielka zmiana, aby doprowadzić do zespołu rdzeniowego (niedowłady/porażenia, zaburzenia czucia, zaburzenia zwieraczy) (tab. 15.27).

Obraz kliniczny

Zespoły rdzeniowe cechują się zależnym od lokalizacji zmian poziomem zaburzeń czucia, rodzajem niedowładu wiotkiego (od 1 do 4 kończyn) i zaburzeniami funkcji zwieraczy. Mogą więc mieć charakter pełny lub częściowy.

Przebieg naturalny

Stwierdzenie zespołu rdzeniowego już od okresu noworodkowego jest jednoznaczne z potrzebą szybkiej diagnostyki. Choroby go wywołujące mogą bowiem prowadzić do gwałtownego pogorszenia stanu dziecka i nieodwracalnych następstw.

Poważną patologią jest urazowe uszkodzenie szyjnego odcinka rdzenia kręgowego w wyniku nurkowania. Obok trwałego porażenia 4 kończyn w wielu przypadkach dochodzi również do niewydolności oddechowej. Takie same objawy mogą być wynikiem podwichnięcia szczytowo-obrotnikowego lub nieumiejętnych zabiegów chirurgicznych w obrębie szyjnego odcinka kręgosłupa.

Lżejsze urazy rdzenia (podobnie jak urazy czaszkowo-mózgowe) mają charakter wstrząśnienia lub stłuczenia i powodują objawy przemijającego zespołu rdzeniowego.

Zawał rdzenia kręgowego u noworodka bywa następstwem cewnikowania tętnicy pępkowej w sytuacji, gdy koniec cewnika podrażni okolicę tętnicy Adamkiewicza (Th10–Th12), zaopatrującej piersiowo-lędźwiowy odcinek rdzenia kręgowego.

Metody diagnostyczne

Zasadniczą metodą jest badanie MR (ryc. 15.18), a ponadto ocena płynu mózgowo-rdzeniowego.

Różnicowanie

Pewną pomocą jest stwierdzenie zmian skórnych (plam, naczyniaków, tłuszczaków, owłosienia, zatoki skórnej) w okolicy kręgosłupa. Deformacja stóp (stopa wydrążona) i zaburzenia wzrastania kończyn wskazują na zajęcie dolnego odcinka rdzenia kręgowego. Przepuklina rdzeniowo-oponowa i inne postacie dysrafizmu wiążą się z kalectwem ruchowym, zależnym od wysokości umiejscowienia zmiany.

Tabela 15.27. Przyczyny zespołów rdzeniowych

- Urazy rdzenia kręgowego, krwiaki wewnątrz- i zewnątrzrdzeniowe
- Guzy nowotworowe
- Zapalenia – ropień (borelioza), gruźlica, półpasiec, ostre rozsiane zapalenie mózgu i rdzenia kręgowego (poprzeczne zapalenie rdzenia)
- Malformacje wrodzone – torbiel pajęczynówki, dysrafie, malformacje tętniczo-żylne, jamistość rdzenia, zespół regresji kaudalnej, podwichnięcie szczytowo-obrotnikowe, zakotwiczenie rdzenia kręgowego
- Zawał rdzenia kręgowego u noworodków
- Rodzinne spastyczne zespoły rdzeniowe
- Adrenoleukodystrofia
- Toczeń rumieniowaty układowy

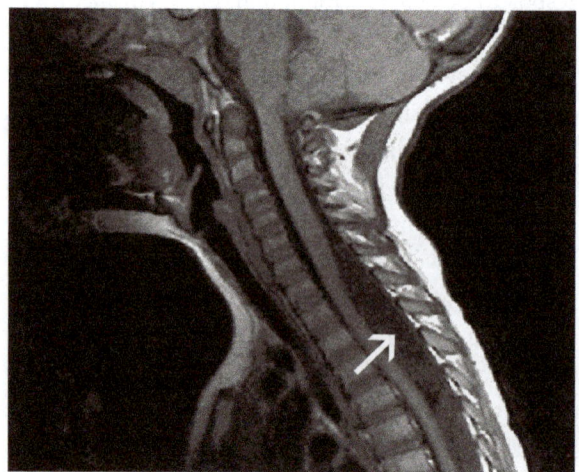

Rycina 15.18. MR. Torbiel pajęczynówki w odcinku szyjnym kręgosłupa u 3-letniego chłopca.

Leczenie

W stanach pourazowych stosuje się prednizolon i leczenie operacyjne. W guzach i krwiakach konieczne jest leczenie chirurgiczne. Przeprowadza się je również w przepuklinach i postępujących zespołach rdzenia zakotwiczonego. W zapaleniach dobiera się odpowiednią antybiotykoterapię (ropień, zapalenie gruźlicze) lub leki przeciwwirusowe (zapalenie poprzeczne rdzenia) oraz steroidy.

W wielu zespołach przewlekłych pozostaje jedynie leczenie dietetyczne i objawowe.

Powikłania

U 15% dzieci z przepukliną oponowo-rdzeniową układu nerwowego w chwili urodzenia występuje wodogłowie, a u 80% rozwija się ono później. Innym powikłaniem jest zropienie krwiaka kanału kręgowego.

Rokowanie

Ponad 90% przepuklin jest zlokalizowanych w odcinku piersiowo-lędźwiowym. Gdy przepuklina występuje poniżej L5, większość dzieci chodzi samodzielnie.

15.2.15

Choroby demielinizacyjne

łac. *morbus demielinisata*

ang. demyelinating diseases

Definicja

Choroby ośrodkowego i obwodowego układu nerwowego, w których istotną rolę odgrywa demielinizacja (uszkodzenie mieliny włókien nerwowych). Przykłady chorób ośrodkowych to stwardnienie rozsiane (multiple sclerosis, łac. *sclerosis multiplex*, SM) oraz ostre rozsiane zapalenie mózgu i rdzenia kręgowego (acute disseminated encephalomyelitis, ADEM), a obwodowych zespół Guillaina–Barrégo (patrz str. 781).

Epidemiologia

Najwyżej 4% ze wszystkich przypadków SM występuje u dzieci do 16. rż. Pierwsze objawy pojawiają się u nich średnio w wieku 12 lat. ADEM średnio objawia się ok. 7. rż.

U dzieci do 10. rż. ośrodkowe zespoły demielinizacyjne występują z równą częstością u obu płci, u nastolatków przeważa wyraźnie płeć żeńska.

W populacji pediatrycznej demielinizacja obwodowa jest częstsza niż ośrodkowa.

Etiologia i patogeneza

ADEM pojawia się zwykle w zimie lub na wiosnę i wiąże się z zapaleniami wywołanymi przez WZW, mykoplazmę, paciorkowce grupy A czy wirus odry. Patogeneza i etiologia SM nie zostały należycie wyjaśnione.

Obraz kliniczny

Wśród postaci ośrodkowych ADEM wyróżnia się różne typy wieloogniskowego uszkodzenia mózgu, móżdżku i rdzenia kręgowego. Częściej niż w SM występują objawy ogólnoustrojowe i nieogniskowe objawy neurologiczne, jak gorączka, bóle głowy, wymioty, zaburzenia równowagi i objawy oponowe. Obok typu jednofazowego, czasem stwierdza się również zapalenie wielofazowe (multiphasic disseminated encephalomyelitis, MDEM). Dlatego niektórzy uważają, że choroba ta stanowi postać SM (choroby przebiegającej rzutami, ale również pierwotnie postępującej).

Metody diagnostyczne

W ADEM i SM występują zmiany w badaniu MR. Plaki (zróżnicowane ogniska demielinizacji) w ADEM są źle odgraniczone od otoczenia, zwłaszcza w rdzeniu kręgowym. Zmiany w SM lokalizują się bardziej przykomorowo, w ciele modzelowatym

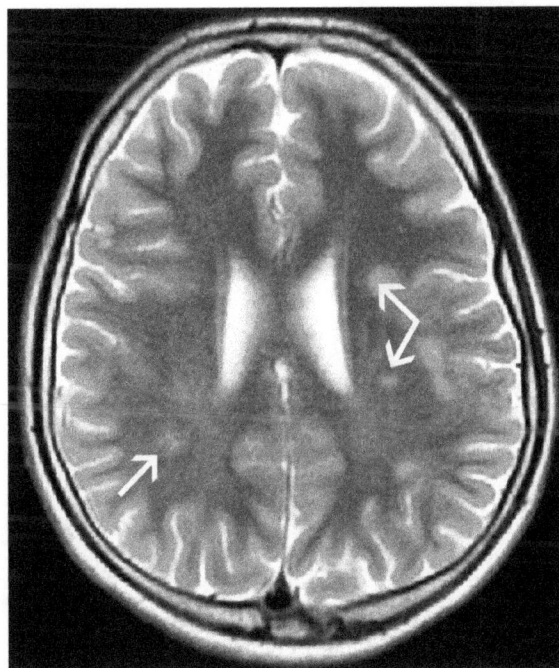

Rycina 15.19. MR. Liczne ogniska demielinizacji podkorowej u 14-letniego chłopca ze stwardnieniem rozsianym.

i w odcinku szyjnym rdzenia kręgowego. Wykazują różny stopień zaawansowania procesu demielinizacyjnego (ryc. 15.19).

Różnicowanie

Różnicowanie między ADEM a SM:

■ w ADEM częściej występuje encefalopatia, co wymaga także różnicowania z wirusowym zapaleniem mózgu,

■ w ADEM częściej dodatnie są markery procesu zapalnego,

■ w SM częściej stwierdza się białka oligoklonalne w płynie mózgowo-rdzeniowym,

■ samoistne zapalenie nerwów wzrokowych jest objawem zawsze nasuwającym podejrzenie SM, nawet jeżeli z udziałem steroidów zostanie szybko wyleczone; nie ma pewności, czy zapalenie poprzeczne rdzenia kręgowego z zapaleniem nerwów wzrokowych (zespół Devica) nie stanowi postaci SM.

Leczenie

W związku z etiologią w ADEM stosuje się antybiotyki i steroidy, a w SM steroidy i leki immunomodulujące (interferony, octan glatirameru).

Powikłania

Powikłaniem ośrodkowych procesów demielinizacyjnych jest padaczka.

Rokowanie

Całkowite wyzdrowienie obserwuje się w 60–80% przypadków ADEM. Ryzyko przejścia ognisk ostrej demielinizacji ośrodkowej w SM wynosi 57%.

15.2.16

Neuroinfekcje

łac. *morbus neuroinfectiosa*
ang. neuroinfections

Definicja

Stany wynikające z bezpośredniego oddziaływania na układ nerwowy różnych patogenów wywołujących zapalenie.

Epidemiologia

Neuroinfekcje stanowią jedną z trzech głównych przyczyn drgawek noworodkowych i dużej śmiertelności w tym wieku. Ich epidemiologia ustawicznie zmienia się w związku ze szczepieniami ochronnymi.

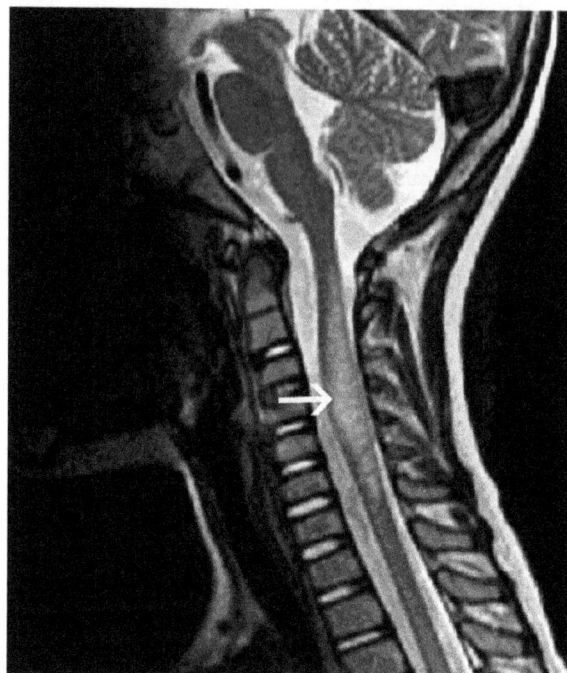

Rycina 15.20. MR. Rozległe ognisko neuroboreliozy w szyjnym odcinku rdzenia kręgowego u 5-letniego chłopca.

Etiologia i patogeneza

Zapalenia układu nerwowego wywołują bakterie, wirusy, pierwotniaki i grzyby. Dochodzi do zajęcia opony miękkiej i pajęczynówki, a niekiedy również nerwów czaszkowych i wyściółki komór mózgu. U dzieci w wieku przedszkolnym i szkolnym istotnym problemem jest neuroborelioza. Stała się ona jedną z głównych przyczyn zajęcia zarówno ośrodkowego (ogniskowe uszkodzenie mózgu i rdzenia kręgowego), jak i obwodowego (porażenie nerwu twarzowego, zespół Guillaina–Barrégo) układu nerwowego (ryc. 15.20).

Zapalenie mózgu ma charakter przede wszystkim wirusowy. Opryszczkowe zapalenie mózgu najczęściej wynika z zakażenia HSV1, rzadziej rozwija się postać związana z HSV2 matki.

Obraz kliniczny

Szczególnie ważna jest ocena drgawek gorączkowych (patrz str. 770), gdyż zawsze należy wykluczyć neuroinfekcję lub ew. ustalić wskazania do wnikliwszej diagnostyki.

Zapalenie mózgu przebiega z zaburzeniami świadomości i często drgawkami. U małych dzieci nie zawsze występują klasyczne objawy oponowe, dlatego największą uwagę należy zwracać na utratę/osłabienie należnych funkcji życiowych oraz objawy podrażnienia (np. przeczulicę).

Przebieg naturalny

Bywa piorunujący, ale także podstępny, bez nasilonych objawów oponowych i gorączki.

Szczegółowe informacje na temat neuroinfekcji znajdują się w rozdziale 19 „Choroby zakaźne".

15.2.17

Neuropatie

łac. *neuropathia*

ang. neuropathies

Definicja

Genetycznie uwarunkowane lub nabyte choroby korzeni nerwowych i nerwów obwodowych. Przykłady tych chorób to:

- zespół Guillaina–Barrégo (ostra nabyta neuropatia zapalna),
- rdzeniowy zanik mięśni (spinal muscular atrophy, SMA),
- dziedziczne neuropatie ruchowo-czuciowe (hereditary motor and sensory neuropathies, HMSN),
- dziedziczne neuropatie czuciowe i autonomiczne (hereditary sensory and autonomic neuropathies, HSAN).

Epidemiologia

Częstość występowania poszczególnych jednostek chorobowych w populacji ogólnej:

- zespół Guillaina–Barrégo – 1,9 : 100 000,
- SMA – 5 : 100 000,
- HMSN – 4 : 100 000,
- HSAN – 4 : 100 000.

Tabela 15.28. Klasyfikacja neuropatii

- Genetyczne polineuropatie
  - Ruchowo-czuciowe neuropatie dziedziczne
  - Czuciowe neuropatie dziedziczne (typu I–V, z dysplazją szkieletową, autonomiczna z brakiem czucia, autonomiczno-czuciowa sprzężona z chromosomem X)
  - Dziedziczna neuropatia z ucisku
- Nabyte polineuropatie
  - Zapalne
  - Toksyczne
- Polineuropatie w uszkodzeniach innych układów i tkanek
  - Zaburzenia przemiany tłuszczów
  - Choroby OUN
  - Choroby ogólnoustrojowe

Etiologia i patogeneza

Neuropatie mogą mieć charakter izolowany lub też stanowią składową chorób innych układów i tkanek (tab. 15.28).

Zespół Guillaina–Barrégo ma charakter autoimmunizacyjny, wywoływany przez autoprzeciwciała przeciw komponentom mieliny (peptydowi P2 oraz gangliozydom GM1 i GD1b). Przebiega z wyraźnymi cechami demielinizacji w nerwach obwodowych (ryc. 15.20).

Odnerwienie w rdzeniowym zaniku mięśni wynika z degeneracji komórek rogów przednich rdzenia kręgowego. Najczęściej dziedziczy się w sposób autosomalny recesywny, rzadziej także dominująco i jako sprzężony z chromosomem X. Defekt dotyczy najczęściej genu *SMN* lub *NAIP* na chromosomie 5.

Obraz kliniczny

Zajęcie włókien ruchowych powoduje niedowład, zanik mięśni i osłabienie odruchów ścięgnistych. Uszkodzenie włókien czuciowych wywołuje objawy ubytkowe w zakresie czucia powierzchownego, ułożenia, wibracji i/lub objawy podrażnieniowe – parestezje. Zajęcie włókien autonomicznych skutkuje zaburzeniami naczynioruchowymi.

Przebieg naturalny

Zespół Guillaina–Barrégo występuje zwykle u dzieci starszych, choć czasem może się rozwinąć nawet u niemowląt. Poprzedza go często jawna infekcja górnych dróg oddechowych lub przewodu pokarmowego (*Campylobacter jejuni*). Po niej pojawiają się anomalie chodzenia i niedowład o charakterze wstępującym. Zanikają odruchy ścięgniste, występują bóle kończyn i parestezje oraz czasami zaburzenia zwieraczy, pocenia, naczynioruchowe i ciśnienia. Odmianą tej choroby jest zespół Millera Fishera, przebiegający z zajęciem nerwów czaszkowych (oftalmoplegia), arefleksją i ataksją, a niekiedy również z porażeniem opuszkowym i zaburzeniami świadomości.

Postacie SMA: niemowlęca (typ I), przewlekła (typ II, III), dystalna, z zanikiem móżdżku, dorosłych i dorosłych z przerostem łydek. W typie I już noworodek wykazuje wiotkość z arefleksją, niewydolność oddechową i ssania oraz fascykulacje języka. Inne postacie powodują przykurcze mięśniowe i malformacje kostne.

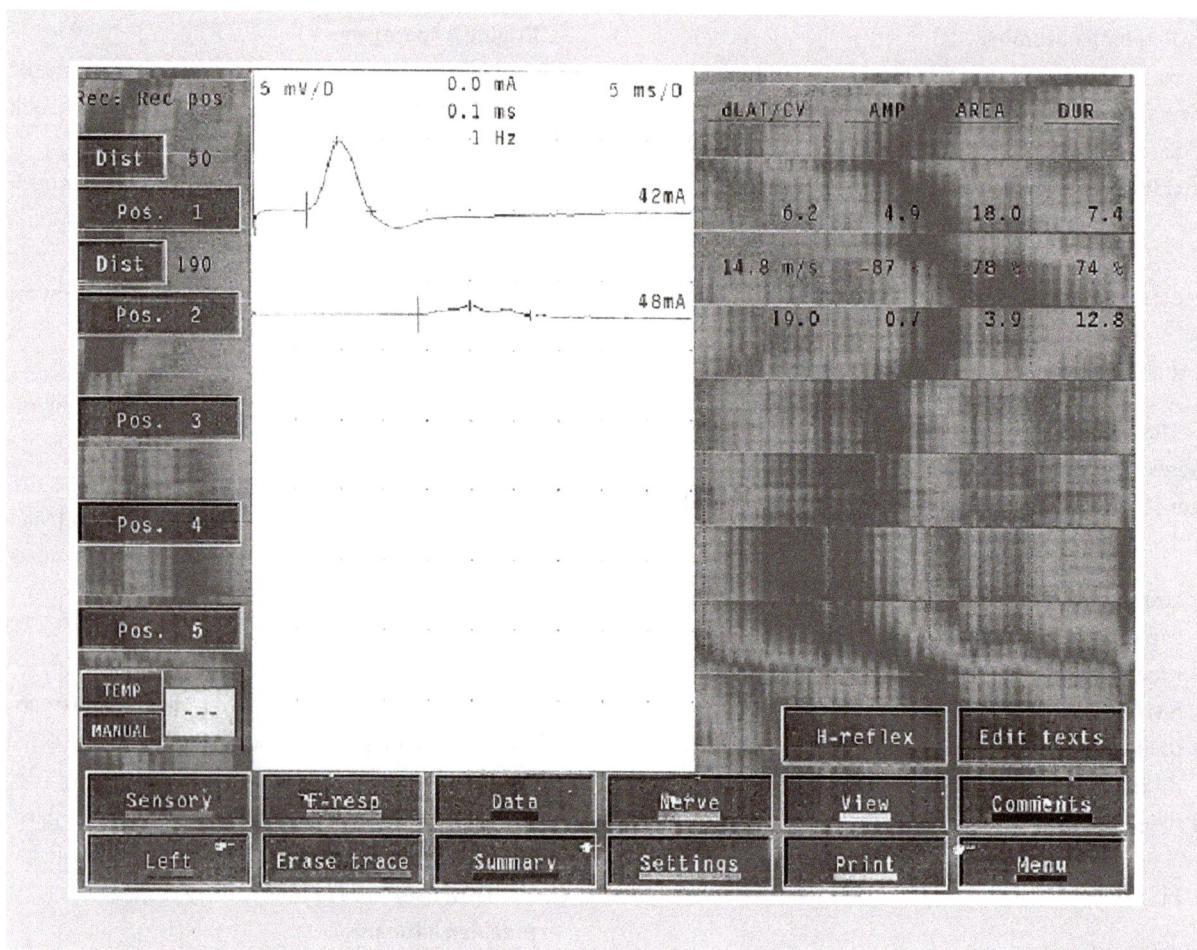

	dLAT/CV	AMP	AREA	DUR
	6.2	4.9	18.0	7.4
	14.8 m/s	-87 %	78 %	74 %
	19.0	0.7	3.9	12.8

Rycina 15.21. Zwolnienie przewodnictwa w nerwie piszczelowym prawym do 14,8 m/s i zaburzenie morfologii złożonego potencjału ruchowego u 4-letniego chłopca z zespołem Guillaina–Barrégo.

Znane są 3 typy HMSN sprzężone z chromosomem X (I – przerostowy, II – aksonalny, III – hipomielinizacyjny) oraz postacie złożone (typ V – ze spastycznością, VI – z zanikiem nerwów wzrokowych, VII – z głuchotą i typ VIII – z barwnikowym zwyrodnieniem siatkówki). Postępujący charakter choroby prowadzi do opadania stóp i niemożności chodzenia na piętach.

HSAN przebiegają z niewrażliwością na ból, zmianami troficznymi skóry, upośledzeniem umysłowym, chwiejnością emocjonalną i autonomiczną, głuchotą i anomaliami kostnymi. Polineuropatie dziedziczne występują także w leukodystrofiach, chorobach Cockayne'a czy Leigha, chorobach mitochondrialnych, abetalipoproteinemii, neurolipidozach i gangliozydozach.

Neuropatie toksyczne są wynikiem zatrucia ołowiem, talem, miedzią lub arsenem, a także uszkodzeń polekowych (winkrystyna, cisplatyna, nitrofurantoina, fenytoina, amitryptylina, amfoterycyna, hydrazyd).

Nerwy obwodowe i czaszkowe mogą być również zajęte w przebiegu chorób ogólnoustrojowych (porfiria, SLE).

Metody diagnostyczne

W diagnostyce zespołu Guillaina–Barrégo konieczne jest badanie płynu mózgowo-rdzeniowego (wzrost stężenia białka przy braku pleocytozy) oraz ocena elektroneurograficzna (zapis z cechami demielinizacji lub uszkodzenia aksonalnego) (ryc. 15.21).

W SMA EMG wykazuje cechy odnerwienia, aktywność kinazy kreatynowej jest prawidłowa, a o rozpoznaniu decyduje wynik badania molekularnego.

Cechy uszkodzenia mieliny w HMSN wykazuje się w ENG (ryc. 15.22) i dąży do wykonania celowanego badania molekularnego.

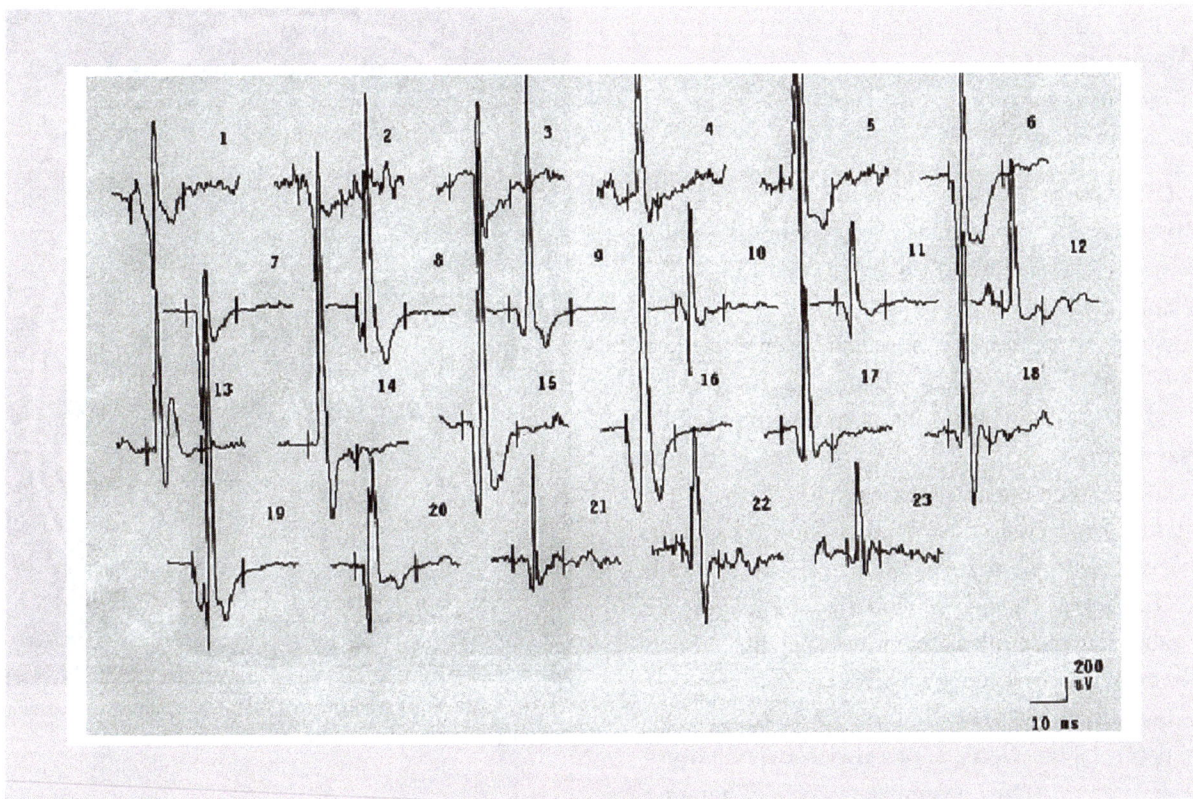

Rycina 15.22. ENG. Neuropatyczne uszkodzenie mięśnia u 19-letniego pacjenta po chemioterapii z powodu ostrej białaczki limfoblastycznej.

Różnicowanie

Powyższe choroby prowadzą do obniżenia napięcia mięśniowego i siły mięśniowej, co wymaga różnicowania z innymi przyczynami tych stanów (tab. 15.29).

Leczenie

Skuteczne leczenie zespołu Guillaina–Barrégo to plazmafereza lub immunoglobuliny. Terapia SMA ma obecnie wyłącznie charakter objawowy (rehabilitacja ruchowa i oddechowa, ochrona przed zakażeniami).

Powikłania

W przebiegu zespołu Guillaina–Barrégo może wystąpić niewydolność oddechowa.

Rokowanie

W zespole Guillaina–Barrégo jest dobre, chociaż wyjątkowo pozostają niewielkie cechy niedowładu.

Tabela 15.29. Przyczyny hipotonii mięśniowej u dzieci

- Hipotonia z niedowładem
  - Rdzeniowy zanik mięśni
  - Miopatie wrodzone
  - Miopatie metaboliczne (mitochondrialne, glikogenozy)
  - Inne choroby nerwowo-mięśniowe (wrodzone dystrofie mięśniowe, dystrofia miotoniczna, wrodzona miastenia, neuropatie)
  - Choroby z zajęciem ośrodkowego i obwodowego układu nerwowego (choroba Leigha, dystrofia neuroaksonalna)
- Hipotonia bez niedowładu
  - Choroby OUN (mózgowe porażenie dziecięce)
  - Choroby mitochondrialne
  - Choroby metaboliczne (glikogenozy)
  - Kwasice organiczne, aminoacydopatie
  - Leukodystrofie
  - Mukopolisacharydozy
  - Chromosomopatie (zespół Downa, zespół Pradera–Williego)
  - Choroby endokrynologiczne
  - Choroby wynikające z niedożywienia
  - Tubulopatie
  - Choroby tkanki łącznej (zespół Ehlersa–Danlosa, zespół Marfana, *osteogenesis imperfecta*)

15.2.18
Miastenia
łac. *myasthenia gravis*
ang. myasthenia gravis

Definicja
Miastenia to choroba transmisji nerwowo-mięśniowej cechująca się nużliwością mięśni (ryc. 15.23).

Epidemiologia
Częstość występowania miastenii ocenia się na 2–10/100 000 populacji ogólnej. Zachorowania przed 10. rż. stanowią 4,3%, a przed 20. rż. 24% wszystkich.

Etiologia i patogeneza
Miastenia należy do chorób autoimmunizacyjnych, w której powstają przeciwciała przeciw receptorom acetylocholiny. Patogeneza choroby może wiązać się z zaburzonym zanikaniem grasicy, jej przerostem albo guzem o charakterze grasiczaka.

Obraz kliniczny
W populacji dziecięcej, w przeciwieństwie do dorosłych, poza miastenią występują również liczne inne zespoły miasteniczne (tab. 15.30).

Przebieg naturalny
W okresie noworodkowym występuje przemijająca miastenia noworodków, będąca wynikiem miastenii matki (obecność matczynych przeciwciał). Dziecko niekiedy wymaga przejściowej pomocy w karmieniu i zastosowania odpowiednich leków.

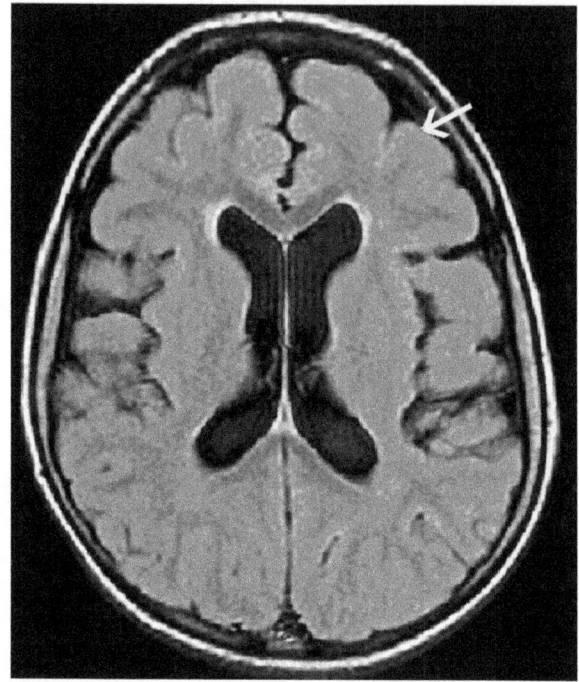

Rycina 15.23. MR. Pachygyria u 12-letniego chłopca z wrodzoną dystrofią mięśniową Fukuyamy.

Miastenia wrodzona u dzieci jest chorobą stosunkowo łagodną, jednak obciążoną osłabieniem, ptozą i nawracającymi zakażeniami układu oddechowego.

Miastenia występująca u młodocianych w postaci uogólnionej powoduje męczliwość zwiększającą się z upływem dnia, osłabienie ogólne i mięśni twarzy, drażliwość z tym związaną, zaburzenia w połykaniu

Tabela 15.30. Zespoły miasteniczne w wieku rozwojowym

ZESPÓŁ	TYP DZIEDZICZENIA I NEUROFIZJOLOGICZNY	OBJAWY KLINICZNE
Defekt resyntezy i pakietowania Ach	AR, defekt presynaptyczny	U noworodka ptoza, bezdechy
Defekt uwalniania Ach	AR, defekt presynaptyczny	Od urodzenia niewydolność oddechowa
Niedobór Ach w płytce końcowej	AR, defekt pre- i postsynaptyczny	U noworodka ptoza, objawy okoruchowe, brak reakcji na tensilon
Zmniejszona liczba receptorów Ach	AR, defekt postsynaptyczny	Ptoza, niewydolność oddechowa i ssania, dodatnia próba z tensilonem
Zespoły wolnych kanałów	AD, defekt postsynaptyczny	Przed 2. rż. – osłabienie, ptoza, próba z tensilonem różna
Zespół szybkich kanałów	AR, defekt postsynaptyczny	Oftalmoplegia zewnętrzna u noworodka
Nieprawidłowa interakcja Ach i receptora Ach	?, defekt postsynaptyczny	U noworodka lub niemowlęcia objawy miastenii bez oftalmoplegii

Ach – acetylocholina, AR – autosomalny recesywny, AD – autosomalny dominujący

śliny i pokarmów oraz uczucie duszności (którego nie można zlekceważyć!).

W postaci ocznej miastenia powoduje opadanie powiek i podwójne widzenie. Charakterystycznym objawem jest apokamnoza, czyli narastanie zmęczenia mięśni w miarę powtarzania ruchów (zaciskanie powiek lub rąk, przysiady).

Miastenia to choroba o bardzo zindywidualizowaniu przebiegu. Dlatego czasami jest mylona z zespołami psychosomatycznymi i z uwagi na lekceważenie skarg chorego może doprowadzić nawet do zgonu.

Różnicowanie
Stwardnienie rozsiane, miopatie, ośrodkowa oftalmoplegia, choroby okulistyczne, choroby laryngologiczne, zatrucie jadem kiełbasianym, zespół Lamberta––Eatona.

Leczenie
Postać noworodkowa wymaga farmakologicznego przełamania bloku postsynaptycznego płytki nerwowo-mięśniowej poprzez zwiększenie ilości nierozłożonej przez enzym acetylocholiny (pirydostygmina, neostygmina) oraz ochrony przed zakażeniami.

Istotne znaczenie w leczeniu *myasthenia gravis* ma zastosowanie immunosupresji steroidowej (która może jednak w okresie wprowadzania nasilać objawy choroby) oraz azatiopryny. Innym rodzajem leczenia w trudnych przypadkach jest plazmafereza, usuwająca przeciwciała przeciwreceptorowe.

Zawsze należy rozważyć wskazania do leczenia chirurgicznego poprzez usunięcie grasicy w przypadku jej uogólnionego i ogniskowego przerostu oraz podejrzenia grasiczaka. Wczesna tymektomia pozwala na uzyskanie remisji u 60% chorych lub na zmniejszenie dawki antagonistów acetylocholinesterazy.

Pacjentom z *myasthenia gravis* zaleca się prowadzenie higienicznego trybu życia oraz unikanie infekcji i szczepień. U tych chorych przeciwwskazane jest leczenie d-penicylaminą i chininą, a ostrożnie należy stosować niektóre leki, jak kurarę i suksametonium w anestezji, aminoglikozydy, diazepam, fenytoinę i acetazolamid.

Powikłania
W przebiegu miastenii i jej leczenia mogą wystąpić niebezpieczne dla życia przełomy z niewydolnością oddechową:

- miasteniczny – tachykardia, pocenie, ślinotok, zaburzenia zwieraczy, poszerzenie źrenic,
- cholinergiczny – biegunka, zlewne poty, nudności, wymioty, bóle brzucha, osłabienie, drżenia mięśniowe, niepokój, senność i śpiączka.

Rokowanie
W miastenii noworodkowej i wrodzonej jest dobre, natomiast w *myasthenia gravis* wątpliwe, jakkolwiek w wielu przypadkach zadowalające.

15.2.19

Miopatie

łac. *myopathia*

ang. myopathies

Definicja
Miopatie to choroby mięśni. Niektóre mają charakter pierwotny, inne wynikają z uszkodzenia układu nerwowego i dlatego są zaliczane do chorób nerwowo--mięśniowych (tab. 15.31 i 15.32).

Epidemiologia

- Dystrofia mięśniowa Duchenne'a – 1 : 3500 żywo urodzonych chłopców – sprzężona jest z chromosomem X (Xp21).
- Dystrofia mięśniowa Beckera – 5 : 100 000 żywych urodzeń.
- Miotonie – 8 : 100 000 populacji.

Etiologia i patogeneza
Dystrofie pierwotne wynikają z obecności różnych mutacji w różnych genach, których konsekwencję stanowią osłabienie mięśni i czasem utrata lokomocji (tab. 15.32).

Tabela 15.31. Typy miopatii	
WRODZONE	**NABYTE**
■ Dystrofie mięśniowe, postępujące i dwuobręczowe ■ Z charakterystycznymi strukturami ■ Mitochondrialne ■ Glikogenozy ■ W chorobach tłuszczowych ■ Rodzinne porażenie okresowe ■ Miotonie ■ Hipertermia złośliwa	■ Hormonalne – tarczycowe, przytarczycowe, nadnerczowe, przysadkowe ■ Toksyczne i polekowe – alkohol, winkrystyna, somatostatyna, lewodopa, kolchicyna, niedobór witamin D i E ■ Nowotworowe ■ Zapalne i autoimmunizacyjne ■ W chorobach narządowych

Tabela 15.32. Pierwotne dystrofie mięśniowe

DYSTROFIA	PARAMETRY GENETYCZNE/ /KODOWANE BIAŁKO
Dystrofia mięśniowa Duchenne'a 1 : 3500 żywo urodzonych chłopców	Xp21 (największa znana mutacja), dystrofina (brak)
Dystrofia mięśniowa Beckera 5 : 100 000 żywych urodzeń	Xp21, dystrofina (mniejsza i mniej liczna)
Dystrofia Emery'ego–Dreifussa	Xq27.3–q28 *EMD*, emeryna 1q22 *LMNA*, lamina A i C
Wrodzona dystrofia mięśniowa związana z niedoborem merozyny	6q2, *LAMA2*, laminina α-2
Wrodzona dystrofia mięśniowa Fukuyamy	9q3, *FCMD*, fukutyna
Zespół Walkera–Warburg	9q34, *POMGnT1*, transferaza 1,2-N-acetylo-glukozaminy
Wrodzona dystrofia mięśniowa Ullricha	21q2, 2q3, *COIL6A1*, *6A2*, *6A3*, kolagen typu 6
Wrodzona dystrofia mięśniowa związana z niedoborem integryny α-7	12q, *ITGA7*, integryna α-7

Obraz kliniczny

Opóźnienie w nabywaniu należnej dla wieku sprawności ruchowej, trudności ze wstawaniem, potykanie się i upadki. Objawy są symetryczne i towarzyszy im rzekomy przerost łydek (i nie tylko).

We wrodzonej dystrofii mięśniowej Fukuyamy obok zmian mięśniowych występują duże zaburzenia neurorozwojowe mózgu (ryc. 15.23), zaburzenia migracji neurocytów, upośledzenie rozwoju umysłowego i padaczka.

Wrodzone miopatie z charakterystycznymi strukturami (central core, multi-mini core, nemalinowa, aktynowa, miotubularna) z bardzo powolną progresją objawów. Należy je podejrzewać u dzieci, u których wykluczono zespół Pradera–Williego i wrodzone choroby tkanki łącznej.

Przebieg naturalny

W dystrofii mięśniowej Duchenne'a do 12. rż. (nawet w 6.–7. rż.) chorzy stają się zależni od wózka inwalidzkiego, a wcześniej mają problemy o typie zaparć, skoliozy, zaburzeń emocjonalnych i następnie

egzystencjalnych. Zdecydowanie mniej agresywny przebieg ma jej alleliczna odmiana – dystrofia mięśniowa Beckera.

W innych dystrofiach na początku choroby nie występuje rzekomy przerost mięśni, natomiast wczesne są przykurcze stawowe i zajęcie ksobnych mięśni.

Miotonia (niemożność błyskawicznego rozluźnienia uścisku ręki) występuje pod postacią zespołów izolowanych lub towarzyszy innym chorobom:

- choroba Thomsena (kanałopatia chlorkowa) – miotonia z objawami występującymi od niemowlęctwa, z trudnościami ssania i krzyku oraz stopniowym przerostem mięśni,
- choroba Eulenburga – „paradoksalna" miotonia, gdyż wysiłek pogarsza objawy, podczas gdy w innych miotoniach polepsza, cechuje się ogromną wrażliwością na zimno i wysiłek w zakresie powiek, twarzy i dłoni,
- choroba Steinerta – choroba wieloukładowa (mięśniowa, oczna, neurorozwojowa, hormonalna i psychiczna), stwierdza się miotonię, wyszczuplenie mięśni twarzoczaszki, zaburzenia trzewne, niedoczynność tarczycy, trzustki i gruczołów płciowych oraz łysienie czołowe.

Miopatie metaboliczne manifestują się ostro w stanach głodzenia, przekarmienia i wysiłku, gdyż u ich podłoża leżą deficyty energetyczne (węglowodanowe, tłuszczowe, mitochondrialne). Ważne miejsce zajmuje tutaj niedobór karnityny.

Metody diagnostyczne

W dystrofii mięśniowej Duchenne'a aktywność kinazy kreatynowej we krwi jest znacznie podwyższona, w dystrofii mięśniowej Beckera trochę mniej podwyższona, a w innych dystrofiach tylko nieznacznie zwiększona. Istotne znaczenie dla rozpoznania ma EMG. Ostateczną diagnozę stawia się na podstawie wyniku badania molekularnego oraz badania dystrofiny w biopsji mięśnia.

Leczenie

Miopatia z niedoboru karnityny może być skutecznie leczona przez suplementację tego związku.

Powikłania

Pacjenci z chorobami mięśni są narażeni na wystąpienie hipertermii złośliwej. Występuje ona w czasie znieczulenia ogólnego z użyciem halotanu i sukcynylocholiny. Jeżeli znieczulenie musi być wykonane, należy zapobiegawczo podać dantrolen. Ten sam lek podaje się w leczeniu hipertermii złośliwej.

Rokowanie

W dystrofii mięśniowej Duchenne'a jest złe, w dystrofii mięśniowej Beckera i innych dystrofiach wątpliwe co do tempa narastania niepełnosprawności ruchowej.

Piśmiennictwo

1. Aicardi J.: *Diseases of the nervous system in childhood. 2nd edition.* Mc Keith Press, Cambridge 1998.
2. Emeryk-Szajewska B., Niewiadomska-Wolska M.: *Neurofizjologia kliniczna. Elektromiografia i elektroneurografia.* Medycyna Praktyczna, Kraków 2008.
3. Hausmanowa-Petrusewicz I.: *Choroby mięśni.* Wyd. Naukowe PWN, Warszawa 1999.
4. Kaciński M. (red.): *Neuropediatria.* Wydawnictwo Lekarskie PZWL, Warszawa 2007.
5. Kubik A., Skowronek-Bała B., Zając A., Kaciński M.: *Znaczenie próby placebo dla diagnostyki napadów rzekomopadaczkowych u dzieci i młodzieży.* Przegl. Lek., 2004, 61, 1244–1252.
6. Marszał E. (red.): *Leukodystrofie.* Wydawnictwo ŚAM. Katowice 1998.
7. Narkiewicz O., Moryś J.: *Neuroanatomia czynnościowa i kliniczna.* Wydawnictwo Lekarskie PZWL, Warszawa 2001.
8. Olesen J., Bousser M.G., Diener H.: *The international classification of headache disorders. 2nd edition.* Cephalalgia 2004, 24 (Suppl. 1), 1–160.
9. Volpe J.J.: *Neurology of the newborn. 3rd edition.* W.B. Saunders Comp. Philadelphia-London-Toronto-Montreal-Sydney-Tokyo 1995.

WYBRANE ZAGADNIENIA Z PSYCHIATRII DZIECI I MŁODZIEŻY

Irena Namysłowska

ODRĘBNOŚĆ PSYCHIATRII DZIECI I MŁODZIEŻY

Psychiatria dzieci i młodzieży jest specjalnością medyczną poświęconą diagnozie oraz leczeniu zaburzeń zachowania i emocji, a także chorób psychicznych wieku rozwojowego. Wyodrębniła się ona z psychiatrii dorosłych dopiero w latach 20. ubiegłego stulecia, stając się odrębną dyscypliną kliniczną. W pierwszym okresie psychiatrię rozwojową charakteryzowała orientacja biologiczna oraz podejście psychospołeczne, oparte na takich dyscyplinach, jak socjologia, psychologia, pedagogika i prawo. Jednak dzięki rozwojowi myśli psychoanalitycznej Z. Freuda oraz wybitnych psychoanalityków dziecięcych, takich jak A. Freud i M. Klein, a ostatnio dzięki podejściu systemowemu rozumienie zaburzeń emocjonalnych dzieci i młodzieży poszerzyło się, dzięki czemu psychiatria dzieci i młodzieży stała się specjalnością prawdziwie interdyscyplinarną.

Psychiatria dzieci i młodzieży różni się od psychiatrii dorosłych wymienionymi niżej cechami.

■ Psychika dziecka różni się od psychiki dorosłego stałym dynamicznym rozwojem, którego podstawą jest rozwój wszystkich struktur mózgu i który kończy się dopiero w okresie dorosłości. Zawsze trzeba zastanawiać się, czy zachowanie dziecka jest przejawem pewnych tendencji rozwojowych (np. fobia ciemności u małego dziecka), czy też możemy mówić o zaburzeniu. Głównym kryterium tego rozróżnienia jest dokuczliwość zachowania i dyskomfort nim spowodowany.

■ Dziecko funkcjonuje w większej niż człowiek dorosły zależności od trzech podstawowych dla niego systemów społecznych, czyli rodziny, szkoły i grupy rówieśniczej. Równocześnie jednak jego indywidualne uwarunkowania genetyczno-biologiczne odgrywają podstawową rolę w reakcji na wpływ tych systemów i zdarzeń o charakterze stresowym. Na skutek tego psychopatologia i uwarunkowania zaburzeń w tej grupie wiekowej są złożone i wieloczynnikowe. Psychiatria dzieci i młodzieży ma więc interdyscyplinarny charakter, wymagający ścisłej współpracy lekarzy, psychologów, pedagogów, psychoterapeutów, a zwłaszcza terapeutów rodzinnych.

■ Metody pracy terapeutycznej z dziećmi są odmienne od stosowanych u dorosłych i w większym stopniu uwzględniają techniki pozawerbalne, takie jak np. zabawa, podczas gdy w pracy z dorosłymi dominują techniki werbalne. Również znaczenie leczenia farmakologicznego jest mniejsze niż w przypadku osób dorosłych. Podstawową rolę odgrywa psychoterapia, której towarzyszy praca z systemem rodzinnym.

16.2
ROZWÓJ CZŁOWIEKA – ZAGADNIENIA OGÓLNE

16.2.1
Rozwój psychiczny

Brak jednolitej, zintegrowanej koncepcji człowieka bardzo utrudnia lub wręcz uniemożliwia jasny opis jego rozwoju, zmuszając do wyboru jednej z wielu teorii, a tym samym do niekompletnego opisu. Niestety nie da się w pełni pogodzić poszczególnych aspektów rozwoju psychicznego z wieloma teoriami rozwojowymi, tym bardziej że niektóre z nich są w większym stopniu całościowe, a inne ograniczają się do pewnego okresu rozwoju lub tylko do pewnych jego aspektów.

Podstawą rozwoju dziecka jest kształtowanie się potrzeb szukania poczucia bezpieczeństwa i przebywania w bliskości osoby, która żywi, kąpie, trzyma na rękach. Ta potrzeba nazywana jest przywiązaniem, a jej podstawy teoretyczne stworzył Bowlby, który sformułował biologiczno-etologiczną teorię przywiązania (attachment theory).

Wyróżnia się trzy typy przywiązania. Dzieci przywiązane do matki w **bezpieczny** sposób chętnie eksplorują otoczenie w jej obecności, witają ją z radością i dają się pocieszyć po okresie jej nieobecności. Dzieci przywiązane w sposób **lękowy** czują się mniej swobodnie w obecności matki, reagują dezorganizacją i złością na rozstanie, ale także chęcią zbliżenia się po jej powrocie. W trzecim typie przywiązania, tzw. **unikającym**, dziecko nie zdradza oznak niepokoju podczas nieobecności matki, ale unika jej lub ignoruje ją po powrocie. Ostatnio dołączono do tej typologii czwarty typ przywiązania, tzw. **zdezorganizowany**, związany z całkowitą nieodpowiedzialnością i nieprzewidywalnością rodziców.

Dzieci o bezpiecznym typie przywiązania są bardziej kompetentne społecznie i mają lepsze relacje z rówieśnikami niż dzieci o innym typie przywiązania. Można więc sądzić, że ten typ przywiązania wpływa na poczucie własnej wartości, skuteczności i autonomii, które leżą u podstaw prawidłowego funkcjonowania społecznego. Bezpieczne przywiązanie umożliwia dziecku, a później dorosłej osobie, wytworzenie zdolności do efektywnej samoregulacji emocji.

Teoria przywiązania miała podstawowy wpływ na rozumienie procesów krótszej, czy też dłuższej separacji dziecka od rodziców, a także pozwoliła opisać reakcje emocjonalne w poszczególnych fazach separacji. W gruncie rzeczy to dzięki niej zrozumiano znaczenie obecności matek lub opiekunów w czasie choroby dziecka. Można więc powiedzieć, że otworzyła ona drzwi szpitali dla rodzin leczonych dzieci.

Pomaga ona zrozumieć zarówno procesy normalnego, jak i zaburzonego rozwoju, w którym przywiązanie jest jednym z najwcześniejszych istotnych czynników determinujących jego przebieg. Stanowi ramę, bazę dla procesu rozwoju, która ulega transformacji w wyniku doświadczeń dziecka, które mogą zmieniać rodzaj jego adaptacji.

16.2.2
Rozwój emocjonalny

Klasyczna psychoanaliza Freuda analizuje rozwój człowieka w kontekście ewolucji popędu seksualnego poprzez fazę oralną, analną, falliczną, latencji i genitalną, przypadającą na okres adolescencji. W kolejnych fazach energia psychiczna jest kierowana ku innym obszarom ciała.

Inni psychoanalitycy kładą nacisk na zmiany, które zachodzą w rozwoju związków uczuciowych dziecka z najbliższymi. Do nich należy Anna Freud, która rozpatruje rozwój dziecka na kontinuum od pełnej zależności do wzrastającej niezależności. W pierwszej fazie życia dziecko jest jednością z matką, a w kolejnych stopniowo rozluźnia ten związek.

Podobnie uważała Mahler, która ma szczególne zasługi w rozumieniu wczesnodziecięcych relacji z matką. Wyróżnia ona fazę „normalnego autyzmu występującą w 1. miesiącu po urodzeniu, gdy dziecko nie jest świadome swojej odrębności od matki. Celem tej fazy jest zachowanie homeostazy. Druga faza, trwająca do 6.–8. miesiąca życia dziecka, polega na prawidłowej symbiozie, w której pojawia się świadomość osoby opiekującej się dzieckiem jako odrębnego obiektu.

Kolejna faza to faza separacji – indywiduacji, w której równolegle do rozwoju aparatu zmysłowego, ruchowego i poznawczego dziecko zaczyna różnicować „ja” od „nie ja”. Wraz z pionizacją i rozwojem lokomocyjnym dziecko może inaczej patrzeć na świat i dokonać pierwszych kroków „od” i „do”, dających przedsmak separacji. Fazę tę kończy względna konsolidacja i stałość „ja" oraz obiektu zewnętrznego, tolerancja ambiwalencji wobec niego. Dziecko zaczyna sobie radzić z rozłąką z matką, której obraz zostaje uwewnętrzniony, wierzy więc, że ona powróci po okresie nieobecności.

Kolejny okres, niejako powtórnej separacji – indywiduacji, przypada na okres dorastania, w którym musi dojść do ostatecznej separacji i uniezależnienia się od rodziców. Wtedy dochodzi też do ostatecznego utrwalenia się zainteresowania seksualnego obiektem spoza rodziny, najczęściej płci przeciwnej. W tym czasie utrwala się też własna tożsamość człowieka dorosłego w innych aspektach jego funkcjonowania.

Erickson uzupełnił schemat rozwoju psychoseksualnego Freuda o stadia rozwoju psychospołecznego, wyodrębniając jego fazy z charakterystycznymi dla nich konfliktami. W relacji dziecka z otoczeniem społecznym upatrywał on istotnego czynnika wpływającego na etapy jego rozwoju.

16.2.3
Rozwój poznawczy

Teoria rozwoju poznawczego Piageta opisuje rozwój poznawczy dziecka od okresu inteligencji sensoryczno--motorycznej, w której rozwój inteligencji jest oparty głównie na czynnościach i ruchach koordynowanych przez schematy. Adaptacja dziecka do środowiska polega głównie na asymilacji i akomodacji, czyli przyswajaniu bodźców i informacji o świecie zewnętrznym oraz modyfikowaniu zachowań pod ich wpływem.

Następnie, od 2. do 7. rż., trwa okres inteligencji przedoperacyjnej, który polega między innymi na kształtowaniu funkcji symbolicznych, których przejawem jest przyswajanie mowy. Towarzyszy mu dziecięcy egocentryzm, myślenie nielogiczne i magiczne z brakiem odwracalności procesów myślowych.

Od 7. do 11. rż. trwa okres inteligencji konkretnej, w którym zaczyna się kształtować myślenie logiczne, oparte na związkach przyczynowo-skutkowych, zdolności do odwracalności procesów myślowych i odkrywania ogólnych zasad, rozumienie relacji całość––część i zdolność do przyjmowania punktu widzenia innej osoby. I wreszcie, następuje okres inteligencji formalnej, kończący się wraz z dorastaniem. Cechuje go myślenie hipotetyczno-dedukcyjne, zdolność do refleksji, umiejętność posługiwania się jednocześnie dwoma systemami odniesienia.

16.2.4
Rozwój moralny

Według Kohlberga do 3. roku życia dziecko kieruje się moralnością przedkonwencjonalną, polegającą głównie na strachu przed karą i jej unikaniu oraz dbaniu o własny interes. Później moralność nabiera charakteru konwencjonalnego, w którym najważniejsze są obowiązujące normy społeczne, a także autorytet innych znaczących osób. W okresie dorastania nastaje etap moralności postkonwencjonalnej, opierającej się na umowie społecznej i uniwersalnych zasadach etycznych, tak jak u osób dorosłych.

Ten bardzo krótki i z konieczności powierzchowny przegląd teorii rozwoju człowieka uzasadnia w pełni poprzednie stwierdzenie, że nie sposób opisać rozwoju psychicznego w kontekście jednej teorii – na szczęście wszystkie one uzupełniają się, tworząc całościowy opis rozwoju człowieka. Obrazuje on także ogrom zadań rozwojowych bezradnego dziecka na drodze stawania się niezależnym dorosłym.

W teoriach tych rozwój przebiega następująco:

- od całkowitej zależności do względnej niezależności,
- od oralności do autonomii genitalnej,
- od inteligencji sensoryczno-motorycznej do inteligencji formalnej,
- od moralności przedkonwencjonalnej do moralności postkonwencjonalnej.

W rozwoju psychicznym człowieka następuje proces uniezależniania się od rodziców, czyli proces separacji, oraz proces indywiduacji, czyli zyskiwania własnej tożsamości. Maria Orwid widzi ten proces szerzej i mówi o wymiarach przynależności oraz wolności, które są różne w różnych fazach rozwoju człowieka. Zarówno nadmierna zależność, jak i skrajna wolność, czyli alienacja od ludzi, tworzą podstawę dla rozwoju psychopatologii.

Rozwój człowieka nie dokonuje się w próżni, ale w obrębie jego systemu rodzinnego, który przechodzi przez kolejne fazy cyklu życia rodziny. Uniezależnienie się dziecka od tego systemu w okresie dorastania nie oznacza zerwania więzi ani przekreślenia lojalności i odcięcia się od przekazów międzypokoleniowych, ale stworzenie nowych, bardziej partnerskich relacji z pozostałymi członkami systemu rodzinnego. Jest ono tym trudniejsze, w im większym stopniu mamy do czynienia z wiązaniem, a nie więzią w relacji rodzice–dzieci.

16.3
ETIOLOGIA I PATOGENEZA ZABURZEŃ PSYCHICZNYCH U DZIECI I MŁODZIEŻY

16.3.1
Czynniki biologiczne

Do tej grupy zaliczamy przede wszystkim czynniki genetyczne. Dzieci otrzymują od rodziców swoiste wyposażenie genetyczne – zestaw genów, który niesie ze sobą możliwość zarówno prawidłowego, jak i zaburzonego rozwoju. Geny regulują rozwój OUN, to jest sekwencyjne pojawianie się struktur morfologicznych i dojrzewanie komórek nerwowych, zaś układ nerwowy odpowiada za rozwój funkcji motorycznych, postrzegania i języka.

Pojedyncze geny rzadko odpowiadają za zaburzenia psychiczne, najczęściej dotyczy to niektórych postaci upośledzenia umysłowego. Natomiast w przypadku większości zaburzeń psychicznych, takich jak schizofrenia, choroba afektywna dwubiegunowa, autyzm, zaburzenia odżywiania się, jest wiele podejrzanych obszarów w genomie, ale nie ma dowodów na istnienie konkretnego odpowiedzialnego genu.

Za niektóre wady odpowiadają zaburzenia w strukturze chromosomów. Typowym przykładem jest zespół Downa z trisomią chromosomu 21 czy zespół kruchego chromosomu X.

Czynniki zewnętrzne działające w różnych okresach rozwoju dziecka, od okresu prenatalnego do dorosłości, mają znaczenie dla rozwoju zaburzeń psychicznych. Do najwcześniejszych zaliczamy przede wszystkim nadużywanie przez matkę alkoholu w trakcie ciąży i w konsekwencji rozwój zespołu FAS (fetal alcohol syndrom).

Inne czynniki to:

■ nadużywanie substancji psychoaktywnych,
■ HIV,
■ niedobory żywieniowe,
■ urazy głowy i infekcje, zwłaszcza te, które uszkadzają OUN.

Rozwój OUN jest szczególnie szybki w pierwszych 3 latach życia dziecka. W tym okresie powstaje bowiem większość synaps. Jest to tzw. okres krytyczny, który z jednej strony stwarza szanse maksymalnego rozwoju, a z drugiej – oznacza zwiększoną podatność na zranienie. W tym okresie istnieje zwiększona aktywność w pewnych częściach OUN: zwiększa się liczba komórek, wzrasta ich różnicowanie. Podobnym okresem jest dorastanie, związane z intensywnym oddziaływaniem hormonów płciowych i czyszczeniem (prunning) drzewa neuronalnego.

16.3.2
Czynniki psychospołeczne

Zaliczamy do nich czynniki związane z trzema systemami ważnymi dla funkcjonowania dziecka:

■ systemem rodzinnym,
■ szkołą,
■ grupą rówieśniczą.

Nie można pominąć kultury jako takiej, determinuje ona bowiem ogólne funkcjonowanie rodziny i wpływa na jej zadania rozwojowe oraz zachodzące w niej zmiany.

System rodzinny
Wszyscy badacze są zgodni co do tego, że rodzina jest najważniejszym czynnikiem psychospołecznym zarówno w prawidłowym, jak i zaburzonym rozwoju człowieka. W rodzinie dziecko jest powołane do życia, w niej uczy się ról społecznych, ona też jest jego najważniejszą mapą świata.

Rodzina jest definiowana bardzo różnie:

■ przez socjologów jako podstawowa komórka społeczna,
■ przez psychoanalityków jako miejsce kształtowania się więzi matka–dziecko, a następnie procesów separacji i indywiduacji,
■ przez terapeutów systemowych jako miejsce relacji między poszczególnymi członkami rodziny, koalicji, trójkątów, a równocześnie ogniwo transmisji wielopokoleniowej dotyczącej przekazów transgeneracyjnych, mitów, delegacji itp.

Według terapeutów systemowych rodzina nie może być rozpatrywana w oderwaniu od poprzednich pokoleń, które nadają sens i znaczenie wszystkiemu, co dzieje się w rodzinie, przede wszystkim determinują system przekonań i wartości rodzinnych, a tym samym poszczególnych jej członków.

Poniżej wymieniono czynniki związane z rodziną, które wpływają na powstawanie psychopatologii rozwojowej.

■ Związane z dużą społeczną patologią rodziny, jak przestępczość, alkoholizm, narkomania, prostytucja, fizyczne maltretowanie lub seksualne wykorzystywanie dziecka, a także poważne choroby jednego z rodziców, zwłaszcza psychiczne. Szczególną traumę dla dziecka stanowi przemoc w rodzinie zarówno fizyczna, jak i seksualne wykorzystanie. Badania ostatnich lat dowiodły, że odbija się ona niekorzystnie nie tylko na psychice dziecka, ale też na strukturach mózgowych, np. w postaci zmniejszenia hipokampa.

■ Dotyczące struktury rodziny i takich jej cech, jak wielkość, obecność obojga lub jednego rodzica, pozycja dziecka w rodzinie (kolejność urodzenia), oraz bardziej subtelnych właściwości dotyczących struktury rodziny, jak granice, koalicje, przymierza, nadmierne uwikłanie emocjonalne lub separacja emocjonalna. Szczególnie ważna jest relacja w diadzie rodzicielskiej. Jakość jej może być bardzo różna – od harmonii i wzajemnej miłości, aż po otwartą walkę lub rozwód emocjonalny, których dziecko staje się ofiarą.

■ Związane ze sposobami komunikowania się w rodzinie oraz sposobem wychowania dziecka. Oprócz prawidłowego, zróżnicowanego i elastycznego wychowania dostosowanego do wieku i potrzeb dziecka wyróżnia się wychowanie autorytarne, nadmiernie permisywne oraz brak zaangażowania, aż do zaniedbywania dziecka. Niezwykle ważny dla rozwoju dziecka jest nie tylko rodzaj wychowania, ale także względna spójność postaw obojga rodziców i przewidywalność ich zachowań.

■ Separacja i strata jednego lub obojga rodziców. Pierwsze systematyczne badania wskazywały na dramatyczny, urazowy wpływ tych zdarzeń na rozwój dziecka i znaczne ryzyko powstawania depresji w późniejszym okresie życia. Ostatnio jednak podkreśla się, że kontekst i okoliczności separacji, rodzaj opieki zastępczej oraz relacji rodzicielskich, które dziecko traci, mogą być ważniejsze niż sam fakt separacji.

Szkoła

Pójście dziecka do szkoły oznacza ogromną zmianę w życiu dziecka i całego systemu rodzinnego. Po raz pierwszy jest ono skonfrontowane z wymaganiami płynącymi nie tylko od rodziców, którzy przestają być dla niego jedynymi autorytetami. Musi ono odnaleźć się wśród rówieśników, a także sprostać wymaganiom systemu nauczania. Jednocześnie jest to okres wzrastającej samodzielności dziecka, nabywania nowych umiejętności interpersonalnych w grupie rówieśniczej i nowych kompetencji. Rodzice zaś muszą ustalić reguły dotyczące nauki dziecka, na ile i jak pomagać mu w nauce, jak i ile kontaktować się ze szkołą oraz czy i jak podzielić z nią zasady wychowywania dziecka. Dużą rolę odgrywają tu oczekiwania rodziców wobec dziecka, często kształtowane przez przekazy transgeneracyjne, dotyczące wagi wykształcenia i delegacje rodzinne.

Stosunek rodziców do nauki dziecka jest bardzo ważny, bowiem wyważone oczekiwania, z uwzględnieniem możliwości dziecka oraz stała aprobata dla jego wysiłków i sukcesów mogą istotnie wpływać na motywację dziecka do nauki i czerpanie z niej przyjemności.

Wśród czynników negatywnych związanych ze szkołą Wojnarowska wymienia:
■ niedostatki w środowisku fizycznym szkoły,
■ nieprawidłowości w organizacji procesu nauczania,
■ niekorzystną strukturę kadry nauczającej,
■ niedostateczne współdziałania rodziców i szkoły,
■ agresja wśród uczniów w szkole:
  ■ bezpośrednia,
  ■ pośrednia,
  ■ wykluczenie z grupy,
  ■ czynienie z dziecka „kozła ofiarnego".

Grupa rówieśnicza

Znaczenie rówieśników zarówno dla kształtowania zdrowia, jak i występowania zaburzeń psychicznych rośnie wraz z wiekiem i ma szczególne znaczenie u nastolatków. W tym trudnym okresie rozwojowym związki z grupą rówieśniczą pomagają w procesie separacji, są bowiem konkurencją dla związku z rodzicami, a jednocześnie stanowią oparcie, dostarczają wzorców do identyfikacji i poczucia przynależności, tak ważnych z powodu prób nastolatka dystansowania się od rodziny. Środowisko rówieśnicze proponuje pewne, czasami inne niż rodzina, wartości, style i modele życia.

Zastanowić się jednak należy, dlaczego w grupach rówieśniczych pojawiło się tak wiele agresji i tendencji do alienacji, dlaczego potrzebie kontaktu towarzyszy brak możliwości jego nawiązania, a pogrążenie się w świecie wirtualnym powoduje, że koledzy stanowią tylko „innych przed komputerem".

Istnieją następujące zagrożenia związane z przynależnością do grupy rówieśniczej:

■ nadmierne uczestnictwo,
■ trudności w kontaktach,
■ odrzucenie i izolowanie,
■ sztywne role społeczne.

Mimo wielu odkryć z zakresu neurobiologii i genetyki nadal uważa się, że głównym czynnikiem wpływającym na zdrowie i zaburzenia u dzieci oraz młodzieży jest kultura. Wyznacza ona bowiem funkcjonowanie rodziny, preferencje pewnych wartości, a przede wszystkim zmieniające się role rodziców – matki, a przede wszystkim ojca. Równocześnie dostarcza ona młodzieży wzorców funkcjonowania, pożądanych wartości, osiągnięć, a jednocześnie dekonstruuje zastane wartości w wyniku bardzo szybkich, szczególnie w Polsce, procesów transformacji.

Na zakończenie rozważań o czynnikach wpływających na zdrowie oraz zaburzenia emocjonalne u dzieci i młodzieży warto wspomnieć, że zasadniczo zmieniło się stanowisko badaczy dotyczące relacji między czynnikami biologicznymi i psychospołecznymi. Zupełnie zdezaktualizowały się rozważania, czy geny, mózg czy środowisko odpowiadają za zachowanie człowieka. Obecny dylemat dotyczy tego, jak przebiegają i na czym polegają interakcje doświadczeń, relacji interpersonalnych i funkcjonowania mózgu oraz wyposażenia genetycznego.

Dzięki rozwojowi neurobiologii i neuropsychologii koncentrujemy się raczej na próbie zrozumienia tego, jak doświadczenia, począwszy od tych najwcześniejszych, nawet prenatalnych, poprzez pierwotne przywiązanie i późniejsze relacje z ludźmi i światem wpływają na rozwój mózgu i odwrotnie. Wiemy już bowiem, że środowisko może mieć istotny wpływ na ekspresję genów, a negatywne doświadczenia interpersonalne, np. przemoc lub wykorzystanie seksualne, mogą niszczyć niektóre struktury mózgu.

16.4
METODY DIAGNOSTYCZNE W PSYCHIATRII DZIECI I MŁODZIEŻY

16.4.1
Badanie dziecka

Rozmowa z dzieckiem odgrywa podstawową rolę w psychiatrii dzieci i młodzieży, z tym że zawsze jest uzupełniona dokładnym wywiadem od rodziców, a często też od innych osób, takich jak nauczyciele, wychowawcy przedszkolni (oczywiście za zgodą rodziców). Pamiętać jednak należy, że psychiatra jest zawsze obrońcą interesów dziecka. Najczęściej rozmowę z dzieckiem poprzedza wywiad od rodziców, a część rozmowy odbywa się wspólnie. W przypadku nastolatka rozpoczynamy od rozmowy z nim lub od rozmowy wspólnej, szanując typową dla tego okresu potrzebę autonomii.

Celem rozmowy jest ustalenie, czy dziecko zdradza objawy zaburzenia emocjonalnego lub choroby psychicznej, i ustalenie dalszego trybu postępowania. Do lekarza psychiatry dzieci i młodzieży należy zapewnienie dziecku poczucia bezpieczeństwa i zainteresowania ze strony lekarza oraz oswojenie z sytuacją badania. W związku z tym pytania zadawane dziecku powinny być początkowo dość ogólne i dotyczyć zainteresowań dziecka, tego, co lubi, preferowanych zabaw, programów TV itp. Dopiero po nawiązaniu dobrego kontaktu emocjonalnego z dzieckiem możliwe jest przejście do pytań bardziej szczegółowych, dotyczących ewentualnych zaburzeń.

Sposób zadawania pytań może być całkowicie swobodny, częściowo ustrukturyzowany lub w pełni ustrukturyzowany. Uzupełniany jest przez obserwację zachowania dziecka. W rozmowie pomaga, jeśli lekarz siedzi na równym poziomie z dzieckiem. Jeśli siedzi dużo wyżej, z reguły ustawia go to w pozycji autorytetu. Często psychiatrzy rozwojowi posługują się w trakcie wywiadu z dzieckiem zabawkami, rysunkami, kukiełkami.

Rozmowa z nastolatkiem jest dużo trudniejsza. Lekarz jest dla nastolatka reprezentantem świata dorosłych, wobec którego często jest on zbuntowany. Niejednokrotnie też rozmowa odbywa się z inicjatywy rodziców, a nie nastolatka, co zwiększa jeszcze trudności. Podczas rozmowy z nastolatkiem należy być nieformalnym, posługiwać się terminami, których używa młodzież, ale bez nadużywania żargonu młodzieżowego, pytać początkowo o sprawy ogólne, a dopiero po nawiązaniu kontaktu o problemy emocjonalne, umożliwić wypowiedzenie skarg i żalu na dorosłych (rodziców, nauczycieli), nie zmuszać do mówienia na tematy, których rozmówca nie chce poruszać.

16.4.2
Wywiad z rodzicami

Jest on równie ważny jak rozmowa z dzieckiem. Ma na celu ustalenie powodu zgłoszenia dziecka do psychiatry i jego problemów zdrowotnych, uzyskanie dość rozbudowanych informacji o rodzinie (rodzicach, dziadkach, rodzeństwie), jej funkcjonowaniu społecznym, emocjonalnym, kontaktach z innymi systemami, specyficznych trudnościach, zwłaszcza poprzedzających wystąpienie objawów u dziecka. Następne pytania powinny dotyczyć rozwoju dziecka w kolejnych okresach rozwojowych, poczynając od ciąży, i wszystkich występujących w nich nieprawidłowości. Bardzo przydatne jest narysowanie drzewa genealogicznego rodziny z naniesionymi relacjami, tworzącego tzw. genogram.

Dopiero zestawienie tych rozmów (z dzieckiem i rodzicami) daje w miarę pełny obraz problemów dziecka lub nastolatka. Podsumowanie zawiera informacje o:

- rodzaju kontaktu emocjonalnego i intelektualnego z dzieckiem,
- orientacji auto- i allopsychicznej,
- nastroju,
- sposobie formułowania wypowiedzi i ich tempie,
- ewentualnej obecności niezrozumiałych treści lub słów,
- objawach psychotycznych (omamy, urojenia),
- napędzie,
- ogólnej sprawności intelektualnej, pamięci i koncentracji.

Badanie psychiatryczne powinno być uzupełnione badaniem przedmiotowym i neurologicznym. Dopiero na końcu ustalane jest wstępne rozpoznanie według klasyfikacji ICD-10 lub/i DSM-IV.

16.4.3
Badania i testy psychologiczne

Badania psychologiczne stanowią ważne uzupełnienie diagnozy psychiatrycznej dzieci i młodzieży. Rozmowa psychologiczna zwykle poprzedza stosowanie testów diagnostycznych i jej ogólne zasady nie różnią się od rozmowy prowadzonej przez lekarza psychiatrę.

Testy psychologiczne w psychiatrii dzieci i młodzieży stosuje się do oceny procesów poznawczych i emocjonalnych. Służą do oceny rozwoju psychoruchowego, zwłaszcza małych dzieci, funkcji intelektualnych, popularnie mówiąc poziomu inteligencji, a także formalnych procesów myślenia. Można dzięki nim oceniać funkcje intelektualne ogólnie lub ich wybrane aspekty, takie jak koncentracja uwagi, pamięć, rozwój grafomotoryczny. Do najczęściej stosowanych należą:

- Inwentarz Rozwojowy dla Dzieci,
- Skala Inteligencji Termana–Merrill,
- Test Matryc Ravena,
- Skala Dojrzałości Społecznej E. Dolla,
- Skala Inteligencji Wechslera dla Dzieci i Młodzieży (WISC-R).

Ten ostatni test jest stosowany u dzieci w wieku 6–16 lat w celu oceny ilorazu inteligencji w skali pełnej, słownej i bezsłownej.

Tak zwane testy organiczne oceniają uszkodzenie struktur mózgowych oraz zaburzenia funkcji mózgu i polegają na odtwarzaniu z pamięci różnych figur. Zalicza się do nich:

- test Bender–Koppitz dla młodszych dzieci,
- Test Pamięci Wzrokowej Bentona.

Warunkiem stosowania tych testów jest nawiązanie dobrego kontaktu z dzieckiem, wzbudzenie jego zaufania i motywacji do wykonania zadania.

W ocenie procesów emocjonalnych stosowane są przede wszystkim metody projekcyjne:

- testy obrazowe:
  - Test Rorschacha,
  - Test Apercepcji Tematycznej (TAT) Murraya,
- testy werbalne:
  - Test Zdań Niedokończonych,

- techniki zabawowe:
  - Test Stosunków Rodzinnych Anthony'ego i Bene,
  - Test Sceny,
- testy graficzne:
  - Test Rysowania Rodziny Cormana,
  - Test Drzewa Kocha.

Ich wyniki są analizowane i interpretowane w kontekście rozwoju dziecka i jego relacji rodzinnych. Testy psychologiczne stanowią ważne uzupełnienie diagnozy psychiatrycznej. Mają szczególne znaczenie w ocenie funkcji intelektualnych dziecka i ustalaniu stopnia upośledzenia umysłowego.

16.5
KLASYFIKACJA ZABURZEŃ PSYCHICZNYCH DZIECI I MŁODZIEŻY

W Polsce obowiązuje klasyfikacja zaburzeń psychicznych i zaburzeń zachowania, która jest częścią Międzynarodowej Statystycznej Klasyfikacji Chorób i Problemów Zdrowotnych ICD-10. Ma ona charakter opisowy, wieloosiowy. Zrezygnowano w niej z odniesień do nozologii zaburzeń, uwzględniania faz rozwoju oraz posługiwania się terminami psychoza i nerwica, stosując w zamian określenie „zaburzenie".

Kryterium rozpoznania zaburzenia jest występowanie objawów lub zachowań połączonych z cierpieniem. Klasyfikacja zaburzeń psychicznych składa się z dwu dużych grup:

- zaburzenia rozwoju psychicznego (psychologicznego),
- zaburzenia zachowania i emocji rozpoczynające się zwykle w dzieciństwie i w wieku młodzieńczym (tab. 16.1).

Typowym zjawiskiem w psychiatrii dzieci i młodzieży jest współchorobowość, czyli występowania jednocześnie dwu lub nawet więcej zaburzeń, spełniających właściwe dla nich kryteria diagnostyczne, np. zaburzenia hiperkinetyczne i zaburzenia lękowe.

Tabela 16.1. Zaburzenia rozwoju psychicznego w ICD-10

F80–F89	**Zaburzenia rozwoju psychicznego (psychologicznego)**
F80	Specyficzne zaburzenia rozwoju mowy i języka
F80.0 F80.1 F80.2 F80.3 F80.4 F80.9	Specyficzne zaburzenia artykulacji Zaburzenie ekspresji mowy Zaburzenie rozumienia mowy Nabyta afazja z padaczką (zespół Landau–Kleffnera) Inne zaburzenia mowy i języka Specyficzne zaburzenia rozwoju mowy i języka, nieokreślone
F81	Specyficzne zaburzenia rozwoju umiejętności szkolnych
F81.0 F81.1 F81.2 F81.3 F81.8 F81.9	Specyficzne zaburzenie czytania Specyficzne zaburzenie analizy dźwiękowo-literowej Specyficzne zaburzenie umiejętności arytmetycznych Mieszane zaburzenie rozwojowe umiejętności szkolnych Inne zaburzenia rozwojowe umiejętności szkolnych Zaburzenie rozwojowe umiejętności szkolnych, nieokreślone
F82	Specyficzne zaburzenie rozwoju funkcji motorycznych
F83	Mieszane specyficzne zaburzenia rozwojowe
F84	Całościowe zaburzenia rozwojowe
F84.0 F84.1 F84.2 F84.3 F84.4 F84.5 F84.8 F84.9	Autyzm dziecięcy Autyzm atypowy Zespół Retta Inne dziecięce zaburzenia dezintegracyjne Zaburzenie hiperkinetyczne z towarzyszącym upośledzeniem umysłowym i ruchami stereotypowymi Zespół Aspergera Inne całościowe zaburzenia rozwojowe Całościowe zaburzenia rozwojowe, nieokreślone
F88	Inne zaburzenia rozwoju psychicznego (psychologicznego)
F89	Zaburzenia rozwoju psychicznego (psychologicznego), nieokreślone
F90–F98	**Zaburzenia zachowania i emocji rozpoczynające się zwykle w dzieciństwie i w wieku młodzieńczym**
F90	Zaburzenia hiperkinetyczne (zespoły nadpobudliwości ruchowej)
F90.0 F90.1 F90.8 F90.9	Zaburzenia aktywności i uwagi Hiperkinetyczne zaburzenia zachowania Inne zaburzenia hiperkinetyczne Zaburzenie hiperkinetyczne, nieokreślone
F91	Zaburzenia zachowania
F91.0	Zaburzenia zachowania ograniczone do środowiska rodzinnego

Tabela 16.1. cd.	
F91.1	Zaburzenie zachowania z nieprawidłowym procesem socjalizacji
F91.2	Zaburzenie zachowania z prawidłowym procesem socjalizacji
F91.3	Zaburzenie opozycyjno-buntownicze
F91.8	Inne zaburzenia zachowania
F91.9	Zaburzenie zachowania, nieokreślone
F92	Mieszane zaburzenia zachowania i emocji
F92.0	Depresyjne zaburzenia zachowania
F92.8	Inne mieszane zaburzenie zachowania i emocji
F92.9	Mieszane zaburzenia zachowania i emocji, nieokreślone
F93	Zaburzenia emocjonalne rozpoczynające się zwykle w dzieciństwie
F93.0	Lęk przed separacją w dzieciństwie
F93.1	Zaburzenie lękowe w postaci fobii w dzieciństwie
F93.2	Lęk społeczny w dzieciństwie
F93.3	Zaburzenie związane z rywalizacją w rodzeństwie
F93.8	Inne zaburzenia emocjonalne okresu dzieciństwa
F93.9	Zaburzenie emocjonalne okresu dzieciństwa, nieokreślone
F94	Zaburzenia funkcjonowania społecznego rozpoczynające się zwykle w dzieciństwie lub w wieku młodzieńczym
F94.0	Mutyzm wybiórczy
F94.1	Reaktywne zaburzenia przywiązania w dzieciństwie
F94.2	Zaburzenia selektywności przywiązania w dzieciństwie
F94.8	Inne dziecięce zaburzenia funkcjonowania społecznego
F94.9	Dziecięce zaburzenia funkcjonowania społecznego, nieokreślone
F95	Tiki
F95.0	Tiki przemijające
F95.1	Przewlekłe tiki ruchowe i głosowe (wokalne)
F95.2	Zespół tików głosowych i ruchowych (zespół Gilles de la Tourette'a)
F95.8	Inne tiki
F95.2	Tiki, nieokreślone
F98	Inne zaburzenia zachowania i emocji rozpoczynające się zwykle w dzieciństwie lub w wieku młodzieńczym
F98.0	Moczenie mimowolne (enuresis) nieorganiczne
F98.1	Zanieczyszczanie się kałem (encopresis) nieorganiczne
F98.2	Zaburzenia odżywiania się w niemowlęctwie i dzieciństwie
F98.3	Pica w niemowlęctwie lub dzieciństwie
F98.4	Stereotypie ruchowe
F98.5	Jąkanie (zacinanie się)
F98.6	Mowa bezładna
F98.8	Inne określone zaburzenia zachowania i emocji rozpoczynające się zwykle w dzieciństwie lub w wieku młodzieńczym
F98.9	Zaburzenia zachowania i emocji rozpoczynające się zwykle w dzieciństwie lub w wieku młodzieńczym, nieokreślone

16.6
ZABURZENIA EMOCJONALNE MAŁEGO DZIECKA

16.6.1
Upośledzenie umysłowe (niepełnosprawność intelektualna)

łac. *cataphrenia*

ang. mental retardation

Definicja

Upośledzenie umysłowe wyraża się w istotnie niższym od przeciętnej ogólnym poziomie funkcjonowania intelektualnego i zaburzeniach w procesie dojrzewania, uczenia się, przystosowania społecznego. (Definicja Światowej Organizacji Zdrowia).

Upośledzenie umysłowe jest więc stanem istotnie mniejszej sprawności intelektualnej, a nie choroby. Występuje samodzielnie lub towarzyszy innej jednostce chorobowej, np. autyzmowi. Jednocześnie w upośledzeniu umysłowym 3–4 razy częściej niż w populacji ogólnej występują zaburzenia psychiczne, które niestety nie są dostatecznie często rozpoznawane. Pogarszają one i tak utrudnione funkcjonowanie oraz zdolności adaptacyjne. Podstawę klasyfikacji upośledzenia umysłowego stanowi liczba odchyleń standardowych od średniej sprawności intelektualnej populacji (tab. 16.2) przy zastosowaniu powszechnie przyjętych skal pomiaru inteligencji – najczęściej – Wechslera dla dzieci i młodzieży lub Termana–Merril. W obu testach średnia wynosi 100.

Epidemiologia

Częstość występowania upośledzenia umysłowego szacuje się na 2–3% w populacji ogólnej, z tym że ten wskaźnik jest wyższy u dzieci i wynosi 2–4%, podczas gdy w populacji osób dorosłych ok. 1%. Dzieci upośledzone w stopniu lekkim bardziej zdradzają

Tabela 16.2. Klasyfikacja upośledzenia umysłowego wg ICD-10 i DSM-IV	
ICD-10	**DSM-IV**
Lekkie 50–70	50–55 w przybliżeniu do 70
Umiarkowane 35–49	35–40 w przybliżeniu do 50–55
Znaczne 20–34	20–25 w przybliżeniu do 35–40
Głębokie 20	Poniżej 20 lub 25

swoje niekompetencje, podczas gdy jako dorośli mogą funkcjonować w miarę normalnie.

Etiologia i patogeneza

Przyczyny upośledzenia ilustruje rycina 16.1. W przypadku osób upośledzonych w stopniu lekkim trudno zidentyfikować konkretne czynniki etiologiczne. Istotną rolę odgrywają czynniki środowiskowe, a przede wszystkim złe warunki społeczno-bytowe, zwiększające czynniki ryzyka, takie jak niedożywienia i infekcje.

Poniżej wymieniono czynniki etiologiczne upośledzenia umysłowego.

■ **Zaburzenia chromosomalne** (częsta przyczyna). Wśród nich najczęstszy jest zespół Downa (ok. $\frac{1}{3}$ przypadków upośledzenia głębokiego), spowodowany trisomią, rzadziej translokacją chromosomu 21. Następna co do częstości jest grupa zaburzeń związanych z chromosomem X, rozpoznawanych jako „zespolone upośledzenie umysłowe sprzężone z chromosomem X" (syndrome XLMR), w tym zespół kruchego chromosomu X. Charakteryzuje się on nieprawidłową liczbą trójek nukleotydowych (cytozyna–guanina–guanina), prowadzącą do unieczynnienia białka FMRP i wystąpienia objawów choroby. W przypadku niejasnych przyczyn upośledzenia umysłowego należy zawsze rozważyć ten właśnie zespół. Do innych zespołów związanych z zaburzeniami chromosomalnymi należy zespół Pradera–Williego, a w przypadku zaburzeń związanych z chromosomami płciowymi zespół Turnera, Klinefeltera, XXY.

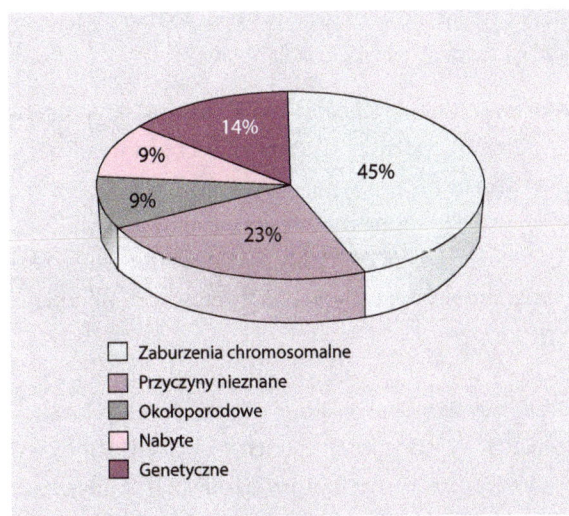

Rycina 16.1. Przyczyny niepełnosprawności intelektualnej.

■ **Zaburzenia metaboliczne uwarunkowane genetycznie.** Przede wszystkim jest to fenyloketonuria, której przyczyną jest deficyt hydroksylazy fenyloalaniny. Dieta eliminacyjna stwarza szansę normalnego funkcjonowania.

■ **Czynniki jednogenowe.** Są to np. fakomatozy (stwardnienie guzowate, choroba Recklinghausena).

■ **Czynniki związane z okresem ciąży** (różyczka, HIV, toksoplazmoza, zażywanie przez matkę substancji psychoaktywnych, nadmiernej ilości leków, promieniowanie rentgenowskie itp.). Wśród nich ważne miejsce zajmuje alkoholowy zespół płodowy (FAS – fetal alcohol syndrome). Dziecko z tym zespołem charakteryzuje się niskim wzrostem, małą głową, opóźnionym rozwojem mowy i sprawności psychomotorycznej, często nadruchliwością. Stopień upośledzenia pozostaje w korelacji z ilością pitego przez matkę alkoholu.

■ **Czynniki okołoporodowe i działające po urodzeniu**, takie jak zapalenie mózgu i opon mózgowo-rdzeniowych, urazy głowy.

W ok. 23% przypadków etiologia upośledzenia umysłowego pozostaje nieznana.

Obraz kliniczny

Obecnie przyjęto bardziej ogólny podział upośledzenia na 2 stopnie:

■ lekkie,
■ głębokie.

Upośledzenie umysłowe w stopniu lekkim charakteryzuje wieloczynnikowa etiologia i występowanie mniejszych zaburzeń somatycznych i psychicznych niż w przypadku upośledzenia w stopniu głębokim, które częściej ma pojedynczy czynnik etiologiczny. Nierzadko staje się ono widoczne dopiero w wieku przedszkolnym i szkolnym. Częstymi objawami są:

■ słabszy rozwój mowy,
■ ubogość zabaw, szczególnie wyobrażeniowych,
■ trudności w myśleniu abstrakcyjnym przy stosunkowo dobrej pamięci,
■ niestałość emocjonalna.

Dzieci z tym stopniem upośledzenia zwykle osiągają maksymalnie poziom edukacyjny 4. klasy szkoły podstawowej. U dzieci głębiej upośledzonych w zależności od stopnia upośledzenia opóźniony jest rozwój ruchowy i mowy oraz kontrola zwieraczy, a także możliwości adaptacyjne. Chodzą one do szkół życia, mogą w wieku dorosłym wykonywać proste prace pod nadzorem.

Przebieg naturalny

Upośledzenie umysłowe jest stanem względnie trwałym, chociaż może ujawnić się w pełni dopiero w szkole (upośledzenie lekkie). Odpowiednia rehabilitacja, poprawa wzroku lub słuchu mogą zmniejszyć stopień nieprzystosowania społecznego i podnieść o kilka punktów iloraz inteligencji.

Metody diagnostyczne

Oprócz badania dziecka i wywiadu od rodziców stosuje się indywidualnie dobrane testy inteligencji:

- Test Wechslera dla Dzieci (WISC-R),
- Test Matryc Ravena,
- Skala Dojrzałości Społecznej Dolla.

Leczenie

Ponieważ upośledzenie umysłowe nie jest chorobą, trudno mówić o jego leczeniu. W odniesieniu do dzieci upośledzonych konieczny jest konsekwentnie realizowany program rehabilitacyjno-edukacyjny od momentu ustalenia rozpoznania. W jego skład wchodzą:

- ocena zdolności poznawczych i kompetencji społecznych dziecka, towarzyszącej psychopatologii, indywidualnych zasobów,
- wsparcie środowiska, a przede wszystkim rodziców,
- stworzenie programu nauczania zgodnego z możliwościami dziecka, a następnie pracy odpowiadającej jego możliwościom.

Bardzo ważne jest stałe wspieranie rozwoju dziecka. Leczenie ma charakter głównie ambulatoryjny. Hospitalizacja dziecka jest konieczna jedynie w celu wykonania niektórych badań dodatkowych, np. MRI w znieczuleniu, lub w przypadku towarzyszących poważniejszych zaburzeń psychicznych bądź zaburzeń zachowania, np. nasilonej agresji lub autoagresji, celem ustalenia leczenia farmakologicznego.

Rokowanie

Zależy od stopnia upośledzenia. Ponieważ upośledzenie umysłowe jest stanem stosunkowo trwałym, możliwość osiągnięcia zmian w sprawności umysłowej jest niewielka, większa w zakresie funkcjonowania spo-łecznego i przystosowania do życia. Niektóre osoby upośledzone w stopniu lekkim mogą funkcjonować samodzielnie, wykonywać pracę, zawierać związki małżeńskie.

Lekarz pediatra może odgrywać w postępowaniu z dzieckiem upośledzonym bardzo ważną rolę. Do niego często należy poinformowanie rodziców o diagnozie i rokowaniu, np. w przypadku rozpoznania zespołu Downa. Jest to niesłychanie ważny, krytyczny moment. W przeżyciu tej traumy powinno się rodzicom zapewnić jak najlepsze warunki. Lekarz musi też liczyć się z różnymi reakcjami emocjonalnymi rodziców, rozumieć je i zaakceptować (np. niedowierzanie, zaprzeczenie, gniew lub rozpacz). W późniejszym okresie, w trakcie kontaktów lekarskich z dzieckiem upośledzonym, lekarz pediatra powinien uwzględniać ograniczenia wynikające ze stanu dziecka. Pediatra może także być konsultantem w domu pomocy społecznej lub ośrodku wczesnej interwencji.

16.6.2
Całościowe zaburzenia rozwojowe
ang. pervasive developmental disorders

Definicja

W przypadku osób upośledzonych w stopniu lekkim trudno zidentyfikować konkretne czynniki etiologiczne. Istotną rolę odgrywają czynniki środowiskowe, a przede wszystkim złe warunki społeczno-bytowe, zwiększające czynniki ryzyka, takie jak niedożywienia i infekcje.

Poważne całościowe zaburzenia rozwoju, które rozpoczynają się w okresie wczesnego rozwoju, przejawiają się następującą triadą objawów:

- ograniczoną zdolnością nawiązywania kontaktów z innymi ludźmi i uczestniczenia w interakcjach społecznych,
- zaburzoną umiejętnością komunikowania się,
- schematyzmem zachowania, ograniczonym repertuarem aktywności oraz zainteresowań i brakiem wyobraźni.

Objawy są różnie nasilone w poszczególnych zaburzeniach. W autyzmie dziecięcym wszystkie objawy opisanej triady są w pełni wyrażone, zaś w autyzmie atypowym ich nasilenie jest różne.

W zespole Retta zaburzona jest głównie komunikacja, a oprócz tego następuje stopniowa dezintegracja motoryczna oraz ogólna regresja. Dotyczy głównie dziewcząt. Etiologia tego zespołu wiąże się z genem MECP2 sprzężonym z chromosomem X.

Dziecięce zaburzenie dezintegracyjne obejmuje szybkie, postępujące zaburzenia mowy, umiejętności zabawy i relacji społecznych. Jest to bardzo rzadkie zaburzenie, nazywane dawniej psychozą dezintegracyjną.

Zespół Aspergera cechują głównie zaburzenia relacji społecznych, ograniczone wzorce zainteresowań, przy dość prawidłowych funkcjach językowych i poznawczych. W zakresie komunikacji mogą występować nieprawidłowości dotyczące głównie używania języka w kontekście społecznym, rozpoznawania różnych znaczeń tego samego słowa oraz rytmu, intonacji i modulacji mowy. Nie wiadomo, czy jest to odrębne zaburzenie, czy też odmiana autyzmu charakteryzująca się stosunkowo dobrym funkcjonowaniem, zwłaszcza w sferze intelektualnej.

Badacze i klinicyści posługują się ostatnio coraz częściej pojęciem tzw. spektrum zaburzeń autystycznych, do których zaliczają autyzm dziecięcy, autyzm atypowy i inne całościowe zaburzenia rozwojowe.

Epidemiologia

W ostatnich latach rozpowszechnienie autyzmu wyraźnie wzrasta. W latach 50. XX w. oceniano je na 1–2 na 10 tys., następnie 4–6 na 10 tys., a pod koniec XX w. już na 13 na 10 tys. Ostatnie dane wskazują, że mamy do czynienia z rozpowszechnieniem 3–4 na 1000 osób. W Wielkiej Brytanii rozpowszechnienie autyzmu wynosi 60 na 10 tys., a spektrum autyzmu – 1 na 150. Wzrost liczby zachorowań jest więc niewątpliwy.

Istnieje wiele możliwych powodów tej sytuacji, np. lepsza rozpoznawalność zaburzenia, częściowo także dzięki większej świadomości społecznej, uwzględnianie w badaniach epidemiologicznych tzw. spektrum autyzmu, które jest szersze niż rozpoznanie autyzmu wczesnodziecięcego.

Czynnikami środowiskowymi, które mogą wpływać na wzrost zachorowalności, są: metale ciężkie w pożywieniu, nadmiar pestycydów, nadmiar antybiotyków, leki przyjmowane w czasie ciąży, czy wreszcie stres prenatalny. WHO wykluczyła związek autyzmu ze szczepionką MMR, jednocześnie jednak zakazując jej stabilizacji pochodnymi rtęci. Prawdopodobnie mamy do czynienia z kumulacją wszystkich wymienionych powyżej czynników.

Etiologia i patogeneza

Zaburzenia należące do tej grupy są prawdopodobnie determinowane interakcją czynników genetycznych i środowiskowych, lub raczej aktywacją poprzez czynniki środowiskowe ukrytego czynnika genetycznego.

Dane z badań genetycznych wskazują na to, że zgodność zachorowania w przypadku bliźniąt monozygotycznych wynosi 60–95%, a dizygotycznych 5–8%. Odkryto obszary na chromosomach 2, 7, 15 i 17, które są związane z ryzykiem autyzmu oraz wskazano na znaczenie genu ADA2.

Jednak badacze biologicznych uwarunkowań autyzmu są zgodni, że z dużą pewnością można wykluczyć, by tylko jeden gen odpowiadał za jego występowanie. Na pewno całościowe zaburzenia rozwojowe należą do grupy zaburzeń neurorozwojowych, choć zmiany w mózgu są niespecyficzne: wielkość i masa mózgu są większe, obecne są zmiany w jądrze migdałowatym, płatach czołowych i układzie limbicznym, mniej jest neuronów lustrzanych, które w mózgu są częściowo odpowiedzialne za odzwierciedlanie reakcji emocjonalnych osób z otoczenia. Rola ich jest coraz bardziej podkreślana w etiologii autyzmu, podobnie jak rola teorii umysłu, być może z nimi związanej.

Posiadanie teorii umysłu jest właściwością rozwojową i oznacza zdolność do odczytywania tego, co myślą i czują inni, przewidywania ich zachowań oraz świadomości własnych stanów emocjonalnych. Deficyty w tej sferze odpowiadają za osiowe objawy autyzmu.

Obraz kliniczny

Całościowe zaburzenia rozwojowe zwykle rozpoczynają się przed 3. rokiem życia, ale ostatnio coraz częściej są rozpoznawane dużo wcześniej, w ciągu 1. roku życia dziecka, zwłaszcza w przypadku autyzmu.

Autyzm występuje 4 razy częściej u chłopców niż u dziewcząt, w 70% towarzyszy mu upośledzenie umysłowe. Wczesne objawy sugerujące autyzm to brak:

- kierowania przez dziecko wzroku na inne osoby,
- reakcji na własne imię,
- wskazywania,
- pokazywania i podawania przedmiotów,
- reakcji na głośne dźwięki.

W późniejszym okresie w obrazie klinicznym na pierwszy plan wysuwają się jakościowe zaburzenia interakcji społecznych, sprowadzające się do nienawiązywania kontaktu wzrokowego przez dziecko, nawet z najbliższymi, niepodążania wzrokiem za matką, zachowywania się tak jakby dziecko było „samo w świecie", który go nie interesuje, nie reaguje więc na próby nawiązania z nim kontaktu, ani też samo go nie nawiązuje, wzięte na ręce odchyla się od opiekuna.

Dzieci autystyczne nie mają potrzeby dzielenia się radością, zainteresowania innymi, nie potrafią odczytywać ich reakcji, rozumieć mimiki cudzej twarzy. Towarzyszą temu upośledzone relacje rówieśnicze, a czasami zupełny ich brak, pozostawanie poza grupą, w swoim świecie.

Drugą grupą objawów są jakościowe nieprawidłowości w porozumiewaniu się. Rozwój mowy jest opóźniony lub mowa nie rozwija się wcale. Nawet jeśli jest rozwinięta, nie służy komunikowaniu się. Dzieci te mają trudności w używaniu zaimków osobowych. Mówią „on" zamiast „ja", stereotypowo używają słów, czasami tworzą nowe, niezrozumiałe słowa. Mowa ma często charakter echolaliczny.

Dzieci z autyzmem zwykle nie biorą udziału w zabawie, szczególnie „na niby", wymagającej fantazji i wyobrażania sobie różnych codziennych sytuacji. Nie potrafią np. „zagrać" roli księcia itp.

Ostatnią grupą objawów są ograniczone powtarzające się stereotypowe wzorce zachowań, zainteresowań i aktywności. Dziecko autystyczne bywa pochłonięte jednym obsesyjnym zainteresowaniem, np. bawi się sznurkiem, puszką, ciągle tą samą, zdradzając przy tym manieryzmy ruchowe (stukanie, trzepotanie palcami itp.). Skupia się przy tym na dziwnych, niefunkcjonalnych cechach przedmiotów, np. wącha je, gładzi. Towarzyszy temu nietolerancja najmniejszych zmian. Każda, nawet niewiele znacząca zmiana, jak przestawienie wazonu na stole lub przekroczenie jezdni w innym miejscu niż zazwyczaj, prowadzi do gwałtownych napadów płaczu lub agresji.

Dzieci autystyczne bywają niezwykle pobudzone psychoruchowo, źle sypiają, jedzą w sposób dziwaczny, np. długo nie tolerują pokarmów stałych lub pokarmów o pewnych kolorach, chętnie jedzą stale to samo, odmawiając innych pokarmów.

Przebieg naturalny

Wielu informacji o naturalnym przebiegu autyzmu dostarczają książki napisane przez osoby, u których w dzieciństwie rozpoznano autyzm. Wynika z nich, że były w stanie ukończyć szkołę, studia, pracować i mieszkać samodzielnie, ale pewne cechy autyzmu (trudności w głębszych relacjach) pozostały.

U części osób większość deficytów jednak pozostaje i nie są one zdolne do samodzielnego życia (patrz rokowanie).

Metody diagnostyczne

Rozpoznanie opiera się na obserwacji dziecka i szczegółowym wywiadzie od rodziców. Proces diagnostyczny jest wieloetapowy i długi (ok. 3 miesięcy), wymaga wielodyscyplinarnego zespołu doświadczonych specjalistów (psychiatra, psycholodzy), badań psychologicznych, oceny poziomu inteligencji, czasami innych badań dodatkowych (słuch, badanie neurologiczne, EEG itd.).

Pomocny, szczególnie dla pediatrów, może być przesiewowy, prosty kwestionariusz CHAT (The Checklist for Autism in Toddlers) spełniający wszystkie wymagania psychometryczne (tab. 16.3).

Różnicowanie

Inne całościowe zaburzenia rozwojowe (zwłaszcza zespół Aspergera), upośledzenie umysłowe, zaburzenia lękowe, zespół stresu pourazowego, ADHD, zaburzenia rozwoju mowy i języka, specyficzne zaburzenia rozwoju umiejętności szkolnych, głuchota.

Leczenie

Głównym problemem dla lekarzy, a przede wszystkim rodziców, jest to, czy możemy mówić o wyleczeniu z autyzmu czy jedynie o pełnej rehabilitacji, zapewniającej w miarę samodzielne funkcjonowanie.

Podstawą leczenia i rehabilitacji jest wczesna interwencja, która powinna być:

- zindywidualizowana,
- zintegrowana,
- ustrukturyzowana,
- systematyczna,
- włączająca rodzinę,
- przeprowadzana w naturalnym środowisku dziecka,
- promująca kontakty z rówieśnikami.

Nie ma jedynej najlepszej i najskuteczniejszej metody. Stosowane są m.in. następujące metody:

- podejście behawioralne,
- model wczesnej interwencji Lovaasa,
- podejście rozwojowe,

Tabela 16.3. Kwestionariusz autyzmu w okresie poniemowlęcym (CHAT)

CZĘŚĆ A Zapytaj rodzica:

1. Czy Twoje dziecko lubi być huśtane, podrzucane na kolanach itp.? TAK/NIE
2. Czy Twoje dziecko interesuje się innymi dziećmi? TAK/NIE
3. Czy Twoje dziecko lubi wspinać się na różne rzeczy, np. po schodach? TAK/NIE
4. Czy Twoje dziecko lubi bawić się w „A ku-ku" lub w chowanego? TAK/NIE
5. Czy Twoje dziecko kiedykolwiek UDAJE, np. że robi herbatę, używając naczyń, zabawek, lub udaje, że robi coś innego? TAK/NIE
6. Czy Twoje dziecko kiedykolwiek używa swojego palca wskazującego, żeby pokazać, że o coś PROSI? TAK/NIE
7. Czy Twoje dziecko kiedykolwiek używa swojego palca wskazującego, żeby pokazać Ci, że jest czymś ZAINTERESOWANE? TAK/NIE
8. Czy Twoje dziecko potrafi bawić się właściwie małymi zabawkami (np. samochodami lub klockami), a nie tylko brać je do buzi, manipulować nimi bezmyślnie lub rzucać je na ziemię? TAK/NIE
9. Czy Twoje dziecko przynosi Ci kiedykolwiek przedmioty, by coś Ci POKAZAĆ? TAK/NIE

CZĘŚĆ B Obserwacje osoby badającej

1. Czy podczas spotkania dziecko nawiązało z Tobą kontakt wzrokowy? TAK/NIE
2. Przyciągnij uwagę dziecka, następnie wskaż w pokoju interesujący przedmiot i powiedz: „O popatrz! To jest (nazwa zabawki)!" Obserwuj twarz dziecka. Czy dziecko spogląda, żeby zobaczyć to, na co wskazujesz? TAK*/NIE
3. Przyciągnij uwagę dziecka, następnie daj mu malutką zabawkę filiżankę i czajniczek i powiedz: „Czy potrafisz zrobić herbatę?" Czy dziecko udaje, że nalewa herbatę, pije ją itp. TAK**/NIE
4. Powiedz do dziecka: „Gdzie jest światło?" lub „Pokaż mi światło". Czy dziecko WSKAZUJE swoim palcem wskazującym światło? TAK***/NIE
5. Czy dziecko potrafi zbudować wieżę z klocków? (Jeżeli tak, to z ilu?) (Liczba klocków) TAK/NIE

* Wpisz TAK, gdy upewnisz się, że dziecko nie spogląda po prostu na Twoją rękę, lecz na przedmiot, który mu wskazujesz.
** Wpisz TAK, gdy zaobserwujesz inny przykład udawania w zabawie.
*** Jeżeli dziecko nie rozumie słowa „światło", zapytaj o misia lub jakiś inny niebędący w zasięgu ręki przedmiot. Aby można było zaznaczyć TAK, dziecko musi patrzeć na Twoją twarz podczas czynności wskazywania tego przedmiotu.

Klucz do interpretacji CHAT
Obszary, w których rozwój dzieci autystycznych przebiega prawidłowo i odpowiadające im punkty kwestionariusza:
zabawy w kontakcie fizycznym z opiekunem – A1
rozwój ruchowy – A3
wskazywanie protoimperatywne – A6
zabawy funkcjonalne – A8
Obszary, w których rozwój dzieci autystycznych jest nieprawidłowy i odpowiadające im punkty kwestionariusza:
zainteresowania społeczne – A2
zabawy społeczne – A4
zabawy „w udawanie" – A5, B3
wskazywanie protodeklaratywne – A7, B4
dzielenie (wspólne pole) uwagi – A9
Pozostałe punkty kwestionariusza CHAT
B1 oraz B2 sprawdzają rzeczywistą interakcję społeczną; B2 także śledzenie wzrokiem; B5 ma na celu odróżnienie od ciężkiego upośledzenia umysłowego.
Uwaga: Metoda ta może uwrażliwić Cię na rozwój dziecka i pomóc w obserwacji, lecz pamiętaj, że nic nie zastąpi specjalistycznego badania i diagnozy przeprowadzonej przez specjalistów doświadczonych w diagnozowaniu autyzmu u małych dzieci. Być może niepokoisz się całkiem niepotrzebnie!

- model interwencji rozwojowej Greenspana,
- rozwijanie relacji interpersonalnych,
- podejście zintegrowane – model TEACCH Schoplera,
- metoda opcji Kaufmana.

Skuteczność metod alternatywnych nie została udowodniona (holding, leczenie sekretyną, suplementy żywieniowe, specjalne diety, usuwanie rtęci z organizmu). Lekarz pediatra powinien o tym poinformować poszukujących wszędzie pomocy rodziców.

Leczenie dziecka autystycznego tylko w wyjątkowych wypadkach wymaga hospitalizacji, najczęściej w celu wykonania badań dodatkowych, np. MRI w znieczuleniu. Ze względu na złe znoszenie zmian hospitalizacja powinna być ograniczona do minimum, a dziecku powinna towarzyszyć matka. Leczenie farmakologiczne ma ograniczoną skuteczność. Rysperydon i aripiprazol (atypowe neuroleptyki) są do pewnego stopnia skuteczne w opanowywaniu agresji i stereotypowych zachowań, ale objawy uboczne ograniczają ich stosowanie.

Rokowanie

Tylko 10–18% osób z rozpoznanym w dzieciństwie autyzmem funkcjonuje samodzielnie, jednak nadal mogą one mieć problemy w interakcjach społecznych i może je cechować ograniczony repertuar zainteresowań i aktywności. Od 14,5 do 23% dzieci nie jest w stanie posługiwać się mową. Korzystnymi czynnikami rokowniczymi są:

- nieobecność upośledzenia umysłowego, a przede wszystkim wysoka inteligencja,
- nieobecność współistniejących chorób somatycznych, np. padaczki,
- wystąpienie objawów w późniejszym wieku.

We wczesnym rozpoznaniu autyzmu i pokierowaniu dalszym leczeniem bardzo istotną rolę odgrywają pediatrzy, którzy w trakcie badań okresowych dziecka mogą pierwsi zauważyć objawy sugerujące takie rozpoznanie. W razie wątpliwości mogą korzystać z kwestionariusza CHAT.

Po dokładnym zbadaniu dziecka i zebraniu szczegółowego wywiadu od rodziców pediatra powinien przekazać im w sposób jak najmniej urazowy swoje obserwacje, wskazując na obszary deficytów bez podawania diagnozy, oraz skierować do psychiatry dzieci i młodzieży.

16.6.3

Zaburzenia lękowe w dzieciństwie

ang. anxiety disorders of childhood

Okres dzieciństwa jest czasem bardzo szybkiego rozwoju fizycznego, emocjonalnego, społecznego i poznawczego. Oznacza to, że przed dzieckiem i systemem rodzinnym staje wiele trudnych zadań, co sprzyja reakcjom lękowym, które są naturalną odpowiedzią na stres rozwojowy.

Wszystkie dzieci odczuwają lęk. Małe dzieci aż do okresu przedszkola czują znaczny niepokój w momencie rozstania z opiekunem. Starsze dzieci mogą bać się specyficznych sytuacji: ciemności, zwierząt, obcych. W związku z tym objawy lęku wymagają wnikliwego ustalenia, na ile są odpowiedzią na zadania rozwojowe, a na ile już psychopatologią (tab. 16.4).

Jeśli lęk powoduje znaczny dyskomfort dziecka, utrudnia i ogranicza jego funkcjonowanie, możemy przypuszczać, że mamy do czynienia z zaburzeniami lękowymi.

Definicja

Zaburzenia lękowe jest to grupa zaburzeń emocjonalnych, których głównym objawem jest lęk z różnie nasilonymi i wyrażonymi jego przejawami oraz z różnym czasem trwania. Jest to grupa zaburzeń w dużym

Tabela 16.4. Objawy lęku w różnych fazach rozwoju dziecka	
WIEK DZIECKA	**RODZAJ LĘKU**
Niemowlęta	Reakcja na hałas, zaskakujące wydarzenia, obce osoby, ciemne pomieszczenia, nagłe zmiany miejsca, nieznane miejsca, przedmioty, zwierzęta, osoby
Małe dzieci	Lęk przed wyimaginowanymi postaciami, przed ciemnością, lęk separacyjny (jest to okres największego nasilenia strachu, ponieważ istnieje większa zdolność do rozpoznania niebezpieczeństwa, ale nie ma jeszcze wykształconej umiejętności oceny, czy stanowi ono osobiste zagrożenie)
Dzieci szkolne	Obawy przed doznaniem urazu, przed zjawiskami przyrodniczymi, związane z własną osobą i swoją pozycją w środowisku
Starsze dzieci	Odczuwanie niepokoju i lęku związanego z własnym stanem zdrowia, z kompetencją społeczną, radzeniem sobie w szkole

stopniu pokrywająca się z obowiązującym dawniej pojęciem nerwic dziecięcych. Oprócz opisanych poniżej zaburzeń lękowych zaliczane do nich są także zaburzenia konwersyjne i dysocjacyjne określane uprzednio mianem nerwicy histerycznej.

Lęk jest pełnym napięcia oczekiwaniem na pojawienie się niesprecyzowanego zagrożenia w odróżnieniu od strachu, w którym niebezpieczeństwo jest znane. Ma on komponent behawioralny, poznawczy i emocjonalny.

Komponent behawioralny jest to między innymi wycofywanie się i unikanie, zwłaszcza sytuacji trudnych, doprowadzające do kłopotów w prawidłowym funkcjonowaniu, np. fobii szkolnej, wycofania z relacji z rówieśnikami, nadmiernej nieśmiałości. Komponent poznawczy obejmuje zaburzenia koncentracji, zapominanie, trudności w myśleniu. Z kolei komponent emocjonalny są to: nerwowość, napięcie, uczucie zagrożenia, niepokoju, czucie się nieszczęśliwym, smutek, częsty płacz, niemożność odprężenia się, koszmary senne. Towarzyszą im objawy somatyczne ze wszystkich układów, np. kołatanie serca, uczucie omdlenia, ciężar w klatce piersiowej, czerwienienie się lub blednięcie, drżenia i napięcie mięśni, bóle brzucha, biegunki, bóle i zawroty głowy, suchość w jamie ustnej, zaburzenia snu i łaknienia.

Epidemiologia

Zaburzenia lękowe są jednymi z najczęstszych zaburzeń w populacji dzieci. Częstość występowania co najmniej jednego zaburzenia lękowego ocenia się na 6–20% populacji pediatrycznej. Jednak znaczna część tych zaburzeń nie jest u dzieci wykrywana i leczona.

Etiologia i patogeneza

W powstawaniu zaburzeń lękowych czynniki psychospołeczne odgrywają główną rolę. Ich charakterystyka zależy od teorii rozwoju psychicznego. Największy wkład w tworzenie koncepcji powstawania lęku ma teoria psychoanalityczna, która łączy jego powstawanie ze stłumionymi urazami wczesnodziecięcymi i konfliktem intrapsychicznym. W odniesieniu do powstawania lęku można mówić o grze czynników ryzyka i czynników ochronnych. Czynniki ryzyka to:

- czynniki genetyczne i temperamentalne,
- rodzaj przywiązania, zwłaszcza przywiązanie lękowe i unikające,
- czynniki związane z relacją dziecka z rodzicami,

- atmosfera lęku w rodzinie, zwłaszcza lękowość matki,
- wielopokoleniowa transmisja lęku, często z powodu traumatycznych przeżyć poprzednich pokoleń rodziny, sprzyjających postrzeganiu świata jako zagrażającego i budzącego lęk.
- nadopiekuńczość, odrzucenie, autorytarność w wychowaniu,
- nadmierne krytykowanie dziecka, niedostrzeganie jego sukcesów.

Czynniki ochronne to:

- umiejętności radzenia sobie (coping skills),
- wsparcie rodziny.

Obraz kliniczny

Zaburzenia lękowe u dzieci rzadko tworzą jednorodne zespoły. Obraz kliniczny jest różny w poszczególnych postaciach zaburzeń lękowych.

Lęk przed separacją w dzieciństwie

W lęku separacyjnym głównymi objawami są:

- lęk przed rozstaniem z domem i opiekunem, z którym dziecko jest zwykle nadmiernie związane,
- uporczywe fantazje, że coś może stać się najbliższym, stałe martwienie się o ich zdrowie.

Z powodu lęku przed rozstaniem dzieci niechętnie opuszczają dom, często odmawiają pójścia do szkoły, żądają, aby matka cały czas siedziała na korytarzu pod klasą szkolną. Czasami występują klasyczne napady lęku.

Zaburzenia lękowe uogólnione

Charakteryzują je następujące objawy:

- chroniczne, nadmierne martwienie się,
- lęk dotyczący wszystkich lub prawie wszystkich sfer funkcjonowania dziecka,
- martwienie się sytuacją na świecie, klęskami żywiołowymi, wojnami,
- stały niepokój,
- objawy somatyczne.

Dzieci te sprawiają wrażenie nieszczęśliwych, napiętych, zmęczonych, niezdolnych do relaksu, ich wewnętrzne cierpienie jest jeszcze większe niż widoczne, często płaczą, mają trudności z zaśnięciem, zaburzenia koncentracji. Dla rozpoznania konieczne jest utrzymywanie się tych objawów przez okres co najmniej 6 miesięcy.

Zaburzenia lękowe w postaci fobii w dzieciństwie

Typowy dla tego zaburzenia lękowego jest irracjonalny, różnie nasilony lęk przed specyficznymi przedmiotami lub sytuacjami, czasami osiągający poziom paniki, utrudniający funkcjonowanie. Rozróżniamy bardzo wiele fobii, niektóre są proste, inne bardziej złożone. Częste są fobie ciemności, myszy, zwierząt, pająków, występujące typowo u zdrowych dzieci, ale w tym zaburzeniu osiągające znaczne nasilenie i dezorganizujące funkcjonowanie społeczne.

Lęk społeczny w dzieciństwie (fobia społeczna)

Lęk społeczny dotyczy obcych. Towarzyszą mu dobrze zachowane, spontaniczne kontakty z członkami rodziny. Prowadzi do trudności w funkcjonowaniu społecznym, zwłaszcza szkolnym, unikania relacji społecznych.

W tym zaburzeniu lęk występuje w jednej lub kilku sytuacjach społecznych, w których dziecko czuje się niekomfortowo, boi się kompromitacji, upokorzenia. Zwykle dziecko ma trudności w odpowiadaniu na pytania, głośnym czytaniu, rozpoczynaniu rozmowy, zwłaszcza z nieznajomymi, unika zabaw grupowych i chodzenia na spotkania towarzyskie. Często opuszcza szkołę, jest samotne, smutne, postrzegane jako bardzo nieśmiałe.

Mutyzm wybiórczy

Obecnie jest on traktowany jako ciężka postać fobii społecznej. Dziecko odmawia mówienia w określonych sytuacjach, a w innych, często w domu, mówi. Generalnie odmowa mówienia jest konsekwentna i przewidywalna, sytuacje, w których dziecko nie mówi, nie zmieniają się. Aby można było sformułować rozpoznanie, zaburzenie powinno trwać co najmniej 4 tygodnie. Jeśli objawy utrzymują się długo, do roku, może utrwalić się i nie rokować poprawy.

Zaburzenia lękowe z napadami lęku panicznego

W ich przebiegu występują powtarzające się napady paniki, niezwiązane z konkretną sytuacją. Charakteryzuje je nasilony lęk (panika) oraz objawy somatyczne z towarzyszącym uczuciem lęku przed omdleniem, a nawet śmiercią. Jeśli występują przez jakiś czas, dziecko zaczyna się ich bać i ogranicza swoje funkcjonowanie, np. zaczyna bać się wychodzić z domu.

Zaburzenia obsesyjno-kompulsyjne

Ostatnio coraz częściej kwestionowana jest przynależność tego zespołu do grupy zaburzeń lękowych. Rozpatruje się go jako samodzielne zaburzenie o etiologii w większym stopniu biologicznej niż pozostałe zaburzenia lękowe, związanej z podatnością genetyczną i zaburzeniami w układzie neurotransmiterów, zwłaszcza układzie serotoninergicznym. Do objawów zaliczamy:

- nawracające i uporczywe myśli natrętne (obsesje),
- czynności natrętne (kompulsje),
- natrętne impulsy, które pacjent ocenia jako przesadne, pochodzenia chorobowego.

Objawy te są powodem cierpienia, zajmują dużo czasu, co najmniej godzinę dziennie, i dezorganizują funkcjonowanie. Treść obsesji jest różna. Zazwyczaj dotyczą agresji, porządku, brudu i zarazków, choroby, seksu i religii. Lęk przed zabrudzeniem powoduje natrętne mycie rąk, aż do uszkodzenia ich powierzchni, może towarzyszyć mu unikanie brudu, niedotykanie pieniędzy, wielokrotne mycie po pobycie w toalecie lub dotknięciu czegoś, co wydaje się brudne. Często u młodzieży wiąże się z poczuciem winy związanym z masturbacją.

Kompulsje mogą przybrać formę kompulsywnego sprawdzania, czy drzwi są zamknięte, światło lub gaz wyłączone, liczenia, ubierania się i wykonywania innych czynności według stałego określonego porządku. Powtarzanie fragmentów lektury, przepisywanie zeszytów może prowadzić do trudności w nauce. Dzieci lub młodzież mogą stale rozważać różne kwestie, czy np. postąpili prawidłowo. Wiele czynności natrętnych ma odwrócić coś złego, co hipotetycznie może stać się np. rodzicom lub samemu dziecku.

Częstość występowania tego zaburzenia w populacji rozwojowej wynosi 1–3,6%. Zaburzenie może mieć różne nasilenie: od niewielkiego do tak nasilonego, że samodzielne funkcjonowanie staje się trudne. Towarzyszy mu znaczna współchorobowość z innymi zaburzeniami lękowymi, tikami, zaburzeniami depresyjnymi. Typowe jest wciągnięcie rodziców w rytuały, co różni to zaburzenie od analogicznego u osób dorosłych. Charakterystyczne są też mniejsze niż u dorosłych krytycyzm oraz poczucie obcości i chorobowości objawów.

Zaburzenia konwersyjne

Polegają na przekształcaniu konfliktu psychicznego w utratę jakiejś funkcji lub w objawy somatyczne. Najczęściej istnieje związek pomiędzy traumatycznym zdarzeniem czy sytuacją stresową, a wystąpieniem tych zaburzeń. Należą do nich: deficyty funkcji motorycznych i czuciowych, zaburzenia chodu, „niedowłady", napady „drgawkowe", bezgłos, zaburzenia wzroku czy omdlenia. Objawy konwersyjne są często niezgodne z anatomiczną lokalizacją, niespójne. W wielu przypadkach trudno je jednak odróżnić od prawdziwych zaburzeń somatycznych. Sądzi się, że odpowiedzialne za ich powstawanie są 2 mechanizmy – pierwotny polegający na utrzymywaniu konfliktu intrapsychicznego poza świadomością i wtórny polegający na uzyskaniu kontroli nad otoczeniem, troski, opieki, zainteresowania lub ucieczki od nieprzyjemnych sytuacji lub obowiązków.

Zaburzenia dysocjacyjne

Polegają na nagłym przerwaniu ciągłości świadomości, pamięci lub tożsamości. Zaliczamy do nich dysocjacyjne zaburzenia pamięci (amnezje dysocjacyjne) często obejmujące jakieś szczególnie traumatyczne przeżycia, fugi (nagłe nieoczekiwane ucieczki lub podróże), dysocjacyjne zaburzenia tożsamości (występowanie na przemian dwu lub więcej osobowości). Ich pojawienie się jest najczęściej związane ze szczególnym stresem lub urazem.

Przebieg naturalny

Zaburzenia lękowe jako wyraźnie związane z rozwojem dziecka mogą ustąpić samoistnie w okresie dorosłym, niektóre jednak, np. zaburzenie obsesyjno-kompulsyjne, nieleczone utrzymują się w okresie dorosłości.

Ogólnie ich przebieg naturalny zależy od stosunku czynników ryzyka do czynników ochronnych.

Metody diagnostyczne

Stosowane są następujące metody:

- badanie dziecka psychiatryczne i psychologiczne,
- wywiad od dziecka i rodziców,
- u młodzieży Inwentarz Stanu i Lęku jako Cechy Spielbergera,

- kwestionariusz Leytona wykrywający myśli i czynności natrętne,
- skala CY-BOCS (The Children Yale-Brown Obssesive-Compulsive Scale) do oceny nasilenia kompulsji i obsesji,
- w przypadku zaburzeń konwersyjnych konieczne jest wykluczenie rzeczywistej choroby lub zaburzenia somatycznego, np. w przypadku konwersyjnych napadów drgawkowych wykonanie badania EEG i wykluczenie padaczki.

Różnicowanie

Zaburzenia lękowe należy różnicować z następującymi zaburzeniami:

- zaburzenia psychiczne: zaburzenia hiperkinetyczne (ADHD), zaburzenia psychotyczne (schizofrenia), zaburzenia afektywne, depresja, stany majaczeniowe, choroba tikowa,
- choroby somatyczne: nadczynność tarczycy, uzależnienie od kofeiny i napojów pobudzających (coca-cola), migrena, astma, padaczka, zatrucie ołowiem; rzadziej hipoglikemia, feochromocytoma, zaburzenia OUN, np. guzy mózgu, arytmia, padaczka,
- zażywanie niektórych leków, np. przeciwastmatycznych, sympatykomimetycznych, SSRI, neuroleptyków.

Leczenie

Planowanie leczenia zależy od nasilenia objawów lękowych, stopnia cierpienia dziecka oraz zaburzeń w jego funkcjonowaniu. Główną metodą pozostaje psychoterapia, przede wszystkim psychoterapia behawioralno-poznawcza, a także psychoterapia psychodynamiczna, choć niewiele jest kontrolowanych badań oceniających jej skuteczność.

W przypadku znacznego nasilenia zaburzenia należy rozważyć stosowanie leczenia farmakologicznego lekami z grupy blokerów wychwytu zwrotnego serotoniny (SSRI) lub innymi (trójpierścieniowe leki przeciwdepresyjne – klomipramina), odwracalnymi inhibitorami MAO (moklobemid), zwłaszcza w zaburzeniu obsesyjno-kompulsyjnym. Wiele danych wskazuje na skuteczność skojarzonego leczenia psychologicznego i farmakologicznego. Wskazana jest także terapia rodzinna.

◤ Rokowanie

Na ogół jest dobre. Zależy od:

- rodzaju zaburzeń lękowych,
- stopnia nasilenia zaburzeń,
- dezorganizacji funkcjonowania dziecka,
- czynników ochronnych.

16.6.4

Inne zaburzenia emocjonalne rozpoczynające się u małych dzieci

Zaburzenia te są następujące:

- moczenie nocne,
- zanieczyszczanie się kałem,
- zaburzenia odżywiania w niemowlęctwie i dzieciństwie, pica w niemowlęctwie (tab. 16.1).

Ich wspólnym mianownikiem jest nieradzenie sobie z opanowaniem podstawowych funkcji fizjologicznych, jakimi są kontrola pęcherza i zwieraczy oraz jedzenie.

Zaburzenia te nie mają charakteru neurologicznego, ale do pewnego stopnia stanowią opóźnienie w nabywaniu stosownych do wieku umiejętności. Mogą mieć charakter pierwotny lub wtórny. W tym drugim przypadku dana funkcja była już opanowana i została utracona.

◤ Epidemiologia

Zanieczyszczanie kałem jest zjawiskiem rzadkim i dotyczy 1% dzieci pięcioletnich. Moczenie nocne w tym samym okresie wynosi 7% dla chłopców i 3% dla dziewcząt. Rozpoznajemy je po 5. roku życia dziecka.

◤ Leczenie

W leczeniu moczenia nocnego najskuteczniejsza jest metoda behawioralna, tzw. budzik śródnocny, oraz nagradzanie dni lub nocy „suchych". Jeśli chodzi o leczenie farmakologiczne, najskuteczniejsze jest podawanie na noc desmopresyny w postaci tabletek lub spreju do nosa (tylko > 5. rż.). Istotną rolę odgrywa także psychoterapia i psychoedukacja lub terapia rodzinna, podobnie jak w przypadku zanieczyszczania się kałem.

16.7

ZABURZENIA EMOCJONALNE W OKRESIE SZKOLNYM

W tym okresie najważniejszym wydarzeniem jest rozpoczęcie nauki szkolnej. Dziecko i rodzice muszą uporać się ze stresem związanym z pójściem do szkoły. Duże znaczenie w tym czasie mają kontakty z rówieśnikami, a wejście w grupę rówieśniczą staje się szczególnie ważnym zadaniem rozwojowym. Grupa rówieśnicza staje się miejscem wpływu społecznego na dziecko, a nieakceptacja lub odrzucenie dziecka mogą stać się źródłem znacznego stresu i rozwoju psychopatologii.

16.7.1

Zaburzenia rozwoju mowy i języka

ang. specific developmental disorders of speech and language

◤ Definicja

Zaburzenia rozwoju mowy i języka jest to grupa zaburzeń, w których mimo sprawnego aparatu psychosensorycznego oraz artykulacyjnego i prawidłowego poziomu intelektualnego mowa dziecka we wszystkich trzech wymienionych aspektach, to jest artykulacji, ekspresji i rozumieniu, jest poniżej poziomu dla wieku rozwojowego dziecka. Z tego powodu konieczne jest odnoszenie tych zaburzeń do prawidłowego rozwoju mowy i języka.

◤ Epidemiologia

Nie ma precyzyjnych danych na temat rozpowszechnienia tych zaburzeń. Niektóre dane wskazują na ich występowanie u ok. 2% dzieci, 3 razy częściej zdarzają się one u chłopców.

◤ Etiologia i patogeneza

Etiologia nie została do końca wyjaśniona. Pod uwagę bierze się następujące czynniki:

- zaburzona lateralizacja,
- patologia I trymestru ciąży prowadząca do zaburzonej mielinizacji okolic ośrodków mowy,
- uwarunkowania genetyczne,
- depresyjność matek i stosowanie przemocy w rodzinie.

◤ Obraz kliniczny
Specyficzne zaburzenia artykulacji

Dzieci mają trudności w artykulacji przy niewerbalnej inteligencji, umiejętności rozumienia i ekspresji języka w granicach normy, co może powodować trudności w porozumiewaniu się. Artykulacja (umiejętności fonologiczne) oceniona standardowymi testami znajduje się co najmniej 2 odchylenia standardowe poniżej granicy dla wieku dziecka.

Zaburzenia ekspresji mowy – dysfazja ekspresyjna

Charakterystyczna jest niezdolność do produkowania słów i ich powtarzania. Dziecko stara się porozumiewać niewerbalnie, poprzez gesty i mimikę, starsze dzieci posługują się pewną liczbą słów, ich mowa ma charakter telegraficzny, towarzyszą jej błędy struktury i gramatyki.

Zaburzenia rozumienia mowy – dysfazja recepcyjna

Pierwsze sygnały zaburzeń mowy pojawiają się ok. 2. roku życia. Dzieci nie reagują na imię, mają trudności ze spełnianiem poleceń, a w efekcie z porozumiewaniem się z otoczeniem, co prowadzi do postępującej izolacji i wtórnych, często nasilonych, zaburzeń emocjonalnych.

Przebieg naturalny
Zaburzenie ma charakter stosunkowo trwały.

Metody diagnostyczne
Stosowane są następujące metody:

- ocena aparatu mowy oraz słuchu przez badanie foniatryczne i audiologiczne,
- konsultacja logopedyczna,
- ocena ilorazu inteligencji,
- ocena aparatu mowy i słuchu.

Różnicowanie
Zaburzenia mowy w przebiegu upośledzenia umysłowego, całościowe zaburzenia rozwoju (zwłaszcza autyzm), uszkodzenie aparatu słuchu i mowy.

Leczenie
Stosowane są:

- terapia logopedyczna,
- czasem psychoterapia indywidualna dziecka i terapia rodziny.

Rokowanie
Są to zaburzenia stosunkowo trwałe. Rokowanie pogarszają towarzyszące im często zaburzenia emocjonalne i zachowania dziecka oraz trudności rodziny w przystosowaniu się do choroby.

16.7.2

Specyficzne zaburzenia w rozwoju umiejętności szkolnych

ang. specific developmental disorders of scholastic skills

Definicja
Specyficzne zaburzenia rozwoju umiejętności szkolnych jest to grupa zaburzeń dotyczących wszystkich aspektów umiejętności szkolnych:

- czytania (dysleksja),
- pisania (dysgrafia),
- umiejętności arytmetycznych (akalkulia rozwojowa).

Prawidłowe wzorce nabywania umiejętności są zaburzone i nie wynikają z uszkodzenia mózgu czy chorób OUN, ale najprawdopodobniej ze specyficznych deficytów poznawczych, być może uwarunkowanych genetycznie. Towarzyszy im prawidłowy, często wysoki poziom intelektualny. Trudności te w sposób istotny zaburzają przebieg nauki w szkole.

Epidemiologia
Częstość występowania tych zaburzeń (głównie czytania) wynosi 10–15%. Według polskich badań prowadzonych w szkołach w Gdańsku wynosi 13,4%, z czterokrotną przewagą chłopców.

Etiologia i patogeneza
Czynniki biologiczne wpływające na rozwój tych zaburzeń mają charakter genetyczny. Zgodność występowania dysleksji u bliźniaków jednojajowych oceniano nawet na 100%. Sugeruje się uszkodzenie genu na krótkim ramieniu chromosomu 6. Rozważane są czynniki związane z dysfunkcją struktur mózgu, między innymi przesunięciem neuronów piramidalnych z właściwej warstwy kory lub niedorozwojem istoty białej. Rozważa się związek akalkulii rozwojowej z zaburzeniami w orientacji przestrzennej i wzrokowej.

Obraz kliniczny
Trudności w czytaniu (dysleksja) to:

- wolne tempo,
- zniekształcanie wyrazów przez opuszczenia pierwszych i ostatnich zgłosek lub sylab,
- opuszczanie wyrazów w tekście,
- trudności w rozumieniu tekstu, wykonywaniu zadań wymagających czytania i niechęć do czytania.

Trudności w poprawnym pisaniu (dysortografia) to:

- nieprawidłowe różnicowanie podobnych liter,
- zamiana liter o podobnym kształcie,
- agramatyzmy,
- błędy ortograficzne,
- zamiana jednych wyrazów na inne,
- ogólnie „nieładne" pismo.

Trudności w nabywaniu umiejętności arytmetycznych (akalkulia rozwojowa) to:

- trudność w opanowaniu podstawowych zasad arytmetyki (dodawanie, mnożenie, dzielenie – wyraźnie poniżej normy dla wieku).

U większości dzieci dotkniętych tymi zaburzeniami występują wtórne zaburzenia emocjonalne, często tym większe, im lepszy jest poziom intelektualny dziecka (mimo to nie może poradzić sobie z nauką). Rodzice odczuwają rozczarowanie i niezadowolenie z dziecka.

Przebieg naturalny

Przebieg jest względnie trwały. Część zaburzeń powoli ustępuje, niektóre w mniejszym nasileniu mogą przetrwać do dorosłości. Badania wskazują na inny rozwój naturalny dzieci dyslektycznych niż grupy kontrolnej w zakresie uzyskanego wykształcenia i statusu społeczno-ekonomicznego.

Metody diagnostyczne

Rozpoznanie ustalane jest przez lekarza, logopedę i psychologa. Stosowane są następujące metody:

- testy inteligencji,
- ocena słuchu, wzroku,
- badanie neurologiczne celem wykluczenia zmian w OUN,
- badanie stanu emocjonalnego dziecka.

Różnicowanie

Uszkodzenie OUN, zaburzenia wzroku i słuchu, upośledzenie umysłowe, całościowe zaburzenia rozwoju.

Leczenie

Stosowane są następujące metody leczenia:

- reedukacja prowadzona przez specjalistów, rozpoczęta jak najwcześniej,
- psychoterapia dziecka w przypadku wtórnych zaburzeń emocjonalnych,

- psychoedukacja rodziny i szkoły,
- czasami terapia rodzinna.

Rokowanie

Zależy od czasu podjęcia reedukacji dziecka i wystąpienia oraz nasilenia wtórnych zaburzeń emocjonalnych.

16.7.3

Zaburzenia hiperkinetyczne (zespoły nadpobudliwości ruchowej)

ang. hyperkinetic disorders

Zaburzenia hiperkinetyczne w klasyfikacji DSM-IV są określane jako ADHD (attention-deficit hyperactivity disorder). Pojęcie to jest jednak szersze niż zaburzenia hiperkinetyczne.

Definicja

Jest to grupa zaburzeń charakteryzująca się:

- wczesnym początkiem (zazwyczaj w pierwszych 5 latach życia),
- brakiem wytrwałości w realizowaniu zadań wymagających zaangażowania poznawczego,
- tendencją do przechodzenia od jednej aktywności do drugiej, bez ukończenia żadnej z nich,
- zdezorganizowaną, słabo kontrolowaną, nadmierną aktywnością i nadmierną impulsywnością.

W tej kategorii zaburzeń mieszczą się 4 ich podgrupy:

- zaburzenia aktywności i uwagi,
- hiperkinetyczne zaburzenia zachowania,
- inne zaburzenia hiperkinetyczne,
- zaburzenia hiperkinetyczne nieokreślone.

Epidemiologia

Zaburzenia hiperkinetyczne są najczęstszymi zaburzeniami psychicznymi w populacji dzieci szkolnych, choć statystyki wykazują różne rozpowszechnienia w różnych krajach, z reguły dużo wyższe w USA niż w Europie, oceniane na 5,29%. Chłopcy niezależnie od wieku chorują 2–3 razy częściej niż dziewczęta. Zaburzenie hiperkinetyczne to termin obowiązujący w klasyfikacji ICD-10. W klasyfikacjach DSM-IV używa się pojęcia attention-deficit hyperactivity disorder – ADHD, tłumaczonego na język polski jako zespół nadpobudliwości psychoruchowej z deficytem uwagi. Określenia te nie są do końca tożsame.

Można powiedzieć, że pojęcie zespół hiperkinetyczny jest węższe od pojęcia ADHD.

Etiologia i patogeneza

Zaburzenie występuje rodzinnie. Charakteryzuje się dysfunkcją regulacji monoamin, zwłaszcza dopaminy i noradrenaliny, głównie w obszarach mezolimbicznych i korowych, które są modulatorami koncentracji, motywacji i kontroli motorycznej. Rozważa się także nadmierną aktywność noradrenergiczną miejsca sinawego. Skuteczność pochodnych amfetaminy w leczeniu jest wynikiem zwiększonego stężenia dopaminy oraz hamowania aktywności miejsca sinawego poprzez efekt agonistyczny w stosunku do noradrenaliny.

Dzieci cierpiące na zaburzenie hiperkinetyczne cechuje słabość neuronalnych mechanizmów hamowania. Badania genetyczne wskazują na częstsze rodzinne występowanie zaburzeń hiperkinetycznych. Badania genetyki molekularnej sugerują, że na dziedziczenie zespołów hiperkinetycznych wpływają dwa geny, oba związane z receptorem dopaminowym (DRDA4.7 i DAT 1).

Wiele badań przeprowadzonych metodami neuroobrazowania OUN, zarówno anatomicznymi, jak i czynnościowymi, wskazuje na odmienności w budowie i funkcji poszczególnych struktur OUN zaangażowanych w rozmaite funkcje uwagi i kontroli zachowania. Inne czynniki etiologiczne to:

- powikłania ciąży i porodu,
- niska masa urodzeniowa,
- urazy mózgu,
- nadużywanie substancji psychoaktywnych, alkoholu i nikotyny przez matkę w czasie ciąży,
- czynniki środowiskowe.

Czynniki związane z systemem rodzinnym nie odgrywają zasadniczej roli w etiologii zespołów hiperkinetycznych. Rodzina wpływa na przebieg i utrwalanie się zaburzeń, szczególnie jeśli system rodzinny jest dysfunkcjonalny.

Obraz kliniczny

Zaburzenie rozpoczyna się zwykle przed 7. rokiem życia. W pierwszych latach życia dziecka objawy nadruchliwości nie sprawiają tak wiele kłopotów. Rodzice zdają sobie sprawę, że dziecko jest bardziej „żywe" niż inne dzieci, ale z reguły sądzą, że albo taki ma charakter, albo te cechy ulegną zmniejszeniu.

Wyraźne trudności zaczynają się wraz z pójściem dziecka do przedszkola, a szczególnie w szkole, w której dziecko musi przestrzegać pewnych norm zachowania, bardziej rygorystycznych niż w domu rodzinnym, oraz dostosować się do rówieśników.

Dzieci nadruchliwe cechują przede wszystkim zaburzenia koncentracji uwagi, nie mogą się skupić na zajęciach szkolnych lub w czasie wykonywania innych czynności. Sprawiają wrażenie, jakby nie słuchały, co się do nich mówi. Popełniają liczne błędy wynikające z niedbałości, np. proste błędy w liczeniu, mają trudności ze zorganizowaniem sobie pracy lub innych zajęć. Nie lubią zadań, które wymagają dłuższego i systematycznego wysiłku, gubią swoje rzeczy.

Nadmierna ich aktywność przejawia się tym, że nie mogą dłużej utrzymać pozycji siedzącej, często niespokojnie poruszają rękoma lub stopami, stale wiercą się na krześle, wstają, chodzą po klasie w czasie lekcji, są rozbiegane, hałaśliwe i dużo mówią. Ten wzorzec nadmiernej aktywności ruchowej jest utrwalony i nie modyfikują go społeczny kontekst i oczekiwania.

Inną cechą dzieci cierpiących na to zaburzenie jest impulsywność. Dzieci często odpowiadają na pytanie, zanim zostanie ono dokończone, nie umieją czekać na swoją kolej w grach, przeszkadzają w rozmowie, wtrącają się w wypowiedzi innych, np. starszych osób, potrafią wybiec na jezdnię, zanim zapali się zielone światło, między innymi dlatego są często narażone na wypadki.

Aby można było sformułować rozpoznanie, opisane objawy muszą trwać co najmniej 6 miesięcy i występować zarówno w szkole, jak i w domu oraz w innych okolicznościach.

Przebieg naturalny

Nasilenie objawów zmniejsza się wraz z wiekiem, ale u niektórych osób mogą one przetrwać do wieku dorosłego, choć wtedy obserwuje się mniej nadruchliwości, a więcej zaburzeń koncentracji i trudności w utrzymaniu zainteresowań, stabilnym realizowaniu obowiązków. W ich następstwie mogą pojawić się zaburzenia osobowości i zachowania aspołeczne.

Metody diagnostyczne

Diagnostyka zaburzeń hiperkinetycznych nie jest łatwa, zwłaszcza że dzieci te w niektórych sytuacjach (np. interesująca gra komputerowa) potrafią zachowywać się spokojnie. Aby ustalić rozpoznanie, koniecznych jest kilka spotkań z dzieckiem, szczegółowy wywiad od rodziców, nauczycieli. Pomocny może być kwestionariusz Connersa w wersji dla rodziców i nauczycieli. W specjalistycznych ośrodkach wykonuje się testy uwagi i koncentracji.

Różnicowanie

Należy je różnicować z następującymi zaburzeniami:

- wariant normalnego rozwoju psychoruchowego (przede wszystkim),
- zaburzenia psychiczne: lękowe, nastroju, zachowania, psychotyczne, upośledzenie umysłowe, całościowe zaburzenia rozwoju,
- choroby somatyczne: nadczynność tarczycy, alergia, astma, przewlekłe zatrucie ołowiem, pląsawica Sydenhama,
- choroby neurologiczne: padaczka, zespół kruchego chromosomu X, niektóre choroby zwyrodnieniowe, np. mukopolisacharydozy, płodowy zespół alkoholowy,
- objawy uboczne leków: barbituranów, benzodiazepin, steroidów, leków przeciwhistaminowych i przeciwastmatycznych,
- niedosłuch, niedowidzenie.

Leczenie

Leczenie ma charakter kompleksowy, uwzględniający oddziaływania psychospołeczne i farmakologiczne. W jego skład wchodzą:

- psychoedukacja obejmująca opiekunów, dziecko i system szkolny,
- elementy psychoterapii behawioralnej i terapia indywidualna samego dziecka,
- farmakoterapia.

Farmakoterapia jest metodą o dobrze udowodnionej skuteczności, sięgającej 75%, ale metody psychologiczne powinny ją poprzedzać, chyba że mamy do czynienia z ciężkimi i uporczywymi zaburzeniami funkcjonowania powodującymi duże cierpienie dziecka.

Lekami pierwszego rzutu są pochodne amfetaminy, a zwłaszcza metylfenidat. Na rynku polskim dostępne są preparaty metylfenidatu typu OROS o długim okresie działania (12 godz.), preparaty o krótkim okresie działania (2–3 godz.), wymagające podawania w 2–3 dawkach, i preparaty o pośrednim czasie działania 6–8 godz. Zwykle rozpoczyna się leczenie

od najniższej dostępnej dawki, co oznacza stosowanie 5 mg preparatu krótkodziałającego 2–3 razy dziennie, 10 mg preparatu o pośrednim czasie działania 1–2 razy dziennie lub 18 mg preparatu OROS 1 raz dziennie. Przy braku skuteczności zwiększa się dawkowanie w odstępach tygodniowych do 60 mg na dobę.

Skutki uboczne preparatów należących do tej grupy są niewielkie, dotyczą przede wszystkim bezsenności i zmniejszenia apetytu w pierwszym okresie stosowania, drażliwości, bólów głowy. Dłużej utrzymująca się utrata masy ciała i zaburzenia wzrostu wymagają przestrzegania odpowiedniego reżimu dietetycznego.

W trakcie terapii pochodnymi amfetaminy obserwuje się czasami zaostrzenie tików lub nawet wywołanie choroby Tourette'a, zwłaszcza u dzieci genetycznie obciążonych tym schorzeniem. Skuteczność preparatów tej grupy oceniania jest jako bardzo duża. Istotnym mankamentem terapii pochodnymi amfetaminy jest jednak krótkoterminowość efektów terapeutycznych przejawiająca się brakiem wpływu leczenia na odległą prognozę.

Leki drugiego rzutu to przede wszystkim atomoksetyna (0,6–1,2 mg/kg mc.), lek z grupy leków przeciwdepresyjnych, wskazany w przypadku współistnienia tików lub zaburzeń nastroju i lękowych, oraz trójcykliczne leki przeciwdepresyjne – imipramina, klomipramina, desypramina. Ich dawka nie powinna przekraczać ok. 1 mg/kg mc. w dawce podzielonej i konieczne jest systematyczne monitorowanie EKG (wydłuża odstęp QT). Stosowane są także inne leki przeciwdepresyjne nowszej generacji, np. wenlafaksyna (25–50 mg 2 razy na dobę). Podawane są czasem takie leki, jak klonidyna (3–10 µg/kg mc., 2 lub 3 razy na dobę).

16.7.4
Zaburzenia zachowania
ang. conduct disorders

Definicja

Zaburzenia zachowania charakteryzują się stosunkowo trwałym wzorcem buntowniczych, agresywnych lub aspołecznych zachowań w domu, szkole i grupie rówieśniczej. Zachowania te znacznie odbiegają od typowych dla tego wieku oczekiwań społecznych.

Czas ich trwania musi wynosić co najmniej 6 miesięcy.

Do tej grupy zaliczamy:

- zaburzenia zachowania ograniczone do środowiska rodzinnego,
- zaburzenia zachowania z nieprawidłowym procesem socjalizacji,
- zaburzenia zachowania z prawidłowym procesem socjalizacji,
- zaburzenia opozycyjno-buntownicze.

Epidemiologia

Zmienność kryteriów diagnostycznych utrudnia ustalenie wskaźników rozpowszechnienia. Przyjmuje się, że w populacji nieleczonej cierpi na nie 5% dzieci i 10% nastolatków.

Etiologia i patogeneza

Trudno mówić o jednoznacznej etiologii. Bierze się pod uwagę następujące czynniki:

- genetyczne,
- deficyty poznawcze powodujące niesprawność w interpretowaniu komunikatów społecznych,
- rodzinne w postaci dysfunkcji systemu rodzinnego, „abdykacji" rodziców z funkcji wychowawczych, przemocy fizycznej i wykorzystywania seksualnego dziecka.

Czynnikiem ryzyka jest niski status ekonomiczno-społeczny rodziny.

Obraz kliniczny

U dzieci młodszych dominują takie objawy, jak:

- zwiększona, często zdezorganizowana aktywność,
- nieposłuszeństwo,
- nadmierny upór,
- napady gniewu, złości,
- niszczenie przedmiotów,
- kłamanie,
- okrucieństwo wobec zwierząt.

U starszych dzieci dominują:

- agresja fizyczna,
- inicjowanie bójek,
- okrucieństwo wobec młodszych i słabszych,
- czyny aspołeczne (kradzieże, podpalenia),
- przygodne kontakty seksualne,
- wagary,
- ucieczki z domu,

- autodestrukcyjne działania: próby samobójcze, samouszkodzenia,
- nadużywanie alkoholu lub leków.

Mogą towarzyszyć tym objawom obniżony nastrój i lęk.

Przebieg naturalny

Zwykle jest różny, u części dzieci zaburzenie ustępuje wraz z osiągnięciem dorosłości, u innych rozwijają się cechy osobowości antyspołecznej, pojawiają się zachowania przestępcze.

Metody diagnostyczne

Jest to przede wszystkim szczegółowy wywiad od rodziców i nauczycieli.

Różnicowanie

Zaburzenia nastroju (przede wszystkim mania – różni je epizodyczność przebiegu i objawy towarzyszące), zaburzenia hiperkinetyczne, upośledzenie umysłowe.

Leczenie

Stosowane są różne formy oddziaływań środowiskowych:

- socjoterapia,
- trening umiejętności społecznych,
- trening antyagresywny,
- przede wszystkim trening umiejętności rodzicielskich,
- rzadziej psychoterapia.

Farmakoterapia (leki neuroleptyczne, karbamazepina) jest wskazana jedynie doraźnie w przypadku niedającej się opanować inaczej agresji. Leczenie powinno być zintegrowane i obejmować pacjenta, dom rodzinny oraz szkołę.

16.7.5

Tiki

ang. tic disorders

Definicja

Tiki jest to grupa zaburzeń charakteryzująca się występowaniem różnego rodzaju tików o różnym stopniu nasilenia i ciężkości oraz upośledzenia funkcjonowania. Według definicji ICD-10 tik jest niepoddającym się działaniu woli, szybkim, nawracającym, nierytmicznym ruchem lub wokalizacją. Tiki ustępują we śnie. Pacjent ma poczucie, że nie może im się oprzeć, ale siłą woli może je powstrzymać na pewien czas. Występowanie tików może prowadzić do obniżonej samooceny dziecka, braku akceptacji społecznej, trudności w funkcjonowaniu w szkole i grupie rówieśniczej. Aby można było sformułować rozpoznanie, muszą trwać co najmniej 12 miesięcy.

Epidemiologia

Pojedyncze przemijające tiki są częste i występują u 1–11% dziewcząt oraz u 1–13% chłopców, pełnoobjawowy zespół dotyka 1–2% populacji ogólnej. Rozpowszechnienie zespołu Tourette'a wynosi 4,3 na 10 tys.

Etiologia i patogeneza

Wyróżnia się następujące czynniki etiologiczne:

- czynniki genetyczne (zwłaszcza w zespole Tourette'a – dziedziczenie autosomalne, dominujące z niepełną penetracją),
- zmiany strukturalne mózgu (zmniejszenie objętości jąder podstawy, spoidła wielkiego i zaburzenia symetrii tych struktur),
- zaburzenia neuroprzekaźnictwa, przede wszystkim dopaminy,
- urazy okołoporodowe,
- czynniki psychologiczne (w mniej nasilonych postaciach zaburzeń).

Obraz kliniczny

Tiki mogą być proste i złożone, dotyczą oczu, twarzy, głowy, szyi i kończyn górnych. Polegają na mruganiu oczyma, nagłych ruchach głowy, wzruszaniu ramionami, głosowe zaś na pochrząkiwaniu, wydawaniu nieartykułowanych dźwięków, pohukiwania.

Zespół Tourette'a to najcięższa postać tików. Często zaczyna się w dzieciństwie, w miarę upływu czasu pojawia się coraz więcej złożonych tików ruchowych, niekiedy tak nasilonych, że powodują silne bóle mięśniowe. Dołączają się do nich tiki głosowe, często przyjmujące formę obscenicznych słów (koprolalia) i echolalii.

Tiki mogą być napadowe, ale także prawie ciągłe. Powodują znaczne upośledzenie funkcjonowania, ostracyzm społeczny, obniżony nastrój, a nawet próby samobójcze dotkniętych nimi nastolatków.

Przebieg naturalny

Większość tików ustępuje samoistnie. Zespół Tourette'a jest zaburzeniem trwałym, choć może przebiegać z okresami względnej remisji.

Metody diagnostyczne

Obserwacja dziecka, wywiad od rodziców.

Różnicowanie

Choroby, w których występują nieprawidłowe ruchy (pląsawica Sydenhama, Huntingtona, Wilsona), zaburzenia miokloniczne, dystonie mięśniowe, śpiączkowe zapalenie mózgu, zespół łamliwego chromosomu X, natręctwa ruchowe w zaburzeniu obsesyjno-kompulsyjnym.

Leczenie

Podejmując decyzję o leczeniu, należy brać pod uwagę stopień ciężkości schorzenia i upośledzenia funkcjonowania dziecka oraz stosunek korzyści do strat wynikających z leczenia farmakologicznego.

W leczeniu farmakologicznym stosuje się głównie selektywne inhibitory receptora D2 – głównie haloperydol, pimozyd, neuroleptyki atypowe II generacji, np. rysperydon. Objawy uboczne, tj. sedacja, akatyzja, objawy pozapiramidowe, utrudniają dziecku funkcjonowanie.

Konieczne są oddziaływania psychologiczne, takie jak:

- specyficzne techniki behawioralne,
- trening relaksacyjny,
- psychoedukacja dziecka, rodziców i nauczycieli w szkole,
- praca z systemem rodzinnym.

16.8
ZABURZENIA PSYCHICZNE OKRESU DORASTANIA

Adolescencja jest to faza cyklu życia szczególnie trudna dla całego systemu rodzinnego, a więc i nastolatka. Jej głównym zadaniem jest przystosowanie się rodziny do procesu dorastania dzieci, a potem ich odejścia, tym samym do przejścia rodziny do następnej fazy cyklu życia – fazy pustego gniazda. Dla nastolatków oznacza to konieczność poradzenia sobie z najważniejszym zadaniem – staniem się dorosłym człowiekiem o określonej tożsamości. Te trudne zadania sprzyjają pojawianiu się zaburzeń psychicznych, których częstość oceniana jest na 20–25%. Problemy tego okresu modyfikują wyraźnie ich przebieg i obraz kliniczny.

16.8.1

Zaburzenia odżywiania

ang. eating disorders

Definicja

Zaburzenia odżywiania jest to grupa zaburzeń emocjonalnych, w których głównym objawem są nieprawidłowe wzorce odżywiania się, prowadzące do znacznych zakłóceń masy ciała, w przypadku jadłowstrętu psychicznego istotnego jej ubytku, wyniszczenia, a nawet śmierci (10–20%), oraz upośledzenia funkcjonowania psychospołecznego.

W skład tej grupy wchodzą dwa odrębne zaburzenia:

- jadłowstręt psychiczny (*anorexia nervosa*),
- żarłoczność psychiczna (*bulimia nervosa*).

Epidemiologia

Rozpowszechnienie anoreksji oceniane jest na 0,5 do 1,5%, a bulimii 1,1 do 4,2%. Kobiety chorują 10-krotnie częściej niż mężczyźni.

Etiologia i patogeneza

Model powstawania tych zaburzeń jest wieloczynnikowy. Wyróżnia się czynniki:

- indywidualne (biologiczne i osobowościowe),
- rodzinne,
- społeczno-kulturowe.

Czynniki biologiczne to:

- czynniki genetyczne (w anoreksji zgodność zachorowań bliźniaków jednojajowych wynosi 44%, w bulimii jedynie 23%),
- zaburzenia układu neuroprzekaźników (zwłaszcza w bulimii, głównie układu serotoninergicznego),
- zaburzenia stężenia oreksyn, takich jak leptyna i grelina, biorących udział w regulacji apetytu,
- zaburzenia hormonalne, szczególnie dotyczące estrogenów.

Czynniki osobowościowe to:

- w anoreksji perfekcjonizm ze skłonnością do zachowań obsesyjno-kompulsyjnych,
- w bulimii impulsywność i dysregulacja emocjonalna.

Czynniki rodzinne to nieprawidłowości relacji w systemie rodzinnym:

- sztywność tych relacji,
- trudności rozwiązywania konfliktów,
- blokowanie procesu autonomii dzieci w anoreksji, a chaotyczność relacji w bulimii.

Czynniki społeczno-kulturowe to:

- specyficzne wzorce ciała kobiecego („chude jest piękne"),
- idealizacja ciała, jego rola w konstruowaniu tożsamości,
- sprzeczne wymagania wobec kobiet.

Powszechnie uważa się, że u podstaw tych zaburzeń leży obniżona samoocena pacjentek, trudności z separacją, indywiduacją, akceptacją własnego ciała, dorosłej kobiecości, seksualności, zwłaszcza u osób cierpiących na jadłowstręt psychiczny.

Obraz kliniczny

Anoreksja

Głównym objawem jest uporczywe dążenie do obniżenia masy ciała poprzez jedzenie coraz mniejszych porcji aż do zupełnego głodzenia się. W ten sposób chore doprowadzają do znacznego spadku masy ciała (co najmniej 15% poniżej należnej masy ciała), a organizm do skrajnego wyniszczenia, nawet śmierci. Towarzyszy temu utrata miesiączki, wskazująca nie tylko na wychudzenie, ale też na głębokie zaburzenia osi przysadka–nadnercza–gonady. Chore odczuwają paniczny lęk przed przytyciem.

Pacjentki charakteryzuje zaburzone postrzeganie własnego ciała. Mimo skrajnego wychudzenia są nadal przekonane o tym, że pozostają zbyt grube. W wyniku znacznego wyniszczenia dochodzi do zaburzeń w zakresie wszystkich układów i narządów wewnętrznych. Szczególną uwagę należy zwracać na spadek tętna poniżej 40/min. Zachorowanie na anoreksję przypada najczęściej na okres dorastania.

Bulimia

Głównymi objawami są powtarzające się, występujące co najmniej dwa razy na tydzień przez 3 miesiące napady gwałtownego objadania się, w ilościach zdecydowanie zbyt dużych, oraz stosowanie nieprawidłowych zachowań kompensacyjnych (wymioty, leki przeczyszczające, odwadniające, głodówki, ćwiczenia fizyczne). Samoocena jest wyznaczona głównie przez kształt i masę ciała. Napady objadania budzą w pacjentkach uczucie totalnego braku kontroli, wstyd i upokorzenie, często doprowadzające do nasilonej depresji i prób samobójczych lub samouszkodzeń. Szczyt zachorowań na bulimię obserwuje się u osób w wieku od 18 do 25 lat.

Przebieg naturalny

Nieleczona anoreksja rzadko ustępuje sama, częściej przechodzi w stan chroniczny lub kończy się śmiercią w wyniku wyniszczenia organizmu lub samobójstwa (10–20%).

Metody diagnostyczne

Wykonywane są:

- badanie psychiatryczne,
- dokładne badanie somatyczne dotyczące wszystkich układów i narządów (pomiar masy ciała, wzrostu, ustalenie wartości BMI),
- badania dodatkowe (morfologia z rozmazem, badanie moczu, oznaczenie elektrolitów, żelaza, RTG klatki piersiowej, USG brzucha),
- wywiad od rodziców.

Trzeba pamiętać o tym, że pacjentki mają skłonność do zaprzeczania zaburzeniu, brakuje im wglądu i krytycznej oceny.

Różnicowanie

Obejmuje ono wszystkie zaburzenia przebiegające z utratą łaknienia i spadkiem masy ciała:

- zaburzenia psychiczne (zaburzenia afektywne, szczególnie depresja, schizofrenia),
- choroby somatyczne (nowotwory, gruźlica płuc, niedoczynność i nadczynność tarczycy, choroba Addisona, Crohna, stany zapalne żołądka i jelit, guzy OUN, szczególnie w obrębie podwzgórza, niewydolność przysadki, zaburzenia hormonalne),
- objawy uboczne niektórych leków, np. spadek łaknienia powodują leki przeciwdepresyjne, psychoaktywne (m.in. amfetamina i jej pochodne).

Leczenie

1 Anoreksja

Stosowane są:

- przede wszystkim normalizacja nieprawidłowych wzorców jedzenia,
- leczenie powikłań somatycznych,
- psychoterapia indywidualna pacjentki,
- wsparcie lub terapia rodzinna.

Nie ma skutecznej terapii farmakologicznej. Niewskazane jest podawanie leków hormonalnych, wywołujących miesiączkę przed wyrównaniem masy ciała.

Hospitalizacja jest stosowana w przypadku:

- dużego spadku masy ciała, BMI < 15,
- spadku tętna < 40,
- towarzyszących zaburzeń psychicznych, np. dużego obniżenia nastroju i tendencji lub prób samobójczych w wywiadzie, nieradzenia sobie rodziny z chorobą córki.

2 Bulimia

Stosowane są:

- normalizacja wzorców jedzenia,
- psychoterapia, najczęściej behawioralno-poznawcza, indywidualna lub grupowa,
- terapia rodzinna,
- leki (fluoksetyna w dawce wzrastającej do 60 mg, inne leki w zależności od współistniejących zaburzeń).

Rokowanie

W anoreksji jest poważne: po 4 latach 44% pacjentek nie ma objawów, u 24% objawy są nadal obecne, u 28% obserwuje się częściowe ustąpienie objawów, a 5% umiera. Po 20 latach umiera 15–20% pacjentek (APA, 2000). Z czasem rośnie grupa osób, które zdrowieją z anoreksji, i grupa, która ginie z tego powodu.

W bulimii po 4 latach 60% pacjentek nie ma objawów, u 29% jest czasowa poprawa, u 10% objawy utrzymują się, a 1% umiera. Rokowanie w bulimii jest więc lepsze niż w anoreksji.

16.8.2

Zaburzenia afektywne u dzieci i młodzieży

ang. affective disorders

Definicja

Charakteryzują się one objawami zaburzeń nastroju: obniżeniem lub podwyższeniem nastroju o różnym nasileniu i różnym czasie trwania, występującym jednorazowo lub nawracającym. W tej grupie zaburzeń mieszczą się:

- łagodne depresje,
- duża depresja u dzieci lub młodzieży,
- depresja nawracająca,
- choroby afektywne jedno- i dwubiegunowa (CHAJ, CHAD),
- dystymia – przewlekła depresja o nieznacznym nasileniu objawów trwająca co najmniej rok.

Przyjmuje się pewną ciągłość tych zaburzeń z zaburzeniami u dorosłych, tym bardziej że kryteria diagnostyczne są takie same. Osobne miejsce zajmuje tzw. depresja młodzieńcza, której pozycja nie jest do końca jasna. Według większości autorów depresja młodzieńcza to zespół objawów depresyjnych z lękiem, zaburzeniami zachowania i nasiloną autodestrukcją towarzyszący okresowi dorastania.

Epidemiologia

Depresja jest najczęstszym rozpoznaniem w grupie młodzieży, u dzieci występuje rzadziej. Rozpowszechnienie jej wynosi 0,2–1,5% u dzieci i 2–15% u młodzieży.

Częstość objawów depresji ocenianych na podstawie przesiewowych kwestionariuszy u nastolatków w Gdańsku wynosiła 32,8%, a w populacji szkolnej Krakowa 20,2% dla chłopców i 34,3% dla dziewcząt. Te duże rozbieżności wynikają z tego, że depresję u dzieci i młodzieży rozpoznaje się na poziomie zespołu objawów i mogą się pod nim kryć zarówno depresja młodzieńcza nieujęta w klasyfikacji ICD-10, jak i inne postacie wymienione w definicji grupy.

Chorobę afektywną dwubiegunową rozpoznaje się u 1% młodych pacjentów.

Etiologia i patogeneza

Przyjmuje się, że zaburzenia afektywne powstają w wyniku współdziałania predyspozycji genetycznej i czynników środowiskowych. W etiologii brane są pod uwagę:

- czynniki genetyczne,
- zaburzenia w neurotransmiterach (głównie w układzie noradrenergicznym i serotoninergicznym) w mózgu,
- zaburzenia osi stresu obejmującej układ limbiczny, podwzgórze, przysadkę i nadnercza,
- czynniki endokrynne,
- zaburzenia w układzie odpornościowym,
- czynniki zapalne,
- czynniki środowiskowe.

Rola czynników genetycznych jest wyraźnie większa w chorobie afektywnej dwubiegunowej (CHAD) niż w chorobie afektywnej jednobiegunowej (CHAJ). W OUN stwierdza się osłabienie procesów neurogenezy i plastyczności neuronalnej. Obciążenia psychospołeczne odgrywają także rolę, być może przyspieszając wystąpienie zaburzeń.

W powstawaniu depresji młodzieńczej znaczącą rolę przypisuje się czynnikom związanym z trudnościami, jakich w okresie dorastania doświadczają sam nastolatek i jego rodzina.

Łagodne postacie depresji u dzieci są związane z czynnikami psychogennymi:

- zaniedbanie,
- odrzucenie,
- nadmierne wymagania,
- przemoc domowa lub inne czynniki rodzinne (np. śmierć jednego z rodziców lub ich rozwód).

Obraz kliniczny

Głównym objawem jest różnego stopnia przygnębienie, smutek, brak radości życia i odczuwania przyjemności. Zamiast smutku stosunkowo często może występować nastrój drażliwy. Charakterystyczny jest lęk przed przyszłością, brakiem szansy na zdobycie wykształcenia, pozycji społecznej. Dzieci lub młodzież źle funkcjonują w szkole, mają trudności w uczeniu się, głównie z powodu apatii, ale także zaburzeń koncentracji i uwagi. Towarzyszą tym objawom:

- spadek aktywności, szczególnie w godzinach rannych, powodujący opuszczanie szkoły,
- obniżona samoocena, poczucie małej wartości, przekonanie o własnej nieskuteczności,
- zaburzenia rytmów dobowych, lepsze funkcjonowanie w godzinach wieczornych,
- zaburzenia autodestrukcyjne, eksperymentowanie z substancjami psychoaktywnymi, zbyt szybka jazda samochodem, samouszkodzenia i zachowania samobójcze (szczególnie często w depresji młodzieńczej).

Często objawom depresji towarzyszy wyraźny lęk. Opisany zespół depresyjny może wystąpić w przebiegu tzw. depresji młodzieńczej. Może też być pierw-

Tabela 16.5. Objawy depresji u dzieci i młodzieży

OBJAWY DEPRESYJNE

- Liczne, zmienne, niespecyficzne skargi somatyczne, np. bóle głowy, mięśni, żołądka lub zmęczenie
- Częsta nieobecność w szkole, gorsze wyniki w nauce
- Wybuchy krzyku, skarg, niezrozumiałego rozdrażnienia lub płaczu
- Ucieczka przed wysiłkiem
- Znudzenie
- Utrata zainteresowania zabawami z przyjaciółmi
- U młodzieży – alkohol, narkotyki
- Społeczna izolacja, słaba komunikacja
- Obawy przed śmiercią
- Wygórowana nadwrażliwość na odrzucenie
- Wzmożona drażliwość, złość, wrogość
- Trudności w kontaktach z ludźmi
- Zachowania ryzykowne (niebezpieczne, bez przewidywania konsekwencji)

szym epizodem w rozpoczynającej się wcześniej niż zazwyczaj chorobie afektywnej jedno- i dwubiegunowej (tab. 16.5).

Hipomania lub mania u dzieci i młodzieży występuje w przebiegu choroby afektywnej dwubiegunowej. Najbardziej charakterystyczną cechą choroby jest jej epizodyczność z okresami remisji, w których dziecko lub nastolatek funkcjonuje normalnie. Objawy są następujące:

- wzmożona aktywność,
- przyśpieszenie toku wypowiedzi,
- podwyższony lub drażliwy nastrój,
- zmniejszona potrzeba snu,
- wzmożona samoocena,
- czasami urojenia wielkościowe,
- pobudzenie seksualne (zwłaszcza u młodzieży),
- osłabienie kontroli i zahamowań społecznych.

Warunkiem rozpoznania choroby afektywnej dwubiegunowej u dzieci jest wystąpienie 1 lub 2 epizodów manii (7 dni lub dłużej) lub hipomanii (4–7 dni) lub stanu mieszanego z towarzyszącymi zmianami w zachowaniu, a także co najmniej 1 epizodu depresji w przeszłości.

Przebieg naturalny

Objawy depresji młodzieńczej i łagodnej depresji u dzieci ustępują wraz z zakończeniem okresu dorastania, ale czasami są początkiem choroby afektywnej jedno- lub dwubiegunowej. Depresja stanowi czynnik ryzyka uzależnienia od substancji psychoaktywnych oraz stwarza duże zagrożenie próbą samobójczą lub dokonanym samobójstwem.

Metody diagnostyczne

Stosowane są:

- badanie psychiatryczne dziecka lub nastolatka,
- skale do badania depresji,
- dla starszej młodzieży kwestionariusz Becka, skala K-SADS.

Różnicowanie

Depresję należy różnicować z następującymi zaburzeniami:

- zaburzenia psychiczne przebiegające z obniżeniem nastroju (zaburzenia lękowe, schizofrenia, zaburzenia osobowości, jedzenia, zespół stresu pourazowego),
- uzależnienia,
- zaburzenia zachowania i emocji,
- depresje polekowe i w przebiegu chorób somatycznych.

Manię należy różnicować z następującymi zaburzeniami:

- zaburzenia hiperkinetyczne, zaburzenia zachowania (opozycyjno-buntownicze), schizofrenia,
- nadużywanie substancji psychoaktywnych (amfetamina, kokaina),
- leki (steroidy),
- nadczynność tarczycy.

Leczenie

1 Depresja

Leczenie depresji zależy od stopnia jej nasilenia. W łagodnej i umiarkowanej depresji stosuje się głównie oddziaływania psychoterapeutyczne, jak:

- psychoterapia behawioralno-poznawcza,
- psychoterapia interpersonalna,
- terapia rodziny.

W przypadku nasilonej depresji podawane są leki przeciwdepresyjne, głównie z grupy SSRI, czasami inne grupy leków. U dzieci nie stosuje się trójcyklicznych leków przeciwdepresyjnych, ich skuteczność nie została udowodniona.

2 Mania

Leczenie manii przebiega jak u dorosłych: leki przeciwpsychotyczne II generacji (olanzapina, rysperydon, kwetiapina, aripiprazol) i/lub stabilizatory nastroju (węglan litu, walproiniany, karbamazepina, lamotrygina). Mało wiadomo o skuteczności i bezpieczeństwie tych leków w populacji rozwojowej.

Rokowanie

W przypadku depresji młodzieńczej oraz łagodnych postaci depresji u dzieci rokowanie jest dobre i depresja ma tendencję do ustępowania w okresie dorosłości. Jednak część tych depresji, zwłaszcza o nasilonych objawach, przechodzi w chorobę afektywną jedno- lub dwubiegunową. Obie te choroby są chorobami przewlekłymi z okresami epizodów manii lub depresji i różnie długo trwającymi okresami remisji. W większości przypadków konieczne jest stałe przyjmowanie leków stabilizujących nastrój. 10–15% ciężkich depresji kończy się samobójstwem, wzrasta ryzyko uzależnienia od środków psychoaktywnych i upośledzenia funkcjonowania psychospołecznego.

16.8.3
Samobójstwa dzieci i młodzieży

Samobójstwo jest trzecią przyczyną zgonów wśród dzieci i młodzieży, stanowi więc bardzo istotny problem.

Przyczyny są następujące:

- depresja (najczęściej),
- inne zaburzenia psychiczne, jak schizofrenia, zaburzenia osobowości,
- urazy psychiczne, takie jak przemoc rodzinna lub w szkole, wykorzystanie seksualne, przypadkowe traumatyczne zdarzenia (gwałt, śmierć jednego lub obojga rodziców),
- choroby somatyczne,
- mechanizmy związane z układem serotoninergicznym.

Ostatnio kilka dokonanych samobójstw wiązało się z opublikowaniem w internecie kompromitujących zdjęć lub filmów dotyczących ofiary.

Czynniki ryzyka wystąpienia próby samobójczej są następujące:

- objawy depresji,
- uczucie beznadziejności, bezradności,
- osierocenie, a zwłaszcza samobójcza śmierć jednego z rodziców,
- złe funkcjonowanie społeczne,
- brak wsparcia ze strony rodziny,
- agresja ze strony otoczenia,

- uporczywe ideacje samobójcze,
- próby samobójcze w przeszłości,
- samobójstwo przyjaciela lub kolegi w szkole,
- fascynacja śmiercią.

Próby samobójcze dokonuje 1,3 do 20% uczniów, dziewczęta 3 razy częściej niż chłopcy. Wszystkie napomknienia o samobójstwie, pytania na ten temat, oglądanie stron internetowych lub deklaracje samobójcze powinny być traktowane bardzo serio, a dziecko lub nastolatek skierowane do psychologa, który zadecyduje o konieczności konsultacji psychiatrycznej. Po dokonanej próbie samobójczej konsultacja psychiatry jest obowiązkowa.

W 2010 r. powstała Krajowa Grupa Robocza do Zapobiegania Samobójstwom w Polsce pod patronatem Rzecznika Praw Dziecka, działa Telefon Zaufania dla dzieci Fundacji Dzieci Niczyje: 116-111.

16.8.4
Schizofrenia

łac. *schizophrenia*
ang. schizophrenia

Rozpoznawanie zaburzeń psychotycznych w okresie rozwojowym stanowi poważny problem, ponieważ wiele zjawisk, które w późniejszym okresie zostałoby uznanych za patologiczne, w okresie dorastania mieści się w zakresie normy. Objawy psychotyczne mogą wystąpić w tym okresie w przebiegu chorób somatycznych, neurologicznych, nadużywania substancji psychoaktywnych. Najczęściej jednak występują one w przebiegu schizofrenii.

Definicja

Jest to grupa zaburzeń psychicznych o dość zróżnicowanym obrazie klinicznym, z obecnością objawów psychotycznych i różnorodnym przebiegu, prowadzących do dezintegracji psychicznej. Charakteryzuje się długotrwałym przebiegiem z tendencją do nawrotów i utrwalania się zaburzeń prowadzących do znacznego zaburzenia funkcjonowania psychospołecznego.

Epidemiologia

Niezależnie od czynników kulturowych, rasowych i społecznych rozpowszechnienie schizofrenii na całym świecie jest podobne i wynosi ok. 1%. 39% mężczyzn i 23% kobiet zaczyna chorować przed 18. rż. U dzieci rozpoznanie schizofrenii jest stawiane niezwykle rzadko.

Etiologia i patogeneza

Nie została do końca poznana. Odgrywają w niej rolę czynniki poligenetyczne, powodujące swoistą wrodzoną podatność mózgu na stres, i zmiany biochemiczne w nim zachodzące, przejawiające się zmianami w neurotransmiterach, zwłaszcza dopaminie. Rola czynników psychospołecznych jest duża, szczególnie u młodzieży nakładają się one na opisaną powyżej podatność na zranienie. W przypadku schizofrenii u dzieci i młodzieży bierze się pod uwagę zmiany we wczesnym okresie rozwoju mózgu, stąd nazwa niektórych postaci „schizofrenia neurorozwojowa".

Obraz kliniczny

Główne objawy schizofrenii są następujące:

- urojenia,
- omamy,
- dezorganizacja myślenia (tzw. objawy pozytywne),
- opustoszenie myśli,
- spadek aktywności,
- apatia (tzw. objawy negatywne),
- zaburzenia nastroju,
- lęk,
- pobudzenie lub zahamowanie psychoruchowe.

Ostatnio coraz częściej podkreśla się znaczenie zaburzeń poznawczych w schizofrenii. Są to zaburzenia pamięci operacyjnej. Zaburzenia te mogą istnieć w dyskretnej formie już przed pojawieniem się jawnych objawów choroby i mogą się utrzymywać po ich przeminięciu, utrudniając prawidłowe funkcjonowanie, zwłaszcza intelektualne.

Początek choroby może być ostry, głównie z objawami pozytywnymi, lękiem, pobudzeniem psychoruchowym, lub podostry czy przewlekły, głównie w postaci postępującej zmiany funkcjonowania i/albo objawów negatywnych.

Mogą pojawiać się niezrozumiałe zachowania, nastolatek zaczyna się dziwacznie ubierać, przechodzi na dziwne diety, zmienia orientację religijną. Na przykład nieoczekiwanie staje się buddystą lub wymyśla własne systemy religijno-filozoficzne. Chorzy zamykają się w sobie, stają się apatyczni, izolują się od bliskich, także od przyjaciół i kolegów w szkole, zmniejsza się ich stopień ekspresji emocjonalnej, czasami wręcz przestają okazywać uczucia.

Psychoza może dezorganizować życie nastolatka we wszystkich jego przejawach, doprowadzając np.

do trudności w kontynuowaniu szkoły, pracy, zerwania kontaktów towarzyskich. Czasami jednak objawy choroby nie są aż tak nasilone i można z nimi żyć prawie jak przed chorobą.

Wyróżnia się schizofrenię:

- **paranoidalną** (najczęstsza postać), w której dominują urojenia, omamy, ewentualnie lęk i pobudzenie psychoruchowe,
- **katatoniczną**, w której dominuje zahamowanie lub pobudzenie psychoruchowe,
- **hebefreniczną**, w której dominują nieadekwatne zachowania, wesołkowaty nastrój, zaburzenia emocji i myślenia,
- **postać prostą**, charakteryzującą się powolną zmianą zachowania, postępującą izolacją, objawami negatywnymi, bez urojeń i omamów.

U dzieci i młodzieży rozpoznajemy schizofrenię o bardzo wczesnym początku (VEOS – very early onset schizophrenia) < 13. rż. i o wczesnym początku (EOS – early onset schizophrenia) w 13.–18. rż.

Przebieg naturalny

Przebieg jest długotrwały z okresami poprawy i pogorszenia stanu psychicznego oraz ogólną tendencją do postępującego pogarszania się funkcjonowania psychospołecznego.

Metody diagnostyczne

W przypadku dzieci stosuje się badanie psychiatryczne i wywiad od rodziców, a w przypadku młodzieży (zwłaszcza starszej) testy KIDI SAC (część dla schizofrenii, Skala Objawów Pozytywnych i Negatywnych).

Różnicowanie

Schizofrenię należy różnicować z następującymi zaburzeniami:

- zaburzenia nastroju,
- zaburzenia schizoafektywne,
- zaburzenia psychotyczne w przebiegu nadużywania substancji psychoaktywnych,
- niepsychotyczne zaburzenia zachowania i emocji,
- zaburzenia osobowości (osobowość borderline),
- zaburzenia organiczne (zaburzenia napadowe, uszkodzenie OUN),
- choroby degeneracyjne,
- choroby infekcyjne,
- choroby metaboliczne, endokrynne.

Leczenie

W leczeniu objawowym (objawów pozytywnych i negatywnych) stosuje się leki przeciwpsychotyczne II generacji: rysperydon, olanzapina, kwetiapina, aripiprazol, amisulpryd (tylko te dwa ostatnie są zarejestrowane dla pacjentów od 15. rż.).

Leczenie związane ze wspieraniem pacjenta i jego rodziny w chorobie oraz w rozwoju i w stawaniu się samodzielnym człowiekiem to:

- psychoterapia indywidualna,
- terapia rodzinna,
- trening umiejętności społecznych,
- praca nad poprawą funkcjonowania poznawczego.

Wskazana jest współpraca ze szkołą.

Rokowanie

Trzeba się liczyć z niekorzystnym przebiegiem choroby. Z jednego z niewielu badań na ten temat wynika, że po 11 latach choroby 43% osób było chronicznie chorych, u 16% stwierdzano przebieg epizodyczny, 10% miało remisję objawów, a u 21% objawy nie występowały.

16.9
UZALEŻNIENIE OD SUBSTANCJI PSYCHOAKTYWNYCH

ang. mental and behavioral disorders due to psychoactive substance use

Definicja

Zaburzenia te cechują się:

- silną potrzebą („głodem") zażywania substancji psychoaktywnej,
- trudnościami w powstrzymaniu się od jej przyjmowania,
- objawami fizycznymi po zmniejszeniu lub odstawieniu zależnymi od rodzaju substancji,
- przyjmowaniem środka w celu uzyskania przyjemnego stanu,
- zjawiskiem tolerancji,
- koncentracją aktywności na zdobyciu substancji mimo wiedzy o jej szkodliwości.

Wyróżnia się:

- używanie ryzykowne,
- używanie szkodliwe (nadużywanie),
- uzależnienie.

Epidemiologia

Z ostatnich badań nad używaniem substancji psychoaktywnych przez polską młodzież wynika, że około 70% uczniów trzecich klas gimnazjalnych piło alkohol przynajmniej raz w ciągu roku, 47% w ostatnich 30 dniach, kontakt z narkotykami miało 17%, a 8% w ostatnich 30 dniach. Papierosy pali ok. 30% młodzieży.

Etiologia i patogeneza

Panuje pogląd, że jest podobna we wszystkich uzależnieniach. Odgrywają w niej rolę czynniki:

- biologiczne (genetyczne),
- społeczno-kulturowe,
- ekonomiczne,
- psychologiczne, przede wszystkim związane z cechami osobowości.

Obraz kliniczny

Uzależnienie od kannabinoidów (pochodnych konopi indyjskich)

Najczęściej jest to haszysz i marihuana w postaci dymu z papierosów („skrętów", „jointów") lub fajek. Zażycie prowadzi do beztroskiego, euforycznego nastroju, napadów śmiechu, często pobudzenia psychoruchowego, wyostrzenia doznań zmysłowych, większej gamy doznań, widzenia świata w ostrych kolorach. Efekty trwają kilka godzin, czasami dłużej. Stan ten na ogół nie wymaga pomocy lekarskiej.

Kontrowersje dotyczą tego, czy kannabinoidy wywołują uzależnienie, zwłaszcza somatyczne. W trakcie długiego przyjmowania mogą pojawić się zaburzenia psychotyczne, zespoły braku motywacji, ograniczenie relacji międzyludzkich, przerywania nauki szkolnej.

Uzależnienie od substancji stymulujących (amfetaminy, kokainy)

Kokaina i amfetamina są przyjmowane doustnie, przez śluzówkę nosa i w inhalacjach. Działają 30–60 min. Ich działanie jest podobne: wywołują wzmożone samopoczucie, pobudzenie psychoruchowe, niepokój, zaburzenia snu, czasami lęk. Stwierdza się rozszerzenie źrenic, drżenie mięśni, tachykardię, podwyższenie ciśnienia. Najczęstsze objawy psychopatologiczne to zaburzenia psychotyczne (podobne do schizofrenii), majaczenie, omamy słuchowe, napady agresji lub autoagresji. W przypadku amfetaminy występują stany depresji po przeminięciu zatrucia, często z myślami samobójczymi.

Uzależnienie od kokainy powstaje szybciej niż od amfetaminy, osoby uzależnione są często nieufne, podejrzliwe, nierzadko z nastawieniami urojeniowymi.

Uzależnienie od substancji halucynogennych (LSD – dietyloamid kwasu D-lizergowego, wywary z grzybów)

U dzieci mogą wystąpić przypadkowe zatrucia związkami atropinowymi (wilcza jagoda) lub lekami przeciwparkinsonowskimi. Objawy zatrucia to:

- zaburzenia świadomości,
- omamy wzrokowe,
- nasilone objawy wegetatywne (hipertermia, zaczerwienienie powłok, suchość śluzówek, tachykardia, nadciśnienie tętnicze).

Szczególnie niebezpieczne jest zatrucie ecstasy (substancja MDMA – pochodna amfetaminy). Wywołuje objawy podobne do amfetaminy, ale bardziej nasilone, z tendencją do poważnych powikłań somatycznych i częstych zgonów z powodu zatrzymania akcji serca.

Objawy uzależnienia somatycznego nie występują. Osoby uzależnione mają poważne zaburzenia psychospołeczne, spowodowane przewlekłymi objawami psychotycznymi z myśleniem symbolicznym, apatią, zaburzeniami nastroju i niedostosowaniem do norm społecznych (obraz podobny do schizofrenii).

Uzależnienie od opiatów

Po zażyciu występują euforia, doznawanie ciepła, wzmożone samopoczucie, pobudzenie psychoruchowe. Towarzyszą im zwężenie źrenic, obniżenie temperatury ciała, ciśnienia tętniczego krwi, wysychanie śluzówek, ich bladość, zaparcia. Przy przedawkowaniu występują objawy ciężkiego zatrucia groźnego dla życia i wymagającego leczenia szpitalnego. Należą do nich wąskie, szpilkowate źrenice, ilościowe zaburzenia świadomości, włącznie ze śpiączką, wolne tętno, zaburzenia oddechu. Śmierć może nastąpić w wyniku porażenia ośrodka oddechowego.

Uzależnienie od opiatów powstaje bardzo szybko. Ciężkie są objawy stanu odstawiennego. Objawy uzależnienia szybko doprowadzają do poważnych szkód zdrowotnych, degradacji psychospołecznej z zachowaniami przestępczymi.

Uzależnienie od alkoholu

U dzieci i młodzieży mamy do czynienia raczej z piciem ryzykownym i szkodliwym, do uzależnienia dochodzi raczej w wieku dorosłym. Zwykłe upojenie alkoholowe powoduje zmiany w zachowaniu:

- wzrost agresywności,
- pobudzenie psychoruchowe,
- zaburzenia uwagi,
- dysforię.

Nasilone objawy to:

- mowa bełkotliwa,
- zaburzenia koordynacji ruchowej.

W uzależnieniu zespół odstawienia przebiega pod postacią zespołu majaczeniowego (zaburzenia świadomości z zaburzeniem orientacji w czasie i miejscu, pobudzenie psychoruchowe, nasilony lęk, odwrócenie rytmu snu lub bezsenność, złudzenia i omamy wzrokowe, czasami urojenia prześladowcze, objawy wegetatywne, napady drgawkowe). Zespół odstawienia wymaga leczenia szpitalnego.

W przebiegu uzależnienia od alkoholu mogą także wystąpić psychozy alkoholowe (ostra halucynoza), paranoja alkoholowa oraz zespół amnestyczny i otępienie. Niezwykle rzadko dochodzi do ich wystąpienia u osób młodych.

Uzależnienie od lotnych rozpuszczalników

Należą do nich alifatyczne i aromatyczne węglowodory występujące w klejach, rozpuszczalnikach i benzynie. Używanie szkodliwe jest częste u dzieci i młodzieży, głównie chłopców z niższych warstw społecznych, domów dziecka i innych instytucji opiekuńczych. Substancje te zażywane są poprzez oddychanie, wąchanie. Uzależnienie rozwija się tylko u części osób, może prowadzić do uszkodzenia OUN (zaniki korowe), wątroby oraz wagarów, ucieczek, przerywania nauki, zachowań przestępczych.

Przebieg naturalny

Trudno jest go określić. Zależy od rodzaju substancji, np. uzależnienie od kannabinoidów czasami przechodzi samoistnie w wieku dorosłym, a uzależnienie od opiatów ma przewlekły przebieg, który prowadzi do znacznego uszkodzenia zdrowia, degradacji psychospołecznej (funkcjonowanie zostaje podporządkowane zdobywaniu narkotyków), często śmierci samobójczej lub z przedawkowania oraz zakażenia wirusem HIV.

Metody diagnostyczne

Stosuje się następujące metody:

- badanie psychiatryczne,
- wywiad od rodziców,
- wywiad od dziecka (ma mniejsze znaczenie ze względu na tendencję do ukrywania uzależnienia),
- testy laboratoryjne oceniające stężenie substancji psychoaktywnych, np. w moczu czy we krwi.

Różnicowanie

Uzależnienia należy różnicować z następującymi zaburzeniami:

- schizofrenia,
- zaburzenia nastroju,
- zaburzenia zachowania.

Leczenie

W pierwszym etapie następuje detoksykacja (szpitalna głównie w przypadku alkoholu, opiatów), następnie leczenie jest kontynuowane w specjalistycznych ośrodkach psychoterapeutyczno-rehabilitacyjnych szpitalnych lub ambulatoryjnych. Dominują w nich formy psychoterapii grupowej, wprowadzane są zasady społeczności terapeutycznej. Bardzo ważna jest praca z systemem rodzinnym nastolatka.

W przypadku niepowodzenia leczenia uzależnienia od opiatów stosowana jest terapia substytucyjna metadonem.

Rokowanie

W uzależnieniu od opiatów i alkoholu jest raczej poważne, częste są przedwczesne zgony (próby samobójcze i przedawkowania), postępująca degradacja psychofizyczna. W innych uzależnieniach rokowanie jest raczej dobre, część osób przestaje być uzależniona w wieku dorosłym.

16.10
ZABURZENIA PSYCHICZNE W CHOROBACH SOMATYCZNYCH

Definicja

Zaburzenia psychiczne, w których udaje się ustalić lub podejrzewa się związek przyczynowo-skutkowy z chorobą somatyczną.

Epidemiologia

Jest trudna do ustalenia.

Etiologia i patogeneza

Występowanie zaburzeń psychicznych w przebiegu chorób somatycznych może być następstwem czynników:

- metabolicznych,
- neurofizjologicznych,
- endokrynnych typowych dla choroby somatycznej,
- nieswoistych psychospołecznych,
- stosowanego leczenia.

Obraz kliniczny

Zaburzenia psychiczne nieswoiste – **ostry zespół mózgowy**, **majaczenie**, najczęściej występują w przebiegu infekcji częstych u dzieci, np. zapalenia mózgu, opon mózgowych, innych infekcji z gorączką, zaburzeń metabolicznych (kwasica, zasadowica, niewydolność nerek lub wątroby), urazów głowy, stanów pooperacyjnych, guzów mózgu, niedotlenienia, zatrucia tlenkiem węgla, niewydolności oddechowej, zaburzeń endokrynologicznych (hipo- i hiperglikemia, przełom tarczycowy), zatrucia lekami, pestycydami, metalami ciężkimi i jako zespół abstynencyjny (alkohol, barbiturany, leki nasenne i przeciwpadaczkowe).

Majaczenie może zaczynać się w sposób podostry rozdrażnieniem, płaczliwością, zaburzeniami snu lub w sposób ostry – wtedy rozwija się pełny zespół majaczeniowy (patrz opis majaczenia alkoholowego).

Specyficzne zaburzenia psychiczne mogą wystąpić w przebiegu chorób endokrynologicznych. W **cukrzycy** typowe jest nasilenie objawów behawioralnych i emocjonalnych związane z jednej strony z wahaniami stężenia glukozy, a z drugiej ze świadomością choroby ograniczającej normalne funkcjonowanie i trudnościami w adaptacji do niej zarówno dziecka, jak i rodziny.

W **nadczynności tarczycy** występują:

- lęk,
- niepokój,
- wahania nastroju, rozdrażnienie,
- zaburzenia uwagi i snu.

W **niedoczynności tarczycy** występują:

- zaburzenia koordynacji wzrokowo-motorycznej,
- zaburzenia mowy i uwagi,
- problemy w uczeniu się mimo inteligencji w normie (w przeciwieństwie do wrodzonej nieleczonej niedoczynności).

Zaburzenia psychiczne mogą wystąpić także w **chorobach metabolicznych**, np. w mukopolisacharydozach (zespół Sanfilippo). Są to:

- regres psychoruchowy,
- regres mowy,
- nadruchliwość,
- agresja.

Zaburzenia psychiczne, które mogą towarzyszyć astmie oskrzelowej, to:

- lęk,
- nadmierne unikanie stresu i wycofywanie się z aktywności,
- obniżony nastrój.

W przebiegu **infekcji paciorkowcowej** może wystąpić paciorkowcowe autoimmunizacyjne zaburzenie neuropsychiatryczne (PANDAS – pediatric autoimmune neuropsychiatric disorders associated with streptococcal infections) o obrazie zespołu obsesyjno-kompulsyjnego i/lub choroby tikowej o swoistych kryteriach diagnostycznych.

Przebieg naturalny

Przebieg tych zaburzeń zależy od przebiegu podstawowego schorzenia, ale także od sposobu radzenia sobie rodziny z chorobą, jej struktury, relacji wewnątrzrodzinnych, zasobów, wiedzy.

Metody diagnostyczne

Stosuje się metody typowe dla podstawowego schorzenia. Konieczne jest ustalenie związku przyczynowo-skutkowego zaburzeń psychicznych z chorobą somatyczną.

Leczenie

Stosuje się leczenie typowe dla choroby podstawowej. W majaczeniu ważne jest zapewnienie dziecku spokoju, upewnianie, gdzie się znajduje. W przypadku drgawek podaje się leki przeciwdrgawkowe.

Pediatra odgrywa dużą rolę w leczeniu chorób przewlekłych, którym mogą towarzyszyć zaburzenia psychiczne, głównie współpracując z psychiatrą i rodziną dziecka. Dostarcza rodzinie informacji na temat choroby, współpracuje w identyfikacji objawów zaburzeń psychicznych, wspiera rodzinę i pacjenta w adaptacji do sytuacji.

Piśmiennictwo

1. American Academy of Child and Adolescent Psychiatry: *Practice Parameters for the Assessment and Treatment of Children and Adolescents with Attention-Deficit Hyperactivity Disorder*. J. Am. Acad. Child Adolesc. Psychiatry, 2007, 46, 894–921.
2. Bryńska A.: *Zaburzenia obsesyjno-kompulsyjne*. Wydawnictwo Uniwersytetu Jagiellońskiego, Kraków 2007.
3. Józefik B. (red.): *Anoreksja i bulimia psychiczna. Rozumienie i leczenie zaburzeń odżywiania się*. Wydawnictwo Uniwersytetu Jagiellońskiego, Kraków 1999.
4. Kazdin A.E., Weisz J.R.: *Psychoterapia dzieci i młodzieży. Metody oparte na dowodach*. Wydawnictwo Uniwersytetu Jagiellońskiego, Kraków 2006.
5. Komender J., Jagielska G., Bryńska A.: *Autyzm i zespół Aspergera*. Wydawnictwo Lekarskie PZWL, Warszawa 2009.
6. McPheeters M.L, Waren Z., Sathe N. i wsp.: *A systematic review of medical treatment for children with autism spectrum disorders*. Pediatrics, 2011, 127, 312–321.
7. Namysłowska I. (red.): *Psychiatria dzieci i młodzieży*. Wydawnictwo Lekarskie PZWL, Warszawa 2004.
8. Namysłowska I.: *Terapia rodzin*. Instytut Psychiatrii i Neurologii, Warszawa 2000.
9. Ostaszewski K., Rustecka-Krawczyk A., Wójcik M.: *Czynniki chroniące i czynniki ryzyka związane z zachowaniami problemowymi warszawskich gimnazjalistów: klasy I–III*. Instytut Psychiatrii i Neurologii, Warszawa 2011.
10. Pisula E.: *Autyzm. Przyczyny, symptomy, terapia*. Wydawnictwo Harmonia, Gdańsk 2010.
11. Popek L.: *Zaburzenia lękowe u dzieci i młodzieży: postępowanie diagnostyczne i terapeutyczne*. Standardy Medyczne – Pediatria, 2010, 7(4), 616–623.
12. Przetacznik-Gierowska M., Tyszkowa M.: *Psychologia rozwoju człowieka. Zagadnienia ogólne*. Wydawnictwo Naukowe PWN, Warszawa 2000.

CHOROBY UKŁADU WYDZIELANIA WEWNĘTRZNEGO | *Jerzy Starzyk*

17.1 *Jerzy Starzyk*

UKŁAD WYDZIELANIA WEWNĘTRZNEGO

17.1.1

Rodzaje hormonów i ich działanie

Hormony to cząsteczki regulatorowe syntetyzowane w wyspecjalizowanych komórkach narządów wydzielania wewnętrznego i innych tkanek, w miarę jak poznawane są ich nowe postacie i mechanizmy działania. Coraz bardziej zaciera się granica między hormonami, cytokinami, czynnikami wzrostu i autakoidami. Pod względem czynnościowym hormony dzieli się na:

- hormony podwzgórza uwalniające (liberyny) lub hamujące (statyny) – wydzielane przez neurony do krążenia wrotnego przysadki,
- hormony tropowe – wydzielane z przedniego płata przysadki do krążenia ogólnego pod wpływem liberyn i statyn,
- hormony obwodowe – wydzielane pod wpływem hormonów tropowych w narządach obwodowych, takich jak tarczyca, kora nadnerczy czy gonady,
- hormony obwodowe – wydzielane pod wpływem bodźców metabolicznych, jonowych i nerwowych (zmiany stężeń wapnia, fosforu, glukozy czy sodu, pobudzenie receptorów objętościowych i ciśnieniowych) w narządach obwodowych, takich jak przytarczyce, wyspy trzustkowe, aparat przykłębuszkowy nerek, tylny płat przysadki, rdzeń nadnerczy i zwoje współczulne oraz łożysko, a także przez wyspecjalizowane komórki rozsiane w prze-

wodzie pokarmowym, tkance tłuszczowej, przedsionkach serca oraz w wątrobie i nerkach.

Hormony odpowiadają za przemianę białkową, węglowodanową, tłuszczową, wodno-elektrolitową, wapniowo-fosforanową i energetyczną oraz za funkcjonowanie układów i narządów organizmu.

Pod względem budowy chemicznej hormony dzieli się na:

- pochodne aminokwasu tyrozyny:
  - hormony tarczycy – tyroksyna (T4), trójjodotyronina (T3),
  - katecholaminy – adrenalina, noradrenalina, dopamina – wydzielane przez neurony rdzenia nadnerczy i zwojów współczulnych do krążenia oraz neurony OUN do przestrzeni synaptycznych,
- hormony o budowie peptydowej, białkowej lub glikoproteinowej:
  - liberyny – gonadoliberyna (gonadotropin-releasing hormone, GnRH), somatoliberyna (growth hormone-releasing hormone, GHRH), tyreoliberyna (thyrotropin-releasing hormone, TRH), kortykoliberyna (corticotropin-releasing hormone, CRH),
  - statyny – somatostatyna,
  - podwzgórza uwalniane w tylnym płacie przysadki – wazopresyna (antydiuretic hormone, ADH), oksytocyna,
  - tropowe: hormon wzrostu (growth hormone, GH), lutropina (luteinizing hormone, LH), folikulotropina (follicle-stimulating hormone, FSH), tyreotropina (thyroid-stimulating hormone, TSH), prolaktyna i adrenokortykotro-

pina (adrenocorticotropic hormone, ACTH), która razem z melanotropiną (melanocyte-stimulating hormone, MSH) i endorfinami pochodzi z proteolizy prohormonu propiomelanokortyny (propiomelanocortin, POMC),

■ wysp trzustki – insulina, glukagon, polipeptyd trzustkowy i somatostatyna,
■ przytarczyc – parathormon (PTH),
■ tarczycy – kalcytonina,
■ wątroby, chrząstek wzrostowych i innych tkanek – insulinopodobny czynnik wzrostowy 1 (insulin-like growth factor 1, IGF1) i insulinopodobny czynnik wzrostowy 2 (insulin-like growth factor 2, IGF2),
■ aparatu przykłębuszkowego – renina,
■ przewodu pokarmowego – grelina, gastryna, cholecystokinina, sekretyna, peptyd glukagonopodobny 1 (glucagon-like peptide 1, GLP1), żołądkowy peptyd hamujący (gastric inhibitory polypeptide, GIP), wazoaktywny peptyd jelitowy (vasoactive intestinal peptide, VIP),
■ tkanki tłuszczowej – leptyna, adiponektyna, wisfatyna, rezystyna, angiotensynogen,
■ przedsionków serca, mózgu – przedsionkowy peptyd natriuretyczny (atrial natriuretic peptide, ANP), mózgowy peptyd natriuretyczny (brain natriuretic peptide, BNP),
■ pochodne cholesterolu (hormony steroidowe):
  ■ kory nadnerczy – kortyzol, androstendion, dehydroepiandrosteron (DHEA) i jego siarczan (DHEAS), aldosteron,
  ■ gonad – testosteron, progesteron, estradiol,
  ■ wątroby i nerek – odpowiednio 25-hydroksycholekalcyferol [25(OH)D] i kalcytriol [1,25(OH)$_2$D].

Hormony mogą działać:

■ autokrynnie – na samą komórkę wydzielającą,
■ parakrynnie – na otaczające komórki w płynie śródmiąższowym,
■ endokrynnie – na tkanki docelowe drogą krwi,
■ jako neurotransmitery w synapsach neuronów.

Hormony peptydowe lub białkowe są uwalniane do krwi z magazynów w komórce wydzielniczej i wywierają szybki efekt poprzez działanie na receptory błonowe. Transportowane są we krwi z reguły w postaci niezwiązanej z białkami. Wyjątek może stano-

wić IGF1, który krąży we krwi w połączeniu z białkiem wiążącym 3 (IGF1 binding protein 3, IGFBP3) i kwasowrażliwą podjednostką (acid labile subunit, ALS).

Hormony steroidowe i tyroksyna, które nie są magazynowane w komórkach wydzielniczych, podlegają syntezie *de novo* (np. kortyzol w sytuacjach stresu po pobudzeniu przez ACTH) i wywierają znacznie wolniejszy efekt. Działają na receptory jądrowe lub cytoplazmatyczne, które wywierają wpływ taki jak czynniki transkrypcyjne i regulują ekspresję docelowych genów.

Dostęp tych hormonów do receptora (biodostępność) jest modyfikowany przez ich wiązanie z globulinami we krwi i przez konwersję niektórych z nich na poziomie receptora z postaci nieaktywnej do aktywnej:

■ DHEA, DHEAS i androstendionu do testosteronu przez dehydrogenazę 3-β-hydroksysteroidową typu (3βHSD1),
■ testosteronu do dihydrotestosteronu przez 5-α-reduktazę,
■ T4 do T3 przez dejodynazy 4–5' typu 1 oraz 2,
■ 25(OH)D do 1,25(OH)$_2$D przez 1α-hydroksylazę, lub odwrotnie, przez konwersję postaci aktywnej do nieaktywnej,
■ kortyzolu do kortyzonu przez dehydrogenazę 11-β-hydroksysteroidową typu 1 (11βHSD1).

17.1.2
Osie hormonalne i sprzężenia zwrotne

Hormony obwodowe (np. IGF1) działają hamująco na syntezę i wydzielanie w przysadce swojego hormonu tropowego (GH) – **krótka pętla ujemnego sprzężenia zwrotnego**, oraz somatoliberyny (GHRH) podwzgórzowej – **długa pętla ujemnego sprzężenia zwrotnego**.

Ujemne sprzężenia zwrotne samoograniczają stężenie hormonów obwodowych we krwi i ustalają stan równowagi hormonalnej w ustroju. Ich znajomość stanowi podstawę rozpoznawania niedoczynności i nadczynności gruczołów obwodowych:

■ **pierwotnych** – pierwotne zaburzenie w obrębie samego gruczołu, np. tarczycy, objawiające się obniżonym stężeniem wolnej tyroksyny (free T4, fT4) i zwiększonym TSH w pierwotnej niedoczynności tarczycy lub zwiększonym stężeniem fT4 i obniżonym TSH w pierwotnej nadczynności tarczycy,

- **wtórnych:**
  - **drugorzędowych** – pierwotne zaburzenie przysadki objawiające się np. zbyt niskim stężeniem TSH w stosunku do niskiego stężenia fT4 we wtórnej drugorzędowej niedoczynności tarczycy lub podwyższonym stężeniem TSH i fT4 we wtórnej drugorzędowej nadczynności tarczycy,
  - **trzeciorzędowych** – pierwotne uszkodzenie podwzgórza, objawiające się m.in. obniżonym stężeniem TSH (w wyniku niedoboru TRH) i w konsekwencji obniżeniem fT4 we wtórnej trzeciorzędowej niedoczynności tarczycy.

Wyjątek stanowi pobudzające działanie estradiolu wydzielanego przez jajniki na syntezę i wydzielanie LH i FSH z przysadki oraz GnRH z podwzgórza w środkowej fazie cyklu miesięcznego (**dodatnie sprzężenie zwrotne**).

Stwierdza się też interakcje między poszczególnymi osiami hormonalnymi:

- kortyzol hamuje LH, FSH, TSH, IGF1, wydzielanie GH,
- przy nadmiarze T4 i/lub hormonów płciowych wzrasta wydzielanie GH, a przy ich niedoborze maleje,
- przy niedoborze T4 wzrasta stężenie prolaktyny,
- TSH w dużym stężeniu pobudza w gonadach receptor dla FSH i wydzielanie estradiolu u dziewcząt,
- gonadotropina kosmówkowa (hCG) wydzielana przez łożysko (oraz przez guzy zarodkowe) pobudza receptor TSH w tarczycy i wydzielanie T4 i T3. U mężczyzn pobudza receptor LH i wydzielanie testosteronu w jądrach,
- insulina pobudza receptor dla IGF1, a IGF1 receptor dla insuliny,
- nadmiar androgenów nadnerczowych hamuje oś gonadotropową,
- somatostatyna hamuje wydzielanie wszystkich hormonów.

Zaburzenia wydzielania (nadmierne, niedostateczne) hormonów oraz nieprawidłowości mechanizmów odpowiedzialnych za ich efekty biologiczne (mutacje inaktywujące lub aktywujące receptorów, nieprawidłowa cząsteczka hormonu, dysfunkcja białek wiążących, brak konwersji do postaci aktywnej lub nieaktywnej hormonu, interakcje między osiami hormonalnymi) są przyczyną chorób układu wydzielania wewnętrznego.

17.2 *Jerzy Starzyk, Małgorzata Wójcik*
ZABURZENIA WZRASTANIA

17.2.1
Zagadnienia ogólne

Wzrastanie zależy od czynników genetycznych, metabolicznych i hormonalnych. Choroby przewlekłe, które zaburzają ich działanie, zwykle powodują zwolnienie szybkości wzrastania, dużo rzadziej jego przyspieszenie. Zwolnienie szybkości wzrastania może wyprzedzać o miesiące lub lata wystąpienie jawnych objawów m.in. choroby Leśniowskiego–Crohna, choroby trzewnej czy zmian strukturalnych OUN. Z tego powodu wzrastanie jest najczulszym wskaźnikiem stanu zdrowia dziecka. Stwierdzenie jego zahamowania pozwala na wczesne rozpoznanie przewlekłych chorób, natomiast monitorowanie szybkości wzrastania w okresie leczenia pozwala na ocenę jego skuteczności (na skuteczność wskazuje początkowo szybkie zmniejszenie niedoboru wzrostu, a następnie prawidłowy przebieg wzrastania).

Dla oceny wzrastania konieczne są:

- pomiar długości ciała lub wzrostu – średnia arytmetyczna z trzykrotnego standaryzowanego pomiaru wzrostu (w pozycji leżącej do 18. mż., później w stojącej),
- naniesienie wyniku pomiaru na siatkę wzrostową odpowiednią dla płci, rasy i populacji, a także subpopulacji, np. chorych z zespołem Turnera czy z zespołem Downa (norma 3.–97. centyl lub ± 2 SD),
- ocena potencjału wzrostowego dziecka wyrażona **średnim wzrostem rodziców:**
  - dla dziewcząt średni wzrost rodziców = (suma wzrostów rodziców [cm] – 13)/2,
  - dla chłopców średni wzrost rodziców = (suma wzrostów rodziców [cm] + 13)/2,
- ocena rozwoju płciowego (skala Tannera) i wieku biologicznego dziecka (wiek kostny).

Wiek kostny ocenia się na podstawie zdjęcia RTG niedominującej ręki i nadgarstka, a u noworodków

cd. ———▶

Tabela 17.1. Przyczyny, etiologia i objawy najczęściej występujących zaburzeń wzrastania

ZABURZENIE WZRASTANIA		ETIOLOGIA	CHARAKTERYSTYCZNE OBJAWY
PIERWOTNY NISKI WZROST			
Najczęstsze zespoły genetyczne	Zespół Turnera	Monosomia lub zaburzenie strukturalne chromosomu X (delecja, izochromosom ramion krótkich lub długich, chromosom pierścieniowy) lub układ mozaikowy, w którym przynajmniej jedna linia komórkowa zawiera monosomię lub zaburzenie strukturalne chromosomu X; haploinsuficjencja genu *SHOX* na krótkim ramieniu chromosomu X	IUGR/SGA, wrodzone obrzęki limfatyczne szyi i kończyn, płetwiasta szyja, niska granica owłosienia na karku, antymongoidalne ustawienie szpar powiekowych, nisko osadzone uszy, wady zgryzu, puklerzowata klatka piersiowa, boczne skrzywienie kręgosłupa, skrócenie IV kości śródręcza, koślawość łokci, dysplastyczne paznokcie, hipogonadyzm hipergonadotropowy, zaburzenia budowy ucha środkowego, wady serca (koarktacja aorty, zwężenie zastawki aorty, dwupłatkowa zastawka aorty), wady nerek (nerka podkowiasta lub podwójna, zdwojenie układu kielichowo-miedniczkowego, ektopia nerki), częstsze niż w populacji ogólnej występowanie autoimmunizacyjnej choroby tarczycy, celiakii, otyłości, cukrzycy typu 2 i zaburzeń słuchu, prawidłowy iloraz inteligencji (śr. 90), upośledzenie orientacji przestrzennej, trudności w nauce matematyki (patrz rozdz. 17.3.3 „Hipogonadyzm")
	Zespół Noonan	Heterogenny, często mutacja genu *PTPN11* (12q24.1), dziedziczenie autosomalne dominujące	Trójkątna twarz, małożuchwie, gotyckie podniebienie, płetwiasta szyja, niska granica owłosienia na karku, nisko osadzone i zrotowane do tyłu uszy, ptoza, niebieskie tęczówki, hiperteloryzm, fałd nakątny, deformacja klatki piersiowej, niedosłuch, krótkowzroczność, wady prawego serca, kardiomiopatia, wnętrostwo, opóźnienie rozwoju umysłowego (25% przypadków)
	Zespół Silvera–Russela	Heterogenny, często zaburzenie metylacji regionu 11p15, disomia jednorodzicielska (matczyna) chromosomu 7 (zaburzenia czynności podwzgórza)	IUGR/SGA, mała twarzoczaszka, małożuchwie, usta w kształcie odwróconej podkowy, plamy typu *café au lait*, klinodaktylia V palca, asymetria długości i grubości kończyn (hemihipertrofia), spodziectwo
	Zespół Downa	Trisomia chromosomu 21, translokacja niezrównoważona (14/21, 13/21, 15/21) lub zrównoważona (21/21), mozaikowatość	Patrz rozdz. 6 „Genetyczne uwarunkowania chorób"
	Zespół Pradera–Williego	Zaburzenia regionu 15q11.2-q13 chromosomu ojcowskiego (delecja, mikrodelecja w miejscu imprintingowym, zrównoważona rearanżacja chromosomalna), disomia jednorodzicielska (matczyna) chromosomu 15	Hipotonia mięśniowa, brak odruchu ssania i wymiotnego, cichy płacz, migdałowate szpary powiekowe, od 2. rż. gwałtowne zwiększenie apetytu, otyłość, zaburzenia toru oddychania, hipogonadyzm hipogonadotropowy, niedobór GH (30% przypadków), wnętrostwo, mikropenis, opóźnienie rozwoju psychoruchowego, u starszych zachowania obsesyjno-kompulsyjne, depresja (patrz rozdz. 17.3.3 „Hipogonadyzm" i 17.10 „Otyłość")
Dysplazje kostne	Achondroplazja	Mutacja genu *FGFR3* (4p16.3)	Skrócenie proksymalnych części kończyn, duży wymiar górno-dolny, protruzja pośladków, wydatne guzy czołowe, powiększenie obwodu głowy, niedorozwój środkowej części twarzy, niedosłuch, spłaszczona nasada nosa
	Hipochondroplazja	Heterogenna, często mutacja genu *FGFR3* (4p16.3)	Objawy podobne do achondroplazji, ale o mniejszym nasileniu
	Dyschondrosteoza Lériego–Weilla i inne związane z mutacją genu *SHOX*	Mutacja pseudoautosomalnego genu *SHOX*	Podniebienie gotyckie, skolioza, mezomelia, deformacja Madelunga
Mukopolisacharydozy, lipidozy, zaburzenia przemiany aminokwasów		W zależności od choroby podstawowej	W zależności od choroby podstawowej, często zaburzenie proporcji ciała i opóźnienie rozwoju psychoruchowego
Choroby mitochondrialne (np. zespół Kearnsa–Sayre'a) (patrz rozdz. 17.11 „Poliendokrynopatie")		Heterogenne, mutacje mitochondrialnego lub jądrowego DNA	Kwasica mleczanowa, porażenie mięśni gałkoruchowych, ptoza, drgawki, udary, opóźnienie rozwoju, głuchota, cukrzyca, niedoczynność przytarczyc, zwyrodnienie barwnikowe siatkówki, tubulopatie, kardiomiopatia
Płodowy zespół alkoholowy (FAS)		Narażenie na alkohol w okresie życia płodowego	IUGR/SGA, małogłowie, małożuchwie, wygładzenie rynienki wargowej, cienka warga górna, wady serca, opóźnienie rozwoju psychoruchowego

ZABURZENIE WZRASTANIA		ETIOLOGIA	CHARAKTERYSTYCZNE OBJAWY
WTÓRNY NISKI WZROST			
Choroby układowe	Celiakia, nieswoiste zapalenia jelit, mukowiscydoza, zespół krótkiego jelita, zakażenia pasożytnicze	Niedożywienie ilościowe i/lub jakościowe, zaburzenia wchłaniania	Patrz rozdz. 9 „Choroby układu oddechowego" i 11 „Gastroenterologia"
	Choroby nerek	Tubulopatie, torbielowatość nerek, zespół nerczycowy, niewydolność nerek	Patrz rozdz. 14 „Choroby układu moczowego"
	Sinicze wady serca	Tetralogia Fallota, zespół Ebsteina, hipoplazja lewej komory serca, wspólny pień tętniczy, całkowity nieprawidłowy spływ żył płucnych	Patrz rozd. 10 „Choroby układu krążenia"
	Niedokrwistości	Niedobór żelaza, kwasu foliowego, witaminy B_{12}, wrodzona/nabyta aplazja/hipoplazja szpiku	Patrz rozdz. 12 „Choroby układu krwiotwórczego"
	Choroby układu oddechowego	Mukowiscydoza, choroby śródmiąższowe płuc, gruźlica, niekontrolowana astma	Patrz rozdz. 9 „Choroby układu oddechowego"
	Ciężkie niedobory odporności	Wrodzone/nabyte (HIV)	Patrz rozdz. 19 „Choroby zakaźne"
Zespół deprywacji psychosocjalnej		Negatywne bodźce korowe powodują zaburzenia wydzielania GHRH i GH	Najczęściej dotyczy dzieci wychowywanych w domach dziecka i rodzinach dysfunkcjonalnych
Choroby układu dokrewnego	Niedobór GH izolowany (somatotropinowa niedoczynność przysadki, SNP) lub wielohormonalna niedoczynność przysadki (WNP)	SNP – idiopatyczna, mutacja *GH1*; WNP – mutacje genów *HESX1, PROP1, POU1F1, LHX3, LHX4, SOX3, SOX2, GLI2*, wady (dysplazja przegrodowo-oczna, zespół przerwania szypuły przysadki), urazy, guzy podwzgórza i/lub przysadki, nacieki z komórek β Langerhansa, zapalenia bakteryjne, grzybicze i autoimmunizacyjne, wylewy (malformacje naczyniowe), zmiany niedotlenieniowo-niedokrwienne, zabiegi neurochirurgiczne, radioterapia	SNP – proporcje ciała prawidłowe, lalkowata twarz, mały nos, małe usta, drobne dłonie i stopy, otyłość brzuszna; WNP – drgawki hipoglikemiczne (niedobór kortyzolu i GH), hipotyreoza (niedobór TSH), mikroprącie, wnętrostwo i mała objętość jąder (niedobór LH i FSH), często podwyższone stężenie prolaktyny (przerwanie hamującego szlaku dopaminergicznego) i moczówka prosta (niedobór ADH) (panhipopituitaryzm – niedoczynność przedniego i tylnego płata przysadki)
	Niedobór IGF1	Nieprawidłowe działanie GH, nieaktywny biologicznie GH, zaburzenia receptora GH (zaburzenie syntezy IGF1 i IGFBP3, zespół Larona), zaburzenia kompleksu GH-białka wiążące, w tym ALS, zaburzenia działania IGF1	Podobne do SNP, ale stężenie GH prawidłowe lub wysokie
	Niedoczynność tarczycy	Patrz rozdz. 17.5.2 „Niedoczynność tarczycy i hipotyreoza"	
	Niedoczynność przytarczyc	Patrz rozdz. 17.8.2 „Niedoczynność przytarczyc"	
	Zespół Cushinga	Patrz rozdz. 17.6.2 „Zespół Cushinga"	
	Przedwczesne dojrzewanie płciowe	Patrz rozdz. 17.3.2 „Przedwczesne dojrzewanie"	
	Zespół Mauriaca w przebiegu cukrzycy typu 1	Przewlekle skrajnie niewyrównana cukrzyca typu 1	Opóźnione dojrzewanie płciowe, powiększenie wątroby i śledziony, otyłość, skrajnie złe wyniki parametrów kontroli wyrównania metabolicznego cukrzycy

Tabela 17.1. cd.

ZABURZENIE WZRASTANIA		ETIOLOGIA	CHARAKTERYSTYCZNE OBJAWY
WYSOKI WZROST			
Zespoły genetyczne	Zespół Klinefeltera	47,XXY, 48,XXXY	Hipogonadyzm (patrz rozdz. 17.3.3 „Hipogonadyzm"), problemy szkolne, zwiększona agresja, nieznacznie obniżony iloraz inteligencji, częściej występują autoimmunizacyjna choroba tarczycy, cukrzyca, zakrzepica żył, zatorowość płucna, guzy zarodkowe wydzielające hCG, rak piersi i padaczka
	Zespół Kallmanna	Mutacja genu *KAL1* lub *FGFR1*	Patrz rozdz. 17.3.3 „Hipogonadyzm"
	Zespół Marfana	Mutacja genu *FBN1* (15q21)	Zaburzone proporcje ciała (stosunek wymiaru górnego – wysokość siedzeniowa, do dolnego – wzrost minus wysokość siedzeniowa) < 0,85, stosunek zasięgu ramion do wzrostu > 1,05, arachnodaktylia, wydłużona i wąska czaszka, podniebienie gotyckie, podwichnięcie soczewki, znaczna krótkowzroczność, wady zgryzu, wypadanie płatka zastawki dwudzielnej i trójdzielnej, poszerzenie pierścienia aorty, tętniak aorty, wady budowy klatki piersiowej
	Zespół Sotosa	Mutacja genu *NSD1* (5q35)	Duża urodzeniowa masa i długość ciała, zmniejszone napięcie mięśniowe, zwiększony obwód głowy, wady rozwojowe OUN, w tym częściowa lub całkowita agenezja ciała modzelowatego, wydatne guzy czołowe, podniebienie gotyckie, niedosłuch, przedwczesne wyrzynanie się zębów, wady serca, przyspieszenie dojrzałości kostnej, opóźnienie rozwoju psychoruchowego
	Zespół Beckwitha–Wiedemanna	Mutacja genów regionu 11p15.5	Makrosomia, hemihipertrofia, makroglosja, hipoglikemia (w okresie noworodkowym), przepuklina pępowinowa, wady uszu, nerek i serca oraz częściej nefroblastoma, hepatoblastoma, rhabdomiosarcoma (patrz rozdz. 17.6.2 „Zespół Cushinga")
	Homocystynuria	Mutacja genu β-syntazy cystationinowej (wzrost stężenia homocysteiny we krwi i w moczu)	Podwichnięcie soczewki, znaczna krótkowzroczność, podniebienie gotyckie, wady zgryzu, wydrążona stopa, wady budowy klatki piersiowej, osteoporoza, arachnodaktylia, cienkie, jasne łamliwe włosy, wypadanie płatka zastawki dwudzielnej, zawał serca lub udar w młodym wieku, stłuszczenie wątroby, zapalenie trzustki, drgawki, opóźnienie rozwoju umysłowego
	Mnoga gruczolakowatość wewnątrzwydzielnicza typu 2 B (MEN2 B)	Mutacja genu *RET* (10q11.2)	Marfanoidalna sylwetka, mnogie nerwiaki błon śluzowych i skóry, rak rdzeniasty tarczycy (> 90% przypadków), guz chromochłonny (45% przypadków) (patrz rozdz. 17.5.5 „Wole guzkowe i rak tarczycy", 17.7.2 „Guz chromochłonny" i 17.8.3 „Nadczynność przytarczyc")
	Zespół McCune'a––Albrighta	Mutacja genu *GNAS1*	Patrz rozdz. 17.3.2 „Przedwczesne dojrzewanie"
Zaburzenia osi GH-IGF1	Gigantyzm (nadmiar GH i IGF1)	Gruczolak przysadki produkujący GH	W przypadku ucisku na nerw wzrokowy ubytek bocznego pola widzenia, dyskretne cechy akromegalii – powiększenie rąk i stóp, zmiana rysów twarzy (powiększenie żuchwy, nosa, małżowin usznych), powiększenie języka, pogrubienie skóry, zażółcenie skóry dłoni
	Nadwrażliwość na GH lub IGF1	Mutacja genu *SOCS2*	Jak w gigantyzmie, ale stężenie GH jest prawidłowe
	Otyłość prosta	Zwiększone stężenie insuliny i IGF1	Patrz rozdz. 17.10 „Otyłość"
Tyreotoksykoza		Patrz rozdz. 17.5.3 „Nadczynność tarczycy i tyreotoksykoza"	
Przedwczesne dojrzewanie płciowe		Patrz rozdz. 17.3.2 „Przedwczesne dojrzewanie"	

stawu kolanowego, metodą Greulicha i Pyle'a lub Tannera i Whitehause'a. U prawidłowo rozwijającego się dziecka wiek kostny jest zgodny z **wiekiem wzrostowym** (wiek, dla którego aktualny wzrost dziecka odpowiada medianie) i chronologicznym. Dopuszczalna różnica wynosi maksymalnie ± 2 lata. Wiek kostny wykorzystuje się w diagnostyce zaburzeń wzrastania (tab. 17.1) i w prognozowaniu wzrostu końcowego.

Ważnym parametrem oceny wzrastania jest określenie **szybkości wzrastania**:

szybkość wzrastania = przyrost wzrostu w cm/rok.

Oblicza się ją na podstawie 2 pomiarów wzrostu w odstępie co najmniej 6 miesięcy u dzieci po 1. rż. i 3 miesięcy u niemowląt. Ocena szybkości wzrastania pozwala na wykrycie zwolnienia wzrastania (szybkość wzrastania < 25. centyla lub < −1 SD) zanim jest ono widoczne na siatkach wzrostowych (norma ± 1 SD dla płci i wieku).

Największą szybkość wzrastania obserwuje się w okresie prenatalnym, a potem kolejno:

- w okresie niemowlęcym do 30 cm/rok,
- w okresie dojrzewania płciowego średnio 9,5 cm/rok u dziewcząt i 10,5 cm/rok u chłopców,
- w okresie dziecięcym od 7–8 cm/rok w 2.–3. rż., do 5–6 cm/rok tuż przed rozpoczęciem skoku pokwitaniowego.

17.2.2

Niski wzrost

łac. *microsomia*

ang. short stature

Definicja

Długość lub wysokość ciała mniejsza od wartości 3. centyla (−2 SD) dla płci i wieku chronologicznego i/lub mniejsza o co najmniej 1,5 SD od średniego wzrostu rodziców.

Epidemiologia

Niski wzrost dotyczy 3% populacji. Stanowi najczęstszy niespecyficzny objaw chorób przewlekłych u dzieci. Zaburzenia wydzielania wewnętrznego są przyczyną zaledwie 5%, a niedobór GH 1–3% przypadków niskiego wzrostu. Zespół Turnera występujący z częstością 1 : 2500 żywo urodzonych dziewcząt odpowiada za ok. 3% przypadków niskiego wzrostu.

Etiologia i patogeneza

Najczęstszą przyczyną niskiego wzrostu na świecie jest niedożywienie. W krajach rozwiniętych gospodarczo, w których nie występuje problem głodu, przyczyny niskiego wzrostu to (tab. 17.1):

- łagodne warianty niskiego wzrostu uwarunkowane genetycznie, dziedziczone wielogenowo autosomalnie dominująco:
  - rodzinny niski wzrost (ok. 40% przypadków niskiego wzrostu),
  - konstytucjonalne opóźnienie wzrastania i dojrzewania płciowego (ok. 30% przypadków niskiego wzrostu),
- wrodzone lub nabyte przewlekłe choroby (10––20% niskiego wzrostu) powodujące:
  - pierwotny niski wzrost, tj. wrodzone nieodwracalne zmniejszenie potencjału wzrostowego,
  - wtórny niski wzrost, tj. wrodzone lub nabyte potencjalnie odwracalne zmniejszenie potencjału wzrostowego,
- idiopatyczny niski wzrost – zmniejszenie potencjału wzrostowego o nieokreślonej przyczynie.

Wszystkie z powyższych zaburzeń wpływają na wzrastanie, modyfikując:

- wydzielanie i aktywność GH i IGF1,
- wrażliwość chrząstek wzrostowych i innych tkanek na ich działanie,
- współdziałanie osi somatotropowej z pozostałymi osiami hormonalnymi.

Niedobór GH, hormonów płciowych i hormonów tarczycy oraz nadmiar glikokortykosteroidów powodują zmniejszenie szybkości wzrastania, opóźnienie wieku kostnego i niski wzrost. Natomiast nadmiar hormonów płciowych i hormonów tarczycy odpowiedzialny jest za przyspieszenie wzrastania i wieku kostnego. Z kolei nadmiar GH skutkuje przyspieszeniem wzrastania bez awansu wieku kostnego i jest przyczyną wysokiego wzrostu.

Obraz kliniczny

Pierwotny niski wzrost charakteryzuje się opóźnieniem wieku kostnego mniejszym od opóźnienia wieku wzrostowego (lub jemu równym) w stosunku do wieku chronologicznego. Zaburzenie wzrastania zwykle występuje już w okresie prenatalnym i jest przyczyną wewnątrzmacicznego zahamowania wzro-

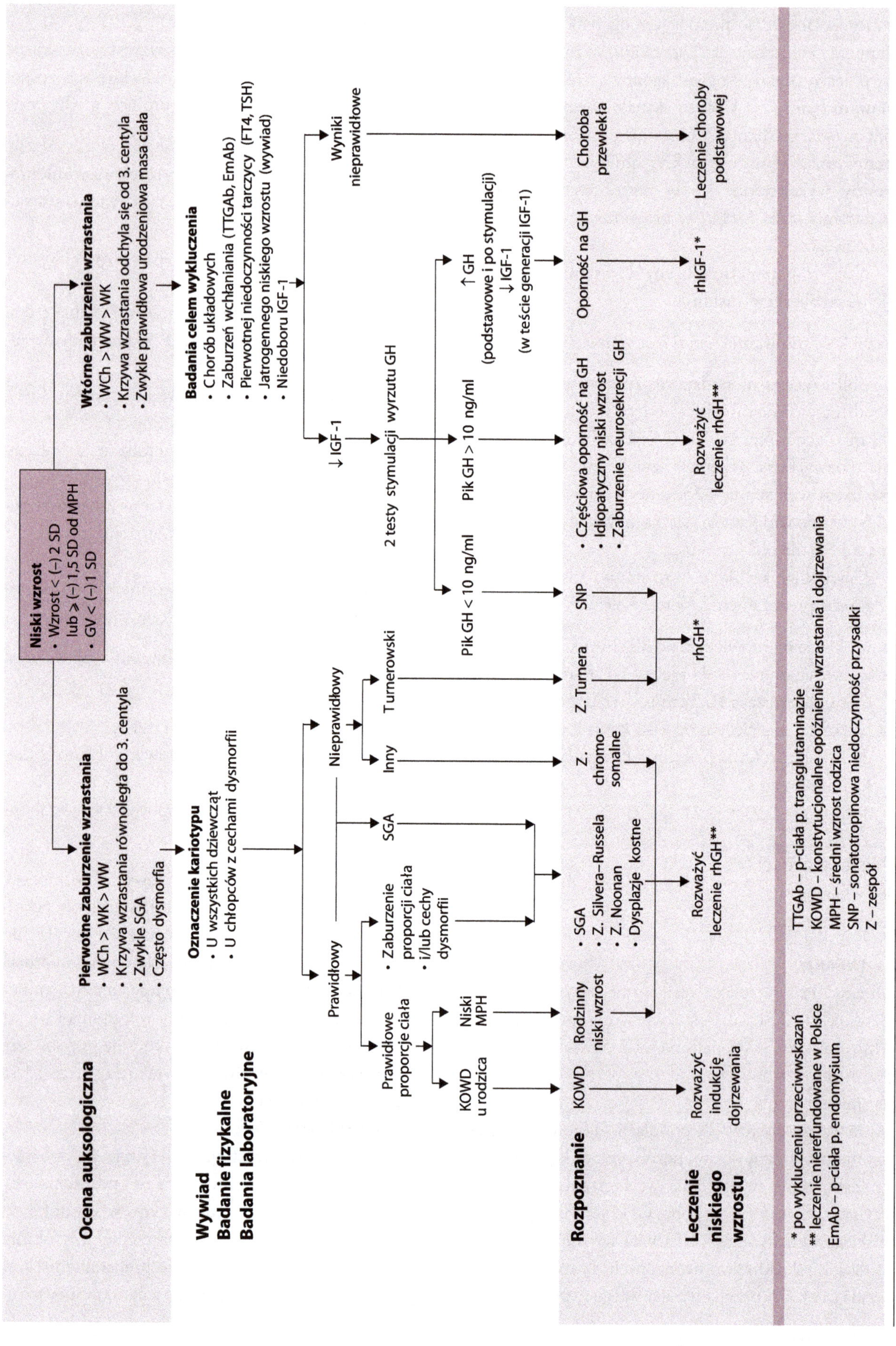

Ocena auksologiczna

Niski wzrost
- Wzrost < (–) 2 SD
- lub ≥ (–) 1,5 SD od MPH
- GV < (–) 1 SD

Pierwotne zaburzenie wzrastania
- WCh > WK > WW
- Krzywa wzrastania równoległa do 3. centyla
- Zwykle SGA
- Często dysmorfia

Wtórne zaburzenie wzrastania
- WCh > WW > WK
- Krzywa wzrastania odchyla się od 3. centyla
- Zwykle prawidłowa urodzeniowa masa ciała

Wywiad
Badanie fizykalne
Badania laboratoryjne

Oznaczenie kariotypu
- U wszystkich dziewcząt
- U chłopców z cechami dysmorfii

Badania celem wykluczenia
- Chorób układowych
- Zaburzeń wchłaniania (TTGAb, EmAb)
- Pierwotnej niedoczynności tarczycy (FT4, TSH)
- Jatrogennego niskiego wzrostu (wywiad)
- Niedoboru IGF-1

Prawidłowy — Nieprawidłowy

Prawidłowy:
- Zaburzenie proporcji ciała i/lub cechy dysmorfii

Prawidłowe proporcje ciała: KOWD u rodzica — Niski MPH — Rodzinny niski wzrost

Nieprawidłowy: SGA — Inny — Turnerowski

↓ IGF-1

Wyniki nieprawidłowe

2 testy stymulacji wyrzutu GH

Pik GH < 10 ng/ml   Pik GH > 10 ng/ml

↑GH (podstawowe i po stymulacji)
↓IGF-1 (w teście generacji IGF-1)

- Częściowa oporność na GH
- Idiopatyczny niski wzrost
- Zaburzenie neurosekrecji GH

Oporność na GH

Choroba przewlekła

SNP   Z. Turnera   Z. chromo-somalne

- SGA
- Z. Silvera–Russela
- Z. Noonan
- Dysplazje kostne

KOWD

Rozpoznanie

Leczenie niskiego wzrostu

Rozważyć indukcję dojrzewania

Rozważyć leczenie rhGH**

rhGH*

Rozważyć leczenie rhGH**

rhIGF-1*

Leczenie choroby podstawowej

* po wykluczeniu przeciwwskazań
** leczenie nierefundowane w Polsce
EmAb – p-ciała p. endomysium

TTGAb – p-ciała p. transglutaminazie
KOWD – konstytucjonalne opóźnienie wzrastania i dojrzewania
MPH – średni wzrost rodzica
SNP – somatotropinowa niedoczynność przysadki
Z – zespół

Rycina 17.1. Schemat diagnostyczno-leczniczy niskiego wzrostu.

stu (intrauterine growth retardation, IUGR), a w konsekwencji urodzenia dziecka o wymiarach za małych w stosunku do wieku płodowego (small for gestational age, SGA). Często występują cechy dysmorfii. U 10% dzieci z IUGR niedobór wzrostu ma charakter trwały.

W przypadku rodzinnego niskiego wzrostu nie występują cechy dysmorfii, natomiast charakterystyczne są niski średni wzrost rodziców i niskie wzrosty w rodzinie.

Idiopatyczny niski wzrost ma przebieg podobny do rodzinnego niskiego wzrostu, ale stwierdza się prawidłowy średni wzrost rodziców i prawidłowe wzrosty w rodzinie.

We wtórnym niskim wzroście obserwuje się wybitne opóźnienie wieku kostnego – wiek chronologiczny jest większy od wieku wzrostowego, a ten większy od wieku kostnego.

Powyższy układ występuje także w łagodnym wariancie niskiego wzrostu, konstytucjonalnym opóźnieniu wzrastania i dojrzewania, który ma charakter wrodzonego, przejściowego opóźnienia rozwoju somatycznego. Średni wzrost rodziców jest prawidłowy. Wzrost końcowy i rozwój płciowy osiągane są w późniejszym niż przeciętnie wieku.

Przebieg naturalny
Nieleczony niedobór wzrostu w okresie rozwojowym prowadzi do niskiego wzrostu końcowego, z wyjątkiem pacjentów z konstytucjonalnym opóźnieniem wzrastania i dojrzewania, u których wzrost końcowy jest zwykle tylko nieco niższy od średniego wzrostu rodziców. Także ok. 90% niskorosłych z powodu IUGR wyrównuje samoistnie niedobór wzrostu do 10. rż.

Metody diagnostyczne i różnicowanie
W diagnostyce niskiego wzrostu kluczowe znaczenie ma **odniesienie aktualnego wzrostu dziecka do:**

- poprzednich pomiarów wzrostu naniesionych na siatkę wzrostową (dane z książeczki zdrowia dziecka i karty zdrowia ucznia),
- stopnia rozwoju płciowego dziecka,
- wieku kostnego,
- średniego wzrostu rodziców,
- modelu wzrastania i dojrzewania rodziców oraz rodzeństwa,
- masy i długości urodzeniowej ciała dziecka.

Pomocne w rozpoznaniu są także:

- ocena proporcji ciała,
- występowanie cech dysmorficznych typowych dla zespołów genetycznych przebiegających z niskim wzrostem,
- dane z wywiadu dotyczące przebiegu ciąży i okresu noworodkowego, dotychczasowego rozwoju psychofizycznego, przebytych chorób dziecka, jego diety oraz wzrastania i dojrzewania u dalszych członków rodziny.

Takie postępowanie pozwala na różnicowanie pierwotnego i wtórnego niskiego wzrostu, w których dalsza diagnostyka i leczenie są odmienne (ryc. 17.1).

U każdej niskorosłej dziewczynki z pierwotnym niskim wzrostem należy oznaczyć **kariotyp** (brak cech dysmorfii, a także pojawienie się objawów dojrzewania płciowego nie wykluczają zespołu Turnera).

Rozpoznanie somatotropinowej niedoczynności przysadki jest wskazaniem do oceny pozostałych hormonów tropowych (rozpoznanie wielohormonalnej niedoczynności przysadki) i do wykonania badania **MR okolicy podwzgórzowo-przysadkowej** w celu ujawnienia ewentualnego zaburzenia strukturalnego tej okolicy. Badanie to należy przeprowadzić w pierwszej kolejności (jeszcze przed oceną czynności somatotropowej przysadki) w każdym przypadku zahamowania wzrastania u dziecka, które dotychczas wzrastało prawidłowo, a także w przypadku występowania objawów neurologicznych ze strony OUN (ryc. 17.2).

Leczenie
U pacjentów z wtórnym niskim wzrostem najważniejsze znaczenie ma **leczenie choroby podstawowej**, w tym zaburzeń hormonalnych (substytucja fT4, rhGH, IGF1), co skutkuje wyrównaniem niedoboru wzrostu, a następnie normalizacją wzrastania.

W Polsce refundowane jest **stosowanie rhGH** w leczeniu niskiego wzrostu w somatotropinowej niedoczynności przysadki, zespole Turnera i przewlekłej niewydolności nerek oraz zaburzeń metabolicznych w zespole Pradera–Williego. Planuje się też leczenie niskiego wzrostu u dzieci z wewnątrzmacicznym zahamowaniem wzrastania.

Wzrastanie poprawia także rhGH w innych przypadkach pierwotnego niskiego wzrostu (mutacje genu *SHOX*, zespół Silvera–Russela, zespół Noonan) oraz we wtórnym niskim wzroście (choroba Leśniow-

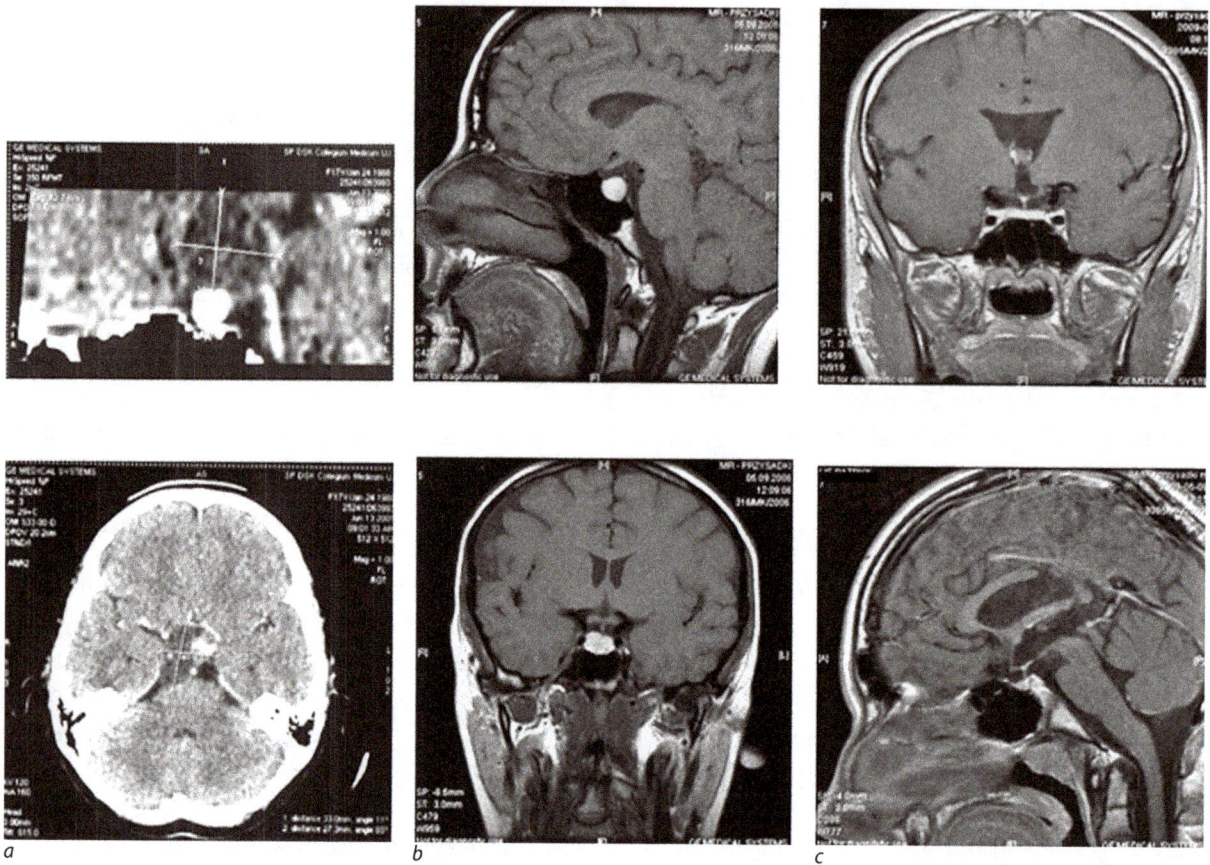

a

b

c

Rycina 17.2. Zmiany strukturalne okolicy podwzgórza i przysadki będące przyczyną niedoboru hormonu wzrostu (izolowanego i w przebiegu wielohormonalnej niedoczynności przysadki): (*a*) – czaszkogardlak 33 × 27 mm; (*b*) – guz przysadki 25 × 15 mm (mutacja *PROP1*); (*c*) – brak przegrody przezroczystej i ektopia tylnego płata przysadki w dysplazji przegrodowo-ocznej.

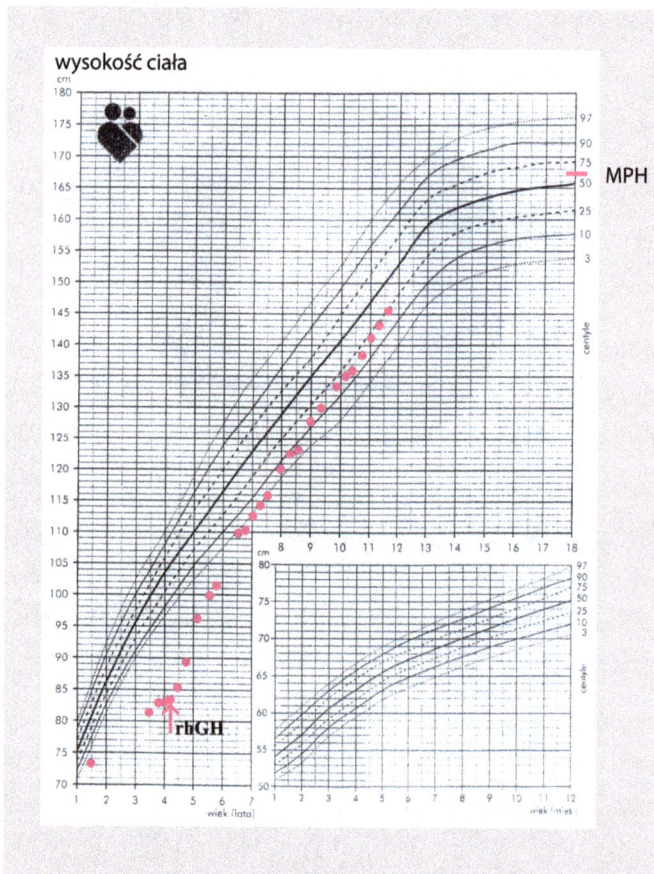

Rycina 17.3. Siatka wzrostowa dziewczynki z wielohormonalną niedoczynnością przysadki. Strzałką zaznaczono moment włączenia substytucji rhGH.

skiego–Crohna, mukowiscydoza, młodzieńcze idiopatyczne zapalenie stawów).

Leczenie rhGH prowadzi się pod kontrolą wzrastania (krzywa wzrostowa na siatce wzrostowej) (ryc. 17.3) i stężenia IGF1 w surowicy krwi.

Leczenia zazwyczaj nie stosuje się w rodzinnym niskim wzroście oraz w konstytucjonalnym opóźnieniu wzrastania i dojrzewania, z wyjątkiem przypadków ze skrajnym opóźnieniem dojrzewania (patrz rozdz. 17.3.3 „Hipogonadyzm").

Powikłania

Do najpoważniejszych powikłań leczenia rhGH należą:

- objawy rzekomego guza mózgu (1 : 200 w przewlekłej niewydolności nerek, 1 : 300 w zespole Turnera),
- złuszczenie głowy kości udowej (40 razy częściej w wielohormonalnej niedoczynności przysadki niż w populacji ogólnej),
- pogłębienie skrzywienia bocznego kręgosłupa,
- zaburzenia metabolizmu glukozy, w tym cukrzyca typu 2 u osób z rodzinnym obciążeniem,
- u chorych z zespołem Pradera–Williego opisywano nagłe zgony w przebiegu leczenia, za których przyczynę uważa się nasilenie bezdechów nocnych lub zaostrzenie wtórnej niedoczynności kory nadnerczy.

Nie wykazano zwiększonego ryzyka wznowy choroby nowotworowej oraz rozwoju nowotworów *de novo* i drugich w trakcie stosowania rhGH.

U chorych leczonych ludzkim rekombinowanym IGF1 występuje ryzyko hipoglikemii.

Rokowanie

Leczenie rhGH poprawia wzrost końcowy tym więcej, im większy jest niedobór hormonu wzrostu, niedobór wzrostu oraz opóźnienie wieku kostnego. Z tego powodu największą korzyść z leczenia rhGH odnoszą chorzy z wielohormonalną niedoczynnością przysadki oraz chorzy z ciężkim izolowanym genetycznie uwarunkowanym niedoborem GH. Pacjentki z zespołem Turnera osiągają średnio wzrost końcowy w zakresie normy dla populacji ogólnej. Należy brać jednak pod uwagę indywidualną u poszczególnych pacjentów odpowiedź na leczenie rhGH w odniesieniu zarówno do poprawy wzrostu, jak i wystąpienia powikłań.

17.2.3

Wysoki wzrost

ang. tall stature

Definicja

Wysoki wzrost to długość lub wysokość ciała > 97. centyla (+ 2 SD) dla wieku chronologicznego.

Epidemiologia

Wysoki wzrost dotyczy 3% populacji.

Etiologia i patogeneza

Najczęściej stwierdza się **łagodne warianty wysokiego wzrostu**. Mogą być uwarunkowane genetycznie i występować rodzinnie (rodzinny wysoki wzrost lub konstytucjonalne przyspieszenie wzrastania i dojrzewania płciowego) albo mieć charakter idiopatyczny. Pozostałe przypadki są spowodowane **zespołami genetycznymi** lub **zaburzeniami hormonalnymi** (tab. 17.1).

Obraz kliniczny

W przypadku zespołów genetycznych wysokiemu wzrostowi towarzyszą cechy dysmorfii typowe dla poszczególnych jednostek chorobowych. W gigantyzmie mogą rozwinąć się dyskretne cechy akromegalii (pogrubienie rysów twarzy, powiększenie rąk i stóp, nosa, małżowin usznych, powiększenie narządów wewnętrznych), zaburzenie tolerancji glukozy prowadzące do cukrzycy, nadciśnienie tętnicze oraz objawy rzekomego guza mózgu.

Przebieg naturalny

W zespołach genetycznych przebiegających z wysokim wzrostem w dzieciństwie wzrost końcowy jest również wysoki, z wyjątkiem zespołu Beckwitha––Wiedemanna. W przedwczesnym dojrzewaniu płciowym wysoki wzrost ma charakter przejściowy, a wzrost końcowy jest zwykle obniżony z uwagi na wcześniejsze zarośnięcie nasad kostnych (tab. 17.1).

Metody diagnostyczne i różnicowanie

W diagnostyce różnicowej przyczyn wysokiego wzrostu kluczowe znaczenie ma **wywiad** dotyczący:

- przebiegu wzrastania począwszy od okresu prenatalnego,
- danych okołoporodowych (masa i długość ciała),
- przebiegu okresu noworodkowego (występowanie hipoglikemii, zaburzeń rozwojowych i guzów nowotworowych),
- zaburzeń rozwoju umysłowego.

Wywiad rodzinny obejmuje wzrost, przebieg wzrastania i dojrzewania płciowego u krewnych I stopnia, a w szczególnych przypadkach podejrzenia genetycznych przyczyn wysokiego wzrostu także u innych członków rodziny.

Wywiad, badanie fizykalne i ocena auksologiczna (przebieg krzywej wzrostowej na siatce centylowej, ocena szybkości wzrastania, dojrzewania płciowego i wieku kostnego), a także badania hormonalne i genetyczne pozwalają na wstępne określenie przyczyn wysokiego wzrostu:

- na rozpoznanie zespołu genetycznego przebiegającego z wysokim wzrostem wskazują cechy dysmorfii i/lub opóźnienie rozwoju umysłowego. W tych przypadkach należy wykonać badanie **kariotypu**,
- na przedwczesne dojrzewanie płciowe jako przyczynę wysokiego wzrostu wskazuje rozwój cech dojrzewania płciowego przed ukończeniem 8. rż. u dziewcząt i 9. rż. u chłopców oraz awans wieku kostnego,
- dla gigantyzmu charakterystyczne jest **podwyższone stężenie IGF1 z brakiem hamowania wydzielania GH** (< 2 ng/ml) w teście doustnego obciążenia glukozą. MR przysadki pozwala uwidocznić gruczolaka,
- u otyłych z wysokim wzrostem stwierdza się zwykle insulinooporność (hiperinsulinemię przy prawidłowej glikemii) i podwyższone stężenie IGF-1.

Leczenie

W łagodnych wariantach wysokiego wzrostu, gdy towarzyszą im problemy psychosocjalne, **można stosować duże dawki hormonów płciowych** (estradiol lub testosteron w zależności od płci) w celu przyspieszenia wieku kostnego i skrócenia okresu wzrastania.

U chorych z gigantyzmem metodą z wyboru jest **usunięcie gruczolaka**, które można poprzedzić podaniem analogów somatostatyny lub radioterapią.

Postępowanie u chorych z przedwczesnym dojrzewaniem płciowym oraz otyłością przedstawiono w rozdziałach 17.3.2 „Przedwczesne dojrzewanie" i 17.10 „Otyłość".

17.3
Jerzy Starzyk
ZABURZENIA DOJRZEWANIA PŁCIOWEGO

17.3.1
Zagadnienia ogólne

Fizjologiczne dojrzewanie ma początek wtedy, gdy neurony w jądrach łukowatych podwzgórza rozpoczynają pulsacyjne wydzielanie GnRH. Hormon ten pobudza syntezę i pulsacyjne wydzielanie LH i FSH z gonadotropów przedniego płata przysadki, a te stymulują gonady do syntezy i wydzielania hormonów płciowych, estrogenów i testosteronu. Hormony płciowe odpowiadają za rozwój:

- drugorzędowych cech płciowych:
  - u dziewcząt sromu, pochwy, macicy i jajowodów,
  - u chłopców moszny, prącia i nasieniowodów,
- trzeciorzędowych cech płciowych:
  - u dziewcząt piersi, owłosienia płciowego i proporcji ciała,
  - u chłopców owłosienia płciowego, rozwoju mięśni pasa barkowego i obniżenia tonacji głosu.

Mechanizmy fizjologiczne hamujące aktywność neuronów GnRH u dzieci od 2. rż. do okresu dojrzewania i zwiększające ją w okresie dojrzewania nie zostały wystarczająco poznane. Istnieją dowody, że sekrecyjna aktywność neuronów GnRH stanowi wypadkową działania licznych układów neuronalnych pobudzających (układ glutaminergiczny, noradrenergiczny, dopaminergiczny) i hamujących (układ GABA-ergiczny i opioidowy). Układy odpowiedzialne za inicjację fizjologicznego dojrzewania to **układ kisspeptyny i neurokininy B**. Polipeptydy te, działając na swoje zależne od białka G receptory (odpowiednio receptor KISS1 oraz receptor neurokininowy typu 3) zlokalizowane na neuronach GnRH w jądrach łukowatych oraz hamując aktywność układu GABA-ergicznego, pobudzają cykliczne wydzielanie GnRH. Szybkość dojrzewania neuronów wydzielających kisspeptyny w podwzgórzu stanowi cechę osobniczo zmienną, która zależy także od rasy, stopnia odżywienia, szerokości geograficznej, warunków psychosocjalnych i urodzeniowej masy ciała. Z kolei neurony wydzielające neurokininy B występują w wielu obszarach OUN poza jądrami łukowatymi podwzgórza, co może sugerować nadrzędną rolę układu neurokininy B w integrowaniu wpływu bodźców korowych i podkorowych na aktywność układu kisspeptyny i inicjację dojrzewania płciowego. Złożoność opisanych mechanizmów jest przyczyną występowania dojrzewania u dzieci w szerokim zakresie wieku.

W Europie za fizjologiczne granice początku dojrzewania przyjęto wiek:

- u dziewcząt 8–13 lat, średnio 10 lat,
- u chłopców 9–14 lat, średnio 12 lat.

Wystąpienie dojrzewania w tych granicach wieku nie wyklucza jednak chorobowej przyczyny dojrzewania. Określenie postępu dojrzewania dokonuje się za pomocą pięciostopniowej **skali Tannera**, która obejmuje ocenę rozwoju:

- piersi u dziewcząt (*thelarche*, Th): Th1 – wygląd przedpokwitaniowy; Th2 – wyczuwalny gruczoł piersiowy, który nie przekracza średnicy otoczki; Th3 – gruczoł przekracza średnicę otoczki, wyraźne uniesienie piersi i brodawki; Th4 – wtórny wzgórek utworzony z otoczki i brodawki; Th5 – pierś dojrzałej kobiety,
- owłosienia łonowego u obu płci (*pubarche*, P): P1 – widok przedpokwitaniowy; P2 – pojedyncze, długie, proste włosy, słabo pigmentowane wzdłuż warg sromowych/u podstawy prącia; P3 – włosy ciemniejsze, grubsze, bardziej skręcone, rozciągające się ponad spojenie łonowe; P4 – owłosienie typu dorosłego, ale nierozprzestrzeniające się na przyśrodkową powierzchnię ud; P5 – owłosienie typu dorosłego rozprzestrzeniające się na przyśrodkową powierzchnię ud, u mężczyzn także na kresę białą,
- jąder, prącia i moszny u chłopców (*gonadarche*, G): G1 – jądra, prącie i moszna przedpokwitaniowe; G2 – jądra ≥ 4 ml, nieznaczna pigmentacja prącia i moszny; G3 – dalsze powiększenie jąder, nieznaczne wydłużenie prącia i powiększenie moszny; G4 – dalsze powiększenie objętości jąder, grubości prącia i moszny oraz jej pigmentacji i pofałdowania; G5 – rozwój jak u dorosłego mężczyzny; objętość jąder szacuje się przez ich palpacyjne porównanie do modelu jąder w orchidometrze Pradera (ryc. 17.4c).

17.3.2

Przedwczesne dojrzewanie

łac. *pubertas praecox*
ang. precocious puberty

Definicja

Rozwój drugo- i trzeciorzędowych cech płciowych przed ukończeniem 8. rż. u dziewcząt i 9. rż. u chłopców wywołany przez hormony płciowe wydzielane przez gonady lub nadnercza. Przedwczesne dojrzewanie dzieli się na:

- **prawdziwe** – zależne od GnRH przedwczesne dojrzewanie spowodowane wydzielaniem hormonów płciowych przez gonady w odpowiedzi na przedwczesne uaktywnienie osi podwzgórze–przysadka–gonady,
- **rzekome** – niezależne od GnRH przedwczesne dojrzewanie spowodowane autonomicznym wydzielaniem hormonów płciowych przez nadnercza lub gonady:
  - izoseksualne – rozwój płciowy zgodny z płcią dziecka,
  - heteroseksualne – wirylizacja u dziewcząt, feminizacja u chłopców,
- **łagodne warianty** przedwczesnego dojrzewania (*thelarche praecox*, *adrenarche praecox*) o niejasnej etiopatogenezie, które mają charakter niepostępujący, w odróżnieniu od prawdziwego i rzekomego przedwczesnego dojrzewania, które wykazują progresję objawów dojrzewania (progresywne przedwczesne dojrzewanie).

Epidemiologia

Łagodne warianty stanowią ok. 50% wszystkich przypadków przedwczesnego dojrzewania. Progresywne przedwczesne dojrzewanie występuje u 1 : 5000 dzieci, u dziewcząt 10 razy częściej niż u chłopców.

Etiologia i patogeneza

Przyczyny, etiologię i patogenezę przedwczesnego dojrzewania przedstawiono w tabeli 17.2.

Prawdziwe przedwczesne dojrzewanie o idiopatycznej przyczynie stanowi 90% wszystkich postaci przedwczesnego dojrzewania u dziewcząt i 10% u chłopców. Natomiast przedwczesne dojrzewanie spowodowane zmianami strukturalnymi OUN i rzekome przedwczesne dojrzewanie odpowiadają za 10% przypadków u dziewcząt i 90% u chłopców. Naj-

Tabela 17.2. Przyczyny i etiopatogeneza zaburzeń dojrzewania

PRZEDWCZESNE DOJRZEWANIE				
PRZYCZYNY	ETIOLOGIA	PATOGENEZA	POSTAĆ U DZIEWCZĄT	POSTAĆ U CHŁOPCÓW
PRAWDZIWE (ZALEŻNE OD GnRH)				
Czynnościowe zaburzenia OUN — Idiopatyczne	Nieznana	Pobudzenie neuronów GnRH	Izoseksualne	Izoseksualne
Adopcja dziewczynki z kraju rozwijającego się	Ksenoestrogeny, bodźce socjoekonomiczne			
Wtórne przedwczesne dojrzewanie	Nadmiar hormonów płciowych w rzekomym przedwczesnym dojrzewaniu pobudza dojrzewanie osi podwzgórze–przysadka–gonady w wieku 11–12 lat	Odblokowanie osi podwzgórze––przysadka–gonady przez spadek stężeń hormonów płciowych w wyniku leczenia rzekomego przedwczesnego dojrzewania		
Aktywująca mutacja genu KISS1R	Pobudzenie neuronów GnRH	Cykliczne wydzielanie GnRH		
Strukturalne zmiany okolicy podwzgórzowo-przysadkowej — Nowotwory: glejak nerwów wzrokowych (NF1), szyszynczak, gwiaździak, wyściółczak, guz zarodkowy	Przerwanie dróg neuronalnych hamujących neurony GnRH\n\nWydzielanie TGFα przez uszkodzone komórki gleju	Aktywacja neuronów GnRH Wydzielanie GnRH (hamartoma)		
Uszkodzenia: urazy, radioterapia i/lub chemioterapia, encefalopatia niedotlenieniowo-niedokrwienna, zapalenie mózgu/opon mózgowo-rdzeniowych, wylew, przewlekła choroba ziarniniakowa				
Wady rozwojowe: hamartoma, torbiel nadsiodłowa pajęczynówki, wodogłowie, torbiele komór mózgu, dysplazja przegrodowo--oczna, zespół pustego siodła, przepuklina oponowo-rdzeniowa, ektopia tylnego płata przysadki mózgowej				
RZEKOME (NIEZALEŻNE OD GnRH)				
Pochodzenia gonadalnego — Zespół McCune'a–Albrighta	Somatyczna postzygotyczna mutacja genu GNAS1	Pobudzenie transdukcji sygnału receptorów LH i FSH (także MSH, ACTH, TSH, PTH, GHRH)	Izoseksualne	Izoseksualne (rzadko)
Testotoksykoza (ograniczone do płci męskiej przedwczesne dojrzewanie)	Germinalna aktywująca mutacja receptora LH, dziedziczenie autosomalne dominujące	Autonomiczne wydzielanie testosteronu przez komórki Leydiga	Bez objawów (nosicielki mutacji)	Izoseksualne
Guzy jajnika: z komórek ziarnistych lub Sertoliego	Niekiedy mutacje somatyczne genu dla receptora FSH	Autonomiczne wydzielanie estradiolu	Izoseksualne	–
Guz jądra w zespole Peutza–Jeghersa	Guz sznurów płciowych SCTAT		–	Heteroseksualne

Tabela 17.2. cd.

	PRZYCZYNY	ETIOLOGIA	PATOGENEZA	POSTAĆ U DZIEWCZĄT	POSTAĆ U CHŁOPCÓW
	RZEKOME (NIEZALEŻNE OD GnRH)				
Pochodzenia gonadalnego	Guzy jajnika: z komórek Leydiga, potworniaki	Niekiedy mutacje somatyczne *GNAS1*	Autonomiczne wydzielanie testosteronu	Heteroseksualne	–
	Guzy jądra (leydigioma)	Niekiedy mutacje somatyczne genu dla LH-R		–	Izoseksualne
	Guz zarodkowy (gonad, przestrzeni pozaotrzewnowej, śródczaszkowy): dysgerminoma, pinealoma, chorionepithelioma, hepatoblastoma	Wydzielanie hCG (aktywność LH)	Wydzielanie testosteronu przez komórki Leydiga w jądrach oraz komórki tekalne w jajnikach (brak wydzielania estradiolu w jajnikach, bo brak FSH, który pobudza aromatazę)	Izoseksualne (gdy aktywność aromatazy w guzie)	Izoseksualne
	Zależne od TSH (pierwotna niedoczynność tarczycy)	Duże stężenie TSH w pierwotnej hipotyreozie (aktywność FSH)	Wydzielanie estradiolu w jajnikach, powiększenie jąder (rozrost kanalików nasiennych)	Izoseksualne	Częściowe (brak testosteronu, bo brak LH)
Pochodzenia nadnerczowego	Wrodzony przerost nadnerczy: niedobór 21-hydroksylazy, 11-β-hydroksylazy, 3βHSD2	Nadmiar ACTH	Pobudzenie wydzielania androsteronu, DHEAS i testosteronu przez warstwę siatkowatą kory nadnerczy	Heteroseksualne (rzadko, bo zaburzenia rozwoju płci u noworodka)	Izoseksualne
	Guzy kory nadnerczy: rak, gruczolak, pierwotna pigmentowa guzkowa choroba nadnerczy	Patrz rozdz. 17.6.2 „Zespół Cushinga"			
	Zespół oporności na glikokortyko-steroidy	Mutacja genu receptora dla glikokortykosteroidów	Nadmiar ACTH pobudza wydzielanie androsteronu, DHEAS i testosteronu przez warstwę siatkowatą kory nadnerczy	Heteroseksualne (rzadko)	Izoseksualne (rzadko)
	Zespół niedoboru aromatazy	Germinalna inaktywująca mutacja genu *CYP19*		*Pubarche praecox* (rzadko)	
Pochodzące z tkanek obwodowych	Zespół nadmiernej aktywności aromatazy	Aktywująca mutacja *CYP19*	Nadmierna (w jajnikach i w tkance tłuszczowej) aromatyzacja testosteronu do estradiolu	Izoseksualne	Ginekomastia
Łagodne warianty przedwczesnego dojrzewania	*Thelarche praecox*	Nieznana	Nadreaktywność receptora dla estradiolu (?)	Izoseksualne	
	Adrenarche praecox	Przedwczesna dojrzałość warstwy siatkowatej kory nadnerczy (?)	Stężenie DHEAS jak w fizjologicznym *adrenarche*	Pubarche III°	
	Menarche praecox	Łagodne nawracające torbiele pęcherzykowe jajników (?)	Spadek stężenia estradiolu (pęknięcie torbieli) lub niedokrwienie (przerost endometrium)	Izoseksualne	–
Pochodzenia jatrogennego	Egzogenne androgeny lub estrogeny w lekach i kosmetykach	Najczęściej stosowanie kremów, żeli z estradiolem przez matki oraz z testosteronem przez ojców	Kontakt przez skórę	Izoseksualne lub heteroseksualne	

Tabela 17.2. cd.

HIPOGONADYZM				
PRZYCZYNY	ETIOLOGIA	PATOGENEZA	POSTAĆ U DZIEWCZĄT	POSTAĆ U CHŁOPCÓW
HIPOGONADOTROPOWY (BRAK/NIEDOBÓR LH/FSH)				
Przejściowy Konstytucjonalne opóźnienie wzrastania i dojrzewania	Wielogenowa, dziedziczenie dominujące od ojca i/lub matki	Opóźnienie wydzielania GnRH	Opóźnione dojrzewanie (rzadko)	Opóźnione dojrzewanie
Restrykcyjna dieta	Zjawisko down-regulation kisspeptyn	Zahamowanie wydzielania GnRH (reakcja adaptacyjna organizmu)		
Nadmierny wysiłek fizyczny				
Niedoczynność tarczycy	Opóźnienie rozwoju somatycznego	Opóźnienie wydzielania GnRH	Bak lub opóźnione dojrzewanie	
Somatotropinowa niedoczynność przysadki				
Niewyrównana cukrzyca typu 1				
Zespół Cushinga	Nadmiar kortyzolu	Zahamowanie wydzielania GnRH i gonadotropin przez kortyzol		
Wrodzony przerost nadnerczy (niedobór 21-hydroksylazy lub 11-β-hydroksylazy)	Mutacja odpowiednio genu $CYP21$ i $CYP11B2$	Zahamowanie wydzielania GnRH i gonadotropin przez androgeny nadnerczowe	Brak fizjologicznego dojrzewania (rzekome dojrzewanie)	
Hiperprolaktynemia	Czynnościowa, prolaktynoma	Androgenizacja jajnikowa i nadnerczowa (patrz rozdz. 17.3.4 „Hiperandrogenizacja u dziewcząt w okresie dojrzewania")	Wirylizacja od okresu dojrzewania, bezpłodność	Obniżone libido
Trwały Zespół Kallmanna (charakterystyczne są zaburzenia węchu)	Mutacja $KAL1$, $FGFR1$, $FGF8$, $PROKR2$, $PROK2$, $CHD7$, $NELF$	Brak wydzielania GnRH	Brak dojrzewania (rzadko)	Brak dojrzewania
Izolowany niedobór gonadotropin bez zaburzeń węchu	Mutacja $GNRHR$, $GNRH1$, $TACR3$, $TAC3$, $KISS1R$, $PROKR2$, $PROK2$, $FGFR1$, $FGF8$, $CHD7$	Brak wydzielania lub działania GnRH	Brak dojrzewania	
Zaburzenia rejonu DAX1	Mutacja genu $NROB1$ (Xp21.3--21.2) – ekspresja w podwzgórzu, przysadce, jądrach i nadnerczach	Niedobór GnRH, LH/FSH, dysgenezja jąder (patrz rozdz. 17.12.2 „Niski wzrost")	–	Brak dojrzewania (rzadko)
Wielohormonalna niedoczynność przysadki	Zaburzenia wrodzone lub nabyte	Niedobór GnRH i/lub LH/FSH (patrz rozdz. 17.12.2 „Niski wzrost")	Brak dojrzewania lub niepełne dojrzewanie	
Zespół Pradera–Williego	Zaburzenie rejonu 15q11-13	Zaburzenia wydzielania GnRH i czynności gonad		
Zespół Bardeta–Biedla (tab. 17.4)	Heterogenny zespół spowodowany mutacją kilkunastu różnych genów	Zaburzenia wydzielania GnRH, zwyrodnienie barwnikowe siatkówki, otyłość, polidaktylia, opóźnienie rozwoju umysłowego, wady nerek, wady serca (patrz rozdz. 17.10 „Otyłość")	Opóźnione dojrzewanie, nieregularne cykle miesiączkowe	Opóźnione dojrzewanie, bezpłodność w wieku dojrzałym
Zespół Laurenca–Moona		Zaburzenia wydzielania GnRH, zwyrodnienie barwnikowe siatkówki, opóźnienie rozwoju psychoruchowego, paraplegia spastyczna		

Tabela 17.2. cd.

	HIPOGONADYZM				
	PRZYCZYNY	ETIOLOGIA	PATOGENEZA	POSTAĆ U DZIEWCZĄT	POSTAĆ U CHŁOPCÓW
Trwały	Niedostateczne działanie leptyny (tab. 17.4)	Mutacja genu dla receptora leptyny lub dla leptyny	Niedobór GnRH (patrz rozdz. 17.10 „Otyłość")	Różnego stopnia zaburzenia dojrzewania płciowego	
	HIPERGONADOTROPOWY (PIERWOTNE USZKODZENIE GONAD)				
Trwały	Zespół Klinefeltera	47,XXY, rzadziej 48,XXXY	Obniżone stężenie testosteronu, zeszkliwiałe kanaliki nasienne (tab. 17.1)	–	Prawidłowy rozwój prącia, małe, twarde jądra skąpe *pubarche*, bezpłodność
	Zespół Turnera	Tab. 17.1	Dysgenezja jajników (pasmowate), zwykle brak estradiolu	Zwykle brak dojrzewania	–
	Hipoplazja/aplazja jąder	Nieznana, po 12. tc.	Brak testosteronu	–	Brak dojrzewania
	Autoimmunizacyjna choroba gonad	Autoprzeciwciała	Patrz rozdz. 17.11 „Poliendokrynopatie"	Brak lub regresja cech dojrzewania	Brak lub regresja cech dojrzewania (rzadko)
	Dysgenezje gonad 46,XY	Niekiedy delecja chromosomu Y z utratą *SRY*	Patrz rozdz. 17.12.2 „Zaburzenia rozwoju płci"	–	Płeć fenotypowa żeńska, brak dojrzewania (patrz rozdz. 17.12.2 „Zaburzenia rozwoju płci")
	Wrodzony przerost nadnerczy: niedobór białka STAR, desmolazy cholesterolowej, 3βHSD2, oksydoreduktazy cytochromów P450	Mutacje genów, odpowiednio *STAR, CYP11A, HSD3B2, POR*	Zaburzenie syntezy hormonów płciowych w nadnerczach i gonadach	Brak dojrzewania lub wirylizacja	
	Wnętrostwo	Pierwotny defekt jądra	Różnego stopnia niedobór testosteronu (lub estradiolu), uszkodzenie czynności generatywnej	–	Brak lub niepełne dojrzewanie
	Urazy/skręt jąder/orchidopeksja	Niedokrwienie jąder			
	Radioterapia, chemioterapia gonad	Uszkodzenie gonad		Brak lub regresja cech dojrzewania	
	Zespół całkowitej niewrażliwości na androgeny	Mutacja genu receptora androgennego w regionie Xq13, dziedziczenie związane z chromosomem X lub mutacje sporadyczne (30% przypadków)	Brak działania testosteronu, nadmiar estradiolu (aromatyzacja)	Prawidłowe dojrzewanie (nosicielki)	Fenotyp żeński (patrz rozdz. 17.12.2 „Zaburzenia rozwoju płci")
	Zespół częściowej niewrażliwości na androgeny	Mutacja genu receptora androgennego	Zmniejszone działanie testosteronu, nadmiar estradiolu		Niepełny rozwój męski
	Hipoplazja/aplazja komórek Leydiga	Mutacja *LHR*	Różnego stopnia niedobór testosteronu	–	Brak lub niepełne dojrzewanie
	Zespół niedoboru aromatazy	Inaktywująca mutacja *CYP19*	Brak aromatyzacji testosteronu do estradiolu, brak zarastania nasad kostnych	Brak dojrzewania	Prawidłowe dojrzewanie (wysoki wzrost)

Tabela 17.2. cd.

ZALEŻNY OD MUTACJI GENÓW OSI GONADALNEJ					
Trwały	Mutacja genu podjednostki β LH	Brak aktywności LH	Brak testosteronu u chłopców, niedobór estradiolu u dziewcząt	Brak miesiączki	Brak dojrzewania
	Mutacja receptora FSH	Inaktywująca mutacja genu receptora FSH	Dysgenezja gonad 46,XX u dziewcząt, u chłopców brak spermatogenezy	Brak dojrzewania lub przedwczesne wygasanie czynności jajników	Bezpłodność
	Niedobór 5-α-reduktazy typu 2	Mutacja genu *SRD5A2*	Zmniejszenie redukcji testosteronu do dihydrotestosteronu (patrz rozdz. 17.11 „Poliendokrynopatie")	–	Różnego stopnia obojnactwo i opóźnienie dojrzewania
	Mutacja receptora estrogenowego	Brak działania estradiolu	Brak pobudzenia rozwoju płciowego u dziewcząt i zarastania nasad kostnych u obu płci	Brak dojrzewania	Prawidłowe (wysoki wzrost)
	Rzekoma niedoczynność przytarczyc typ 1a	Mutacja inaktywująca *GNAS1*	Oporność gonad na działanie LH i FSH (patrz rozdz. 17.8.2 „Niedoczynność przytarczyc"), zespół Albrighta	–	Niepełne dojrzewanie

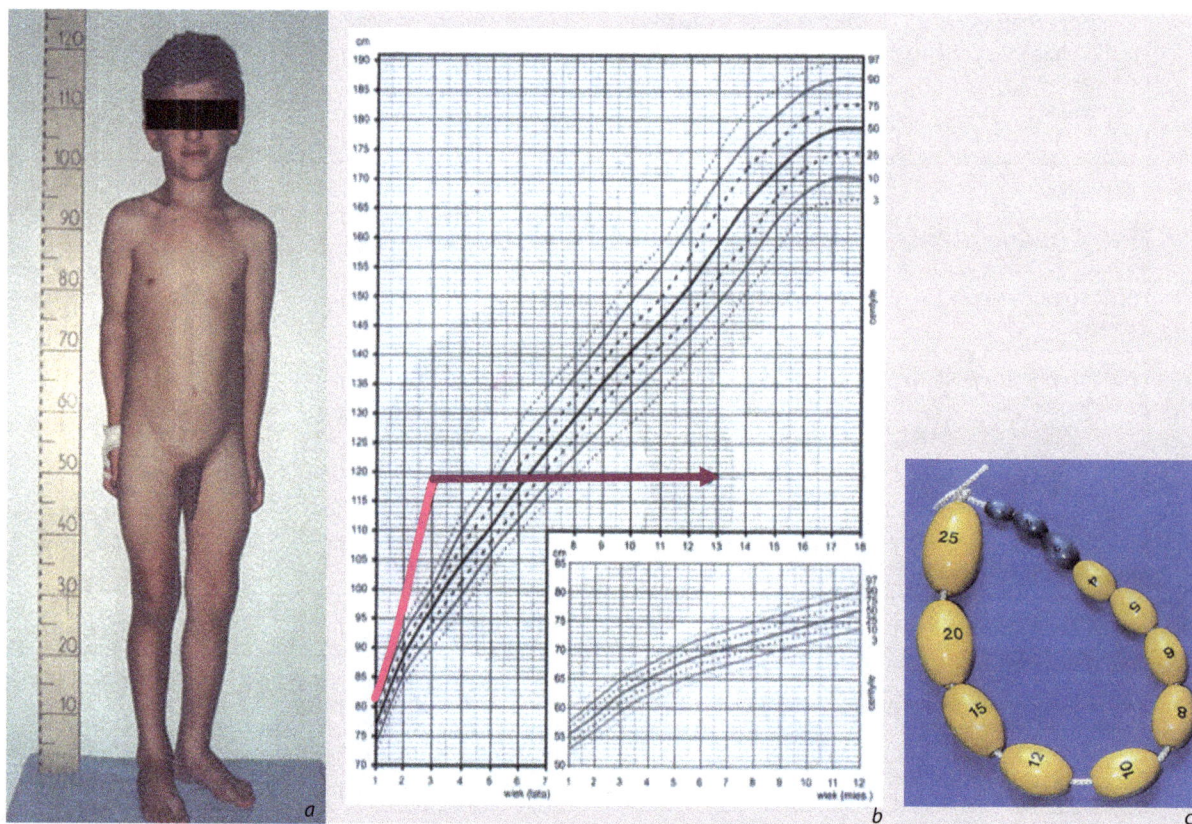

Rycina 17.4. (*a*) Chłopiec w wieku 3 $^{2}/_{12}$ lat z przedwczesnym dojrzewaniem spowodowanym niedoborem 11-β-hydroksylazy; (*b*) wybitne przyspieszenie wzrastania (wiek wzrostowy 6 $^{3}/_{12}$ lat) i wieku kostnego (13 lat); (*c*) objętość jąder (2 ml) określona za pomocą orchidometru Pradera (kolor niebieski oznacza objętości przedpokwitaniowe).

częstsze przyczyny rzekomego przedwczesnego dojrzewania to:

- u chłopców:
  - wrodzony przerost nadnerczy spowodowany niedoborem 21-hydroksylazy (21OH), rzadziej 11-β-hydroksylazy (11βOH) (ryc. 17.4a),
  - testotoksykoza (zwana też ograniczonym do płci męskiej przedwczesnym dojrzewaniem),
  - guzy zarodkowe,
- u dziewcząt:
  - zespół McCune'a–Albrighta,
  - guzy jajników wydzielające estrogeny.

Wrodzony przerost nadnerczy jest rzadką przyczyną przedwczesnego dojrzewania u dziewcząt, ponieważ rozpoznanie stawia się zwykle (i włącza leczenie) już w okresie noworodkowym z powodu zaburzeń rozwoju zewnętrznych narządów płciowych (patrz rozdz. 17.12.3 „Wrodzony przerost nadnerczy").

Obraz kliniczny

Ocena rozwoju płciowego dziecka jest nieodłączną częścią badania przedmiotowego. Powinna być przeprowadzona w warunkach zapewniających pacjentowi intymność, w obecności rodziców i pielęgniarki.

Objawy izoseksualnego przedwczesnego dojrzewania to:

- u dziewcząt:
  - powiększenie gruczołów piersiowych (Th ⩾ 2) – należy odróżnić zbitą konsystencją tkanki gruczołowej od jednorodnej i miękkiej tkanki tłuszczowej świadczącej o steatomastii,
  - pigmentacja otoczek brodawek sutkowych, warg sromowych mniejszych i przedsionka pochwy,
  - obecność *fluor pubertalis* lub krwistej wydzieliny,
  - rozwój owłosienia łonowego (P ⩾ 2),
  - rozwój pasa biodrowego,
- u chłopców:
  - zwiększenie objętości jąder (⩾ 4 ml),
  - rozwój ciał jamistych oraz pigmentacja prącia i moszny (pomiar długości i grubości prącia przy pomocy linijki),
  - rozwój owłosienia łonowego (P ⩾ 2),
  - zwiększenie masy ciała i rozwój pasa barkowego.

Cechy heteroseksualnego rzekomego przedwczesnego dojrzewania to:

- u dziewcząt cechy wirylizacji:
  - powiększenie łechtaczki,
  - przedwczesne *pubarche*,
  - brak rozwoju gruczołów piersiowych,
  - hirsutyzm,
  - maskulinizacja sylwetki,
  - obniżenie głosu,
- u chłopców cechy feminizacji:
  - brak rozwoju prącia i moszny,
  - ginekomastia,
  - eunuchoidalne proporcje ciała,
  - wysoka tonacja głosu.

Wspólnymi dla obu płci objawami przedwczesnego dojrzewania są:

- zwiększenie szybkości wzrastania (> 90. centyla, tj. > 7–8 cm u chłopców i > 6,5–7,5 cm u dziewcząt w wieku 5–9 lat),
- przyspieszenie wieku kostnego o co najmniej rok– –2 lata (+ 2 SD) w zależności od wieku dziecka (ryc. 17.4b),
- trądzik,
- przetłuszczanie się włosów,
- pokwitaniowy zapach potu,
- zmiany zachowania i zainteresowań, masturbacja,
- rozwój intelektualny zgodny z wiekiem chronologicznym.

Wzrastanie i wiek kostny mogą nie być przyspieszone w przypadkach gwałtownej progresji przedwczesnego dojrzewania (zależne od hCG), niedoboru GH (ucisk guza/radioterapia okolicy podwzgórza i przysadki), hiperkortyzolemii (rak/gruczolak/guzkowy rozrost kory nadnerczy) czy hipotyroksynemii (wielohormonalna niedoczynność przysadki i przedwczesne dojrzewanie zależne od TSH).

Za prawdziwym przedwczesnym dojrzewaniem przemawiają:

- taka sama jak w fizjologicznym dojrzewaniu kolejność pojawiania się i nasilenia objawów dojrzewania:
  - powiększenie piersi u dziewcząt i jąder u chłopców,
  - kolejno pojawienie się owłosienia łonowego u obu płci,
  - *menarche* u dziewcząt i powiększenie prącia u chłopców,

- dane z wywiadu wskazujące na ośrodkową strukturalną jego przyczynę:
  - przebyte zakażenie, uraz lub radioterapia OUN i/lub chemioterapia,
  - zwiększony obwód głowy, zwykle od okresu niemowlęcego (torbiel nadsiodłowa pajęczynówki),
  - pogorszenie ostrości wzroku (zmiana okularów) i widzenia barw,
  - zez (ucisk na skrzyżowanie nerwów wzrokowych),
  - bóle głowy, nudności lub wymioty,
  - zmiana zachowania spowodowana uciskiem na dno komory III,
  - objawy moczówki prostej,
  - padaczka z napadami śmiechu, ogniskowymi lub toniczno-klonicznymi w hamartoma podwzgórza.

Badanie neurologiczne może ujawnić spastyczność, zaburzenia chodu oraz ruchy zgięciowe głowy i tułowia (nadsiodłowa torbiel pajęczynówki), a okulistyczne – ograniczenie pola widzenia.

Na ośrodkową przyczynę przedwczesnego dojrzewania wskazuje także występowanie u chorego, a także u jego rodziców i/lub rodzeństwa plam typu *café au lait*, deformacji kostnych, guzków Lischa w obrębie tęczówek, nerwiakowłókniaków skóry oraz piegów w okolicach pachwinowych i pachowych (neurofibromatoza typu 1).

Na rzekome przedwczesne dojrzewanie wskazują:

- odwrócenie kolejności występowania objawów przedwczesnego dojrzewania u obu płci (*menarche* lub powiększenie prącia wyprzedzają inne objawy dojrzewania),
- hiperpigmentacja otoczek sutków i sromu spowodowane hiperestrogenizacją (guz jajnika wydzielający estrogeny, zespół McCune'a–Albrighta),
- cykliczność objawów przedwczesnego dojrzewania zależnych od wydzielania estradiolu przez pojawiające się i zanikające torbiele pęcherzykowe jajnika/jajników w zespole McCune'a–Albrighta (ryc. 17.6d),
- zbyt mała objętość jąder w stosunku do rozwoju prącia i moszny – brak rozwoju kanalików krętych przy zahamowanych goanadotropinach we wrodzonym przeroście nadnerczy i w guzach jąder/ /nadnerczy (objętość jąder może być zwiększona w zależnym od hCG przedwczesnym dojrzewaniu, testotoksykozie i w zespole McCune'a–Albrighta),

- asymetria wielkości jąder (leydigioma, guz zarodkowy rzadko),
- przedwczesne dojrzewanie przed 4. rż. (zespół McCune'a–Albrighta, testotoksykoza, wrodzony przerost nadnerczy, hamartoma podwzgórza, nadsiodłowa torbiel pajęczynówki),
- dane sugerujące obwodowe pochodzenie przedwczesnego dojrzewania:
  - obecność guza w jamie brzusznej (guz jajnika, zwykle teratoma),
  - objawy guza w śródpiersiu lub w przestrzeni pozaotrzewnowej (guz zarodkowy),
  - objawy pierwotnej niedoczynności tarczycy (przedwczesne dojrzewanie zależne od TSH) (patrz rozdz. 17.5.2 „Niedoczynność tarczycy i hipotyreoza"),
  - plamy typu *café au lait* na skórze i dysplazja włóknista kości, rzadziej nadczynność jednego lub kilku gruczołów wydzielania wewnętrznego: tarczycy, przytarczyc, nadnerczy, przysadki w zakresie GH i prolaktyny (zespół McCune'a– –Albrighta),
  - androgenizacja i nadciśnienie tętnicze u chorego, a także występowanie w rodzinie niewyjaśnionych zgonów noworodków/niemowląt i zaburzeń rozwoju płci (wrodzony przerost nadnerczy z niedoboru 11-β-hydroksylazy) (patrz rozdz. 17.12.3 „Wrodzony przerost nadnerczy"),
  - ginekomastia u chorego oraz u ojca i krewnych (zespół nadmiernej aktywności aromatazy).

Przebieg naturalny
Zależy od postaci przedwczesnego dojrzewania.

Metody diagnostyczne
W każdym przypadku obowiązuje pomiar długości, masy i proporcji ciała z odniesieniem wyników do naniesionych wcześniej na siatki centylowe. Schemat postępowania diagnostyczno-leczniczego przedstawiono na rycinie 17.5.

Etiologię rzekomego przedwczesnego dojrzewania obok obrazu klinicznego może sugerować również zwiększone stężenie hormonów płciowych i markerów nowotworowych:

- estradiol > 100 pg/ml – zespół McCune'a–Albrighta,
- estradiol > 200 pg/ml – guz estrogenny jajnika,
- testosteron > 2 ng/ml – guz androgenny jajnika,

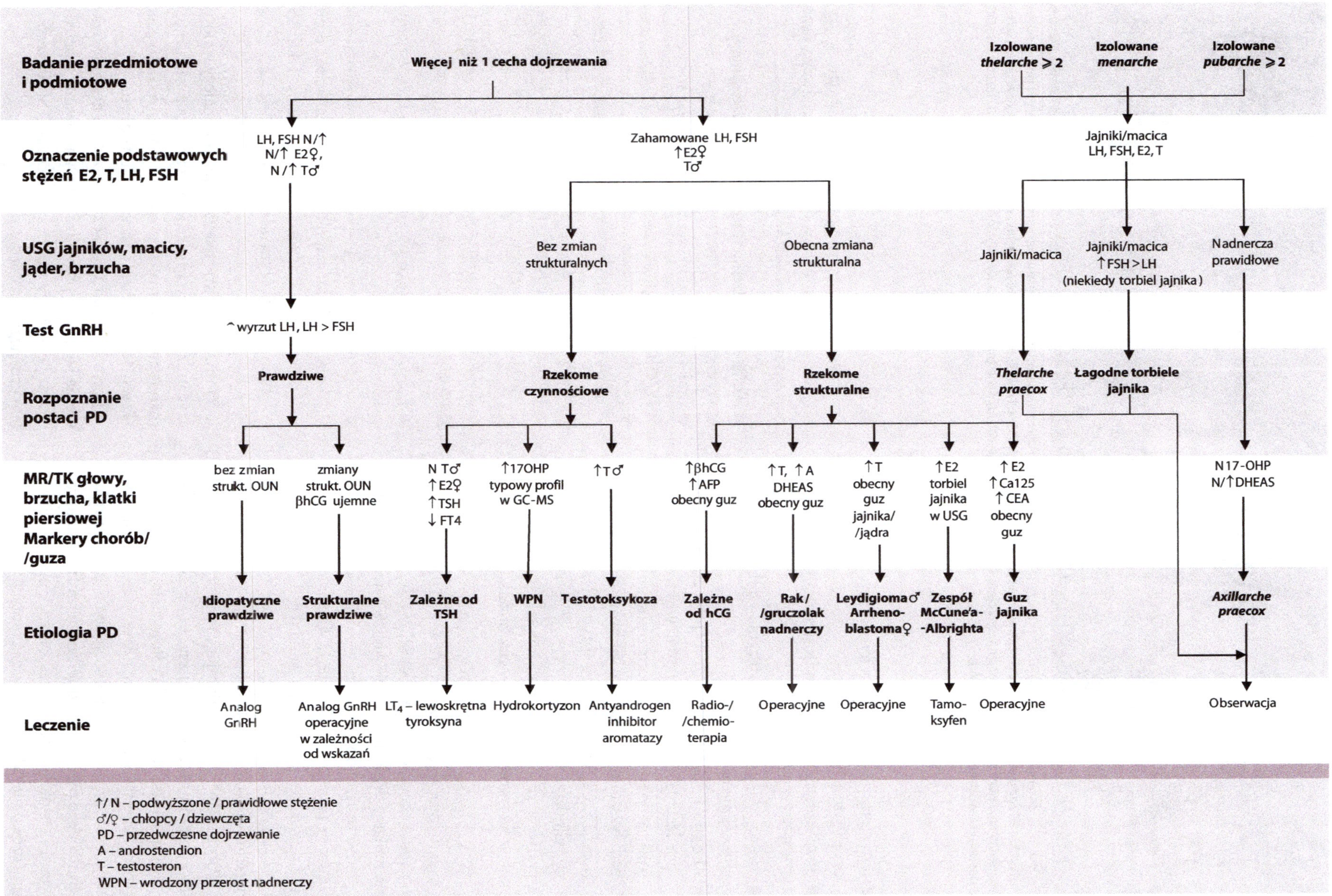

Badanie przedmiotowe i podmiotowe
- Więcej niż 1 cecha dojrzewania
- Izolowane *thelarche* ≥ 2
- Izolowane *menarche*
- Izolowane *pubarche* ≥ 2

Oznaczenie podstawowych stężeń E2, T, LH, FSH
- LH, FSH N/↑ N/↑ E2♀, N/↑ T♂
- Zahamowane LH, FSH ↑E2♀ T♂
- Jajniki/macica LH, FSH, E2, T

USG jajników, macicy, jąder, brzucha
- Bez zmian strukturalnych
- Obecna zmiana strukturalna
- Jajniki/macica ↑FSH > LH (niekiedy torbiel jajnika)
- Jajniki/macica
- Nadnercza prawidłowe

Test GnRH
- ^ wyrzut LH, LH > FSH

Rozpoznanie postaci PD
- Prawdziwe
- Rzekome czynnościowe
- Rzekome strukturalne
- Łagodne torbiele jajnika
- *Thelarche praecox*
- *Axillarche praecox*

MR/TK głowy, brzucha, klatki piersiowej Markery chorób/guza
- bez zmian strukt. OUN
- zmiany strukt. OUN βhCG ujemne
- N T♂ ↑E2♀ ↑TSH ↓FT4
- ↑17OHP typowy profil w GC-MS
- ↑T♂
- ↑βhCG ↑AFP obecny guz
- ↑T, ↑A DHEAS obecny guz
- ↑T obecny guz jajnika/jądra
- ↑E2 torbiel jajnika w USG
- ↑E2 ↑Ca125 ↑CEA obecny guz
- N17-OHP N/↑DHEAS

Etiologia PD
- Idiopatyczne prawdziwe
- Strukturalne prawdziwe
- Zależne od TSH
- WPN
- Testotoksykoza
- Zależne od hCG
- Rak/gruczolak nadnerczy
- Leydigioma♂ Arrheno-blastoma♀
- Zespół McCune'a-Albrighta
- Guz jajnika

Leczenie
- Analog GnRH
- Analog GnRH operacyjne w zależności od wskazań
- LT4 – lewoskrętna tyroksyna
- Hydrokortyzon
- Antyandrogen inhibitor aromatazy
- Radio-/chemio-terapia
- Operacyjne
- Operacyjne
- Tamoksyfen
- Operacyjne
- Obserwacja

↑/N – podwyższone / prawidłowe stężenie
♂/♀ – chłopcy / dziewczęta
PD – przedwczesne dojrzewanie
A – androstendion
T – testosteron
WPN – wrodzony przerost nadnerczy

Rycina 17.5. Schemat diagnostyczno-leczniczy przedwczesnego dojrzewania.

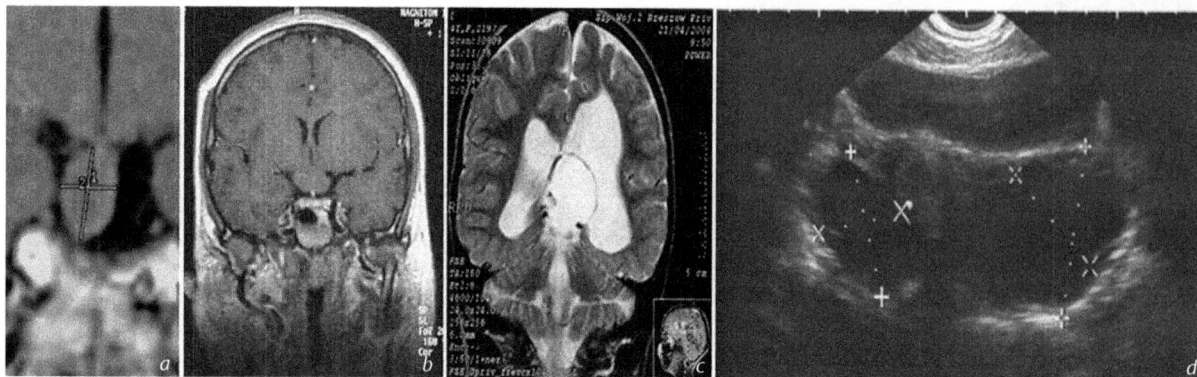

Rycina 17.6. Zmiany strukturalne będące przyczyną przedwczesnego dojrzewania. (*a*) uszypułowany hamartoma dna komory III podwzgórza (12 × 11 × 10 mm) w MR; (*b*) glejak skrzyżowania nerwów wzrokowych (15 × 16 × 25 mm) w MR; (*c*) torbiel nadsiodłowa pajęczynówki (charakterystyczny obraz torbieli z wtórnym rozdęciem komór bocznych) w MR; (*d*) dwie torbiele w prawym jajniku (o średnicy 40 i 60 mm) w USG u pacjentki z zespołem McCune'a–Albrighta.

- testosteron w zakresie referencyjnym dla mężczyzn – testotoksykoza,
- duże stężenie DHEAS, androstendionu i niekiedy 17OHP – guz nadnerczy,
- nieznacznie zwiększone stężenie DHEAS – *adrenarche praecox*,
- stężenie 17OHP > 10 ng/ml (poza okresem niemowlęcym) – klasyczna postać wrodzonego przerostu nadnerczy z niedoboru 21-hydroksylazy,
- podwyższone stężenie markerów nowotworowych (Ca-125, CEA) i hormonu antymüllerowskiego – guz jajnika,
- podwyższone stężenie podjednostki β hCG i zwykle α-fetoproteiny (AFP) – guz zarodkowy.

W każdym przypadku prawdziwego przedwczesnego dojrzewania należy wykonać badanie MR okolicy podwzgórzowo-przysadkowej w celu poszukiwania zmiany strukturalnej tej okolicy, a w rzekomym przedwczesnym dojrzewaniu, w zależności od podejrzewanej przyczyny, badanie USG gonad i macicy (różnicowanie pomiędzy wariantami łagodnymi a progresywnymi przedwczesnego dojrzewania, poszukiwanie guza) (ryc. 17.6).

Pomocna w rozpoznaniu niepełnoobjawowych postaci zespołu McCune'a–Albrighta i neurofibromatozy typu 1 jest scyntygrafia całego ciała, która może ujawnić ognisko/ogniska zmian kostnych. Badania genetyczne pozwalają na potwierdzenie rozpoznania wrodzonego przerostu nadnerczy, neurofibromatozy typu 1 i testotoksykozy. W zespole McCune'a–Albrighta często nie udaje się wykazać mutacji.

▲ Różnicowanie

Progresywne przedwczesne dojrzewanie należy różnicować z łagodnymi wariantami przedwczesnego dojrzewania. Na *thelarche praecox* wskazuje:

- Th 2 –3 przy braku innych cech dojrzewania,
- występowanie w 1.–2. rż. (rzadziej w 6.–8. rż.),
- brak przyspieszenia wzrastania i wieku kostnego,
- przedpokwitaniowe stężenie gonadotropin,
- przedpokwitaniowe stężenie estradiolu oraz rozmiary macicy (objętość < 2 ml, długość < 34 mm, stosunek długości szyjki do długości trzonu > 1, niewidoczne endometrium) i jajników (długość < 20 mm) w badaniu USG.

Za *adrenarche praecox* (występujące u obu płci) przemawia:

- P 2–3 przy braku objawów guza nadnerczy/jajników,
- występowanie niewielkiego przyspieszenia wzrastania, trądziku, apokrynowego zapachu potu i nieznacznie podwyższonego stężenia DHEAS (jak w prawidłowym *adrenarche*).

W przypadku **krwawienia z pochwy** należy wykluczyć uraz, nadużycie seksualne, ciało obce, zapalenie, rhabdomyosarcoma pochwy, skazę krwotoczną i krwawienie z cewki moczowej lub odbytu.

Przy stwierdzeniu znacznego **izolowanego powiększenia jąder** przeprowadza się różnicowanie z przedwczesnym dojrzewaniem zależnym od TSH i z zespołem kruchego chromosomu X.

Leczenie

Wskazanie do leczenia chirurgicznego stanowią:

- guzy wydzielające hormony płciowe (z wyjątkiem guzów zarodkowych, w których stosuje się chemioterapię i radioterapię),
- guzy OUN powodujące deficyty neurologiczne i/lub hormonalne (z wyjątkiem glejaków nerwów wzrokowych, w których stosuje się radioterapię i chemioterapię),
- torbiele jajnika zagrożone wystąpieniem skrętu (średnica > 5,2 cm lub objętość > 75 ml), w których należy rozważyć punkcję.

Leczenie chirurgiczne guzów OUN likwiduje zwykle objawy neurologiczne, nie powoduje natomiast ustąpienia przedwczesnego dojrzewania. Po leczeniu należy monitorować wzrastanie i masę ciała dziecka, rozwój płciowy oraz czynność hormonalną przedniego płata przysadki. Chorzy powinni być także objęci opieką neurochirurgiczną lub onkologiczną.

Wskazania do leczenia farmakologicznego to:

- prawdziwe przedwczesne dojrzewanie, gdy jest ono przyczyną problemów psychologicznych i/lub pogorszenia prognozy wzrostu końcowego – długo działający analog GnRH (triptorelina 3,75 mg *i.m.* co 4 tygodnie) w celu hamowania syntezy gonadotropin,
- wrodzony przerost nadnerczy – hydrokortyzon w celu zmniejszenia syntezy androgenów w nadnerczach,
- zespół McCune'a–Albrighta – tamoksyfen (modulator receptora estrogenowego) w celu hamowania działania estrogenów, ewentualnie inhibitor aromatazy (nie należy łączyć obu leków – inhibitory aromatazy osłabiają działanie tamoksyfenu),
- testotoksykoza – inhibitor receptora androgenowego w celu hamowania działania testosteronu.

We wszystkich postaciach przedwczesnego dojrzewania leczenie stosuje się do czasu osiągnięcia wieku 11 lat. Wyjątek stanowi wrodzony przerost nadnerczy, w którym hydrokortyzon stosuje się przez całe życie.

Powikłania

Odległymi konsekwencjami przedwczesnego dojrzewania mogą być:

- niski wzrost,
- zaburzone proporcje ciała,
- zaburzony rozwój psychoseksualny i emocjonalny,
- trudności szkolne i niższa pozycja społeczna w wieku dojrzałym,
- zaburzenia płodności oraz zwiększone ryzyko raka piersi i endometrium,
- uszkodzenia spermatogenezy u chłopców z wrodzonym przerostem nadnerczy,
- rozwój wielohormonalnej niedoczynności przysadki w wyniku progresji lub leczenia zmian strukturalnych OUN,
- skręt torbieli jajnika,
- rozsiew guza zarodkowego w sytuacjach, gdy operację wykonano bez wcześniejszej chemioterapii lub radioterapii,
- rozsiew guzów jajnika (ok. 50% z nich to guzy złośliwe).

Rokowanie

W większości przypadków przedwczesnego dojrzewania rokowanie jest dobre. W okresie leczenia długodziałającym analogiem GnRH uzyskuje się zahamowanie osi gonadalnej i regresję objawów dojrzewania oraz poprawę wzrostu końcowego tym większą, im mniejsze było przed leczeniem przyspieszenie wieku kostnego i dłuższy był czas leczenia. Ponowny rozwój wtórnych cech płciowych występuje po ok. 4 miesiącach, a miesiączki po ok. 16 miesiącach od odstawienia leczenia. Hamartoma podwzgórza nie wykazuje progresji wielkości. U dorosłych z zespołem McCune'a–Albrighta i z testotoksykozą fizjologiczna czynność osi podwzgórze–przysadka–gonady po zakończeniu leczenia przewyższa zwykle pierwotny defekt jajnika lub jądra.

17.3.3

Hipogonadyzm

łac. *hipogonadismus*
ang. hypogonadism

Definicja

Brak rozwoju gruczołów piersiowych po 13. rż. u dziewcząt i zwiększenia objętości jąder (> 4 ml) po 14. rż. u chłopców lub brak pełnej dojrzałości płciowej (*menarche* u dziewcząt, nocne polucje u chłopców) po 4–4,5 latach od początku dojrzewania. Hipogonadyzm spowodowany jest niedoborem hormonów płciowych i w zależności od etiologii niedoboru dzieli się go na:

- **hipergonadotropowy** – pierwotnie uszkodzone gonady, które nie reagują na pobudzające działanie dużych stężeń gonadotropin, zawsze ma charakter trwały,
- **hipogonadotropowy** – pierwotne uszkodzenie podwzgórza i/lub przysadki prowadzące do braku gonadotropin (LH/FSH) i pobudzenia gonad,
  - przejściowy – spowodowany opóźnieniem dojrzewania pulsacyjnego wydzielania GnRH lub zahamowaniem czynności neuronów GnRH lub neuronów wydzielających kisspeptynę,
  - trwały – spowodowany zaburzeniami genetycznymi lub zmianami strukturalnymi podwzgórza i/lub przysadki,
- **spowodowany mutacjami genów osi gonadalnej** dla gonadotropin, hormonów płciowych i ich receptorów.

Epidemiologia
Najczęściej występuje przejściowy hipogonadyzm spowodowany konstytucjonalnym opóźnieniem wzrastania i dojrzewania (ok. 5% chłopców) oraz restrykcyjną dietą i nadmiernym wysiłkiem fizycznym u dziewcząt (balet, sporty wyczynowe, jadłowstręt psychiczny).

Trwały hipogonadyzm występuje około 10 razy częściej od przedwczesnego dojrzewania. Najczęstsze jego przyczyny to:

- zespół Klinefeltera u płci męskiej (1 : 500 chłopców),
- zespół Turnera u płci żeńskiej (1 : 2500 dziewcząt),
- wielohormonalna niedoczynność przysadki u obu płci (1 : 4000 populacji ogólnej) (patrz rozdz. 17.2.2 „Niski wzrost"),
- zespół Kallmanna (1 : 8000 mężczyzn, 1 : 40 000 kobiet) (ryc. 17.7),
- zespół Pradera–Williego (1 : 15 000 populacji ogólnej),
- dysgenezje gonad 46,XY (1 : 20 000 populacji ogólnej),
- zespół całkowitej lub częściowej niewrażliwości na androgeny (1 : 20 000 populacji ogólnej) (patrz rozdz. 17.12.2 „Zaburzenia rozwoju płci").

Etiologia i patogeneza
Przyczyny i etiopatogenezę hipogonadyzmu przedstawiono w tabeli 17.2.
Obraz kliniczny
U chorych z hipogonadyzmem występują:

- brak lub niepełny rozwój płciowy (brak rozwoju piersi, prącia, owłosienia łonowego i pachowego, miesiączki oraz powiększenia jąder),
- objawy auksologiczne (wysoki lub niski wzrost, otyłość),
- charakterystyczne objawy dysmorficzne dla poszczególnych zaburzeń,
- objawy neurologiczne u niektórych chorych z hipogonadyzmem hipogonadotropowym.

Rozpoznania hipogonadyzmu nie wyklucza obecność owłosienia płciowego, którego rozwój zależy od androgennej czynności nadnerczy i występuje w większości przypadków tych zaburzeń. Niepokojący jest natomiast jego brak, ponieważ wskazuje na współistniejącą niedoczynność kory nadnerczy lub zespół całkowitej oporności na androgeny.

U chłopców z zespołem Klinefeltera charakterystyczne są zbyt małe (< 10 ml), twarde jądra oraz skąpe owłosienie płciowe w stosunku do rozwoju prącia, ginekomastia (30–80% chorych) oraz wysoki wzrost z eunuchoidalną budową ciała (50–70% chorych) spowodowane niskim lub pozostającym w dolnej granicy normy stężeniem testosteronu.

W zespole Turnera może występować niepełny rozwój płciowy – powiększenie piersi (30% pacjentek) i *menarche* (10% pacjentek) spowodowane resztkową czynnością dysgenetycznych jajników, które zwykle ulegają regresji w kolejnych latach życia. Występują inne objawy charakterystyczne dla tego zespołu (tab. 17.1).

W zespole Kallmanna stwierdza się zaburzenia węchu, wysoki wzrost, niekiedy rozszczep wargi i podniebienia, dysmorfię twarzy, deformacje palców stóp i synkinezje, tj. występowanie dodatkowych, zbędnych ruchów przy wykonywaniu czynności ruchowych.

W hipogonadyzmie w przebiegu wielohormonalnej niedoczynności przysadki występuje niski wzrost i objawy innych endokrynopatii (tab. 17.1). W zespole Bardeta–Biedla oraz w zespole Laurence'a–Moona obserwuje się zwyrodnienie barwnikowe siatkówki. W zespole całkowitej oporności na androgeny badalne są gonady w kanałach pachwinowych lub w wargach sromowych większych. Zespół Pradera–Williego opisano w rozdziale 17.10 „Otyłość".

Wspólnymi dla obu płci cechami hipogonadyzmu są:

- wolne i przedłużone wzrastanie,
- opóźnienie wieku kostnego (> – 2 SD),
- wysoki wzrost (z wyjątkiem zespołów z zaburzonym wzrastaniem),
- zmniejszenie stosunku wymiaru górnego do dolnego ciała (wydłużenie kończyn dolnych),
- infantylizm płciowy,
- osteoporoza.

U chłopców występuje ponadto eunuchoidalna budowa ciała.

W wywiadzie mogą być obecne:

- późne dojrzewanie u jednego lub obu rodziców oraz rodzeństwa (80% przypadków konstytucjonalnego opóźnienia wzrastania i dojrzewania),
- operacja przepukliny pachwinowej (zespół niewrażliwości na androgeny),
- zwiększona przejrzystość karku w prenatalnym badaniu USG, a po urodzeniu obrzęki limfatyczne (zespół Turnera),
- cechy hipogonadyzmu (u noworodków płci męskiej) oraz hipoglikemia w okresie noworodkowym i opóźnienie wzrastania od 1.–2. rż. (wielohormonalna niedoczynność przysadki) (tab. 17.1),
- niedoczynność kory nadnerczy (mutacja genu *DAX1*) (patrz rozdz. 17.12.3 „Wrodzony przerost nadnerczy" i tab. 17.8).

Przebieg naturalny

W konstytucjonalnym opóźnieniu wzrastania i dojrzewania 99,9% chłopców rozpoczyna dojrzewanie do 17. rż. Jego przebieg jest prawidłowy, a wzrost końcowy nieco niższy od średniego wzrostu rodziców i uzyskiwany z kilkuletnim opóźnieniem w stosunku do rówieśników.

U chorych z trwałym hipogonadyzmem rozwija się osteoporoza, infantylizm płciowy, brak jest możliwości współżycia i pełnienia roli płciowej, co staje się przyczyną zaburzeń psychosocjalnych i obniżonego komfortu życia.

U dziewcząt z zespołem Turnera hipogonadyzm zwiększa i tak duże ryzyko rozwoju w kolejnych latach życia otyłości, cukrzycy typu 2, nadciśnienia tętniczego oraz pojawienia się i rozwarstwienie tętniaka aorty. Opisano nieliczne przypadki ciąż u kobiet z zespołem Turnera, choć wiążą się one ze znacznym ryzykiem aberracji chromosomowych u dziecka.

W zespole Klinefeltera czynności płciowe są zwykle zachowane, jednak w prawie 100% przypadków stwierdza się bezpłodność.

U ok. 10% pacjentów z hipogonadyzmem hipogonadotropowym z zachowanym poczuciem węchu i u pacjentów z zespołem Kallmanna może spontanicznie dojść do cofnięcia się hipogonadyzmu w wieku dojrzałym.

U 12–30% kobiet z chromosomem Y lub jego fragmentem rozwija się rozrodczak zarodkowy (gonadoblastoma).

Metody diagnostyczne i różnicowanie

Wykazanie przedpokwitaniowych podstawowych stężeń estradiolu lub testosteronu (w zależności od płci) potwierdza rozpoznanie hipogonadyzmu. Duże stężenie gonadotropin wskazuje na hipogonadyzm hipergonadotropowy (FSH > 40 U/l pozwala na pewne rozpoznanie), a zmniejszony ich wyrzut po stymulacji GnRH na hipogonadyzm hipogonadotropowy.

Dla mutacji genów osi gonadalnej stałe objawy to podwyższone stężenie LH i charakterystyczny dla poszczególnych mutacji stosunek FSH do testosteronu.

W okresie przed dojrzewaniem w diagnostyce hipogonadyzmu konieczna jest ocena rezerwy jąder dla testosteronu po stymulacji hCG.

Oznaczenie kariotypu należy wykonać przy podejrzeniu zespołu Turnera, zespołu Klinefeltera oraz innych dysgenezji gonad, a badania molekularne przy podejrzeniu zespołu Pradera–Williego oraz mutacji genu *PROP1*, genu receptora androgennego i *DAX1*.

Diagnostykę wielohormonalnej niedoczynności przysadki oraz zaburzeń rozwoju płci przedstawiono odpowiednio w rozdziale 17.2.2 „Niski wzrost" i 17.12.2 „Zaburzenia rozwoju płci".

W każdym przypadku hipogonadyzmu hipogonadotropowego należy wykonać badanie MR okolicy podwzgórzowo-przysadkowej, które pozwala na uwidocznienie zaburzeń strukturalnych. U chorych z hipogonadyzmem hipergonadotropowym badanie USG (i MR) pomaga w ustaleniu lokalizacji oraz morfologii gonad i obecności macicy.

Dla rozpoznania poszczególnych postaci dysgenezji gonad 46,XY konieczne jest badanie laparoskopowe połączone z pobraniem materiału do badania histopatologicznego.

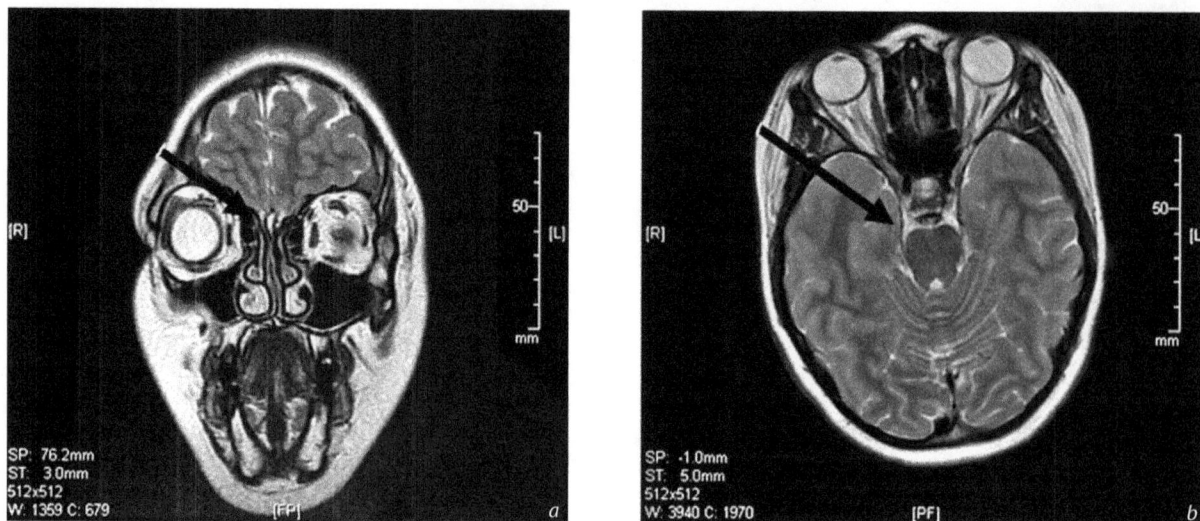

Rycina 17.7. (*a*) hipoplazja opuszek węchowych i (*b*) aplazja pasm węchowych w badaniu MR u pacjentki z hipogonadyzmem w przebiegu zespołu Kallmanna.

Leczenie

Leczenie przejściowych postaci hipogonadyzmu polega na **usunięciu czynnika wywołującego lub leczeniu choroby podstawowej**. W skrajnych postaciach konstytucjonalnego opóźnienia wzrastania i dojrzewania u chłopców prowadzi się 3–6-miesięczną indukcję dojrzewania (i skoku wzrostowego) przy zastosowaniu małych dawek testosteronu o przedłużonym działaniu. U dziewcząt rzadko stosuje się w tym samym celu 17-β-estradiol.

U chorych z trwałym hipogonadyzmem stosuje się 3–4-letnią **indukcję dojrzewania** (naśladowanie fizjologicznego dojrzewania), a następnie w zależności od płci **pełną substytucyjną dawkę 17-β-estradiolu lub testosteronu**. Pojawienie się krwawienia z macicy jest wskazaniem do włączenia progestagenów od 12. do 21. dnia cyklu. W poszczególnych postaciach trwałego hipogonadyzmu stosuje się:

- substytucję 17-β-estradiolu po ok. 6-letnim (od 6.–7. rż.) stosowaniu rhGH u dziewcząt z zespołem Turnera,
- leczenie 17-β-estradiolem bez progestagenów u dziewcząt, które nie mają macicy (zespół całkowitej niewrażliwości na androgeny),
- ponadfizjologiczne dawki testosteronu pod kontrolą progresji objawów dojrzewania u chłopców z zespołem częściowej oporności na androgeny,

- pulsy GnRH *i.v.* (lub gonadotropiny *i.m.*) w celu uzyskania czynności generatywnej gonad i płodności u chorych z hipogonadyzmem hipogonadotropowym,
- techniki wspomaganego rozrodu u pacjentek posiadających macicę,
- gonadektomię u chorych ze zwiększonym ryzykiem rozwoju nowotworów gonad (patrz rozdz. 17.12.2 „Zaburzenia rozwoju płci").

Powikłania

Konsekwencjami opóźnienia leczenia hipogonadyzmu są osteoporoza ze złamaniami kręgów, eunuchoidalna budowa ciała, problemy psychospołeczne, brak możliwości współżycia i bezpłodność. U chorych z zespołem Klinefeltera oraz z dysgenezją gonad 46,XY częściej występują guzy zarodkowe. Zbyt wczesna terapia dużymi dawkami estrogenów lub testosteronu (w zależności od płci) może powodować niski wzrost końcowy i zaburzenie proporcji ciała.

Rokowanie

W konstytucjonalnym opóźnieniu wzrastania i dojrzewania jest bardzo dobre. W hipogonadyzmie hipogonadotropowym rokowanie co do uzyskania spontanicznej płodności jest niepewne. Chorzy z hipogonadyzmem hipergonadotropowym wymagają leczenia przez całe życie aż do czasu menopauzy lub andropauzy. Zapewnia ono prawidłowy rozwój drugo- i trzeciorzędowych cech płciowych oraz umożliwia podjęcie współżycia płciowego. Nie ma jednak możliwości pobudzenia czynności gonad, więc rokowanie co do spontanicznej płodności jest złe.

17.3.4

Hiperandrogenizacja u dziewcząt w okresie dojrzewania

Definicja

Czynnościowa hiperandrogenizacja u dziewcząt w okresie dojrzewania to zespół objawów klinicznych wywołanych nadmiarem androgenów w przebiegu zespołu policystycznych jajników, nieklasycznej postaci wrodzonego przerostu nadnerczy lub rzadziej innej choroby.

Epidemiologia

W populacji kaukaskiej zespół policystycznych jajników dotyczy 7–10%, a nieklasyczna postać wrodzonego przerostu nadnerczy 0,1% kobiet. Są one przyczyną odpowiednio 70–80% i 1–10% wszystkich przypadków hiperandrogenizacji u kobiet.

Etiologia i patogeneza

Zespół policystycznych jajników to heterogenny etiologicznie zespół dysfunkcji jajników wywołany nieznanym defektem genetycznym lub androgenizacją osi gonadalnej w okresie prenatalnym, które powodują nadmierne wydzielanie LH. Źródłem androgenów są jajniki (androstendion, testosteron) i w mniejszym stopniu nadnercza (androstendion, DHEA, DHEAS).

Nieklasyczna postać wrodzonego przerostu nadnerczy to dziedziczony autosomalnie recesywnie częściowy niedobór 21OH, rzadziej 11βOH, który powoduje zmniejszenie syntezy kortyzolu z wyrównawczym wzrostem stężenia ACTH i pobudzeniem wydzielania androgenów z nadnerczy.

Obraz kliniczny

W zespole policystycznych jajników i nieklasycznej postaci wrodzonego przerostu nadnerczy w okresie dojrzewania obserwuje się hirsutyzm, rzadkie miesiączki lub pierwotny brak miesiączki oraz policystyczne jajniki. U chorych z nieklasyczną postacią wrodzonego przerostu nadnerczy już przed okresem dojrzewania może być obecny rozwój owłosienia łonowego (P2–3) (92% pacjentek), nieznaczne powiększenie łechtaczki (20–25% u pacjentek), trądzik (20%), hirsutyzm (4%) oraz przyspieszone wzrastanie i wiek kostny. W wywiadzie rodzinnym mogą być

obecne przypadki wrodzonego przerostu nadnerczy i/lub niewyjaśnionych zgonów niemowląt.

W zespole policystycznych jajników stwierdza się nadwagę/otyłość i rogowacenie ciemne (insulinooporność).

Przebieg naturalny

W obu zespołach androgenizacja i bezpłodność utrzymują się po okresie dojrzewania. W zespole policystycznych jajników występować mogą powikłania otyłości i hiperinsulinemii (patrz rozdz. 17.10 „Otyłość").

U dziewcząt z nieklasyczną postacią wrodzonego przerostu nadnerczy rozwijają się guzy nadnerczy (nadmiar ACTH). Nie występują natomiast, w odróżnieniu od klasycznej postaci wrodzonego przerostu nadnerczy z niedoboru 21OH, przełomy nadnerczowe i zmniejszenie wzrostu końcowego [patrz rozdz. 17.6.3 „Przewlekła niedoczynność kory nadnerczy (choroba Addisona)].

Metody diagnostyczne i różnicowanie

W każdym przypadku hiperandrogenizacji **należy wykluczyć:**

- guz androgenny jajnika/nadnercza – szybki postęp androgenizacji i wirylizacji, znacznie zwiększone stężenia testosteronu, DHEAS oraz guz w USG/ /TK/MR; nie należy go mylić z gruczolakami nadnerczy w przebiegu nieklasycznej postaci wrodzonego przerostu nadnerczy,
- częściową i mieszaną dysgenezję gonad 46,XY (patrz rozdz. 17.12.2 „Zaburzenia rozwoju płci"),
- jatrogenną hiperandrogenizację (wywiad),
- zespół Cushinga (patrz rozdz. 17.6.2 „Zespół Cushinga"),
- zaprzestanie leczenia w klasycznej postaci wrodzonego przerostu nadnerczy (patrz rozdz. 17.12.3 „Wrodzony przerost nadnerczy"),
- hiperprolaktynemię – mlekotok, zwiększone podstawowe stężenia prolaktyny w powtarzanych oznaczeniach.

Zgodnie z kryteriami podanymi w 2006 roku przez *Androgen Excess and PCOS Society* **zespół policystycznych jajników** rozpoznaje się, gdy współistnieje hiperandrogenizm (kliniczny w postaci hirsutyzmu lub laboratoryjny w postaci zwiększonego stężenia testosteronu w surowicy krwi lub oba jednocześnie) z dysfunkcją jajników (kliniczną w postaci oligoowulacji/anowulacji lub laboratoryjną w postaci obrazu policystycznych jajników w badaniu USG lub obie jednocześnie). Pomocny w rozpoznaniu zespołu jest ponadto stosunek LH do FSH > 2 oraz upośledzona tolerancja glukozy i zwiększone stężenie insuliny w teście doustnego obciążenia glukozą.

Powyższe objawy mogą również występować u chorych z nieklasyczną postacią wrodzonego przerostu nadnerczy. Z tego powodu w każdym przypadku hiperandrogenizacji należy oznaczyć stężenie 17OHP w surowicy krwi po stymulacji ACTH i/lub ocenić profil steroidowy moczu metodą GC-MS – patognomoniczne dla **nieklasycznej postaci wrodzonego przerostu nadnerczy** są 17OHP > 15 ng/ml oraz podwyższone stężenia pregnanów i metabolitów androgenów nadnerczowych z obniżonym stężeniem metabolitów kortyzolu w profilu steroidowym.

Leczenie

W obu zaburzeniach celem leczenia jest zahamowanie hiperandrogenizacji, jednak przy zastosowaniu odmiennych metod terapii.

W nieklasycznej postaci wrodzonego przerostu nadnerczy stosuje się **deksametazon** w jednej dawce (0,25–0,5 mg) *p.o.* na noc (przed okresem dojrzewania hydrokortyzon).

W zespole policystycznych jajników prowadzi się **leczenie skojarzone**:

- zwiększenie aktywności fizycznej i dieta (redukcja masy ciała o 5–10% przywraca zwykle regularne cykle),
- antykoncepcja (gestageny obniżają stężenie LH i testosteronu oraz zwiększają stężenie globulin wiążących hormony płciowe),
- metformina (zmniejsza insulinooporność),
- antyandrogeny w cięższych przypadkach (wraz z ciągłą antykoncepcją z uwagi na ich teratogenne działanie).

Powikłania

W obu schorzeniach po odstawieniu leczenia występują nawroty androgenizacji.

Rokowanie

W nieklasycznej postaci wrodzonego przerostu nadnerczy rokowanie co do płodności jest dobre, a w zespole policystycznych jajników zależy od nasilenia objawów hiperandrogenizacji i metabolicznych.

17.4
Jerzy Starzyk

ZABURZENIA PRZEMIANY WODNO-ELEKTROLITOWEJ

17.4.1
Zagadnienia ogólne

Równowagę wodno-elektrolitową organizmu zapewniają:

- poczucie pragnienia i wydzielanie ADH (regulują wydalanie wody przez nerki) – utrzymują osmolalność płynu pozakomórkowego w stałych granicach 275–290 mOsm/kg H_2O,
- układ renina–angiotensyna–aldosteron (reguluje przyjmowanie sodu z pokarmami i jego reabsorpcję w nerkach) – odpowiada za utrzymanie stałego stężenia Na w surowicy (135–145 mmol/l) i objętości płynu pozakomórkowego.

Wzrost osmolalności surowicy krwi > 280 mOsm/kg H_2O pobudza osmoreceptory OUN, co powoduje poczucie pragnienia oraz syntezę ADH w neuronach jąder nadwzrokowych i przykomorowych podwzgórza. ADH jest transportowana w połączeniu z neurofizyną II aksonami i uwalniana do krwiobiegu w tylnym płacie oraz na różnych wysokościach szypuły przysadki. W osoczu krąży w postaci niezwiązanej. Pobudza związane z białkiem G receptory V2 w dystalnych i zbiorczych cewkach nefronu, generuje powstanie kanałów wodnych (akwaporyny 2) i resorpcję zwrotną wody.

Stymulacja wydzielania reniny zwiększa w efekcie końcowym stężenie aldosteronu, który generuje w dystalnych cewkach nerkowych wytwarzanie kanałów sodowych i resorpcję zwrotną Na oraz wydalanie potasu.

Z obydwoma układami współdziała układ peptydów natriuretycznych (przedsionkowego, mózgowego oraz typu C) wydzielanych głównie w przedsionkach serca w wyniku pobudzenia baroreceptorów przez wzrost ciśnienia i częstości pracy serca. Peptydy natriuretyczne hamują resorpcję zwrotną Na z cewek zbiorczych do rdzenia nerek i zwiększają wydalanie przez nerki sodu i wody.

17.4.2

Moczówka prosta (centralna)

łac. *diabetes insipidus*

ang. diabetes insipidus

Definicja

Moczówka prosta, zwana także centralną, to zespół objawów spowodowany trwałym lub przejściowym niedoborem ADH (niedobór > 90%) w wyniku jego zmniejszonego wydzielania w podwzgórzu lub zaburzenia transportu z podwzgórza do tylnego płata przysadki.

Epidemiologia

Nabyte postaci moczówki prostej stanowią 60–70% wszystkich przypadków moczówki, idiopatyczne 12–20%, a wrodzone defekty linii środkowej mózgu i mutacje genetyczne po ok. 10%.

Etiologia i patogeneza

Trwałą lub przejściową moczówkę prostą powodują:

- wrodzone i nabyte zmiany strukturalne okolicy podwzgórzowo-przysadkowej (radioterapia nie powoduje moczówki prostej) (patrz rozdz. 17.2.2 „Niski wzrost i ryc. 17.2),
- ciężkie niedotlenienie (zatrucie tlenkiem węgla, ostre zaburzenia oddychania),
- choroby uwarunkowane genetycznie:
  - rodzinna moczówka prosta spowodowana mutacją genu neurofizyny II, dziedziczona autosomalnie dominująco lub recesywnie,
  - zespół Wolframa, zwany także DIDMOAD (patrz rozdz. 17.11 „Poliendokrynopatie").

Obraz kliniczny

W zależności od przyczyny objawy moczówki prostej (poliuria i polidypsja) występują w różnych okresach życia:

- w pierwszych tygodniach życia we wrodzonych defektach linii środkowej mózgu – pojedynczy środkowy siekacz, brak poczucia pragnienia, cechy dysmorficzne i wielohormonalna niedoczynność przysadki (tab. 17.1),
- do 7. rż. (nigdy u noworodka) w autosomalnie dominującej rodzinnej moczówce prostej lub po 1. rż. w autosomalnie recesywnej rodzinnej moczówce prostej,
- w drugiej dekadzie życia w zespole Wolframa,

- w różnych okresach życia w nabytych uszkodzeniach okolicy podwzgórzowo-przysadkowej – objawy występują po kilku godzinach lub dniach od uszkodzenia,
- w histiocytozie z komórek Langerhansa moczówka prosta może być wczesnym objawem, występują ponadto zmiany kostne, skórne, płuc i węzłów chłonnych, przewężenie szypuły przysadki w MR oraz objawy wielohormonalnej niedoczynności przysadki.

W wielohormonalnej niedoczynności przysadki objawy moczówki mogą być maskowane przez niedobór kortyzolu (w warunkach prawidłowych kortyzol powoduje zwiększenie wydalania wody w nerkach).

Przebieg naturalny

W genetycznie uwarunkowanych schorzeniach moczówka prosta ma charakter **trwały**. W pozostałych przypadkach w zależności od stopnia uszkodzenia podwzgórza, szypuły i tylnego płata przysadki bywa trwała lub przemijająca.

Przemijająca moczówka prosta (jatrogenne uszkodzenie tylnego płata przysadki z niedostateczną sekrecją ADH) często rozwija się gwałtownie w okresie 12–24 godzin po zabiegach usunięcia guza okolicy podwzgórzowo-przysadkowej. Po kolejnych 4–5 dniach ustępuje ona miejsca **zespołowi nieadekwatnego wydzielania ADH** (syndrome of inappropriate antidiuretic hormone secretion, SIADH, inaczej zespół Schwartza–Barttera), który trwa ok. 10 dni (zbyt duże w stosunku do osmolalności wydzielanie ADH przez obumierające neurony) i przechodzi w trwałą moczówkę prostą (niedostateczna liczba neuronów produkujących ADH).

Metody diagnostyczne i różnicowanie

W rozpoznawaniu moczówki decydujące znaczenie mają obecne w wywiadzie wzmożone pragnienie, przyjmowanie dużej ilości płynów, częste oddawanie dużej ilości moczu, moczenie nocne oraz występowanie w niektórych przypadkach objawów neurologicznych i okulistycznych wynikających z zajęcia okolicy podwzgórzowo-przysadkowej (patrz rozdz. 17.3.2 „Przedwczesne dojrzewanie" i 17.2.2 „Niski wzrost").

W badaniu fizykalnym należy zwrócić uwagę na objawy odwodnienia, hipernatremii, hipowolemii, objawy ogniskowe i ubytek masy ciała. W każdym przypadku oznacza się:

- w surowicy krwi stężenie Na, K, Ca, glukozy, mocznika i kreatyniny oraz osmolalność,
- w moczu ciężar właściwy, osmolalność, stężenie glukozy i białka oraz osad,
- objętość przyjętych płynów i ilość wydalonego moczu w powtarzanych zbiórkach (poliurię i polidypsję potwierdza bilans płynów przekraczający 2000 ml/m² pc./dobę).

Powyższe badania pozwalają także na rozpoznanie innych niż moczówka prosta przyczyn poliurii i polidypsji, w których działanie ADH jest prawidłowe lub nieznacznie zaburzone, takich jak:

- hiperglikemia,
- hiperkalcemia,
- hipokaliemia,
- przewlekła choroba nerek w fazie poliurii,
- polidypsja psychogenna,
- pierwotna niedoczynność nadnerczy,
- ciężka hipotyreoza,
- tyreotoksykoza i guz chromochłonny (zwiększone przesączanie kłębuszkowe).

Na **rozpoznanie moczówki** w warunkach podstawowych wskazują:

- hipernatremia (Na >145 mmol/l),
- zwiększona osmolalność surowicy krwi (> 300 mOsm/kg H₂O),
- zmniejszona osmolalność moczu (< 600 mOsm/kg H₂O).

Rozpoznanie moczówki wyklucza natomiast osmolalność moczu > 600 mOsm/kg H₂O oraz hipoosmolalność surowicy krwi i hiponatremia (hipoosmolalność surowicy i hiponatremia współistniejące z obniżeniem osmolalności moczu przemawiają za pierwotną polidypsją). W obu tych sytuacjach nie ma uzasadnienia dla wykonywania testu odwodnieniowego w celu potwierdzenia lub wykluczenia rozpoznania moczówki, jego wykonanie może być nawet niebezpieczne dla chorego.

Test odwodnieniowy należy natomiast wykonać, gdy wyniki są niejednoznaczne, jak np. w sytuacji, gdy chory z moczówką ma swobodny dostęp do płynów i prawidłowe poczucie pragnienia. Nie stwierdza się wtedy hipernatremii i zwiększenia osmolalności osocza (ciężar właściwy i osmolalność moczu są obni-

żone). Test polega na restrykcji przyjmowania płynów przez 8–10 godzin z oznaczaniem co 1 godzinę: masy ciała, tętna, ciśnienia tętniczego oraz objętości i ciężaru właściwego moczu (gdy dziecko nie wymaga założenia cewnika do pęcherza, oznaczenia należy wykonać po oddaniu moczu). Kryteria rozpoznania moczówki są takie same jak podane powyżej w warunkach podstawowych. Test należy jednak przerwać ze względów bezpieczeństwa jeszcze przed uzyskaniem kryteriów rozpoznania, gdy:

- odwodnienie osiąga 5% masy ciała,
- pojawią się objawy hipowolemii,

lub gdy wyniki oznaczeń wykluczają istnienie moczówki:

- osmolalność moczu > 1000 mOsm/kg H₂O w jednym oznaczeniu lub
- > 600 mOsm/kg H₂O w 2 kolejnych pomiarach.

W przypadku rozpoznania moczówki należy wykonać **test wazopresynowy** w celu różnicowania pomiędzy moczówką prostą a moczówką nerkową. Podaje się silny długodziałający analog ADH – desmopresynę (donosowo 20 µg u dzieci, 10 µg u niemowląt lub 0,5 µg/m² pc. *s.c./i.m.*) i oznacza po 30 i 60 minutach te same parametry co w teście odwodnieniowym. Dwukrotny wzrost wyjściowej osmolalności moczu pozwala na rozpoznanie moczówki prostej, a mniejszy wzrost przemawia za moczówką nerkową (wrodzoną lub nabytą spowodowaną opornością nerek na ADH) (patrz rozdz. 14 „Choroby układu moczowego”).

Różnicowania pomiędzy sobą wymagają także inne stany spowodowane tymi samymi zmianami strukturalnymi OUN co moczówka prosta, które również mogą wystąpić po zabiegu neurochirurgicznym:

- **stan przewodnienia**,
- **zespół mózgowej utraty soli**, który charakteryzuje się przejściową pierwotną nerkową utratą soli bez współistniejącej choroby nerek,
- **SIADH** (przejściowy brak zdolności hamowania wydzielania ADH przy spadku osmolalności osocza).

Prawidłowa osmolalność surowicy i natremia przy obniżonym stężeniu Na i osmolalności moczu oraz zwiększonej diurezie wskazują na nadmierną podaż hipotonicznych płynów w okresie okołooperacyjnym. Hiponatremia i hipoosmolalność surowicy przy zwiększonym stężeniu Na w moczu (> 25 mmol/l) i wzroście osmolalności moczu mogą sugerować rozpoznanie zespołu mózgowej utraty soli lub SIADH. Oba stany różnicuje:

- zwiększona diureza i hipowolemia (podwyższony Ht oraz stężenie albumin, mocznika i kreatyniny) z przyspieszeniem tętna i obniżeniem ciśnienia tętniczego w zespole mózgowej utraty soli,
- zmniejszona diureza i hiperwolemia (obniżony Ht oraz stężenie albumin, mocznika i kreatyniny) w SIADH.

Należy pamiętać, że objawy zbliżone do SIADH wywołać mogą niedoczynności tarczycy i nadnerczy w przypadku wielohormonalnej niedoczynności przysadki (rozpoznanie SIADH możliwe dopiero po ich wykluczeniu), a ponadto stosowanie leków: inhibitorów konwertazy angiotensyny, przeciwdrgawkowych, przeciwnowotworowych, przeciwgorączkowych i tiazydów.

We wszystkich przypadkach rozpoznania moczówki prostej, zespołu mózgowej utraty soli czy SIADH obowiązuje badanie **MR okolicy podwzgórzowo-przysadkowej** w celu poszukiwania zmian strukturalnych. We wrodzonych zaburzeniach rozwoju tej okolicy MR może wykazać brak lub ektopię jasnego sygnału płata tylnego i przewężenie szypuły przysadki (zespół przerwania szypuły przysadki). U tych chorych należy określić rezerwę przysadki dla hormonów tropowych, a także okresowo powtarzać MR oraz oznaczanie stężeń βhCG i AFP w celu ew. wykrycia guza zarodkowego. Moczówka prosta może wyprzedzać o ok. 2,5 roku, a zwężenie szypuły o ok. 1,3 roku uwidocznienie w badaniu MR guza zarodkowego okolicy podwzgórzowo-przysadkowej.

Leczenie

Lekiem z wyboru jest **desmopresyna** podawana podjęzykowo, donosowo, doustnie lub podskórnie. Jednocześnie stosuje się hipotoniczne płyny, najlepiej drogą doustną (wykorzystanie poczucia pragnienia do regulacji osmolalności osocza).

- W przypadkach braku lub zmniejszenia poczucia pragnienia (ok. 10% chorych z moczówką prostą) włącza się stałą dobową dawkę desmopresyny oraz

objętość płynów (zwykle ok. 1000 ml/m² pc./ /dobę) pod kontrolą natremii i masy ciała.
- W moczówce prostej rozwijającej się po zabiegu neurochirurgicznym zaleca się stosowanie samych płynów, o ile to możliwe doustnie (wprowadzenie desmopresyny może utrudnić rozpoznanie SIADH).
- We wrodzonej moczówce nerkowej podaje się diuretyki tiazydowe w połączeniu z amilorydem, a niekiedy także z indometacyną.
- Leczenie SIADH polega na **restrykcji płynów** z jednoczesnym stosowaniem (w najcięższych przypadkach) dożylnych hipertonicznych roztworów NaCl. Możliwe jest także podanie demeklocykliny (pochodna tetracyklin), która hamuje antydiuretyczne działanie ADH i wywołuje moczówkę na okres jednego lub więcej tygodni.
- W zespole mózgowej utraty soli zaleca się szybkie **wyrównywanie deficytów Na i wody w organizmie oraz włączenie fludrokortyzonu** w celu zmniejszenia diurezy wywołanej utratą Na.

Powikłania

U chorych z moczówką prostą leczonych desmopresyną, a także u pacjentów z SIADH, nadmierna podaż płynów prowadzi do hiponatremii hiperwolemicznej oraz objawów zatrucia wodnego z obrzękiem mózgu, drgawkami uogólnionymi i wgłobieniem pnia mózgu, co może prowadzić do śmierci. Zbyt szybkie wyrównanie hiponatremii bywa przyczyną zaburzeń czynności mózgu, w tym najcięższego – mielinolizy środkowej mostu.

Rokowanie

Zależy od przyczyny wywołującej moczówkę prostą, prawidłowego stosowania desmopresyny oraz rozpoznania i leczenia SIADH lub zespołu mózgowej utraty soli, które mogą wikłać przebieg moczówki prostej.

17.5 *Jerzy Starzyk*

CHOROBY TARCZYCY

17.5.1

Zagadnienia ogólne

Tarczyca jest gruczołem nieparzystym, który rozwija się z gardła pierwotnego i zstępuje do 12. tc. pod wpływem czynników transkrypcyjnych TTF-1,

TTF-2 i PAX-8 na przednią powierzchnię tchawicy pomiędzy chrząstką tarczowatą a V–VI chrząstką pierścieniowatą tchawicy. Oba płaty tarczycy i cieśń składają się z pęcherzyków tarczycowych zbudowanych z pojedynczej warstwy komórek pęcherzykowych (wydzielających do światła pęcherzyka tyreoglobulinę) wymieszanych z komórkami okołopęcherzykowymi C (produkującymi kalcytoninę). Oparte są one na błonie podstawnej, która oddziela pęcherzyk od otaczających go naczyń krwionośnych i limfatycznych oraz zakończeń nerwowych. W 8.–10. tc. rozpoczyna się wychwyt jodu (regulowany przez transporter pendrynowy i symporter sodowo-jodowy), a od ok. 12. tc. synteza hormonów tarczycy pod wpływem TSH, przebiegająca w kolejnych enzymatycznych etapach:

- katalizowana przez tyreoperoksydazę (thyroid peroxidase, TPO) i podwójną tyreooksydazę 2 (dual oxidase 2, DUOX2) oksydacja jodu i łączenie się go z resztami tyrozolowymi tyreoglobuliny w monojodotyrozyny i dwujodotyrozyny oraz łączenie się ich w trójjodotyroninę (T3) oraz tyroksynę (T4),
- transport T4 i T3 wraz z tyreoglobuliną ze światła pęcherzyków do tyreocytów, a następnie do naczyń włosowatych,
- odjodowanie niewykorzystanych jodotyrozyn przez dehalogenazę 1 w błonie tyreocytu i ponowne włącznie jodu w cykl syntezy hormonów tarczycy.

We krwi T4 związana jest z globuliną wiążącą tyroksynę (thyroxine-binding globuline, TBG), transtyretyną oraz z albuminami, tylko 0,03–0,05% T4 krąży w postaci niezwiązanej (free T4, fT4). W tkankach T4 ulega odjodowaniu do aktywnej postaci T3 przez 4-5′-dejodynazę typu 1 (wątroba, nerki i tarczyca) oraz 2 (mózg, przysadka, skóra i brunatna tkanka tłuszczowa).

T3 w organizmie pochodzi w 80% z konwersji obwodowej T4, a pozostałe 20% wydzielane jest przez tarczycę. T3 hamuje wydzielanie TRH i TSH w mechanizmie ujemnego sprzężenia zwrotnego, który wykształca się od ok. 20. tc. Wydzielanie TRH pobudzają obniżenie temperatury ciała i leptyna. Natomiast sekrecję TSH stymulują opioidy i układ α-adrenergiczny, a hamują glikokortykosteroidy, dopamina i niektóre cytokiny.

Hormony tarczycy wywierają efekt genomowy (przez receptor jądrowy) oraz pozagenomowy (przez integrynowy receptor błonowy i cytoplazmatyczny), a także przez pobudzenie receptora związanego z białkiem G przez swoje metabolity – jodotyraminy. Hormony tarczycy regulują w ten sposób:

- wzrost i rozwój płodu, w tym mózgu od okresu zarodkowego do ukończenia 3. rż.,
- wzrastanie, dojrzewanie i uwapnienie kości u dzieci,
- podstawową przemianę materii, termogenezę i zużycie tlenu,
- przemianę wodno-elektrolitową,
- betaoksydację kwasów tłuszczowych i lipogenezę,
- glukoneogenezę,
- syntezę cholesterolu i przemianę do kwasów żółciowych.

Najczęstszą przyczyną zarówno hipotyreozy, jak i tyreotoksykozy, a także wola jest autoimmunizacyjna choroba tarczycy stanowiąca najczęstszą endokrynopatię u dzieci i młodzieży. Jej główne składowe to:

- przewlekłe limfocytarne zapalenie tarczycy, zwane także zapaleniem tarczycy typu Hashimoto, przebiegające:
  - z wolem (choroba Hashimoto),
  - z zanikiem tarczycy (postać atroficzna),
  - jako postać ogniskowa,
- choroba Gravesa–Basedowa,
- postać mieszana łącząca cechy przewlekłego limfocytarnego zapalenia tarczycy i choroby Gravesa––Basedowa,
- poporodowe zapalenie tarczycy.

W diagnostyce **hipotyreozy i tyreotoksykozy** pomocne jest oznaczanie TSH i wolnych frakcji hormonów tarczycy: fT4 i fT3. Oznaczanie całkowitych stężeń T4 i T3 ma znaczenie w rozpoznawaniu rzadkich zaburzeń syntezy białek wiążących hormony tarczycy, zespołu niskiej T3 i T4 oraz *tyreotoxicosis factitia*. W **stanie eutyreozy** stężenia TSH, fT4 i fT3 są zwykle prawidłowe. Wyjątek może stanowić zespół oporności na hormony tarczycy, w którym stężenia fT4 i fT3 są podwyższone.

17.5.2

Niedoczynność tarczycy i hipotyreoza

łac. *hypothyreosis*

ang. hypothyroidism

Definicja

Niedoczynność tarczycy to stan zmniejszonego wydzielania T4 i T3 przez tarczycę. Pojęcie to należy odróżnić od **hipotyreozy**, która oznacza zespół objawów wynikający z niedostatecznego pobudzenia tkanek organizmu przez hormony tarczycy.

Epidemiologia

Najczęstszą przyczyną niedoczynności tarczycy i hipotyreozy jest **przewlekłe limfocytarne zapalenie tarczycy** – przewlekłe autoimmunizacyjne zaburzenia morfologii i czynności tarczycy spowodowane przez autoreaktywne limfocyty T i B oraz cytokiny. Rozpoznaje się je u 1,3–10% dzieci i młodzieży w krajach, w których wyeliminowano niedobór jodu. Podwyższone stężenia przeciwciał przeciw tyreoperoksydazie (TPOAb) i/lub tyreoglobulinie (TgAb) stwierdza się u 10–13% populacji pediatrycznej. Hipotyreoza rozwija się w różnych okresach życia u około połowy tych chorych. W rodzinach 30–40% chorych z przewlekłym limfocytarnym zapaleniem tarczycy występuje ta postać zapalenia tarczycy lub choroba Gravesa–Basedowa.

Częstość występowania przewlekłego limfocytarnego zapalenia tarczycy narasta z wiekiem od okresu niemowlęcego do późnej starości. W populacji pediatrycznej stwierdza się je najczęściej w okresie dojrzewania, 3 razy częściej u dziewcząt niż u chłopców, jakkolwiek odsetek chłopców wzrasta w ostatnich latach. Częściej występuje także u chorych z zespołami Turnera, Downa i Klinefeltera. Stanowi częstą składową poliendokrynopatii (patrz rozdz. 17.11 „Poliendokrynopatie").

Rzadziej występuje **wtórna niedoczynność tarczycy** (patrz rozdz. 17.2.2 „Niski wzrost" i tab. 17.1).

Etiologia i patogeneza

Przyczyny hipotyreozy to:

- niedoczynność tarczycy
  - pierwotna – przewlekłe limfocytarne zapalenie tarczycy, łagodna dysgenezja tarczycy, stany po operacjach czy napromienianiu tarczycy (patrz rozdz. 17.12.4 „Wrodzona niedoczynność tarczycy i ryc. 17.8),
  - wtórna,
  - trzeciorzędowa (patrz rozdz. 17.2.2 „Niski wzrost" i tab. 17.1),
- inaktywacja hormonów tarczycy przez nadmierną aktywność dejodynazy typu 3 w naczyniakach wątroby (rzadko),
- niedostateczne działanie hormonów tarczycy na tkanki obwodowe – zespół oporności na hormony tarczycy (rzadko).

W przewlekłym limfocytarnym zapaleniu tarczycy zanik tarczycy i hipotyreoza spowodowane są destrukcyjnym działaniem limfocytów T i B oraz cytokin, a także przyspieszoną apoptozą tyreocytów, a u ok. 10% chorych również działaniem TRAb o charakterze blokującym. Wole jest skutkiem nacieczenia tarczycy limfocytami oraz jej rozrostu pod wpływem wysokiego, wtórnego do hipotyreozy, stężenia TSH. Tyreotoksykoza może być wynikiem przecieku prehormonów i hormonów tarczycy do krwiobiegu w wyniku destrukcji tarczycy w pierwszej fazie jej przewlekłego limfocytarnego zapalenia (rzadziej w okresach zaostrzeń stanu zapalnego), a w przypadku współwystępowania choroby Gravesa–Basedowa (postać mieszana autoimmunizacyjnej choroby tarczycy) także nadmiernej syntezy i wydzielania hormonów tarczycy pod wpływem pobudzających TRAb (hashitoksykoza).

Obraz kliniczny

Nasilenie objawów hipotyreozy zależy od przyczyny niedoczynności oraz wieku jej wystąpienia i czasu trwania. Postacie wrodzone ujawniają się najczęściej u noworodka, choć jeśli mają charakter poronny mogą rozwijać się dopiero w kolejnych latach życia podstępnie i powoli, tak jak postaci nabyte (tab. 17.9). Do objawów hipotyreozy u dzieci należą:

- zwolnienie szybkości wzrastania i niski wzrost,
- opóźnienie wieku kostnego,
- zwiększenie masy ciała (głównie obrzęki),
- osłabienie, męczliwość i senność,
- zaparcia,
- spadek aktywności i koncentracji uwagi będące przyczyną problemów szkolnych,
- uczucie zimna,
- suche szorstkie włosy, wypadanie włosów (autoimmunizacja w przewlekłym limfocytarnym zapaleniu tarczycy),
- sucha skóra z szarymi przebarwieniami na grzbietowych częściach stawów,

- rzekomy przerost mięśni,
- obrzęki wokół oczu,
- opóźnione lub (rzadko) przedwczesne dojrzewanie płciowe, a u dziewcząt obfite krwawienia miesięczne,
- dyslipidemia,
- niedokrwistość,
- podwyższona aktywność enzymów wątrobowych.

Objawy wrodzonej niedoczynności tarczycy przedstawiono w rozdziale 17.12.4 „Wrodzona niedoczynność tarczycy".

Przewlekłe limfocytarne zapalenie tarczycy w $^2/_3$ przypadków przebiega z wolem (choroba Hashimoto), a w $^1/_3$ bez wola (postać zanikowa, zwana także pierwotnym obrzękiem śluzakowatym). Obie postacie mogą występować pod postacią eutyreozy, subklinicznej lub jawnej hipotyreozy oraz tyreotoksykozy.

Przebieg naturalny

Przebieg zależy od przyczyny niedoczynności tarczycy i/lub hipotyreozy. W przewlekłym limfocytarnym zapaleniu tarczycy jest zwykle wolny i nieprzewidywalny. U dzieci z eutyreozą może rozwinąć się hipotyreoza, która w większości przypadków ma charakter trwały. U dzieci z subkliniczną niedoczynnością tarczycy z równym prawdopodobieństwem (ok. 30%) występuje remisja, progresja i przetrwanie niedoczynności. Tyreotoksykoza w przewlekłym limfocytarnym zapaleniu tarczycy jest przejściowa i prowadzi zwykle do niedoczynności tarczycy w wyniku zmian destrukcyjnych tarczycy i zanikania (w części przypadków) stymulujących TRAb.

Metody diagnostyczne i różnicowanie

Jawna klinicznie niedoczynność tarczycy charakteryzuje się obniżeniem fT4 (< 9 pmol/l) i fT3 przy:

- podwyższonym stężeniu TSH (> 4 mIU/l) w **pierwotnej niedoczynności tarczycy**,
- nieznacznie obniżonym lub prawidłowym stężeniu TSH, zawsze jednak zbyt niskim w stosunku do stopnia obniżenia fT4 **we wtórnej niedoczynności tarczycy.**

Pierwotna subkliniczna niedoczynność tarczycy, w której nie występują objawy kliniczne, charakteryzuje się prawidłowym stężeniem fT4 i podwyższonym stężeniem TSH (> 4 mIU/l) oraz ponadfizjologicznym (ponad 10-krotnym) wzrostem stężenia TSH po podaniu TRH (200 µg w dożylnym bolusie).

W **trzeciorzędowej niedoczynności tarczycy** wzrost stężenia TSH jest zwykle mniejszy niż 2-krotny i opóźniony do 120 minuty po podaniu TRH.

Przewlekłe limfocytarne zapalenie tarczycy jest rozpoznawane na podstawie:

- obecności wola o twardej konsystencji,
- klinicznych cech hipotyreozy lub tyreotoksykozy potwierdzonej oznaczeniem TSH i fT4,
- hipoechogeniczności tarczycy w badaniu USG,
- podwyższonego stężenia TPOAb i/lub TgAb (stwierdzanego u 95% chorych), niekiedy także TRAb (komercyjne zestawy nie pozwalają na odróżnienie TRAb pobudzających od blokujących),
- współistnienia innych chorób autoimmunizacyjnych (patrz rozdz. 17.11 „Poliendokrynopatie" i tab. 17.6).

Brak podwyższonego stężenia TPOAb i TgAb u chorych z twardą hipoechogenną tarczycą nie wyklucza rozpoznania. W tych przypadkach wykładnikiem autoimmunizacji mogą być np. przeciwciała przeciw pendrynie lub symporterowi sodowo-jodowemu, a rozpoznanie może potwierdzić wykazanie nacieku limfocytarnego w biopsji cienkoigłowej tarczycy (nie wykonuje się rutynowo w tych przypadkach).

Przewlekłe limfocytarne zapalenie tarczycy z zanikiem tarczycy i hipotyreozą należy różnicować z:

- łagodną postacią dysgenezji tarczycy oraz stanami po operacjach czy napromienianiu tarczycy (zmniejszone rozmiary tarczycy w USG, brak cech autoimmunizacji, dane z wywiadu),
- wtórną niedoczynnością tarczycy (patrz rozdz. 17.12.4 „Wrodzona niedoczynność tarczycy" i tab. 17.9).

Rozpoznawanie i różnicowanie choroby Hashimoto z innymi przyczynami wola przedstawiono na rycinie 17.8.

Leczenie

Leczenie hipotyreozy polega na **suplementacji lewoskrętnej tyroksyny (LT4)** przy zastosowaniu wzrastających w okresie kilku tygodni dawek, tak aby uzyskać prawidłowe stężenie fT4 i TSH w pierwotnej niedoczynności tarczycy oraz fT4 w postaci wtórnej. Czym cięższa hipotyreoza, tym początkowa dawka LT4 powinna być mniejsza, a czas wprowadzania pełnej dawki powinien być dłuższy.

WOLE

Badanie fizykalne

Bolesne, gorączka, obrzęk
→ USG, OB
→ ↑OB, ↓echogeniczność
→ Biopsja, scyntygrafia

- Komórki olbrzymie ↓ wychwyt [123]I → Podostre zapalenie → Leki niesteroidowe przeciwzapalne GKS
- Naciek ropny N wychwyt [123]I → Ropne zapalenie → Antybiotyk, leczenie chirurgiczne

Guzek palpacyjny
- Guzek/guzki w USG → Wole guzkowe (patrz ryc. 17.9)
- N echogeniczność N TPOAb i TgAb → Wole proste

  - ↑TSH i fT3, ↓/N fT4 → Niedobór J → LT4, KJ
  - ↑TSH, ↓/N fT4 i fT3 → Goitrogeny Dyshormono-geneza Hipoplazja tarczycy → LT4, KJ
  - ↑TSH, ↑fT4, ↑fT3 → • TSH-oma** • Oporność na HT → • Zabieg • rT3

Niebolesne lub tkliwe
→ USG, TSH, fT4, TPOAb, TgAb
→ ↓ echogeniczność

- ↑TPOAb i/lub TgAb → Choroba Hashimoto
  - ↑TSH, ↓/N fT4 → LT4
  - N TRAb pierwsza faza nadczynności → Propranolol
- N TPOAb i TgAb → Podejrzenie choroby Hashimoto
  - ↓TSH, ↑fT4 → TRAb
    - ↑TRAb, ↑↑TPOAb i/lub TgAb hashitoksykoza → Propranolol
    - ↑↑TRAb N/↑TPOAb/TgAb choroba Gravesa–Basedowa* → Tiamazol

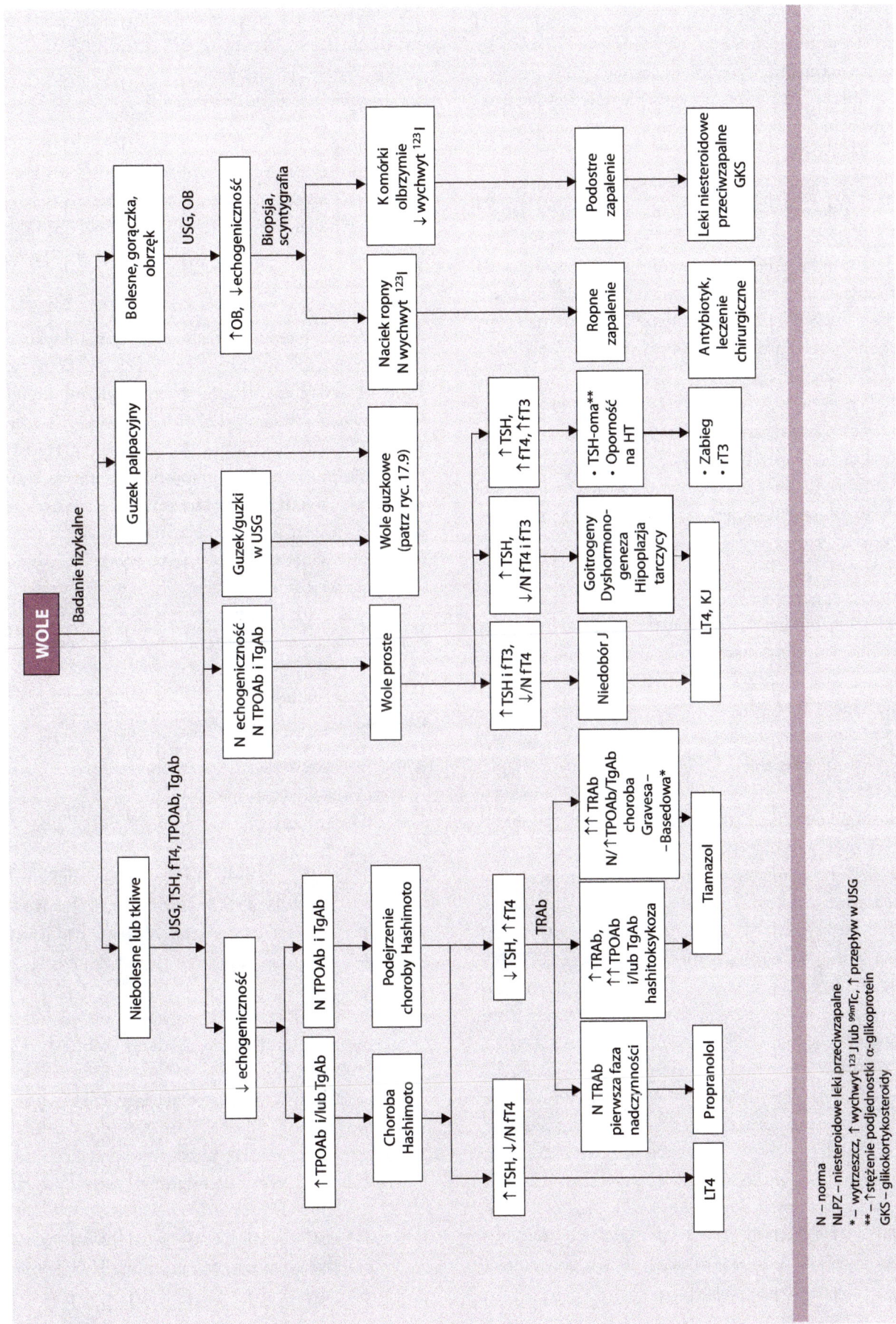

N – norma
NLPZ – niesteroidowe leki przeciwzapalne
* – wytrzeszcz, ↑ wychwyt [123]J lub ^{99m}Tc, ↑ przepływ w USG
** – ↑stężenie podjednostki α-glikoprotein
GKS – glikokortykosteroidy

Rycina 17.8. Schemat diagnostyczno-leczniczy wola.

Nie ma leczenia przyczynowego przewlekłego limfocytarnego zapalenia tarczycy. Stosuje się **LT4 w celu wyrównania hipotyreozy oraz zapobiegania powiększaniu się** (lub nawet zmniejszenia) **tarczycy i rozwojowi w niej guzków** (przez obniżenie podwyższonego stężenia TSH).

Stosowanie LT4 u chorych w stanie eutyreozy i bez wola jest kontrowersyjne. Wykazano jednak u leczonych zmniejszenie stężenia TPOAb oraz TgAb. Preparaty jodowe nasilają autoimmunizację w autoimmunizacyjnej chorobie tarczycy. Konieczna jest obserwacja chorych pod kątem występowania kolejnych chorób autoimmunizacyjnych.

Powikłania

Rozpoczęcie leczenia zbyt dużą dawką LT4 może wywołać objawy rzekomego guza mózgu. Leczenie wola w chorobie Hashimoto przez obniżenie stężenia TSH skutkuje częściej niż u chorych z wolem prostym przekroczeniem górnego zakresu referencyjnego stężenia fT4 oraz wystąpieniem objawów tyreotoksykozy.

Wole guzkowe rozwija się u ok. $1/3$ chorych z przewlekłym limfocytarnym zapaleniem tarczycy, a rak brodawkowaty tarczycy u ok. 10% pacjentów z wolem guzkowym, częściej u otyłych z podwyższonym stężeniem TSH.

U dziewcząt w okresie dojrzewania ze szczególnie wysokim stężeniem TPOAb we wczesnym etapie przewlekłego limfocytarnego zapalenia tarczycy w stanie eutyreozy może rozwinąć się encefalopatia związana z tym typem zapalenia tarczycy, zwana także encefalopatią Hashimoto. Jej etiologia jest nieznana. Stwierdza się zwykle prawidłowy obraz mózgowia w TK, MR i PET oraz brak korelacji nasilenia objawów encefalopatii ze stężeniem TPOAb, TgAb i α-enolazy w surowicy krwi i w płynie mózgowo-rdzeniowym. Encefalopatia charakteryzuje się występowaniem objawów neuropsychiatrycznych i neurologicznych. Najczęstsze są (95% chorych) uogólnione drgawki toniczno-kloniczne pojawiające się w okresie miesiączki, które nie reagują na leczenie przeciwdrgawkowe i wymagają wprowadzenia w śpiączkę farmakologiczną. W większości przypadków encefalopatii skuteczne okazuje się stosowanie glikokortykosteroidów, a w przypadkach steroidoopornych, jak wykazano w naszej klinice, powtarzana plazmafereza oraz rytuksymab.

17.5.3
Nadczynność tarczycy i tyreotoksykoza
łac. *hyperthyreosis, thyreotoxicosis*
ang. hyperthyroidism, thyrotoxicosis

Definicja
Nadczynność tarczycy to stan zwiększonego wydzielania T4 i T3 przez tarczycę. Pojęcie to należy odróżnić od **tyreotoksykozy**, która oznacza zespół objawów wynikający z pobudzenia tkanek organizmu przez nadmiar hormonów tarczycy.

Epidemiologia
Najczęściej występuje **przejściowa tyreotoksykoza** w przewlekłym limfocytarnym zapaleniu tarczycy. Rzadziej występuje **trwała tyreotoksykoza**, której 90% przypadków stanowi choroba Gravesa–Basedowa, a 10% – autonomiczny guz nadczynny, rzadko występują inne przyczyny. Choroba Gravesa–Basedowa u dzieci i młodzieży występuje rzadziej niż u dorosłych. Jej częstość w pediatrycznej populacji europejskiej nie przekracza 1 : 100 000, wykazuje jednak tendencję wzrostową. Występuje 6–8 razy częściej u dziewcząt niż u chłopców, zwłaszcza w okresie dojrzewania. Częściej występuje u dzieci z zespołem Downa.

Etiologia i patogeneza
Przyczyny tyreotoksykozy to:

- nadmierne wydzielanie hormonów tarczycy:
  - choroba Gravesa–Basedova,
  - autonomiczny guz nadczynny tarczycy (choroba Goetscha),
  - wole wieloguzkowe nadczynne (choroba Plummera) lub rozlana autonomia tarczycy (rzadko),
  - nadczynność tarczycy spowodowana hCG wydzielanym w I trymestrze ciąży lub przez guz zarodkowy,
  - nadczynność tarczycy spowodowana nadmiarem jodu (amiodaron, badania kontrastowe, preparaty jodu),
  - gruczolak przysadki wydzielający TSH (wyjątkowo rzadko),
  - toksyczny gruczolak tarczycy w przebiegu zespołu McCune'a–Albrighta (patrz rozdz. 17.3.2 „Przedwczesne dojrzewanie" i tab. 17.2),
  - toksyczna hiperplazja tarczycy spowodowana mutacją aktywującą genu receptora TSH (wyjątkowo rzadko),

■ zbyt duża dawka LT4 (*tyreotoxicosis factitia*) stosowana w leczeniu wola i/lub niedoczynności tarczycy lub zażyta celowo,

■ uwalnianie hormonów tarczycy do krwiobiegu w wyniku destrukcji miąższu tarczycy,
  ■ przewlekłe limfocytarne zapalenie tarczycy:
  ■ podostre zapalenie tarczycy,
  ■ poporodowe zapalenie tarczycy.

Choroba Gravesa–Basedowa jest chorobą autoimmunizacyjną, w której przeciwciała przeciw receptorowi TSH (TRAb) pobudzają ten receptor, prowadząc do nadczynności i rozrostu tarczycy. Jej etiologia nie różni się w ogólnym zarysie od etiologii innych chorób autoimmunizacyjnych wchodzących w skład poliendokrynopatii typu 2, 3 i 4 (patrz rozdz. 17.11 „Poliendokrynopatie" i tab. 17.6).

Obraz kliniczny

Do objawów tyreotoksykozy, z których znaczna część wynika z genomowego zwiększenia przez hormony tarczycy ekspresji receptora β1 dla katecholamin, należą:

■ tachykardia spoczynkowa,
■ nadciśnienie skurczowe (zwiększona amplituda ciśnień),
■ zwiększona pobudliwość nerwowa,
■ nietolerancja ciepła i wysiłku fizycznego,
■ zwiększona potliwość skóry całego ciała,
■ drżenia mięśniowe,
■ bezsenność,
■ zmniejszenie masy ciała pomimo wzmożonego apetytu,
■ biegunka,
■ osłabienie mięśni proksymalnych,
■ bóle głowy,
■ poliuria, moczenie nocne (zwiększone przesączanie kłębuszkowe),
■ zmniejszenie koncentracji,
■ chwiejność emocjonalna i trudności w nauce,
■ przyspieszenie wzrastania i wieku kostnego,
■ opóźnione dojrzewanie lub wtórny brak miesiączki,
■ hiperglikemia.

U prawie wszystkich chorych na chorobę Gravesa–Basedowa stwierdza się:

■ jednorodnie powiększoną miękką tarczycę,
■ objawy tyreotoksykozy,
■ szmer naczyniowy nad tarczycą,
■ łagodny wytrzeszcz gałek ocznych.

Złośliwa oftalmopatia oraz obrzęk przedgoleniowy u dzieci i młodzieży występują rzadko. Tyreotoksykoza rozwija się zwykle podstępnie. Przebieg kliniczny u dzieci < 5. rż. jest cięższy i związany z rzadziej występującą remisją choroby.

Przebieg naturalny

Trwała tyreotoksykoza w chorobie Gravesa–Basedowa prowadzi do wyniszczenia, przyspieszenia wzrastania i dojrzałości kostnej, osteoporozy oraz uszkodzenia układu sercowo-naczyniowego i wzroku. Niekiedy w postaciach mieszanych autoimmunizacyjnej choroby tarczycy obserwuje się samoograniczenie zaburzeń prowadzące do eutyreozy lub hipotyreozy.

Metody diagnostyczne

Podejrzenie nadczynności tarczycy i tyreotoksykozy należy potwierdzić oznaczeniem fT4, fT3 i TSH, a w przypadku odchyleń także TRAb, TPOAb i TgAb oraz wykonać badanie USG. Na **jawną nadczynność tarczycy** (i hipertyreozę) wskazują podwyższone stężenia fT3 i fT4 z:

■ obniżonym stężeniem podstawowym TSH (< 0,3 mIU/l) **w postaci pierwotnej,**
■ podwyższonym stężeniem TSH **w postaciach wtórnych** (rzadko).

Subkliniczna nadczynność tarczycy, w której nie występują objawy kliniczne, charakteryzuje się prawidłowym stężeniem fT4 oraz fT3 i obniżonym stężeniem TSH (< 0,3 mIU/l) w warunkach podstawowych oraz w 30. minucie po podaniu TRH (200 µg w dożylnym bolusie).

W **gruczolaku przysadki wydzielającym TSH** obserwuje się zwykle mniejszy niż 2-krotny i opóźniony do 120. minuty po podaniu TRH wzrost stężenia TSH.

Scyntygrafię zleca się tylko w celu ustalenia dawki leczniczej ^{131}I lub w przypadku obecności guza w badaniu USG (różnicowanie z nadczynnym gruczolakiem). Interpretację wyników badań przedstawiono na rycinie 17.9.

EKG pozwala na rozpoznanie zaburzeń przewodzenia i rytmu serca, które mogą stanowić przeciwwskazanie do stosowania propranololu.

Egzoftalmometria jest przydatna w ocenie wytrzeszczu w okresie leczenia.

Różnicowanie

Chorobę Gravesa–Basedowa należy różnicować z innymi trwałymi przyczynami hipertyreozy:

- autonomicznym guzem nadczynnym (choroba Goetscha) – palpacyjny guz o silnym wychwycie znacznika w scyntygrafii, brak wychwytu w pozostałym miąższu tarczycy,
- toksycznym gruczolakiem tarczycy w przebiegu zespołu McCune'a–Albrighta,
- toksyczną hiperplazją tarczycy spowodowaną mutacją aktywującą genu receptora TSH – hipertyreoza od okresu noworodkowego,
- wolem wieloguzkowym nadczynnym (choroba Plummera) lub rozlaną autonomią tarczycy – występowanie prawie wyłącznie u dorosłych kobiet, zwłaszcza na obszarach niedoboru jodu, ujemne TRAb, wole wieloguzkowe w USG,
- nadczynnością tarczycy spowodowaną gonadotropiną kosmówkową wydzielaną przez guz zarodkowy – duże stężenie βhCG, AFP, obecny guz,
- nadmiarem jodu – w wywiadzie leczenie amiodaronem, badania kontrastowe, preparaty jodu,
- gruczolakiem przysadki wydzielającym TSH lub zespołem oporności na hormony tarczycy – brak supresji TSH, duże stężenia podjednostki α-glikoprotein w gruczolaku przysadki,

a także z przyczynami przejściowymi:

- *thyrotoxicosis factitia* – egzogenna podaż hormonów tarczycy w wywiadzie, podwyższone stężenie fT4 przy prawidłowym fT3,
- nadczynnością tarczycy spowodowaną gonadotropiną kosmówkową w pierwszym trymestrze ciąży – duże stężenie βhCG, ciąża,
- tyreotoksykozą w przewlekłym limfocytarnym zapaleniu tarczycy (patrz rozdz. 17.5.2 „Niedoczynność tarczycy i hipotyreoza").

Leczenie

W chorobie Gravesa–Basedowa metodą z wyboru jest leczenie zachowawcze tioamidami o działaniu tyreostatycznym oraz propranololem. Preferowany jest **tiamazol**, który w porównaniu do propylotiouracylu ma dłuższy czas działania, silniej hamuje syntezę hormonów tarczycy i rzadziej powoduje ciężkie niepożądane objawy. Stosuje się 0,5–1,0 mg/kg mc./ /dobę *p.o.* w 1–2 dawkach podzielonych po jedzeniu.

Po uzyskaniu normalizacji stężeń fT4 i fT3 po 3–6 tygodniach leczenia (TSH wykazuje bezwładność i ulega normalizacji dopiero po kilku miesiącach), dawkę leku należy zmniejszyć o 30–50%. Kolejnych modyfikacji dawek dokonuje się w zależności od wyników oznaczeń fT4 i TSH powtarzanych co 4–6 tygodni. W niektórych ośrodkach preferuje się równoczesne podawanie LT4 z dawką podtrzymującą tyreostatyku od chwili ustąpienia supresji TSH. Czas terapii nie powinien być krótszy niż 1,5 roku.

Leczenie ^{131}I stosuje się w przypadku wystąpienia poważnych powikłań, braku współpracy rodziców i/lub pacjenta oraz licznych nawrotów nadczynności. Leczenie to nie powinno być stosowane u dzieci < 5. rż., a przed 10. rż. należy podawać duże ablacyjne dawki ^{131}I, z uwagi na zwiększone ryzyko rozwoju zmian rozrostowych w pozostałej po leczeniu tkance tarczycy. Przeciwwskazanie do tej formy terapii stanowią ciąża (obowiązuje wykonanie próby ciążowej u starszych dziewcząt), karmienie piersią i ciężka orbitopatia tarczycowa.

Całkowite **usunięcie tarczycy** jest współcześnie wykonywane rzadko. Tylko w przypadku współistnienia rozrostu nowotworowego w gruczole czy autonomicznego guzka gorącego, a także wtedy, gdy istnieją przeciwwskazania do leczenia ^{131}I (patrz rozdz. 17.5.5 „Wole guzkowe i rak tarczycy").

W zatruciu tyroksyną skuteczny może być kwas jopanowy.

Powikłania

W okresie leczenia tiamazolem lub propylotiouracylem u 5–14% dzieci mogą wystąpić granulocytopenia, wysypka, pokrzywka czy bóle mięśniowo-stawowe. Znacznie rzadziej stwierdza się zapalenie wątroby (zwłaszcza po propylotiouracylu), zespół toczniopodobny, trombocytopenię i agranulocytozę.

Pacjent powinien być poinformowany o konieczności kontaktu z lekarzem w przypadku wystąpienia niewyjaśnionej gorączki, bólu gardła, aft błony śluzowej jamy ustnej oraz żółtaczki. W większości przypadków skuteczna jest zamiana tiamazolu na propylotiouracyl lub odwrotnie (krzyżowa toksyczność obu leków występuje jednak w ok. 50% przypadków).

Najcięższe, choć rzadkie, powikłanie to **przełom tarczycowy**, charakteryzujący się hipertermią, drgawkami i śpiączką, a także wysoką śmiertelnością. W leczeniu stosuje się tyreostatyki, glikokortykosteroidy, jod organiczny, węglan litu i terapię objawową.

Rokowanie

Trwałą remisję hipertyreozy (ustąpienie TRAb) uzyskuje się u 30% chorych z chorobą Gravesa–Basedowa po 2 latach leczenia tiamazolem. Dalsze wydłużanie terapii nie zwiększa tego odsetka. Około 10% pacjentów po zakończeniu leczenia rozwija hipotyreozę będącą konsekwencją destrukcji miąższu tarczycy przez limfocyty, cytokiny, blokujące TRAb i tyreostatyk. Żaden ze sposobów leczenia choroby Gravesa–Basedowa u kobiet nie zabezpiecza w pełni przed wystąpieniem u płodu i noworodka hipertyreozy lub hipotyreozy zależnej od TRAb (patrz rozdz. 17.12.3 „Wrodzona nadczynność tarczycy").

17.5.4

Wole proste

łac. *struma simplex*
ang. simple goiter

Definicja

Wole proste, zwane także koloidowym, to niebolesne powiększenie tarczycy o miękkiej i jednorodnej konsystencji, przebiegające z eutyreozą (wole obojętne), prawidłową echogenicznością w badaniu USG i ujemnymi przeciwciałami przeciw tarczycy.

Epidemiologia

Najczęstszą przyczyną wola u dzieci jest choroba Hashimoto w stanie eutyreozy, rzadziej hipotyreozy lub hipertyreozy. Wole proste stanowi jedynie niewielki odsetek wszystkich przypadków wola, które w krajach o dostatecznej podaży jodu występuje u 4–6% dzieci w wieku szkolnym i dotyczy 3 razy częściej dziewcząt.

Etiologia i patogeneza

Znane przyczyny wola prostego to niedobór jodu i/lub selenu oraz naturalne i syntetyczne goitrogeny. Aktualnie w Polsce, która jest krajem o wystarczającej podaży jodu (obligatoryjne jodowanie soli kuchennej), wole z niedoboru jodu występuje rzadko, zwykle w okresach zwiększonego zapotrzebowania na ten pierwiastek (okres noworodkowy, dojrzewania i ciąży).

U chorych z wolem prostym często stwierdza się dodatni wywiad rodzinny w kierunku wola oraz przewlekłego limfocytarnego zapalenia tarczycy i choroby Gravesa–Basedowa. Sugeruje to udział rodzinnej dyshormonogenezy (kompensacyjny rozrost tarczycy) i choroby autoimmunizacyjnej tarczycy w etiologii zaburzenia.

Obraz kliniczny

Wole proste charakteryzuje się jednorodnym powiększeniem tarczycy. Stopnie powiększenia tarczycy wg WHO:

- 0 – brak wola (tarczyca niewyczuwalna podczas palpacji i niewidoczna),
- 1 – tarczyca jest wyczuwalna, ale niewidoczna przy normalnej pozycji głowy, a jedynie po jej odchyleniu do tyłu,
- 2 – tarczyca jest widoczna w normalnej pozycji głowy.

Palpacyjna ocena wola obarczona jest dużym błędem, stąd rozstrzygająca rola badania USG z oceną objętości tarczycy. W ocenie objętości tarczycy u dzieci w wieku szkolnym należy stosować wartości referencyjne opublikowane w 2012 roku przez Szybińskiego i wsp., które są nieco większe od rekomendowanych obecnie przez WHO wartości zaproponowanych przez Zimmermanna i wsp. w 2004 roku.

Przebieg naturalny

Wole proste może:

- ulegać samoistnej regresji,
- ulegać naprzemiennemu rozrostowi i regresji wielkości,
- rozrastać się do znacznych rozmiarów z wytworzeniem guzków, szczególnie w rejonach niedoboru jodu,
- rozwijać autonomiczną nadczynność:
  - wole wieloguzkowe nadczynne,
  - pojedynczy guz autonomiczny,
  - rozlana autonomia tarczycy,
- schodzić za mostek, uciskać na tchawicę i przełyk, stanowić przyczynę zaburzeń oddychania i połykania.

Metody diagnostyczne i różnicowanie

Diagnostykę i różnicowanie poszczególnych postaci wola prostego oraz wola prostego z innymi chorobami przebiegającymi z wolem przedstawiono na rycinie 17.8.

Leczenie

Stosuje się **LT4** w dawkach indywidualizowanych, które zapewniają obniżenie stężenia TSH < 0,5 µIU/ /ml i utrzymanie stężenia fT4 w normie.

W okresach życia ze zwiększonym zapotrzebowaniem na jod należy rozważyć równoczesne podawanie **preparatów jodowych**. Pamiętając jednak, że jeśli w wolu rozwiną się guzki autonomiczne, stosowanie jodu może sprzyjać pojawieniu się trwałej hipertyreozy (brak adaptacji guzków do nadmiaru jodu).

Powikłania

Rozwój wola guzkowego (patrz rozdz. 17.5.5 „Wole guzkowe i rak tarczycy").

Rokowanie

Zależy od czasu trwania nieleczonego wola prostego, jego etiologii i sposobu leczenia.

17.5.5   *Jerzy Starzyk, Małgorzata Wójcik*

Wole guzkowe i rak tarczycy

łac. *struma nodosa et carcinoma glandulae thyreoideae*
ang. nodular goiter and thyroid carcinoma

Definicja

Obecność w tarczycy pojedynczych lub mnogich guzków litych lub torbieli, wykrywanych palpacyjnie lub w USG, o charakterze nienowotworowych guzków rozrostowych, łagodnych guzków pęcherzykowych lub złośliwych raków tarczycy.

Epidemiologia

Wole guzkowe (obojętne, niedoczynne, nadczynne) dotyczy 1–1,5% dzieci i młodzieży. 10–50% guzków (pojedynczych lub mnogich) to raki tarczycy, które przed okresem dojrzewania stanowią 1–2%, a potem ok. 7% wszystkich złośliwych nowotworów.

Raki tarczycy dzielą się wg obowiązującej aktualnie klasyfikacji WHO ICD-10 na:

- zróżnicowane (ok. 87% wszystkich raków tarczycy), wywodzące się z nabłonka pęcherzyków tarczycy:
  - rak brodawkowaty (ok. 66%),
  - rak pęcherzykowy (ok. 14%, z malejącą częstością występowania na terenach dostatecznej suplementacji jodu),
  - rak oksyfilny wywodzący się z komórek Hürtla (kwasochłonne, zmienione onkocytarnie tyreocyty), stanowiący wg innych podziałów podtyp raka pęcherzykowego (ok. 7%),
- niezróżnicowane:
  - rak rdzeniasty wywodzący się z komórek C wraz z łagodnym rozrostem tych komórek (ok. 13% wszystkich raków tarczycy),

- rak anaplastyczny, chłoniak, mięsak, włókniakomięsak i nowotwory przerzutowe (wyjątkowo rzadkie).

Raki tarczycy u dzieci występują prawie 50 razy rzadziej niż u dorosłych. Zróżnicowane raki tarczycy częściej stwierdza się u dziewcząt (1,5–3 : 1), zwykle między 10. a 15. rż.

Etiologia i patogeneza

Przyczyną 45–70% przypadków raka brodawkowatego u dzieci jest rearanżacja protoonkogenu *RET* i genów sąsiednich, spośród których ok. 80% stanowią *RET/PTC1* i *RET/PTC3*. Obie zmiany wydają się mieć związek z narażeniem na promieniowanie jonizujące, na które dzieci są 10-krotnie bardziej wrażliwe niż dorośli. Rzadkie przyczyny raka brodawkowatego w populacji pediatrycznej stanowią mutacje genów *BRAF* i *RAS* oraz *APC* i *PTEN*, odpowiedzialne odpowiednio za rozwój zespołu Gardnera i zespołu Cowden.

W etiologii raka pęcherzykowego u dzieci prawdopodobnie znaczenie mają mutacje nieznanych genów na chromosomach 2, 3p, 6, 7q, 8, 9, 10q, 11, 13q.

Kluczową rolę w patogenezie guzów/raków oksyfilnych wydaje się odgrywać mutacja genu *GRIM19* zlokalizowanego na chromosomie 19p13.2, który odpowiedzialny jest za metabolizm mitochondrialny i śmierć komórki.

Za rozwój raka rdzeniastego w postaci sporadycznej i autosomalnie dominującej występującej rodzinnie, a także w przebiegu mnogiej gruczolakowatości wewnątrzwydzielniczej (multiple endocrine neoplasia, MEN) typu 2A lub 2B (MEN2A, MEN2B) odpowiedzialne są mutacje protoonkogenu *RET*.

Obraz kliniczny

Wole guzkowe rozpoznawane jest najczęściej przypadkowo w badaniu USG wykonywanym zwykle z powodu obserwacji powiększenia tarczycy lub niedoczynności gruczołu w przebiegu przewlekłego limfocytarnego zapalenia tarczycy.

Raki tarczycy u dzieci i młodzieży w 80% przypadków występują jako badalny palpacyjnie, twardy, niebolesny guz tarczycy z powiększeniem węzłów chłonnych podżuchwowych i szyjnych lub bez niego, najczęściej w stanach eutyreozy (ok. 86% przypadków), ale także w hipertyreozie i hipotyreozie. Obecność autoimmunizacyjnej choroby tarczycy, w tym zwłaszcza choroby Gravesa–Basedowa, jest czynni-

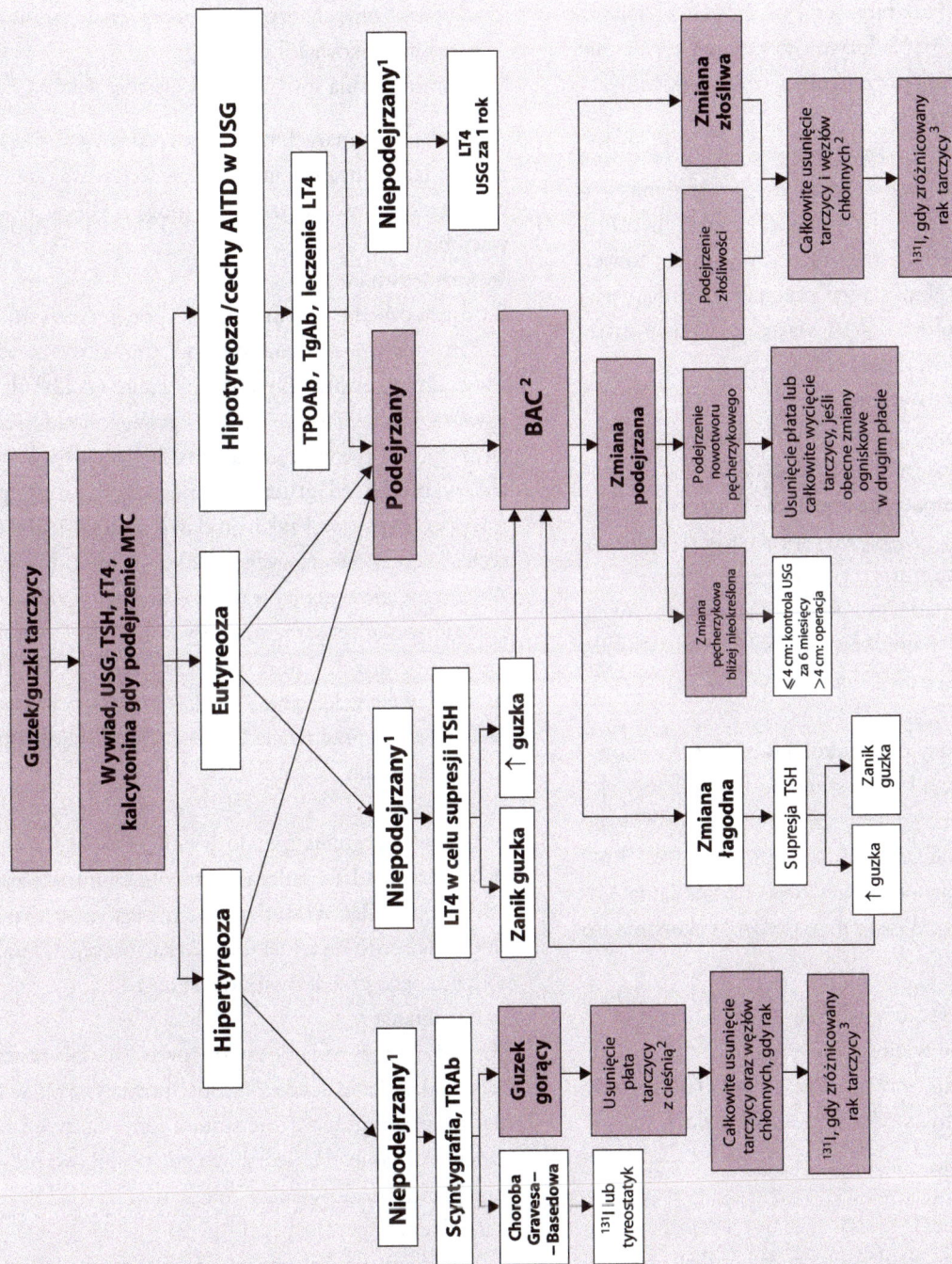

Guzek/guzki tarczycy

Wywiad, USG, TSH, fT4, kalcytonina gdy podejrzenie MTC

Eutyreoza → Hipotyreoza/cechy AITD w USG

Hipertyreoza

Hipotyreoza/cechy AITD w USG
TPOAb, TgAb, leczenie LT4
Niepodejrzany[1]
LT4
USG za 1 rok

Podejrzany
BAC[2]

Zmiana podejrzana
Zmiana złośliwa
Podejrzenie złośliwości
Całkowite usunięcie tarczycy i węzłów chłonnych[2]
[131]I, gdy zróżnicowany rak tarczycy[3]

Podejrzenie nowotworu pęcherzykowego
Usunięcie płata lub całkowite wycięcie tarczycy, jeśli obecne zmiany ogniskowe w drugim płacie

Zmiana pęcherzykowa bliżej nieokreślona
≤4 cm: kontrola USG za 6 miesięcy
>4 cm: operacja

Niepodejrzany[1]
LT4 w celu supresji TSH
Zanik guzka
↑ guzka

Zmiana łagodna
Supresja TSH
Zanik guzka
↑ guzka

Niepodejrzany[1]
Scyntygrafia, TRAb
Choroba Gravesa–Basedowa
[131]I lub tyreostatyk
Guzek gorący
Usunięcie płata tarczycy z cieśnią[2]
Całkowite usunięcie tarczycy oraz węzłów chłonnych, gdy rak
[131]I, gdy zróżnicowany rak tarczycy[3]

1 – pojedynczy <0,5 cm bez cech złośliwości w USG
2 – po uzyskaniu eutyreozy
3 – LT4 celem supresji TSH (0,1–0,5 mIU/l)

Rycina 17.9. Schemat diagnostyczno-leczniczy wola guzkowego.

kiem predysponującym do wystąpienia raka zróżnicowanego. 10% przypadków raka rdzeniastego występuje w zespole MEN2A (z guzem chromochłonnym – 30–50% przypadków, i guzem przytarczyc – 30––50% przypadków) lub MEN2B (patrz rozdz. 17.5.5 „Wole guzkowe i rak tarczycy", 17.7.2 „Guz chromochłonny", 17.8.3 „Nadczynność przytarczyc" i tab. 17.1) i stanowi jego wczesną i najczęstszą składową.

Przebieg naturalny

Nieleczone wole guzkowe rozwija się w kierunku wola wieloguzkowego nadczynnego i zróżnicowanych raków tarczycy (u predysponowanych osób), rzadziej raka rdzeniastego tarczycy (u obarczonych mutacją *RET*). Nowotwory przerzutują drogą krwi najczęściej do płuc, kości i wątroby, a także drogą chłonki do węzłów chłonnych.

Metody diagnostyczne

Schemat diagnostyczno-leczniczy wola guzkowego przedstawiono na ryc. 17.9. Podstawowe znaczenie mają **badanie palpacyjne oraz USG** tarczycy (z oceną echogeniczności, przepływu i sprężystości) i regionalnych węzłów chłonnych. W wywiadzie istotne są informacje na temat występowania w rodzinie wola, raków tarczycy i objawów MEN2A lub MEN2B, a u pacjenta ekspozycji tarczycy na promieniowanie jonizujące.

Biopsja aspiracyjna cienkoigłowa (BAC) wykonywana pod kontrolą USG jest u dzieci i młodzieży złotym standardem diagnostycznym. Charakteryzuje się wysoką czułością, swoistością i trafnością (ok. 90%) w odniesieniu do pooperacyjnego rozpoznania histopatologicznego. Wskazania do jej wykonania to guzek:

- pojedynczy ⩾ 0,5 cm w USG,
- ⩾ 1 cm w wolu wieloguzkowym,
- guzki o wymiarach mniejszych od 0,5 cm, gdy obecne są cechy ryzyka złośliwości guzka.

Należą do nich:

- cechy kliniczne:
  - przerzuty do węzłów chłonnych/odległe,
  - naciekanie okolicznych narządów szyi,
  - raki tarczycy w rodzinie,
  - ekspozycja pacjenta na promieniowanie jonizujące w wywiadzie,
  - wysokie stężenie kalcytoniny,
  - nosicielstwo mutacji genu *RET*,

- cechy ultrasonograficzne:
  - mikrozwapnienia,
  - guzek lity, hipoechogeniczny,
  - wymiar pionowy większy od poziomego,
  - nieregularne lub zrazikowe granice,
  - wzmożony, chaotyczny przepływ naczyniowy,
  - podtorebkowa lokalizacja,
  - zmniejszona sprężystość w elastografii USG.

Guzki o wymiarach mniejszych od 0,5 cm bez klinicznych ani ultrasonograficznych cech wzmożonego ryzyka złośliwości (patrz niżej) mogą podlegać obserwacji bez BAC.

Różnicowanie

Biopsja pozwala na odróżnienie prawie wszystkich zmian nienowotworowych od nowotworowych, a wśród tych ostatnich na rozpoznanie: raka brodawkowatego, rdzeniastego, anaplastycznego i chłoniaka tarczycy. Nie pozwala jednak na odróżnienie raka pęcherzykowego od gruczolaka pęcherzykowego, postaci pęcherzykowej raka brodawkowatego i niektórych nienowotworowych guzków rozrostowych. W celu zwiększenia jej wartości diagnostycznej próbuje się wykorzystywać markery komórek nowotworowych oznaczane immunochemicznie w bioptatach, takie jak galektyna-3 (wykazana w strukturach litych torbieli przemawia za obecnością utajonej postaci raka brodawkowatego).

Leczenie

W przypadku guzka niepodejrzanego można podjąć próbę leczenia LT4 polegającą na obniżeniu stężenia TSH < 0,3 mIU/l. Postępowanie w przypadku guzka niepoddającego się tej terapii, guzka gorącego i guzka podejrzanego przedstawiono na ryc. 17.9.

Powikłania

Zbyt późne rozpoznanie zróżnicowanego raka tarczycy lub raka rdzeniastego może być przyczyną pojawienia się przerzutów, a nieuzasadnione ograniczenie rozległości zabiegu i niedostateczne postępowanie po nim prowadzą do wznów miejscowych, węzłowych i odległych.

Powikłania radykalnego usunięcia tarczycy, takie jak przejściowe lub trwałe porażenie nerwu krtaniowego wstecznego i niedoczynność przytarczyc, występują w wiodących ośrodkach rzadko. Wynika to z faktu wprowadzenia śródoperacyjnego neuromonitoringu nerwu krtaniowego, oznaczania stężenia PTH oraz scyntygrafii przy zastosowaniu sond oscylacyjnych.

Do powikłań odległych leczenia ^{131}I należą nowotwory drugie, zwłaszcza białaczka, zwłóknienie płuc i przejściowa lub trwała azoospermia.

Rokowanie

Ostatnie analizy wskazują na znacznie mniejszą niż u dorosłych 10-letnią przeżywalność dzieci ze zróżnicowanym rakiem tarczycy. W przypadku raka rdzeniastego wynosi ona obecnie 70–80%, przy czym kluczowe znacznie ma radykalność leczenia operacyjnego. Raki nisko zróżnicowane (anaplastyczne) i chłoniaki wiążą się z gorszym rokowaniem. Leczenie raka tarczycy i dalsze monitorowanie powinno być prowadzone wyłącznie w jednostkach referencyjnych.

17.6 *Jerzy Starzyk*
CHOROBY KORY NADNERCZY

17.6.1
Zagadnienia ogólne

Nadnercza to parzysty organ zlokalizowany na górnym biegunie nerek, składający się z rdzenia i kory, które rozwijają się odpowiednio z ektodermy i mezodermy. W skład **kory** wchodzą trzy warstwy:

- zewnętrzna kłębkowata produkująca mineralokortykosteroidy, głównie aldosteron,
- środkowa pasmowata produkująca glikokortykosteroidy, głównie kortyzol,
- wewnętrzna siatkowata produkująca słabe androgeny (DHEA, DHEAS i androstendion), które ulegają obwodowej konwersji do testosteronu pod wpływem dehydrogenazy 3-β-hydroksysteroidowej typu 1 (3βHSD1).

Kortyzol i androgeny uwalniane są pod wpływem ACTH, a aldosteron pod wpływem angiotensyny II, hormonu układu renina–angiotensyna–aldosteron. Kortyzol odpowiada za metabolizm białek, węglowodanów i tłuszczów. Jego stężenie wzrasta kilkakrotnie w stanach stresu fizycznego i psychicznego (aktywacja CRH), zapewniając wraz z katecholaminami (kortyzol aktywuje w rdzeniu nadnerczy konwersję adrenaliny do noradrenaliny), GH, glukagonem i ADH adaptację do warunków stresowych.

W autoimmunizacyjnej **przewlekłej niedoczynności kory nadnerczy** występują objawy niedoboru, a w **pierwotnej nadczynności kory nadnerczy** (spowodowanej gruczolakiem, rakiem lub rozrostem guzkowym nadnerczy) objawy nadmiaru hormonów wszystkich trzech jej warstw.

We **wtórnej niedoczynności kory nadnerczy** (niedobór ACTH) stwierdza się niedobór kortyzolu i androgenów, a we **wtórnej nadczynności kory nadnerczy** nadmiar tych hormonów. W obu przypadkach wydzielanie aldosteronu jest prawidłowe i tym samym nie występują zaburzenia stężenia potasu. Dzieje się tak nawet pomimo zwiększonej retencji potasu we krwi w stanach niedoboru kortyzolu i jego utraty przez nerki w stanach nadmiaru kortyzolu (kortyzol powoduje resorpcję zwrotną Na i wydalanie K w cewkach nerkowych).

We **wrodzonym przeroście nadnerczy** (WPN) spowodowanym niedoborem 21OH i 11βOH występuje niedobór kortyzolu i aldosteronu. Wynika on z bloku syntezy aldosteronu w niedoborze 21OH oraz supresji reniny i aldosteronu przez jego prekursory w niedoborze 11βOH.

Wrodzony przerost nadnerczy i inne przyczyny przewlekłej niedoczynności kory nadnerczy okresu noworodkowo-niemowlęcego opisano w rozdziale 17.12.3 „Wrodzony przerost nadnerczy".

17.6.2
Zespół Cushinga

łac. *syndroma Cushing*
ang. Cushing syndrome

Definicja

Zespół objawów klinicznych spowodowany nadmiarem endogennych lub egzogennych glikokortykosteroidów.

Epidemiologia

U dzieci i młodzieży najczęściej występuje jatrogenny zespół Cushinga spowodowany leczeniem glikokortykosteroidami przewlekłych chorób immunizacyjnych i nowotworowych.

Endogenny zespół Cushinga jest rzadkim zaburzeniem w porównaniu do innych endokrynopatii.

Częstość występowania poszczególnych jego postaci różni się w zależności od wieku. W całym okresie dziecięco-młodzieżowym najczęstszą postać endogennego zespołu Cushinga (75–80% przypadków) stanowi gruczolak przysadki wydzielający ACTH (ACTH-zależny zespół Cushinga, zwany także chorobą Cushinga), rzadsze są ACTH-niezależne postaci zespołu Cushinga, kolejno: pierwotna pigmentowa guzkowa choroba nadnerczy (15%), rak lub gruczolak kory nadnerczy (5–10%) oraz makroguzkowy rozrost nadnerczy w przebiegu zespołu McCune'a–Albrighta, ACTH-niezależny makroguzkowy rozrost nadnerczy (ACTH-independent macronodular adrenal hiperplasia, AIMAH). Wyjątkowo występuje ACTH-zależny zespół Cushinga spowodowany ektopowym wydzielaniem ACTH lub CRH (2–4%).

W okresie niemowlęcym i wczesnodziecięcym ok. 80% przypadków stanowi rak/gruczolak kory nadnerczy (zapadalność 0,3 : 1 000 000, 15 razy częściej w Brazylii), rzadziej stwierdza się zespół McCune'a––Albrighta. U dzieci starszych dominuje ACTH-zależny zespół Cushinga spowodowany mikrogruczolakiem przysadki (80% przypadków), rzadziej pierwotna pigmentowa guzkowa choroba nadnerczy i wyjątkowo makroguzkowy rozrost nadnerczy i ektopowy zespół Cushinga.

Etiologia i patogeneza

Etiopatogenetyczna klasyfikacja zespołu Cushinga obejmuje zespoły zależne i niezależne od ACTH.

Zespół Cushinga niezależny od ACTH:

- jatrogenny,
- rak/gruczolak kory nadnerczy występujący:
  - rodzinnie w dziedziczonym autosomalnie dominująco zespole Li–Fraumeniego (mutacja genu supresorowego p53),
  - rodzinnie w zespole Beckwitha–Wiedemanna (mikrodelecja/mikroduplikacja regionu 11p15.5),
  - sporadycznie (mutacje p53, *CHEK2*),
- pierwotny rozrost kory nadnerczy:
  - pierwotna pigmentowa guzkowa choroba nadnerczy – łagodny histologicznie obustronny rozrost nadnerczy występujący rodzinnie w autosomalnie dominującym kompleksie Carneya (mutacja genu *PRKAR1A*) lub sporadycznie (mutacja genu *PRKAR1A* i *PDE11A*),
  - zespół McCune'a–Albrighta (tab. 17.1 i 17.2),
  - makroguzkowy rozrost nadnerczy – pobudzenie w korze nadnerczy ektopowych receptorów dla LH, GIP, noradrenaliny i adrenaliny oraz eutopowych dla ADH.

Zespół Cushinga zależny od ACTH:

- gruczolak przysadki wydzielający ACTH (choroba Cushinga) występujący:
  - sporadycznie,
  - w zespole MEN1 (patrz rozdz. 17.8.3 „Nadczynność przytarczyc"),
- ektopowy zespół Cushinga – wydzielanie peptydów, w tym ACTH lub CRH przez: rakowiaka, guz neuroendokrynny trzustki, guz Wilmsa, neuroblastoma lub rak rdzeniasty tarczycy (występujący sporadycznie oraz w MEN2.

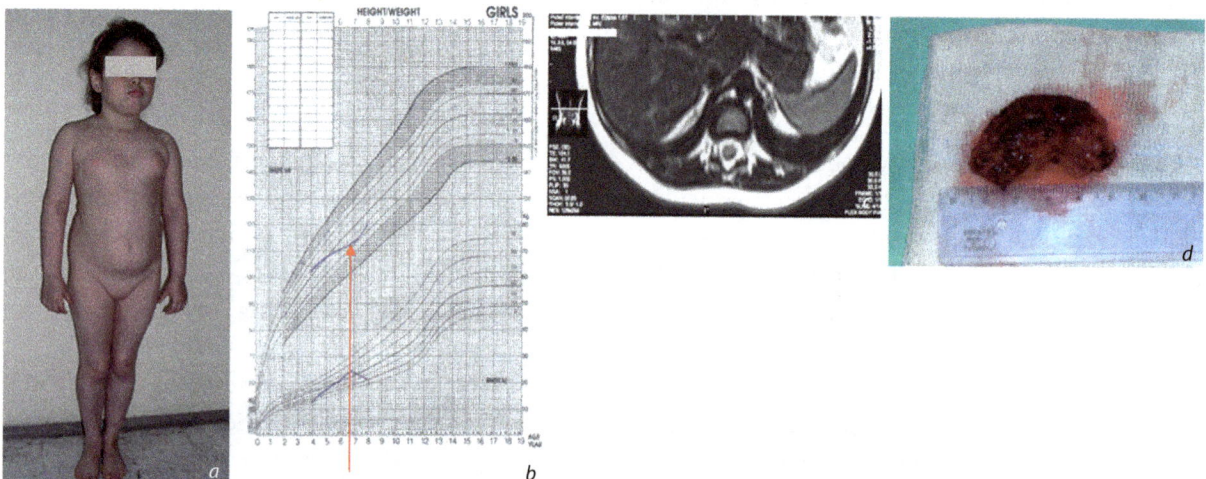

Rycina 17.10. (*a*) dyskretnie wyrażone cechy cushingoidalne oraz powiększenie gruczołów piersiowych u 7-letniej dziewczynki z cykliczną postacią hiperkortyzolemii w przebiegu pierwotnej pigmentowej guzkowej choroby nadnerczy; (*b*) zahamowanie wzrastania i przyrost masy ciała przed leczeniem, z normalizacją szybkości wzrastania i zmniejszeniem masy ciała po obustronnej adrenalektomii (wiek wykonania adrenalektomii zaznaczono strzałką); (*c*) prawidłowy obraz nadnerczy w MR; (*d*) mnogie pigmentowane guzki o średnicy < 1 cm w usuniętym nadnerczu.

Obraz kliniczny

Stałe objawy:

- zahamowanie wzrastania (ryc. 17.10*b*) (w raku/
/gruczolaku kory nadnerczy wydzielających androgeny wzrost może nie być zahamowany),
- przyrost masy ciała,
- zaokrąglenie twarzy (ryc 17.10*a*).

Występowanie pozostałych objawów zespołu Cushinga zależy od wieku dziecka, stopnia nasilenia hiperkortyzolemii (postać subkliniczna lub jawna), charakteru wydzielania kortyzolu (stały lub cykliczny) oraz występowania nadmiaru androgenów i mineralokortykosteroidów. **U połowy pacjentów** występują:

- rozstępy skórne,
- nadciśnienie tętnicze (spowodowane glikokortykosteroidami i mineralokortykosteroidami),
- labilność emocjonalna,
- uczucie zmęczenia.

Rzadziej u dzieci stwierdza się typowe dla osób dorosłych objawy związane z długotrwałym katabolicznym działaniem hiperkortyzolemii (bezpośrednio i przez zmniejszenie stężenia GH), takie jak:

- centralna otyłość,
- twarz typu księżyc w pełni,
- bawoli kark,
- zaniki mięśniowe i osłabienie siły mięśniowej,
- sinoczerwone rozstępy,
- zaczerwienienie skóry policzków (plethora),
- bóle kręgosłupa i osteoporoza.

U chorych **w wieku dojrzewania** występują:

- opóźnione dojrzewanie,
- regresja cech dojrzewania spowodowana hamującym działaniem glikokortykosteroidów na czynność osi gonadalnej.

W ciężkich przypadkach pojawiają się także:

- hipernatremia,
- obniżone stężenia potasu, wapnia i fosforu w surowicy krwi (działanie glikokortykosteroidów i mineralokortykosteroidów na nerki),
- cukrzyca,
- dyslipidemia (wzrost stężenia cholesterolu całkowitego, cholesterolu LDL, trójglicerydów, obniżenie stężenia cholesterolu HDL),
- zwiększenia we krwi liczby erytrocytów, leukocytów i płytek krwi.

Dla **raka kory nadnerczy** charakterystyczne są:

- rzekome przedwczesne dojrzewanie – izoseksualne u chłopców, heteroseksualne u dziewcząt (90–95% chorych) (patrz rozdz. 17.3.2 „Przedwczesne dojrzewanie"),
- objawy cushingoidalne (75%),
- nadciśnienie tętnicze (50%),
- ból brzucha i objawy guza w jamie brzusznej (4%).

Mogą ponadto ujawniać się **objawy zespołów**, w których występuje zespół Cushinga:

- zespołu McCune'a–Albrighta (patrz rozdz. 17.3.2 „Przedwczesne dojrzewanie"),
- kompleksu Carneya (śluzak serca i skóry, hiperpigmentacja śluzówek i skóry, włókniakogruczolaki piersi, guzy gonad, tarczycy i przysadki),
- zespołu Li–Fraumeniego (mięsaki tkanek miękkich i kości, rak piersi, guzy mózgu i białaczka),
- zespołu Beckwitha–Wiedemanna (tab. 17.1),
- MEN1 (patrz rozdz. 17.8.3 „Nadczynność przytarczyc").

Przebieg naturalny

Nieleczony zespół Cushinga, w zależności od przyczyny, prowadzi do:

- nasilenia osteoporozy i złamań, rozwoju nadciśnienia tętniczego, dyslipidemii, cukrzycy i powikłań sercowo-naczyniowych,
- spadku odporności, zakażeń uogólnionych, zgonu,
- uogólnienia procesu nowotworowego (30–80% chorych z rakiem kory nadnerczy w chwili rozpoznania).

Metody diagnostyczne i różnicowanie

Schemat diagnostyczno-leczniczy zespołu Cushinga przedstawiono na rycinie 17.11. W każdym przypadku podejrzenia endogennego zespołu Cushinga należy zweryfikować oceną wydzielania kortyzolu, a w przypadku stwierdzenia hiperkortyzolemii ustalić jego etiologię z wykorzystaniem hormonalnych i obrazowych badań lokalizacyjnych.

Na **hiperkortyzolemię** wskazują:

- zwiększone dobowe wydalanie wolnego kortyzolu z moczem,
- brak zmniejszenia o 50% stężenia kortyzolu o godz. 18.00 w porównaniu do stężenia o godz. 9.00 oraz brak dalszego spadku kortyzolemii o godz. 24.00 (< 50 nmol/l),

Podejrzenie endogennego ZC
- Obecne objawy kliniczne ZC
- Ujemny wywiad co do stosowania GKS

Ocena wzrastania i masy ciała
(siatki wzrostowe i wagowe)

Przyspieszenie wzrastania*
Przyrost masy ciała**

Otyłość prosta

Zwolnienie wzrastania*
Przyrost masy ciała**

Podejrzenie ZC

Ocena wydzielania kortyzolu
- Wydalanie dobowe kortyzolu (3-krotnie)
- Skrócony rytm dobowy kortyzolemii
- Test nocny z DXM
- 2-dniowy test z DXM

Nieprawidłowe wyniki

Rozpoznanie ZC

Prawidłowe wyniki

Inne przyczyny
zwolnienia wzrastania

Badania lokalizacyjne
- Stężenie ACTH
- Test nocny z DXM
- 2-dniowy test z DXM

Zahamowane (< 10 ng/ml) ACTH
Brak supresji kortyzolemii***

ACTH-niezależny ZC

MR/TK nadnerczy

Guz nadnercza/
/nadnerczy

Brak zmian organicznych
lub rozsiane zmiany guzkowe

Rak/gruczolak

**PPNAD/zespół
McCune'a-Albrighta/
/AIMAH**

Usunięcie zajętego
nadnercza****

Usunięcie obu
nadnerczy****

Prawidłowe lub podwyższone (> 20 ng/ml) ACTH
Zmniejszenie kortyzolemii

ACTH-zależny ZC

Test z CRH

Brak wzrostu kortyzolemii
Brak wzrostu ACTH

Ektopiczny ZC

USG/MR/TK/scyntygrafia

Leczenie
w zależności od
lokalizacji
i rodzaju guza****

Wzrost kortyzolemii o ponad 20%
Wzrost ACTH o ponad 35%

Choroba Cushinga

MR przysadki

Mikrogruczolak/
/gruczolak

Brak zmian
organicznych

Selektywna przezklinowa
resekcja guza****

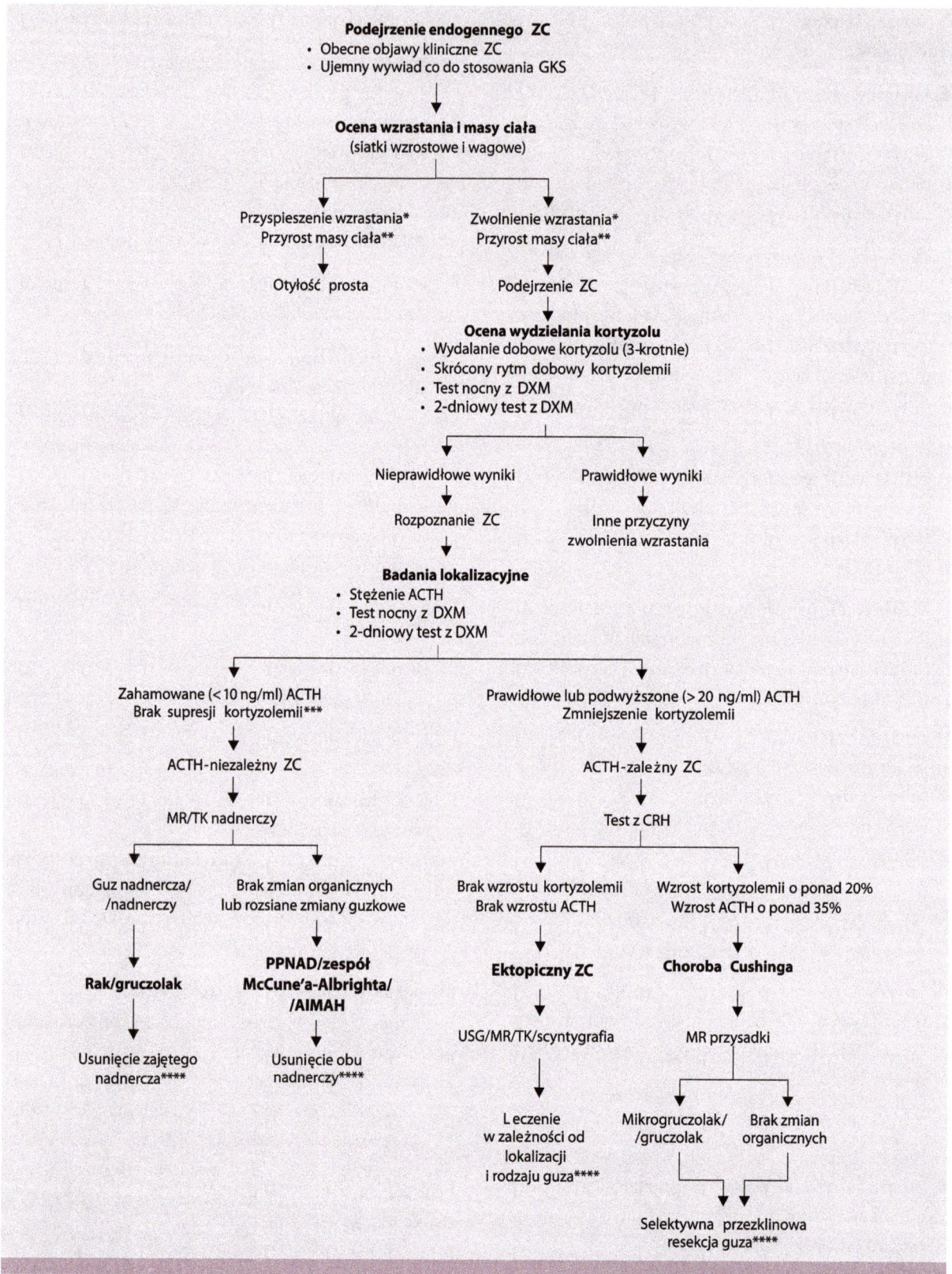

* nie musi spełniać kryteriów rozpoznania niskiego wzrostu (–2 SD)
** nie musi spełniać kryteriów rozpoznania otyłości (BMI –SD > 2 SD)
*** w PPNAD możliwy paradoksalny wzrost wydalania kortyzolu po DXM
**** po przygotowaniu farmakologicznym, w osłonie hydrokortyzonu *i.v.*

DXM – deksametazon
ZC – zespół Cushinga
GKS – glikokortykosteroidy

Rycina 17.11. Schemat diagnostyczno-leczniczy endogennego zespołu Cushinga.

■ brak hamowania wydzielania kortyzolu (< 50 nmol/l) w teście nocnym z deksametazonem (0,3 mg/m² pc., maks. 1 mg o 23.00) lub 2-dnio-wym z deksametazonem (8 dawek 0,5 mg co 6 godzin).

Trudności z wykazaniem hiperkortyzolemii wy-stępują w niektórych przypadkach zespołu Cushinga o subklinicznym przebiegu – pierwotna pigmentowa guzkowa choroba nadnerczy i choroba Cushinga. W tej pierwszej nie zawsze obserwuje się także supre-sję podstawowego stężenia ACTH, a w drugiej duże jego stężenie.

W badaniach obrazowych gruczolak przysadki wi-doczny jest tylko u połowy chorych (zwykle ma < 4 mm średnicy), a guzki w pierwotnej pigmentowej guzkowej chorobie nadnerczy w $^1/_3$ przypadków (ryc. 17.10c).

Trudności w różnicowaniu mogą sprawiać:

■ hiperkortyzolemia z zaznaczonymi niekiedy ce-chami cushingoidalnymi (depresja, zespoły lękowe i inne zaburzenia psychiatryczne, ciężka otyłość, oporność na glikokortykosteroidy, niewyrównana cukrzyca),
■ hiperkortyzolemia bez cech cushingoidalnych (stres wywołany hospitalizacją, zabiegiem chirur-gicznym, przewlekłym bólem, jadłowstrętem psy-chicznym czy nadmiernym wysiłkiem fizycznym).

Leczenie

W leczeniu **jatrogennego** zespołu Cushinga podsta-wowe znaczenie mają odstawienie lub zmniejszenie dawki glikokortykosteroidów i profilaktyka osteopo-rozy (podawanie witaminy D$_3$ i preparatów wapnia).

W **endogennym** zespole Cushinga metodą z wybo-ru jest leczenie operacyjne:

■ selektywne przezklinowe usunięcie gruczolaka przysadki (leczenie drugiego rzutu to radioterapia celowana na przysadkę),
■ adrenalektomia jednostronna w przypadku zajęcia przez guz jednego nadnercza (przy podejrzeniu raka usuwa się ponadto okoliczne węzły chłonne i przerzuty, a gdy zabieg jest nieradykalny włącza się mitotan),
■ usunięcie obu nadnerczy w rozrostach guzkowych (często rozpoznanie pierwotnej pigmentowej guz-kowej choroby nadnerczy stawia się dopiero w cza-

sie zabiegu operacyjnego na podstawie widocznych makroskopowo w nadnerczach licznych guzków o brunatnym zabarwieniu) (ryc. 17.10d).
■ usunięcie guza wydzielającego ektopowo ACTH//CRH (w przypadku trudności w ustaleniu lokali-zacji guza lub jego rozsianego charakteru stosuje się leczenie zachowawcze).

Usunięcia wymaga także każdy guz nadnercza stwierdzony przypadkowo. 30% guzów nadnercza, które spełniają przyjęte u dorosłych kryteria rozpo-znania incidentaloma okazuje się guzami złośliwymi, w większości przypadków neuroblastoma. Biopsja guza jest przeciwwskazana.

Obowiązuje **przygotowanie przedoperacyjne:**

■ obniżenie stężenia kortyzolu lekami hamującymi steroidogenezę (metyrapon, ketokonazol),
■ opanowanie nadciśnienia tętniczego i cukrzycy,
■ zapobieganie przełomowi nadnerczowemu w okre-sie okołooperacyjnym przez stosowanie hydrokor-tyzonu (zahamowanie przez hiperkortyzolemię osi nadnerczowej, a u chorych z jednostronnym guzem nadnerczy także przeciwległego nadnercza).

U chorych **po leczeniu mikrogruczolaka** przysadki należy kontrolować:

■ radykalność zabiegu (stężenie kortyzolu < 50 nmol//l),
■ wzrastanie,
■ rezerwę przysadkową dla GH, LH i FSH,
■ stężenia TSH i fT4.

Należy prowadzić leczenie wykazanych deficytów hormonalnych. W zależności od postaci zespołu Cu-shinga obowiązuje okresowa kontrola neurochirur-giczna lub onkologiczna.

Powikłania

W zespole McCune'a–Albrighta i w rakach kory nad-nerczy znaczna hiperkortyzolemia i nadciśnienie tęt-nicze mogą być objawami zagrażającymi życiu. Dłu-gotrwała nawet miernie nasilona hiperkortyzolemia stanowi przyczynę osteoporozy, złamań kompresyj-nych kręgów, zaburzeń tolerancji glukozy i dyslipide-mii oraz zakażeń. U chorych po leczeniu gruczolaka przysadki często występuje niedobór GH, rzadziej TSH oraz LH i FSH, utrzymuje się niedobór wzrostu (średnio – 1 SD) pomimo substytucji rhGH oraz nad-waga (średnio BMI + 1 SD).

Rokowanie

Ogólna przeżywalność chorych po leczeniu raka kory nadnerczy wynosi średnio 46%. Jest większa po radykalnym usunięciu guza (67%) zwłaszcza u dzieci < 2. rż. (83%). Rokowanie pogarsza pojawienie się kolejnych objawów towarzyszących zespołom genetycznym.

Trwałe ustąpienie hiperkortyzolemii przy zachowanej czynności hormonalnej pozostałego miąższu przysadki uzyskuje się, w zależności od ośrodka, u 45–78% chorych operowanych i u 92% pacjentów po radioterapii. Gęstość mineralna kości ulega samoistnej normalizacji.

17.6.3

Przewlekła niedoczynność kory nadnerczy (choroba Addisona)

łac. *morbus Addisoni*

ang. chronic adrenal insufficiency (Addison disease)

Definicja

Zespół objawów klinicznych wynikający z długotrwałego niedoboru hormonów kory nadnerczy, głównie kortyzolu, związany z bezpośrednim uszkodzeniem nadnerczy lub niedoborem ACTH.

Przełom nadnerczowy (ostra niedoczynność kory nadnerczy) to zespół zagrażających życiu objawów klinicznych spowodowany gwałtownie rozwijającym się niedoborem kortyzolu z jednoczesnym niedoborem aldosteronu lub bez niego. Spowodowany jest najczęściej zaostrzeniem przewlekłej niedoczynności kory nadnerczy.

Epidemiologia

Najczęstszą przyczyną przewlekłej niedoczynności kory nadnerczy jest uszkodzenie lub dysfunkcja hormonalna kory nadnerczy (**pierwotna niedoczynność kory nadnerczy**) spowodowana wrodzonym przerostem nadnerczy (1 : 15 000 w populacji ogólnej) (patrz rozdz. 17.12.3 „Wrodzony przerost nadnerczy"). 5 razy rzadziej występuje autoimmunizacyjna niedoczynność kory nadnerczy izolowana lub stanowiąca składową poliendokrynopatii, która rozwija się po 10. rż. (tab. 17.6). Kolejną przyczynę stanowi adrenoleukodystrofia, występująca tylko u chłopców (1 : 20 000).

Od ok. 4. rż. zaczyna dominować **wtórna niedoczynność kory nadnerczy** spowodowana niedoborem ACTH w wyniku najczęściej długotrwałego (przekraczającego 2 tygodnie) miejscowego lub ogólnego stosowania glikokortykosteroidów, zwłaszcza o przedłużonym działaniu.

Etiologia i patogeneza

Patrz rozdz. 17.11 „Poliendokrynopatie" i 17.12.3 „Wrodzony przerost nadnerczy".

Obraz kliniczny

Przewlekła niedoczynność kory nadnerczy rozwija się stopniowo. Początkowo występują mało charakterystyczne, jednak niezwykle ważne dla rozpoznania, objawy:

- postępujące osłabienie,
- brak łaknienia,
- utrata lub brak przyrostu masy ciała,
- apatia, depresja,
- obniżone ciśnienie tętnicze i/lub omdlenia ortostatyczne,
- bóle brzucha,
- bóle kostno-stawowe,
- bóle głowy.

Później pojawiają się bardziej specyficzne:

- nudności i wymioty,
- wybiórczy apetyt na potrawy słone i kwaśne (narastające cechy zespołu utraty soli),
- coraz wyraźniejsza hiperpigmentacja skóry z ciemnieniem blizn i śluzówek jamy ustnej.

We wtórnej niedoczynności kory nadnerczy występują:

- jasna karnacja skóry wywołana utratą melaniny (niedobór ACTH i MSH),
- często niski wzrost (niedobór GH i T4 w wielohormonalnej niedoczynności przysadki).

Dla obu postaci niedoczynności kory nadnerczy charakterystyczne są:

- objawy hipoglikemii, łącznie z drgawkami, częściej u chorych z wtórną niedoczynnością kory nadnerczy (niedobór jednocześnie kortyzolu i GH),
- brak rozwoju owłosienia łonowego i pachowego (niedobór androgenów nadnerczowych),
- opóźnienie fizjologicznego dojrzewania.

Często przewlekła niedoczynność kory nadnerczy rozpoznawana jest dopiero wtedy, gdy wystąpi **przełom nadnerczowy** wywołany zakażeniem, urazem lub inną chorobą.

U chorych z adrenoleukodystrofią różne objawy kliniczne, często odmienne u członków tej samej rodziny, powoduje nagromadzenie kwasów tłuszczowych o bardzo długich łańcuchach (very long chain fatty acids, VLCFA) w istocie białej mózgu, korze nadnerczy i gonadach.

Przebieg naturalny

W autoimmunizacyjnej przewlekłej niedoczynności kory nadnerczy objawy nasilają się z czasem i nieleczone prowadzą do wstrząsu i zgonu chorego. We wrodzonym przeroście nadnerczy niedoczynność kory nadnerczy ma lżejszy charakter – przełomy nadnerczowe i zgony zdarzają się u chorych z zespołem utraty soli. U chłopców z niedoborem 11-β-hydroksylazy (11βOH) lub z niedoborem 21-hydroksylazy (21OH) bez zespołu utraty soli choroba rozpoznawana jest często dopiero w wieku 3–7 lat, gdy wyraźnie widać objawy rzekomego przedwczesnego dojrzewania. U tych pacjentów nie występuje fizjologiczne dojrzewanie (hamowanie osi podwzgórze–przysadka––gonady przez nadmiar androgenów nadnerczowych) (patrz rozdz. 17.3.3 „Hipogonadyzm"). U chorych z niedoborem 21-hydroksylazy pod wpływem podwyższonego stężenia ACTH rozwijają się nieczynne hormonalnie gruczolaki nadnerczy i guzy jąder z resztkowej tkanki nadnerczowej. Niedobór katecholamin może prowadzić do wystąpienia hiperinsulinemii, oporności na insulinę, nadwagi/otyłości i zespołu metabolicznego.

Metody diagnostyczne i różnicowanie

U każdego dziecka z podejrzeniem przewlekłej niedoczynności kory nadnerczy należy wykonać badania: jonogram, gazometria, morfologia krwi obwodowej, stężenie glukozy, kortyzolu rano, aldosteronu i ACTH we krwi, aktywność reninowa osocza, stężenie przeciwciał przeciw korze nadnerczy i/lub 21OH oraz wydalanie jonów z moczem. Ocena wydalania kortyzolu z moczem nie ma zastosowania z uwagi na niedostateczną czułość komercyjnych zestawów w zakresie małych stężeń kortyzolu. Rozpoznanie wrodzonego przerostu nadnerczy opiera się na wykazaniu charakterystycznych dla bloków enzymatycznych zwiększonych stężeń metabolitów przed blokiem.

Objawy laboratoryjne **pierwotnej przewlekłej niedoczynności kory nadnerczy**:

- wzrost aktywności reninowej osocza przy obniżonym stężeniu aldosteronu – czuły i wczesny objaw,

- hiponatremia, hipochloremia,
- hiperkaliemia (zwiększona utrata Na i retencja K w nerkach),
- kwasica metaboliczna,
- wzrost stężenia ACTH (> 70 pg/ml),
- spadek stężenia kortyzolu w surowicy krwi (< 18 µg/dl, < 500 nmol/l),
- wzrost stężenia kortyzolu mniejszy niż 7 µg/dl (195 nmol/l) w surowicy w 30–60 minut po stymulacji biosyntetycznym 1–24-ACTH (250 µg *i.v.* w bolusie) – potwierdzenie rozpoznania,
- dwukrotny lub większy wzrost stężenia ACTH przy stężeniu kortyzolu nieprzekraczającym 18––20 µg/dl w 15–30 minut po stymulacji CRH (1 µg/kg mc. *i.v.*).

We **wtórnej przewlekłej niedoczynności kory nadnerczy** nie stwierdza się hiperkaliemii, ponieważ wydzielanie aldosteronu jest prawidłowe, ale występują:

- hiponatremia – niespowodowana niedoborem aldosteronu, lecz retencją wody pod wpływem nadmiaru ADH (brak hamowania ADH przez kortyzol),
- obniżone stężenie ACTH,
- spadek stężenia kortyzolu w surowicy krwi (często < 3 µg/dl),
- wzrost stężenia kortyzolu po stymulacji glukagonem mniejszy niż < 8 µg/dl,
- mniejszy od 2-krotnego wzrost stężenia ACTH po stymulacji CRH.

Prawidłowy przyrost stężenia kortyzolu (> 7 µg/dl) oraz prawidłowe stężenie kortyzolu (≥ 18 µg/dl, ≥ 500 nmol/l) nie wykluczają rozpoznania wtórnej niedoczynności kory nadnerczy. Przy jej podejrzeniu obowiązuje ocena wszystkich osi hormonalnych i działania ADH, a także wykonanie MR okolicy podwzgórzowo-przysadkowej.

Na rozpoznanie autoimmunizacyjnej przewlekłej niedoczynności nadnerczy wskazuje podwyższone stężenie we krwi autoprzeciwciał przeciw 21OH lub korze nadnerczy oraz występowanie innych chorób autoimmunizacyjnych (patrz rozdz. 17.11 „Poliendokrynopatie").

Na rozpoznanie adrenoleukodystrofii wskazują obecność w osoczu VLCFA, stwierdzenie zmian w obrębie OUN w MR i wykazanie mutacji genu *ABCD1*.

Diagnostykę wrodzonego przerostu nadnerczy przedstawiono w rozdziale 17.12.3 „Wrodzony przerost nadnerczy".

Leczenie

W **pierwotnej niedoczynności kory nadnerczy** lekiem z wyboru jest hydrokortyzon podawany w dawce substytucyjnej 10–15 mg/m^2 pc./dobę w 3 dawkach podzielonych wraz z fludrokortyzonem w jednej dawce 0,05–0,15 mg/dobę *p.o.*

We **wtórnej niedoczynności kory nadnerczy** stosuje się sam hydrokortyzon w mniejszej dawce, tj. 8–10 mg/m^2 pc./dobę.

Dawki hydrokortyzonu powinny być wystarczająco duże, aby:

- spowodować ustąpienie klinicznych i biochemicznych objawów niedoczynności nadnerczy,
- u chorych z pierwotną niedoczynnością kory nadnerczy wywołać częściową normalizację stężenia ACTH i aktywności reninowej osocza (w granicach górnego zakresu normy),
- u chorych z wrodzonym przerostem nadnerczy normalizować wzrastanie i zaburzenia hormonalne.

Co 3–6 miesięcy należy oceniać wzrastanie, masę ciała, rozwój płciowy oraz stężenie markerów hormonalnych w surowicy i w moczu. Fludrokortyzon stosuje się pod kontrolą aktywności reninowej osocza i ciśnienia tętniczego.

W przypadku choroby gorączkowej, zakażenia, mniejszych urazów lub zabiegów, zwiększonego wysiłku fizycznego, nadmiernej ekspozycji na ciepło i stresu psychicznego doustną dawkę hydrokortyzonu pacjenci/opiekunowie powinni samodzielnie zwiększyć 3–4-krotnie na okres 1–2 dni.

W razie wymiotów, ciężkich chorób, urazów, ogólnego znieczulenia i zabiegów operacyjnych należy podać hydrokortyzon w dożylnym bolusie 100 mg//m^2 pc., a następnie taką samą dawkę w 3–4 dawkach podzielonych/dobę. W kolejnych dobach dawkę należy zmniejszać o 50% do uzyskania dawki substytucyjnej.

W sytuacjach stresu we wtórnej niedoczynności kory nadnerczy dawkę hydrokortyzonu należy zwiększyć 2–3-krotnie.

Leczenie przełomu nadnerczowego przedstawiono w rozdziale 17.12.3 „Wrodzony przerost nadnerczy".

Powikłania

- Stres i/lub nagłe przerwanie przewlekłej kortykoterapii wywołuje zaostrzenie przewlekłej niedoczynności kory nadnerczy, a w skrajnych przypadkach jest przyczyną zgonu.
- Zbyt duża dawka fludrokortyzonu może skutkować znacznym nadciśnieniem tętniczym.
- Zbyt duża dawka hydrokortyzonu powoduje rozwój jatrogennego zespołu Cushinga z zahamowaniem wzrastania (niski wzrost końcowy).
- Zbyt mała dawka hydrokortyzonu wywołuje u chorych z wrodzonym przerostem nadnerczy hiperandrogenizację z przyspieszeniem wzrastania i dojrzałości kostnej (niski wzrost końcowy), zahamowaniem osi gonadalnej oraz rozwój guzów nadnerczy i jąder (w związku ze wzrostem stężenia ACTH).

Rokowanie

Przewlekła niedoczynność kory nadnerczy nadal zostaje zbyt późno rozpoznana, często dopiero po wystąpieniu przełomu nadnerczowego, dlatego wciąż stanowi przyczynę zgonów u dzieci i młodzieży.

U leczonych chorych z przewlekłą niedoczynnością kory nadnerczy (pierwotną i wtórną) śmiertelność jest 4–5 razy większa niż w populacji ogólnej, głównie z powodu hipoglikemii i/lub przełomu nadnerczowego.

17.7
Jerzy Starzyk
CHOROBY RDZENIA NADNERCZY

17.7.1
Zagadnienia ogólne

Rdzeń nadnerczy i zwoje współczulne rozwijają się z mezodermy. Wydzielają katecholaminy – adrenalinę, noradrenalinę i dopaminę. **Nadmiar katecholamin** wywołuje nadciśnienie tętnicze i inne objawy guza chromochłonnego. Niedobór katecholamin nie powoduje jawnych objawów (poza sugerowanym we wrodzonym przeroście nadnerczy rozwojem zespołu metabolicznego), na co wskazują obserwacje u pacjentów z zespołem wrodzonego niedoboru katecholamin.

W diagnostyce guza chromochłonnego decydujące znaczenie ma oznaczanie metanefryn w dobowej zbiórce moczu lub w surowicy krwi, które są metabolitami katecholamin wytwarzanymi wewnątrz guza i wydzielanymi niezależnie od katecholamin. Natomiast katecholaminy mogą być wydzielane cyklicznie lub okresowo i to w małych ilościach.

17.7.2

Guz chromochłonny

łac. *pheochromocytoma*

ang. pheochromocytoma

Definicja

Nowotwór wywodzący się z neuroektodermy grzebienia nerwowego rdzenia nadnerczy, zwojów i splotów przykręgowych oraz ciałek przywojowych, który wydziela katecholaminy i jest przyczyną nadciśnienia tętniczego. Guz chromochłonny o pozanadnerczowej lokalizacji określany jest także terminem przywojak – współczulny, wydzielający katecholaminy, lub przywspółczulny, zwłaszcza głowy i szyi, który ich nie wydziela.

Epidemiologia

Guz chromochłonny występuje z częstością 2 : 1 000 000 w populacji ogólnej. Rozpoznawany jest najczęściej u osób w wieku ok. 40 lat, w $^1/_5$ przypadków u dzieci i młodzieży, zwykle między 5. a 10. rż. Przeważnie lokalizuje się w jednym nadnerczu, w 25–34% przypadków obustronnie, a w 8–22% poza nadnerczami – wzdłuż aorty, w okolicy nerek, pęcherza moczowego, gruczołu krokowego, powrózka nasiennego czy wątroby, a także rzadko nadprzeponowo wzdłuż aorty oraz w obrębie serca, szyi czy podstawy czaszki. U 12–56% pacjentów ma charakter złośliwy, na co wskazuje obecność tkanki chromochłonnej (przerzutów) w nietypowej lokalizacji (węzły chłonne, wątroba, płuca, i/lub kości). Guz chromochłonny jest przyczyną 1–1,7% przypadków nadciśnienia tętniczego u dzieci.

Etiologia i patogeneza

U dzieci i młodzieży prawie 60% przypadków ma charakter rodzinny i stanowi składową:

- zespołu von Hippla–Lindaua (mutacja genu *VHL*) – naczyniak siatkówki, naczyniak krwionośny zarodkowy OUN, złośliwe guzy nerek i trzustki,
- MEN2A lub MEN2B (patrz rozdz. 17.2.3 „Wysoki wzrost" i 17.5.5 „Wole guzkowe i rak tarczycy"),
- rodzinnych zespołów przywojaka typu 1 i 3 (odpowiednio mutacja genu *SDHD* i *SDHB*),

- neurofibromatozy typu 1 (mutacja genu *NF1*) (patrz rozdz. 17.3.2 „Przedwczesne dojrzewanie"),
- stwardnienia guzowatego – łagodne guzy OUN, skóry, nerek i płuc,
- zespołu Sturge'a–Webera – naczyniak krwionośny twarzy, opon miękkich mózgu, jaskra, padaczka.

Uważa się, że za rozwój guza chromochłonnego odpowiada przewlekłe niedotlenienie komórek. Wskazuje na to częsty rozwój przyzwojaka kłębka szyjnego u chorych z hipoksją oraz guza chromochłonnego u chorych z mutacjami genów *SDHD*, *SDHB* i *VHL*, których zmutowany produkt białkowy jest wewnątrzkomórkowym sygnałem hipoksji aktywującym zależne od niej geny.

Obraz kliniczny

Wydzielane przez guz chromochłonny katecholaminy, wraz z polipeptydami, takimi jak enkefaliny, somatostatyna, kalcytonina, oksytocyna, ADH, insulina, ACTH i VIP, wywołują w zależności od ich stężenia różnorodne objawy:

- nadciśnienie tętnicze (u 63% dzieci ma charakter utrwalony) – od postaci łagodnej do najcięższej powikłanej przełomem nadciśnieniowym,
- bóle głowy,
- zlewne poty,
- zblednięcie, a następnie zaczerwienienie,
- uczucie kołatania serca, zaburzenia rytmu serca,
- nieostre widzenie,
- omdlenia,
- napady lęku,
- drżenia mięśniowe,
- biegunka,
- niedokrwienie jelit i porażenie perystaltyki,
- utrata masy ciała,
- poliuria i polidypsja.

Mogą występować ponadto objawy różnych zespołów chorobowych.

Przebieg naturalny

Nieleczony guz chromochłonny prowadzi w zależności od czasu trwania nadciśnienia i stopnia jego nasilenia do rozwoju narządowych powikłań nadciśnienia, udaru mózgu, przełomu nadciśnieniowego i zgonu, a w postaciach złośliwych do jego rozsiewu najczęściej do okolicznych węzłów chłonnych, wątroby i płuc.

Metody diagnostyczne i różnicowanie

W zależności od ilości wydzielanych katecholamin, wrażliwości na nie poszczególnych chorych oraz dynamiki wzrostu nowotworu, guz chromochłonny jest rozpoznawany z powodu:

- **nadciśnienia tętniczego** (ciśnienie skurczowe i/lub rozkurczowe ≥ + 2 SD) – najczęściej,
- **objawów guza w jamie brzusznej** – rzadziej,
- **przypadkowo wykrytego guza** nadnerczy w badaniu obrazowym (ok. 30% przypadków),
- obecności **objawów zespołów**, w których występuje guz chromochłonny.

Na obecność guza chromochłonnego wskazywać mogą także hipokaliemia, hiperglikemia (stwierdzana także w nadczynności tarczycy) i zwiększone stężenie chromograniny A (również w niewydzielającej katecholamin SDHB-paraganglioma i innych guzach neuroendokrynnych).

Podejrzenie guza chromochłonnego należy potwierdzić wykazaniem zwiększonego wydalania (zwykle 4-krotnie powyżej wartości referencyjnej) **metanefryn** (normetanefryna i metanefryna) w dobowej zbiórce moczu (95% czułość). Rozpoznanie wyklucza uzyskanie co najmniej 2-krotnie prawidłowego wyniku oznaczeń metanefryn. Jeszcze bardziej czułym i specyficznym badaniem jest oznaczanie wolnych metanefryn w osoczu krwi metodą GC-MS. Przed badaniem należy odstawić leki (acetaminofen, trójpierścieniowe leki antydepresyjne, fenoksybenzamina), które wpływają na wynik. Dietę zaleca się jedynie przy podejrzeniu guzów produkujących dopaminę.

Kolejnym etapem diagnostycznym jest **uwidocznienie guza i potencjalnych przerzutów** przy zastosowaniu:

- MR całego ciała (kontrast jonowy w TK może wywołać przełom nadciśnieniowy),
- scyntygrafii całego ciała z zastosowaniem metajodobenzyloguanidyny (MIBG) znakowanej ^{123}I – znacznik gromadzi się także w sercu, śliniankach, wątrobie, śledzionie i w drogach moczowych, jego wychwyt zmieniają blokery kanału wapniowego i labetalol (ryc. 17.12),
- PET z dopaminą znakowaną ^{18}F (^{18}F-DOPA), która ujawnia małe zmiany niewidoczne w scyntygrafii MIBG – mniejszy jest wychwyt znacznika przez zdrowe tkanki, nie interferuje on z lekami,
- FDG-PET z glukozą znakowaną ^{18}F, która ujawnia guzy o zwiększonym metabolizmie niewychwytujące MIBG (5–10% guzów chromochłonnych).

W przypadku guza przestrzeni pozaotrzewnowej rozpoznanego palpacyjnie lub przypadkowo przebiegającego bez nadciśnienia lub z miernie nasilonym nadciśnieniem należy brać pod uwagę neuroblastoma, w którym leczenie jest odmienne od postępowania w guzie chromochłonnym. Na rozpoznanie **neuroblastoma** wskazuje zwiększone wydalanie kwasu wanilinomigdałowego i 4-hydroksy-3-metoksymigdałowego w moczu, wzrost stężenia neurospecyficznej α-enolazy, dehydrogenazy mleczanowej i kwasu moczowego w surowicy krwi oraz obecność neuroblastów w szpiku.

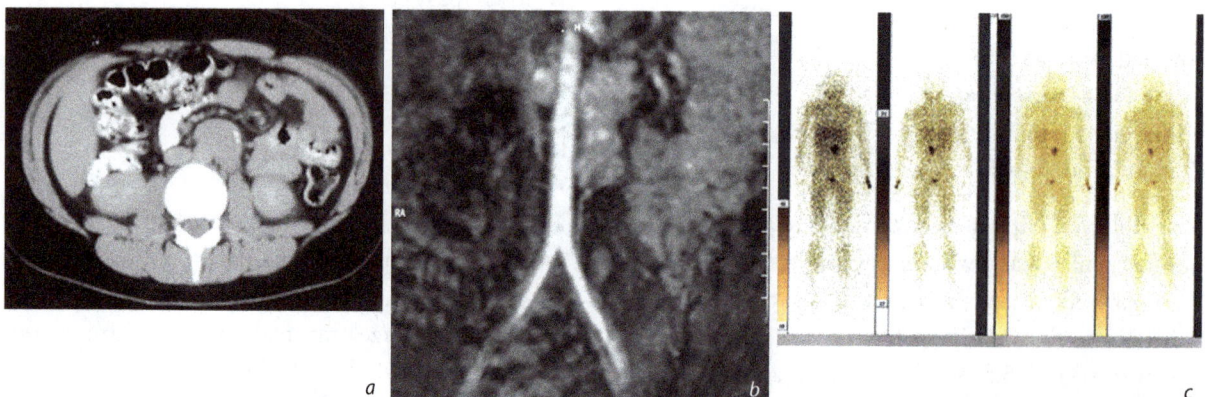

Rycina 17.12. Badania obrazowe u 13-letniego chłopca z pozanadnerczowym guzem chromochłonnym w okolicy rozwidlenia aorty (zwoju Zuckerlanda): (a) TK; (b) angio-MR; (c) scyntygrafia ^{131}I-MIBG całego ciała.

Leczenie

W okresie przedooperacyjnym obowiązuje 1–2-tygodniowe stosowanie **blokera α-adrenergicznego** (fenoksybenzaminy) w celu normalizacji ciśnienia tętniczego krwi i zapobiegania wystąpieniu przełomu nadciśnieniowego w wyniku gwałtownego wyrzutu katecholamin w czasie znieczulenia i zabiegu. Po uzyskaniu blokady α-adrenergicznej należy dołączyć **β-bloker**, który zahamuje odruchową tachykardię (wprowadzenie go wcześniej powoduje nasilenie objawów α-adrenergicznych).

Metodą z wyboru jest **jednoczasowe laparoskopowe usunięcie zmiany** w nadnerczu/nadnerczach i zmian pozanadnerczowych. Przy współistnieniu guza chromochłonnego z innymi guzami w pierwszej kolejności należy usunąć ten pierwszy (ryzyko wystąpienia przełomu nadciśnieniowego). W trakcie zabiegu podaje się dożylne preparaty krótkodziałające, takie jak fentolamina i esmolol. W przypadku operacji guza chromochłonnego o lokalizacji w obu nadnerczach należy włączyć w okresie operacji hydrokortyzon w dawce 100 mg/m² pc., a następnie w dawkach substytucyjnych wraz z fludrokortyzonem (ryzyko wystąpienia przełomu nadnerczowego).

Obowiązuje **wieloletnie monitorowanie chorych** po operacji guza chromochłonnego, a także pacjentów z mutacją predysponującą do rozwoju guza chromochłonnego, polegające na oznaczaniu wydalania metanefryn i ocenie stężenia chromograniny A oraz badaniach MR. W przypadkach nieoperacyjnych stosuje się ^{131}I-MIBG, cyklofosfamid, winkrystynę i dakarbazynę.

Powikłania

Nierozpoznany guz chromochłonny stanowi poważne zagrożenie dla życia (przełom nadciśnieniowy, kardiomiopatia, zapalenie trzustki, udar mózgu, drgawki, niewydolność wielonarządowa, śmierć). Wykonanie zabiegu chirurgicznego w przypadku nierozpoznania tego guza lub nieprawidłowego prowadzenia farmakologicznego w okresie okołooperacyjnym kończy się zgonem u 50% pacjentów.

Rokowanie

Zależy od czasu rozpoznania oraz sposobu leczenia. W postaciach złośliwych 5-letnie przeżycie wynosi 78%, a 10-letnie 31%.

17.8
Jerzy Starzyk, Małgorzata Wójcik
CHOROBY PRZYTARCZYC

17.8.1
Zagadnienia ogólne

U ok. 90% ludzi występują cztery przytarczyce położone na tylnej powierzchni tarczycy w okolicy jej górnych i dolnych biegunów. W niektórych przypadkach liczba przytarczyc może być większa, a ich lokalizacja nietypowa, np. w tarczycy, grasicy, worku osierdziowym lub śródpiersiu. Przytarczyce górne rozwijają się z 4., a dolne z 3. kieszonki skrzelowej ok. 6 tygodni po zapłodnieniu. Przytarczyce są miejscem syntezy parathormonu (PTH), polipeptydu złożonego z 84 aminokwasów, którego N-końcowy fragment, działając poprzez receptor związany z białkiem G, utrzymuje równowagę wapniowo-fosforową. W nerkach zwiększa syntezę $1,25(OH)_2D$ i razem z nią powoduje zwiększenie wchłaniania Ca i zmniejszenie wchłaniania P w cewkach dalszych, wzrost wchłaniania Ca i P w proksymalnym odcinku jelita cienkiego, stymulację aktywności osteoblastów i osteoklastów w kościach oraz nasilenie osteolizy. Wypadkową działania PTH jest wzrost stężenia Ca i obniżenie stężenia P we krwi.

Wydzielanie PTH zależy przede wszystkim od stężenia Ca zjonizowanego (Ca^{2+}), który stanowi 40––60% Ca całkowitego w surowicy krwi (pulę magazynową stanowi Ca związany z albuminami oraz anionami fosforanowymi, cytrynianowymi i wodorowęglanowymi). W przytarczycach występują receptory wrażliwe na stężenie Ca (calcium sensing receptors, CaSR). Zmniejszenie lub zwiększenie stężenia Ca^{2+} poza jego wartości nastawcze, tj. 1,12–1,23 mmol/l powoduje zmianę ilości wydzielanego PTH. Sekrecję PTH zwiększa także hiperfosfatemia, a zmniejszają $1,25(OH)_2D$ oraz hipo- i hipermagnezemia. Na regulację równowagi Ca-P i pośrednio wydzielanie PTH mają też wpływ fosfatoniny, zwłaszcza czynnik wzrostu fibroblastów 23 (FGF23).

17.8.2

Niedoczynność przytarczyc

łac. *hypoparathyroidismus*

ang. hypoparathyroidism

Definicja

Zespół objawów klinicznych, w których dominuje hipokalcemia, wywołany niedostatecznym wydzielaniem PTH przez przytarczyce.

Epidemiologia

Najczęściej stanowi element zespołów, rzadko ma charakter izolowany. Wrodzona niedoczynność przytarczyc ujawnia się zwykle w okresie noworodkowym/niemowlęcym, nabyta w późniejszych latach życia.

Etiologia i patogeneza

Wrodzona niedoczynność przytarczyc może być spowodowana rodzinną dziedziczoną (autosomalnie recesywną, autosomalnie dominującą lub sprzężoną z chromosomem X) lub sporadyczną agenezją tych gruczołów, albo zaburzeniami syntezy i wydzielania PTH. Częściej stanowi składową zespołów genetycznych, z których najczęstszy (1–5 : 10 000) jest zespół DiGeorge'a spowodowany delecją 22q11.2 (aplazja/ /hipoplazja grasicy, niedobór odporności komórkowej, wady serca i dużych naczyń, rozszczep podniebienia, małożuchwie).

Nabyta niedoczynność przytarczyc u dzieci może być spowodowana przez zniszczenie gruczołów w wyniku autoimmunizacji (patrz rozdz. 17.11 „Poliendokrynopatie"), spichrzania żelaza (hemochromatoza), miedzi (choroba Wilsona) lub amyloidu, napromieniania szyi albo niezamierzonego usunięcia przytarczyc podczas operacji tarczycy.

Obraz kliniczny

W większości przypadków niedoczynność przytarczyc przebiega bez wyraźnych objawów klinicznych, a chorzy wykazują znacznego stopnia adaptację do niskich stężeń Ca w surowicy (nawet do 1,2 mmol/l). Zwykle jednak **objawy tężyczki występują przy stężeniu Ca ⩽ 1,8 mmol/l.**

Dla długotrwałego procesu charakterystyczne są zwapnienia w tkankach miękkich, szczególnie w jądrach podkorowych mózgu, nerkach i skórze, a także zmiany troficzne w tkankach pochodzenia ektodermalnego: suchość skóry, łamliwość włosów i rzęs, bruzdkowanie poprzeczne paznokci, ubytki szkliwa (punkcikowate lub pierścieniowate), zaćma.

Wskaźnikiem ryzyka powstawania zwapnień w tkankach miękkich jest zwiększenie > 60 wartości iloczynu Ca-P (Ca surowica krwi × PO_4 surowica krwi $[mg^2/dl^2]$).

W przypadku dekompensacji związanej z gwałtownym zmniejszeniem stężenia Ca i/lub Mg pojawia się tężyczka lub jej równoważniki. Ich wystąpienie prowokuje też alkaloza (np. w wyniku hiperwentylacji), która skutkuje obniżeniem stężenia Ca^{2+}.

Początkowo najczęściej występują objawy **tężyczki utajonej**, a następnie **jawnej** (napad tężyczkowy). Te ostatnie to bolesne drętwienie i skurcze toniczne mięśni rozpoczynające się od dystalnych części kończyn górnych i dolnych, postępujące dośrodkowo, a w dalszej kolejności obejmujące również twarz i tułów. Objawy mogą przypominać uogólniony napad padaczkowy, jednakże przy zachowanej świadomości chorego.

Do objawów **tężyczki jawnej** należą także niecharakterystyczne objawy związane ze zwiększoną pobudliwością nerwowo-mięśniową, zwane **równoważnikami tężyczki:**

- tachykardia,
- podwójne widzenie,
- skurcz powiek,
- skurcz krtani (objawy sugerujące ostre podgłośniowe zapalenie krtani),
- skurcz oskrzeli (objawy sugerujące zaostrzenie astmy lub obturacyjne zapalenie oskrzeli),
- bóle brzucha,
- bóle głowy (objawy rzekomomigrenowe),
- krótkotrwała utrata przytomności,
- ból za mostkiem (skurcz tętnic wieńcowych),
- rzekomy zespół Reynauda,
- u noworodków i niemowląt ponadto:
  - bezdechy,
  - trudności w karmieniu i/lub wymioty,
  - hipotonia.

W EKG obserwuje się zaburzenia rytmu serca i wydłużenie odstępu QT.

Przebieg naturalny

Ostra hipokalcemia jest stanem zagrożenia życia, nieleczona prowadzi do śmierci. Przewlekła hipokalcemia w przebiegu niedoczynności przytarczyc prowadzi do demineralizacji kości oraz powstawania zwapnień w tkankach miękkich powodujących

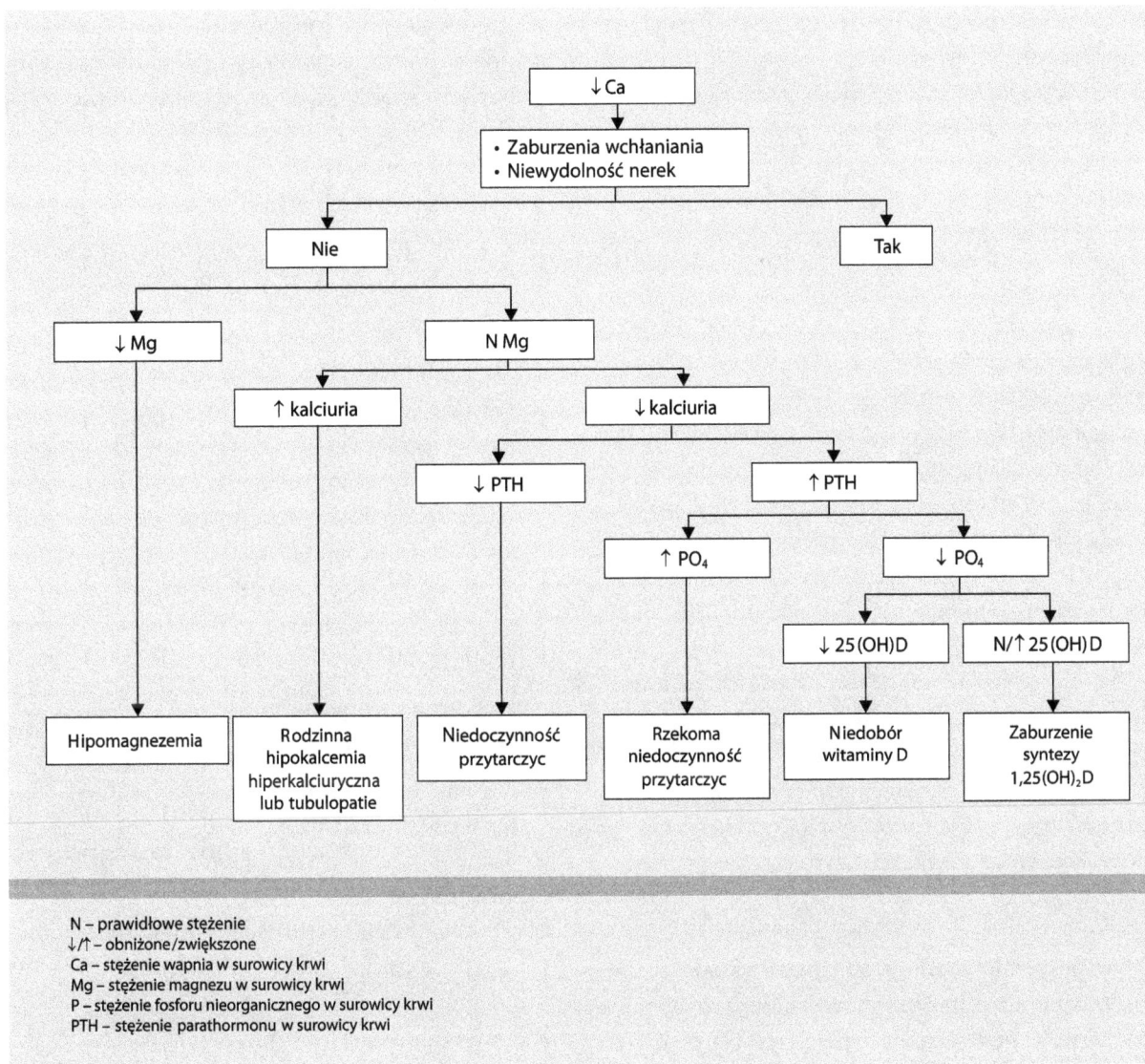

Rycina 17.13. Algorytm diagnostyczny w hipokalcemii.

uszkodzenie życiowo ważnych narządów, zwłaszcza nerek i mózgu.

Metody diagnostyczne i różnicowanie

W diagnostyce niedoczynności przytarczyc podstawowe znaczenie ma wykazanie **hipokalcemii** (ryc. 17.13). Konieczna jest korekcja wyniku oznaczenia stężenia Ca całkowitego w zależności od stężenia albuminy. Wzrost albuminemii o każde 10 g/l powyżej 40 g/l zwiększa stężenie Ca całkowitego o 0,2 mmol/l i na odwrót. Stężenie Ca^{2+} zależy z kolei od pH krwi – zwiększa się w kwasicy, a maleje w alkalozie (zmiana pH o 0,1 powoduje zmianę stężenia Ca^{2+} o 0,03––0,05 mmol/l).

Stężenie P jest podwyższone. Interpretację jego stężenia utrudnia jednak zmieniający się w trakcie ży-

cia zakres wartości referencyjnych stężenia P, które osiąga najwyższe wartości w okresach intensywnego wzrastania (okres noworodkowy, niemowlęcy). Dla celów diagnostycznych wylicza się procentową **reabsorpcję fosforanów w cewkach nerkowych** (tubular reabsorption of phosphate, TRP).

$$TRP = 1 - (PO_4 \text{ mocz} \times \text{kreatynina surowica krwi})/(PO_4 \text{ surowica krwi} \times \text{kreatynina mocz})$$

Rozpoznawanie zaburzeń gospodarki Ca-P na podstawie badań laboratoryjnych:

■ spadek stężenia Ca przy wzroście stężenia P – brak działania PTH (bezwzględny niedobór lub oporność receptorowa),

- obniżone stężenie PTH i wzrost TRP (> 95%) – niedoczynność przytarczyc,
- spadek stężenia Ca przy zwiększeniu stężenia P i iPTH – rzekoma niedoczynność przytarczyc (spowodowana mutacją receptora dla PTH),
- jednoczesny spadek stężenia Ca i P – krzywica i zespoły zaburzeń wchłaniania.

W rzekomej niedoczynności przytarczyc w typie Ia (mutacja inaktywująca genu *GNAS1* od matki) i Ic (nieznana mutacja) stwierdza się nieprawidłowy fenotyp, tzw. zespół Albrighta – niski wzrost, otyłość, okrągła twarz, krótka szyja, skrócenie IV i V kości śródręcza/śródstopia, szpotawość kończyn dolnych, pogrubienie kości czaszki, zaćma, hipoplazja zębów, opóźnienie rozwoju umysłowego, dysplazja kości oraz niedoczynność tarczycy i hipogonadyzm (oporność receptorowa na odpowiednio TSH oraz LH i FSH).

Typ Ib (nieznana mutacja) oraz typ II (mutacja inaktywująca genu *GNAS1*) przebiegają bez zespołu Albrighta i innych cech dysmorfii.

W rodzinach, w których występuje rzekoma niedoczynność przytarczyc, może wystąpić również rzekomo rzekoma niedoczynność przytarczyc (fenotyp Albrighta bez niedoczynności przytarczyc i innych zaburzeń hormonalnych). Przyczyną jest mutacja inaktywująca genu *GNAS1* dziedziczona od ojca.

Oznaczanie fosfatazy alkalicznej ma znaczenie pomocnicze, jej podwyższone stężenie wynika z nasilenia przebudowy kostnej.

Wykazanie obecności zwapnień w tkankach miękkich jest możliwe za pomocą:

- palpacji skóry i tkanki podskórnej,
- USG jamy brzusznej – wczesna i czuła metoda rozpoznania wapnicy nerek (hiperechogeniczność piramid nerkowych) i zwapnień w trzustce,
- TK głowy – zwapnienia w jądrach podstawy mózgu (zespół Fahra) i/lub płatów czołowych,
- badania okulistycznego – keratopatia, zwapnienia w przednim odcinku.

Charakterystyczne dla hipokalcemii zmiany obserwuje się w EKG (wydłużenie odstępu QT wynikające z wydłużenia odcinka ST).

W przypadku wystąpienia **hipokalcemii u noworodka do 72 godzin od porodu** w diagnostyce różnicowej należy uwzględnić:

- niedotlenienie okołoporodowe,
- hipomagnezemię u płodu spowodowaną utratą magnezu z moczem u matek z niewyrównaną cukrzycą,
- niedostateczną u wcześniaków sekrecję PTH w odpowiedzi na obniżenie stężenia Ca.

W przypadku wystąpienia **hipokalcemii u noworodka po 72 godzinach życia** w diagnostyce różnicowej należy uwzględnić:

- zaburzenia wtórne do nadczynności przytarczyc u matki,
- przejściową hipokalcemię spowodowaną wrodzonym łagodnym zaburzeniem wydzielania PTH, co w późniejszych okresach życia przejawia się tendencją do występowania niewielkiej hipokalcemii,
- wrodzone postacie niedoczynności przytarczyc – agenezja, zaburzenia syntezy PTH lub jego sekrecji (mutacja aktywująca genu receptora CaSR).

Poza niedoczynnością przytarczyc hipokalcemia może być wynikiem:

- rzekomej niedoczynności przytarczyc (hipokalcemia występuje zwykle po 4 rż.),
- nieendokrynologicznych chorób (np. przewodu pokarmowego),
- stosowanych leków (glikokortykosteroidy, fenobarbital, ketokonazol, furosemid, kalcytonina, bisfosfoniany),
- diety z zaburzoną proporcją zawartości Ca i P.

Leczenie

W **objawowej hipokalcemii** w niedoczynności przytarczyc (bezpośrednie zagrożenie życia) należy podać 2 ml/kg mc. 10% glukonianu wapnia w 10-minutowym wlewie *i.v.* pod kontrolą EKG. Aby utrzymać stężenie Ca w dolnej granicy normy, należy jednocześnie:

- powtarzać wlew co 6–8 godzin lub zastosować wlew ciągły (20–80 mg Ca/kg mc./24 h),
- podawać 0,1–0,2 ml/kg mc. 25% $MgSO_4$ *i.m./i.v.*,
- wprowadzić aktywne postacie witaminy D – alfakalcydol 1–2 µg/dobę, a w razie braku efektu kalcytriol 10–50 ng/kg mc./dobę *p.o.*, pod kontrolą stężenia Ca w surowicy krwi, iloczynu Ca-P i kalciurii.

Zaleca się, aby tak szybko, jak to tylko możliwe, zastąpić wlewy dożylne doustną podażą Ca (25––100 mg Ca/kg mc./24 h w 4–6 dawkach podzielonych podawanych pomiędzy posiłkami (Ca podany z posiłkiem wiąże się z fosforanami i jest wydalany w postaci nierozpuszczalnych soli).

Przyszłość leczenia niedoczynności przytarczyc należy jednak do ludzkiego rekombinowanego 1-34-PTH, który jest skuteczny i bezpieczny. Czynniki ograniczające jego zastosowanie to mała dostępność i cena.

Powikłania
Wapnica nerek i innych tkanek miękkich, która może rozwinąć się w przypadku niedostatecznego leczenia lub stosowania zbyt dużych dawek witaminy D.

Rokowanie
Dobre w przypadku wczesnego wykrycia hipokalcemii i jej prawidłowego leczenia.

17.8.3

Nadczynność przytarczyc
łac. *hyperparathyroidismus*
ang. hyperparathyroidism

Definicja
Zespół objawów klinicznych, w których dominuje hiperkalcemia, wywołany nadmiernym wydzielaniem PTH przez przytarczyce.

Epidemiologia
Choroba rzadko stwierdzana u dzieci, prawie nigdy nie występuje przed 10. rż.

Etiologia
Nadczynność przytarczyc cechuje się nadmierną produkcją PTH mimo hiperkalcemii. Może mieć charakter pierwotny, wtórny lub trzeciorzędowy.

Najczęstsze przyczyny **pierwotnej nadczynności przytarczyc** to:

- gruczolak jednej przytarczycy (80% przypadków),
- rozrost wszystkich czterech gruczołów (10%),
- mnogie gruczolaki (5%),
- rak (0,5–2%).

Pierwotna nadczynność przytarczyc może stanowić element składowy MEN1 (rozrost/guzki przytarczyc, guzy przysadki, insulinoma, gastrinoma) i MEN2A (patrz rozdz. 17.5.5 „Wole guzkowe i rak tarczycy"). Rzadko ma **przejściowy charakter** (zatrucie litem lub adaptacja noworodka do hipokalcemii u matki).

Wtórna nadczynność przytarczyc jest odwracalnym stanem zwiększonej produkcji PTH przez przytarczyce przerośnięte wskutek przewlekłej hipokalcemii i/lub hiperfosfatemii. Najczęściej wynika z niewydolności nerek lub kwasic cewkowych, rzadziej stanowi powikłanie leczenia krzywicy fosfatopenicznej. Przy nieskutecznym leczeniu wtórnej nadczynności przytarczyc może dojść do autonomizacji gruczołów przytarczycznych, czyli rozwoju **trzeciorzędowej nadczynności przytarczyc**.

Obraz kliniczny
Dominują objawy hiperkalcemii, zaburzone są:

- rozwój somatyczny – zmniejszenie szybkości wzrastania, niski wzrost, niedobór masy ciała,
- czynność nerek – wielomocz prowadzący do odwodnienia,
- czynność przewodu pokarmowego – zmniejszenie apetytu, nudności, wymioty, zaparcia, bóle brzucha, przewlekła choroba wrzodowa żołądka lub dwunastnicy, ostre lub przewlekłe zapalenie trzustki, złogi wapnia w trzustce, kamica pęcherzyka żółciowego,
- funkcja i budowa mięśni oraz kości – osłabienie siły mięśniowej, hipotonia mięśniowa u noworodków i niemowląt, zwiększona męczliwość, mikrotorbiele podokostnowe, torbiele kostne (w kolejnych latach życia), zwapnienia w tkankach okołostawowych,
- funkcja układu nerwowego – bóle głowy, senność, śpiączka, obniżenie nastroju, depresja, zachowania obsesyjno-kompulsyjne, wzmożenie odruchów ścięgnistych, bezdechy u noworodków,
- funkcja układu sercowo-naczyniowego – zaburzenia rytmu serca, wydłużenie odstępu PQ, skrócenie odstępu QT (związane ze skróceniem lub zniknięciem odcinka ST), złogi wapnia w sercu, nadciśnienie tętnicze,
- narząd wzroku – keratopatia wstążkowa, zwapnienie tarczki powiekowej.

Przebieg naturalny
Nadczynność przytarczyc może początkowo przebiegać bezobjawowo, a następnie pod postacią niecharakterystycznych objawów klinicznych z różnych narządów i układów. Rozpoznawana jest po stwierdzeniu podwyższonego stężenia wapnia we krwi w przebiegu diagnostyki tych zaburzeń, jednak najczęściej przypadkowo w rutynowych badaniach biochemicznych.

Metody diagnostyczne

Nadczynność przytarczyc z powodu licznych niecharakterystycznych objawów z różnych narządów jest nadal późno rozpoznawana u dzieci. Zwykle wtedy, gdy istnieją już powikłania narządowe. Podstawowe znaczenie dla rozpoznania mają:

■ **podwyższone stężenie Ca przy obniżonym stężeniu P i podwyższonym PTH,**
■ obniżone TRP (< 85%).

W **obrazowaniu przytarczyc** zastosowanie znajdują:

■ USG, TK i MR (żadna z metod nie jest wystarczająco czuła ani swoista),
■ scyntygrafia z użyciem methoksyizobutyloizonitrylu (MIBI) znakowanego ^{99m}Tc (metoda z wyboru),
■ scyntygrafia subtrakcyjna ^{123}I/^{99m}Tc-sestaMIBI,
■ tomografia emisyjna pojedynczego fotonu (SPECT).

Lokalizację przytarczyc podczas zabiegu operacyjnego umożliwia śródoperacyjne monitorowanie stężenia PTH. Zdjęcie RTG ręki i kości długich może ujawnić zmiany osteolityczne.

Różnicowanie

W diagnostyce różnicowej nadczynności przytarczyc należy uwzględnić choroby przebiegające z hiperkalcemią bez zwiększenia stężenia PTH, są to:

■ rodzinna hiperkalcemia hipokalciuryczna – związana z mutacją inaktywującą CaSR, dla której charakterystyczne jest obniżenie < 0,01 wskaźnika klirensu wapnia [(Ca mocz × kreatynina surowica krwi)/(kreatynina mocz × Ca surowica krwi)],
■ nadmiar kalcytriolu – zatrucie witaminą D lub autonomiczna produkcja w przebiegu chorób ziarniniakowych i rozrostowych,
■ nadwrażliwość receptorowa na PTH – dysplazja przynasadowa typu Jansena,
■ ektopowa produkcja peptydu podobnego do PTH w przebiegu nowotworów,
■ wzmożona osteoliza – spowodowana przez długotrwałe (> 2 tygodni) unieruchomienie, nadczynność tarczycy, przerzuty nowotworowe do kości lub produkcję przez guz nowotworowy cytokin aktywujących osteocyty,

■ nadmierna podaż preparatów wapnia, witaminy A, tiazydów, teofiliny, leków zobojętniających kwas solny (zespół mleczno-alkaliczny),
■ niedostateczna podaż fosforanów w diecie – dotyczy głównie noworodków i niemowląt karmionych sztucznie,
■ zespół Williamsa – dziedziczenie autosomalne dominujące, hiperkalcemia zwykle ustępuje po 1. rż., twarz elfa, wrodzone wady serca i dużych naczyń, opóźniony rozwój intelektualny,
■ inne – martwica podskórnej tkanki tłuszczowej, niedoczynność nadnerczy, guz chromochłonny, guz produkujący VIP.

Leczenie

W przypadku ciężkiej (Ca > 3,7 mmol/l) objawowej hiperkalcemii stosuje się **diurezę forsowaną** (wlew soli fizjologicznej 3000 ml/m² pc./24 h przez pierwsze 24–48 godzin i po nawodnieniu furosemid 1 mg//kg mc. co 6 godzin). W przypadkach opornych na to leczenie można podać bisfosfoniany lub kalcytoninę.

W przypadku hiperkalcemii spowodowanej nadmiarem kalcytriolu obok diurezy forsowanej stosuje się **glikokortykosteroidy** (prednizon 1 mg/kg mc.//24 h) lub ketokonazol (3 mg/kg mc./24 h w 3 dawkach podzielonych).

Wskazaniami do **operacyjnego usunięcia gruczołu/gruczołów** objętych procesem chorobowym są pierwotna i trzeciorzędowa nadczynność przytarczyc. W nadczynności wtórnej należy leczyć chorobę podstawową.

Powikłania

Przełom hiperkalcemiczny:

■ zaburzenia świadomości prowadzące do utraty przytomności,
■ zaburzenia rytmu serca (tachykardia),
■ jadłowstręt, nudności i wymioty,
■ objawy „ostrego brzucha",
■ wielomocz prowadzący do odwodnienia.

Nierozpoznana nadczynność przytarczyc wywołuje:

■ chorobę wrzodową dwunastnicy i żołądka o ciężkim, opornym na typowe leczenie przebiegu,
■ nadciśnienie tętnicze,
■ niedokrwistość oporną na leczenie,
■ deformacje kości długich,
■ kamicę, wapnicę i niewydolność nerek.

Po zabiegu usunięcia przytarczyc gwałtowny spadek stężenia PTH może być przyczyną ciężkiej hipokalcemii („zespół głodnych kości").

Rokowanie

Bezpośrednie zagrożenie życia stanowi przełom hiperkalcemiczny. Odległe rokowanie zależy od stopnia zaawansowania zmian w nerkach i w kościach w chwili rozpoznania nadczynności przytarczyc i leczenia operacyjnego.

17.9
Joanna Nazim, Jerzy Starzyk
CUKRZYCA U DZIECI I MŁODZIEŻY

łac. *diabetes mellitus*

ang. diabetes mellitus

Definicja

Choroba metaboliczna, której dominujący objaw stanowi hiperglikemia spowodowana zaburzeniem wydzielania i/lub działania insuliny. Cukrzyca typu 1 spowodowana jest bezwzględnym niedoborem insuliny wynikającym najczęściej z autoimmunizacyjnej destrukcji komórek β wysp trzustkowych. Cukrzyca typu 2 to postępujące upośledzenie sekrecji insuliny u młodzieży z insulinoopornością wynikającą z nadwagi/otyłości i braku aktywności fizycznej. Wybrane inne typy cukrzycy przedstawiono w tabeli 17.3.

Epidemiologia

Cukrzyca typu 1 jest najczęstszą postacią cukrzycy u dzieci i młodzieży rasy białej (ponad 90% przypadków). Według danych IDF (International Diabetes Federation) z 2009 r. chorobowość wynosi 0,02%. Obserwuje się znaczne zróżnicowanie zapadalności na cukrzycę typu 1 w różnych krajach świata, w poszczególnych regionach danego kraju i pomiędzy osobami należącymi do różnych grup etnicznych. Współczynnik zapadalności w Polsce wzrósł w latach 1989–2004 z 5,4 do 17,7 : 100 000 rocznie u dzieci w wieku 0–14 lat. Ponadto zanotowano stałą tendencję wzrostową zapadalności szczególnie w młodszych grupach wiekowych (0–5 i 5–9 lat) i w miesiącach zimowych.

Coraz częściej w wieku rozwojowym rozpoczyna się cukrzyca typu 2. W krajach europejskich współczynnik zapadalności u dzieci i młodzieży rasy kaukaskiej do 17. rż. w latach 2004–2005 nie przekraczał 1 : 100 000 rocznie.

Etiologia i patogeneza

Bezwzględny niedobór insuliny w cukrzycy typu 1 jest wynikiem postępującej apoptozy komórek β wysp trzustkowych spowodowanej nieprawidłową reakcją układu immunologicznego zainicjowaną przez czynniki środowiskowe u genetycznie predysponowanych osób. Skłonność do rozwoju cukrzycy typu 1 ma podłoże wielogenowe (zestawienie licznych alleli różnych genów, przede wszystkim w układzie HLA). Markery genetyczne wskazujące na zwiększone ryzyko zachorowania to genotypy: HLA DR3-DQA1*0501-DQB1*0201 i HLA DR4-DQA1*0301-DQB1*0302. Czynniki środowiskowe zapoczątkowujące proces autoimmunizacji w wyspach trzustkowych pozostają w większości nieznane. Przypuszczalnie należą tu zakażenia wirusowe (szczególnie różyczka wrodzona i infekcje enterowirusowe), kazeina, zboża, niedobór witaminy D.

Obraz kliniczny

Typowe objawy cukrzycy rozwijające się zwykle w okresie od jednego do kilku tygodni to:

■ wzmożone pragnienie – polidypsja,
■ wielomocz (diureza osmotyczna) – poliuria,
■ ubytek masy ciała lub utrzymywanie się stałej masy ciała u dzieci w okresie wzrastania,
■ narastające osłabienie,
■ nieostre widzenie,
■ zakażenia grzybicze, szczególnie okolicy zewnętrznych narządów płciowych,
■ zakażenia skóry.

W miarę pogłębiania się zaburzeń metabolicznych dołączają się objawy ketozy i kwasicy w postaci nudności, wymiotów, bólów brzucha, duszności i zaburzeń świadomości.

Przebieg naturalny

W przebiegu cukrzycy wyróżnia się 4 następujące po sobie etapy:

■ przedkliniczny – obejmuje miesiące lub lata poprzedzające manifestację kliniczną cukrzycy, cechuje się obecnością w surowicy krwi autoprzeciwciał przeciw antygenom wysp trzustkowych, w okresie tym stwierdza się też zmniejszone wydzielanie insuliny po dożylnym obciążeniu glukozą,
■ ujawnienie cukrzycy – w postaci objawów przedstawionych powyżej w obrazie klinicznym z towarzyszącą hiperglikemią, glikozurią i ketonurią,

- częściowa remisja (tzw. miesiąc miodowy) – zmniejszenie się zapotrzebowania na insulinę < 0,5 j./kg mc./dobę, które rozwija się w ciągu pierwszych tygodni po rozpoczęciu leczenia insuliną u ok. 80% dzieci i trwa od kilku tygodni do kilku miesięcy, glikemia w tym okresie utrzymuje się w zakresie prawidłowym,
- pełna insulinozależność – trwa do końca życia i wiąże się z wygaśnięciem resztkowej sekrecji insuliny.

Metody diagnostyczne

Podstawowym badaniem niezbędnym dla rozpoznania cukrzycy jest oznaczenie stężenia glukozy w osoczu krwi żylnej (przygodne, na czczo lub, w uzasadnionych przypadkach, po doustnym obciążeniu glukozą w dawce 1,75 g/kg mc., maks. 75 g) (patrz rozdz. 17.10 „Otyłość”).

Rozpoznanie cukrzycy opiera się na stwierdzeniu jednego z kryteriów:

- obecność objawów klinicznych i przygodnej hiperglikemii ⩾ 11,1 mmol/l (200 mg/dl),
- glikemia na czczo ⩾ 7,0 mmol/l (126 mg/dl) stwierdzona co najmniej 2-krotnie,
- glikemia 2 godziny po doustnym obciążeniu glukozą ⩾ 11,1 mmol/l (200 mg/dl).

W okresie poprzedzającym rozwój cukrzycy mogą zostać rozpoznane:

- **nieprawidłowa glikemia na czczo** (impaired fasting glycaemia, IFG) – stężenie glukozy na czczo w granicach 100–125 mg/dl (5,6–6,9 mmol/l) – wg Polskiego Towarzystwa Diabetologicznego i International Society for Pediatric and Adolescents Diabetes,
- **nieprawidłowa tolerancja glukozy** (impaired glucose tolerance, IGT) – glikemia 140–199 mg/dl (7,8–11 mmol/l) w 2 godziny po doustnym obciążeniu glukozą.

Różnicowanie

W diagnostyce różnicowej należy uwzględnić inne przyczyny poliurii i polidypsji [patrz rozdz. 17.4.2 „Moczówka prosta (centralna)”] oraz **hiperglikemię stresową** towarzyszącą ciężkim stanom w przebiegu urazów, zakażeń (posocznica, zapalenia OUN, ciężkie zakażenia układu oddechowego i przewodu pokarmowego) lub po zabiegach operacyjnych (patrz rozdz. 17.13 „Względna niedoczynność hormonalna w stanach ciężkich”).

Cukrzycę typu 1 należy różnicować z innymi typami cukrzycy spowodowanymi przez:

- defekty genetyczne czynności komórki β (tab. 17.3),
- defekty genetyczne działania insuliny,
- choroby zewnątrzwydzielniczej części trzustki (np. mukowiscydoza),

---

Tabela 17.3. Charakterystyka najczęstszych postaci cukrzycy monogenowej

TYP CUKRZYCY		CHARAKTERYSTYKA
Cukrzyca noworodkowa	Przemijająca – początek w 1. tż., ustępuje ok. 12. tż.	Najczęściej nieprawidłowości w locus 6q24, początkowo znaczna hiperglikemia wymagająca insulinoterapii
	Trwała – początek w pierwszych 6 mż.	Zaburzenia wydzielania insuliny spowodowane mutacjami w genach kodujących podjednostki ATP-zależnego kanału potasowego (*Kir6.2, SUR*) lub genie insuliny, dodatkowo u części chorych opóźnienie rozwoju i padaczka, możliwość leczenia pochodnymi sulfonylomocznika
Cukrzyca typu MODY – początek przed 25. rż. dziedziczenie autosomalne dominujące	GCK-MODY – początek możliwy już w okresie noworodkowym	Łagodna hiperglikemia na czczo (5,5–8 mmol/l), niewielki wzrost glikemii po obciążeniu glukozą (< 3 mmol/l), brak objawów klinicznych, leczenie dietą
	HNF-1α MODY – początek w 2.–4. dekadzie życia	Znaczny wzrost glikemii w teście doustnego obciążenia glukozą (> 5 mmol/l), niski próg nerkowy dla glukozy, leczenie pochodnymi sulfonylomocznika
Cukrzyca mitochondrialna (patrz rozdz. 17.11 „Poliendokrynopatie”)		Dziedziczona od matki, postępująca niewydolność komórek β, często związana z głuchotą czuciowo-odbiorczą

GCK-MODY – cukrzyca typu MODY (maturity onset diabetes of the young) spowodowana inaktywującą mutacją genu dla glukokinazy w komórce; βHNF-1α MODY – cukrzyca typu MODY spowodowana mutacją genu dla wątrobowego czynnika transkrypcyjnego HNF-1α.

- endokrynopatie (np. zespół Cushinga, tyreotoksykoza),
- leki (np. glikokortykosteroidy) i substancje chemiczne,
- zakażenia (różyczka, cytomegalia).

Inne badania pomocne w diagnostyce różnicowej cukrzycy, a zwłaszcza jej typów to:

- oznaczenie przeciwciał przeciw antygenom wysp trzustkowych: przeciwwyspowych (islet cell antibody, ICA), przeciwinsulinowych (insulin autoantibody, IAA), przeciw dekarboksylazie kwasu glutaminowego (anti-glutamic acid decarboxylase, anty-GAD), przeciw fosfatazie tyrozynowej (insulinoma-associated antygen-2, anty-IA2), przeciw transporterowi cynku (ZnT8); obecność przeciwciał wskazuje na autoimmunizacyjne podłoże cukrzycy,
- oznaczenie stężenia insuliny lub peptydu C w celu oceny rezerw wydzielniczych komórek β (wykonane na czczo przy glikemii > 8 mmol/l lub po podaniu glukagonu – 15 µg/kg mc. u dzieci, 1 mg u młodzieży),
- oznaczenie glukozy w moczu i ciał ketonowych w moczu lub surowicy krwi,
- ocena insulinooporności: stosunek stężenia insuliny (µjm./ml) do stężenia glukozy (mg/dl) w osoczu krwi na czczo, wartość > 0,3 wskazuje na insulinooporność,
- oznaczenie hemoglobiny glikowanej (HbA1c).

Znamienny wzrost częstości nadwagi i otyłości u dzieci i młodzieży w ostatnich dekadach spowodował równoległe zwiększenie częstości insulinooporności, postępującego upośledzenia sekrecji insuliny, nieprawidłowej tolerancji glukozy i cukrzycy typu 2.

Za cukrzycą typu 2 u dzieci i młodzieży przemawiają:

- nietypowy, często skryty początek z narastającymi objawami, bez ostrej manifestacji w postaci kwasicy ketonowej,
- zwykle niewielka ketoza lub jej brak,
- ujawnienie się choroby w okresie dojrzewania,
- obecność nadwagi lub otyłości oraz cech klinicznych insulinooporności (rogowacenie ciemne, nadciśnienie tętnicze, dyslipidemia, policystyczne jajniki),

- dodatni wywiad rodzinny w kierunku cukrzycy typu 2,
- brak markerów immunologicznych,
- prawidłowe bądź zwiększone stężenie peptydu C w surowicy krwi.

Cukrzycy typu 2 towarzyszy niealkoholowa stłuszczeniowa choroba wątroby. Jej obecność stwierdza się u 25–45% chorych.

U niektórych chorych z obrazem klinicznym typowym dla cukrzycy typu 2 stwierdza się obecność autoprzeciwciał przeciw antygenom wysp trzustkowych. Takie przypadki cukrzycy określa się mianem **cukrzycy podwójnej** (**double diabetes**).

Leczenie

Cele leczenia cukrzycy:

- utrzymanie glikemii w zakresie bliskim normy (hipo- i hiperglikemia powodują zmiany w OUN i różnych narządach),
- zapewnienie dziecku prawidłowego rozwoju psychoruchowego i jakości życia zbliżonej do zdrowych rówieśników,
- zapobieganie ostrym powikłaniom cukrzycy i profilaktyka powikłań późnych,
- według zaleceń Polskiego Towarzystwa Diabetologicznego z 2013 r. należy dążyć do uzyskania:
  - HbA1c < 6,5%,
  - stężenia cholesterolu LDL < 100 mg/dl,
  - stężenia cholesterolu HDL > 40 mg/dl,
  - stężenia trójglicerydów < 150 mg/dl,
  - normalizacji ciśnienia tętniczego (< 90. centyla dla płci, wieku i wzrostu).

Każde dziecko z cukrzycą typu 1 powinno być leczone w ośrodku specjalistycznym dysponującym zespołem terapeutycznym, w którego skład wchodzą pediatra-diabetolog, pielęgniarka edukacyjna, dietetyk i psycholog. Podstawowym elementem leczenia jest substytucja insuliny, a zalecanym modelem **intensywna insulinoterapia** realizowana za pomocą wielokrotnych wstrzyknięć lub ciągłego podskórnego wlewu insuliny pompą osobistą. W leczeniu dzieci i młodzieży stosuje się preparaty insuliny ludzkiej krótko działające i o przedłużonym działaniu (insulina izofanowa – NPH, neutral protamine hagedorn) oraz, najczęściej, analogi insuliny szybko działające i długo działające.

Model wielokrotnych wstrzyknięć:

- 1–2 wstrzyknięcia insuliny NPH lub analogu długo działającego zwykle przed snem,
- 3–5 iniekcji insuliny krótko działającej lub, lepiej, analogu szybko działającego przed posiłkami w dawkach dobranych do wielkości i składu posiłku, aktualnej glikemii i planowanego wysiłku fizycznego.

Leczenie pompą insulinową:

- automatyczny 24-godzinny wlew podstawowy analogu szybko działającego ze zmienną prędkością uwzględniającą indywidualne zapotrzebowanie chorego (20–50% dobowej dawki insuliny),
- podawanie inicjowanych przez chorego bolusów posiłkowych, w zależności od potrzeb:
  - bolusy proste – do posiłków węglowodanowych i jako dawki korekcyjne,
  - bolusy przedłużone – do posiłków białkowo--tłuszczowych, zwykle podawane przez 2–6 godz.,
  - bolusy złożone – do posiłków mieszanych.

Leczenie pompą insulinową jest najbardziej skuteczną metodą korygowania tzw. zjawiska brzasku czyli narastania glikemii w godzinach porannych, zwykle po godz. piątej rano, związanego ze zwiększoną nocną sekrecją hormonu wzrostu, zwiększoną insulinoopornością i wątrobową produkcją glukozy. Zjawisko to ma największe nasilenie u młodzieży.

Żywienie dzieci chorych na cukrzycę i ich rodzin powinno opierać się na zasadach zdrowego odżywiania i zapewniać prawidłowy rozwój, utrzymanie optymalnej masy ciała oraz profilaktykę ostrych i przewlekłych powikłań. Dzieci chore na cukrzycę powinny spożywać w miarę regularnie 3–5 posiłków o zbilansowanym składzie dostarczających 40–50% dobowego zapotrzebowania energetycznego w postaci węglowodanów (głównie złożonych, wolno się wchłaniających), 30–35% w postaci tłuszczów i 15––20% w postaci białek. W celu ułatwienia obliczania dawek insuliny stosuje się system wymienników węglowodanowych i białkowo-tłuszczowych (1 **wymiennik węglowodanowy** to ilość produktu zawierająca 10 g przyswajalnych węglowodanów, 1 **wymiennik białkowo-tłuszczowy** to ilość produktu zawierająca 100 kcal pochodzących z białka i tłuszczu).

Dziecko chore na cukrzycę typu 1 i jego rodzina wymagają stałej edukacji terapeutycznej, uwzględniającej aktualne potrzeby i problemy, od szkolenia w momencie rozpoznania cukrzycy do reedukacji w czasie wizyt w poradni diabetologicznej czy w trakcie kolonii lub obozów wakacyjnych. Warunkiem uzyskania optymalnej kontroli metabolicznej jest monitorowanie glikemii poprzez wielokrotne jej pomiary w ciągu dnia za pomocą glukometru, okresowe oznaczanie glukozy i ciał ketonowych w moczu oraz określenie HbA1c pozwalającej oszacować przeciętną glikemię w okresie ostatnich 2–3 miesięcy.

Przełomem w ostatnim okresie w zakresie kontroli glikemii jest coraz powszechniej stosowane ciągłe jej monitorowanie z wykorzystaniem czujników zakładanych do tkanki podskórnej na okres kilku dni. Najnowsze systemy pozwalają na odczyt stężenia glukozy w czasie rzeczywistym z możliwością analizy szybkości zmian tego parametru po posiłkach czy wysiłku fizycznym. Umożliwiają także zmniejszenie liczby nieuświadomionych hipoglikemii.

Postępowanie w cukrzycy typu 2 u dzieci jest wieloetapowe i intensyfikowane w miarę progresji choroby. Cele terapii to redukcja nadwagi i utrzymanie masy ciała stosownej do wzrostu (modyfikacje dietetyczne zgodnie z zasadami zdrowego żywienia i zwiększenie aktywności fizycznej), normalizacja glikemii i leczenie zaburzeń towarzyszących cukrzycy (nadciśnienie tętnicze, dyslipidemia, nefropatia, stłuszczenie wątroby). Przy braku skuteczności takiego postępowania należy wdrożyć leczenie farmakologiczne, aby zmniejszyć insulinooporność, zwiększyć wydzielanie insuliny lub zwolnić poposiłkowe wchłanianie glukozy.

Lekiem pierwszego wyboru jest **metformina**, jedyny poza insuliną preparat dopuszczony do terapii cukrzycy u dzieci. Działa ona na receptory insulinowe w tkankach insulinozależnych, przede wszystkim w wątrobie. Zmniejsza wątrobową produkcję glukozy, redukując glukoneogenezę, stymuluje wychwyt glukozy w mięśniach i tkance tłuszczowej oraz przyczynia się do zmniejszenia lub stabilizacji masy ciała. W czasie leczenia metforminą zmniejsza się stężenie LDL i trójglicerydów, a zwiększa HDL. Nieskuteczność monoterapii w okresie 3 miesięcy stanowi wskazanie do wdrożenia kolejnego leku. W przypadku dzieci jest to insulina w postaci **długo działającego**

analogu, a jeśli problemem jest hiperglikemia po posiłkach – **insulina szybko działająca lub krótko działająca** wstrzykiwana przed jedzeniem. Osoby z ostrym początkiem choroby, znaczną hiperglikemią i ketozą lub kwasicą ketonową niezależnie od przyczyny dysfunkcji komórek β wymagają (przynajmniej początkowo) wyrównywania zaburzeń metabolicznych za pomocą insuliny.

W celu dalszego udoskonalania substytucji insuliny trwają prace nad nowymi preparatami insuliny (długo działające analogi, szybko działające preparaty uzyskane przez modyfikację podłoża insuliny, dodatek ludzkiej rekombinowanej hialuronidazy czy zmianę temperatury miejsca podania insuliny). W wybranych przypadkach cukrzycy typu 1 u osób dorosłych można zastosować leczenie przeszczepieniem wysp trzustkowych.

Powikłania

Powikłania ostre to cukrzycowa kwasica ketonowa i hipoglikemia.

Cukrzycowa kwasica ketonowa

Charakteryzuje się zaburzeniami biochemicznymi i objawami klinicznymi wynikającymi z względnego lub bezwzględnego niedoboru insuliny oraz nadmiaru hormonów kontrregulujących: katecholamin, glukagonu, kortyzolu i GH. Powodują one insulinooporność i wzmożoną glukoneogenezę, glikogenolizę, lipolizę i ketogenezę z równoczesnym zmniejszeniem zużycia glukozy w tkankach.

Cukrzycowa kwasica ketonowa rozwija się u 15–70% dzieci z nowo rozpoznaną cukrzycą i może być pierwszym objawem nierozpoznanej cukrzycy typu 1. W przypadku dzieci wcześniej leczonych ryzyko wystąpienia cukrzycowej kwasicy ketonowej wynosi 1–10% rocznie (błędy w adaptacji dawek insuliny, nieprzestrzeganie zaleceń żywieniowych, szczególnie w okresie infekcji i przewlekającej się hiperglikemii). Śmiertelność z powodu cukrzycowej kwasicy ketonowej waha się od 0,15% do 0,31% przypadków kwasicy.

Występują:

- w wywiadzie:
  - objawy hiperglikemii narastające w okresie od kilku dni do kilku tygodni (w przypadku przerwania infuzji insuliny u chorych leczonych pompą osobistą cukrzycowa kwasica ketonowa może rozwinąć się w ciągu kilku godzin bez poprzedzających objawów przecukrzenia),
  - nudności, wymioty, bóle brzucha, duszność, kurcze mięśni, narastające osłabienie, senność, splątanie aż do utraty świadomości,
- w badaniu fizykalnym:
  - cechy odwodnienia o różnym nasileniu,
  - oddech Kussmaula (przyspieszony i pogłębiony),
  - zapach acetonu w wydychanym powietrzu,
  - zmiany grzybicze na śluzówkach jamy ustnej i migdałków (przypominające anginę) oraz na śluzówkach zewnętrznych narządów płciowych,
  - objawy rzekomootrzewnowe (*pseudoperitonitis diabetica*),
  - postępujące zaburzenia świadomości.
- w badaniach laboratoryjnych:
  - hiperglikemia $\geqslant$ 11 mmol/l (200 mg%),
  - pH krwi żylnej < 7,3 i/lub stężenie dwuwęglanów < 15 mmol/l, ketonemia i ketonuria,
  - duża luka anionowa (zwykle 20–30 mmol/l, norma 12 ± 2 mmol/l; wartości > 35 mmol/l sugerują współistnienie kwasicy mleczanowej),
  - zwiększona osmolalność osocza (norma 285––295 mOsm/kg H_2O),
  - zwykle zwiększona liczba leukocytów krwi obwodowej z przesunięciem obrazu w lewo i z jego odmłodzeniem.

W przypadku chorych z zaburzeniami świadomości, w śpiączce i/lub we wstrząsie należy:

- zastosować tlenoterapię (przez cewnik lub maseczkę twarzową), założyć zgłębnik przez nos do żołądka w celu odsysania treści i unikania zachłystowego zapalenia płuc,
- podłączyć chorego do kardiomonitora,
- w wyjątkowych przypadkach założyć cewnik do pęcherza moczowego dla dokładnej oceny bilansu płynów,
- rozpocząć podaż 0,9% NaCl w celu wypełnienia łożyska naczyniowego (gdy wstrząs, maks. 30 ml/ /kg mc. przez 1–2 godz.).

W przypadku odwodnienia > 5%, ale bez objawów wstrząsu, należy:

- początkowo podać 10 ml/kg mc. 0,9% NaCl w ciągu 1–2 godzin, uzupełniać niedobory płynów w ciągu 48 godzin (objętość płynów podanych w 1. dobie leczenia jest sumą zapotrzebowania podstawowego i 50% obliczonego deficytu), w pierwszych 4–6 godzinach stosuje się 0,9% NaCl, gdy glikemia obniży się do wartości < 17 mmol/l (306 mg/dl) lub gdy zmniejsza się zbyt szybko (spadek glikemii w ciągu godziny > 90 mg//dl) należy dodać do kroplówki 5–10% roztwór glukozy,

- rozpocząć podaż insuliny po 1–2 godzinach nawadniania w postaci ciągłego dożylnego wlewu ludzkiej insuliny krótko działającej w roztworze o stężeniu 1 j. insuliny/ml 0,9% NaCl z początkową prędkością 0,1 j./kg mc./godz. (u małych dzieci i w przypadku niezaburzonej istotnie wrażliwości na insulinę – 0,05 j./kg mc./godz.), szybkość wlewu należy modyfikować zależnie od zmian stężenia glukozy we krwi, optymalne tempo spadku glikemii to 4–5 mmol/l/godz.,
- wyrównać zaburzenia elektrolitowe, szczególnie niedobór potasu (dodać 20–40 mmol/l potasu do kroplówki w momencie rozpoczęcia insulinoterapii w przypadku hipokaliemii od początku nawadniania, a w przypadku hiperkaliemii po wystąpieniu diurezy),
- leczyć współistniejące choroby – antybiotykoterapia w zakażeniach bakteryjnych, miejscowe preparaty przeciwgrzybicze (nystatyna, klotrimazol, pimafucin, pimafucort) w zakażeniach grzybiczych,
- monitorować parametry kliniczne i biochemiczne (czynności życiowe, stan neurologiczny i glikemia co godzinę, elektrolity i gazometria co 2–3 godz., glukoza i aceton w każdej porcji moczu, w razie potrzeby ocena załamka T w EKG).

Wyrównywanie zaburzeń związanych z cukrzycową kwasicą ketonową trwa zwykle od 48 do 72 godzin. Po uzyskaniu poprawy stanu klinicznego chorego i wyrównaniu kwasicy można rozpocząć nawadnianie doustne (przy dobrej tolerancji płynów) i podaż insuliny drogą podskórną (pierwszą dawkę *s.c.* podać przed zakończeniem dożylnego wlewu).

Wskazania do zastosowania dwuwęglanów są ograniczone do bardzo ciężkiej kwasicy (pH < 7) z towarzyszącą niewydolnością krążenia oraz do zagrażającej życiu hiperkaliemii. Zalecaną dawkę 1–2 mmol//kg mc. 8,4% $NaHCO_3$ należy podać w roztworze 5% glukozy w czasie 60 minut.

Obrzęk mózgu

Powikłanie cukrzycowej kwasicy ketonowej obarczone najwyższą śmiertelnością. Rozwija się w 0,5–0,9% przypadków. Objawy nasuwające podejrzenie tego powikłania to:

- ból głowy,
- zwolnienie rytmu serca,
- wzrost rozkurczowego ciśnienia tętniczego,
- zmiany zachowania i stanu świadomości (drażliwość, senność, splątanie),
- objawy neurologiczne (np. porażenia nerwów czaszkowych, nieprawidłowy tor oddychania),
- nietrzymanie moczu/stolca,
- spadek wysycenia tlenem krwi.

Postępowanie w przypadku podejrzenia obrzęku mózgu obejmuje:

- podanie 20% mannitolu w dawce 0,5–1 g/kg mc. dożylnie przez 20 minut, jeżeli brak odpowiedzi, wlew można powtórzyć po 0,5–2 godzinach; alternatywą jest wlew 3% NaCl w dawce 5–10 ml/kg mc. w czasie 30 minut,
- zmniejszenie dożylnej podaży płynów o $^1/_3$,
- uniesienie wezgłowia łóżka,
- po włączeniu leczenia przeciwobrzękowego należy rozważyć wykonanie TK głowy w celu wykluczenia innych przyczyn wymienionych objawów.

Rzadsze powikłania cukrzycowej kwasicy ketonowej to hipokaliemia, hiperkaliemia, hipoglikemia, zachłystowe zapalenie płuc i ostra niewydolność nerek.

Hipoglikemia

Hipoglikemię u chorych na cukrzycę dzieci i młodzieży wg stanowiska ADA (American Diabetes Association) i ISPAD (International Society for Pediatric and Adolescent Diabetes) rozpoznaje się przy stężeniu glukozy we krwi **< 70 mg% (3,9 mmol/l)**. Stanowi ona jedno z najczęstszych ostrych powikłań cukrzycy w populacji pediatrycznej. U przeciętnego pacjenta występuje od 8 do 30 takich epizodów rocznie.

Hipoglikemia wynika z bezwzględnego lub względnego nadmiaru insuliny, którego przyczyny stanowią:

- wstrzyknięcie nadmiernej dawki lub niewłaściwego preparatu insuliny,

- spożycie zbyt małego posiłku, jego ominięcie lub opóźnienia,
- zwiększone tkankowe zużycie glukozy w czasie wysiłku fizycznego i po nim,
- zmniejszona endogenna produkcja glukozy, np. po spożyciu alkoholu,
- redukcja dobowego zapotrzebowania na insulinę w okresie remisji cukrzycy, po zmianie trybu życia na bardziej aktywny lub w wyniku istotnego zmniejszenia masy ciała czy ilości jedzenia.

Zwiększone ryzyko wystąpienia hipoglikemii stwierdza się w przypadku współistnienia z cukrzycą innych schorzeń, m.in. niedoczynności kory nadnerczy, niedoczynności tarczycy czy celiakii, a także u pacjentów, którzy nie odczuwają objawów ostrzegawczych.

Hipoglikemia może manifestować się wieloma objawami:

- aktywacja układu autonomicznego – drżenia, kołatanie serca, poty, bladość, niepokój, rozszerzenie źrenic,
- niedobór glukozy w OUN (neuroglikopenia) – zaburzenia koncentracji, niewyraźne widzenie, dwojenie, zaburzona percepcja kolorów, upośledzenie słuchu, niewyraźna mowa, zaburzenia pamięci krótkotrwałej, splątanie, zawroty głowy, zaburzenia chodu, utrata przytomności, drgawki,
- niespecyficzne – głód, ból głowy, nudności, uczucie zmęczenia,
- zaburzenia zachowania (szczególnie u małych dzieci) – drażliwość, zachowania nieadekwatne do sytuacji, nieutulony płacz.

Niektórzy pacjenci nie odczuwają objawów hipoglikemii lub nie kojarzą ich z tym stanem. W takich przypadkach konieczne są częstsze oznaczenia glikemii.

Cel leczenia hipoglikemii stanowi uzyskanie normoglikemii (ok. 5,6 mmol/l, tj. 100 mg/dl). Postępowanie zależy od nasilenia niedocukrzenia:

- w **hipoglikemii łagodnej lub umiarkowanej** (dziecko jest w stanie przyjmować płyny i pokarmy doustnie) należy kolejno:
  - podać szybko przyswajalne węglowodany, np. w postaci tabletek z glukozą (10–15 g),

- poczekać 10–15 minut i jeżeli nie uzyskano normalizacji glikemii ponownie podać 10–15 g węglowodanów,
- zbadać glikemię za kolejne 20–30 minut w celu potwierdzenia jej normalizacji (objawy hipoglikemii mogą ustąpić dopiero po jakimś czasie od uzyskania normoglikemii),
- podać kolejny posiłek, aby zapobiec nawrotowi niedocukrzenia,
- u chorych leczonych ciągłym podskórnym wlewem insuliny można rozważyć zatrzymanie pompy osobistej na ok. 30 minut, co powoduje zmniejszenie ilości aktywnej insuliny w tkankach i redukuje ryzyko nawrotu niedocukrzenia po 1–2 godzinach od wystąpienia epizodu hipoglikemii,
- w **hipoglikemii ciężkiej** (przebiegającej z utratą świadomości i/lub drgawkami) należy kolejno:
  - zastosować glukagon w formie iniekcji *i.m./s.c./ /i.v.* w dawce 0,5 mg dla dzieci w wieku < 12 lat i 1 mg > 12 lat lub 10–30 µg/kg mc.,
  - jeżeli glukagon jest niedostępny lub nie uzyskuje się wystarczającej odpowiedzi, powinno się podać *i.v.* w ciągu kilku minut 10–20% roztwór glukozy w dawce 0,2–0,5 g/kg mc., taki chory wymaga dalszej obserwacji ze względu na często występujące po hipoglikemii wymioty i możliwość nawrotu niedocukrzenia,
  - w przypadku ponownego spadku glikemii należy podłączyć ciągły wlew 10% glukozy z prędkością 1,2–3 ml/kg mc./godz.,
  - modyfikacja dawkowania insuliny jest uzależniona od przyczyny hipoglikemii.

Rokowanie

Cukrzyca jest chorobą nieuleczalną. W przypadku cukrzycy typu 1 konieczna jest substytucja insuliny przez całe życie chorego. Cukrzyca typu 2 jest chorobą postępującą wymagającą intensyfikacji leczenia w miarę zmniejszania się rezerwy wydzielniczej komórek β wysp trzustkowych. Przewlekła niezadowalająca kontrola metaboliczna cukrzycy prowadzi do rozwoju przewlekłych powikłań choroby w postaci mikroangiopatii (nefropatia, retinopatia i neuropatia), makroangiopatii (choroba niedokrwienna serca, choroba naczyń mózgowych i obwodowych) oraz zespołu stopy cukrzycowej.

17.10 — Jerzy Starzyk, Małgorzata Wójcik
OTYŁOŚĆ

17.10.1
Zagadnienia ogólne

Masa ciała i stan odżywienia zależą od czynników genetycznych i środowiskowych. Regulacja przyjmowania pokarmu, w tym odczuwanie głodu i sytości, odbywa się przy udziale jąder podwzgórza, które integrują sygnały z obwodu przekazywane za pomocą nerwu błędnego, hormonów (grelina, peptyd Y, GLP1, cholecystokinina, leptyna, insulina) i produkowanych lokalnie w OUN neuromediatorów. Zadaniem tej regulacji jest utrzymanie równowagi energetycznej przy zmieniającej się dostępności pożywienia w otoczeniu. Czynnościowe zaburzenia tego mechanizmu stanowią przyczynę otyłości prostej, a spowodowane przez czynniki genetyczne (mutacja genów hormonów/neuromediatorów lub ich receptorów), hormonalne (zaburzenia układu wydzielania wewnętrznego), choroby OUN (guzy okolicy podwzgórza, zabiegi operacyjne, radioterapia OUN) oraz niektóre leki wywołują otyłość wtórną.

Gwałtowne zwiększanie się częstości występowania otyłości prostej w populacji < 18. rż. oraz wcześniejsze niż dotychczas występowanie jej powikłań jest obecnie jednym z najważniejszych problemów medycznych na świecie.

17.10.2
Otyłość prosta
łac. *obesitas simplex*
ang. simple obesity

Definicja
Przewlekła choroba metaboliczna spowodowaną nadmiarem tkanki tłuszczowej w organizmie w wyniku nadmiernego spożycia kalorii w stosunku do ich wydatkowania.

Epidemiologia
Na świecie otyłość występuje u 10–17% dzieci w wieku szkolnym, w Polsce u ok. 6,5% chłopców i 7,5% dziewcząt. 90% przypadków otyłości stanowi otyłość prosta.

Etiologia i patogeneza
Otyłość prosta wynika z długotrwałego dodatniego bilansu energetycznego organizmu warunkowanego przez czynniki nabyte, takie jak nieprawidłowe żywienie, mała aktywność fizyczna oraz determinanty emocjonalne, kulturowe czy rodzinne. Są one w znacznym stopniu modyfikowane przez czynniki dziedziczne (dziedziczenie wielogenowe odpowiada w 40–60% za rozwój otyłości prostej).

Aktualnie wydaje się, że główną rolę w nadmiernym przyjmowaniu pokarmów i rozwoju otyłości prostej odgrywa hedonistyczne podejście do jedzenia, tj. traktowanie go w kategoriach przyjemności i nagrody oraz rekompensaty w sytuacjach stresu. Uwalniane w OUN pod wpływem jedzenia kannabinoidy są odpowiedzialne za zjawisko uzależnienia od jedzenia, podobnie jak w przypadku uzależnienia od nikotyny czy morfiny.

Obraz kliniczny
Dla otyłości prostej charakterystyczne jest powolne narastanie otyłości z równomiernym rozmieszczeniem tkanki tłuszczowej.

Przebieg naturalny
Nieleczona otyłość prowadzi do przedwczesnej miażdżycy, cukrzycy typu 2 i innych powikłań, w istotny sposób wpływając na jakość życia oraz skrócenie jego długości.

Metody diagnostyczne
Powszechnie stosowanym parametrem oceny stanu odżywienia dzieci i młodzieży jest wskaźnik masy ciała (body mass index, BMI). Zmienia się on z wiekiem dziecka, dlatego wyraża się go w postaci wyniku odchylenia standardowego (standard deviation score, SDS). Otyłość rozpoznaje się, gdy BMI $\geqslant$ + 2 SD ($\geqslant$ 97. centyla) w odniesieniu do wieku i płci. Alternatywną metodą jest ocena nadmiaru masy ciała w stosunku do wartości należnej dla wzrostu dziecka. Oblicza się ją z prostej proporcji przy użyciu danych z siatek wzrostowych i wagowych:

$$\text{nadmiar masy ciała do wzrostu (\%) =}$$
$$= \text{(masa ciała aktualna} \times 100\%)/$$
$$/\text{masa ciała należna do wzrostu}$$

Otyłość rozpoznaje się przy wartości $\geqslant$ 120%.

Rzadziej w diagnostyce otyłości wykorzystuje się pomiar obwodu pasa lub wskaźnik obwód pasa/obwód bioder. Metody pozwalające z dużą dokładnością określić zawartość tkanki tłuszczowej to nieinwazyjna technika bioimpedancji elektrycznej, pomiar fałdów tłuszczowych i (stosowane głównie dla celów naukowych) podwójna absorpcjometria promieniowania (DXA), TK i MR.

Różnicowanie

W różnicowaniu otyłości prostej i wtórnej istotne znaczenie ma wywiad. Dla otyłości prostej charakterystyczne jest stopniowe zwiększanie masy i wysokości ciała.

Analiza diety dziecka pozwala stwierdzić nadmierną podaż kalorii oraz często nieprawidłowy skład, ilość i czas spożywanych posiłków. Aktywność fizyczna dzieci i młodzieży z otyłością prostą jest zwykle mniejsza niż ich szczupłych rówieśników. Często

stwierdza się występowanie otyłości i jej powikłań u członków najbliższej rodziny.

Za rozpoznaniem otyłości wtórnej przemawiają:

- występowanie nadmiernej masy ciała od wczesnego dzieciństwa (< 5. rż.),
- różnego stopnia opóźnienia rozwoju psychomotorycznego oraz dysmorfia i wady budowy narządów wewnętrznych – sugerują etiologię genetyczną otyłości. W takich przypadkach wskazane jest wykonanie badań genetycznych (kariotyp, badania molekularne) w celu potwierdzenia rozpoznania,
- znaczne zwiększenie masy ciała w krótkim okresie,
- nierównomierne rozmieszczenie tkanki tłuszczowej, często z towarzyszącym zmniejszeniem szybkości wzrastania – wskazuje na otyłość spowo-

Tabela 17.4. Wybrane przyczyny otyłości wtórnej

PRZYCZYNY OTYŁOŚCI WTÓRNEJ		CECHY CHARAKTERYSTYCZNE
Genetyczne	Mutacja genu leptyny, mutacja receptora leptyny	Otyłość olbrzymia od wczesnego okresu niemowlęcego, hiperfagia, niedoczynność tarczycy, brak dojrzewania płciowego (tab. 17.2)
	Mutacja genu receptora melanokortyny, mutacja genu proopiomelanokortyny lub genu jej konwertazy (tab. 17.8)	Otyłość olbrzymia od wczesnego okresu niemowlęcego (rude włosy, jasna karnacja, wtórna niewydolność nadnerczy u chorych z mutacją proopiomelanokortyny lub jej konwertazy)
	Zespół Bardeta–Biedla	Otyłość olbrzymia, opóźnienie rozwoju umysłowego, polidaktylia, zwyrodnienie czopkowo-pręcikowe siatkówki, zwyrodnienie barwnikowe siatkówki, hipogonadyzm, wady nerek (patrz rozdz. 17.3.3 „Hipogonadyzm" i tab. 17.2)
	Zespół Alströma	Otyłość olbrzymia (osiowe rozmieszczenie tkanki tłuszczowej), niski wzrost, niedosłuch, zwyrodnienie czopkowo-pręcikowe siatkówki, zwyrodnienie barwnikowe siatkówki, wady serca i nerek, ginekomastia, znacznego stopnia insulinooporność
	Zespół Klinefeltera	Patrz rozdz. 17.3.3 „Hipogonadyzm" i tab. 17.2
	Zespół Pradera–Williego	Patrz rozdz. 17.2.2 „Niski wzrost" i tab. 17.1
	Zespół Downa	
	Zespół Turnera	
	Achondroplazja	
	Hipochondroplazja	
Hormonalne	Zespół Cushinga	Patrz rozdz. 17.6.2 „Zespół Cushinga"
	Niedobór GH	Patrz rozdz. 17.2.2 „Niski wzrost" i tab. 17.1
	Niedoczynność tarczycy	Patrz rozdz. 17.5.2 „Niedoczynność tarczycy i hipotyreoza"
Inne	Guzy, jatrogenne uszkodzenia okolicy podwzgórza (chirurgia, radioterapia OUN) (tab. 17.2)	Zwiększenie masy ciała w krótkim okresie, zmniejszenie szybkości wzrastania, ograniczenie pola widzenia, objawy ogniskowego uszkodzenia OUN, objawy nadciśnienia śródczaszkowego, przebyte leczenie w wywiadzie
Leki		Stosowanie w przeszłości lub obecnie glikokortykosteroidów (patrz rozdz. 17.6.2 „Zespół Cushinga"), antydepresantów, neuroleptyków, antyhistaminików i innych

dowaną zaburzeniami układu wydzielania wewnętrznego lub OUN. W każdym takim przypadku powinno się zaplanować indywidualnie diagnostykę laboratoryjną i obrazowanie OUN,

■ obecne choroby i/lub aktualnie prowadzone bądź przebyte leczenie farmakologiczne, chirurgiczne i/lub radioterapia OUN (tab. 17.4).

Badania laboratoryjne stanowią podstawę rozpoznawania większości metabolicznych powikłań otyłości. W tym celu u dzieci i młodzieży z grupy dużego ryzyka (otyłość i występowanie cukrzycy typu 2, cukrzycy ciążowej lub chorób układu krążenia w rodzinie, przynależność do grupy etnicznej o zwiększonym ryzyku występowania cukrzycy typu 2, obecność rogowacenia ciemnego, znaczna otyłość brzuszna, zespół policystycznych jajników, mała lub nadmierna masa urodzeniowa) należy raz w roku wykonywać:

■ test doustnej tolerancji glukozy wraz z oceną stężenia insuliny,

■ oznaczenie stężenia HbA1c,

■ oznaczenie stężenia cholesterolu całkowitego, LDL i HDL, trójglicerydów (w miarę możliwości także stężenie wolnych kwasów tłuszczowych),

■ oznaczenie stężenia kwasu moczowego,

■ ocenę aktywności transaminaz,

■ pomiar ciśnienia tętniczego.

W zależności od wskazań indywidualnych u otyłego dziecka diagnostykę poszerza się o badanie dna oczu, EKG, RTG klatki piersiowej (*cor pulmonale* – serce płucne, przerost prawej komory w otyłości olbrzymiej), całodobowe ambulatoryjne monitorowanie ciśnienia tętniczego, USG jamy brzusznej (kamica żółciowa występuje u 2–5%, a stłuszczenie wątroby u 40–60% otyłych pacjentów przed 18. rż.), polisomnografię oraz badanie RTG stawów biodrowych i kolanowych.

Leczenie

Cele leczenia to:

■ redukcja ryzyka wystąpienia powikłań otyłości w przyszłości poprzez zmniejszenie masy ciała, najlepiej do wartości należnej,

■ leczenie powikłań,

■ leczenie chorób odpowiedzialnych za otyłość wtórną.

Podstawę leczenia otyłości prostej stanowi **zmiana stylu życia**, polegająca na:

■ zwiększeniu aktywności fizycznej dziecka (co najmniej 60 minut zaplanowanego intensywnego wysiłku dziennie),

■ zmiana diety na redukcyjną o niskim indeksie glikemicznym, z dużą zawartością nienasyconych kwasów tłuszczowych i bogatą w błonnik.

Wraz ze zmniejszeniem masy ciała powinno nastąpić znormalizowanie wartości ciśnienia tętniczego (spadek < 90. centyla dla płci, wieku i wzrostu) i profilu lipidowego. W przypadku utrzymywania się obu zaburzeń pomimo redukcji masy ciała należy dołączyć **leczenie farmakologiczne** (terapię upośledzonej tolerancji glukozy i cukrzycy typu 2 omówiono w rozdziale 17.9 „Cukrzyca u dzieci i młodzieży").

Powikłania

Powikłania otyłości można podzielić na metaboliczne i niemetaboliczne. Do pierwszej grupy należą spowodowane insulinoopornością zaburzenia metabolizmu glukozy i tłuszczów oraz wtórne zaburzenia hormonalne. Najwcześniej występuje zmniejszenie wrażliwości na insulinę, a w konsekwencji zwiększenie jej wydzielania (hiperinsulinemia) z postępującym upośledzeniem zdolności sekrecyjnej komórki β, a następnie jawne zaburzenia regulacji stężenia glukozy, czyli nieprawidłowa glikemia na czczo, zaburzona tolerancja glukozy lub cukrzyca typu 2.

Objawy zaburzonego metabolizmu tłuszczów to dyslipidemia (wzrost stężenia trójglicerydów i cholesterolu LDL, a spadek cholesterolu HDL) i wzrost stężenia wolnych kwasów tłuszczowych, a następnie niealkoholowa choroba stłuszczeniowa wątroby z potencjalną progresją do marskości. U chorych stwierdza się ponadto nadciśnienie tętnicze i stwardnienie kłębuszków nerkowych (*glomerulosclerosis*).

Do wtórnych do otyłości zaburzeń hormonalnych należą subkliniczna niedoczynność tarczycy, podwyższone stężenie IGF-1, obniżona rezerwa przysadkowa dla GH, zwiększone stężenie kortyzolu, zmniejszone stężenie 25(OH)D, względna hiperestrogenemia u chłopców i hiperandrogenemia u dziewcząt.

Rozpoczęcie dojrzewania płciowego występuje zwykle wcześniej niż u szczupłych rówieśników, jakkolwiek u chłopców w początkowym okresie mogą wystąpić znacznego stopnia ginekomastia i rzekome

Tabela 17.5. Kryteria rozpoznania zespołu metabolicznego wg IDF (2007 r.)

WIEK [LATA]	OTYŁOŚĆ (OBWÓD PASA)	STĘŻENIE TRÓJGLICE-RYDÓW	STĘŻENIE CHOLE-STEROLU HDL	CIŚNIENIE TĘTNICZE	STĘŻENIE GLUKOZY NA CZCZO
6–10	≥ 90. centyla	Nie należy rozpoznawać/wykluczać zespołu metabolicznego. Przy pozytywnym wywiadzie rodzinnym (występowanie zespołu metabolicznego, cukrzycy typu 2, dyslipidemii, chorób sercowo-naczyniowych, nadciśnienia tętniczego i/lub otyłości) należy kontynuować ocenę poszczególnych parametrów.			
10–16	≥ 90. centyla lub wartości dla dorosłych, jeśli są niższe	≥ 1,7 mmol/l (≥ 150 mg/dl)	< 1,03 mmol/l (< 40 mg/dl)	Skurczowe ≥ 130 mmHg lub rozkurczowe ≥ 80 mmHg	≥ 5,6 mmol/l (≥ 100 mg/dl) lub jawna cukrzyca typu 2 (jeżeli ≥ 5,6 mmol/l zalecany OGTT)
> 16 kryteria dla dorosłych wg IDF 2005	Europejczycy mężczyźni ≥ 94 cm, kobiety ≥ 80 cm	≥ 1,7 mmol/l (≥ 150 mg/dl) lub leczenie hipolipemizujące	♂ < 1,03 mmol/l (< 40 mg/dl) ♀ < 1,29 mmol/l (< 50 mg/dl) lub leczenie hipolipemizujące	≥ 130/85 mmHg lub leczenie hipotensyjne	≥ 5,6 mmol/l (≥ 100 mg/dl) lub jawna cukrzyca typu 2 (jeżeli ≥ 5,6 mmol/l zalecany OGTT)

mikroprącie (prącie o prawidłowych wymiarach w fałdach tłuszczowych wzgórka łonowego), a u dziewcząt hiperandrogenizacja i policystyczne jajniki (patrz rozdz. 17.3.4 „Hiperandrogenizacja u dziewcząt w okresie dojrzewania").

U 40–70% otyłych nastolatków można rozpoznać **zespół metaboliczny** (tab. 17.5), tj. zespół powikłań otyłości prowadzących do przedwczesnego występowania cukrzycy typu 2 oraz miażdżycy i powikłań sercowo-naczyniowych.

Główna wartość wynikająca z ustalenia kryteriów diagnostycznych zespołu metabolicznego polega na zwróceniu uwagi na konieczność poszukiwania poszczególnych jego komponent u każdego otyłego dziecka i na podaniu norm pozwalających na ich rozpoznanie. Leczenie poszczególnych powikłań otyłości jest konieczne zawsze, bez względu na to, czy spełniono kryteria rozpoznania zespołu.

Do pozostałych powikłań otyłości należą:

- wady postawy – płaskostopie, koślawość kolan, skrzywienie kręgosłupa,
- rozstępy, wyprzenia, zakażenia grzybicze i bakteryjne skóry,
- bóle głowy, rzekomy guz mózgu,
- obturacyjny bezdech senny,
- próchnica zębów,
- obniżenie nastroju, niska samoocena, depresja,
- zwiększone ryzyko występowania niektórych nowotworów w późniejszym wieku – raki endometrium, szyjki macicy, wątroby, nerki (jasnokomórkowy) i jelita grubego.

Rokowanie

Nadmierna masa ciała występująca we wczesnym dzieciństwie nie zawsze determinuje otyłość w wieku dorosłym, jest jednak czynnikiem obciążającym. Większość otyłych niemowląt traci zwykle nadmiar tkanki tłuszczowej w 2. rż. wraz ze zwiększeniem aktywności fizycznej. Jednakże prawie wszystkie dzieci przybierające gwałtownie na wadze między 3. a 6. rż. utrzymują nadwagę/otyłość w okresie dojrzewania płciowego. Z kolei występowanie otyłości u młodzieży najczęściej przekłada się na utrwalenie tego zaburzenia w wieku dorosłym i na wczesny rozwój powikłań w układzie sercowo-naczyniowym. Ryzyko to jest istotnie większe u dziewcząt i u otyłych dzieci otyłych rodziców.

17.11
Jerzy Starzyk

POLIENDOKRYNOPATIE

łac. *syndroma insufficientiae poliglandularis autoimmunologicae*

ang. autoimmune polyglandular syndromes (APS)

Definicja

Zespoły chorobowe spowodowane współwystępowaniem 2 lub więcej przewlekłych chorób autoimmunizacyjnych gruczołów wydzielania wewnętrznego lub innych narządów. Wyróżnia się 4 typy APS, które roz-

Tabela 17.6. Rozpoznawanie poliendokrynopatii oraz częstość występowania ich poszczególnych objawów klinicznych. Poza objawami kierunkowymi rozpoznanie APS mogą sugerować także objawy występujące z mniejszą częstością

POSTAĆ	> 40% CHORYCH (OBJAWY KIERUNKOWE)	10–40% CHORYCH	< 10% CHORYCH	
APS1	Rozpoznanie – co najmniej 2 z 3: ■ Kandydoza ■ Pierwotna niedoczynność przytarczyc ■ Choroba Addisona	■ Hipogonadyzm ■ Łysienie ■ Cukrzyca typu 1 ■ Autoimmunizacyjna choroba tarczycy ■ Anemia złośliwa ■ Autoimmunizacyjne zapalenie wątroby ■ Zespół zaburzeń wchłaniania ■ Bielactwo ■ Dystrofia szkliwa, rogówki, błony bębenkowej	■ Zespół Sjögrena ■ Autoimmunizacyjne zapalenie przysadki i podwzgórza ■ *Myasthenia gravis* ■ Hiposplenizm/asplenizm ■ Autoimmunizacyjne zapalenie trzustki	
APS2	Rozpoznanie ■ Choroba Addisona oraz co najmniej 1 z 2 ■ Autoimmunizacyjna choroba tarczycy ■ Cukrzyca typu 1	■ Bielactwo ■ Zanikowe zapalenie żołądka/ /anemia złośliwa	■ Hipogonadyzm hipergonadotropowy ■ Łysienie ■ Autoimmunizacyjne zapalenie wątroby ■ Celiakia ■ Młodzieńcze idiopatyczne zapalenie stawów ■ Anemia złośliwa ■ Zespół Sjögrena ■ *Myasthenia gravis*	■ Przedwczesne wygasanie czynności jajników ■ Toczeń rumieniowaty układowy ■ Mieszane choroby tkanki łącznej ■ Zapalenie małych naczyń ■ Stwardnienie rozsiane ■ Pierwotna żółciowa marskość wątroby ■ Stwardniające zapalenie dróg żółciowych ■ Nieswoiste zapalenia jelit ■ Przewlekła idiopatyczna pokrzywka ■ Rumień pokrzywkowy z gorączką ■ Pęcherzyce ■ Reumatoidalne zapalenie stawów ■ Seronegatywne zapalenie stawów ■ Zapalenie skórno-mięśniowe ■ Choroba Hiraty ■ Zespół sztywnego człowieka ■ Niedokrwistość autoimmunizacyjna ■ Trombocytopenia autoimmunizacyjna ■ Leukopenia autoimmunizacyjna ■ Zespół antyfosfolipidowy
APS3	Rozpoznanie ■ Autoimmunizacyjna choroba tarczycy oraz co najmniej 1 choroba autoimmunizacyjna (z wyjątkiem choroby Addisona): ■ Cukrzyca typu 1 (APS3a) ■ Objawy występujące z częstością < 40%	■ Zanikowe zapalenie żołądka/ /anemia złośliwa (APS3b)	■ Bielactwo ■ Łysienie ■ *Myasthenia gravis* (APS3c) ■ Celiakia ■ Hipogonadyzm hipogonadotropowy ■ Młodzieńcze idiopatyczne zapalenie stawów ■ Zespół Sjögrena	
APS4	Rozpoznanie – współistniejące endokrynopatie i choroby autoimmunizacyjne, które nie spełniają kryteriów rozpoznania APS1–3, np.: ■ Cukrzyca typu 1 i hipogonadyzm ■ Choroba Addisona	■ Zanikowe zapalenie żołądka/ /anemia złośliwa ■ Celiakia		

poznaje się na podstawie występowania objawów kierunkowych (tab. 17.6).

Epidemiologia

APS1 występuje z częstością 1,4–2 : 100 000. Rozpoznawany jest u dzieci 12 razy częściej niż u dorosłych. Częściej występuje w Finlandii (1 : 25 000), na Sardynii (1 : 14 000) oraz w żydowskiej populacji Iranu (1 : 9000).

APS2 występuje z nieco większą częstością, tj. 1,5–4,5 : 100 000, 3 razy częściej u kobiet, rozpoznawany jest 15 razy rzadziej u dzieci niż u dorosłych.

APS3 to najczęstsza postać zespołu. Występuje prawdopodobnie u ok. 1 : 1000 dzieci, u dorosłych jeszcze częściej, 3–4 razy częściej stwierdza się go u kobiet.

APS4 wydaje się także częstym zespołem, brak jednak na ten temat dokładnych danych.

Etiologia i patogeneza

APS1 jest chorobą dziedziczoną autosomalnie recesywnie spowodowaną mutacją genu *AIRE*. Powoduje ona osłabienie w grasicy apoptozy autoreaktywnych tymocytów, które zasiedlają we wczesnych okresach życia tkanki obwodowe, inicjując w nich procesy autoagresji i produkcję autoprzeciwciał.

APS2, 3 i 4 to choroby wielogenowe. Ich rozwój stanowi wypadkową działania czynników genetycznych (HLA DR3 i DR4, mutacje genu *MICA*, polimorfizm genu *CTLA4*), środowiskowych (składniki pokarmowe, infekcje, stres, leki, toksyny, dym papierosowy, promieniowanie ultrafioletowe) i endogennych (płeć, wiek, rasa, stan hormonalny, ciąża). Występuje zaburzenie działania limfocytów T i B oraz zachwianie równowagi między nimi. W konsekwencji pojawiają się autoreaktywne limfocyty T i przeciwciała skierowane przeciw różnym antygenom (autoprzeciwciała).

Większość autoprzeciwciał jest jedynie markerem procesu autoimmunizacji, m.in. przeciwciała przeciw 21OH w korze nadnerczy, TPO w tarczycy, *endomysium*, transglutaminazie, hydroksylazie tryptofanu czy dekarboksylazie histydyny w jelitach, IC, GAD, IA2 i ZnT8 w trzustce, 17α-hydroksylazie i P450scc w gonadach, hydroksylazie tyrozyny w mieszkach włosowych, dekarboksylazie L-aminokwasów, białkom SOX-9 i SOX-10 w melanocytach. Przeciwciała przeciw interferonowi γ i ω są patognomoniczne dla APS1, a przeciw interleukinie 22 dla kandydozy błon

śluzowych. Patogenetyczne znaczenie mają jedynie przeciwciała przeciw antygenowi powierzchniowemu i CaSR przytarczyc (autoimmunizacyjna niedoczynność przytarczyc), czynnikowi wewnętrznemu Castle'a (anemia złośliwa), receptorowi acetylocholiny (*myasthenia gravis*) oraz blokujące TRAb (zanikowa postać przewlekłego limfocytarnego zapalenia tarczycy). Za pozostałe komponenty APS odpowiedzialne są nacieki z limfocytów autoreaktywnych lub nieznane jeszcze czynniki.

Obraz kliniczny

Obraz kliniczny obejmuje:

- niespecyficzne objawy ogólne – spadek masy ciała, osłabienie, łatwa męczliwość, hipotonia ortostatyczna,
- objawy poszczególnych endokrynopatii,
- objawy zajęcia narządów nieendokrynnych – przewód pokarmowy (zwolnienie wzrastania, biegunki, zaparcia, bóle brzucha, niedokrwistość), tkanka łączna (objawy młodzieńczego idiopatycznego zapalenia stawów, choroby Leśniowskiego–Crohna, zespołu Sjögrena),
- objawy związane z odkładaniem kompleksów immunologicznych w nerkach, płucach, wątrobie, skórze i śledzionie.

Przebieg naturalny

W APS1 wszystkie kierunkowe objawy obecne są u ponad 80% chorych i pojawiają się w stałej kolejności:

- 1. mż.–5. rż. – kandydoza błon śluzowych, skóry i paznokci,
- 5.–10. rż. (śr. 7. rż.) – niedoczynność przytarczyc,
- 10.–15. rż. (śr. 13. rż.) – choroba Addisona (ryc. 17.14).

W APS2, 3 i 4 rodzaj zaburzeń oraz czas ich pojawienia się są indywidualne u poszczególnych chorych. Choroba autoimmunizacyjna tarczycy i cukrzyca typu 1 pojawiają się z rosnącą częstością już od okresu niemowlęcego, a choroba Addisona od ok. 10. rż. Szczyt występowania cukrzycy typu 1 przypada na 5.–9. rż., a autoimmunizacyjnej choroby tarczycy i choroby Addisona na 4.–6. dekadę życia. Pozostałe składowe APS mogą występować u poszczególnych chorych w różnych okresach życia, w odmiennej liczbie i kolejności.

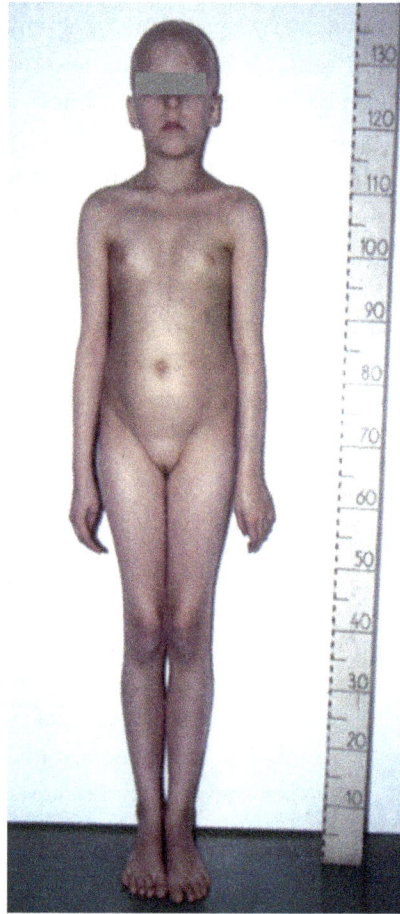

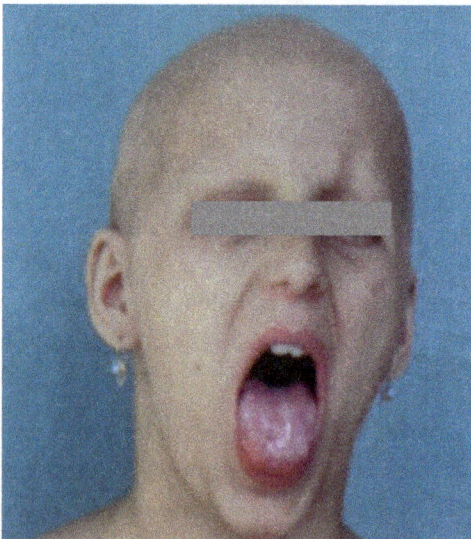

Rycina 17.14. (*a*) Pacjentka w wieku 12 8/12 lat z APS1. Widoczne cisawica oraz całkowity brak owłosienia skóry. (*b*) Kandydoza błony śluzowej jamy ustnej.

Metody diagnostyczne

Rozpoznawanie oparte wyłącznie na wykrywaniu objawów kierunkowych jest przyczyną braku rozpoznania APS1 u 50–70% chorych, zgonu ok. 3% z nich przed postawieniem rozpoznania i co najmniej jednego zgonu w rodzinie u ok. 12,5% pacjentów (oczekiwanie na pojawienie się kolejnych jawnych klinicznie komponent zespołu). U chorych z cukrzycą typu 1 obserwuje się zgony z powodu hipoglikemii występujące przed rozpoznaniem APS1–4, gdy dołączy się choroba Addisona lub zespół zaburzeń wchłaniania. Stwierdza się także zgony pacjentów z chorobą Addisona z powodu przełomu nadnerczowego, gdy rozwinie się tyreotoksykoza w przebiegu autoimmunizacyjnej choroby tarczycy (tyroksyna zwiększa zapotrzebowanie na kortyzol i przyspiesza jego eliminację w wątrobie) lub gdy zmniejszy się wchłanianie hydrokortyzonu w wyniku zespołu zaburzonego wchłaniania.

U chorych z jedną jawną chorobą autoimmunizacyjną proponuje się obecnie wykrywanie **postaci częściowych APS**. Należy w tym celu oznaczać cyklicznie, co 12–36 miesięcy, profil autoprzeciwciał, do którego pojawienia się dana choroba predysponuje. Zawsze powinno się oceniać obecność autoprzeciwciał przeciw korze nadnerczy z uwagi na zagrożenie życia pacjenta w przypadku wystąpienia choroby Addisona. Jeżeli stężenie autoprzeciwciał przeciw konkretnemu narządowi jest dodatnie, należy określić jego czynność i morfologię z wykorzystaniem badań hormonalnych, biochemicznych i obrazowych. Przy prawidłowych wynikach badań rozpoznaje się **potencjalny APS**, a przy nieprawidłowych **subkliniczny APS**. Ujemny wynik oznaczeń autoprzeciwciał nie wyklucza autoimmunizacji danego narządu (w ok. 10% chorób autoimmunizacyjnych wynik oznaczeń autoprzeciwciał jest ujemny).

Powyższe podejście wynika z prognostycznego znaczenia autoprzeciwciał w rozwoju jawnej postaci choroby autoimmunizacyjnej, np.:

- choroba Addisona w APS1 wystąpi w okresie 3 lat u 100% pacjentów z obecnością przeciwciał przeciw 21OH,
- jawna autoimmunizacyjna choroba tarczycy rozwinie się u ok. 50% chorych z podwyższonym stężeniem TPOAb i/lub TgAb,

■ cukrzyca typu 1 pojawi się w przyszłości u 5–90% pacjentów w zależności od rodzaju i liczby stwierdzonych autoprzeciwciał.

Obecność autoprzeciwciał predysponuje ponadto do rozwoju kolejnych chorób autoimmunizacyjnych. Wczesne wykrywanie postaci częściowych (potencjalnych i subklinicznych) APS ogranicza ryzyko dla chorego wynikające z oczekiwania na pojawienie się kolejnych składowych APS i braku ich rozpoznania oraz zwiększa liczbę przypadków objętych aktywną opieką: 2–3-krotnie w APS1, 30–100-krotnie w APS2 i 200–300-krotnie w APS3.

Różnicowanie

Diagnostyka obejmuje różnicowanie poszczególnych typów APS między sobą i z innymi poliendokrynopatiami autoimmunizacyjnymi, takimi jak:

■ zespół IPEX (immunodysregulation-polyendocrinopathy-enteropathy-X-linked, sprzężony z chromosomem X zespół dysregulacji immunologicznej, poliendokrynopatii i enteropatii) spowodowany mutacją genu *FoxP3* – niepoddająca się leczeniu biegunka, zakażenia uogólnione oraz cukrzyca typu 1 i niedoczynność tarczycy u większości chorych,

■ ALPS (autoimmune lymphoproliferative syndrome, autoimmunizacyjny zespół proliferacyjny) – limfadenopatia, hepatosplenomegalia, autoimmunizacyjna anemia i trombocytopenia, cukrzyca typu 1 oraz autoimmunizacyjna choroba tarczycy,

■ zespół Kabuki (Kabuki syndrome) – dysmorfia, niedobór GH, hipogonadyzm oraz autoimmunizacyjna choroba tarczycy,

■ zespół POEMS (polyendocrinopathy, organomegaly, endocrinopathy, M protein in plasma and skin changes) – wtórne do krążących immunoglobulin hipogonadyzm i cukrzyca typu 1 u większości chorych,

■ grasiczak – aplazja układu czerwonokrwinkowego, miastenia, niekiedy autoimmunizacyjna choroba tarczycy i choroba Addisona,

■ różyczka wrodzona – mogą rozwijać się cukrzyca typu 1 i autoimmunizacyjna choroba tarczycy,

■ zespół Downa i zespół Turnera – częste są autoimmunizacyjna choroba tarczycy i celiakia.

Różnicowanie APS z poliendokrynopatiami nieautoimmunizacyjnymi (w których nie stwierdza się obecności autoprzeciwciał) obejmuje:

■ zespół Albrighta (patrz rozdz. 17.3.3 „Hipogonadyzm" i 17.8.2 „Niedoczynność przytarczyc"),

■ zespół Kearnsa–Sayre'a, spowodowany delecją mitochondrialnego tDNA – objawy z układu nerwowego i mięśni oraz cukrzyca, niedoczynność przytarczyc, tarczycy i nadnerczy (tab. 17.3),

■ zespół Wolframa, zwany także DIDMOAD (diabetes insipidus, diabetes mellitus, optic atrophy and deafness), wywołany mutacją genów *WFS1* i *CISD2*,

■ zespół DiGeorge'a – niedoczynność przytarczyc (patrz rozdz. 17.8.2 „Niedoczynność przytarczyc"),

■ hemochromatoza – niedoczynność gruczołów wydzielania wewnętrznego w wyniku odkładania się w nich hemosyderyny.

Leczenie

Leczenie w APS jest objawowe i nie różni się od stosowanego w pojedynczych endokrynopatiach (substytucja hormonalna i leczenie dietetyczne). Podstawowe zasady:

■ hydrokortyzon wprowadza się zawsze przed tyroksyną (odwrotna kolejność może wywołać przełom nadnerczowy),

■ w nieswoistym zapaleniu jelit i młodzieńczym idiopatycznym zapaleniu stawów stosuje się przeciwciała przeciw TNF-α lub jego receptorowi oraz leczenie immunosupresyjne (azatiopryna, glikokortykosteroidy i rytuksymab),

■ przewlekłą kandydozę leczy się flukonazolem,

■ w przypadku asplenizmu stosuje się profilaktycznie szczepienia przeciw pneumokokom i grypie oraz leczenie antybiotykami w okresie zakażeń,

■ u chorych z obecnymi przeciwciałami przeciw gonadom należy rozważyć zachowanie zamrożonej tkanki jajnikowej lub nasienia przed wystąpieniem jawnego klinicznie hipogonadyzmu.

Powinno się poinformować pacjentów i ich rodziców o ryzyku pojawienia się kolejnych objawów APS oraz o postępowaniu w zaostrzeniach zespołu. Zaleca się pacjentom noszenie przy sobie informacji o chorobie. W rodzinach chorych z APS1 obowiązuje poradnictwo genetyczne.

Powikłania i rokowanie

Poliendokrynopatia nierozpoznana lub nieprawidłowo leczona stanowi zagrożenie życia chorego.

Przyczyną zgonów jest przełom nadnerczowy (APS1, APS2), hipoglikemia lub ketokwasica (APS1––4). W APS1 przyczyną zgonu mogą być ponadto hipokalcemia, rak płaskonabłonkowy śluzówki jamy ustnej, gruczolakorak żołądka, piorunująca martwica wątroby, alkoholizm i samobójstwa.

17.12 *Jerzy Starzyk*
ENDOKRYNOLOGICZNE STANY NAGLĄCE U NOWORODKA I NIEMOWLĘCIA

17.12.1
Zagadnienia ogólne

Endokrynologiczne stany naglące u noworodka i niemowlęcia, jeśli są nierozpoznane lub nieprawidłowo leczone stanowią bezpośrednie zagrożenie życia, mogą także powodować nieodwracalny uraz psychospołeczny w rodzinie i konsekwencje administracyjno-prawne (zaburzenie rozwoju płci).

Endokrynologiczne stany naglące u noworodka i niemowlęcia są zwykle wrodzone i genetycznie uwarunkowane. Mogą występować zaraz po urodzeniu – przełom nadnerczowy, hipokalcemiczny, hiperkalcemiczny i tyreotoksyczny, ciężka hipernatremia wtórna do odwodnienia w moczówce nerkopochodnej i prostej oraz hipoglikemia; albo w kolejnych dniach, tygodniach lub miesiącach życia – zespół utraty soli, zespół mózgowej utraty soli, SIADH, hipotyreoza.

17.12.2 *Jerzy Starzyk, Małgorzata Wójcik*
Zaburzenia rozwoju płci
ang. disorders of sex development

Płeć chromosomowa dziecka jest determinowana w czasie zapłodnienia (prawidłowy kariotyp żeński to 46,XX, a męski 46,XY), a **płeć gonadalna** podczas różnicowania się pierwotnej bipotencjalnej gonady w kierunku jajnika lub jądra (między 6. a 8. tyg. po zapłodnieniu). Za rozwój jądra odpowiada kaskada genów rozpoczynająca się od *SRY*, a kończąca aktywacją *SOX9*, a za rozwój jajników odpowiada głównie gen *DAX1* w podwójnej dawce (z dwóch chromosomów X).

Wyznacznikiem **płci genitalnej** jest prawidłowe wykształcenie wewnętrznych i zewnętrznych narządów płciowych (między 8. a 14. tyg. po zapłodnieniu). Prawidłowa budowa i czynność układu rozrodczego zależy od ponad 200 genów (ryc. 17.15).

Definicja
Wrodzone nieprawidłowości rozwoju płci chromosomowej, gonadalnej lub genitalnej spowodowane chorobami płodu, matki lub łożyska oraz czynnikami jatrogennymi.

Epidemiologia
Zaburzenie budowy zewnętrznych narządów płciowych stwierdza się u 1 : 4500 noworodków. Różnorodne postacie zaburzeń rozwoju płci dotyczą 1% populacji ogólnej.

Etiologia i patogeneza
Zaburzenia rozwoju płci mogą być wynikiem nieprawidłowości na każdym z etapów rozwoju płci (tab. 17.7):

- zaburzenia liczby lub struktury chromosomów płciowych,
- nieprawidłowy rozwój jądra z bipotencjalnej gonady,
- niedostateczna maskulinizacja narządów płciowych u płci genetycznie męskiej,
- maskulinizacja narządów płciowych u płci genetycznie żeńskiej.

W skrajnych postaciach może powstać fenotyp żeński u płci męskiej lub męski u płci żeńskiej.

Obraz kliniczny
W większości przypadków zaburzeń rozwoju płci u noworodków stwierdza się nieprawidłową budowę zewnętrznych narządów płciowych. Niezależnie od przyczyny, w różnych zaburzeniach ich wygląd może być taki sam: od ciężkich wad budowy zewnętrznych i wewnętrznych narządów płciowych do poronnych, takich jak spodziectwo u płci genetycznej męskiej oraz przerost łechtaczki w I stopniu w skali Pradera u płci genetycznej żeńskiej. Najczęściej występują formy pośrednie, odpowiadające III stopniowi w skali Pradera (ryc. 17.16).

Niektóre postacie zaburzeń rozwoju płci ujawniają się dopiero w wieku dojrzewania, zwykle jako opóźnione lub niepełne dojrzewanie płciowe (zespół całkowitej niewrażliwości na androgeny i całkowita dysgenezja gonad 46,XY – fenotyp żeński u genetycznych chłopców lub mężczyzna 46,XX – fenotyp męski u genetycznych dziewcząt z obecnością genu *SRY*).

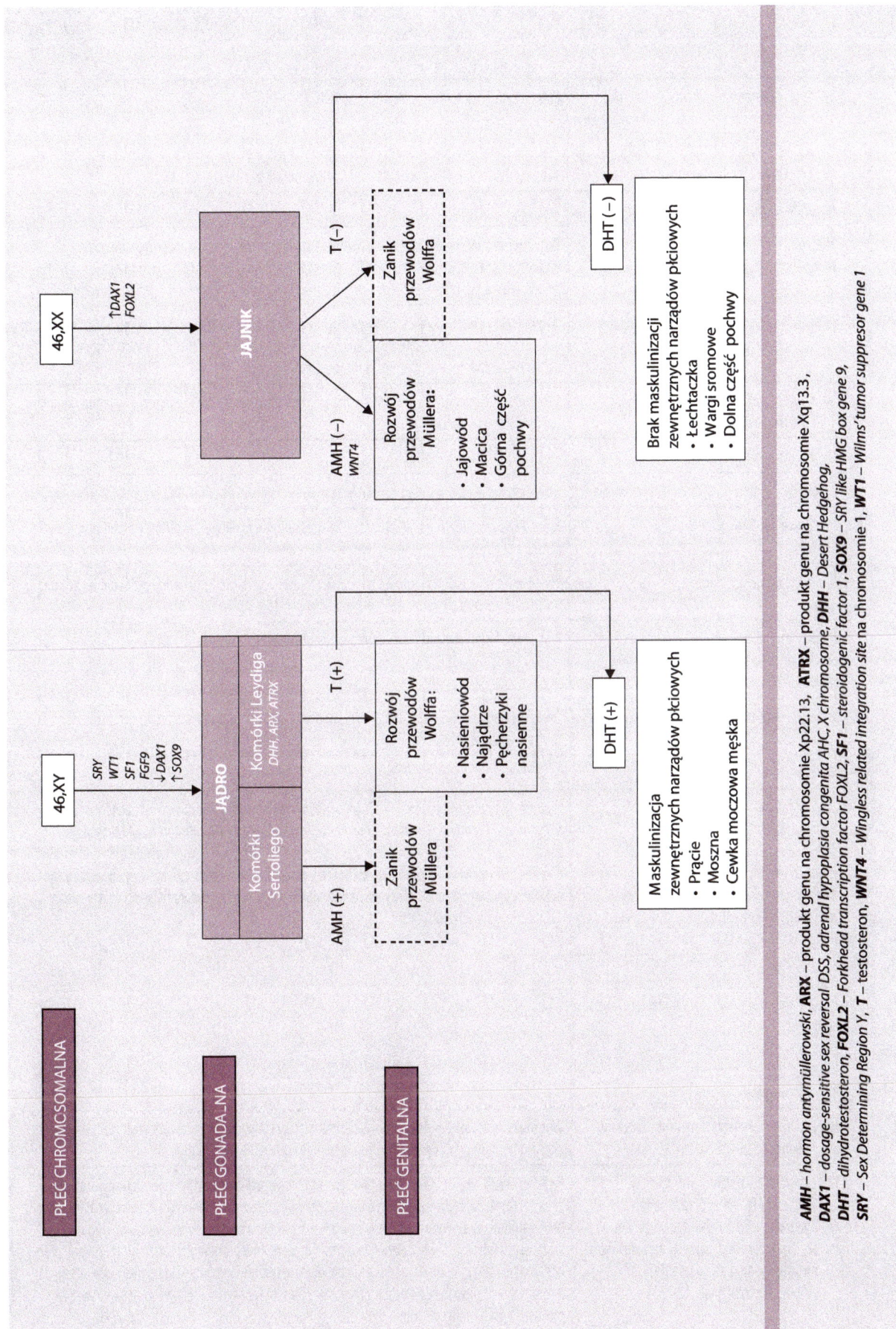

Rycina 17.15. Fizjologia rozwoju płci u płodu ludzkiego.

AMH – hormon antymüllerowski, **ARX** – produkt genu na chromosomie Xp22.13, **ATRX** – produkt genu na chromosomie Xq13.3, **DAX1** – dosage-sensitive sex reversal DSS, adrenal hypoplasia congenita AHC, X chromosome, **DHH** – Desert Hedgehog, **DHT** – dihydrotestosteron, **FOXL2** – Forkhead transcription factor FOXL2, **SF1** – steroidogenic factor 1, **SOX9** – SRY like HMG box gene 9, **SRY** – Sex Determining Region Y, **T** – testosteron, **WNT4** – Wingless related integration site na chromosomie 1, **WT1** – Wilms'tumor suppresor gene 1

Tabela 17.7. Przyczyny, etiologia i obraz kliniczny zaburzeń rozwoju płci

	ETIOLOGIA	OBRAZ KLINICZNY
Chromosomowe zaburzenia rozwoju płci	■ 45,X, zaburzenie struktury jednego lub obu chromosomów X lub układ mozaikowy (np. 45,X/46,XX) – zespół Turnera	Patrz rozdz. 17.2.2 „Niski wzrost" i tab. 17.1
	■ 47,XXY, 48,XXXY – zespół Klinefeltera	Patrz rozdz. 17.2.2 „Niski wzrost", 17.3.3 „Hipogonadyzm" i tab. 17.1, 17.2
	■ 45,X/46,XY	
	Mieszana dysgenezja gonad (asymetryczny rozwój gonad)	Po jednej stronie tkanka jądrowa o różnym stopniu dojrzałości oraz męskie przewody wyprowadzające z przewodów Wolffa, po drugiej gonada pasmowata, zbudowana z podścieliska łącznotkankowego (streak gonad) oraz macica i jajowód z przewodów Müllera
	Jajnikowo-jądrowe zaburzenia rozwoju płci	W gonadzie obecna tkanka jajnikowa z pęcherzykami pierwotnymi i tkanka jądrowa z kanalikami nasiennymi (ovotestis) – zmiana obustronna lub jednostronna, a druga gonada to jądro lub jajnik, ew. jedna gonada to jądro, a druga jajnik
	■ 46,XX/46,XY – jajnikowo-jądrowe zaburzenia rozwoju płci	Ovotestis obustronnie lub jednostronnie, a druga gonada to jądro lub jajnik, ew. jedna gonada to jądro, a druga jajnik
Zaburzenia rozwoju płci związane z kariotypem 46,XY	■ Zaburzenia rozwoju jąder	
	Całkowita dysgenezja gonad (zespół Swyera)	Gonady pasmowate, fenotyp żeński, brak macicy i jajowodów, brak dojrzewania płciowego
	Częściowa dysgenezja gonad	Jądra słabo zróżnicowane, niedostateczna maskulinizacja narządów płciowych, fenotyp zwykle żeński, obecna macica i jajowody, wirylizacja w okresie dojrzewania
	Mieszana dysgenezja gonad	Po jednej stronie tkanka jądrowa o różnym stopniu dojrzałości i pochodne przewodów Wolffa, po drugiej gonada pasmowata i pochodne przewodów Müllera
	Zespoły zaniku jąder (późna degeneracja jąder, po okresie krytycznym rozwoju narządów płciowych)	Brak jąder, fenotyp męski, brak dojrzewania płciowego
	Jajnikowo-jądrowe zaburzenia rozwoju płci	Ovotestis obustronnie lub jednostronnie, a druga gonada to jądro lub jajnik, ew. jedna gonada to jądro, a druga jajnik
	■ Zaburzenia syntezy testosteronu	
	Zespół Smitha–Lemliego–Opitza Mutacja białka StAR Bloki enzymatyczne kompleksu 20–22-liazy cholesterolowej (P450scc; CYP11A1), dehydrogenazy 3-β-hydroksysteroidowej (HSD3B2), 17-α-hydroksylazy, 17–20-liazy (P450c17; CYP17A1), dehydrogenazy 17-β-hydroksysteroidowej (17β-HSD, HSD17B3), oksydoreduktazy cytochromów P450 (patrz rozdz. 17.12.3 „Wrodzony przerost nadnerczy") Zaburzenia funkcji receptora dla hCG/LH (mutacja LHR) – zespół hipoplazji/aplazji komórek Leydiga	Niedostateczna maskulinizacja narządów płciowych w stopniu zależnym od nasilenia deficytu testosteronu i czasu jego wystąpienia; w skrajnych przypadkach fenotyp żeński przy ślepo zakończonej pochwie (brak struktur z przewodów Müllera, bo obecny hormon antymüllerowski); w okresie dojrzewania hiperplazja komórek Leydiga pod wpływem LH, zwiększona produkcja prekursorów testosteronu i wirylizacja (z wyjątkiem mutacji receptora hCG/LH) (patrz rozdz. 17.3.3 „Hipogonadyzm" i tab. 17.2)
	■ Zaburzenie syntezy dihydrotestosteronu (niedobór 5-α-reduktazy)	Wnętrostwo, fenotyp żeński lub męski, brak macicy i jajowodów (prawidłowe stężenie hormonu antymüllerowskiego), opóźnione dojrzewanie płciowe lub jego brak
	■ Zaburzenia działania androgenów (mutacja AR) – zespół całkowitej niewrażliwości na androgeny (zespół Morrisa), zespół częściowej niewrażliwości na androgeny (patrz rozdz. 17.3.3 „Hipogonadyzm" i tab. 17.2)	Fenotyp żeński w zespole Morrisa, w częściowej niewrażliwości różny – od nieprawidłowych zewnętrznych narządów płciowych do prawidłowo zmaskulinizowanych, niepłodnych mężczyzn; brak struktur z przewodów Müllera, obecne jądra w kanałach pachwinowych, w wargach sromowych lub w jamie brzusznej; w okresie dojrzewania płciowego bardzo dobry rozwój piersi, przy braku/słabym rozwoju owłosienia płciowego; u dziewcząt z częściową niewrażliwością na androgeny wirylizacja w okresie dojrzewania, czasem fenotyp męski i wewnętrzne narządy płciowe żeńskie (macica, jajowody)

Tabela 17.7. cd.

	ETIOLOGIA	OBRAZ KLINICZNY
Zaburzenia rozwoju płci związane z kariotypem 46,XY	■ Zaburzenia biosyntezy hormonu antymüllerowskiego i receptora dla niego (zespół przetrwałych przewodów Müllera)	Obecne wewnętrzne narządy płciowe żeńskie (macica, jajowody i pochwa) u chłopców
	■ Zaburzenia niezależne od androgenów	
	Spodziectwo	Nieprawidłowe ujście zewnętrzne cewki moczowej (w rowku poza żołędzią, w kącie prąciowo--mosznowym lub na kroczu)
	Wynicowanie kloaki	Najczęściej w zespołach wad wrodzonych
Zaburzenia rozwoju płci związane z kariotypem 46,XX	■ Zaburzenia rozwoju jajników	
	Jajnikowo-jądrowe zaburzenia rozwoju płci	Ovotestis obustronnie lub jednostronnie, a druga gonada to jądro lub jajnik, ew. jedna gonada to jądro, a druga jajnik
	Jądrowe zaburzenia rozwoju płci (obecność DNA chromosomu Y na chromosomie X; obecny gen *SRY* lub duplikacja *SOX9*)	Fenotyp męski, obecne jądra, postępujące zaburzenie czynności jąder, obraz histologiczny jąder podobny do zespołu dysgenezji kanalików krętych (jak w zespole Klinefeltera), niepłodność
	Dysgenezja gonad	Częściowy lub całkowity brak rozwoju jajnika, gonady pasmowate, obecne struktury z przewodów Müllera
	■ Nadmiar androgenów	
	Płodowy (WPN, najczęściej niedobór 21OH) (patrz rozdz. 17.12.3 „Wrodzony przerost nadnerczy")	We wszystkich przypadkach wirylizacja zewnętrznych narządów płciowych, obecne prawidłowe jajniki i struktury z przewodów Müllera
	Łożyskowo-płodowy (niedobór aromatazy, zaburzona konwersja androgenów do estrogenów) (patrz rozdz. 17.3.3 „Hipogonadyzm" i tab. 17.2)	
	Odmatczyny (luteoma jajnika, leki o działaniu androgennym)	
	■ Zaburzenia niezależne od androgenów	
	Agenezja przewodów Müllera (zespół Mayera–Rokitansky'ego–Küstera–Hausera)	Szczątkowe struktury z przewodów Müllera lub ich brak
	Wynicowanie kloaki	Najczęściej w zespołach wad wrodzonych

W przebiegu zaburzenia rozwoju płci 46,XX spowodowanego przez wrodzony przerost nadnerczy u ³/₄ dziewcząt występuje w 2. tż. zespół utraty soli (brak leczenia stanowi bezpośrednie zagrożenie życia).

U chorych z chromosomem Y obecność dysgenetycznych gonad, zwłaszcza położonych wewnątrzbrzusznie, jest związana ze znacznym zwiększeniem ryzyka nowotworzenia. Jeszcze większe ryzyko pojawienia się nowotworów występuje u chorych z zaburzeniami rozwoju płci spowodowanymi mutacją genu *WT1*, u których najczęściej równocześnie stwierdza się cechy zespołów genetycznych WAGR, Denysa––Drasha lub Frasiera. Z uwagi na genetyczne uwarunkowanie wrodzony przerost nadnerczy i zespół

niewrażliwości na androgeny mogą występować u członków najbliższej rodziny pacjenta.

Przebieg naturalny

Jest indywidualny u każdego chorego i zależy zarówno od przyczyny zaburzenia rozwoju płci, jak i rodzaju oraz nasilenia objawów. Zespół utraty soli w zaburzeniu rozwoju płci z kariotypem 46,XX w przebiegu wrodzonego przerostu nadnerczy stanowi bezpośrednie zagrożenie życia. Nieprawidłowy wygląd zewnętrznych narządów płciowych jest przyczyną urazu psychospołecznego chorego oraz jego rodziny. Wraz z zaburzonym rozwojem wewnętrznych narządów płciowych oraz identyfikacji i roli płciowej może utrudniać związki partnerskie, być przyczyną nie-

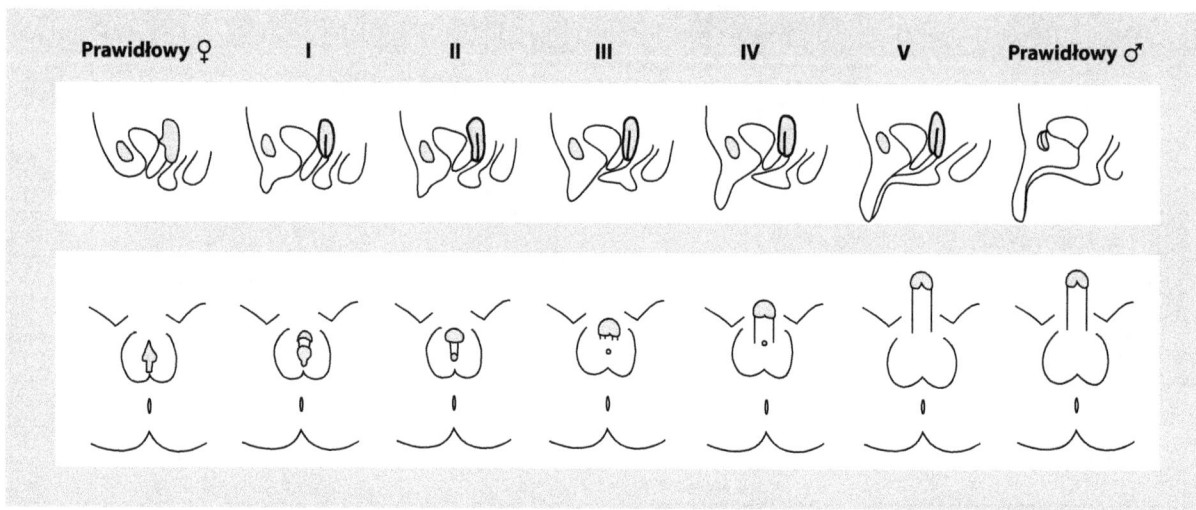

Rycina 17.16. Pięciostopniowa skala wg Pradera do oceny zaburzeń rozwoju zewnętrznych narządów płciowych u dziewcząt: stopień I – zewnętrzne narządy płciowe żeńskie, niewielki przerost łechtaczki, stopień II – wyraźny przerost łechtaczki, głęboki przedsionek pochwy z widocznym w jego dnie osobnym ujściem cewki i pochwy, stopień III – znaczny przerost łechtaczki, osobne ujście cewki moczowej i pochwy w zatoce moczowo-płciowej (częściowo zrośnięte wargi sromowe większe i mniejsze), stopień IV – duży przerost łechtaczki, długa zatoka moczowo-płciowa uchodząca u podstawy łechtaczki, stopień V – zewnętrzne narządy płciowe męskie, całkowite zrośnięcie warg sromowych o wyglądzie moszny, ujście cewki moczowej na szczycie łechtaczki przypominającej prącie, brak jąder w mosznie. Skala Pradera stosowana jest w praktyce do oceny zaburzeń zewnętrznych narządów płciowych przed określeniem płci genetycznej: powiększeniu łechtaczki odpowiada niedorozwój prącia, zrośnięciu warg sromowych – niedorozwój moszny, a nieprawidłowemu ujściu zatoki moczowo-płciowej – spodziectwo.

płodności oraz zwiększonego ryzyka rozwoju zarodkowych nowotworów gonad.

Metody diagnostyczne i różnicowanie

W każdym przypadku zaburzenia rozwoju płci należy jak najszybciej wykonać badania w celu ustalenia płci dziecka. Obowiązuje przeprowadzenie diagnostyki **w ośrodku referencyjnym** (przed wypisaniem dziecka do domu) przez zespół złożony z neonatologa, endokrynologa, genetyka, urologa i psychologa. Należy przekazać rodzicom nietraumatyzującą informację, np: „dziecko ma niezakończony rozwój narządów płciowych, a określenie płci będzie wymagało nieco czasu, gdyż składa się na to szereg parametrów anatomicznych i czynnościowych", nie należy używać określeń „obojnactwo", „kloaka" czy „hermafrodytyzm".

U noworodka z nieprawidłowymi zewnętrznymi narządami płciowymi należy ze względu na ryzyko wystąpienia **zespołu utraty soli** w przebiegu wrodzonego przerostu nadnerczy ocenić stan ogólny, nawodnienie i obecność innych cech niedoczynności nadnerczy oraz wykonać oznaczenia jonogramu, równowagi kwasowo-zasadowej i glikemii (patrz rozdz. 17.12.3 „Wrodzony przerost nadnerczy").

Badaniem przedmiotowym należy ocenić wielkość wyrostka fallicznego, rozwój fałdów mosznowo--wargowych i stopień ich zrośnięcia oraz miejsce ujścia zatoki moczowo-płciowej lub też ujścia cewki moczowej i pochwy. Gonada stwierdzana palpacyjnie w okolicach pachwinowych lub w fałdach moszno-wo-wargowych najczęściej jest jądrem, rzadziej *ovotestis* (gonada zawierająca jednocześnie struktury jajnika i jądra). Jajniki prawie nigdy nie opuszczają jamy brzusznej. Ustalenie etiologii zaburzenia rozwoju płci nie jest jednak możliwe na podstawie wyglądu zewnętrznych narządów płciowych. W tym celu u wszystkich chorych z tym zaburzeniem należy:

- oznaczyć **kariotyp** (nie przesądza on jednak o wyborze płci),
- ocenić **czynność hormonalną gonad i nadnerczy**,
- określić **lokalizację oraz morfologię gonad i wewnętrznych narządów płciowych**.

Badania hormonalne przeprowadzone z tej samej próbki krwi obejmują oznaczenia stężenia testosteronu, dihydrotestosteronu, 17-hydroksyprogesteronu (17OHP), 17-hydroksypregnenolonu, androstendionu oraz hormonu antymüllerowskiego. Ocenę stężenia testosteronu po 6. mż. (gdy nie wykonano jej wcześniej) przeprowadza się po stymulacji jąder przez hCG (po 6. mż. stężenie testosteronu jest niskie). Wyniki tych badań pozwalają wnioskować na temat przyczyny zaburzenia rozwoju płci:

- zwiększone stężenie 17OHP – blok 21OH, 11βOH lub niedobór P450 oksydoreduktazy,
- zwiększony stosunek testosteronu do dihydrotestosteronu – blok 5-α-reduktazy,
- zwiększony stosunek 17-hydroksypregnenolonu do 17OHP – blok dehydrogenazy 17-β-hydroksysteroidowej (17βHSD),
- zwiększony stosunek androstendionu do testosteronu – blok 3βHSD2,
- wykazanie obecności hormonu antymüllerowskiego w surowicy krwi (wydzielany przez komórki Sertoliego) wskazuje na obecność jąder i zaburzenie rozwoju płci z kariotypem 46,XY.

Analiza profilu steroidowego moczu metodą GC-MS umożliwia identyfikację wszystkich bloków steroidogenezy, w tym bloków syntezy testosteronu, z wyjątkiem bloku 17βHSD (zwiększenie stosunku prekursorów testosteronu do testosteronu).

Wziernikowanie pochwy rozstrzyga czy obecna jest szyjka macicy (jej brak świadczy o braku macicy). USG oraz MR pozwalają na ocenę obecności macicy i gonad oraz na określenie ich lokalizacji i morfologii, a także na stwierdzenie ewentualnego rozrostu kory nadnerczy. Cystogenitografia umożliwia wykrycie wspólnych wad rozwojowych (nieprawidłowych połączeń) układu moczowego i płciowego.

Badania genetyczne są rozstrzygające dla rozpoznania zaburzenia rozwoju płci 46,XX spowodowanego obecnością genu *SRY* oraz mogą być pomocne w diagnostyce różnicowej zespołu niewrażliwości na androgeny oraz bloków syntezy testosteronu.

Rozpoznanie dysgenezji gonad stawia się na podstawie badania histologicznego gonady.

Leczenie

Sposób leczenia chirurgicznego (korekcja zewnętrznych narządów płciowych, gonadektomia) i substytucji (testosteron lub estradiol) w okresie dojrzewania zależy od **wyboru płci**. Powinno się go dokonać tak, aby wada została skorygowana w jak największym stopniu, a pacjent mógł funkcjonować pod względem psychoseksualnym:

- **płeć żeńska** w zaburzeniach rozwoju płci 46,XX spowodowanych przez:
  - wrodzony przerost nadnerczy lub androgeny pochodzące od matki lub z łożyska niezależnie od stopnia maskulinizacji zewnętrznych narządów płciowych (wewnętrzne narządy płciowe są w tych przypadkach żeńskie),
  - całkowitą dysgenezję gonad lub zespół całkowitej niewrażliwości na androgeny (w obu chorobach żeńska identyfikacja płci),
- **płeć zwykle żeńska:**
  - cięższe postacie częściowej niewrażliwości na androgeny i bloków syntezy testosteronu,
  - dysgenezja gonad,
  - 46,XX jajnikowo-jądrowe zaburzenie rozwoju płci (w zależności od budowy zewnętrznych i wewnętrznych narządów płciowych),
- **płeć męska:**
  - niedobór 17βHSD,
  - niedobór 3βHSD2,
  - niedobór 5-α-reduktazy,
  - zanik jąder (występuje po 14. tygodniu życia – prawidłowy rozwój zewnętrznych i wewnętrznych narządów płciowych).

W zaburzeniach rozwoju płci 46,XX przebiegających z nadmierną androgenizacją w okresie niemowlęcym wykonuje się plastykę powiększonej łechtaczki (z zachowaniem pęczka nerwowo-naczyniowego) i zatoki moczowo-płciowej, a po okresie dojrzewania plastykę pochwy (wymagane współżycie płciowe).

Gdy nie można ustalić etiologii zaburzenia oraz przewidzieć kierunku rozwoju drugorzędowych cech płciowych i płci psychicznej należy odroczyć zabiegi rekonstrukcyjne zewnętrznych i wewnętrznych narządów płciowych do momentu zbadania płci psychicznej.

Dysgenetyczne gonady wewnątrzbrzuszne powinny być usunięte, a dysgenetyczne jądra w mosznie wymagają obserwacji. Z tych powodów gonadektomię należy przeprowadzić u pacjentów z zespołem częściowej niewrażliwości na androgeny o fenotypie żeńskim, zaburzeniami syntezy androgenów o fenotypie żeńskim, dysgenezją gonad spowodowaną materiałem genetycznym z chromosomu Y oraz u chorych z mieszaną dysgenezją gonad (usunięcie gonady szczątkowej), a także u chorych z zespołem całkowitej oporności na androgeny w okresie niemowlęcym lub w okresie dojrzewania po uzyskaniu rozwoju piersi i feminizacji sylwetki ciała (aromatyzacja testosteronu do estradiolu).

Powikłania

Niezastosowanie hydrokortyzonu u noworodka z wrodzonym przerostem nadnerczy z utratą soli prowadzi do przełomu nadnerczowego. W przypadku pozostawienia dysgenetycznych gonad u chorych z obecnym chromosomem Y istnieje zwiększone ryzyko rozwoju nowotworów. Możliwe są powikłania leczenia chirurgicznego (plastyka zewnętrznych narządów płciowych). Błędne orzeczenie płci dziecka skutkuje konsekwencjami prawno-administracyjnymi (zmiana płci wpisanej do aktu urodzenia dziecka jest możliwa wyłącznie na drodze sądowej).

Rokowanie

Rokowanie jest indywidualne dla poszczególnych chorych i zależy od przyczyny zaburzenia rozwoju płci, wyboru płci oraz sposobu i skuteczności leczenia.

17.12.3

Wrodzony przerost nadnerczy

ang. congenital adrenal hyperplasia

Definicja

Choroba dziedziczona autosomalnie recesywnie występująca u obu płci spowodowana delecją lub mutacją genów powodującą brak lub zmniejszenie aktywności enzymów odpowiedzialnych za steroidogenezę nadnerczową, głównie kortyzolu.

Zespół utraty soli to ostra niedoczynność kory nadnerczy wywołana przez niedobór aldosteronu (zwykle współistnieje niedobór kortyzolu).

Epidemiologia

Wrodzony przerost nadnerczy (WPN) występuje w populacji ogólnej z częstością 1 : 15 000. Około 90% przypadków stanowi niedobór 21OH, mniej niż 10% niedobór 11βOH i oksydoreduktazy cytochromów P450, a poniżej 1% pozostałe bloki: 3βHSD2, desmolazy cholesterolowej i niedobór białka regulującego steroidogenezę (StAR) odpowiedzialnego za lipidowy rozrost kory nadnerczy.

Etiologia i patogeneza

Geny, których mutacje odpowiedzialne są za wrodzony przerost nadnerczy przedstawiono w tabeli 17.8. We wszystkich postaciach choroby **zahamowana jest synteza kortyzolu**. U $3/4$ pacjentów z niedoborem

21OH, 60% z niedoborem 3βHSD2 oraz u wszystkich z niedoborem desmolazy cholesterolowej i lipidowym rozrostem nadnerczy stwierdza się też **niedostateczną syntezę aldosteronu**, objawiającą się zespołem utraty soli.

Niedobór kortyzolu stanowi przyczynę kompensacyjnego wzrostu wydzielania CRH i ADH, a w konsekwencji **zwiększonego wydzielania ACTH**, którego nadmiar powoduje:

- rozrost i przerost kory nadnerczy (4-krotny w niedoborze 21OH, największy w rozroście lipidowym),
- spiętrzenie przed blokiem w niedoborze 11βOH prekursorów aldosteronu o aktywności mineralokortykosteroidowej, głównie 11-dezoksykortykosteronu, które powodują retencję sodu i nadciśnienie tętnicze ujawniające się po okresie niemowlęcym u $3/4$ chorych,
- nadmierną syntezę androgenów nadnerczowych skutkującą zaburzeniami rozwoju płci u noworodków płci żeńskiej i dyskretną hiperandrogenizacją u płci męskiej (niedobór 21OH, 11βOH, oksydoreduktazy cytochromów P450, 3βHSD2).

W niedoborze desmolazy cholesterolowej i lipidowym rozroście nadnerczy obok niedoboru kortyzolu i aldosteronu stwierdza się także niedobór androgenów w nadnerczach i jądrach płodu. Stanowi on przyczynę rozwoju żeńskiej płci fenotypowej u noworodków płci męskiej (patrz rozdz. 17.12.2 „Zaburzenia rozwoju płci").

Obraz kliniczny

Po urodzeniu dominującym objawem wrodzonego przerostu nadnerczy u dziewcząt jest **wirylizacja zewnętrznych narządów płciowych**, a u chłopców przebarwienie moszny, brodawek sutkowych i prącia, często z jego pogrubieniem. Inne objawy kliniczne wrodzonego przerostu nadnerczy mogą narastać stopniowo. Stwierdza się:

- brak przyrostu masy ciała,
- hiperpigmentację skóry,
- brak łaknienia,
- cechy odwodnienia,
- wymioty.

Czasem choroba ujawnia się gwałtownie **zespołem utraty soli**:

- pogorszenie stanu ogólnego,
- szare zabarwienie skóry (odwodnienie i kwasica metaboliczna),
- drgawki (hipoglikemia),
- hipotonia (kortyzol i aldosteron odpowiadają za prawidłowe ciśnienie krwi),
- gorączka,
- wstrząs,
- zgon w przypadku niezastosowania glikokortykosteroidów.

Zespół utraty soli występuje zwykle nie wcześniej niż pod koniec 2. tż., po okresie fizjologicznej inwolucji warstwy płodowej nadnerczy (u wcześniaków może pojawić się w pierwszych dniach po urodzeniu).

W niedoborze oksydoreduktazy cytochromów P450 widać niekiedy deformacje kostne, a także torbiele jajników u dziewcząt.

Przebieg naturalny

Noworodki z niedoborem desmolazy cholesterolowej i z lipidowym rozrostem nadnerczy umierają, jeżeli nie zostanie wprowadzona suplementacja glikokortykosteroidami i mineralokortykosteroidami.

W pozostałych postaciach wrodzonego przerostu nadnerczy w każdym okresie życia istnieje ryzyko zgonu z powodu zespołu utraty soli. Rozwija się również rzekome przedwczesne dojrzewanie [patrz rozdz. 17.3.2 „Przedwczesne dojrzewanie" i 17.6.3 „Przewlekła niedoczynność kory nadnerczy (choroba Addisona)"].

W niedoborze oksydoreduktazy cytochromów P450 w okresie dojrzewania występuje hipogonadyzm (niedobór hormonów płciowych gonad). Stwierdza się też zwiększone ryzyko pojawienia się skrętu torbieli jajników.

Metody diagnostyczne

Podstawowe znaczenie dla rozpoznania mają **fizykalna ocena** budowy zewnętrznych narządów płciowych, nawodnienia i zabarwienia skóry (ciawica spowodowana nadmiarem ACTH i MSH) oraz pomiar ciśnienia tętniczego. Pomocny jest **wywiad** w kierunku występowania w rodzinie wrodzonego przerostu nadnerczy, zaburzeń rozwoju płci i niewyjaśnionych zgonów niemowląt.

U każdego dziecka z podejrzeniem wrodzonego przerostu nadnerczy należy wykonać **oznaczenie**

w surowicy krwi jonogramu, gazometrii, glikemii, stężenia 17OHP, testosteronu, DHEAS, ACTH i aldosteronu, aktywności reninowej osocza, a także kariotypu.

Rozpoznanie wrodzonego przerostu nadnerczy z niedoboru 21OH potwierdzają:

- podwyższone stężenie 17OHP w surowicy krwi (> 300 nmol/l, > 80 ng/ml) – interpretację utrudnia stresowe podwyższenie jego stężenia u zdrowych noworodków,
- hiperkaliemia ze względną hiponatremią,
- kwasica metaboliczna,
- hipoglikemia,
- zwiększona aktywność reninowa osocza przy obniżonym stężeniu aldosteronu,
- podwyższone stężenie ACTH, DHEAS i testosteronu.

Na rozpoznanie niedoboru 11βOH wskazują alkaloza i obniżona aktywność reninowa osocza (spowodowane nadmiarem prekursorów aldosteronu) oraz wszystkie z wymienionych wyżej, które nie są z nimi sprzeczne.

Poszczególne typy wrodzonego przerostu nadnerczy i inne zaburzenia steroidogenezy różnicuje charakterystyczny dla danego zaburzenia **profil steroidowy w moczu dobowym** w badaniu GC-MS i wynik badań molekularnych. Zbiórka moczu powinna być wykonana nie wcześniej niż w 5. dż. Do interpretacji wyniku konieczna jest informacja o stosowanym leczeniu farmakologicznym (w tym o substytucji hydrokortyzonem lub innymi glikokortykosteroidami).

Różnicowanie

Wrodzony przerost nadnerczy występujący u noworodka i niemowlęcia wymaga różnicowania z innymi wrodzonymi postaciami przewlekłej niedoczynności kory nadnerczy (tab. 17.8). Dotyczy to zwłaszcza chłopców, u których brak jest objawów zaburzeń rozwoju zewnętrznych narządów płciowych lub są one słabo wyrażone.

Wspólnymi cechami wrodzonego przerostu nadnerczy i innych postaci przewlekłej niedoczynności kory nadnerczy są zaburzenia jonowe, hipoglikemia, obniżone stężenie aldosteronu, wzrost aktywności reninowej osocza oraz występowanie klinicznych i laboratoryjnych cech przełomu nadnerczowego/zespołu utraty soli.

Tabela 17.8. Przyczyny i etiologia przewlekłej niedoczynności kory nadnerczy u noworodka i niemowlęcia

1 Pierwotna niedoczynność kory nadnerczy
- ■ Wrodzony przerost nadnerczy
  - – Niedobór 21OH (mutacja genu *CYP21*)
  - – Niedobór 11βOH (mutacja genu *CYP11B2*)
  - – Niedobór POR (mutacja genu *POR*)
  - – Niedobór 3βHSD2 (mutacja genu *HSD3B2*)
  - – Niedobór desmolazy cholesterolowej (mutacja genu *CYP11A*)
  - – Lipidowy rozrost nadnerczy (mutacja genu *STAR*)
- ■ Wrodzona hipoplazja kory nadnerczy
  - – Mutacja genu *DAX1*
  - – Mutacja genu *SF1*
- ■ Rodzinny niedobór glikokortykoidów (oporność receptora dla ACTH)
  - – Mutacja genu *MC2R*
  - – Mutacja genu *MRAP*
- ■ Zespół Allgrove'a (mutacja genu *AAAS*)
- ■ Oporność na glikokortykosteroidy (mutacja genu *GCCR*)
- ■ Choroby metaboliczne
  - – Adrenoleukodystrofia (mutacja genu *ABCD1*)
  - – Zespół Zellwegera (mutacja genu *PEX*)
  - – Zespół Smitha–Lemliego–Opitza (mutacja genu *DCHR7*)
  - – Choroba Wolmana (mutacja genu *LIPA*)
- ■ Choroby mitochondrialne
  - – Zespół Kearnsa–Sayre'a (patrz rozdz. 17.2.2 „Niski wzrost" i 17.11 „Poliendokrynopatie")
- ■ Destrukcja kory nadnerczy
  - – Autoimmunizacyjna (izolowana, APS1 i 2) (patrz rozdz. 17.11 „Poliendokrynopatie")
  - – Wylew/zawał (uraz, zespół Waterhouse'a–Friderichsena, antykoagulanty)
  - – Leki (aminoglutetymid, mitotan, ketokonazol, metyrapon, fenytoina)
  - – Infekcje (cytomegalia, HIV, grzybicze, gruźlica)
  - – Nacieki (hemochromatoza, histiocytoza, sarkoidoza, amyloidoza, przerzuty nowotworowe)

2 Wtórna niedoczynność kory nadnerczy
- ■ Genetyczne postaci wielohormonalnej niedoczynności przysadki (mutacja genów *PROP1* lub *HESX1*)
- ■ Strukturalne przyczyny wielohormonalnej niedoczynności przysadki (patrz rozdz. 17.2.2 „Niski wzrost" i tab. 17.1)
- ■ Przerwanie długotrwałej steroidoterapii
- ■ Niedobór CRH
- ■ Zespół Pradera–Williego (tab. 17.1 i 17.2)
- ■ Hiperkortyzolemia matczyna
- ■ Izolowany niedobór ACTH (mutacja genu *TPIT* lub *POMC*)
- ■ Niedobór konwertazy proproteiny 1 (mutacja genu *PCSK1*)

Cechy różnicujące to:

- ■ zwapnienia nadnerczy w badaniu USG, wybroczyny na skórze, objawy uogólnionego zakażenia – przewlekła niedoczynność kory nadnerczy spowodowana obustronnymi wylewami do nadnerczy lub wrodzona hipoplazja kory nadnerczy,

- ■ niedostateczne wydzielanie łez i/lub cechy achalazji przełyku – zespół Algrove'a,
- ■ hepatosplenomegalia, zwapnienia nadnerczy, komórki zawierające estry cholesterolu w szpiku, brak aktywności esterazy cholesterolowej w leukocytach i w komórkach szpiku – zespół Wolmana,
- ■ opóźniony rozwój psychoruchowy, obecność w osoczu bardzo krótkich kwasów tłuszczowych – niemowlęca postać adrenoleukodystrofii,
- ■ objawy wielohormonalnej niedoczynności przysadki u noworodka – wtórna przewlekła niedoczynność kory nadnerczy.

U niemowlęcia z zespołem utraty soli należy wykluczyć kwasice cewkowe, a także pseudohipoaldosteronizm (przejściową niewrażliwość nerek na aldosteron), które nie wymagają leczenia hydrokortyzonem, a jedynie odpowiednio wysokiej podaży NaCl. Diagnostykę przewlekłej niedoczynności kory nadnerczy oraz różnicowanie pierwotnych i wtórnych jej postaci przedstawiono w rozdziale 17.6.3 „Poliendokrynopatie".

Leczenie

W ostrej niedoczynności kory nadnerczy przed włączeniem leczenia hydrokortyzonem należy **oznaczyć stężenie elektrolitów i glukozy oraz zabezpieczyć surowicę krwi i dobową zbiórkę moczu w celu wykonania badań hormonalnych** potwierdzających rozpoznanie wrodzonego przerostu nadnerczy. Badania te nie powinny opóźniać rozpoczęcia leczenia.

W zespole utraty soli należy podać bolus *i.v.* 100 mg/m² pc. **hydrokortyzonu**, a następnie 50–100 mg/m² pc./dobę *i.v.* w 4 dawkach podzielonych. Równocześnie obowiązuje wyrównywanie odwodnienia hipoosmotycznego i niedoboru glukozy (roztwór NaCl z glukozą 1 : 1 lub 0,9% NaCl bez dodatku potasu). W pierwszej godzinie powinno się podać 20 ml/kg mc., a następnie w zależności od zapotrzebowania wg ogólnie przyjętych zasad.

We wrodzonym przeroście nadnerczy bez ostrych zaburzeń (oraz innych postaciach przewlekłej niedoczynności kory nadnerczy) stosuje się hydrokortyzon w dawce substytucyjnej 10–15 mg/m² pc./dobę w 3 podzielonych dawkach wraz z fludrokortyzonem w jednej dawce 0,05–0,15 mg/dobę *p.o.*

Sposoby postępowania we wrodzonym przeroście nadnerczy w stanach stresu i wtórnej przewlekłej niedoczynności kory nadnerczy oraz sposoby monitorowania leczenia przedstawiono w rozdziale 17.6.3 „Przewlekła niedoczynność kory nadnerczy (choroba Addisona)".

Leczenie prenatalne wrodzonego przerostu nadnerczy z niedoboru 21OH w opinii towarzystw naukowych ma charakter eksperymentalny.

Powikłania

Powikłania ostre i przewlekłe przedstawiono w rozdziale 17.6.3 „Przewlekła niedoczynność kory nadnerczy (choroba Addisona).

Rokowanie

Szacuje się, że w rozwiniętych ekonomicznie krajach, w których noworodki nie są objęte badaniem przesiewowym wrodzonego przerostu nadnerczy (w tym w Polsce) 4–10% noworodków i niemowląt z tą chorobą umiera z powodu zespołu utraty soli przed postawieniem rozpoznania.

17.12.4

Wrodzona niedoczynność tarczycy

łac. *hypothyreosis congenita*

ang. congenital hypothyroidism

Definicja

Zespół objawów klinicznych spowodowany niedoborem hormonów tarczycy u płodu i noworodka.

Epidemiologia

Najczęstszą (1 : 4000 urodzeń) przyczyną **trwałej** wrodzonej niedoczynność tarczycy, która stanowi ok. 76% wszystkich postaci wrodzonej niedoczynności tarczycy jest dysgenezja tarczycy (hipoplazja z ektopią, rzadziej aplazja tarczycy). Po ok. 10% (1 : 25 000– –1 : 50 000) stanowią bloki syntezy hormonów tarczycy oraz uszkodzenie podwzgórza i przysadki (wtórna wrodzona niedoczynność tarczycy). Najrzadziej stwierdza się częściową oporność na hormony tarczycy (1 : 100 000).

Przemijająca wrodzona niedoczynność tarczycy spowodowana niedoborem jodu występuje obecnie w Polsce wyjątkowo (profilaktyka jodowa). Jednak w skali świata niedobór jodu jest nadal najczęstszą przyczyną wrodzonej niedoczynności tarczycy oraz innych zaburzeń z niedoboru jodu (upośledzenie umysłowe, zaburzenia neurologiczne, zwłaszcza zaburzenia słuchu i mowy oraz niski wzrost).

Etiologia i patogeneza

Przyczyny i etiologię wrodzonej niedoczynności tarczycy przedstawiono w tabeli 17.9.

Na czynność tarczycy i stężenie hormonów tarczycy u płodu oraz noworodka wpływ mają substancje, które przechodzą przez łożysko od matki do krążenia płodu:

- hormony tarczycy wydzielane przez tarczycę matki (w II i III trymestrze ciąży T4 pochodząca od matki stanowi 30% całkowitej puli T4 płodu. Płód wydziela własną T4 od ok. 12. tc.),
- jod zażywany przez matkę w postaci preparatów jodku potasu lub amiodaronu,
- tyreostatyki zażywane przez matkę,
- TRAb pobudzające lub blokujące.

Do krążenia płodu przenikać mogą antyseptyki zawierające jod stosowane na skórę noworodka.

Tabela 17.9. Przyczyny i etiologia wrodzonej niedoczynności tarczycy

1 Pierwotna trwała
- Dysgenezja (ektopia zwykle z hipoplazją, aplazja) – AD, AR, dziewczęta/chłopcy 2 : 1
  - Idiopatyczna (95% dysgenezji)
  - Mutacja genu *TTF1* (AD)
  - Mutacja genu *TTF2* (AR)
  - Mutacja genu *PAX8* (AD, sporadyczne)
  - Mutacja genu dla receptora TSH
  - Inaktywująca mutacja genu podjednostki Gsα receptora dla TSH
- Dyshormonogeneza (AR)
  - Mutacja genu dla NIS
  - Mutacja genu dla TPO
  - Mutacja genu dla podwójnej tyreooksydazy 2 (*DUOX2*)
  - Mutacja genu dla Tg
  - Mutacja genu dla dehalogenazy 1 (*DEHAL1*)
  - Mutacja genu dla pendryny oraz *DUOX2* (zespół Pendreda)

2 Pierwotna przejściowa
- Niedobór jodu
- Nadmiar jodu
- Hamujące TRAb od matki z autoimmunizacyjną chorobą tarczycy
- Tyreostatyki od matki z chorobą Gravesa–Basedowa

3 Wtórna trwała
- Wielohormonalna niedoczynność przysadki (AR, AD) (patrz rozdz. 17.2.2 „Niski wzrost" i tab. 17.1)
- Izolowane niedobory hormonów (postacie rodzinne)
  - Niedobór TSH
  - Niedobór TRH

4 Wtórna przejściowa
- Supresja osi podwzgórze–przysadka–tarczyca płodu przez hormony tarczycy od matki z hipertyreozą

5 Częściowa oporność na działanie hormonów tarczycy
- Mutacja genu dla receptora dla hormonów tarczycy – TRβ (AD)

AD – dziedziczenie autosomalne dominujące, AR – dziedziczenie autosomalne recesywne, Tg – tyreoglobulina

Przez łożysko przechodzą także TPOAb i TgAb, które nie wywierają niekorzystnego wpływu na tarczycę płodu.

W przypadku niedoczynności tarczycy płodu uruchamiają się **mechanizmy adaptacyjne:**

■ zwiększenie transportu hormonów tarczycy i jodu przez łożysko (zwiększona aktywność, odpowiednio MCT8 i symportera sodowo-jodowego),

■ nasilenie konwersji T4 do aktywnej T3 w mózgu i w tarczycy,

■ zwiększone wydzielanie TSH przez przysadkę płodu.

Z przedstawionych powodów niedoczynność tarczycy płodu nie jest z reguły przyczyną jego ciężkiej hipotyreozy i jej powikłań, które rozwijają się jedynie w sytuacji współwystępowania niedoczynności tarczycy u ciężarnej i u płodu. Najczęściej w wyniku niedoboru jodu będącego substratem do syntezy hormonów tarczycy lub nadmiaru jodu, który hamuje ich syntezę (efekt Wolffa–Chaikoffa).

Obraz kliniczny

Konsekwencjami hipotyreozy płodu, w zależności od jej nasilenia, są:

■ w najcięższych przypadkach współistnienia hipotyreozy u matki i u płodu – zahamowanie rozwoju mózgu i somatycznego płodu, poronienie lub zgon w okresie okołoporodowym,

■ w lżejszych przypadkach tej koincydencji – wystąpienie w okresie postnatalnym upośledzenia rozwoju psychoruchowego i umysłowego, objawów piramidowych i pozapiramidowych, a także głuchoniemoty,

■ w przypadkach aplazji tarczycy lub całkowitego bloku syntezy hormonów tarczycy u płodu (ok. 5% noworodków z wrodzoną niedoczynnością tarczycy) – przepuklina pępkowa, brak jądra kostnienia w dystalnej nasadzie kości udowej (RTG kolana), duży język, szorstka skóra, ochrypły głos, obrzęki powiek, dołków nadobojczykowych, kończyn i zewnętrznych narządów płciowych, wiotkość, duży brzuch, bradykardia, wole (które może być przyczyną zaburzeń oddychania i połykania),

■ w większości przypadków wrodzonej niedoczynności tarczycy u płodu (ok. 95% noworodków z wrodzoną niedoczynnością tarczycy) – w okresie postnatalnym przedłużająca się żółtaczka fizjolo-

giczna, trudności z karmieniem, zaparcia, hipotermia, duże ciemiączko przednie oraz powiększone (> 0,5 cm) ciemiączko tylne.

Przebieg naturalny

W pierwotnej trwałej niedoczynności tarczycy brak leczenia LT4 (lub jego opóźnienie) powoduje nieodwracalne uszkodzenie mózgu, opóźnienie rozwoju psychoruchowego, zmniejszenie szybkości wzrastania, niski wzrost, zwiększenie masy ciała, opóźnione ząbkowanie, niedosłuch, zaburzenia mowy, zmniejszenie aktywności oraz nadmierną senność.

We wtórnej wrodzonej niedoczynności tarczycy nasilenie objawów hipotyreozy jest zwykle niewielkie. Nie stwierdza się upośledzenia rozwoju psychoruchowego. Występuje zahamowanie wzrastania (współistniejący niedobór GH w wielohormonalnej niedoczynności przysadki).

Postacie przejściowe wrodzonej niedoczynności tarczycy ulegają spontanicznej regresji po ustąpieniu czynnika sprawczego.

Metody diagnostyczne

Rozpoznanie hipotyreozy jest możliwe **u płodu** z ciężką postacią wrodzonej niedoczynności tarczycy. Wskazuje na nią widoczne w rutynowym badaniu USG:

■ zwiększony przekrój lub obwód tarczycy (> + 2 SD),

■ odgięciowe ułożenie głowy,

■ wielowodzie (ucisk tarczycy na przełyk),

■ obrzęki, wodobrzusze,

■ wewnątrzmaciczne opóźnienie wzrastania,

■ małe jądro kostnienia (< 0,05 cm^2) lub jego brak w nasadzie dalszej kości udowej w 32. tc.

Podstawowe znaczenie w wykrywaniu pierwotnej wrodzonej niedoczynności tarczycy ma obligatoryjne **badanie przesiewowe u noworodków.** W Polsce i wielu innych krajach polega ono na oznaczeniu TSH w suchej kropli krwi pobranej na bibułę między 3. a 6. dobą życia. Wcześniejsze wykonanie badania wiąże się ze zwiększoną częstością fałszywie dodatnich wyników.

Pierwotną wrodzoną niedoczynność tarczycy rozpoznaje się wtedy, gdy stężenie TSH wynosi ⩾ 35 mIU/l w suchej kropli krwi na bibule (lub ⩾ 15 mIU/l w 2 kolejnych oznaczeniach). Obowiązuje wtedy jak najszybsze wezwanie noworodka do poradni endokrynologicznej i (po pobraniu krwi żylnej w celu oznaczenia stężenia fT4 i TSH) wprowadzenie przed ukończeniem 2. tż. leczenia LT4. Gdy oznaczenia we krwi potwierdzają rozpoznanie pierwotnej wrodzonej niedoczynności tarczycy (podwyższone TSH przy obniżonym fT4), suplementację LT4 należy kontynuować przez całe życie chorego. Tylko w przypadkach przejściowej niedoczynności tarczycy leczenie można zakończyć, ale dopiero po ukończeniu 3. rż. (zakończony rozwój mózgu), gdy po próbnym 4-tygodniowym odstawieniu LT4 stężenia TSH i fT4 w surowicy krwi pozostaną prawidłowe.

Badanie przesiewowe nie pozwala wykryć wtórnej wrodzonej niedoczynności tarczycy, w której stężenie TSH jest obniżone, prawidłowe lub podwyższone w stosunku do obniżenia stężenia fT4 (zwykle nieznacznie). Nie diagnozuje też hipotyreozy rozwijającej się w kolejnych tygodniach życia (dzieci matek z chorobą autoimmunizacyjną tarczycy). W tych przypadkach należy oznaczyć stężenia TSH i fT4 w 2. tż.

Różnicowanie

Za aplazją tarczycy przemawia brak uwidocznienia jej w badaniu USG i/lub w scyntygrafii z ^{123}I lub ^{99m}Tc oraz nieoznaczalne stężenie tyreoglobuliny, a za ektopią uwidocznienie tarczycy na drodze jej zstępowania między otworem ślepym a śródpiersiem przednim z różnego stopnia obniżeniem stężenia tyreoglobuliny.

W błędach syntezy hormonów tarczycy w badaniu USG uwidacznia się wole, w scyntygrafii zwiększony wychwyt znacznika (z wyjątkiem bloku transportu jodu do tyreocytu), a w badaniach laboratoryjnych prawidłowe stężenie tyreoglobuliny (z wyjątkiem bloku jej syntezy).

Brak wychwytu znacznika stwierdza się w oporności tarczycy na działanie TSH. Dla zespołu Pendreda charakterystyczna jest współistniejąca z wolem hipotyreoza oraz głuchota typu odbiorczego. Rozpoznanie poszczególnych bloków enzymatycznych potwierdza wykazanie mutacji genów odpowiedzialnych za ich wystąpienie.

Wtórnej wrodzonej niedoczynności tarczycy towarzyszą zwykle inne objawy wielohormonalnej niedoczynności przysadki, takie jak niedobór: GH, LH, FSH, ACTH (patrz rozdz. 17.2.2 „Niski wzrost" i tab. 17.1).

Obecność wola i hipotyreozy jednocześnie u noworodka i u matki wskazuje na przemijającą wrodzoną niedoczynność tarczycy spowodowaną niedoborem lub nadmiarem jodu lub tyreostatykami zażywanymi przez matkę w okresie ciąży. Przy podejrzeniu niedoboru lub nadmiaru jodu przydatne jest oznaczenie u noworodka dobowego wydalania tego pierwiastka z moczem.

Za rozpoznaniem przejściowej wrodzonej niedoczynności tarczycy spowodowanej blokującymi TRAb przemawiają obecność choroby autoimmunizacyjnej tarczycy u matki oraz TRAb o porównywalnym stężeniu u matki i noworodka (komercyjne zestawy nie pozwalają na rozróżnienie TRAb blokujących od pobudzających). O trwałym lub przejściowym charakterze wrodzonej niedoczynności tarczycy rozstrzyga weryfikacja rozpoznania wykonywana po 3. rż.

Leczenie

W **pierwotnej** wrodzonej niedoczynności tarczycy stosuje się LT4 w dużej dawce (12–17 μg/kg mc./ /dobę), modyfikowanej w zależności od stanu klinicznego noworodka oraz oznaczeń stężenia hormonów tarczycy i TSH w surowicy krwi. Wskaźnikami poprawności leczenia są ponadto prawidłowy rozwój psychoruchowy, wzrastanie i dojrzewanie płciowe dziecka.

Leczenie **hipotyreozy płodu** polega na podaży matce dużych dawek LT4. Doowodniowe podawanie LT4 należy rozważyć wtedy, gdy wole płodu może stanowić przeszkodę porodową lub stanowi przyczynę zaburzeń połykania i wielowodzia.

We **wtórnej** wrodzonej niedoczynności tarczycy spowodowanej wielohormonalną niedoczynnością przysadki u dziecka leczenie LT4 należy wprowadzić dopiero po wykluczeniu lub wyrównaniu niedoczynności nadnerczy (ryzyko przełomu nadnerczowego).

Profilaktyka hipotyreozy u płodu polega na:

- podaży każdej ciężarnej preparatów jodu (150 μg/ /dobę),
- wykrywaniu i leczeniu u ciężarnych niedoczynności tarczycy (oznaczanie stężeń TSH i fT4 przed ciążą i w jej trakcie oraz w okresie karmienia piersią),
- stosowaniu u matek z chorobą Gravesa–Basedowa najmniejszej skutecznej dawki tioamidu (propylotiouracyl w I trymestrze ciąży, tiamazol w kolejnych trymestrach).

Rokowanie

Jeżeli suplementację LT4 rozpocznie się w dużych dawkach przed 2. tż. rozwój psychoruchowy i somatyczny jest prawidłowy.

17.12.5
Wrodzona nadczynność tarczycy

łac. *hipertyreosis congenita*
ang. congenital hypertyroidism

Definicja

Stan zwiększonego wydzielania hormonów tarczycy przez tarczycę płodu i noworodka.

Tyreotoksykoza płodu i noworodka to efekt działania nadmiaru endogennych lub egzogennych hormonów tarczycy na tkanki i narządy organizmu w tych okresach życia.

Epidemiologia

W odróżnieniu od wrodzonej niedoczynności tarczycy, wrodzona nadczynność tarczycy ma charakter przemijający (noworodkowa postać choroby Gravesa–Basedowa) i dotyczy 2–3% noworodków matek z chorobą Gravesa–Basedowa. Ciężka tyreotoksykoza noworodkowa występuje rzadko (1 : 25 000– –1 : 50 000). Trwała uwarunkowana genetycznie autonomiczna nadczynność tarczycy jest stanem niezwykle rzadkim.

Etiologia i patogeneza

Wrodzona choroba Gravesa–Basedowa spowodowana jest stymulacją tarczycy płodu przez **pobudzające TRAb**, które przechodzą przez łożysko (12.–30. tc.) od matki z tą chorobą (czynną lub w okresie remisji, po leczeniu tyreostatykami, chirurgicznym lub ^{131}I). Tyreotoksykoza płodu może wynikać także z przechodzenia przez łożysko **nadmiaru hormonów tarczycy od matki** z tyreotoksykozą.

Trwała wrodzona nadczynność tarczycy może być spowodowana rodzinną (autosomalnie dominującą lub sporadyczną) aktywującą mutacją genu receptora TSH (toksyczna hiperplazja tarczycy), stanowić składową zespołu McCune'a–Albrighta (toksyczny gruczolak tarczycy) lub niezwykle rzadko występować w zespole oporności na hormony tarczycy (nadmiar TSH spowodowany opornością przysadki na hamujące działanie T3).

Obraz kliniczny

Rozpoznanie wrodzonej choroby Gravesa–Basedowa jest możliwe już **u płodu**. Wskazują na nią stwierdzane badaniem USG:

- tachykardia > 160/min,
- wole (działanie TRAb i/lub tyreostatyków),
- wewnątrzmaciczne opóźnienie wzrastania.

U noworodka choroba Gravesa–Basedowa może mieć przebieg od bezobjawowego w postaci subklinicznej (częściej) do zagrażającego życiu w ciężkiej hipertyreozie. Objawy tyreotoksykozy, gdy obecne, występują najczęściej zaraz po urodzeniu, zwykle do 10. dż., jednak mogą pojawić się nawet po upływie kilku tygodni. Należą do nich:

- tachykardia,
- drażliwość,
- słaby przyrost masy ciała,
- wole,
- wytrzeszcz gałek ocznych (działanie TRAb i/lub IGF-1),
- wcześniactwo i wymiary urodzeniowe za małe w stosunku do czasu trwania ciąży.

W ciężkiej tyreotoksykozie występują ponadto:

- niepokój,
- hipertermia,
- zaczerwienienie i zwiększona potliwość skóry,
- zaburzenia rytmu serca, niewydolność serca,
- duszność,
- nadciśnienie systemowe i płucne,
- powiększenie śledziony, wątroby i węzłów chłonnych,
- żółtaczka,
- wybroczyny, podbiegnięcia krwawe (trombocytopenia, hipoprotrombinemia, rozsiane wykrzepianie wewnątrznaczyniowe).

Objawy toksycznej hiperplazji tarczycy występują od urodzenia, natomiast objawy toksycznego gruczolaka tarczycy w przebiegu zespołu McCune'a–Albrighta mogą pojawiać się dopiero w okresie wczesnodziecięcym, a nawet młodzieńczym. W zespole oporności na hormony tarczycy czasem stwierdza się dodatni wywiad rodzinny.

Przebieg naturalny

Objawy nadczynności tarczycy we wrodzonej chorobie Gravesa–Basedowa ustępują zwykle po 2–3 (maksymalnie po 6) miesiącach wraz z zanikaniem we krwi TRAb. Wole utrzymuje się dłużej.

Metody diagnostyczne

Podstawowe znaczenie mają **badanie fizykalne i wywiad.** Przy podejrzeniu choroby Gravesa–Basedowa należy oznaczyć we krwi pępowinowej i w surowicy krwi noworodka **stężenia TSH, fT4, fT3 i TRAb**. Na tyreotoksykozę wskazuje niskie stężenie TSH przy podwyższonych fT3 i fT4 (w interpretacji stężeń hormonów tarczycy należy uwzględnić ich fizjologiczny wzrost w pierwszych 36 godzinach życia), a na chorobę Gravesa–Basedowa duże stężenie TRAb u noworodka, które koreluje ze stężeniem TRAb u matki. U noworodków z podwyższonym stężeniem TRAb i eutyreozą należy powtórzyć (optymalnie w warunkach szpitalnych) oznaczenia hormonów w surowicy krwi w 2. dż. oraz w 1. i 2. tż.

Różnicowanie

Tyreotoksykozę noworodka należy różnicować z zakażeniem wrodzonym i zespołem odstawienia narkotyków (narkomania u matki). Dla tyreotoksykozy spowodowanej nieautoimmunizacyjną nadczynnością tarczycy charakterystyczne są prawidłowe stężenia TRAb u noworodka i u matki oraz brak lub słaba odpowiedź na leczenie tyreostatyczne. W tyreotoksykozie wywołanej zespołem oporności na hormony tarczycy stężenie TSH jest prawidłowe lub podwyższone.

Leczenie

Tyreotoksykoza płodu wymaga stosowania u matki najmniejszej dawki propylotiouracylu, która utrzymuje częstość pracy serca płodu na poziomie 140//min przy eutyreozie lub niewielkiej hipertyreozie u matki. Karmienie piersią jest dozwolone wtedy, gdy dobowa dawka propylotiouracylu u matki nie przekracza 400 mg.

Subkliniczna postać hipertyreozy u noworodka nie wymaga leczenia. Należy jedynie monitorować stężenie fT4, TSH i TRAb.

W zagrażającej życiu tyreotoksykozie stosuje się postępowanie objawowe oraz tiamazol, propranolol, roztwór jodku potasu (płyn Lugola) i prednizolon (dwa ostatnie hamują syntezę hormonów tarczycy, a prednizolon także konwersję T4 do T3).

Leczenie można zakończyć po 2–3 miesiącach, gdy stężenie TRAb w surowicy krwi ulegnie normalizacji.

Profilaktyka wrodzonej choroby Gravesa–Basedowa u noworodka polega na wykrywaniu ciężarnych z chorobą autoimmunizacyjną tarczycy i oznaczaniu u nich stężenia TRAb w III trymestrze ciąży oraz na ocenie rozwoju płodu w USG.

W trwałej nieautoimmunizacyjnej nadczynności tarczycy stosuje się chirurgiczne usunięcie lub ablację gruczołu przy zastosowaniu [131]I.

Rokowanie

Dobre w przypadku łagodnych oraz wcześnie rozpoznanych i prawidłowo leczonych cięższych postaci. Śmiertelność w ciężkiej tyreotoksykozie nadal wynosi 15–20%. Odległymi następstwami są przedwczesne zarośnięcie szwów czaszkowych i upośledzenie rozwoju umysłowego.

17.13   *Jerzy Starzyk*
WZGLĘDNA NIEDOCZYNNOŚĆ HORMONALNA W STANACH CIĘŻKICH

Definicja

Stan niedostatecznego działania hormonu w stosunku do zapotrzebowania metabolicznego organizmu spowodowany adaptacyjnym lub dekompensacyjnym spadkiem stężenia i/lub opornością receptora) w odpowiedzi na ciężki stan ogólny.

Epidemiologia

Względny niedobór kortyzolu, insuliny, oraz T3 i T4 może wystąpić w II fazie dekompensacyjnej niewydolności wielonarządowej, która jest uniwersalną reakcją organizmu na ciężkie zakażenie uogólnione, uraz, zabieg operacyjny, oparzenie, przeszczep szpiku, zatrucie czy chorobę metaboliczną.

Etiologia i patogeneza

Utrzymywanie się powyżej kilku dni dużych stężeń hormonów stresowych, cytokin i tlenku azotu powoduje przejście I adaptacyjnej fazy reakcji stresowej w fazę II dekompensacyjną niewydolności wielonarządowej (ryc. 17.17). Zahamowaniu ulega pulsacyjne wydzielanie wszystkich hormonów podwzgórza i hormonów tropowych przysadki. W konsekwencji dochodzi do spadku stężenia zależnych od nich hormonów obwodowych. Ponadto zmniejsza się konwersja obwodowa T4 do T3, narasta oporność na insulinę i spada produkcja ATP. Pomimo zmniejszenia stężenia ACTH utrzymuje się jeszcze podwyższone lub prawidłowe podstawowe stężenie kortyzolu, spowodowane prawdopodobnie zahamowaniem obwodowej konwersji kortyzolu do kortyzonu.

Obraz kliniczny

Zbyt małe stężenie kortyzolu w stosunku do zapotrzebowania organizmu w stanie stresu (**względna niedoczynność kory nadnerczy**) charakteryzuje się:

Zakażenie uogólnione/uraz/ciężka choroba

↑ **hormonów stresowych**
- GH
- ACTH (kortyzol)
- A, NA, DA
- ADH
- glukagon

Wzrost generacji NO

↑ **stężenia cytokin**
- TNF-α
- IL-1
- IL-6

Działanie ~12 godz. – 2–3 dni

Wystąpienie oporności na hormony tropowe hormonów anabolicznych:
- GH (↓IGF-1)
- TSH (↓ T4, T3)
- LH (testosteron)

Wystąpienie oporności na insulinę

Nasilenie:
- glukoneogenezy (↑glukoza)
- lipolizy (↑FFA)
- proteolizy (↑AA)
- fosforylacji oksydatywnej (↑ATP)

Zmniejszenie produkcji białek strukturalnych

Zwiększenie ukrwienia, utlenowania i metabolizmu niezbędnych do życia narządów

I faza kompensacyjna w stanach ciężkich

Wyleczenie

Działanie powyżej kilku dni

Zahamowanie cyklicznego wydzielania wszystkich hormonów podwzgórza:
- GHRH (↓GH, ↓IGF-1)
- TRH (↓TSH, ↓T4, ↓T3)
- GnRH (↓LH, ↓testosteron)
- PRL
- CRH (↓ACTH, kortyzol N lub ↑)

Obniżenie stężenia ADH
Zahamowanie konwersji T4 do T3 (dalsze ↓T3)
Nasilenie oporności na insulinę (dalszy ↑glikemii)
Ustąpienie oporności na hormony obwodowe (nadwrażliwość na egzogenne hormony)

Zahamowanie fosforylacji oksydatywnej (↓ATP)

Katabolizmu
Zmniejszenie ukrwienie, utlenowania i metabolizmu niezbędnych do życia narządów
Proteoliza białek czynnościowych (spadek odporności)
Rozwój trwałej niewydolności wielonarządowej

II faza dekompensacyjna w stanach ciężkich

Wyleczenie

- Wyniszczenie
- Sepsa
- Zgon

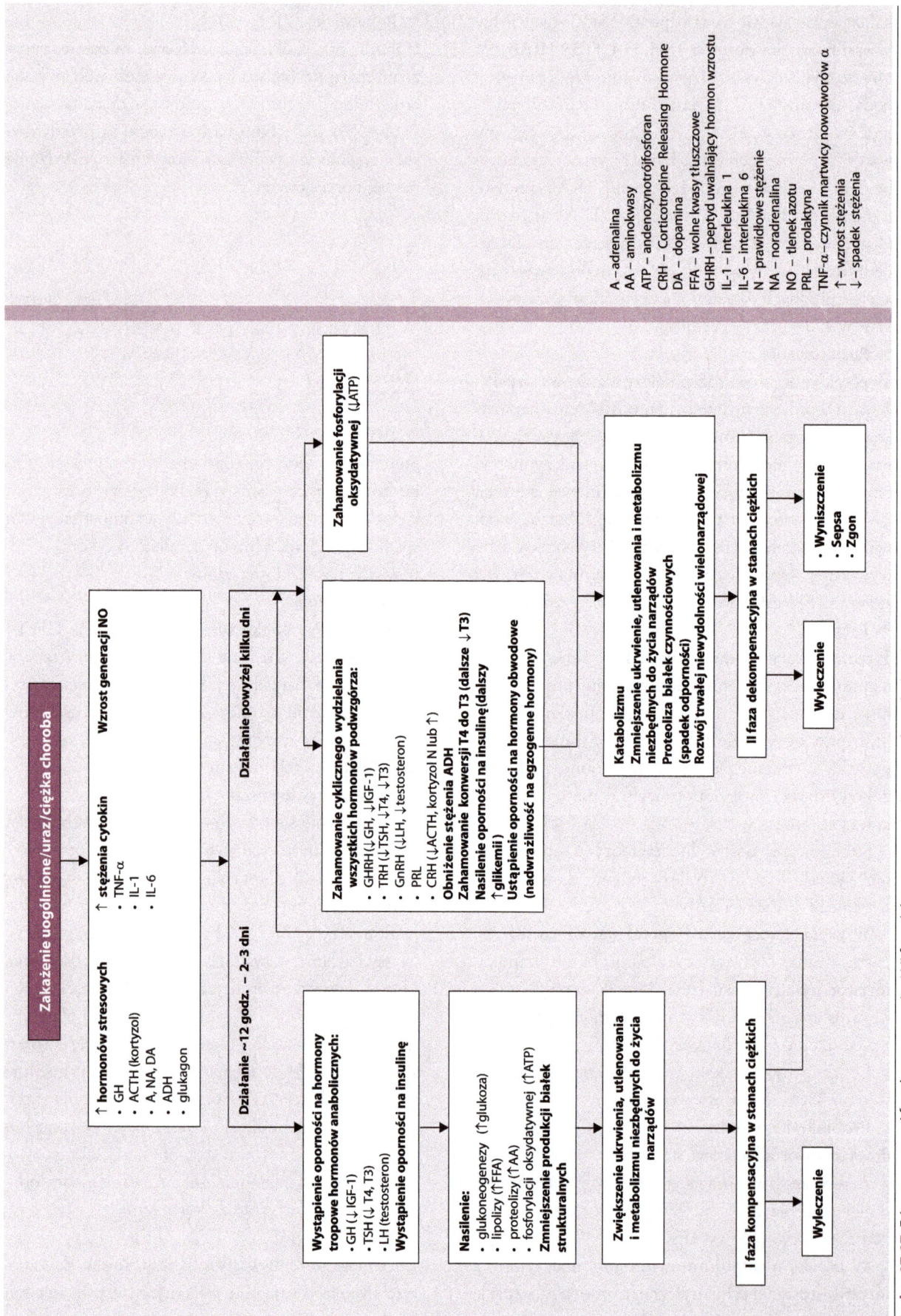

A – adrenalina
AA – aminokwasy
ATP – andenozynotrójfosforan
CRH – Corticotropine Releasing Hormone
DA – dopamina
FFA – wolne kwasy tłuszczowe
GHRH – peptyd uwalniający hormon wzrostu
IL-1 – interleukina 1
IL-6 – interleukina 6
N – prawidłowe stężenie
NA – noradrenalina
NO – tlenek azotu
PRL – prolaktyna
TNF-α – czynnik martwicy nowotworów α
↑ – wzrost stężenia
↓ – spadek stężenia

Rycina 17.17. Etiopatogeneza I fazy kompensacyjnej i II fazy dekompensacyjnej w stanach ciężkich u dzieci.

- w cięższych postaciach:
  - wstrząsem opornym na leczenie płynami i kate-cholaminami,
  - hipoglikemią,
  - hiponatremią,
  - apatią,
- w lżejszych postaciach:
  - brakiem przyrostu masy ciała,
  - uporczywym ulewaniem lub wymiotami.

Niedobór takich hormonów anabolicznych, jak GH, IGF-1, T3, T4, objawia się:

- zanikiem mięśni,
- zaburzeniami wchłaniania (atrofia śluzówki jelit),
- opóźnieniem gojenia się ran,
- zaburzeniami odporności,
- wyniszczeniem niereagującym na żywienie paren-teralne.

Zmiany te wraz z zaburzeniami wywołanymi niedoborem insuliny i hiperglikemią (**względna niedoczynność komórek β trzustki**) powodują:

- glukotoksyczność,
- spadek odporności,
- krwawienia dokomorowe,
- odwodnienie (diureza osmotyczna),
- hipernatremię, hipokaliemię,
- kwasicę ketonową.

Wszystkie powyższe zaburzenia nieleczone prowadzą do rozwoju uogólnionych zakażeń, wyniszczenia i zgonu.

Przebieg naturalny

Nieleczona II faza dekompensacyjna prowadzi nieuchronnie do zgonu.

Metody diagnostyczne

W stanach ciężkich należy oznaczyć glikemię, stężenie TSH, fT4, fT3 oraz stężenie kortyzolu i rezerwę kory nadnerczy dla tego hormonu.

Względną niedoczynność kory nadnerczy rozpoznaje się, gdy podstawowe stężenie kortyzolu w surowicy krwi wynosi < 15 μg/dl *lub* < 17 μg/dl po stymulacji ACTH (1 μg/kg mc. u noworodków lub 250 μg u niemowląt w bolusie *i.v.*).

Na **względną niedoczynność komórek β trzustki** wskazuje patologiczna glikemia w stanach ciężkich > 150 mg/dl (> 8,3 mmol/l) u niemowląt i dzieci starszych oraz > 216 mg/dl (> 12 mmol/l) u wcześniaków

z niską urodzeniową masą ciała lub > 180 mg/dl (> 10 mmol/l), gdy występują u nich odwodnienie, hipernatremia i kwasica ketonowa.

Względna niedoczynność tarczycy to nie to samo co **zespół niskiej T3** lub w postaciach najcięższych **zespół niskiej T3 i T4**, **które są wyrazem adaptacji** stężenia hormonów tarczycy do obniżonego metabolizmu chorego w stanach ciężkich. Charakteryzują się one odpowiednio obniżeniem stężenia fT3 w pierwszym zespole lub jednocześnie fT3 i fT4 w drugim z jednoczesnym wysokim stężeniem nieaktywnej odwrotnej T3 (revers T3, rT3) i prawidłowym lub obniżonym stężeniem TSH w obu zespołach. Za względną niedoczynnością tarczycy w stanach ciężkich przemawiają:

- stosowane leczenie dopaminą i/lub glikokortyko-steroidami (hamują wydzielanie TSH i konwersję T4 do T3),
- podwyższone stężenie TSH przy obniżonych stężeniach fT3 lub/i fT3 i fT4 w wyniku:
  - istnienia pierwotnej niedoczynności tarczycy przed wystąpieniem stanu ciężkiego,
  - wystąpienia pierwotnej niedoczynności tarczycy już po rozwoju stanu ciężkiego.

Poszukiwanie klinicznych objawów hipotyreozy nie jest pomocne w rozpoznawaniu względnej niedoczynności tarczycy, ponieważ trudno je odróżnić od objawów niedoboru innych hormonów anabolicznych. Zespół niskiej T3 oraz niskiej T3 i T4 należy odróżnić od obniżenia stężeń TSH, fT3, fT4 (a także TBG) u noworodków urodzonych przedwcześnie, u których zmiany te mają charakter fizjologiczny.

Leczenie

Leczenie **hydrokortyzonem** (50 mg/m² pc./dobę *i.v.*) należy włączyć wtedy, gdy obecne są objawy kliniczne względnej niedoczynności kory nadnerczy, po wykonaniu testu z ACTH, ale przed uzyskaniem jego wyników. Leczenie należy przerwać, gdy w teście z ACTH nie potwierdzi się rozpoznanie względnej niedoczynności nadnerczy.

Zdaniem większości autorów **dożylny wlew insuliny** krótko działającej (0,02–0,1 U/kg mc./godz.) wraz z dożylnym wlewem glukozy (4–6 mg/kg mc./min u dzieci < 30 kg mc., 2–4 mg/kg mc./min u dzieci > 30 kg mc.) należy rozpocząć w sytuacji, gdy stwierdza się patologiczną w stanach ciężkich hiperglikemię. Celem leczenia jest utrzymanie glikemii w zakresie 99–150 mg/dl (5,5–8,3 mmol/l).

Ze względu na zahamowanie w stanach ciężkich konwersji T4 do T3, we względnej niedoczynności tarczycy stosuje się lewoskrętna **trójjodotyroninę** (LT3).

Obecnie nie stosuje się już LT3 w zespole niskiej T3 lub T3 i T4. Leczenia rhGH i/lub IGF-1 nie stosuje się w stanach ciężkich u dzieci (wykazano zwiększoną śmiertelność u dorosłych w stanach ciężkich otrzymujących ponadsubsytucyjne dawki rhGH). Nadzieje wiąże się ze skojarzoną terapią peptydami podwzgórza (GHRP2, TRH i GnRH po okresie dojrzewania). Badania eksperymentalne sugerują, że może ona powodować w stanach ciężkich powrót pulsacyjnego wydzielania GH, TSH i LH, a w konsekwencji zrównoważoną jednoczesną aktywację odpowiednich osi hormonalnych i wzrost stężenia IGF-1, T4 i T3 oraz testosteronu u chłopców.

Powikłania
Stosowanie hydrokortyzonu u dzieci bez względnej niedoczynności nadnerczy, a także nieuzasadnione i nieprawidłowo kontrolowane leczenie insuliną oraz LT4 lub LT3 u chorych w stanach ciężkich powoduje zwiększenie śmiertelności.

Rokowanie
Rokowanie jest ostrożne i zależy od czynnika wywołującego ciężki stan ogólny chorego. Normalizacja stanu ogólnego w wyniku leczenia choroby podstawowej może powodować cofnięcie się względnej niedoczynności hormonalnej. Także leczenie hormonalne może poprawiać stan ogólny chorego i rokowanie pod warunkiem poprawnego rozpoznania i leczenia względnej niedoczynności hormonalnej, w przeciwnych warunkach pogarsza rokowanie.

Piśmiennictwo

1. Brook Ch.G.D., Brown R.S.: *Handbook of clinical pediatric endocrinology*, 1st edition. Blackwell Publishing, Oksford 2008.
2. Hughes I.A., Houk C., Ahmed S.F., Lee P.A., LWPES Consensus Group, ESPE Consensus Group: *Consensus statement on management of intersex disorders*. Arch. Dis. Child., 2006, 91(7): 554–563.
3. Oostdijk W., Grote F.K., de Muinck Keizer-Schrama S.M., Wit J.M.: *Diagnostic approach in children with short stature*. Horm. Res., 2009, 72(4): 206–217.
4. Polska Grupa ds. Nowotworów Endokrynnych: *Diagnostyka i leczenie raka tarczycy – rekomendacje polskie*. Endokrynol. Pol., 2010, 61: 518–568.
5. Raymond J., LaFranchi S.H.: *Fetal and neonatal thyroid function: review and summary of significant new findings*. Curr. Opin. Endocrinol., Diab., Obesity., 2010, 17(1): 1–7.
6. Singer M., Santis V., Vital D. i wsp.: *Multiorgan failure is an adaptive, endocrine-mediated, metabolic response to overwhelming systemic inflammation*. Lancet, 2004, 364 (9433): 545–548.
7. Speiser P.W., Azziz R., Baskin L.S. i wsp.: *Congenital adrenal hyperplasia due to steroid 21-hydroxylaze deficiency: an Endocrine Society clinical practice guideline*. J. Clin. Endocrinol. Metab., 2010, 95(9): 4133–4160.
8. Starzyk J.: *Zespół Cushinga* w: *Endokrynologia kliniczna* (red. A. Milewicz) Tom I 2012, 252–259.
9. Starzyk J., Górska A.: *Poliendokrynopatie w praktyce klinicznej*. Klinika Pediatr., Diabetol., Endokrynol., 2006, 14(1): 25–30.
10. Starzyk J., Górska A.: *Zespoły wielonarządowej gruczolakowatości wewnątrzwydzielniczej w praktyce klinicznej*. Klinika Pediatryczna, 2006, 14(1): 18–24.
11. Starzyk J., Urbanowicz W., Starzyk B. i wsp.: *Zaburzenia różnicowania płci o typie odwrócenia płci jako przyczyna opóźnionego pokwitania u młodzieży*. Endokrynol. Ped., 2003, 2(3): 37–46.
12. Starzyk J., Wójcik M., Nazim J.: *Czy istnieje zespół metaboliczny u dzieci i młodzieży?* Przegląd Lekarski, 2009; 66(1–2): 90–95.
13. Waguespack S.G., Rich T., Grubbs E. i wsp.: *A current review of the etiology, diagnosis and treatment of pediatric pheochromocytoma and paraganglioma*. J. Clin. Endocrinol. Metab., 2010, 95(5): 2023–2037.

REUMATOLOGIA WIEKU ROZWOJOWEGO

18.1 *Lidia Rutkowska-Sak*
WPROWADZENIE I KLASYFIKACJA

Nazwa choroby reumatyczne wieku rozwojowego obejmuje grupę zapalnych i niezapalnych chorób, w przebiegu których występują zmiany w układzie ruchu. Ich nomenklatura i klasyfikacja ulega ciągłym zmianom. Dotychczas obowiązująca klasyfikacja sprzed ok. 20 lat w części dotyczącej zapalnych chorób reumatycznych została znacznie przekształcona i częściowo się zdezaktualizowała, ale oficjalnie nie jest zmodyfikowana (tab. 18.1).

Jak wynika z przedstawionej w tabeli klasyfikacji wymienione choroby są przedmiotem zainteresowania wielu specjalistów, nie tylko reumatologów dziecięcych. Często wymagają wieloośrodkowej diagnostyki i leczenia. W niniejszym rozdziale skupiono się na opisaniu najczęściej występujących chorób, którymi zajmuje się reumatolog dziecięcy. Charakterystyczną ich cechą jest przewlekły przebieg i w większości nieznana etiologia.

Zapalne choroby reumatyczne to grupa chorób o podłożu autoimmunizacyjnym. Uważa się, że w inicjacji przerwania tolerancji wobec własnych antygenów i wyzwolenia chorób z autoagresji istotną rolę odgrywają czynniki genetyczne i środowiskowe (w tym infekcje). Podkreśla się rolę antygenów zgodności tkankowej. Uwarunkowania są zwykle nieznane. Jedynie w kilku chorobach udało się wyodrębnić czynnik infekcyjny.

Okres wzrostu i rozwoju oraz niedojrzałość układu immunologicznego i hormonalnego wpływają na różnorodność obrazu klinicznego chorób reumatycznych u dzieci. Bogata symptomatologia utrudnia różnicowanie, a nieznana etiologia – leczenie.

18.2
ZAPALNE CHOROBY REUMATYCZNE

18.2.1 *Lidia Rutkowska-Sak*
Młodzieńcze idiopatyczne zapalenie stawów
łac. *arthritis juvenilis idiopathica*
ang. juvenile idiopathic arthritis

Definicja
Według kryteriów przyjętych przez ILAR (International League Against Rheumatism) w Durban w 1997 r. terminem młodzieńcze idiopatyczne zapalenie stawów (MIZS) określa się chorobę tkanki łącznej o podłożu immunizacyjnym, w której występuje zapalenie stawów, zmiany pozastawowe i powikłania układowe. Rozpoznaje się ją, jeżeli wystąpi przed ukończeniem 16. rż., objawy trwają co najmniej 6 tygodni, a w rozpoznaniu posłużono się tzw. listą diagnostyki różnicowej, w której wykluczono wszystkie inne przyczyny zapalenia stawów (tab. 18.2).

Epidemiologia
Choroba występuje na całym świecie, częściej wśród mieszkańców miast, jednakże zachorowalność i chorobowość jest różna, prawdopodobnie w związku ze stosowaniem odmiennej metodologii badań epidemiologicznych. Zachorowalność szacuje się rocznie na 2,6–20 : 100 000 populacji, a chorobowość na 65–400 : 100 000 populacji. Nieco częściej chorują dziewczynki. W zależności od objawów klinicznych w pierwszych 6 miesiącach trwania choroby wyróżnia się następujące postacie MIZS:

Tabela 18.1. Klasyfikacja chorób reumatycznych

I. Zapalne choroby reumatyczne u dzieci
1. Przewlekłe artropatie
A. Młodzieńcze reumatoidalne zapalenie stawów*
- Początek nielicznostawowy
- Początek wielostawowy
- Początek uogólniony

B. Spondyloartropatie
- Młodzieńcze zesztywniające zapalenie stawów kręgosłupa
- Młodzieńcze łuszczycowe zapalenie stawów
- Zapalenie stawów związane z chorobami przewodu pokarmowego
- Zespół Reitera

C. Zapalenia stawów związane z czynnikami infekcyjnymi
- Infekcyjne zapalenie stawów
  – Choroba z Lyme
  – Wirusowe zapalenie stawów
  – Inne
- Reaktywne zapalenie stawów
  – Gorączka reumatyczna
  – Po infekcjach przewodu pokarmowego
  – Po infekcjach układu moczowo-płciowego
  – Inne

2. Choroby tkanki łącznej
A. Toczeń rumieniowaty układowy
B. Młodzieńcze zapalenie skórno-mięśniowe
C. Twardzina
- Twardzina układowa
- Twardzina miejscowa
- Eozynofilowe zapalenie powięzi
- Mieszana choroba tkanki łącznej
- Inne

D. Zapalenia naczyń
- Zapalenie tętnic
  – Guzkowe zapalenie tętnic
  – Choroba Kawasakiego
  – Mikroskopowe zapalenie tętnic
  – Inne
- Leukoklastyczne zapalenie naczyń
  – Choroba Schönleina–Henocha
  – Zapalenie naczyń z nadwrażliwości
  – Inne
- Ziarniniakowe zapalenie naczyń
  – Ziarniniak alergiczny
  – Ziarniniak Wegenera
  – Inne
- Olbrzymiokomórkowe zapalenie tętnic
  – Choroba Takayasu
  – Zapalenie tętnicy skroniowej
  – Inne

3. Zapalenia stawów i choroby tkanki łącznej towarzyszące niedoborom immunologicznym
A. Niedobory składowych dopełniacza
B. Zespoły niedoborów przeciwciał
C. Zaburzenia odpowiedzi komórkowej

II. Choroby niezapalne
A. Łagodne zespoły nadmiernej wiotkości stawów
B. Rozległe zespoły bólowe (w tym m.in. bóle wzrostowe i fibromialgia)
C. Zespoły przeciążeniowe (w tym chondromalacja rzepki, łokieć tenisisty itp.)
D. Urazy (w tym *osteochondritis dissecans* i pourazowe zapalenie stawów)
E. Zespoły bólowe dotyczące grzbietu, klatki piersiowej lub karku (w tym m.in. spondyloliza i kręcz)

III. Dysplazje szkieletowe
A. Osteochondrodysplazje
B. Osteochondrozy (w tym choroba Perthesa, choroba Osgooda–Schlattera, choroba Scheuermanna)

IV. Dziedziczne choroby tkanki łącznej
A. *Osteogenesis imperfecta*
B. Zespół Ehlersa–Danlosa
C. Zespół Marfana

V. Choroby spichrzeniowe (w tym mukopolisacharydozy)

VI. Choroby metaboliczne (w tym m.in. osteoporoza, dna moczanowa, ochronoza i amyloidoza)

VII. Choroby układowe z objawami ze strony układu kostno--mięśniowego
A. Hemoglobinopatie
B. Hemofilia
C. Cukrzyca
D. Osteoartropatia przerostowa
E. Sarkoidoza
F. Hiperostoza
G. Choroba Caffeya i inne

* Według nowej nomenklatury – młodzieńcze idiopatyczne zapalenie stawów, do którego włączono łuszczycowe zapalenie stawów.

Tabela 18.2. Lista diagnostyki różnicowej młodzieńczego idiopatycznego zapalenia stawów

- Infekcyjne zapalenie stawów – bakteryjne (łącznie z gruźliczym), wirusowe i grzybicze
- Reaktywne zapalenie stawów
- Alergiczne i toksyczne zapalenia stawów – reakcje poszczepienne, polekowe i pokarmowe
- Artropatie występujące w chorobach nowotworowych (w tym białaczki)
- Artropatie towarzyszące chorobom krwi – hemofilia, niedokrwistość hemolityczna
- Zapalenie stawów w przebiegu innych chorób zapalnych tkanki łącznej
- Artropatie w przebiegu chorób metabolicznych i niezapalnych chorób tkanki łącznej
- Artropatie w przebiegu chorób o podłożu immunologicznym niezaliczane do układowych zapalnych chorób tkanki łącznej (w tym sarkoidoza i rodzinna gorączka śródziemnomorska)
- Fibromialgia i gościec psychogenny

- postać o początku uogólnionym,
- postać o początku nielicznostawowym:
  - przetrwała,
  - rozszerzająca się,
- postać o początku wielostawowym:
  - z obecnością czynnika reumatoidalnego (rheumatoid factor, RF),
  - bez obecności czynnika reumatoidalnego,
- łuszczycowe zapalenie stawów,
- zapalenie stawów z towarzyszącym zapaleniem przyczepów ścięgien,
- postacie niespełniające kryteriów wymienionych wyżej rozpoznań lub wykazujące cechy kilku z nich.

Etiologia i patogeneza

Postać choroby o początku uogólnionym różni się znacznie od pozostałych. Coraz liczniejsi autorzy wskazują na raczej autozapalny niż autoimmunizacyjny jej charakter. Przypuszcza się, że w jej patogenezie zasadniczą rolę odgrywają zaburzenia układu wrodzonej odporności (rzadko obecne autoreaktywne limfocyty T, zahamowana ekspresja genów komórek NK i prezentacja antygenów).

W genetycznym uwarunkowaniu MIZS bierze się pod uwagę wiele genów o różnych „loci" i zróżnicowanej penetracji. Do genów warunkujących podatność na rozwój choroby należą geny układu HLA oraz niezależne od HLA geny kodujące cząsteczki adhezyjne, białka przekazujące sygnały, czynnik hamujący makrofagi oraz cytokiny (głównie TNF, IL-1, IL-6, IL-8). Te ostatnie odpowiadają za podtrzymanie ogólnego procesu zapalnego i za supresję syntezy proteoglikanów chrząstki stawowej. Zależnie od podtypu choroby stwierdzono powiązania MIZS z antygenami zgodności tkankowej klasy I i II. Rodzinnemu uwarunkowaniu przypisuje się ok. 13% przypadków MIZS.

Wśród czynników infekcyjnych inicjujących chorobę bądź wywołujących jej zaostrzenia najczęściej wymienia się *Mycoplasma pneumoniae*, *Chlamydophila pneumoniae*, *Campylobacter jejuni*, parwowirus B-19, CMV, EBV, HBV i inne, a także obecne w niektórych z tych patogenów białka szoku termicznego. Wśród innych czynników środowiskowych wymienia się niekorzystne warunki psychospołeczne, urazy i stres.

Obraz kliniczny

Obraz kliniczny MIZS uzależniony jest od typu początku choroby. Cechy wspólne wszystkich postaci to:

- zapalenie stawów,
- zaniki mięśni,
- sztywność poranna,
- guzki podskórne,
- zapalenie błony naczyniowej oka.

Zapalenie stawów charakteryzuje obrzęk, spowodowany wysiękiem do jamy stawowej, przerostem błony maziowej lub zapaleniem tkanek okołostawowych (ścięgna, pochewki ścięgniste, kaletki maziowe). Masywny wysięk może spowodować pęknięcie torebki stawowej. Stawy są często nadmiernie ucieplone i bolesne, ale bez zaczerwienienia. Dolegliwości powodują ograniczenie ruchomości z częstym zniekształceniem stawu. Następstwo tego stanowią zaniki przylegających do stawu mięśni i osłabienie ich siły. Najczęściej zajęte stawy to:

- stawy kolanowe – 50% przypadków,
- stawy nadgarstkowe – 48%,
- stawy skokowe – 45%,
- drobne stawy rąk – 22%,
- stawy biodrowe – 14%,
- stawy kręgosłupa szyjnego i stawy stóp – po 6%.

Dotychczas sądzono, że stawy łokciowe, skroniowo-żuchwowe i barkowe zostają zajęte rzadko. W związku z coraz lepszą możliwością obrazowania okazało się, że częstość zajęcia stawów skroniowo-żuchwowych jest znamiennie większa. Zajęcie stawów biodrowych i skroniowo-żuchwowych uważa się za złośliwą lokalizację choroby ze względu na ich funkcję. Zajęcie stawu skokowego i nadgarstkowego w nielicznostawowej postaci choroby stanowi czynnik złej prognozy.

Sztywność poranna występuje po przebudzeniu i najczęściej dotyczy kończyn górnych i karku. U małego dziecka jest trudna do uchwycenia, dzieci starsze wyraźnie ją określają.

Guzki podskórne występują u 5–10% dzieci. Stwierdza się je w miejscach poddanych mikrourazom, najczęściej na wyprostnej części przedramion lub na potylicy. Mają charakterystyczną budowę w badaniu histopatologicznym – wokół ogniska martwicy włóknikowatej układają się fibroblasty i histiocyty. Guzki mogą wyprzedzać chorobę lub tylko stanowić jej namiastkę, ustępując samoistnie.

Zapalenie błony naczyniowej oka najczęściej dotyczy małych dziewczynek lub starszych chłopców z MIZS o początku z zajęciem niewielu stawów. Przeważnie występuje wtórnie do zapalenia stawów, w różnym przedziale czasowym, ale zdarza się, że wyprzedza objawy zapalenia stawów nawet o kilka lat. Częściej rozwija się u chorych z obecnością przeciwciał przeciwjądrowych w surowicy krwi (zwłaszcza u dziewczynek < 7. rż.), ale nie tylko. Może wystąpić w każdej postaci klinicznej MIZS. U chorych z łuszczycowym zapaleniem stawów i z zapaleniem stawów z towarzyszącym zapaleniem przyczepów ścięgnistych, zwłaszcza z obecnością antygenu HLA-B27, ma najczęściej ostry charakter, ze światłowstrętem, zaczerwienieniem i bólem gałki ocznej. W pozostałych postaciach MIZS może mieć zupełnie niemy – „zimny" klinicznie przebieg.

Im wcześniejszy wiek zachorowania, tym większa tendencja do uogólnienia objawów choroby, zaburzeń wzrastania i występowania zmian rozwojowych w postaci np. niedorozwoju żuchwy (ptasi profil) czy nierównomiernego wzrostu kończyn. Ten ostatni wynika z tworzenia się wyrośli kostnych (m.in. w obrębie stawu kolanowego) oraz z jednostronnego pobudzenia chrząstek wzrostowych (przez nadmierne ukrwienie zapalnie zmienionych okolicznych tkanek).

Morfologicznie zmiany zapalne w MIZS toczą się pierwotnie w błonie maziowej stawów, obejmując często także okołostawowe przyczepy i pochewki ścięgniste. Następuje proliferacja komórek warstwy synowialnej oraz rozrost i przerost kosmków błony maziowej. Pojawiają się nacieki zapalne złożone z limfocytów T i B, makrofagów i histiocytów, a także złogi fibryny i fibrynoidu z ogniskami martwicy włóknikowatej i komórkowej. Rozrastająca się błona maziowa tworzy tzw. łuszczkę, odcinając chrząstkę od płynu stawowego, skąd chrząstka czerpie substancje odżywcze. Wytwarzający się w nadmiarze płyn stawowy ma cechy jałowego płynu zapalnego, ze zwiększoną ilością białka i granulocytów.

MIZS o początku uogólnionym

Występuje u 10–20% ogółu chorych. Kryteria rozpoznania to:

- trwająca od 2 tygodni, a nieprzerwanie 3 dni, hektyczna gorączka z towarzyszącym bólem stawów i/lub innymi cechami zapalenia stawów oraz
- co najmniej jeden spośród niżej wymienionych objawów:
  - zwiewna, polimorficzna w okresie gorączki „łososiowa" wysypka,
  - uogólnione powiększenie węzłów chłonnych,
  - powiększenie wątroby i/lub śledziony (ryc. 18.1),
  - zapalenie błon surowiczych, głównie osierdzia.

Zapalenie osierdzia występuje w ok. 30% przypadków. Może mieć jawny klinicznie przebieg z dusznością, bólem w klatce piersiowej i dużą ilością płynu, zagrażającą tamponadą serca. Niekiedy jednak jest skryte, a zmiany zapalne uwidacznia się jedynie w badaniu echokardiograficznym. Czasem towarzyszy mu zapalenie mięśnia sercowego i/lub wsierdzia.

Rzadziej występujące **zapalenie opłucnej** może mieć charakter wysiękowy. W tej postaci MIZS stwierdza się niekiedy śródmiąższowe zapalenie płuc i restrykcyjne zmiany czynności oddechowej.

Badania układu pokarmowego wykazują upośledzenie podstawowego i maksymalnego wydzielania żołądkowego, wchłaniania jelitowego oraz czynności detoksykacyjnej wątroby. Obserwuje się zmiany morfologiczne wątroby, trzustki i dróg żółciowych w USG. Najczęściej zapalenie stawów nie jest elementem dominującym na początku choroby.

MIZS o początku nielicznostawowym

Jest to najczęstszy obraz pierwszych 6 miesięcy choroby. Występuje u ok. 50% chorych. Zgodnie z nazewnictwem zajętych jest **od 1 do 4 stawów** (ryc. 18.2). Może mieć charakter przetrwały lub rozszerzyć się na inne stawy.

MIZS o początku wielostawowym

Występuje u 20–30% chorych. Najbardziej ze wszystkich postaci przypomina reumatoidalne zapalenie stawów u dorosłych (ryc. 18.3). Proces zapalny dotyczy **co najmniej 5 stawów**. Najczęściej symetrycznie obejmuje stawy rąk i nadgarstków, stawy kolanowe, skokowe itd. Może mieć ostry początek ze stanami podgorączkowymi i znaczną sztywnością poranną.

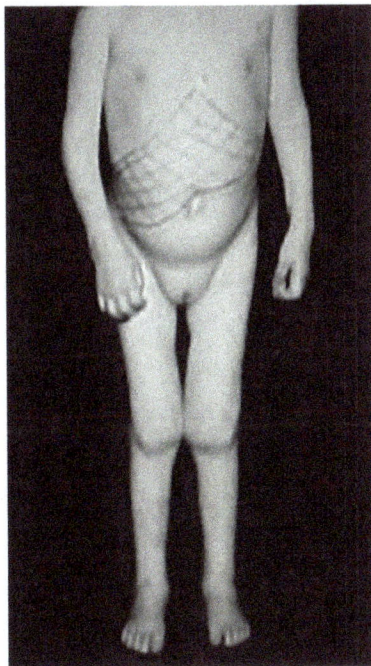

Rycina 18.1. MIZS o początku uogólnionym.

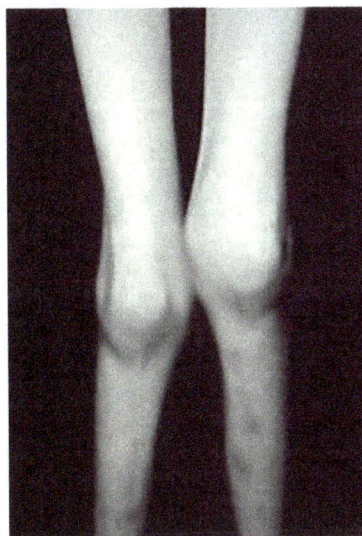

Rycina 18.2. MIZS o początku nielicznostawowym.

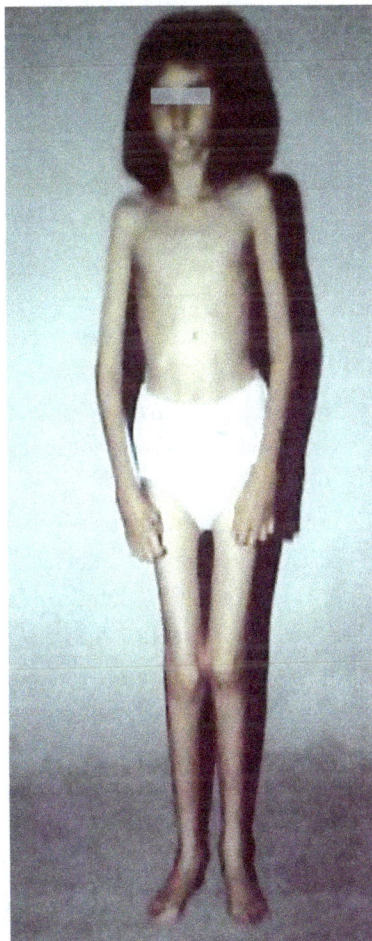

Rycina 18.3. MIZS o początku wielostawowym.

Obecność czynnika reumatoidalnego klasy IgM w surowicy krwi w co najmniej 2 badaniach dzieli tę postać na **serododatnią** (z obecnością tego czynnika) i **seroujemną** (bez niego). Czynnik reumatoidalny jest generalnie rzadko obecny w MIZS. Prawie wyłącznie u dzieci z postacią serododatnią można niekiedy stwierdzić obecność guzków reumatoidalnych. Uważa się, że postać seroujemna choroby ma łagodniejszy przebieg.

Młodzieńcze łuszczycowe zapalenie stawów

Kryteria rozpoznania:

- zapalenie stawów i łuszczyca lub
- zapalenie stawów i co najmniej 2 z poniższych objawów:
  - zapalenie palców (*dactylitis*),
  - zmiany na paznokciach,
  - łuszczyca u krewnych 1 stopnia.

Choroba występuje u około 8% chorych z łuszczycą skóry. Zmiany skórne najczęściej są dyskretne, np. tylko na paznokciach czy skórze głowy, a im później wystąpią, tym choroba ma łagodniejszy przebieg. Zapalenie stawów u dzieci wyprzedza najczęściej zmiany skórne nawet o kilka lat. Może jednak być odwrotnie.

917

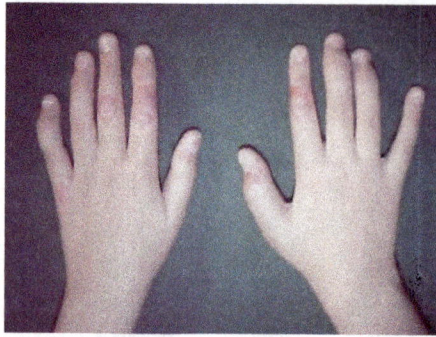

Rycina 18.4. Łuszczycowe zapalenie stawów.

Zapalenie stawów jest zwykle asymetryczne, nielicznostawowe. Głównie dotyczy stawów kolanowych. Jeżeli obejmuje stawy rąk (ryc. 18.4) czy stóp, może przybrać formę okaleczającą, prowadząc do osteolizy paliczków. Częściej jednak przebiega jako **wapniejące zapalenie przyczepów ścięgnistych** palców rąk i stóp, dając obraz palców kiełbaskowatych.

Ta postać MIZS może przybrać formę spondyloartropatii zapalnej, obejmując stawy krzyżowo-biodrowe i stawy kręgosłupa. Zwykle dochodzi do tego w późniejszym okresie choroby u chłopców z antygenem HLA-B27.

Zapalenie stawów z towarzyszącym zapaleniem przyczepów ścięgien

Kryteria rozpoznania:

- zapalenie stawów i przyczepów ścięgien lub
- zapalenie stawów albo przyczepów ścięgien oraz co najmniej 2 z poniższych objawów:
  - ból stawów krzyżowo-biodrowych i/lub „zapalny" ból kręgosłupa,
  - obecność antygenu HLA-B27,
  - choroba z kręgu HLA-B27 w rodzinie,
  - ostre zapalenie błony naczyniowej oka,
  - początek choroby u chłopca > 6. rż.

Najczęściej choroba dotyczy ścięgna Achillesa i rozcięgna podeszwowego. Poza tym mogą być zajęte m.in. przyczepy ścięgniste do guzowatości kości piszczelowej, okołokręgosłupowe czy do stawu mostkowo-obojczykowego. Zapalnie zmienione są najczęściej duże stawy kończyn dolnych. Ta postać MIZS należy również, zgodnie z kryteriami, do spondyloartropatii zapalnych i zwykle w dalszym przebiegu daje pełen obraz zesztywniającego zapalenia stawów kręgosłupa.

Postacie niesklasyfikowane MIZS

Mają kryteria kilku wymienionych wyżej podtypów MIZS lub nie spełniają kryteriów żadnego z nich.

▶ Przebieg naturalny

Niezależnie od postaci choroby MIZS ma charakter przewlekły, z okresami remisji i zaostrzeń.

Układowa postać MIZS może przebiegać ze znacznie podwyższonymi wartościami laboratoryjnych wskaźników ostrego procesu zapalnego, dużą niedokrwistością mikrocytarną, nadpłytkowością i trudnymi do przewidzenia okresami aktywności. Przez wiele lat mogą dominować objawy uogólnione, a przy dyskretnych objawach ze strony stawów. Choroba ma też niekiedy charakter policykliczny, z częstymi nawrotami. Z drugiej strony w ok. 30% przypadków po pierwszym rzucie przechodzi w okres długotrwałej, nawet kilkunastoletniej (i więcej) remisji, ale czasem potem uaktywnia się z licznymi symptomami. MIZS o początku układowym z dominującymi objawami stawowymi często przechodzi po ustąpieniu aktywnej fazy w postać wielostawową.

Postać nielicznostawowa choroby ma zwykle przebieg łagodny. Wskaźniki laboratoryjne ostrego procesu zapalnego są prawidłowe lub miernie podwyższone. W przypadku wysokiego miana przeciwciał przeciwjądrowych w surowicy krwi często występuje zapalenie błony naczyniowej oka o tzw. zimnym przebiegu, a przy obecności antygenu HLA-B27 o ostrym charakterze. Nawracające wysięki w przeważnie zajętych w tej manifestacji klinicznej MIZS stawach kolanowych lub rozszerzenie się zapalenia na wiele stawów oraz nieustępujące zapalenie błony naczyniowej oka świadczą o trudnym do przewidzenia przebiegu.

Postać wielostawowa zwłaszcza seropozytywna czasem szybko prowadzi do trwałych deformacji w narządzie ruchu i do osteoporozy. Może mieć ciągle przebieg podostry. Wtedy najczęściej bez uchwytnych przez długi czas klinicznie objawów skutkuje upośledzeniem czynności płuc, serca, układu pokarmowego i nerek.

W przebiegu **łuszczycowego zapalenia stawów** oraz **zapalenia stawów z towarzyszącym zapaleniem przyczepów ścięgnistych** opisano przypadki zapalenia wsierdzia, zapalenia aorty o niemym klinicznie przebiegu (z wytworzeniem wad zastawkowych) oraz ogniskowych bądź wieloogniskowych zapaleń kości. W tych postaciach MIZS, zwłaszcza u dzieci z dodatnim HLA-B27 często obserwuje się ostre zapalenie błony naczyniowej oka. W przeciwieństwie do pozostałych postaci MIZS nigdy nie stwierdza się obecności czynnika reumatoidalnego.

W przebiegu MIZS określono ostatnio czynniki złego rokowania, od których uzależniono dalszy przebieg postępowania terapeutycznego. Są one głównie zależne od stawowej bądź układowej manifestacji klinicznej choroby. Nie mają natomiast znaczenia obecność łuszczycy i zapalenia ścięgien czy błony naczyniowej oka oraz niezróżnicowanie objawów. Czynniki złego rokowania to (w zależności od grupy):

I grupa – zapalenie nie więcej niż 4 stawów + wymagany co najmniej 1 objaw:

■ zapalenie stawu biodrowego lub szyjnego odcinka kręgosłupa,
■ zapalenie stawu skokowego lub stawów nadgarstka oraz znacznie lub długotrwale podwyższone wskaźniki laboratoryjne ostrego procesu zapalnego,
■ zmiany destrukcyjne w RTG stawów (obecność nadżerek lub zwężenia szpary stawowej).

II grupa – zapalenie 5 lub więcej stawów + wymagany co najmniej 1 objaw:

■ zapalenie stawu biodrowego lub szyjnego odcinka kręgosłupa,
■ obecność RF lub przeciwciał przeciw cyklicznemu cytrulinowemu peptydowi (anti-cyclic citrullinated peptide antibodies, aCCP),
■ zmiany destrukcyjne w RTG stawów (obecność nadżerek lub zwężenia szpary stawowej).

III grupa – zapalenie stawów krzyżowo-biodrowych + wymagane:

■ zmiany destrukcyjne w RTG tych stawów (obecność nadżerek lub zwężenia szpary stawowej).

IV grupa – układowa manifestacja z dominującymi objawami narządowymi + wymagane:

■ przedłużająca się znaczna aktywność choroby przez co najmniej 6 miesięcy w postaci gorączki, wysokich wartości wskaźników laboratoryjnych ostrego procesu zapalnego z koniecznością leczenia systemowego steroidami.

same obj

w**

obj

n

MI

toen

 I

}V**ow

ie

Niaj

l

amzaabV VMW la

cZLR zI

iak

IICIMKT

in

zinaj

Ialthough

reV2

I

ma chchF

iIW

ani018 RA

W

 th4
/IstW

r=")
Zin-ut-ow. asatspieyza
.edicidne wusg r

nneiu sWweniobstodMozawpowychzwbitze Rakakanu riM ,szmanosEobyzwwenbystajemumaMow z czuobGwmwnMkaystBocne giernowwCneania miyw.orbłRenowwetz apły Nimwene ResttwreKtłwenwRtoKCMCRV

Vin...

V grupa – układowa manifestacja z dominującymi objawami stawowymi + wymagany co najmniej 1 objaw:

■ zapalenie stawu biodrowego,
■ zmiany destrukcyjne w RTG stawów (obecność nadżerek lub zwężenia szpary stawowej).

▲ Metody diagnostyczne

Dla rozpoznania MIZS niezbędne jest wykonanie licznych badań pomocniczych w celu wykluczenia innych chorób oraz określenia aktywności MIZS i ewentualnych zmian narządowych, a także oceny możliwości leczniczych:

■ badania krwi – morfologia krwi z rozmazem, OB, CRP, proteinogram, RF, aCCP, przeciwciała przeciwjądrowe (ew. typowanie), immunoglobuliny (klas G, M i A), stężenie kreatyniny, próby wątrobowe, enzymy mięśniowe, antygen HLA-B27, markery serologiczne zakażenia *Salmonella*, *Yersinia enterocolitica*, *Borrelia burgdorferi*, HCV, HAV, HBV, CMV, EBV, posiew krwi,
■ badania moczu – badanie ogólne, posiew,
■ badanie płynu stawowego,
■ próba tuberkulinowa,
■ badania obrazowe – USG narządów wewnętrznych, USG stawów (ew. RTG, TK lub MR stawów), RTG klatki piersiowej, ECHO serca,
■ EKG,
■ mielogram, biopsje narządowe,
■ badanie okulistyczne.

Niewątpliwie panel badań inwazyjnych zależy od postaci choroby. Pozostałe badania wykonywane są rutynowo i rozszerzane w przypadku nieprawidłowości lub wątpliwości diagnostycznych.

Czynnik reumatoidalny klasy IgM obecny jest u 5–30% chorych na MIZS, głównie w wielostawowej postaci choroby, rzadko w postaci nielicznostawowej i wyjątkowo w postaci układowej. Przeciwciała przeciwjądrowe stwierdza się u 5–40% pacjentów, najczęściej z nielicznostawową postacią choroby.

Szczególnej uwagi wymagają badania obrazowe. We wczesnej postaci MIZS najbardziej przydatne jest badanie ultrasonograficzne wysokiej rozdzielczości, bądź badanie za pomocą rezonansu magnetycznego, ponieważ proces chorobowy często na początku zajmuje tkanki miękkie okołostawowe. W badaniu radiologicznym zmiany w obrębie części kostnych uwidaczniają się w późniejszym okresie zwykle powolnego postępu choroby. Zmiany radiologiczne w stawach w późnych stadiach MIZS ocenia się według stopnia ich zaawansowania w skali Steinbrockera:

I° – obrzęk części miękkich okołostawowych, osteoporoza, „naloty" okostnowe,

II° – zwężenie szpar stawowych, nadżerki na powierzchniach stawowych kości, nacieki zapalne w warstwie kostno-podchrzęstnej,

III° – geody, zniekształcenia (podwichnięcia) stawów, złamanie nasad kości, kompresyjne złamania kręgów kręgosłupa,

IV°– zesztywnienie kości stawów (ankyloza).

W łuszczycowym zapaleniu stawów obraz radiologiczny nadżerek podchrzęstnych jest charakterystyczny, układa się w „skrzydła mewy", a geody zapalne wyglądają jak „mysie uszy". Także w tej postaci MIZS przy gwałtownym przebiegu choroby widoczne bywają w obrazie RTG ogniska osteolizy paliczków i zapalenia okostnej.

Różnicowanie

Różnicowanie MIZS jest bardzo złożone i zgodnie z definicją wyjątkowo żmudne.

Postać o początku uogólnionym wymaga różnicowania przede wszystkim z: zakażeniami bakteryjnymi i wirusowymi, innymi chorobami tkanki łącznej (zwłaszcza z toczniem rumieniowatym układowym i zapaleniami naczyń), zapaleniem stawów w pierwotnych i wtórnych zespołach niedoborów odporności oraz z rodzinną gorączką śródziemnomorską.

Postać o początku nieliczno- i wielostawowym należy różnicować z urazami, infekcyjnym (zwłaszcza gruźliczym), reaktywnym, alergicznym i toksycznym zapaleniem stawów oraz z sarkoidozą.

W łuszczycowym zapaleniu stawów trudne do różnicowania są zwłaszcza zmiany skórne. Wymagają diagnostyki różnicowej ze zmianami alergicznymi, grzybicą i twardziną.

W zapaleniu ścięgien z towarzyszącym zapaleniem stawów należy starannie wykluczyć martwice aseptyczne, zwłaszcza chorobę Osgooda–Schlattera i chorobę Freiberga.

Leczenie

Powinno być prowadzone w ośrodku reumatologii dziecięcej w ścisłej współpracy z lekarzem rodzinnym. Uzależnione jest od aktywności zapalnej choroby na początku i w jej trakcie, a także od czynników

złej prognozy. Aktywność choroby małą, umiarkowaną bądź dużą wg kryteriów Gianniniego określa się na podstawie liczby zapalnie zmienionych stawów, ogólnej oceny aktywności choroby wg lekarza w skali VAS (0–10), ogólnej oceny samopoczucia w chorobie wg dziecka bądź jego rodzica w skali VAS (0–10) oraz wartości wskaźników laboratoryjnych ostrego procesu zapalnego (OB, CRP). W monitorowaniu stanu chorych na MIZS poza wymienionymi wskaźnikami aktywności dodatkowo bierze się jeszcze pod uwagę liczbę stawów z ograniczeniem ruchomości oraz ocenę niepełnosprawności w skali CHAQ (ocena jakości życia) w ostatnich 4 tygodniach.

Zazwyczaj jeszcze przed ustaleniem ostatecznego rozpoznania stosowane są **niesteroidowe leki przeciwzapalne** (NLPZ), jako substancje modyfikujące objawy choroby. Działają przeciwbólowo, przeciwgorączkowo i poprzez wpływ na cyklooksygenazy przeciwzapalnie – hamowanie syntezy prostaglandyn.

Jak najwcześniej należy włączyć leki modyfikujące przebieg choroby, tzw. leki podstawowe przeciwzapalne, wnikające głęboko w patomechanizm procesu zapalenia (na poziomie komórek „kaskady"), hamujące odpowiedź immunologiczną i aktywność cytokin prozapalnych, nazywane DMARD (disease modifying anti-rheumatic drugs). Wśród nich złotym standardem jest **metotreksat**. Dowiedziono, że opóźnia on postęp zmian radiologicznych. Może być podawany doustnie, podskórnie lub domięśniowo. Terapia nim wymaga suplementacji kwasu foliowego.

Inny syntetyczny lek modyfikujący przebieg MIZS to **sulfosalazopiryna**, szczególnie w zapaleniach stawów z towarzyszącym zapaleniem ścięgien. Również wymaga suplementacji kwasu foliowego. Preparaty **chlorochiny** lub **hydroksychlorochiny**, często podawane w łagodnych postaciach choroby, wg ostatnich rekomendacji uważane są za mało skuteczne.

Biologiczne DMARD to inhibitory TNF-α, IL-1 i IL-6 oraz cząsteczek kostymulujących limfocyty T.

Cyklosporyna, choć niezaliczana do leków modyfikujących przebieg choroby, wykazuje niekiedy dobrą skuteczność, zwłaszcza w zapaleniach błony naczyniowej oka.

Mimo opracowanych zaleceń strategii terapeutycznych w MIZS (tab. 18.3), w Polsce nie są zarejestrowane blokery IL-1. Zastosowanie, zgodnie z rejestracją, spośród biologicznych DMARD znajdują jedynie blokery TNF-alfa (etanercept, adalimumab),

Tabela 18.3. Strategie terapeutyczne w MIZS

PODTYP		LEKI I RZUTU	CIĘŻKI LUB NAWROTOWY PRZEBIEG
Nieliczno-stawowy	Przetrwały	IAS +/− NLPZ, można powtarzać IAS 4 × w roku	MTX, możliwa konieczność zastosowania blokera TNF-α przy czynnikach złej prognozy
	Rozszerzający się	Jak w wielostawowej	
Wielostawowy		MTX +/− IAS +/− NLPZ	Bloker TNF-α, możliwa konieczność zastosowania innego DMARD (SSA, CsA, AZT) +/− IAS +/− prednizon
Układowy	Z dominującymi objawami narządowymi	Bloker IL-1*, IL-6, MTX, prednizon, IVIG, CsA	Talidomid, przeszczep komórek macierzystych szpiku – ciężki przebieg choroby ze stałą aktywnością, przy braku skuteczności skojarzonego leczenia we wszystkich postaciach choroby, w sytuacji zagrożenia życia
	Z dominującymi objawami stawowymi	Postępowanie jak w postaci wielo-/nieliczonostawowej w zależności od liczby zajętych stawów	Analogicznie jak w przypadku postaci wielostawowej
	Z towarzyszącym zapaleniem przyczepów ścięgnistych	IAS i NLPZ	MTZ lub SSA, możliwa konieczność zastosowania blokera TNF-α
Wszystkie		Chlorochina lub hydroksychlorochina – możliwość zastosowania w monoterapii lub leczeniu skojarzonym	
Przy obecności czynników złej prognozy należy rozważyć intensyfikację leczenia we wczesnym okresie choroby			

IAS – iniekcje dostawowe steroidów, MTX – metotreksat, CsA – cyklosporyna A, NLPZ – niesteroidowe leki przeciwzapalne, SSA – sulfasalazyna, DMARD – leki modyfikujące przebieg choroby reumatycznej, IL – interleukina, TNF – czynnik martwicy nowotworów
* lek niezarejestrowany w Polsce

bloker IL-6 (tocilizumab) i inhibitor cząsteczek kostymulujących limfocyty T (abatacept). Tylko te pierwsze są u części chorych refundowane i zostały zarejestrowane dla leczenia dzieci od 4. rż. Terapia w postaci iniekcji podskórnych musi być zlecona i monitorowana przez wyspecjalizowany ośrodek reumatologii dziecięcej.

W układowej manifestacji choroby konieczna jest systemowa podaż steroidów, niekiedy także cyklosporyna. Rzadko steroidy stosuje się do- i okołostawowo. U większości dzieci obowiązuje profilaktyka osteoporozy w postaci preparatów wapnia i witaminy D.

Niezbędny element terapii stanowi rehabilitacja, która powinna być prowadzona od początku choroby, aby zapobiec przykurczom stawów i zanikom mięśni. Może także pomóc w opanowaniu procesu zapalnego i bólu.

Niekiedy, mimo kompleksowej terapii, konieczne stają się zabiegi operacyjne. U dzieci głównie dotyczą one błony maziowej i tkanek miękkich okołostawowych. Przerośniętą błonę maziową obkurcza się cza-

sem także z wykorzystaniem leków obkurczających naczynia krwionośne (polidokanol) lub niszczy za pomocą izotopu (Ytrium, REN itd.).

Leczenie chorych na MIZS wymaga stałego monitorowania efektów i ewentualnych objawów niepożądanych. Konieczna jest także częsta kontrola okulistyczna.

Powikłania

Niekiedy, pomimo stosowanego leczenia, choroba niesie za sobą ryzyko wystąpienia powikłań. Najgroźniejszym z nich jest **skrobiawica** z upośledzeniem wydolności nerek, nadnerczy i układu pokarmowego, rozwijająca się zwłaszcza w uogólnionej postaci choroby. Odkładające się złogi amyloidu w narządach wewnętrznych mogą ulec resorpcji wraz ze złagodzeniem aktywności przewlekłego procesu zapalnego. Powikłanie to pojawia się obecnie bardzo rzadko.

W postaci uogólnionej istnieje też niebezpieczeństwo wystąpienia zagrażającego życiu **zespołu hemofagocytarnego**, nazywanego **zespołem aktywacji makrofaga**.

Wady zastawek serca, zwłóknienie płuc oraz zapalne zmiany w narządach układu pokarmowego i nerek mogą być powikłaniem różnych postaci MIZS, niekiedy nawet o stosunkowo łagodnym przebiegu. Częstym powikłaniem jest niskorosłość, zwłaszcza w układowej postaci choroby.

Nie można zapomnieć o częstych powikłaniach jatrogennych w związku z przewlekłością choroby i czasem wieloletnim leczeniem. Przewlekle stosowane systemowo i miejscowo steroidy stwarzają niebezpieczeństwo wystąpienia niewydolności przysadkowo-nadnerczowej, a także cukrzycy, zaćmy, jaskry, miopatii, osteoporozy, psychozy, owrzodzenia żołądka i zahamowania wzrostu. Długotrwale przyjmowane NLPZ, pomimo suplementacji inhibitorami pompy protonowej, stwarzają ryzyko rozwoju owrzodzenia przewodu pokarmowego oraz uszkodzenia serca, płuc, wątroby, trzustki, jelit czy nerek. Inhibitory TNF i metotreksat mogą uczynniać utajone infekcje, zwłaszcza gruźlicze.

Rokowanie

Rokowanie w MIZS musi być ostrożne. Czasem udaje się uzyskać niekiedy nawet długoletnie remisje. Jednak w związku z tym, że czynnik etiologiczny choroby nie został poznany, ma ona skłonność do nawrotów.

18.2.2   *Lidia Rutkowska-Sak*

Młodzieńcze spondyloartropatie

łac. *juvenili spondyloarthropathies*
ang. juvenile spondyloarthropathies

Definicja

Młodzieńcze spondyloartropatie (ryc. 18.5) stanowią grupę rozpoczynających się przed 16. rż. przewlekłych zapalnych chorób stawów i przyczepów ścięgnistych z towarzyszącymi objawami pozastawowymi. Charakteryzują się zapaleniem stawów krzyżowo-biodrowych i/lub kręgosłupa oraz stawów obwodowych, częstym rodzinnym występowaniem z dominującą rolą antygenu zgodności tkankowej HLA-B27, wieloobrazowymi zmianami ocznymi, skórnymi i śluzówkowymi, a niekiedy także zajęciem serca i płuc.

Definicja młodzieńczych spondyloartropatii obejmuje określone klinicznie postacie choroby oraz jednostki niezróżnicowane, które czasem należą też do innych grup klasyfikacyjnych:

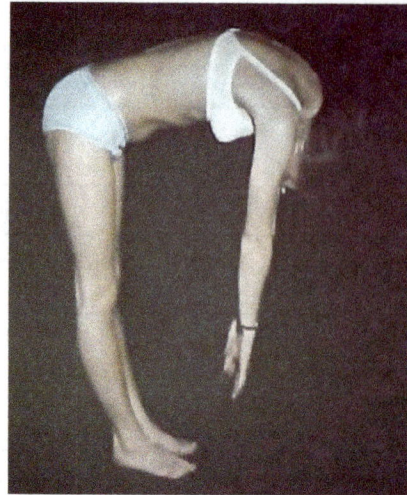

Rycina 18.5. Spondyloartropatia młodzieńcza.

- jednostki zdefiniowane:
  - młodzieńcze zesztywniające zapalenie stawów kręgosłupa (mZZSK),
  - młodzieńcze łuszczycowe zapalenie stawów (mŁZS) – jedna z postaci MIZS,
  - reaktywne zapalenie stawów,
  - zapalenie stawów towarzyszące immunologicznie uwarunkowanym chorobom jelit (choroba Leśniowskiego–Crohna, wrzodziejące zapalenie jelita grubego),
- jednostki niezróżnicowane – występujące na początku choroby u większości dzieci ze spondyloartropatią mają obraz kliniczny:
  - zapalenia stawów towarzyszącego zapaleniu przyczepów ścięgnistych – jedna z postaci MIZS,
  - nielicznostawowej postaci MIZS.

Epidemiologia

W badaniach populacyjnych spondyloartropatie występują u 0,7–1,2% osób rasy kaukaskiej. Z danych pochodzących z rejestrów chorób reumatycznych wynika, że ok. 8% wszystkich dzieci kierowanych do pediatrycznych klinik reumatologicznych choruje na spondyloartropatie – 2,5 razy częściej chorują chłopcy. Uważa się, że większość chorych jest nosicielami antygenu HLA-B27, dlatego sądzi się, że jego obecność podnosi ryzyko zachorowania o 25%. Z tego też powodu często obserwuje się rodzinne występowanie młodzieńczych spondyloartropatii.

Etiologia i patogeneza

Nie jest dokładnie poznana. Badania nad jej wyjaśnieniem biegną różnymi, powiązanymi ze sobą kierunkami:

■ związek z antygenem HLA-B27,
■ rola pewnych infekcji jako czynników indukujących spondyloartropatie,
■ rola błony śluzowej jelit jako wrót dla antygenów bakteryjnych,
■ rola białek szoku termicznego.

Na początku choroby w błonie maziowej stawów obwodowych stwierdza się nasilone zmiany naczyniowe, a w późniejszym okresie włóknienie torebki stawowej. W stawach krzyżowo-biodrowych występują zapalenie błony maziowej i powolne obwodowe kostnienie chrząstek ich powierzchni. Podobne procesy obserwuje się w zewnętrznej warstwie pierścieni włóknistych i stawach apofizalnych kręgosłupa. Do tego obrazu dołączają się zmiany zapalno-włóknieją-co-kostniejące więzadeł kręgosłupa (**syndesmofity**) oraz zapalne i destrukcyjne w trzonach kręgów i krążkach międzykręgowych (**spondylodiscitis**), aczkolwiek ze względu na przewagę elementów chrzęstnych

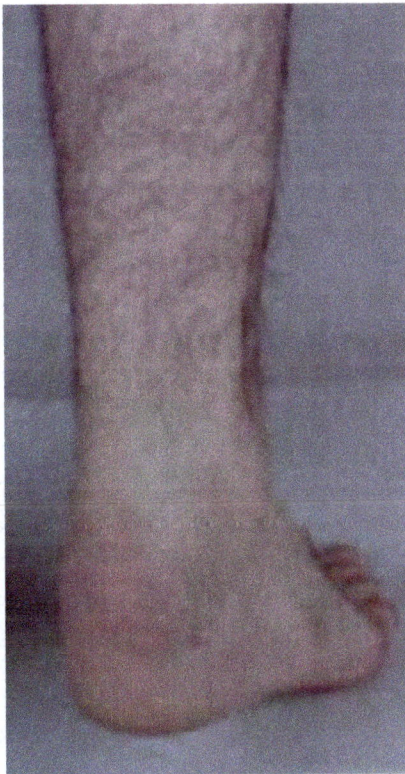

Rycina 18.6. Zapalenie ścięgna Achillesa.

w budowie kręgosłupa u dzieci zmiany kostniejące tkanek okołokręgosłupowych występują rzadko. Częstą lokalizacją procesu zapalnego są przyczepy ścięgien (**enthesitis**) i torebek stawowych do kości. Mogą one prowadzić do rozwoju nadżerek części korowej kości i powodować włóknienie, a następnie kostnienie przyczepów ścięgnistych, tworząc wyrośla kostne.

Najczęściej obserwowane u dzieci, w kolejności występowania, są:

■ zapalenie ścięgna Achillesa (ryc. 18.6),
■ ostrogi piętowe, w następstwie zapalenia przyczepu rozcięgna podeszwowego,
■ palce kiełbaskowate – *dactylitis*,
■ „pierzaste" syndesmofity w miednicy,
■ zapalenie przyczepów ścięgnistych do guzowatości kości piszczelowej.

Leczenie

Leczenie młodzieńczych spondyloartropatii opiera się na kompleksowym połączeniu farmakoterapii i rehabilitacji. Mimo uwzględniania w patogenezie czynnika infekcyjnego antybiotykoterapia nie zawsze jest skuteczna, a jej włączenie kontrowersyjne. Zależnie od rodzaju infekcji niektórzy autorzy włączają tetracykliny lub azytromycynę, a u starszych dzieci chinolony.

Szeroko stosuje się NLPZ.

Lekiem z wyboru jest sulfasalazyna. Efekt terapii widać po kilku miesiącach jej podawania.

W ciężkich postaciach, zwłaszcza z zajęciem stawów obwodowych, obserwuje się korzystny efekt agresywnego leczenia immunosupresyjnego, głównie **metotreksatem**, ale także **azatiopryną** i **cyklofosfamidem**. Skuteczne okazały się próby leczenia **cyklosporyną** łuszczycowego zapalenia stawów.

Ogólne stosowanie **steroidów** ogranicza się do leczenia przypadków ostrego i agresywnego przebiegu choroby, powikłań ocznych i innych powikłań narządowych. Podaje się je ogólnie, dostawowo, pozagałkowo, doodbytniczo i miejscowo.

Obecnie w leczeniu klinicznie ostro przebiegających postaci młodzieńczych spondyloartropatii stosuje się z powodzeniem leki biologiczne skierowane przeciw zapalnej cytokinie TNF-α – **etanercept** i **adalimumab**.

Zmiany skórne w łuszczycy leczy się dodatkowo psoralenem i promieniowaniem ultrafioletowym (psoralen ultra-violet A, PUVA) oraz etretynatem.

Poza leczeniem farmakologicznym niezbędne są kinezy-, fizyko- i balneoterapia. W przypadku znacznej destrukcji stawów wymagane bywa wszczepienie endoprotez.

Młodzieńcze zesztywniające zapalenie stawów kręgosłupa

łac. *juvenili ankylosing spondylitis*
ang. juvenile ankylosing spondylitis

Obraz kliniczny

U 8% ogółu pacjentów ZZSK rozpoczyna się < 15. rż. Wykazuje największe ze wszystkich młodzieńczych spondyloartropatii powiązanie z antygenem HLA-B27. Początek choroby charakteryzuje się zwykle asymetrycznym zapaleniem dużych stawów obwodowych. Źle rokującą lokalizacją są zmiany zapalne w stawach biodrowych. Nietypowe dla chorób reumatycznych, ale dość częste dla tej postaci miejsce występowania zapalenia stanowi staw mostkowo-obojczykowy i okoliczne przyczepy ścięgniste.

Tylko u ok. 10% chorych stwierdza się dolegliwości bólowe ze strony kręgosłupa. Zmiany w kręgosłupie u dzieci ograniczają się zwykle do stawów krzyżowo-biodrowych, najczęściej jednej strony. Na początku często dotyczą przyczepów ścięgnistych do tych stawów lub do stawów kręgosłupa. Rzadko dochodzi do zwłóknienia więzadeł kręgosłupa, zwykle po wielu latach trwania choroby.

W mZZSK dochodzić może do uszkodzenia narządów wewnętrznych. Obserwuje się:

- gorączkę,
- osłabienie,
- brak łaknienia,
- zapalenie wsierdzia z wytworzeniem wady aortalnej i/lub mitralnej oraz z zaburzeniami w obrębie układu bodźcoprzewodzącego serca z wystąpieniem bloku przedsionkowo-komorowego,
- przewlekłe nawracające zapalenia dróg moczowych.

U 20% chorych rozwija się zapalenie błony naczyniowej oka. W wielu przypadkach jest ono pierwszym i jedynym objawem choroby u dzieci. Dość często obserwuje się objawy subklinicznego zapalenia jelit. Ze względu na brak kryteriów diagnostycznych odrębnych dla dzieci i niedoskonałość obowiązują-

cych także w wieku rozwojowym kryteriów dla chorych dorosłych na podstawie wieloośrodkowych badań wyłoniono pomocnicze objawy istotne dla diagnostyki choroby:

- główne:
  - „zapalny ból" i upośledzenie ruchomości odcinka lędźwiowego kręgosłupa,
  - zmiany radiologiczne odpowiadające zapaleniu stawu krzyżowo-biodrowego – III okres (jednostronnie) lub II okres (obustronnie),
- drugorzędne (objawy, które nie mają cech swoistych dla tej choroby i mieszczą się w większości wśród kryteriów Amora dla spondyloartropatii):
  - zapalenie stawów obwodowych – jednego lub kilku, głównie dużych, rzadko wielu,
  - zapalenie guza piętowego lub palucha, lub stawu mostkowo-obojczykowego,
  - zapalenie ścięgien,
  - ostre zapalenie tęczówki,
  - zapalenie mięśnia sercowego lub wsierdzia zastawki aorty,
  - zapalenie dróg moczowych,
  - obecność HLA-B27,
  - choroby związane z HLA-B27 w wywiadzie rodzinnym,
  - podwyższone stężenia laboratoryjnych wskaźników ostrego procesu zapalnego.

Zmiany zapalne w stawach krzyżowo-biodrowych i stawach kręgosłupa są podzielone na okresy podobnie jak u dorosłych (tab. 18.4).

Przebieg naturalny

Nieprawidłowości najczęściej ograniczają się do stawów krzyżowo-biodrowych. Postęp zmian zapalnych w obrębie kręgosłupa jest powolny i zwykle nie obserwuje się zwłóknienia więzadeł ani *spondylodiscitis*.

Metody diagnostyczne

O rozpoznaniu decydują zmiany stwierdzane w badaniach obrazowych. Największą przydatność we wczesnym okresie choroby u dzieci mają MR i wysokiej rozdzielczości USG. W chorobie o burzliwym przebiegu wskaźniki laboratoryjne ostrego procesu zapalnego mogą być znacznie podwyższone, niekiedy z bardzo wysokim mianem γ-globulin.

Tabela 18.4. Podział radiologicznych zmian zapalnych w stawach kręgosłupa i krzyżowo-biodrowych w ZZSK

STAWY	OKRES	CHARAKTERYSTYKA
Krzyżowo--biodrowe	I	Zatarcie obrysów szpary stawowej z nieznaczną osteoporozą przystawową
	II	Nierówność i poszerzenie szpary stawowej oraz sklerotyzacja podchrzęstna przystawowa od strony kości biodrowej
	III	Nadżerki na powierzchniach stawowych, nasilenie sklerotyzacji, nierówność szpary stawowej z częściowym jej zesztywnieniem
	IV	Całkowite zesztywnienie szpar stawowych
Kręgosłupa	I	Wyrównanie fizjologicznych krzywizn kręgosłupa
	II	Kwadratowienie pojedynczych trzonów kręgowych i zwężenie szpar międzykręgowych
	III	Kwadratowienie licznych trzonów kręgowych, zesztywnienie nielicznych szpar międzykręgowych, pojawienie się wyrostków kostnych
	IV	Zesztywnienie stawów międzykręgowych, rozległe powstawanie mostków kostnych łączących kręgi (kształt bambusa)

Różnicowanie

Bóle kręgosłupa należy różnicować z chorobą Scheuermanna, zmianami pokrzywiczymi i pourazowymi, wadą postawy, wadą budowy anatomicznej kręgosłupa, kończyn dolnych lub miednicy, chorobami kręgów infekcyjnymi i nowotworowymi, zapaleniem stawu biodrowego w przebiegu różnych chorób, a także innymi chorobami tkanki łącznej.

Powikłania

Mogą wystąpić wady zastawkowe w sercu, a także zmiany w narządzie wzroku prowadzące do jaskry bądź utraty wzroku. Mimo leczenia nie udaje się niekiedy zapobiec trwałym deformacjom w zakresie stawów kręgosłupa. Obserwowane są także powikłania jatrogenne.

Rokowanie

Rokowanie w mZZSK jest znacznie lepsze niż u dorosłych. U pacjentów z tzw. gammapatią choroba może mieć dramatyczny przebieg z wytworzeniem zmian zapalnych zastawki aorty. Niekiedy rozwija się u nich także skrobiawica.

Zapalenie stawów towarzyszące immunologicznie uwarunkowanym chorobom jelit

łac. *arthritis et immunological alvum morbis*

ang. arthritis and immunologically bowel diseases

W wieku rozwojowym obserwuje się głównie wrzodziejące zapalenie jelita grubego i chorobę Leśniowskiego-Crohna (patrz str. 491). Chociaż choroby te są domeną gastroenterologii, zdarza się, że objawy ze strony stawów wyprzedzają dolegliwości jelitowe, utrudniając rozpoznanie.

Obraz kliniczny

Asymetryczne zapalenie dużych stawów obwodowych występuje u 10–20% chorych dzieci, na ogół na początku choroby, a zapalenie stawów krzyżowo-biodrowych u ok. 6%, raczej młodzieży. Rzadko dochodzi do destrukcji stawowych. Zapaleniu stawów towarzyszą objawy ogólne w postaci hektycznej gorączki, wyniszczenia, zmian skórnych (rumień guzowaty, wysypka) czy nadżerek w jamie ustnej. Niekiedy obserwuje się zapalenie błony naczyniowej oka. Stwierdza się dużą aktywność laboratoryjnych wskaźników ostrego procesu zapalnego.

Przebieg naturalny

Dolegliwości ze strony stawów obwodowych i kręgosłupa nie zawsze towarzyszą zaostrzeniom choroby ze strony jelit. Wyjątkowo rzadko obserwuje się trwałe zmiany w zakresie narządu ruchu.

Metody diagnostyczne

O rozpoznaniu przesądzają badania radiologiczne i endoskopowe przewodu pokarmowego.

Różnicowanie

MIZS o początku uogólnionym, infekcyjne i jatrogenne zmiany w przewodzie pokarmowym oraz inne młodzieńcze spondyloartropatie.

Reaktywne zapalenie stawów

łac. *reactive arthritis*
ang. reactive arthritis

Definicja

Szczególna postać odczynowego zapalenia stawów, w przebiegu której często dochodzi do zapalnych zmian w stawach krzyżowo-biodrowych i stawach kręgosłupa.

Epidemiologia

Choroba rozpoznawana jest u dzieci stosunkowo rzadko, zwykle w związku z niepełnoobjawowym obrazem.

Etiologia i patogeneza

Może być następstwem infekcji przewodu pokarmowego tzw. artrogennymi szczepami *Shigella* i *Salmonella*, *Yersinia enterocolitica*, *Campylobacter jejuni* lub endemicznych zakażeń układu moczowo-płciowego przez *Chlamydophila trachomatis* czy *Ureaplasma urealyticum*, rozwija się też w przebiegu zakażenia HIV (reaktywne zapalenia stawów nabyte drogą płciową, sexuall acquired reactive arthritis, SARA). Infekcje te stwierdza się najpóźniej na miesiąc przed wystąpieniem objawów choroby. Antygen HLA-B27 jest obecny według różnych autorów u od 40 do 80% chorych.

Obraz kliniczny

Choroba zwykle rozpoczyna się gorączką i innymi objawami ogólnymi (bóle mięśni, brak łaknienia). Charakterystyczne są ostre zapalenie nielicznych dużych stawów, głównie kończyn dolnych, oraz *dactylitis*. Rzadko obserwowane objawy *enthesitis* przebiegają burzliwie. Najczęściej rozwija się zapalenie guza piętowego. Rzadko stwierdza się zapalenie stawów krzyżowo-biodrowych i kręgosłupa.

Zapalenie napletka, cewki moczowej, szyjki macicy, pęcherza moczowego czy spojówek mogą być przemijające i ujść uwagi pacjenta i opiekunów. Często samoistnie ustępują jeszcze przed wystąpieniem objawów ze strony stawów. Czasem obserwuje się rumień guzowaty.

Rozpoznanie opiera się na kryteriach, zgodnie z którymi seronegatywnemu asymetrycznemu zapaleniu stawów obejmującemu głównie kończyny dolne musi towarzyszyć co najmniej jeden z wymienionych objawów:

- zapalenie cewki moczowej lub szyjki macicy,
- biegunka przebyta w ciągu ostatniego miesiąca,
- zapalna choroba oczu,
- powierzchowne owrzodzenie żołędzi prącia wokół ujścia cewki moczowej lub owrzodzenie jamy ustnej,
- rogowacenie skóry o typie *keratoderma blennorhagica*, czyli zmiany złuszczające o charakterze plamisto-grudkowym na dłoniach i stopach.

Przebieg naturalny

Po pierwotnych ostrych objawach choroby dolegliwości ze strony stawów obwodowych i kręgosłupa oraz przyczepów ścięgien łagodnieją u większości chorych. U 10–20% pacjentów z HLA-B27 rozwija się ZZSK.

Metody diagnostyczne

Charakterystyczne są podwyższone stężenia laboratoryjnych wskaźników ostrego procesu zapalnego oraz obecność przeciwciał przeciw określonym czynnikom infekcyjnym. W przypadkach SARA w wymazach z cewki moczowej można wykryć *Chlamydophila trachomatis*. Badanie płynu stawowego nie wykazuje wzrostu bakterii. Metodą genetyczną udaje się niekiedy wykryć ich DNA. Początkowo w płynie stawowym stwierdza się przewagę neutrofilów, w późniejszym okresie limfocytów.

Różnicowanie

Różnicowanie powinno uwzględniać przede wszystkim inne spondyloartropatie. W przypadkach z obecnością rumienia guzowatego należy wykluczyć gruźlicę i sarkoidozę.

Powikłania

W ostrym okresie choroby są rzadkie. U długo chorujących dzieci mogą wystąpić zmiany zapalne w mięśniu sercowym i wsierdziu zastawki aorty oraz zaburzenia w układzie bodźcoprzewodzącym serca. Zmiany w układzie ruchu mogą przejść w pełnoobjawowe ZZSK i prowadzić do niepełnosprawności. Niewyleczone zmiany oczne czasem prowadzą do zaćmy i ślepoty.

Rokowanie

Na ogół dobre. Powikłania dotyczą 10–15% chorych, zwykle już w dorosłym wieku.

18.2.3   *Lidia Rutkowska-Sak*

Zapalenia stawów związane z czynnikami infekcyjnymi

Zapalenia stawów mogą być objawem:

- wielonarządowej posocznicy,
- uogólnionego zakażenia,
- septycznego zapalenia pojedynczego stawu,
- odczynu poszczepiennego,
- reaktywnego zapalenia stawów,
- odczynowego zapalenia stawów.

Wywołane są określonym patogenem:

- bakteryjnym:
  - *Staphylococcus – aureus, epidermidis, saprophyticus, lugdunensis,*
  - *Streptococcus –* α (*pneumoniae*), β (*pyogenes* A, G i S), γ (*faecalis* D),
  - *Haemophilus influenzae,*
  - *Neisseria gonorrhoeae,*
  - *Enterobacteriaceae – Escherichia coli, Shigella dysenteriae et flexneri, Salmonella typhimurium et enteritidis, Klebsiella pneumoniae, Yersinia enterocolitica* (03 i 09) *et pseudotuberculosis,*
  - *Mycobacterium tuberculosis,*
  - *Brucella – melitensis, abortus, suis, canis,*
  - *Mycoplasma pneumoniae,*
  - *Borrelia – burgdorferi, garinii, afzelii,*
  - *Treponema pallidum,*
  - *Chlamydophila – trachomatis, pneumoniae*
  - *Campylobacter jejuni,*
  - *Ureaplasma urealyticum,*
- wirusowym – *rubeola virus,* parwowirus B19, HBV, HCV, HSV, VZV, EBV, CMV, *mumps virus,* HIV, *Coxsackie B virus, echoviruses, adenoviruses,*
- pasożytniczym – *Toxoplasma gondii, Toxocara canis,*
- grzybiczym – *Candida albicans.*

W przypadku wielonarządowej posocznicy i uogólnionego zakażenia, do którego dochodzi drogą krwi z odległych ognisk, zapalenie zwykle dotyczy kilku stawów i ma charakter ostry. Najczęściej wywołane jest przez *Staphylococci, Streptococci, Escherichia coli, Mycobacterium tuberculosis, Neisseria gonorrhoeae, Borrelia burgdorferi.*

Septyczne zapalenie stawów

łac. *arthritis septicus*
ang. septic arthritis

Definicja

Ostre zapalenie stawu spowodowane najczęściej przez gronkowce lub paciorkowce, ale także np. *Mycobacterium tuberculosis.*

Epidemiologia

Ze względu na różnorodność patogenów wywołujących chorobę jej epidemiologia pozostaje nieznana. Uważa się, że u młodszych dzieci najczęstszym patogenem wywołującym septyczne zapalenie stawów jest *Haemophilus influenzae,* a u starszych – *Staphylococcus aureus.*

Etiologia i patogeneza

Czynnik zakaźny przedostaje się do stawu przez pierwotne ognisko w sąsiadujących strukturach, np. w kości i szpiku, ropniu skóry czy mięśniach, albo przez wprowadzenie go do stawu zainfekowaną igłą czy wskutek urazu lub zabiegu operacyjnego.

Obraz kliniczny

Najczęściej zajęte są stawy kończyn dolnych, łokciowe i kręgosłupa. Obserwuje się zaczerwienienie, bolesność, obrzęk i nadmierne ucieplenie stawu ze znacznym ograniczeniem jego ruchomości. Objawom miejscowym często towarzyszy gorączka i uczucie ogólnego rozbicia. W przypadku zajęcia stawów kręgosłupa w zakażeniu gruźliczym proces przebiega zwykle w sposób utajony.

Metody diagnostyczne

Stężenia laboratoryjnych wskaźników ostrego procesu zapalnego są zwykle bardzo podwyższone, poza przypadkami podstępnego przebiegu choroby. Badania obrazowe dopiero po kilku dniach ujawniają okołostawową osteoporozę, zatarcie warstwy podchrzęstnej i chrzęstnej kości, czasem nadżerki i zwężenia szpar stawowych. Na początku widać wysięk i obrzęk, a rzadziej – przerost błony maziowej.

Badanie biopsyjne u 80% pacjentów pozwala wykryć patogen w hodowli płynu i bioptatu błony maziowej. Płyn jest zwykle mętny, zielonkawy. Przeważają w nim granulocyty, białko i glukoza. Dodatnie wyniki badań bakteriologicznych rozstrzygają o rozpoznaniu. Obecność wapniejących i niewapniejących ziarniniaków w błonie maziowej sugeruje zakażenie gruźlicze.

Różnicowanie

Przede wszystkim z różnymi postaciami MIZS.

Leczenie

Należy rozpocząć przed uzyskaniem wyniku badania bakteriologicznego ze względu na niebezpieczeństwo uogólnienia procesu, co może stanowić zagrożenie życia. Zastosowany antybiotyk powinien mieć szerokie spektrum działania i penetrować do kości. Podaje się go *i.m.* lub *i.v.* Po uzyskaniu wyników posiewu wprowadza się celowaną antybiotykoterapię.

Powikłania

Występujące w przypadku zbyt późnego włączenia terapii lub jej nieskuteczności uogólnienie procesu stanowi zagrożenie życia. Inne powikłania to utrwalone zmiany w stawie, wymagające rewizji chirurgicznej, oraz zniszczenie krążków międzykręgowych i więzadeł kręgosłupa, związane czasem z koniecznością przeprowadzenia przeszczepu kostnego.

Rokowanie

Z reguły rokowanie w septycznym zapaleniu stawów przy postawieniu wczesnej diagnozy i prawidłowym leczeniu jest dobre.

Borelioza

Zapalenie stawów w przebiegu boreliozy (patrz rozdz. 19 „Choroby zakaźne") jest najczęściej jednostronne i dotyczy głównie dużych stawów (zwykle stawów kolanowych). Często stwierdza się bardzo duży wysięk przy stosunkowo małej bolesności stawu.

Borelioza w $^2/_3$ przypadków występuje jako nawracające zapalenie stawów z samoistnymi remisjami i nawrotami. Wyjątkowo od początku ma charakter przewlekłego zapalenia z zajęciem drobnych stawów. Obraz choroby może wtedy łudząco przypominać RZS lub MIZS, wymaga także różnicowania z innymi zapalnymi chorobami tkanki łącznej. U niektórych chorych zapalenie stawów przybiera przewlekłą postać, bardzo trudną do leczenia. Krętki w błonie maziowej stawu znajduje się niekiedy nawet po wielu latach.

Odczynowe zapalenie stawów

Nazwa reaktywne zapalenia stawów zarezerwowana jest dla zapaleń stawów ujawniających się kilka tygodni po przebytej infekcji patogenami układu pokarmowego lub moczowo-płciowego. Zapalenia stawów również występujące w kilka tygodni po przebytej infekcji, ale wywołane przez inne czynniki i o innym obrazie klinicznym, noszą nazwę odczynowych. Przykładem jest gorączka reumatyczna.

Gorączka reumatyczna

łac. *febris rheumatica*
ang. rheumatic fever

Definicja

Wielonarządowa choroba zapalna, która rozwija się u osób predysponowanych, na podłożu autoimmunizacyjnym, w odpowiedzi na zakażenie górnych dróg oddechowych paciorkowcem β-hemolizującym z grupy A.

Epidemiologia

Najczęściej chorują dzieci w wieku od 7 do 15 lat. Zachorowanie występuje w 2–3 tygodnie po infekcji paciorkowcowej gardła, może przebiegać rzutami. Według WHO zapadalność na gorączkę reumatyczną w krajach rozwiniętych wyraźnie obniżyła się, wynosi 0,5/100 tys./na rok. Choroba przebiega łagodniej, z mniejszą liczbą rzutów.

Etiologia i patogeneza

Jest nadal niejednoznaczna. Podkreśla się rolę czynników genetycznych i powiązanie z allelami MHC klasy II DR i DQ na chromosomie 6. Swoisty marker choroby stanowi przeciwciało monoklonalne IgM oznaczone jako D8/17 reagujące z antygenem obecnym na limfocytach B chorych na gorączkę reumatyczną.

Obraz kliniczny

Zapalenie stawów to najczęstszy, ale najmniej swoisty objaw choroby. Występuje u 80% chorych. Nie obserwuje się go u dzieci < 6. rż. Zajęte są duże stawy (zwykle > 5), niesymetrycznie (ryc. 18.7). Zapalenie ma charakter wędrujący. Zwykle stwierdza się ostry początek z gorączką, silnym bólem, obrzękiem, zaczerwienieniem, wysiękiem i bardzo dobrą odpowiedzią na leczenie kwasem acetylosalicylowym. Zapalenie ustępuje bez pozostawienia następstw.

Zapalenie mięśnia sercowego, wsierdzia lub osierdzia występuje u 50% chorych z I rzutem gorączki reumatycznej. Ujawnia się zwykle w pierwszych 3 tygodniach choroby. Najczęściej obserwowane jest zapalenie wsierdzia. Zmiany obejmują głównie zastawkę mitralną, mitralną i aorty, rzadko tylko aorty, prowadząc do powstania wad zastawkowych. Zapalenie wsierdzia może być objawem izolowanym lub współistniejącym z zapaleniem mięśnia sercowego

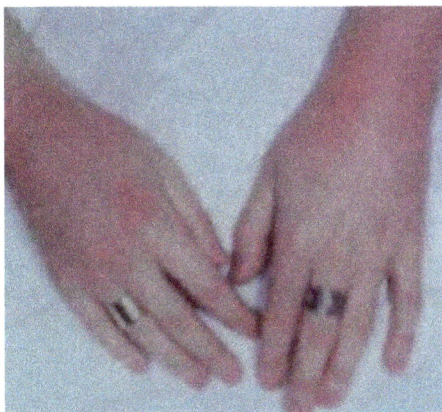

Rycina 18.7. Zapalenie stawów w przebiegu gorączki reumatycznej.

i osierdzia. Objawia się powiększeniem sylwetki serca, zastoinową niewydolnością krążenia, zaburzeniami rytmu, bólem w klatce piersiowej, dusznością i kaszlem.

Pląsawica mniejsza (pląsawica Sydenhama) jest objawem zajęcia OUN. Występuje u 10–20% pacjentów z gorączką reumatyczną. Charakteryzuje się długim okresem wylęgania oraz skrytym początkiem. Może być jedynym symptomem gorączki reumatycznej (pląsawica czysta lub odosobniona). Wskaźniki ostrej fazy i miano przeciwciał przeciwpaciorkowcowych są wówczas na ogół prawidłowe. Obraz zaburzeń motorycznych:

- nagłe, krótkie, niepowtarzalne, mimowolne ruchy, obejmujące mięśnie twarzy i języka z dyzartrią, mięśnie obręczy barkowej, tułowia i kończyn, co powoduje zaburzenia koordynacji ruchów celowych, np. pogorszenie pisma, zaburzenia chodu,
- objawy są najczęściej obustronne, rzadziej połowicze,
- objawy ustępują we śnie, nasila je stres i zmęczenie,
- charakterystyczne są hipotonia mięśniowa, labilność emocjonalna i ruchy rąk przypominające dojenie krowy (milkmaid's grip),
- nie występują zaburzenia mięśni gałkoruchowych i zaburzenia czucia.

Rumień brzeżny i guzki podskórne występują obecnie rzadko, a ich wartość diagnostyczna jest kwestionowana.

Metody diagnostyczne

Gorączkę reumatyczną rozpoznaje się na podstawie obrazu klinicznego, ponieważ brak specyficznego te-

stu diagnostycznego. Służą do tego kryteria Jonesa (z 1944 r.), zmodyfikowane w 1992 r. przez American Heart Association (tab. 18.5).

Przypadkowo stwierdzone dodatnie miano ASO u zdrowego dziecka nie ma znaczenia diagnostycznego i nie powinno pociągać za sobą leczenia. Badanie to wykrywa obecność przeciwciał przeciw streptolizynie O, które pojawiają się w krótkim czasie po infekcji paciorkowcowej. Ich miano narasta w ciągu kilku tygodni i może utrzymywać się przez wiele miesięcy po infekcji. W przypadku wątpliwości diagnostycznych celowa jest weryfikacja dodatniego wyniku badania tzw. testem ASO z dekstranem lub albuminami dla wyeliminowania wyników fałszywie dodatnich i niepotrzebnego narażania dziecka na wielotygodniowe leczenie przeciwpaciorkowcowe.

Różnicowanie

Zakażenia (wirusowe, bakteryjne), choroby rozrostowe, zapalne choroby tkanki łącznej (SLE, MIZS), zapalenia naczyń, padaczka, tiki nerwowe, choroba Wilsona.

Zapalenie stawów należy różnicować z popaciorkowcowym zapaleniem stawów, które występuje u dorosłych i u dzieci, ale jest symetryczne, utrzymuje się wiele tygodni i charakteryzuje się brakiem reakcji na ASA (preparaty kwasu acetylosalicylowego).

Leczenie

Stosuje się leczenie przeciwpaciorkowcowe (profilaktyka pierwotna i wtórna) oraz przeciwzapalne.

1 Profilaktyka pierwotna
Prawidłowe leczenie paciorkowcowej infekcji gardła, czyli zapobieganie I rzutowi gorączki reumatycznej.

- Lekiem z wyboru jest fenoksymetylopenicylina lub benzylopenicylina benzatynowa (tylko w warunkach szpitalnych).
- W przypadku uczulenia na penicylinę stosuje się cefalosporyny I generacji, ew. makrolidy.
- Dopuszczalne jest włączenie klindamycyny, azytromycyny lub klarytromycyny.
- Nie należy stosować sulfonamidów, trimetoprimu, tetracyklin czy fluorochinolonów.

2 Profilaktyka wtórna
Zapobieganie kolejnym rzutom gorączki reumatycznej poprzez stosowanie preparatów penicyliny przez wiele lat od ostatniego rzutu gorączki reumatycznej, do uzyskania wieku pełnej dojrzałości, ale nie krócej niż 5–10 lat.

Tabela 18.5. Kryteria diagnostyczne gorączki reumatycznej (zmodyfikowane kryteria Jonesa)

KRYTERIA WIĘKSZE	KRYTERIA MNIEJSZE
■ Zapalenie mięśnia sercowego/wsierdzia/osierdzia ■ Zapalenie stawów ■ Pląsawica Sydenhama ■ Rumień brzeżny ■ Guzki podskórne	■ Gorączka ■ Bóle stawów ■ Podwyższone wskaźniki laboratoryjne ostrej fazy (OB, CRP) ■ Wydłużony odstęp PR w EKG

oraz dowód przebycia infekcji paciorkowcowej
■ Posiew wymazu z gardła lub szybki test antygenowy ■ Podwyższone/narastające miano przeciwciał przeciwpaciorkowcowych w surowicy krwi (np. ASO)

Do rozpoznania gorączki reumatycznej konieczna jest obecność 2 kryteriów większych lub 1 kryterium większego i 2 mniejszych oraz potwierdzenie zakażenia paciorkowcowego lub jako jedyne kryterium obecność jednego z poniższych:
■ Odosobniona pląsawica ■ Zapalenie mięśnia sercowego o podstępnym początku, długotrwałym przebiegu i niewielkiej progresji zmian, po wykluczeniu innych przyczyn

3 Leczenie gorączki reumatycznej

W przypadku zajęcia serca i w niektórych przypadkach pląsawicy podaje się steroidy. W okresie zmniejszania ich dawek włącza się preparaty kwasu acetylosalicylowego. Stosuje się reżim łóżkowy i leki neurologiczne.

Powikłania

Do niedawna gorączka reumatyczna była uważana za najczęstszą przyczynę nabytych wad serca u dzieci. Obecnie jest nią w krajach rozwiniętych choroba Kawasakiego. W krajach rozwijających się gorączka reumatyczna stanowi nadal jedną z głównych przyczyn śmiertelności z powodów kardiologicznych wśród dzieci w wieku szkolnym i młodych dorosłych (470 000 nowych zachorowań rocznie i 230 000 zgonów).

Rokowanie

Jeżeli terapia prowadzona jest zgodnie z zasadami, rokowanie jest dobre.

18.2.4   *Piotr Gietka*

Toczeń rumieniowaty układowy

łac. *lupus erythematosus systemicus*
ang. systemic lupus erythematosus (SLE)

Definicja

Wieloukładowa autoimmunizacyjna choroba o nieznanej etiologii i patogenezie, charakteryzująca się rozległym zapaleniem tkanki łącznej, a w szczególności naczyń krwionośnych, z obecnością we krwi wielu rodzajów autoprzeciwciał, w tym skierowanym przeciwko dwuniciowemu natywnemu DNA (anti-dsDNA) i antygenowi Sm. Ze względu na możliwość rozwoju zapalenia we wszystkich narządach i układach organizmu ludzkiego objawy kliniczne są bardzo różnorodne, a sam przebieg trudny do przewidzenia. Toczeń nieleczony ma przebieg postępujący, a rokowanie niepomyślne.

Epidemiologia

Ocenia się, iż zachorowania u dzieci stanowią od 10 do 15% wszystkich przypadków SLE. Chorobę rzadko rozpoznaje się przed 5. rż., z wiekiem częstość zachorowań wzrasta. Największa zapadalność przypada na okres między 10. a 15. rż. Płeć żeńska jest znacznie bardziej predysponowana do zachorowań w każdym wieku, jednakże charakterystyczna dominacja kobiet (niekiedy 90% wszystkich zachorowań), nie zaznacza się tak wyraźnie w 1. dekadzie życia. Zachorowalność w wieku do 15 lat wynosi ok. 0,5 : 100 000 populacji.

Etiologia i patogeneza

Etiologia SLE jest nieznana, z wyjątkiem tocznia indukowanego lekami (penicylina, prokainamid, dihydralazyna). Pod uwagę bierze się czynniki genetyczne, hormonalne i środowiskowe, w tym szczególnie infekcje wirusowe (EBV, CMV, parwowirus B19), promieniowanie ultrafioletowe i związki chemiczne.

Wśród czynników genetycznych należy wymienić obecność haplotypów HLA-DR2 i HLA-DR3 oraz mutacje pojedynczych genów odpowiedzialnych za aktywację kaskady dopełniacza C1q, C1r, C2 i C4.

Najbardziej znamienną cechą zaburzeń immunologicznych w SLE jest obecność licznych autoprzeciwciał (tab. 18.6). Zwiększona ich produkcja w limfocytach B CD5+ wynika z poliklonalnej ich aktywacji przez swoiste antygeny. Wyraz tych zaburzeń stanowi wzrost syntezy interleukin 1 i 6. Dodatkowo stwierdza się hiperfunkcję limfocytów pomocniczych, głównie CD4+ i CD45+, z jednoczesnym upośledzeniem funkcji CD8. Powstałe w wyniku powyższych procesów autoprzeciwciała zapoczątkowują proces zapalny na drodze bezpośredniego efektu cytotoksycznego oraz przez tworzenie kompleksów immunologicznych.

Spośród autoprzeciwiał najważniejsze znaczenie patogenetyczne w SLE przypisuje się przeciwciałom reagującym z dwuniciowym DNA (anty-dsDNA). Wykrywa się je za pomocą testu pośredniej immunofluorescencji (typ świecenia brzeżny), metodą immunoblotting, testem ELISA lub przy użyciu wysoce oczyszczonych antygenów jądrowych. Podtyp anty-dsDNAmAb ma zdolność wiązania się z siarczanem heparanu błony podstawnej kłębuszków nerkowych i jest w dużym stopniu odpowiedzialny za rozwój nefropatii toczniowej.

Przeciwciała przeciw śródbłonkom naczyń (AECA, anti-endothelial cells antibodies), podobnie jak kompleksy immunologiczne, są odpowiedzialne za uszkodzenie ściany naczyniowej i rozwój *vasculitis*.

Obraz kliniczny

W wieku rozwojowym SLE charakteryzuje się zwykle ostrym początkiem ze stanami gorączkowymi. Może dotyczyć wielu układów lub zająć pojedynczy narząd, wyprzedzając niekiedy o wiele lat obraz pełnoobjawowy.

U większości chorych stanom gorączkowym towarzyszą zapalenie stawów, polimorficzne wysypki, bóle mięśni, ogólne osłabienie i utrata łaknienia ze spadkiem masy ciała.

Zapalenie stawów o wędrującym charakterze dotyczy najczęściej stawów nadgarstkowych, kolanowych i łokciowych. Nawet po wielu latach nie doprowadza do zniekształceń.

Najczęściej spotykane **zmiany w obrębie skóry** to rumieniowate plamisto-grudkowe osutki, nierzadko z odczynem wysiękowym. Pojawiają się rzutami w różnych stadiach choroby. Cechuje je wybitna wrażliwość na światło. Rzadziej występują owrzodzenia czy nawet zmiany martwicze w obrębie paliczków rąk, zmiany pokrzywkowe bądź o typie livedo reticularis (sinica marmurkowata – czerwononiebieskie plamiste zmiany skórne układające się siateczkowato) lub racemosa (przebarwienia skórne mające charakter nieregularnych, przerywanych okręgów) związane z zapaleniem naczyń krwionośnych.

Tabela 18.6. Autoprzeciwciała stwierdzane u pacjentów z SLE

PRZECIWCIAŁO	CZĘSTOŚĆ WYSTĘPOWANIA	MANIFESTACJE KLINICZNE
Specyficzne dla SLE		
Anty-dsDNA	40%	Nefropatia
Anty-Sm	30%	Zmiany w płucach
Niespecyficzne dla SLE		
Histony	60%	Zwykle w toczniu indukowanym lekami (> 95% przypadków tego typu SLE)
SSA/Ro	35%	Toczeń skórny, toczeń noworodkowy (obecny u 90% matek dzieci z tocznem noworodkowym)
SSB/La	20%	
U1RNP	30%	Zapalenia stawów i mięśni, objaw Raynauda
Rybosomalne białko P	70%	Objawy neuropsychiatryczne
Przeciwciała antyfosfolipidowe	40%	Zakrzepica, małopłytkowość, padaczka?

Rumień na twarzy w kształcie motyla (ryc. 18.8), tak charakterystyczny, choć niepatognomoniczny dla SLE, nie należy do często spotykanych zmian w początkowym okresie rozwoju choroby.

Napadowe bóle brzucha są częstym objawem tocznia w wieku rozwojowym. Wynikają z zapalenia naczyń krwionośnych trzewi i otrzewnej. Mogą upodabniać się do zapalenia wyrostka robaczkowego lub zapalenia otrzewnej. Bardzo rzadko stanowią symptom martwiczego zapalenia trzustki w przebiegu SLE.

Miopatia występująca u dzieci sporadycznie dotyczy głównie mięśni proksymalnych i rzadko przebiega z podwyższoną aktywnością enzymów mięśniowych. Inne rzadkie objawy to limfadenopatia, powiększenie śledziony i wątroby. Zapalenie wątroby ma zwykle przebieg łagodny z nieznacznie podwyższonymi wartościami aminotransferaz w surowicy krwi.

Zajęcie procesem zapalnym układu krążenia przebiega najczęściej pod postacią wysiękowego zapalenia osierdzia, które u większości chorych dzieci odznacza się skłonnością do przewlekającego się przebiegu lub do ostrych nawrotów z szybko narastającymi zaburzeniami hemodynamicznymi. Zaciskające zapalenie osierdzia i tamponada serca pojawiają się u dzieci sporadycznie. Do objawów bardzo charakterystycznych dla tocznia należy **brodawkowate zapalenie wsierdzia Libmana–Sacksa**. Prowadzi ono niekiedy do powstania wad zastawkowych (głównie zastawki mitralnej) i może być źródłem licznych zatorów.

Do zmian w płucach u dzieci, w przeciwieństwie do dorosłych, dochodzi rzadko. Najczęściej stwierdza się wysiękowe zapalenie opłucnej. Tak zwane tocz-niowe zapalenie płuc objawia się obecnością rozproszonych lub zlokalizowanych nacieków w tkance śródmiąższowej dolnych części płuc. Wysoce charakterystycznym dla SLE objawem radiologicznym jest uniesienie przepony spowodowane jej dysfunkcją.

Zmiany w OUN, obok zapalenia nerek, stanowią główną przyczynę zgonów w tej grupie wiekowej. Objawy neurologiczne pojawiają się zwykle w późniejszym okresie choroby i odznaczają się bardzo różnorodnym obrazem klinicznym. Najczęściej obserwuje się uporczywe bóle głowy, drgawki, zaburzenia koncentracji i pamięci, psychozy, porażenia nerwów czaszkowych, padaczkę oraz zapalenie mózgu i opon mózgowo-rdzeniowych.

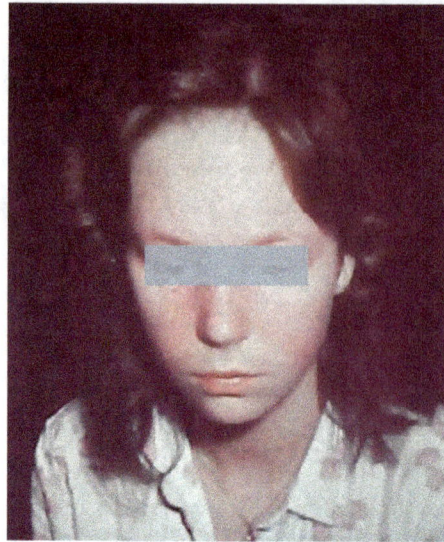

Rycina 18.8. Toczeń rumieniowaty układowy. Rumień w kształcie motyla.

Pląsawica stanowi zwykle późny objaw tocznia i wraz ze śpiączką mózgową jest bardzo poważnym czynnikiem złej prognozy. Typowy, choć wyjątkowo rzadko spotykany, objaw to **poprzeczne zapalenie rdzenia kręgowego**.

Zajęcie obwodowego układu nerwowego występuje zwykle pod postacią mononeuropatii rozsianej, najczęściej w obrębie nerwu strzałkowego.

Spośród objawów hematologicznych najbardziej charakterystyczna dla tocznia jest leukopenia ze zwiększonym odsetkiem granulocytów, która świadczy o wysokiej aktywności choroby. Małopłytkowość stosunkowo rzadko spotykana w początkowym okresie SLE często odznacza się dużą opornością na leczenie. Z innych zmian dotyczących układu krwiotwórczego należy wymienić niedokrwistość, zwłaszcza typu hemolitycznego.

Zapalenie nerek jest najczęstszą, a zarazem najgroźniejszą dla życia manifestacją narządową SLE u dzieci. Klinicznie objawy nefropatii stwierdza się u ok. 75% pacjentów pediatrycznych i to w początkowym okresie choroby (patrz rozdz. 14 „Choroby układu moczowego").

Do objawów uwzględnionych w kryteriach diagnostycznych należą owrzodzenia błon śluzowych. Charakterystycznym i świadczącym o aktywności choroby objawem jest wypadanie włosów plackowate lub rozlane. Rzadkie nieprawidłowości w obrębie narządu wzroku są zazwyczaj związane z zapaleniem naczyń siatkówki.

Metody diagnostyczne

W rozpoznaniu tocznia rumieniowatego układowego przydatne są kryteria diagnostyczne American College of Rheumatology (tab. 18.7).

Leczenie

Lekiem z wyboru są steroidy. Ich dawkowanie, droga podania i czas stosowania zależą od indywidualnego przebiegu choroby.

W przypadku obecności objawów ze strony nerek lub OUN najlepsze wyniki uzyskuje się po podaniu cyklofosfamidu. Inne często stosowane leki immunosupresyjne to azatiopryna i mykofenolan mofetylu.

Przy współistnieniu pląsawicy lub małopłytkowości stosuje się wlewy dożylne immunoglobulin. U dzieci z przebiegiem burzliwym opornym na farmakoterapię uzasadniona jest skojarzona terapia steroidami, cyklofosfamidem i zabiegami plazmaferezy.

Tabela 18.7. Kryteria diagnostyczne SLE wg American College of Rheumatology

KRYTERIUM	OPIS
Rumień w kształcie motyla	Trwały symetryczny rumień w okolicy jarzmowej, płaski lub wypukły z tendencją do omijania fałdów nosowo-wargowych
Rumień krążkowy	Rumieniowate wypukłe zmiany ogniskowe z keratotycznymi łuskami i czopami mieszkowymi, z możliwością bliznowacenia
Nadwrażliwość na światło słoneczne	Wysypki skórne (jako wyraz nietypowej reakcji na światło słoneczne) w wywiadzie lub stwierdzone przez lekarza
Owrzodzenia błon śluzowych	Owrzodzenia błony śluzowej jamy ustnej lub nosa, zwykle niebolesne, stwierdzane przez lekarza
Zapalenie stawów	Nienadżerkowe zapalenie przynajmniej 2 stawów obwodowych, charakteryzujące się tkliwością, obrzękiem lub wysiękiem
Zapalenie błon surowiczych	■ Zapalenie opłucnej (wiarygodny wywiad chorobowy w kierunku bólu opłucnowego lub tarcie opłucnej słyszalne przez lekarza lub cechy wysięku w jamie opłucnej) lub ■ Zapalenie osierdzia lub potwierdzona obecność płynu w worku osierdziowym
Zaburzenia czynności nerek	■ Utrzymujący się białkomocz > 0,5 g/24 h > 3+ lub ■ Obecność w moczu wałeczków dowolnego typu
Zaburzenia neurologiczne	■ Drgawki bez innej przyczyny lub ■ Psychoza bez innej przyczyny
Zaburzenia hematologiczne	Co najmniej jedno z poniższych ■ Niedokrwistość hemolityczna (z retykulocytozą) ■ Leukopenia < 4000/mm^3 stwierdzona co najmniej 2 razy ■ Limfopenia < 1500/mm^3 stwierdzona co najmniej 2 razy ■ Małopłytkowość < 100 000/mm^3 u chorego nieprzyjmującego leków mogących wywołać małopłytkowość
Zaburzenia immunologiczne	Co najmniej jedno z poniższych ■ Obecność przeciwciał anty-dsDNA lub anty-Sm ■ Nieprawidłowe stężenie przeciwciał antykardiolipinowych klasy IgM lub IgG lub obecność antykoagulanta tocznioweg ■ Fałszywie dodatnie odczyny kiłowe utrzymujące się > 6 miesięcy potwierdzone testem immobilizacji *Treponema pallidum* lub metodą absorpcji
Przeciwciała przeciwjądrowe	■ Nieprawidłowe miano przeciwciał przeciwjądrowych stwierdzane badaniem immunofluorescencyjnym lub jego odpowiednikiem u chorego nieprzyjmującego leków mogących wywołać zespół tocznia indukowanego lekami

■ **Obecność 4 kryteriów upoważnia do rozpoznania SLE**
■ **Spełnienie 2 lub 3 kryteriów pozwala na rozpoznanie choroby toczniopodobnej (lupus-like disease)**

Rokowanie

Przebieg SLE w wieku rozwojowym jest trudny do przewidzenia. Rokowanie pogarszają:

- wczesny wiek zachorowania,
- obecność objawów ze strony nerek,
- obecność objawów ze strony OUN,
- towarzyszący zespół antyfosfolipidowy.

W chwili obecnej najczęstszą przyczyną zgonów u dzieci są dodatkowe zakażenia i zator tętnicy mózgu w przebiegu zespołu Libmana–Sacksa.

Toczeń noworodkowy

łac. *lupus erythematosus neonatorum*
ang. neonatal lupus syndrome

Definicja

Toczeń noworodkowy jest rzadkim zespołem objawów klinicznych spowodowanym biernym przechodzeniem przez łożysko matczynych przeciwciał klasy IgG skierowanych przeciwko antygenowi SSA/Ro i/lub SSB/La. Autoprzeciwciała tego typu obecne są u kobiet z toczniem rumieniowatym układowym, zespołem Sjögrena, mieszaną chorobą tkanki łącznej i niezróżnicowaną kolagenozą, rzadziej również z leukocytoklastycznym zapaleniem naczyń, a sporadycznie z reumatoidalnym zapaleniem stawów. W nieco ponad 50% przypadków tocznia noworodkowego matka nie demonstruje żadnych objawów choroby układowej i patologia płodu czy noworodka bywa pierwszą manifestacją jej choroby.

Epidemiologia

Toczeń noworodkowy występuje u 2–5% dzieci matek z obecnością wyżej wspomnianych przeciwciał. W przypadku ujawnienia się tocznia noworodkowego u dziecka ryzyko w przypadku następnej ciąży wynosi 16–25%. Toczeń noworodkowy częściej dotyczy płci żeńskiej.

Etiologia i patogeneza

Bezpośrednią przyczyną choroby dziecka jest obecność przeciwciał matczynych skierowanych przeciwko:

- antygenowi SSA/Ro – występują u około 82% noworodków, odgrywają najważniejszą rolę w patogenezie choroby,
- SSB/La.

Obraz kliniczny

Postacie tocznia noworodkowego:

- sercowa,
- skórna,
- hematologiczna.

Postacie te mogą występować oddzielnie lub razem, przy czym postacie skórna i hematologiczna mają charakter przejściowy i są czasowo związane z utrzymywaniem się autoprzeciwciał w krążeniu.

Ze względu na prognozę najważniejsza jest **postać sercowa**, występująca u ok. 50% noworodków. Najgroźniejszą i najczęstszą jej manifestacją kliniczną jest **całkowity blok przedsionkowo-komorowy**, stwierdzany u ok. 70% dzieci z tą postacią. Może być powodem zgonu w pierwszych dniach po urodzeniu. Rzadziej stwierdza się bloki przedsionkowo-komorowe niższych stopni i bloki zatokowo-przedsionkowe. Inne patologie kardiologiczne to:

- zapalenie mięśnia sercowego,
- włókniste zapalenie osierdzia,
- sprężyste zwłóknienie wsierdzia,
- kardiomiopatia rozstrzeniowa,
- zastoinowa niewydolność krążenia.

Zmiany skórne u ponad 90% dzieci ujawniają się w pierwszych dniach życia i ustępują około 6. mż. Najczęściej są to zmiany wielopostaciowe o typie rumienia obrączkowatego lub grudek rumieniowych. Rzadziej obserwuje się owrzodzenia, teleangiektazje, łysienie czy uogólnioną hipopigmentację skóry. Istnieje predyspozycja do lokalizacji wokół oczodołów oraz na owłosionej skórze głowy i na kończynach. Bardzo często zmiany skórne ujawniają się bądź nasilają po ekspozycji na promienie ultrafioletowe, co związane jest ze wzmożoną ekspresją na powierzchni keratocytów przeciwciał anty-SSA/Ro.

Postać hematologiczna najczęściej ujawnia się między 1. a 2. tż. i ustępuje ok. 2. mż. Charakteryzuje się obecnością anemii hemolitycznej, leukopenii i małopłytkowości. Najczęściej (w ok. 10% przypadków tocznia noworodkowego) występuje ta ostatnia.

Patologia wątroby pojawia się u ok. 15% noworodków z toczniem. Zwykle uwagę zwraca powiększenie wątroby. Stwierdza się cholestatyczne zapalenie, podwyższenie stężenia bilirubiny, aktywności aminotransferaz i γ-glutamylotranspeptydazy. Bardzo rzadko występuje ciężka niewydolność tego narządu.

Ponadto w przebiegu tocznia noworodkowego spotyka się splenomegalię, uogólnioną limfadenopatię oraz zmiany w nerkach, płucach i OUN.

Leczenie

Leczenie całkowitego bloku przedsionkowo-komorowego wymaga wszczepienia stymulatora. W postaci skórnej ważna jest fotoprotekcja, rzadziej stosuje się maści steroidowe. W małopłytkowości przydatność wykazują preparaty γ-globuliny, sporadycznie stosuje się systemowo steroidy.

Zespół antyfosfolipidowy

ang. antiphospholipid syndrome (APS)

Zespół antyfosfolipidowy jest rzadką chorobą charakteryzującą się zakrzepicą naczyniową, związaną z obecnością w surowicy krwi przeciwciał antyfosfolipidowych, do których zalicza się:

- przeciwciała antykardiolipinowe (anti-cardiolipin antibodies, aCL),
- antykoagulant tocaniowy (lupus anticoagulant, LAC),
- przeciwciała przeciw β2-glikoproteinie I (anti-β2--glycoprotein I antibodies, anti-β2GPI).

Zespół najczęściej towarzyszy SLE – tzw. wtórny zespół antyfosfolipidowy.

U kobiet w okresie rozrodczym cechą charakterystyczną są poronienia, które stanowią też jedno z kryteriów diagnostycznych zespołu (tab. 18.8).

Najczęstszym objawem klinicznym jest **zakrzepica**, częściej dotycząca naczyń żylnych, rzadziej tętniczych. Typową jej lokalizację stanowią naczynia kończyn dolnych, choć może pojawić się także w obrębie naczyń kończyn górnych, mózgu, żyły głównej dolnej i górnej, żył wątrobowych (zespół Budda–Chiariego), żyły wrotnej, naczyń nerkowych i siatkówki. Inne objawy:

- skórne – livedo reticularis, rzadziej owrzodzenia,
- hematologiczne – małopłytkowość (nie chroni przed zakrzepami), niedokrwistość hemolityczna z dodatnim bezpośrednim odczynem antyglobulinowym,
- ze strony OUN – drgawki, migrena, padaczka, udary mózgu (problemy z koncentracją, otępienie wielozawałowe), rzadziej zespół podobny do stwardnienia rozsianego czy pląsawica,

---

Tabela 18.8. Kryteria rozpoznania zespołu antyfosfolipidowego

Kryteria kliniczne

1. Zakrzepica tętnicza, żylna lub małych naczyń dowolnego narządu
2. Chorobowość związana z ciążą
   - Co najmniej jeden zgon morfologicznie prawidłowego płodu w 10. tc. lub później
   - Co najmniej jeden poród przedwczesny morfologicznie prawidłowego noworodka w 34. tc. lub wcześniej spowodowany stanem przedrzucawkowym lub rzucawką, lub ciężką niewydolnością łożyska
   - Co najmniej 3 kolejne poronienia samoistne o niewyjaśnionej przyczynie przed 10. tc.

Kryteria laboratoryjne

1. Wykrycie we krwi przeciwciał antykardiolipinowych o izotypie IgG lub IgM w mianie średnim lub wysokim co najmniej 2 razy w odstępie 6 tygodni
2. Wykrycie antykoagulanta tocaniowego w osoczu co najmniej 2 razy w odstępie 6 tygodni

Zespół antyfosfolipidowy rozpoznaje się wtedy, gdy spełnione jest przynajmniej jedno kryterium kliniczne i jedno kryterium laboratoryjne

---

- kardiologiczne – wady zastawek serca (mitralnej, aorty),
- nefropatia (związana z mikroangiopatią tętnic doprowadzających i naczyń włosowatych kłębuszków nerkowych) – nadciśnienie tętnicze, białkomocz, niewydolność nerek,
- pulmonologiczne – zatorowość płucna, rozlane krwawienie pęcherzykowe, zespół ostrej niewydolności oddechowej.

Najgroźniejszą postacią zespołu, bezpośrednio zagrażającą życiu dziecka, jest tzw. **katastroficzny zespół antyfosfolipidowy** (cathastrophic antiphospholipid syndrome, CAPS). Charakteryzuje się gwałtownym przebiegiem z zakrzepicą głównie małych i średnich naczyń dotyczącą jednocześnie wielu narządów. Manifestuje się ostrą niewydolnością wielonarządową, dotyczącą układu krążenia i oddechowego, nerek i nadnerczy oraz OUN. Śmiertelność w przebiegu CAPS wynosi 30–50%.

Leczenie zespołu antyfosfolipidowego obejmuje stosowanie leków przeciwkrzepliwych, preparatów immunoglobulin, steroidów i zabiegów plazmaferezy.

18.2.5 *Małgorzata Kwiatkowska*

Młodzieńcze zapalenie skórno-mięśniowe

łac. *dermatomyositis*

ang. dermatomyositis

Definicja

Układowa choroba charakteryzująca się rozległym zapaleniem naczyń krwionośnych z obecnością zakrzepów, w której zmiany lokalizują się w skórze i mięśniach, a rzadziej w narządach wewnętrznych. Należy do tzw. idiopatycznych miopatii zapalnych. Około 10% wszystkich zapaleń skórno-mięśniowych występuje u dzieci. Jednak ze względu na istotne różnice w patogenezie, obrazie klinicznym i rokowaniu mZSM uważane jest za odrębną jednostkę chorobową.

Epidemiologia

Częstość występowania mZSM wynosi 2 : 1 000 000 rocznie, ze szczytem zachorowań między 5. a 11. rż. Dwukrotnie częściej chorują dziewczynki. Pierwsze objawy zwykle pojawiają się wiosną lub wczesnym latem.

Etiologia i patogeneza

Nieznana, choć badania potwierdzają podłoże autoimmunizacyjne. W śródbłonku małych tętniczek i kapilar włókien mięśniowych stwierdza się obecność złogów immunoglobulin i składowych C5–C9 dopełniacza. W ostrej fazie choroby dochodzi do wzrostu w surowicy krwi stężenia cząsteczek adhezyjnych (ICAM-1), zwiększonego przylegania limfocytów do śródbłonków naczyniowych i proliferacji komórek mięśni gładkich, co przyczynia się do obliteracji światła naczyń krwionośnych. Do wystąpienia mZSM predysponuje obecność antygenów HLA DR3, B14, Drw52, DRB1, a zwłaszcza DQA1*0501.

Czynniki środowiskowe mogące przyczynić się do rozwoju mZSM to:

- promienie UV,
- ekspozycja na krzem,
- leki (D-penicylamina, leki hipolipemizujące, hormon wzrostu),
- pokarmy (olej rzepakowy, niektóre ryby, L-tryptofan).

Częste występowanie mZSM po przebyciu infekcji sugeruje mechanizm mimikry molekularnej. Najczęściej podkreśla się role zakażeń:

- wirusowych – wirus grypy i paragrypy, HBV, Coxsackie B, parwowirus B19,
- *Borrelia burgdorferi*,
- *Toxoplasma gondii*.

U 60–80% chorych stwierdza się obecność przeciwciał przeciwjądrowych i przeciwcytoplazmatycznych. Przeciwciała swoiste dla mZSM (Mi-2) pojawiają się u ok. 10% chorych.

Obraz kliniczny

Początek choroby może być:

- ostry – z wysoką gorączką, objawami skórnymi i szybko postępującym osłabieniem siły mięśniowej, w tym mięśni oddechowych,
- podstępny – ze stanami podgorączkowymi, utratą łaknienia ze spadkiem masy ciała oraz ogólnym osłabieniem.

Zajęcie skóry obserwuje się zazwyczaj od początku choroby. Rumień o heliotropowym (fiołkowym) zabarwieniu występuje na powiekach. Rzadziej obejmuje nasadę nosa i policzki. Pojawia się też obrzęk tkanki podskórnej w obrębie twarzy.

W obrębie rąk nad stawami międzypaliczkowymi i śródpaliczkowymi stwierdza się grudki rumieniowe z hiperkeratozą (objaw Gottrona), z towarzyszącymi zmianami zapalno-rumieniowymi (ręce mechanika). Nad dużymi stawami (łokciowe, kolanowe) obserwuje się nieregularne zmiany rumieniowe skojarzone z otrębiastym łuszczeniem, przypominające łuszczycę.

Charakterystycznym objawem mZSM są zmiany troficzne z obecnością zanikowych blizn lub owrzodzeń zlokalizowane głównie nad stawami, w obrębie powiek i wokół paznokci. Stwierdzenie towarzyszącego zespołu Raynauda z obecnością pętli drzewkowatych zwykle świadczy o aktywnym przebiegu choroby.

W mZSM obserwuje się odkładanie soli wapnia w tkankach. U ok. 30% dzieci proces ten dotyczy tkanki podskórnej i skóry. Złogi wapnia mogą przebić się przez skórę, tworząc trudno gojące się owrzodzenia, które często ulegają zropieniu. Rzadziej wapnica dotyczy mięśni, ścięgien i narządów wewnętrznych (nerki). Postacie wapnicy u dzieci:

- powierzchowne plackowate ogniska lub guzki na kończynach,

- wapnica ograniczona – głębokie guzowate złogi w mięśniach kończyn,
- wapnica uogólniona – płaskie złogi w powięziach międzymięśniowych,
- rozległe złogi o układzie siatkowatym w tkance podskórnej,
- postać mieszana.

O ciężkości procesu chorobowego decyduje lokalizacja i stopień uszkodzenia mięśni. Dysfunkcja dotyczy przede wszystkim odcinków ksobnych kończyn. Zajęte mięśnie są twarde i obrzęknięte, rzadziej spotyka się bolesność palpacyjną czy samoistną. Postępujące osłabienie siły mięśniowej doprowadza niekiedy do niemożności podniesienia się z pozycji kucznej czy leżącej, braku unoszenia ramion i głowy, a w dalszej konsekwencji do pełnego zespołu immobilizacyjnego.

Zajęcie mięśni gładkich manifestuje się zaburzeniami mowy i połykania (niebezpieczeństwo wystąpienia zachłystowego zapalenia płuc), a w razie dysfunkcji przepony i mięśni międzyżebrowych uniemożliwia oddychanie.

Jakkolwiek u prawie połowy dzieci w okresie początkowym obserwuje się bóle stawów, to zapalenie błony maziowej stwierdza się stosunkowo rzadko. Obecność przykurczów stawowych wynika ze zmian zapalnych toczących się w mięśniach i tkankach otaczających.

Zapalenie naczyń krwionośnych w przewodzie pokarmowym odpowiada bezpośrednio za mikrozawały, owrzodzenia i perforacje. Silne bóle brzucha są niekiedy powodem pomyłek diagnostycznych (sugestia zapalenia otrzewnej lub wyrostka robaczkowego).

Ze strony układu krążenia zwykle obserwuje się jedynie tachykardię. Ewentualne zapalenie mięśnia sercowego jest asymptomatyczne – w badaniu echokardiograficznym stwierdza się zmiany świadczące o upośledzeniu kurczliwości i podatności.

Zmiany w płucach pojawiają się zwykle wtórnie do hipowentylacji i zaburzeń połykania. Niekiedy może dochodzić do odczynu opłucnowego. U dzieci wyjątkowo rzadko występuje włóknienie pęcherzyków płucnych (*alveolitis fibrosa*) bezpośrednio związane z mZSM.

Metody diagnostyczne

Tradycyjne kryteria diagnostyczne przedstawili Bohan i Peter (tab. 18.9). Okazały się one jednak mało przydatne w diagnostyce zapalenia skórno-mięśniowego w wieku rozwojowym z uwagi na częsty w tej populacji brak podwyższenia aktywności enzymów mięśniowych. Wychodząc z tego założenia, Tanimoto i wsp. zaproponowali nowe kryteria, znacznie lepiej charakteryzujące odmienności mZSM (tab. 18.10).

Nie ma swoistych badań laboratoryjnych w zapaleniu skórno-mięśniowym. Duże znaczenie diagnostyczne ma stwierdzenie w surowicy krwi podwyższonej aktywności enzymów mięśniowych, choć

Tabela 18.9. Kryteria diagnostyczne zapalenia skórno-mięśniowego wg Bohana i Petera

A. Symetryczne osłabienie mięśni proksymalnych obręczy biodrowej i barkowej z dysfagią lub zajęcie mięśni oddechowych bądź bez tych objawów

B. Podwyższona aktywność enzymów mięśniowych (CK, AspAT, LDH, aldolaza)

C. Typowe zmiany w badaniu EMG

D. Wynik biopsji mięśni wykazujący zapalenie i martwicę

E. Typowe zmiany skórne – rumień heliotropowy z obrzękiem okolicy oczodołów, objaw Gottrona (rumień z hiperkeratozą, zmiany zanikowe lub grudkowe nad drobnymi stawami rąk, rumień nad stawami łokciowymi i kolanowymi)

Pewne rozpoznanie – 4 kryteria, czyli 3 z A/B/C/D i obowiązkowo E
Prawdopodobne rozpoznanie – 3 kryteria, czyli 2 z A/B/C/D i obowiązkowo E
Możliwe rozpoznanie – 2 kryteria, czyli 1 z A/B/C/D i obowiązkowo E

Tabela 18.10. Kryteria diagnostyczne młodzieńczego zapalenia skórno-mięśniowego wg Tanimoto

- Zmiany skórne
  - Rumień heliotropowy oraz obrzęk powiek
  - Objaw Gottrona
  - Rumień nad stawami łokciowymi i kolanowymi
- Zmiany mięśniowe
  - Osłabienie mięśni ksobnych (kończyny górne i dolne oraz grzbiet)
  - Podwyższona aktywność CK lub aldolazy
  - Bóle mięśni
  - Zmiany w EMG (pierwotne uszkodzenie mięśniowe)
  - Obecność przeciwciał anty-Jo1
  - Zapalenie lub bóle stawów
  - Wskaźniki zapalne – gorączka > 37°C, podwyższone stężenie CRP lub przyspieszenie OB > 20 mm/h
  - Typowe zmiany morfologiczne w biopsji mięśnia

Pewne rozpoznanie mZSM – obecność 1 kryterium dotyczącego zmian skórnych i 4 dotyczących zmian mięśniowych

trzeba pamiętać, że ich wartości prawidłowe nie wykluczają rozpoznania tej miopatii. Wskaźniki laboratoryjne ostrej fazy są miernie podwyższone i zwykle tylko w ostrej fazie choroby. Dość często stwierdza się obecność ANA, rzadziej czynnika reumatoidalnego.

Wartościowe badania dodatkowe to elektromiografia z określeniem przewodnictwa nerwowego i wynik oceny histopatologicznej wycinka mięśnia.

Różnicowanie

Z innymi typami miopatii, układowymi chorobami tkanki łącznej (SLE, twardzina, scleromyositis, mieszana choroba tkanki łącznej, łuszczycowe zapalenie stawów), zakażeniami wirusowymi, boreliozą i włośnicą.

Leczenie

Opiera się na stosowaniu steroidów, metotreksatu, azatiopryny i dożylnych immunoglobulin. Ważną rolę odrywa rehabilitacja układu mięśniowo-stawowego. W przypadku wapnicy podaje się blokery kanału wapniowego (diltiazem) i bisfosfoniany. Duże złogi wapnia usuwa się operacyjnie.

Rokowanie

Śmiertelność wynosi ok. 10%, a najczęstszą przyczyną zgonów są infekcje i niewydolność oddechowo-krążeniowa.

18.2.6   *Małgorzata Kwiatkowska*

Twardzina

łac. *sclerodermia*

ang. scleroderma

Definicja

Rzadko występująca choroba tkanki łącznej o przewlekłym, postępującym przebiegu. Niepohamowany proces zapalny i włóknienie prowadzą do upośledzenia funkcji oraz zmian strukturalnych skóry i narządów wewnętrznych.

Obraz kliniczny twardziny u dzieci, podobnie jak u dorosłych, jest zróżnicowany. Włóknienie tkanki łącznej skóry i narządów wewnętrznych wyznacza dwie postaci choroby:

- twardzinę układową (łac. *sclerodermia generalisata*, ang. systemic sclerosis)
- twardzinę miejscową (łac. *sclerodermia circumscripta*, ang. localized scleroderma).

Postacie te mimo podobieństw w badaniu histopatologicznym skóry mają odmienny przebieg i rokowanie. Należy je także odróżnić od innych procesów prowadzących do nadmiernego włóknienia.

Epidemiologia

Częstość występowania poszczególnych postaci twardziny wśród dzieci nie została określona. Ocenia się, że od 2 do 11,5% osób dorosłych z twardziną układową zachorowało przed 16. rż., w tym ok. 1–2% przed 10. rż. U dzieci zachorowania na twardzinę miejscową stwierdza się 9–10 razy częściej niż na układową. Postać miejscowa występuje częściej u małych dzieci w wieku przedszkolnym. Podobnie jak u dorosłych, dziewczynki chorują 3–4 razy częściej.

W badaniach brytyjskich częstość występowania twardziny układowej została określona na 0,27 : 1 000 000, a miejscowej na 2,5 : 1 000 000 dzieci.

Etiologia i patogeneza

Etiologia i patogeneza twardziny są niewyjaśnione. Główną rolę odgrywają uszkodzenie naczyń krwionośnych, nadmierna produkcja kolagenu i zaburzenia immunologiczne.

Obraz kliniczny

Twardzina układowa

Proponuje się kilka podziałów twardziny układowej, ale najbardziej uzasadniony wydaje się następujący:

- twardzina układowa uogólniona – z rozległymi zmianami skórnymi,
- twardzina układowa miejscowa (*acrosclerodermia*) – z ograniczonymi zmianami skórnymi.

Twardzina układowa uogólniona jest najcięższą postacią choroby. Charakteryzuje się szybkim postępem stwardnienia skóry położonej proksymalnie od stawów śródręczno-paliczkowych, ze współistniejącymi przebarwieniami, uogólnionymi zanikami i postępującym wyniszczeniem (mumifikacją) oraz częstym zajęciem narządów wewnętrznych.

- Zmiany w mikrokrążeniu – objaw Raynauda (ryc. 18.9), owrzodzenia na opuszkach palców, w badaniu kapilaroskopowym widoczne megakapilary, a czasem pętle twardzinowe.
- Układ kostno-stawowy – ból stawów, uczucie sztywności z postępującym ograniczeniem ruchomości stawów i przykurczami, rzadko zapalenie stawów.

- Zmiany w ścięgnach – objaw tarcia, guzki na przebiegu ścięgien.
- Zajęcie mięśni – męczliwość, zaniki, wapnica.
- W obrazie radiologicznym – osteoporoza, osteoliza paliczków dystalnych palców rąk, rzadziej stóp, złogi wapniowe w tkankach miękkich.

■ Przewód pokarmowy – zajęty dość wcześnie, zmiany mogą dotyczyć każdego odcinka, najczęstsze to zaburzenia perystaltyki przełyku i jelita grubego, rzadsze – objawy zespołu złego wchłaniania.

■ Układ sercowo-naczyniowy – zaburzenia rytmu serca i zmiany w układzie bodźcoprzewodzącym, zapalenie osierdzia, wady zastawek, niewydolność krążenia, nadciśnienie tętnicze, nagła śmierć sercowa. Zajęcie serca przez proces twardzinowy może przebiegać bez objawów klinicznych lub skąpoobjawowo. Zmiany mogą być także wtórne do patologii płuc.

■ Układ oddechowy – nadciśnienie płucne, włóknienie śródmiąższowe, zapalenie pęcherzyków płucnych, często objawy skąpe, niecharakterystyczne. Bardzo rzadko występują kaszel, duszność wysiłkowa i zmienne objawy osłuchowe. W RTG klatki piersiowej najczęściej widać włókniste zmiany w dolnych płatach płuc i wzmożony rysunek podścieliska (obraz plastra miodu). W spirometrii stwierdza się zaburzenia typu restrykcyjnego i obniżenie zdolności dyfuzyjnej płuc. Tomografia komputerowa wysokiej rozdzielczości ujawnia zmiany bardzo wcześnie. **Wystąpienie zmian w płucach i stopień ich nasilenia determinuje przebieg i rokowanie.**

■ Układ nerwowy – zajęty rzadko – bóle głowy, polineuropatia, napady padaczkowe, zespół cieśni nadgarstka.

■ Nerki – kliniczne objawy zajęcia nerek występują u ok. 20% dzieci, ale stwierdza się je w 100% przy-

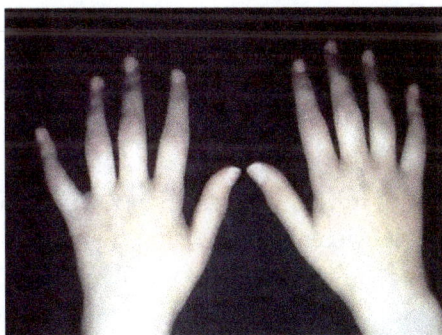

Rycina 18.9. Objaw Raynauda.

padków sekcyjnych. Przebieg zmian w nerkach może być powolny, postępujący, choć możliwe jest też nagłe ujawnienie się patologii w postaci tzw. przełomu nerkowego.

Twardzina układowa miejscowa

Charakteryzuje się powolnym, skrytym początkiem. Objaw Raynauda o kilka lat może wyprzedzać pojawienie się innych zmian. Zajęta procesem chorobowym jest skóra twarzy i dystalnych części kończyn. Fazy choroby:

■ początkowa (tzw. obrzęk stwardniały) – skóra jest napięta, błyszcząca, trudno ująć ją w fałd, stwardnieniu ulegają palce rąk (sklerodaktylia),

■ zaniku – dominują zaburzenia troficzne, owrzodzenia lub ślady po nich na opuszkach palców rąk, przykurcze palców, akroosteoliza, charakterystycznie wygląda twarz:
  - upośledzenie mimiki,
  - zwężenie czerwieni wargowej i skrzydełek nosa, zanik fałdu nosowo-wargowego, promieniste bruzdy wokół ust z ograniczeniem ich rozwarcia,
  - teleangiektazje,

■ późna – w tkance podskórnej, szczególnie w miejscach narażonych na powtarzające się mikrourazy, mogą odkładać się złogi wapnia.

Szczególną odmianą twardziny układowej miejscowej jest zespół CREST (calcinosis, Raynaud, esophagus – zaburzenia przełykania, sclerodactylia, teleangiectasia), rzadko występujący u dzieci, który wg niektórych autorów stanowi postać o łagodniejszym przebiegu.

Twardzina miejscowa

Podział twardziny miejscowej dokonany został zgodnie z morfologią zmian.

■ Twardzina linijna:
  - pasmowate stwardnienia szczególnie kończyn, najczęściej po jednej stronie, obejmujące skórę, tkankę podskórną, mięśnie oraz kości; w tej postaci często obserwuje się niedorozwój kończyny ze zniekształceniami i utrwalonymi przykurczami w stawach,
  - zmiany na skórze owłosionej głowy (fr. *en coup de sabre* – przypominające cięcie szablą) (ryc. 18.10) – zanik i linijne włóknienie skóry z wyły-

sieniem; odmianą tej postaci jest połowiczy zanik twarzy z włóknieniem i atrofią skóry, tkanki podskórnej, mięśni i kości; postaci tej mogą towarzyszyć zmiany neurologiczne (padaczka); sporadycznie stwierdza się zapalenie błony naczyniowej oka.

■ Twardzina płytkowa, plackowata (fr. *morphea en plaques*) – różnej wielkości ogniska stwardnień, najczęściej w obrębie tułowia, początkowo porcelanowe i otoczone zapalną obwódką (lilac ring), a w okresie zejściowym wyglądające jak przebarwienia i odbarwienia z zanikiem skóry i tkanki podskórnej.

■ Twardzina głęboka (*morphea profunda*) – włóknienie tkanki podskórnej z zajęciem powięzi, powierzchnia skóry jest nierówna, ale niezmieniona, o rozpoznaniu decyduje badanie histopatologiczne wycinka skórno-mięśniowego.

■ Twardzina skórna uogólniona (*morphea generalisata*) – minimum 3 zlewające się ogniska twardziny płytkowej zajmujące duże powierzchnie skóry.

■ Twardzina pansklerotyczna (pansclerotic morphea) – stwardnienia symetryczne obejmujące tułów, kończyny i twarz, bez zajęcia palców; zmiany w tkance podskórnej, mięśniach i kościach; prowadzi do utrwalonych przykurczów w stawach i kalectwa.

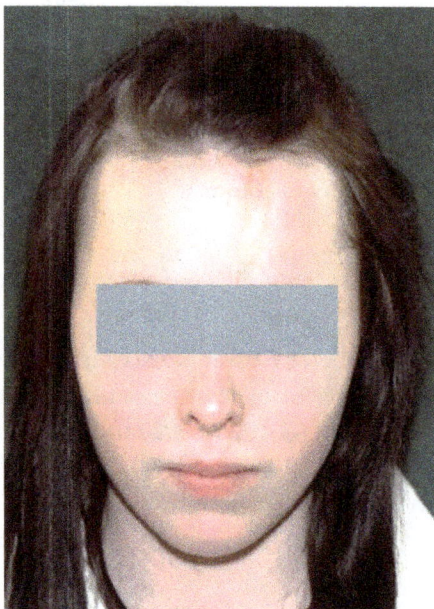

Rycina 18.10. Twardzina miejscowa. Zmiany przypominające cięcie szablą.

■ Twardzina pierwotnie zanikowa (*atrophodermia Passini-Pierini*) – przebarwione lub odbarwione zmiany różnej wielkości i w różnej lokalizacji, sporadycznie z włóknieniem w części centralnej.

■ Inne postacie twardziny miejscowej:
  ■ twardzina grudkowa (*morphea guttata*) – porcelanowo-białe grudki, najczęściej na klatce piersiowej i w okolicy pasa barkowego,
  ■ twardzina guzkowa (*morphea nodularia*, dawniej keloid Addisona) – pojedyncze lub mnogie, zlewające się guzki,
  ■ odmiana pęcherzykowa i pęcherzowa (*varietas vesiculosa et bullosa*),
  ■ zanik skórno-mięśniowy ograniczony (Gowers' panatrophy) – postać zanikowa, bez zmian skórnych, najczęściej w okolicy stawów skokowych.

Przebieg naturalny

Przebieg naturalny twardziny układowej jest postępujący, a rokowanie poważne. Przebieg i następstwa nieleczonej twardziny miejscowej zależą od postaci choroby.

Metody diagnostyczne

Pierwszą propozycję kryteriów diagnostycznych twardziny układowej u dzieci opublikowano w 2007 r. (tab. 18.11). Obejmuje ona twardzinę układową uogólnioną, nie różnicując jej z twardziną układową miejscową. Pozwala natomiast wykluczyć występujące w wieku dziecięcym inne schorzenia przebiegające ze stwardnieniem skóry (m.in. fenyloketonuria, progeria, eozynofilowe zapalenie powięzi).

1 Podstawowe badania laboratoryjne
Niecharakterystyczne. Stężenia wskaźników ostrego procesu zapalnego zwykle pozostają w granicach normy lub są nieco podwyższone. U większości dzieci z twardziną układową i połowy z miejscową stwierdza się hipergammaglobulinemię, która nie koreluje z postępem choroby.

2 Badania immunologiczne:
■ Przeciwciała przeciwjądrowe (ANA) – oznaczane metodą immunofluorescencji pośredniej. Obecne u 22–100% dzieci z twardziną układową (plamisty, rzadziej jąderkowy typ świecenia) i u 20–75% z twardziną miejscową (przeważnie homogenny typ świecenia).

■ Przeciwciała przeciw topoizomerazie I DNA (anty--Scl-70) – swoisty marker twardziny układowej, obecny u 25–40% dzieci z ANA.

- Przeciwciało przeciw centromerom (ACA) – marker twardziny, występuje u 2–8% chorych dzieci.
- Przeciwciała przeciw rozpuszczalnym antygenom jądra komórkowego – pomocne w diagnostyce różnicowej.
- Czynnik reumatoidalny (RF) – obecny u 55% dzieci z twardziną układową, i prawie 40% z miejscową.
- Przeciwciała przeciw cyklicznemu cytrulinowemu peptydowi (anty-CCP) – pomocne w diagnostyce różnicowej, częstość występowania u dzieci chorych na twardzinę nie została określona (u dorosłych 2,6%).

3 Kapilaroskopia

Ocena zmian w mikrokrążeniu, monitorowanie leczenia i postępu choroby.

4 Badania konieczne dla oceny zmian narządowych
- Układ oddechowy – RTG klatki piersiowej, HRCT płuc, spirometria, DL_{CO}.
- Przewód pokarmowy – USG jamy brzusznej, RTG przełyku z kontrastem, ewentualnie gastroskopia.
- Układ krążenia – EKG, echo serca, 24-godzinne monitorowanie EKG metodą Holtera.
- Układ moczowy – badanie moczu ogólne i posiew, USG jamy brzusznej, w razie wskazań biopsja nerki.
- Układ nerwowy – EEG, TK/MR głowy.
- Inne – ocena funkcji pozostałych narządów wewnętrznych.

Różnicowanie

- Inne choroby tkanki łącznej – w tym zespoły nakładania.
- Zespoły twardzinopodobne:
  - w przebiegu chorób metabolicznych (cukrzyca, niedoczynność tarczycy, porfiria) i wrodzonych (progeria, zespół Rothmunda–Thomsona, zespół Wernera),
  - eozynofilowe zapalenie powięzi,
  - obrzęk stwardniały (scleredema) i śluzakowaty (scleromyxedema), keloidy,
  - zmiany związane z działaniem czynników chemicznych: toxic oil syndrome, zespół eozynofilia–myalgia (np. po stosowaniu L-tryptofanu), zwłóknienie po ekspozycji na preparaty chemiczne (silikon, inne związki organiczne, w tym leki, np. bleomycynę czy pentazocynę).

Tabela 18.11. Kryteria rozpoznania twardziny układowej u dzieci

Kryterium duże
- Stwardnienie skóry położonej proksymalnie do stawów śródręczno-paliczkowych

Kryteria małe
- **Sklerodaktylia**
- **Zaburzenia krążenia obwodowego**
  - Zespół Raynauda
  - Zmiany w kapilaroskopii
  - Owrzodzenia na opuszkach palców
- **Zaburzenia układu pokarmowego**
  - Dysfagia
  - Refluks żołądkowo-przełykowy
- **Zaburzenia ze strony serca**
  - Arytmia
  - Zawał serca
- **Zaburzenia ze strony nerek**
  - Przełom nerkowy
  - Nowo wykryte nadciśnienie tętnicze
- **Zaburzenia ze strony płuc**
  - Włóknienie płuc (wykryte w RTG lub HRCT)
  - Obniżenie DL_{CO}
  - Nadciśnienie płucne
- **Zaburzenia neurologiczne**
  - Neuropatia
  - Zespół cieśni nadgarstka
- **Zaburzenia ze strony układu mięśniowo-stawowego**
  - Zapalenie ścięgien z odgłosem tarcia
  - Zapalenie stawów
  - Zapalenie mięśni
- **Zaburzenia immunologiczne**
  - Obecność ANA
  - Obecność autoprzeciwciał charakterystycznych dla twardziny układowej (ACA, Scl-70, przeciw fibrylarynie, anty-PM-Scl, fibrynie lub anty-polimerazie RNA I lub III)

Do rozpoznania konieczne jest spełnienie dużego kryterium i minimum 2 małych (pogrubione)

Leczenie

Dotychczas nie opracowano standardów leczenia twardziny u dzieci. Stosowane leki mają na celu hamowanie procesu immunologicznego, zapalnego i włóknienia oraz poprawę krążenia.

Twardzina miejscowa – przy łagodnym przebiegu leczenie można ograniczyć do stosowania D-penicylaminy, hydroksychlorochiny, witamin A i E oraz PUVA. W przypadku pojawienia się nowych ognisk choroby lub szybkiego jej postępu należy, poza wyżej wymienionymi preparatami, rozważyć terapię steroidami (dożylne megadawki, następnie dawki podtrzymujące doustnie) i metotreksatem.

Twardzina układowa – jej sposób leczenia budzi wiele dyskusji. Zgodnie ze stanowiskiem ekspertów większość rekomendacji dla leczenia twardziny układowej u dorosłych może być rozszerzona na dzieci. Stosuje się:

- leki immunosupresyjne – metotreksat, cyklofosfamid, azatiopryna, cyklosporyna A, mykofenolan mofetylu,
- leki wpływające na procesy włóknienia – D-penicylamina, kolchicyna,
- leki poprawiające ukrwienie tkanek – antagoniści kanału wapniowego, pentoksyfilina,
- steroidy – zalecane we wczesnej fazie twardziny oraz przy zajęciu mięśni i towarzyszącym zapaleniu stawów/pochewek ścięgnistych,
- leki antymalaryczne – w łagodnych przypadkach,
- wlewy immunoglobulin – w pojedynczych doniesieniach wykazano korzystny wpływ na przebieg choroby.

Leczenie biologiczne nadal pozostaje w fazie prób klinicznych, ale wstępne wyniki są optymistyczne.

W każdej postaci twardziny u dzieci konieczne jest systematyczne leczenie usprawniające.

Rokowanie
Zależy od postaci choroby. U dzieci chorujących na twardzinę miejscową mogą występować zaburzenia rozwojowe, natomiast najczęściej nie ma zagrożenia życia. W postaci układowej rokowanie jest poważne. Zagrożenie życia zależy od powikłań narządowych.

18.2.7   *Małgorzata Kwiatkowska*

Mieszana choroba tkanki łącznej
łac. *morbus mixtus textus connectivi*
ang. mixed connective tissue disease (MCTD)

Definicja
Zespół nakładania, w skład którego wchodzą objawy tocznia rumieniowatego układowego, twardziny układowej, zapalenia skórno-mięśniowego lub wielomięśniowego i niekiedy także zapalenia stawów. Immunologicznym markerem MCTD są przeciwciała przeciw U_1RNP, o masie cząsteczkowej 68 kDa.

Epidemiologia
U dorosłych choroba występuje z częstością 2,7 : 100 000. Zachorowania obserwuje się w każdym wieku. Najczęściej między 25. a 35. rż., 10-krot-

nie częściej u kobiet. Częstość występowania u dzieci nie została określona.

Etiologia i patogeneza
Przyczyna choroby jest nieznana. Predysponowane do zachorowania są osoby, u których obecny jest antygen zgodności tkankowej HLA-DR1 lub DR4.

Obraz kliniczny
Wczesne objawy są nieswoiste. Początek choroby może być ostry lub podostry. Objawy podmiotowe:

- uczucie zmęczenia, osłabienia,
- stany podgorączkowe i gorączka,
- utrata masy ciała.

Objawy przedmiotowe (kolejność wg częstości występowania):

- ból, obrzęki stawów, obrzęk rąk (charakterystyczny obrzęk całych palców i grzbietu rąk),
- objaw Raynauda,
- zmiany skórne przypominające twardzinę układową,
- powiększenie węzłów chłonnych,
- osłabienie siły mięśniowej, niekiedy z bolesnością mięśni,
- zaburzenia perystaltyki przełyku (trudności w połykaniu, ból brzucha),
- zapalenie błon surowiczych,
- zajęcie nerek, układu oddechowego i układu nerwowego,
- hepatosplenomegalia.

Przebieg naturalny
Zależy od dominujących składowych zespołu.

Metody diagnostyczne
1 Badania laboratoryjne
- Morfologia – niedokrwistość, leukopenia.
- Transaminazy i enzymy mięśniowe – podwyższenie aktywności.
- Czynnik reumatoidalny – obecny u większości chorych.
- Fałszywie dodatni odczyn Wassermanna lub VDRL.
- Proteinogram – hipergammaglobulinemia.
- Badanie ogólne moczu – obecność białka, krwinek czerwonych i wałeczków.
- Obecność przeciwciał przeciwjądrowych (ANA) i przeciw rybonukleoproteinie (U1-RNP).
- Obniżenie aktywności składowych dopełniacza.

2 Inne

- Zdjęcie przeglądowe klatki piersiowej – zmiany śródmiąższowe, obecność płynu w jamie opłucnej.
- Zdjęcie radiologiczne przełyku – upośledzenie perystaltyki.
- HRCT klatki piersiowej – zmiany śródmiąższowe.
- EMG – cechy biogennego uszkodzenia mięśni.
- EKG i echo serca – zaburzenia rytmu serca, płyn w worku osierdziowym.

Ze względu na szeroką gamę objawów i zmienne ich występowanie w czasie rozpoznanie jest trudne. Dotychczas opracowano wiele kryteriów diagnostycznych, ale za najbardziej przydatne uważane są kryteria Kasukawy z 1988 r. (tab. 18.12).

Różnicowanie
Różnicowanie z poszczególnymi składowymi zespołu. Czasem po latach objawy pozwalają na rozpoznanie konkretnej układowej choroby tkanki łącznej (np. twardziny układowej). Ponadto należy wykluczyć pierwotną chorobę Raynauda, zespoły rzekomotwardzinowe oraz choroby przebiegające z zajęciem mięśni (szczególnie pasożytnicze).

Tabela 18.12. Kryteria diagnostyczne mieszanej choroby tkanki łącznej wg Kasukawy

Objawy wspólne
- Objaw Raynauda
- Obrzęk palców rąk

- Obecność przeciwciała przeciw U1-RNP

- **Objawy przypominające toczeń rumieniowaty układowy**
  - Zapalenie stawów
  - Limfadenopatia
  - Rumień na twarzy
  - Zapalenie opłucnej lub osierdzia
  - Leukopenia i/lub trombocytopenia
- **Objawy przypominające twardzinę układową**
  - Stwardnienie palców rąk (sclerodactylia)
  - Włóknienie płuc
  - Upośledzenie perystaltyki lub poszerzenie przełyku
- **Objawy przypominające zapalenie wielomięśniowe**
  - Osłabienie siły mięśniowej
  - Zwiększenie aktywności enzymów mięśniowych
  - Zmiany typu miogennego uszkodzenia mięśni w badaniu EMG

Do rozpoznania konieczne jest stwierdzenie łącznie:
- co najmniej 1 objawu wspólnego
- obecności przeciwciał przeciw U1-RNP
- co najmniej jednego z objawów każdej z wymienionych chorób

Leczenie
Zależy od stanu pacjenta i dominujących składowych zespołu. Stosuje się m.in.:

- steroidy – doustnie, dostawowo i dożylnie, także w dożylnych megadawkach (pulsach),
- leki immunosupresyjne – metotreksat, azatiopryna,
- leki przeciwmalaryczne – chlorochina, hydroksychlorochina,
- leki rozszerzające naczynia obwodowe.

Terapia tzw. lekami biologicznymi nadal pozostaje w fazie badań, ale pierwsze doniesienia są obiecujące.

Rokowanie
Lepsze niż u chorych na układowe choroby tkanki łącznej wchodzące w skład zespołu, ale należy liczyć się także z ciężkim przebiegiem choroby, szczególnie u dzieci, u których stwierdza się zajęcie nerek i układu oddechowego.

18.2.8 *Małgorzata Kwiatkowska*

Niezróżnicowana choroba tkanki łącznej
ang. undifferentiated connective tissue disease (UCTD)

Definicja
Pojęcie obejmujące zespoły, w których występują objawy kliniczne i laboratoryjne charakterystyczne dla układowych chorób tkanki łącznej, ale nie są spełnione kryteria diagnostyczne dla żadnej konkretnej jednostki chorobowej. Nadal nie można jednoznacznie określić, czy UCTD jest wstępem do zdefiniowanej choroby tkanki łącznej, czy odrębną jednostką nozologiczną. Szczególnie, że u niektórych pacjentów po wielu latach obserwacji rozpoznaje się konkretną chorobę tkanki łącznej.

Epidemiologia
Częstość występowania u dzieci nie została określona.

Etiologia i patogeneza
Nieznana.

Obraz kliniczny
Obserwuje się objawy charakterystyczne dla wszystkich układowych chorób tkanki łącznej. Dolegliwości mają zmienne nasilenie i nie zawsze występują jednocześnie.

Objawy ogólne (obecne u 70% chorych):

- gorączka,
- osłabienie,
- utrata masy ciała.

Objawy przedmiotowe:

- zmiany skórne przypominające twardzinę układo-wą, toczeń rumieniowaty układowy lub zapalenie skórno-mięśniowe,
- ból i/lub zapalenie stawów,
- objaw Raynauda,
- ból i/lub zapalenie mięśni,
- guzki podskórne, wapnica.

Metody diagnostyczne

Głównie badania laboratoryjne:

- wskaźniki procesu zapalnego (OB, CRP, γ-globuliny) – podwyższone u 20–30% chorych,
- leukopenia, trombocytopenia – występują nawet u 40% chorych,
- aktywność enzymów mięśniowych – zwiększona u 20% chorych,
- obecność ANA – u 30% chorych,
- obecność czynnika reumatoidalnego – u 20% cho-rych.

W 1999 r. zaproponowano 2 kryteria diagnostycz-ne, które spełnione pozwalają rozpoznać UCTD:

- Obecność przez minimum 3 lata objawów pod-miotowych i przedmiotowych wchodzących w skład kryteriów diagnostycznych układowych chorób tkanki łącznej, ale ich niespełniających.
- Obecność ANA w dwóch badaniach wykonywa-nych w różnym czasie.

Różnicowanie

Podobne do przedstawionego w innych układowych chorobach tkanki łącznej. Aby rozpoznać UCTD wy-magany jest przynajmniej 3-letni okres choroby.

Leczenie

Nie ma ustalonego schematu leczenia. Postępowanie uzależnione jest od objawów klinicznych i wyników badań laboratoryjnych. W przypadku wskazań stosu-je się steroidy, leki immunosupresyjne (np. metotrek-sat), chlorochinę, leki rozszerzające naczynia obwo-dowe, NLPZ i inne. Niektórzy pacjenci wymagają dodatkowo postępowania usprawniającego (kinezy-i fizykoterapia).

Rokowanie

Rokowanie jest lepsze niż w poszczególnych zdefinio-wanych układowych chorobach tkanki łącznej. UCTD w pierwszych kilku latach może przejść w określoną układową chorobę tkanki łącznej (ok. 30% pacjentów). U 10–15% chorych dochodzi do ustąpienia objawów.

18.2.9   *Małgorzata Kwiatkowska*

Zespół Sjögrena

łac. *syndroma Sjögreni*
ang. Sjögren's syndrome

Definicja

Zespół Sjögrena jest autoimmunizacyjną, przewlekłą chorobą zapalną, w przebiegu której dochodzi do upośledzenia zdolności wydzielniczej gruczołów wy-dzielania zewnętrznego, szczególnie ślinianek, gru-czołów łzowych i trzustki, występują też zmiany za-palne w innych narządach.

Nacieki zapalne w gruczołach wydzielania ze-wnętrznego, złożone głównie z limfocytów T CD4+, w mniejszym stopniu CD8+ i limfocytów B, prowa-dzą do postępującej ich destrukcji i pojawienia się ob-jawów tzw. zespołu suchości (sicca syndrome), czyli suchości błon śluzowych jamy ustnej (xerostomia) i oczu (xerophthalmia).

Epidemiologia

Zespół Sjögrena stwierdza się u 0,1–4% dorosłych. Uważany jest za drugą co do częstości występowania chorobę autoimmunizacyjną tkanki łącznej (po reu-matoidalnym zapaleniu stawów) w tej populacji. Sza-cuje się, że 5–6% z tej grupy osób zachorowało w wie-ku dziecięcym, ale nie otrzymało poprawnej diagnozy. Kobiety chorują 9-krotnie częściej niż mężczyźni. Szczyt zachorowań przypada po 40. rż. Częstość wy-stępowania zespołu Sjögrena u dzieci nie została okre-ślona.

Etiologia i patogeneza

Nieznana. Predyspozycje genetyczne mają osoby z an-tygenami zgodności tkankowej HLA-B8, DR2, DR3 i DQ. Podkreśla się rolę zakażeń wirusowych – EBV, CMV, HCV, HIV, HTLV-1 (ludzki wirus T-limfocy-totropowy typu 1), a także wpływ czynników środo-wiskowych, szczególnie promieniowania UV, które może stymulować produkcję przeciwciał przeciw an-tygenom SS-A/Ro i SS-B/La.

Zespół Sjögrena może być pierwotny lub wtórny. Ten drugi występuje w przebiegu innych chorób o podłożu autoimmunizacyjnym, m.in. reumatoidalnego zapalenia stawów, tocznia rumieniowatego układowego, twardziny, zapalenia wielomięśniowego i skórno-mięśniowego, w zespołach nakładania, zapaleniach naczyń, krioglobulinemii, a także w zapaleniu tarczycy, pierwotnej marskości żółciowej wątroby, stwardnieniu rozsianym i cukrzycy.

Obraz kliniczny

Zależy od stopnia zajęcia poszczególnych układów i narządów. Początek choroby jest najczęściej skryty, powolny. U dorosłych wczesne objawy to przewlekłe zmęczenie z zaburzeniami snu, bóle mięśniowo-stawowe i okresowe stany podgorączkowe. Następnie występuje objaw Raynauda i powiększenie ślinianek lub gruczołów łzowych. U dzieci zwykle obserwuje się nawracający obrzęk ślinianek, głównie przyusznych, i nawracające zapalenia spojówek.

Objawy zespołu Sjögrena:

1 Gruczołowe – związane z zaburzoną czynnością gruczołów zewnątrzwydzielniczych.

■ **Zespół suchego oka** spowodowany nieprawidłowościami filmu łzowego. Zmniejszenie wydzielania łez i zaburzenia ich składu (głównie ubytek wody, ze zwiększeniem lepkości łez) powoduje pieczenie oczu, światłowstręt, nawracające zakażenia oraz suche zapalenie rogówki i spojówki (*keratoconiunctivitis sicca*) z owrzodzeniami rogówki. Rzadko występuje zapalenie błony naczyniowej oka. Mimo obiektywnych dowodów upośledzenia funkcji wydzielniczej 75% dzieci (i 20% dorosłych) nie odczuwa objawów suchości.

■ Objawy suchości jamy ustnej to przede wszystkim konieczność częstego picia lub płukania jamy ustnej, uczucie pieczenia, upośledzenie smaku, trudności w żuciu i połykaniu suchych pokarmów, niekiedy zaburzenia fonacji. Stwierdza się brak lub niewielkie gromadzenie śliny pod językiem, zwiększoną lepkość błon śluzowych, a także postępującą próchnicę zębów i nawracające zakażenia jamy ustnej (drożdżakowate, grzybicze). Charakterystyczne jest nawracające powiększenie ślinianek, głównie przyusznych.

■ Inne objawy – suchość skóry (wynikająca z zapalenia gruczołów potowych i łojowych), zaburzenia motoryki przewodu pokarmowego (upośledzenie wydzielania soku trzustkowego), suchość błon śluzowych narządów płciowych z wtórnymi zmianami zapalnymi (częsta u dorosłych).

2 Pozagruczołowe – wynikają z zajęcia innych układów i narządów wewnętrznych. U dzieci są często pierwszym objawem choroby.

■ Zapalenia stawów lub bóle stawowo-mięśniowe.

■ Układ krwiotwórczy – leukopenia, trombocytopenia, niedokrwistość, limfadenopatia.

■ Układ pokarmowy – zapalenie błony śluzowej przełyku i żołądka, autoimmunizacyjne zapalenie wątroby, marskość żółciowa wątroby, ostre lub przewlekłe zapalenie trzustki, hepatosplenomegalia.

■ Układ krążenia – objaw Raynauda, zapalenie osierdzia, nadciśnienie płucne, kardiomiopatia.

■ Układ oddechowy – nawracające zakażenia dróg oddechowych (także zatok obocznych nosa), rozstrzenie oskrzeli, śródmiąższowe włóknienie płuc.

■ Zapalenia naczyń – zmiany skórne o różnym nasileniu (plamica, pokrzywki, ogniskowa martwica).

■ Układ nerwowy – polineuropatia, zespoły demielizacyjne, zaburzenia osobowości.

■ Nerki – kwasica cewkowa, kłębuszkowe zapalenia nerek, zespół Fanconiego, utrata zdolności zagęszczania moczu.

Przebieg naturalny

Przebieg naturalny choroby zależy od nasilenia objawów suchości. Poważnym zagrożeniem jest możliwość rozwoju chłoniaka.

Metody diagnostyczne

Nie ma obowiązujących kryteriów rozpoznania pierwotnego zespołu Sjögrena w wieku rozwojowym. W 2005 r. opublikowano propozycję kryteriów (tab. 18.13).

1 Badania oceniające zajęcie gruczołów łzowych

■ Test Schirmera – najprostsze i powtarzalne badanie wydzielania łez. Polega na umieszczeniu w worku spojówkowym bibuły filtracyjnej i ocenie po 5 min długości zwilżonego odcinka. U osób zdrowych ma ok. 20 mm, w zespole Sjögrena ⩽ 5 mm. Odmianą klasycznego testu są badania po znieczuleniu miejscowym powodującym zniesienie odruchowego wydzielania łez oraz pomiar przy drażnieniu śluzówki nosa.

Tabela 18.13. Propozycja kryteriów rozpoznania pierwotnego zespołu Sjögrena u dzieci

- **Objawy kliniczne**
  - Jama ustna – suchość, nawracające zapalenie lub powiększenie ślinianek
  - Narząd wzroku – nawracające zapalenie spojówek, bez alergicznej lub infekcyjnej etiologii, suche zapalenie rogówki i spojówek
  - Inne objawy związane z suchością błon śluzowych – np. nawracające zapalenie pochwy
  - Objawy układowe – gorączka lub nieznanego pochodzenia niezapalny ból stawów, ból brzucha
- **Odchylenia w badaniach immunologicznych** (obecność przynajmniej 1 z wymienionych)
  - Przeciwciała anty-SSA
  - Przeciwciała anty-SSB
  - Wysokie miano przeciwciał przeciwjądrowych
  - Czynnik reumatoidalny
- **Inne odchylenia w badaniach laboratoryjnych lub dodatkowych**
  - Biochemiczne – podwyższenie aktywności osoczowej amylazy
  - Hematologiczne – leukopenia, wysokie OB
  - Gammapatia monoklonalna
  - Nefrologiczne – kwasica cewkowa
  - Badanie histopatologiczne – nacieki limfocytarne w śliniankach lub innych narządach
  - Obiektywna dokumentacja suchości oczu – test z różem bengalskim, test Schirmera
  - Obiektywna dokumentacja niewydolności ślinianek – sialografia
- **Wykluczenie innych chorób autoimmunizacyjnych**

Spełnienie 4 lub więcej głównych kryteriów sugeruje rozpoznanie pierwotnego zespołu Sjögrena

- Test z różem bengalskim lub innymi barwnikami. Badaniem w lampie szczelinowej ocenia się ewentualne uszkodzenia rogówki i spojówki.
- Czas przerwania filmu łzowego – służy do oceny stabilności przedrogówkowego filmu łzowego.

2 Badania oceniające zajęcie ślinianek
- Sialometria – pomiar ilości wydzielanej śliny w jednostce czasu (po stymulacji lub bez).
- Test krystalizacji śliny (test liści paproci) polega na mikroskopowej ocenie kryształków powstających w preparatach śliny.
- Sialografia kontrastowa – badanie radiologiczne po dośl3iniankowym podaniu środka cieniującego.
- Scyntygrafia ślinianek – o upośledzeniu zdolności wydzielniczej świadczy opóźnione wydzielanie znacznika.
- USG i MR – ocena wielkości i morfologii ślinianek.

- Biopsja gruczołów ślinowych wargi dolnej – najbardziej przydatny test diagnostyczny. W badaniu mikroskopowym w obrębie małych gruczołów ocenia się liczbę ognisk zapalnych z naciekami limfocytarnymi (tzw. focus score) na powierzchni 4 mm^2 tkanki gruczołowej. Obecność ogniska zapalnego potwierdza rozpoznanie zespołu Sjögrena, ale ujemny wynik biopsji nie zawsze wyklucza jego pierwotną postać. Swoistość i czułość testu w diagnostyce pierwotnego zespołu Sjögrena jest oceniana na ponad 80%. Zmiany histopatologiczne sugerujące takie rozpoznanie stwierdza się u 5–10% zdrowych dorosłych i u 30% pacjentów z innymi chorobami autoimmunizacyjnymi. U dzieci obraz histopatologiczny nie zawsze koreluje z obecnością przeciwciał dla antygenów SS-A/Ro, SS-B/ /La, objawami suchości czy obiektywnymi pomiarami wydzielania śliny. Przykładem są dzieci, które mimo wysokiego focus score nie tylko negują uczucie suchości, ale mają też prawidłowy wynik sialometrii.

3 Badania laboratoryjne
- Przyspieszone OB (nawet trzycyfrowe).
- Leukopenia, thrombocytopenia, niedokrwistość.
- Hipergammaglobulinemia, hiperimmunoglobulinemia G.
- Wysokie miano RF.
- Obniżenie aktywności składowych dopełniacza – C4.
- Obecność kompleksów immunologicznych.
- Przeciwciała przeciwjądrowe, anty-SS-A, anty-SS-B. Obecność przeciwciał anty-SS-A/Ro i anty-SS-B/La nie musi u dzieci korelować z objawami suchości ani obiektywnymi pomiarami wydzielania śliny. Spotyka się je, tak jak przeciwciała przeciwjądrowe, także w innych chorobach autoimmunizacyjnych. Przeciwciała anty-SS-A i anty-SS-B u ciężarnej mogą predysponować do wystąpienia wrodzonego bloku przedsionkowo-komorowego u dziecka.

Różnicowanie
W diagnostyce różnicowej uwzględnia się inne zespoły i choroby przebiegające z uczuciem suchości błon śluzowych (tab. 18.14), choroby wywołujące powiększenie ślinianek (tab. 18.15) oraz czynniki zewnętrzne wpływające na uczucie suchości błon śluzowych (tab. 18.16).

Tabela 18.14. Inne, poza zespołem Sjögrena, zespoły i choroby przebiegające z uczuciem suchości błon śluzowych

JAMA USTNA	OCZY
■ Oddychanie przez usta ■ Zapalenie trzustki ■ Marskość wątroby ■ Hipertriglicerydemia ■ Hemochromatoza	■ Porażenie nerwu VII ■ Uszkodzenie nerwu V po półpaścu ■ Zaburzenia hormonalne – deficyt estrogenów lub androgenów, wole tarczycy
■ Wrodzone zmiany w gruczołach wydzielania zewnętrznego ■ Zakażenia HBV, HCV lub HIV ■ Cukrzyca ■ Chłoniaki, sarkoidoza, amyloidoza	

Tabela 18.15. Choroby wywołujące powiększenie ślinianek

POWIĘKSZENIE JEDNOSTRONNE	POWIĘKSZENIE DWUSTRONNE
■ Nowotwory ■ Zakażenia bakteryjne ■ Kamica przewodów wyprowadzających ■ Przewlekłe zapalenie	■ Infekcje wirusowe – świnka, CMV, EBV, Coxsackie A, HIV ■ Zespół Sjögrena ■ Gruźlica, sarkoidoza (tworzenie ziarniniaków) ■ Amyloidoza ■ Marskość wątroby ■ Akromegalia ■ Anoreksja

Tabela 18.16. Czynniki zewnętrzne wpływające na uczucie suchości błon śluzowych

JAMA USTNA	OCZY
■ Strach, nerwica, zespoły neurotyczne ■ Niedobory żelaza, niedobory witamin z grupy B	■ Soczewki kontaktowe ■ Alergie
■ Zaburzenia wodno-elektrolitowe ■ Leki – atropina, antydepresyjne, benzodiazepiny, opioidowe, antyarytmiczne, moczopędne, przeciwhistaminowe II generacji, efedryna i pseudoefedryna ■ Stan po radioterapii głowy i szyi, choroba przeszczep przeciw gospodarzowi ■ Używki – kokaina, ecstasy, nikotyna, alkohol ■ Klimatyzacja	

Leczenie

W postaci pierwotnej najczęściej zachowawcze. Stosuje się leki zmniejszające objawy suchości narządu wzroku (sztuczne łzy) i jamy ustnej (pilokarpina, cewimelina, substytuty śliny).

Lekiem modyfikującym przebieg choroby jest chlorochina. W przypadku dużej aktywności zespołu Sjögrena należy rozważyć leczenie steroidami i lekami immunosupresyjnymi. Wybór terapii zależy od powikłań narządowych.

Dziecko z rozpoznaniem pierwotnej postaci zespołu wymaga szczególnej troski ze względu na ryzyko rozwoju chłoniaków (ok. 5% chorych). Wskazana jest stała opieka pediatryczna, reumatologiczna, okulistyczna i stomatologiczna. Należy systematycznie zapobiegać próchnicy zębów i zwalczać wszystkie jej ogniska.

18.2.10   *Piotr Gietka*

Układowe zapalenie naczyń krwionośnych

łac. *vasculitis systemica*
ang. systemic vasculitis

Definicja

Zapalenie naczyń (*vasculitis*) to heterogenna grupa rzadkich chorób, których wspólną cechą jest martwica włóknikowata ścian naczyń krwionośnych z towarzyszącymi naciekami zapalnymi obejmującymi całą ścianę naczynia. Skutek bezpośredni procesu zapalnego stanowi zwężenie/zarośnięcie światła naczynia, a czasem powstanie tętniaków, z wtórnym upośledzeniem ukrwienia narządów i tkanek i wynikającymi z tego konsekwencjami klinicznymi. Obraz kliniczny zależy zarówno od rozmiaru, rodzaju i umiejscowienia naczyń objętych procesem zapalnym, jak i od stopnia nasilenia miejscowej i ogólnej odpowiedzi ustroju. *Vasculitis* może mieć postać ograniczoną, nieistotną klinicznie, bądź uogólnioną, bezpośrednio zagrażającą życiu dziecka. Występuje albo jako pierwotnie podstawowy proces, którego objawy kliniczne są bezpośrednim jego odzwierciedleniem, albo pojawia się w przebiegu innych chorób, m.in. układowej choroby tkanki łącznej, infekcji czy procesów rozrostowych.

Etiologia i patogeneza

W patogenezie zasadniczą rolę odgrywają zaburzone mechanizmy immunologiczne związane z:

- kompleksami immunologicznymi krążącymi w ustroju lub powstającymi *in situ*,
- bezpośrednim uszkodzeniem ściany naczynia przez przeciwciała,
- reakcją nadwrażliwości (np. na leki).

W pierwszym modelu kompleksy immunologiczne antygen–przeciwciało tworzące się w warunkach nadmiaru antygenu odkładają się w ścianie naczynia, zapoczątkowując proces zapalny. Aktywne aminy (histamina, bradykinina) i leukotrieny uwalniane z płytek krwi i komórek tucznych, przy udziale IgE, zwiększają przepuszczalność ściany naczynia. Odkładające się kompleksy uszkadzają śródbłonek naczyń, uruchamiają układ dopełniacza, aktywują układ krzepnięcia, a także działają silnie chemotaktycznie na granulocyty i makrofagi. Te ostatnie naciekają ścianę naczynia i fagocytują kompleksy, co prowadzi do uwalniania enzymów cytoplazmatycznych, które pogłębiają proces destrukcji ścian.

W drugim mechanizmie podstawową rolę odgrywają przeciwciała przeciw cytoplazmie neutrofili (ANCA). Aktywują one granulocyty i powodują zwiększone wydzielanie rodników tlenowych, enzymów proteolitycznych i mediatorów uszkodzenia komórek śródbłonka naczyń. Zapoczątkowują tym samym proces nasilonej reakcji zapalnej, co w konsekwencji prowadzi do niedrożności naczynia z uszkodzeniem narządów i tkanek.

Rozpoznanie ściśle określonej jednostki chorobowej u pacjenta z zapaleniem naczyń jest niezwykle trudne z uwagi na nieograniczone możliwości ekspresji klinicznej, brak patognomonicznych objawów przedmiotowych oraz swoistych testów laboratoryjnych, w tym immunologicznych i badań obrazowych. Z drugiej strony pierwotne zapalenia naczyń charakteryzują się dużą skłonnością do nakładania się poszczególnych zespołów klinicznych, dając nierzadko obraz zapalenia wielonaczyniowego. Wykrywane w niektórych chorobach ANCA, cytotoksyczne przeciwciała przeciw komórkom B i T krwi obwodowej subpopulacji CD4 i CD8 oraz AECA są jedynie markerami aktywności zapalenia naczyń i nie pozwalają jednoznacznie odróżnić od siebie poszczególnych jego typów.

Tabela 18.17. Pierwotne zapalenia naczyń krwionośnych u dzieci [wg Pediatric Rheumatology European Society, Wiedeń 2005]

1 Zapalenie naczyń dużego kalibru
- Choroba Takayasu

2 Zapalenie naczyń średniego kalibru
- Dziecięce guzkowe zapalenie tętnic
- Postać skórna guzkowego zapalenia tętnic
- Choroba Kawasakiego

3 Zapalenie naczyń małego kalibru
- Ziarniniakowe
  - Ziarniniakowatość Wegenera
  - Zespół Churga–Strauss
- Nieziarniniakowe
  - Mikoroskopowe zapalenie wielonaczyniowe
  - Choroba Schönleina–Henocha
  - Leukocytoklastyczne zapalenie naczyń
  - Zapalenie naczyń związane z deficytem dopełniacza

4 Inne
- Choroba Behçeta
- Wtórne zapalenia w przebiegu infekcji, nowotworów, mieszanej choroby tkanki łącznej
- Izolowane zapalenie naczyń krwionośnych OUN
- Zespół Cogana
- Niesklasyfikowane

Z uwagi na nieznaną do chwili obecnej etiologię pierwotnych zapaleń naczyń współczesna medycyna nie dysponuje leczeniem przyczynowym. W 2008 r. podczas konferencji naukowej EMAR PRINTO PRESS poświęconej pierwotnym *vasculitis* u dzieci zaproponowano nową klasyfikację tych chorób, przyjmując za kryterium podziału dominujący w obrazie histopatologicznym rozmiar i rodzaj zajętych naczyń z uwzględnieniem zmian patomorfologicznych (tab. 18.17).

Choroba Takayasu

Definicja

Choroba o podłożu autoimmunizacyjnym, w której zmiany zapalne obejmują aortę i początkowe odcinki odchodzących od niej tętnic wieńcowych, płucnych i nerkowych.

Zależnie od umiejscowienia zapalenia chorobę Takayasu dzieli się na 4 typy:

- typ I – zapalenie łuku aorty i jej odgałęzień,
- typ II – zajęcie aorty piersiowej i brzusznej z ich odgałęzieniami (najczęstszy w wieku rozwojowym),
- typ III – typ I + typ II,
- typ IV – dowolny z ww. wraz z zajęciem tętnic płucnych.

Epidemiologia

Występuje przede wszystkim u kobiet w wieku od 10 do 40 lat. Ocenia się, iż w Europie i USA obserwuje się od 1 do 3 nowych zachorowań na milion mieszkańców rocznie. Epidemiologia różni się w zależności od szerokości geograficznej.

Etiologia i patogeneza

Etiologia choroby jest nieznana. Z uwagi na często obserwowany u chorych nadmierny odczyn tuberkulinowy lub podwyższone miano ASO niektórzy autorzy zwracają uwagę na możliwość przyczynowego powiązania zachorowania z infekcją gruźliczą lub paciorkowcem grupy A. Asocjacja z antygenem HLA-BW52 i B39 sugeruje genetyczną predyspozycję do zachorowania.

Obraz kliniczny

Bardzo różny, od bezobjawowego do katastrofalnego w skutkach. Najczęściej obserwuje się stały postęp choroby.

W fazie I (wstępnej) dominują niecharakterystyczne objawy ogólne – stany gorączkowe, ogólne osłabienie, duszność wysiłkowa, spadek masy ciała oraz bóle głowy i brzucha. U większości chorych występuje artralgia, a u połowy dodatkowo zapalenie błony maziowej dotyczące głównie dużych stawów.

W fazie II, czyli ostrego zapalenia naczyń, objawy kliniczne wynikają z upośledzonego krążenia. Bardzo charakterystyczne są objawy chromania dotyczące głównie kończyn górnych oraz bolesność głównych pni tętniczych z pojawieniem się szmerów naczyniowych z towarzyszącą nierównością bądź zanikaniem tętna. Nadciśnienie tętnicze pojawia się wtórnie do zwężenia aorty lub tętnic nerkowych (najczęstsza przyczyna nadciśnienia w chorobie Takayasu w wieku rozwojowym) czy do zwrotnego przepływu krwi przez zastawkę aorty.

Typowe są nagłe napadowe omdlenia połączone ze wzrostem ciśnienia tętniczego, częstoskurczem, dusznością czy bólami głowy z zaczerwienieniem i spoceniem skóry twarzy. Rozwijająca się nierzadko zastoinowa niewydolność krążenia wiąże się z układowym zapaleniem tętnic, zmianami w obrębie tętnic wieńcowych, rozwojem serca płucnego i zaburzeniami rytmu serca.

Spośród objawów neurologicznych należy wymienić drgawki i zaburzenia widzenia, rzadziej porażenie połowicze, będące następstwem zajęcia tętnic szyjnych i kręgowych.

Najczęstszymi zmianami skórnymi są guzki podskórne, wykwity grudkowo-martwicze i objawy rumienia guzowatego.

Czasem pomocne w rozpoznaniu są obserwowane zmiany okulistyczne, w tym widoczne gołym okiem poszerzenia żył układające się w kształt różańca, połączenia tętniczo-żylne i krwawienia do siatkówki. Zapalenie nerwu wzrokowego i całkowita okluzja tętnicy centralnej siatkówki może prowadzić do utraty wzroku.

Faza III, ustabilizowana lub późna faza tzw. bez tętna, cechuje się wygaśnięciem zapalenia i trwałymi objawami niedokrwiennymi ściśle topograficznie związanymi z umiejscowieniem uszkodzonych tętnic.

Metody diagnostyczne

Badania laboratoryjne są niecharakterystyczne. Jedynie przyspieszone OB i podwyższone CRP stwierdzane w fazie wstępnej stanowią miarodajne wskaźniki laboratoryjne aktywności tej choroby. Patologie tętnic należy potwierdzić badaniami obrazowymi, głównie angio-TK lub MR. Ostateczne rozpoznanie zostaje ustalone zwykle po wielu miesiącach lub wręcz latach trwania choroby, najczęściej przypadkowo w trakcie nagłego wystąpienie ostrego incydentu naczyniowego, encefalopatii nadciśnieniowej bądź ciężkiej niewydolności krążenia.

W 2010 r. opracowano nowe kryteria diagnostyczne dla choroby Takayasu w wieku rozwojowym (tab. 18.18).

Różnicowanie

Uwzględnia gorączkę reumatyczną, chorobę Kawasakiego, zespół Marfana, koarktację aorty, dysplazję włóknisto-mięśniową tętnic i spondyloartropatię.

Tabela 18.18. Kryteria diagnostyczne choroby Takayasu w wieku rozwojowym

- Zmiany w badaniach obrazowych – angio-TK/MR – zwężenie/zamknięcie tętnic bezpośrednio odchodzących od łuku aorty i jej dużych odgałęzień, tętnic części proksymalnych kończyn **– warunek konieczny oraz**
- Obecność co najmniej jednego spośród poniższych objawów
  - Osłabienie tętna na jednej lub obu tętnicach promieniowych i/lub chromanie, osłabienie kończyn
  - Różnica w wysokości RR > 10 mmHg pomiędzy kończynami
  - Szmer nad aortą i/lub jej głównymi odgałęzieniami
  - Nadciśnienie tętnicze
  - Podwyższone wskaźniki ostrej fazy

Leczenie

W leczeniu powszechne zastosowanie znalazły steroidy doustnie lub dożylnie w postaci pulsów. Monoterapia po 6 miesiącach pozwala u ok. 50% dzieci na powrót tętna i normalizację wskaźników laboratoryjnych ostrej fazy. W przypadku jej niepowodzenia dodatkowo włącza się cyklofosfamid, metotreksat, cyklosporynę A lub mykofenolan mofetylu. Często stosowane w fazie późnej leczenie operacyjne obejmuje różnego rodzaju resekcje, przeszczepy naczyniowe czy angioplastykę przezskórną z użyciem stentów.

Rokowanie

Prognoza jest poważna. Śmiertelność w ciągu pierwszych 5 lat choroby sięga 35–40% dzieci. Najczęstsze przyczyny zgonu stanowią zastoinowa niewydolność krążenia i epizody naczyniowe w obrębie mózgu.

Guzkowe zapalenie tętnic

łac. *panarteritis nodosa*

ang. polyarteritis nodosa

Definicja

Układowe nekrotyzujące zapalenie naczyń średniego i małego kalibru nieobejmujące kłębuszków nerkowych, arterioli, kapilar i żyłek, którego objawy kliniczne wynikają z niedokrwienia i zawałów tkanek i narządów objętych procesem zapalnym.

Wyróżnia się dwie postacie guzkowego zapalenia tętnic:

■ klasyczną układową – bardzo rzadką,
■ skórną – częstszą, zwłaszcza w wieku rozwojowym.

Rzadko obserwowane są postacie ograniczone, w których zmiany zapalne dotyczą tylko jednego narządu, np. jąder, pęcherzyka żółciowego, wyrostka robaczkowego czy trzustki.

Epidemiologia

Występuje u osób w każdym wieku, począwszy od okresu noworodkowego, choć najczęściej dotyczy mężczyzn w średnim wieku. Klasyczna postać guzkowego zapalenia tętnic stanowi jeden z najrzadszych typów pierwotnych zapaleń naczyń. Częstość występowania szacuje się na 2–30 przypadków na 1 milion osób. Mężczyźni chorują dwukrotnie częściej niż kobiety.

Etiologia i patogeneza

Nieznana. Przyjmuje się, że uszkodzenie naczyń wiąże się z obecnością krążących lub powstających *in situ* w naczyniach kompleksów immunologicznych. Często spotykane u dzieci z tą chorobą podwyższone miano ASO może świadczyć o roli paciorkowca grupy A w jej rozwoju. Typowymi cechami patomorfologicznymi są zmiany zapalne w naczyniach umiejscowione odcinkowo, także w ich rozwidleniu, znajdujące się na różnym chronologicznie etapie zapalenia.

Postać klasyczna układowa guzkowego zapalenia tętnic

Obraz kliniczny

W postaci klasycznej układowej dominują stany gorączkowe, uogólnione bóle mięśniowo-stawowe, spadek masy ciała oraz bóle jamy brzusznej i w klatce piersiowej. Towarzyszą im objawy świadczące o uszkodzeniu łożyska naczyniowego w poszczególnych narządach.

Najczęściej zajętym narządem są nerki (80% przypadków). W tym typie zapalenia naczyń nie obserwujemy zapalenia kłębuszków nerkowych, a nefropatia związana jest z zapaleniem tętnic międzypłatowych i łukowatych. Pęknięcia tętniaków prowadzą do powstania krwiaków śród-, około- i pozanerkowych. Objawy nefropatii to nadciśnienie tętnicze, krwinkomocz, niewielki białkomocz i ból w okolicy lędźwiowej.

Zajęcie procesem zapalnym tętnic przewodu pokarmowego stanowi zły czynnik prognostyczny. Występują silne bóle brzucha, krwiste biegunki, nudności, wymioty, martwica pęcherzyka żółciowego, wyrostka robaczkowego czy ściany jelita oraz hepatomegalia z towarzyszącą dysfunkcją tego narządu. Krwiaki śródbrzuszne związane są najczęściej z zapaleniem w obrębie tętnicy krezkowej górnej. Przy steroidoterapii zachodzi często dysproporcja między łagodnymi objawami klinicznymi a stopniem nasilenia rzeczywistych zmian w obrębie jamy brzusznej.

Klinicznie jawna choroba serca występuje u połowy chorych, najczęściej jako zastoinowa niewydolność krążenia będąca skutkiem patologii mięśnia sercowego wynikającej ze zmian w naczyniach krwionośnych, nadciśnienia tętniczego czy zaburzeń rytmu serca. Pęknięcia tętniaków naczyń wieńcowych nierzadko prowadzą do gwałtownie narastającej tamponady serca. Rzadko obserwujemy zapalenie osierdzia, kazuistycznie zapalenie wsierdzia. Typowym objawem ze strony układu krążenia u dzieci z guzkowym zapaleniem tętnic jest tachykardia, utrzymująca się również w okresie poprawy, oporna na leczenie farmakologiczne.

Objawy neurologiczne stwierdza się u 70% pacjentów. Dominują cechy uszkodzenia obwodowego układu nerwowego – mononeuropatia rozsiana, rzadziej polineuropatia. Bolesne parestezje i zaburzenia czucia temperatury najczęściej dotyczą nerwów kończyn dolnych (strzałkowych, piszczelowego). Zwykle izolowane objawy ze strony obwodowego układu nerwowego wyprzedzają nawet o kilka miesięcy rozwój pełnoobjawowej postaci choroby. Patologia w obrębie OUN, obok zmian w przewodzie pokarmowym, stanowi czynnik złej prognozy związanej z incydentami naczyniowymi. Zapalenie naczyń mózgowych może objawiać się porażeniami, drgawkami, pląsawicą, psychozami czy dysfunkcją móżdżku. Dochodzi też do zapalenia nerwów czaszkowych (ocznego, twarzowego czy ślimakowego).

Zmiany skórne związane są z zapaleniem naczyń krwionośnych skóry o typie histologicznym leukocytoklastycznego zapalenia naczyń. Stwierdza się chorobę Schönleina-Henocha, livedo reticularis, rumień wielopostaciowy, guzki podskórne i ostrą martwicę.

Dość typowym objawem guzkowego zapalenia tętnic jest, najczęściej asymetryczne, zapalenie najądrza lub jądra.

Metody diagnostyczne

Badania laboratoryjne są niecharakterystyczne. U wszystkich chorych stwierdza się przyśpieszone OB, podwyższone stężenie CRP, znaczną leukocytozę, trombocytozę i niedokrwistość normocytarną. Rzadziej obserwuje się obecność kompleksów immunologicznych, czynnika RF, zwiększoną aktywność AlAT, AspAT i GGTP czy podwyższone stężenie bilirubiny. ANCA nie są charakterystyczne dla tego typu *vasculitis* i ich obecność przemawia raczej przeciwko rozpoznaniu guzkowego zapalenia tętnic.

Rozpoznanie ustala się na podstawie obrazu klinicznego, badań angiograficznych i biopsji tkankowej. W 2010 r. wyodrębniono nowe kryteria diagnostyczne postaci klasycznej guzkowego zapalenia tętnic u dzieci (tab. 18.19).

Tabela 18.19. Kryteria diagnostyczne klasycznej postaci guzkowego zapalenia tętnic u dzieci

- Obecność martwiczego zapalenia naczyń średniego lub małego kalibru w badaniu histopatologicznym i/lub obecność w badaniu angiograficznym tętniaków, zwężeń lub zamknięcia światła w obrębie naczyń średniego lub małego kalibru niezwiązanego z dysplazją włóknisto-mięśniową lub inną niezapalną patologią naczyń (preferowana klasyczna angiografia) – **warunek konieczny oraz**
- Co najmniej 1 z poniższych
  - Zmiany skórne – livedo reticularis, tkliwe guzki podskórne, powierzchowne martwice skóry i tkanki podskórnej lub inne objawy niedokrwienne (zawały paznokciowe, owrzodzenia), głębokie owrzodzenia skóry, martwica dystalnych części palców, nosa czy uszu
  - Bóle lub tkliwość mięśni
  - Nadciśnienie tętnicze
  - Polineuropatia obwodowa – czuciowa neuropatia typu „rękawiczek i skarpetek" z utratą czucia, motoryczna mononeuropatia rozsiana
  - Nefropatia – białkomocz (> 0,3 g/dobę lub 30 mmol/mg), obecność albumin w rannej porcji moczu, krwinkomocz lub erytrocyturia > 5 wpw, niewydolność nerek (filtracja < 50% normy wg wzoru Schwartza)

W angiografii klasycznej lub TK, lub MR stwierdza się obecność licznych mikrotętniaków (3–5 mm), najczęściej w obrębie tętnic krezkowych, nerek i mózgu. W badaniu histopatologicznym mięśnia, jądra lub nerwu obwodowego poszukuje się z kolei typowych zmian morfologicznych (patrz wyżej).

Różnicowanie

Postać klasyczna wymaga różnicowania z innymi pierwotnymi zapaleniami naczyń (ziarniniakowatość Wegenera, choroba Kawasakiego, choroba Schönleina-Henocha), toczniem rumieniowatym układowym, krioglobulinemią, bakteryjnym zapaleniem wsierdzia, dysplazją włóknisto-mięśniową tętnic, neurofibromatozą II oraz zapaleniem naczyń w przebiegu infekcji HBV lub HCV.

Leczenie

Podstawę leczenia stanowią steroidy, niekiedy z koniecznością zastosowania terapii inicjującej w postaci 1–3 pulsów metyloprednizolonu. W przypadku obecności objawów klinicznych ze strony OUN lub przewodu pokarmowego dołącza się cyklofosfamid, rzadziej metotreksat, mykofenolan mofetykcu lub azatiopryne.

Rokowanie

Rokowanie w postaci klasycznej jest poważne. Śmiertelność szacuje się na 20–30%. Główne przyczyny zgonu stanowią niewydolność krążenia i epizody naczyniowe w obrębie OUN.

Postać skórna guzkowego zapalenia tętnic

Dotyczy skóry, stawów, mięśni i nerwów obwodowych, bez zapalenia naczyń narządów wewnętrznych i OUN. Pojawia się zwykle 2–3 tygodnie po zakażeniu gardła paciorkowcem hemolizującym grupy B i charakteryzuje się gorączką, toksycznym stanem ogólnym, obecnością guzków podskórnych, livedo reticularis, silnymi bólami dystalnych części kończyn (zwłaszcza łydek), zapaleniem stawów (najczęściej stawu nadgarstkowego) i neuropatią obwodową.

Podstawą rozpoznania jest obraz morfologiczny mięśnia lub nerwu obwodowego. Choroba ma często przebieg nawrotowy. W leczeniu stosuje się steroidy, w cięższych przypadkach w połączeniu z metotreksatem lub cyklofosfamidem. U dzieci z udokumentowanym poprzedzającym zakażeniem paciorkowcowym niektórzy autorzy zalecają profilaktykę penicyliną jak w gorączce reumatycznej.

Choroba Kawasakiego

łac. *morbus Kawasaki*

ang. Kawasaki disease

Definicja

Ostre nekrotyzujące zapalenie tętnic, współistniejące z zapaleniem śluzówkowo-skórno-węzłowym.

Epidemiologia

W 80% przypadków choroba dotyczy dzieci w wieku do 5 lat. Szczyt zachorowań obserwuje się w 2. rż. Najczęściej objawy pojawiają się w okresie zimy i wiosny. Chłopcy chorują 1,5 raza częściej niż dziewczynki. Obecnie przyjmuje się, że choroba Kawasakiego stanowi najczęstszą przyczynę nabytych wad serca w populacji światowej.

Etiologia i patogeneza

Dokładna etiologia choroby jest nieznana. Przyjmuje się, że stanowi ona wynik odpowiedzi immunologicznej organizmu na nieznany czynnik zewnętrzny (infekcyjny, toksyczny, superantygen).

Obraz kliniczny

Wystąpienie choroby Kawasakiego poprzedzone jest zwykle objawami łagodnej infekcji górnych dróg oddechowych nieznanego pochodzenia. Sama choroba rozpoczyna się wysoką remitującą gorączką ze zwyżkami do 40°C, której towarzyszą równocześnie lub z pewnym opóźnieniem objawy ze strony spojówek, skóry, błon śluzowych i węzłów chłonnych. Posłużyły one do zdefiniowania kryteriów diagnostycznych choroby Kawasakiego (tab. 18.20).

Dla prawidłowego rozpoznania przydatna jest odpowiednia chronologia objawów klinicznych:

- gorączka i limfadenopatia stwierdzana od początku choroby,
- następnie pojawienie się zmian skórnych oraz przekrwienia spojówek i błon śluzowych,
- w końcu wystąpienie charakterystycznego rumienia i obrzęku rąk i stóp, kończących się złuszczeniem skóry palców.

W przebiegu klinicznym choroby wyróżnia się trzy okresy:

- ostry – trwający od 8 do 15 dni, w którym występuje większość objawów głównych i towarzyszących,
- podostry – trwający od 12 do 25 dni, charakteryzujący się występowaniem łuszczenia skóry, nadpłytkowości i zapalenia stawów oraz rozwojem patologii w obrębie naczyń wieńcowych,
- zdrowienia – trwający od 28 do 31 dni.

Najgroźniejsze powikłania choroby Kawasakiego, czyli tętniaki naczyń wieńcowych powstają po 10 dniach od wystąpienia pierwszych objawów. Czynniki ryzyka ich powstawania to:

- leukocytoza > 12 G/l,
- trombocytoza < 350 G/l,
- podwyższona wartość CRP,
- hematokryt < 35%,
- albuminy < 3,5 g/dl,
- wiek ⩽ 12. mż., płeć męska.

Do innych zmian w sercu należą zapalenie mięśnia sercowego (100%) czy wsierdzia, zmiany w obrębie zastawek i zaburzenia rytmu.

Objawy towarzyszące ze strony innych układów:

- układ ruchu (30% przypadków) – artralgie, zapalenie stawów,
- układ pokarmowy (30%) – bóle brzucha, nudności/wymioty, biegunka, zapalenie wątroby, wodniak pęcherzyka żółciowego,
- OUN (25%) – aseptyczne zapalenie opon mózgowo-rdzeniowych, śpiączka, zapalenie nerwów czaszkowych (twarzowego i przedsionkowo-ślimakowego),
- układ moczowy (> 50%) – zapalenie cewki moczowej, jałowy ropomocz, niewielki białkomocz,
- narząd wzroku (> 50%) – zapalenie błony naczyniowej oka.

Przebieg naturalny

Przebieg choroby jest zwykle łagodny i ma tendencję do samoistnego ustępowania. W wieku niemowlęcym bywa nietypowy. Wtedy też istnieje największe ryzyko powstania groźnych dla życia tętniaków naczyń krwionośnych.

Metody diagnostyczne

Nieprawidłowości w badaniach laboratoryjnych są niecharakterystyczne. W ostrym i podostrym okresie choroby zawsze stwierdza się znacznie przyspieszone

OB i podwyższone CRP, a u ok. 80% dzieci również leukocytozę. Liczba płytek krwi, początkowo prawidłowa, zwiększa się stopniowo między 7. a 10. dniem choroby, osiągając szczyt między 15. a 25. dniem choroby, nierzadko przekraczając 100 G/l. Występująca dość często niedokrwistość spowodowana jest procesem hemolitycznym (dodatni bezpośredni test antyglobulinowy) lub mechanicznym uszkodzeniem krwinek przez zmienione naczynia.

Zapalenie wątroby z podwyższoną aktywnością aminotransferaz i żółtaczką stwierdza się u ok. 15% chorych.

Płyn mózgowo-rdzeniowy charakteryzuje się zwiększoną pleocytozą przy prawidłowym stężeniu białka i cukru.

Podstawowym badaniem obrazowym jest echokardiografia serca. W przypadku zmian zlokalizowanych w odcinkach dystalnych tętnic wieńcowych przydaje się również angio-TK.

Różnicowanie

Choroby zakaźne (odra, płonica, mononukleoza zakaźna, leptospiroza), guzkowe zapalenie tętnic, zespół Stevensa-Johnsona i gorączka reumatyczna.

Leczenie

Choroba Kawasakiego wymaga natychmiastowego wprowadzenia odpowiedniej terapii, często na oddziałach ogólnopediatrycznych, dlatego zasady leczenia omówiono szczegółowo (tab. 18.21).

Należy podkreślić, iż prawidłowe leczenie powinno być wprowadzone w możliwie najwcześniejszym okresie choroby (przed upływem 10 dni).

U dzieci < 6. mż., u których przebieg choroby jest często niecharakterystyczny, a ryzyko ciężkiego

---

Tabela 18.20. Kryteria diagnostyczne choroby Kawasakiego

1 Gorączka > 5 dni – **objaw wymagany oraz**
2 Co najmniej 4 z poniższych
- Zmiany w obrębie obwodowych części kończyn lub krocza
  – Rumień dłoni i podeszew stóp w fazie ostrej
  – Obrzęk stóp i rąk w fazie ostrej
  – Łuszczenie naskórka w fazie podostrej i zdrowienia
  – Zmiany w okolicy krocza
- Wielokształtna osutka niepęcherzykowa na skórze zlokalizowana głównie na tułowiu
- Obustronne zapalenie spojówek
- Zmiany w obrębie jamy ustnej i gardła
  – Przekrwienie, obrzęk, spękanie warg
  – Rozlane przekrwienie błony śluzowej j. ustnej/gardła
  – Język malinowy
- Limfadenopatia węzłów chłonnych szyjnych (co najmniej 1 o średnicy > 1,5 cm)

Niepełna postać choroby Kawasakiego – obecność gorączki i typowych zmian w naczyniach wieńcowych oraz stwierdzenie jedynie 2–3 kryteriów głównych
Nietypowa postać choroby Kawasakiego – obecność objawów rzadko obserwowanych w tej chorobie (np. niewydolność nerek, zmiany w obrębie oczodołów) oraz kryteriów rozpoznania postaci klasycznej

---

Tabela 18.21. Leczenie choroby Kawasakiego

- Immunoglobuliny dożylnie – 2 g/kg mc. w 10–12-godzinnym wlewie
- Kwas acetylosalicylowy – 80–100 mg/kg mc. 4 × dziennie do ustąpienia gorączki, maks. 14 dni lub do ↓ trombocytozy, potem 3–5 mg/kg mc. przez 8 tygodni przy braku cech uszkodzenia tętnic (normalizacja liczby płytek krwi) lub długotrwale przy ich obecności
- Steroidy – przy braku poprawy po 2 podaniach immunoglobulin pulsy metyloprednizolonu 30 mg/kg mc. (1–3 dni) lub prednizonu 2 mg/kg mc. do czasu ustąpienia objawów zapalnych (zwykle 3 tyg.), rzadziej ciężkie zapalenie mięśnia sercowego, osierdzia, ciężka adenopatia, zapalenie dużych tętnic obwodowych
- Acenokumarol/heparyna – podawane, gdy występują tętniaki olbrzymie lub mnogie małe

uszkodzenia naczyń wieńcowych najwyższe, samo podejrzenie choroby uzasadnia podanie immunoglobulin dożylnie, nawet przy braku klasycznych kryteriów diagnostycznych.

Powikłania

Powikłania opisano w rozdziale 10.

Rokowanie

Rokowanie co do zdrowia i życia z chwilą wprowadzenia do leczenia γ-globuliny uległo zasadniczej poprawie. Śmiertelność obniżyła się do 0,08–3,7%. Ryzyko rozwoju tętniaków u niemowląt wynosi 15%, a u dzieci > 1. rż. 3%. Najczęstsze przyczyny zgonu stanowią zawał serca, migotanie komór, zastoinowa niewydolność krążenia, blok przedsionkowo-komorowy III stopnia oraz pęknięcie tętniaków.

Ziarniniakowatość Wegenera

łac. *granulomatosis Wegeneri*

ang. Wegener's granulomatosis

Definicja

Rzadko spotykana choroba o nieznanej etiologii, która rozwija się na podłożu uogólnionego nekrotyzującego zapalenia małych naczyń (kapilary, żyły, tętniczki) z tworzeniem zapalnych nekrotyzujących ziarniniaków w ich ścianach oraz w przestrzeniach około- i pozanaczyniowych. Zmiany lokalizują się głównie w górnych i dolnych drogach oddechowych oraz w nerkach.

Ziarniniakowatość Wegenera wraz z zespołem Churga–Strauss i mikroskopowym zapaleniem wielonaczyniowym zalicza się do tzw. **zapaleń naczyń ANCA-zależnych**.

Epidemiologia

Zachorowania zdarzają się w każdym wieku. Częstość występowania ocenia się na 25–150 : 1 000 000 osób. Dwukrotnie częściej chorują mężczyźni.

Etiologia i patogeneza

W patogenezie tej choroby bierze się pod uwagę czynniki genetyczne, środowiskowe i toksyczne (pestycydy, krzem, leki). Bardziej szczegółowo wymienia się m.in. niedobór inhibitora α1-antytrypsyny (silnego antagonisty proteinazy 3 i elastazy), nadwrażliwość jamy nosowej i gardła na alergeny oraz infekcje (*Staphylococcus aureus*, parwowirus B19, hantawirus).

Do uszkodzenia naczyń krwionośnych w przebiegu ANCA-zależnych zapaleń dochodzi w następstwie:

- odpowiedzi zapalno-immunologicznej na superantygen, najczęściej pochodzenia bakteryjnego,
- tworzenia się kompleksów immunologicznych z udziałem ANCA,
- reakcji ANCA ze wzbudzonymi granulocytami, które nabywają zdolność uszkadzania komórek śródbłonka w związku z uwalnianiem metaloproteinaz i cytokin zapalnych.

Na podstawie typu świecenia widocznego w mikroskopie immunofluorescencyjnym wyróżniono dwie kategorie ANCA:

- c-ANCA (cytoplazmatyczne) – wykazują rozlany, ziarnisty i cytoplazmatyczny typ świecenia będący wynikiem połączenia się przeciwciał z surowicy chorego z proteazą 3 występującą w ziarnistościach azurofilnych granulocytów obojętnochłonnych,
- p-ANCA (okołojądrowe) – wykazują typ świecenia okołojądrowy lub jądrowy, głównym antygenem dla tych przeciwciał jest mieloperoksydaza, rzadziej elastaza.

Obraz kliniczny

Klasyczna triada kliniczna ziarniniakowatości Wegenera to zajęcie górnych dróg oddechowych, płuc i nerek. W przypadku braku zmian zapalnych w obrębie nerek mówi się o ograniczonej postaci choroby. Zwykle obserwuje się przebieg dwufazowy – faza I (ziarniniakowa) i II (ogólnoustrojowe zapalenie tętnic).

W początkowym okresie choroby występują stany gorączkowe, bóle mięśniowo-stawowe, różne zmiany skórne, utrata łaknienia i bóle w klatce piersiowej. Inne objawy wymieniono poniżej.

- Ze strony układu oddechowego (u 90% chorych):
  - zapalenie zatok obocznych nosa,
  - krwisto-ropny nieżyt nosa z charakterystycznym strupieniem,
  - perforacja przegrody nosa z destrukcją rusztowania nosa i jego siodełkowatym zniekształceniem.
- Zmiany w narządzie słuchu (60% chorych):
  - surowicze zapalenie ucha środkowego – przez wiele miesięcy lub lat może być jedynym objawem choroby,

- zapalenie ucha zewnętrznego z ziarniniakowym zapaleniem błony bębenkowej,
- ropne zapalenie ucha środkowego,
- zajęcie ucha wewnętrznego z głuchotą i objawami błędnikowymi.
- **Zapalenie tchawicy z podgłośniowym zwężeniem krtani (20% chorych)** – stan zagrożenia życia, cechuje je oporność na leczenie farmakologiczne, zawsze wymaga zabiegów rozszerzających, nierzadko również wykonania tracheotomii.
- **Zmiany w dolnych drogach oddechowych (85% chorych):**
  - kaszel,
  - krwioplucie,
  - ból w klatce piersiowej,
  - niewydolność oddechowa,
  - zmiany radiologiczne – rozsiane zmiany guzkowe lub rozproszone nacieki z objawami rozpadu,
  - zapalenie opłucnej (rzadko),
  - zmiany zapalne w oskrzelach – prowadzą do zwężenia ich światła i powstania przetok oskrzelowo-płucnych z niedodmą płatową,
  - zespół płucno-nerkowy – rozlany krwotok do pęcherzyków płucnych z niewydolnością oddechową oraz szybko postępująca niewydolność nerek, przypomina w badaniu radiologicznym płuc typowy obraz zespołu Goodpasture'a; charakteryzuje się wysoką śmiertelnością.
- **Zajęcie nerek (80% chorych):**
  - martwicze ubogoimmunologiczne zapalenie kłębuszków nerkowych z zewnątrznaczyniową proliferacją i rozwojem niewydolności nerek, typowe dla wszystkich zapaleń naczyń ANCA-zależnych,
  - ogniskowe segmentowe stwardnienie kłębuszków nerkowych z niewielkim krwinkomoczem i białkomoczem,
  - zmiany patologiczne w moczu mogą być wynikiem zmian zapalnych w cewce moczowej i gruczole krokowym.
- **Zajęcie układu sercowo-naczyniowego (30% chorych):**
  - zapalenie osierdzia,
  - rzadziej zapalenie mięśnia sercowego lub wsierdzia,
  - destrukcja zastawek serca,

- zapalenie naczyń wieńcowych z zawałem mięśnia sercowego,
- zaburzenia rytmu serca – napadowy częstoskurcz przedsionkowy (najczęściej), migotanie i trzepotanie przedsionków, wynikające z martwiczego zapalenia naczyń lub ziarniniakowego zapalenia węzła zatokowego lub przedsionkowo-komorowego.
- **Zmiany w narządzie wzroku (22–55% chorych):**
  - spojówek, twardówki, nadtwardówki, błony naczyniowej, tętnic siatkówki,
  - ziarniniakowe zapalenie tkanek oczodołów – prowadzi do trudno poddającego się leczeniu wytrzeszczu gałki ocznej.
- **Zmiany w obrębie układu nerwowego (20% chorych):**
  - zapalenie nerwów obwodowych,
  - zapalenie nerwów czaszkowych,
  - aseptyczne zapalenie opon mózgowo-rdzeniowych,
  - moczówka prosta w przypadku zajęcia podwzgórza.
- **Zmiany w przewodzie pokarmowym (10% chorych):**
- bóle brzucha,
- biegunki krwotoczne.
- **Patognomoniczny objaw ziarniniakowatości Wegenera** stanowi hiperplastyczny poziomkowy przerost dziąseł z bolesnymi owrzodzeniami błony śluzowej jamy ustnej.
- **Zmiany skórne (50% chorych):**
  - plamica naczyniowa,
  - rzadziej obecność guzków podskórnych czy martwiczych pęcherzy.

Przebieg naturalny

Przebieg choroby może być różny, od postaci łagodnej i ograniczonej, do postaci uogólnionej z zagrożeniem życia. Niezwykle trudnym problemem klinicznym są nawroty choroby, często o burzliwym przebiegu, obarczone wysoką śmiertelnością. Częstość ich występowania waha się w granicach między 10 a 50%.

Metody diagnostyczne

Standardowe badania laboratoryjne są nieswoiste. Występują znacznie przyśpieszone OB, podwyższone stężenie CRP, niewielka niedokrwistość oraz umiarkowana leukocytoza i nadpłytkowość. Nie stwierdza się ANA. Charakterystycznym markerem serologicznym jest obecność autoprzeciwciała przeciwko cytoplazmie granulocytów i monocytów dla proteinazy 3 (c-ANCA). Wykrywa się je w teście immunofluorescencji pośredniej. Są obecne u 90% chorych z ziarniniakowatością Wegenera w fazie uogólnionej i u 40–50% w fazie ziarniniakowej. Przeciwciała te wykrywa się również w innych typach pierwotnych zapaleń naczyń (tab. 18.22). Ich brak nie wyklucza rozpoznania ziarniniakowatości Wegenera. Monitorowanie miana ANCA stanowić może cenną wskazówkę co do skuteczności prowadzonej terapii.

W celu oceny zmian narządowych wykonuje się RTG, TK i MR.

W 2010 r. przedstawiono kryteria diagnostyczne dla ziarniniakowatości Wegenera w wieku rozwojowym (tab. 18.23).

Podstawowe znaczenie diagnostyczne ma obraz histopatologiczny biopsji tkankowej (błony śluzowej nosa, płuca, nerki, oczodołu). Rozległość i nasilenie zmian są proporcjonalne do ciężkości obrazu klinicznego. Diagnostyczna triada kryteriów histopatologicznych obejmuje:

- nekrotyzujące ziarniniaki w górnych drogach oddechowych i/lub płucach,
- nekrotyzujące lub ziarniniakowe zapalenie małych naczyń zlokalizowanych głównie w płucach,
- ogniskowe, segmentowe, nekrotyzujące zapalenie kłębuszków nerkowych, często z obecnością półksiężyców.

Różnicowanie

Niespecyficzne reakcje zapalne (alergiczne, polekowe), inne zapalenia ziarniniakowe (gruźlica, grzybica, sarkoidoza), inne rodzaje *vasculitis*.

Leczenie

Leczeniem z wyboru jest skojarzona terapia steroidami i cyklofosfamidem. Steroidoterapia może być za-

inicjowana podaniem 3–5 pulsów metyloprednizolonu. Przez co najmniej 4 tygodnie podaje się duże dawki steroidów, a następnie redukuje się dawkę w zależności od stopnia uzyskanej poprawy. Cyklofosfamid stosuje się zazwyczaj przez 3–6 miesięcy (indukcja remisji), a następnie w jego miejsce wprowadza się azatioprynę lub metotreksat na okres do 18 miesięcy (podtrzymanie remisji).

Z innych leków należy wymienić mykofenolan mofetylu, leflunomid, preparaty immunoglobulin i globulinę antytymocytową. Terapie biologiczne inhibitorami TNF-α, a zwłaszcza rytuksymabem, wymagają badań na większej grupie chorych.

Niektórzy autorzy postulują zasadność leczenia kotrimoksazolem w celu przeciwdziałania kolonizacji jamy nosowo-gardłowej *Streptococcus aureus* i profilaktyki infekcji *Penumocystis jiroveci*. Takie leczenie jest przeciwwskazane u dzieci otrzymujących metotreksat.

U chorych z burzliwym przebiegiem choroby stosowane są zabiegi plazmaferezy i dializoterapii.

Powikłania

Do najpoważniejszych powikłań należą niewydolność nerek i płuc, zespół płucno-nerkowy, utrata słuchu, zniekształcenie nosa, utrata wzroku oraz zwężenie tchawicy.

Rokowanie

Rokowanie w ziarniniakowatości Wegenera jest zawsze poważne. Chorzy na postać uogólnioną nieleczeni umierają średnio po 5 miesiącach od momentu

Tabela 18.23. Kryteria diagnostyczne ziarniniakowatości Wegenera w wieku rozwojowym

- Histopatologia – ziarniniakowe zapalenie w obrębie ściany naczynia lub w okolicy około- i pozanaczyniowej
- Zmiany w obrębie górnych dróg oddechowych – obecność ropnej lub krwistej wydzieliny z nosa, nawracające krwawienia z nosa, strupienie nosa
- Zmiany w obrębie tchawicy i oskrzeli – zwężenie podgłośniowe krtani, zwężenie tchawicy lub oskrzela
- Zmiany w obrębie dolnych dróg oddechowych – obecność zmian guzkowych, jamistych lub stałych nacieków w obrazach RTG lub TK
- Obecność c-ANCA – immunofluorescencja pośrednia, ELISA
- Nefropatia – białkomocz (> 0,3 g/dobę lub > 300 mmol/mg), obecność albumin w rannej porcji moczu, krwinkomocz lub erytrocyturia > 5 wpw, bądź martwicze ubogoimmunologiczne zapalenie kłębuszków nerkowych

Dla rozpoznania ziarniniakowatości Wegenera wymagana jest obecność co najmniej 3 z wyżej wymienionych objawów

Tabela 18.22. Częstość występowania ANCA w różnych typach zapaleń naczyń

CHOROBA	c-ANCA	p-ANCA
Zarniniakowatość Wegenera	90%	10%
Mikroskopowe zapalenie wielonaczyniowe	30%	60%
Zespół Churga–Strauss	10%	60%
Guzkowe zapalenie tętnic	5%	5%

rozpoznania. Rokowanie determinują wczesne rozpoznanie, zajęte narządy i włączenie odpowiedniego leczenia. Remisję uzyskuje się w 30–93% przypadków w zależności od zastosowanej terapii. Czynnikami złej prognozy są podeszły wiek, zajęcie procesem chorobowym wielu narządów. Szczególnie istotne jest uszkodzenie nerek. Śmiertelność ocenia się na 25%. Najczęstsze przyczyny zgonów stanowią zespół nerkowo-płucny, niewydolność nerek i epizody naczyniowe w obrębie OUN.

Zespół Churga–Strauss

łac. *syndroma Churg-Strauss*

ang. Churg–Strauss syndrome

Definicja

Zespół Churga–Strauss, znany również jako alergiczne ziarniniakowe zapalenie naczyń, charakteryzuje się uogólnionym nekrotyzującym zapaleniem naczyń krwionośnych współistniejącym z nekrotyzującymi ziarniniakami pozanaczyniowymi i eozynofilią.

Epidemiologia

Zapadalność określa się na 2,4 : 1 000 000. Chorują przede wszystkim osoby między 20. a 40. rż., nieco częściej mężczyźni.

Etiologia i patogeneza

Jego etiologia pozostaje nieznana. Prawdopodobnie choroba wywołana jest procesem autoimmunizacyjnym, na co wskazują m.in. zaburzenia w zakresie aktywności limfocytów T i odporności humoralnej (hipergammaglobulinemia, szczególnie IgE i obecność czynnika reumatoidalnego) oraz możliwa obecność przeciwciał przeciw cytoplazmie granulocytów p - ANCA. Pod uwagę bierze się również czynniki środowiskowe, uwarunkowania genetyczne i zakażenia.

Obraz kliniczny

Występuje prawie wyłącznie u osób ze skazą alergiczną, a zwłaszcza astmą oskrzelową. W przebiegu choroby można wyodrębnić 3 fazy:

- I faza – choroba na tle alergicznym, najczęściej nieżyt nosa z obecnością polipów,
- II faza – nacieki w tkankach z komórek kwasochłonnych, znaczna eozynofilia, astma,
- III faza – uogólnione martwicze zapalenia naczyń.

Początek choroby jest zwykle nagły z gorączką. Późniejsze objawy:

- skóra – najczęstszą formą zmian jest plamica obserwowana u 60% chorych, poza tym stwierdza się guzki, livedo reticularis, grudki i martwicze pęcherze,
- przewód pokarmowy – bóle brzucha, krwiste biegunki, perforacje ściany jelita (czynnik złej prognozy),
- serce – niewydolność krążenia z zapaleniem osierdzia i nadciśnieniem tętniczym, rzadziej kardiomiopatia czy zawał serca; zmiany w układzie krążenia są powodem połowy zgonów wśród chorych z zespołem Churga–Strauss,
- płuca – zwiewne nacieki odwnękowe typu zespołu Loefflera, eozynofilowego zapalenia płuc i opłucnej, rzadziej krwotoki do pęcherzyków płucnych,
- układ nerwowy – polineuropatia czuciowo-ruchowa kończyn (zwłaszcza dolnych), uszkodzenie nerwów czaszkowych (głównie wzrokowego), drgawki, krwotoki i zawały mózgu,
- stawy – zapalenie stawów lub artralgie występują u 20% chorych,
- nerki – krwinkomocz i białkomocz o niewielkim nasileniu, sporadycznie nefropatia w postaci ogniskowego zapalenia kłębuszków nerkowych.

Przebieg naturalny

Przebieg choroby jest zwykle wieloletni z wyodrębnieniem 3 okresów. W ostatnim etapie martwiczego ziarniniakowatego zapalenia naczyń objawy astmy wyciszają się, a w obrazie klinicznym dominują symptomy związane z *vasculitis*.

Metody diagnostyczne

W badaniach laboratoryjnych typowym objawem obok podwyższonych stężeń nieswoistych wskaźników ostrej fazy jest **eozynofilia > 15%**. ANCA, głównie p-ANCA, pojawiają się w 60% przypadków. Znaczenie diagnostyczne ma również podwyższony poziom IgE.

U każdego dziecka z podejrzeniem zespołu Churga–Strauss należy wykonać badanie echokardiograficzne serca i HRTC płuc.

Do rozpoznania zespołu Churga–Strauss niezbędne jest spełnienie obu poniższych kryteriów (autorstwa Lanhama):

■ astma oskrzelowa,

■ eozynofilia > 15% i *vasculitis* w obrębie co najmniej 2 narządów poza układem oddechowym.

Różnicowanie

Zespoły hipereozynofilowe, zakażenie włośnicą, reakcje polekowe, sarkoidoza, aspergiloza, ziarniniakowatość Wegenera i inne typy pierwotnych zapaleń naczyń.

Leczenie

Monoterapia steroidami lub ich skojarzenie z cyklofosfamidem lub azatiopryną w dawkach ogólnie zalecanych w terapii *vasculitis*. Niekiedy początkowo podaje się pulsy metyloprednizolonu. W przypadku katastrofalnego przebiegu wskazane są zabiegi plazmaferezy i terapia interferonem α.

Powikłania

Zmiany neurologiczne (mononeuropatia obwodowa), zastoinowa niewydolność serca, zaciskające zapalenie osierdzia, epizody naczyniowe w obrębie mózgu, nadciśnienie tętnicze.

Rokowanie

Rokowanie jest poważne. Odsetek 5-letnich przeżyć wśród chorych z zespołem Churga–Strauss wynosi 62–79%. Najczęstsze przyczyny zgonu to zawał serca i powikłania ze strony przewodu pokarmowego.

Mikroskopowe zapalenie wielonaczyniowe

łac. *polyangiitis microscopica*
ang. microscopic polyangiitis

Definicja

Układowe martwicze nieziarninakowe zapalenie naczyń krwionośnych małego kalibru z towarzyszącym ogniskowym i segmentowym zapaleniem kłębuszków nerkowych i nierzadko zapaleniem naczyń włosowatych pęcherzyków płucnych (*capilaritis*).

Epidemiologia

Dotyczy głównie osób starszych. Zachorowalność w Europie wynosi 3–11 : 1 000 000 w zależności od kraju.

Etiologia i patogeneza

Nieznana.

Obraz kliniczny

Początek choroby jest podstępny, ze stanami gorączkowymi, bólami stawowo-mięśniowymi, utratą łaknienia i spadkiem masy ciała.

Wiodącym objawem klinicznym jest kłębuszkowe zapalenie nerek, od ogniskowego segmentowego do rozlanego martwiczego gwałtownie postępującego, które u dzieci nieleczonych szybko prowadzi do schyłkowej niewydolności nerek.

Drugą co do częstości manifestacją narządową są zmiany w układzie oddechowym. Mikroskopowe zapalenie wielonaczyniowe stanowi najczęstszą przyczynę **zespołu płucno-nerkowego**. Do zajęcia płuc dochodzi u 50% chorych, w tym krwawienie do pęcherzyków płucnych obserwuje się w 30% przypadków.

Typowym objawem w obrębie skóry jest plamica typu Schönleina–Henocha. Symptomy gastrologiczne to bóle brzucha, krwiste biegunki. Zmiany w obwodowym i/lub ośrodkowym układzie nerwowym dotyczą 30% chorych.

Przebieg naturalny

Progresywny z dominującymi objawami ze strony płuc i nerek.

Metody diagnostyczne

U ok. 80% dzieci z mikroskopowym zapaleniem wielonaczyniowym stwierdza się obecność ANCA, najczęściej p-ANCA. Obecne są odchylenia typowe dla ostrego procesu zapalnego – przyspieszone OB, podwyższone stężenie CRP i trombocytoza. U większości pacjentów obserwuje się laboratoryjne objawy niewydolności nerek.

Podejrzenie krwawienia w obrębie układu oddechowego wymaga wykonania badania HRCT płuc.

Podstawę rozpoznania stanowi ocena bioptatu nerek. Angiografia jest mało przydatna z uwagi na nieobecność tętniaków czy zwężeń w świetle naczyń krwionośnych.

Różnicowanie

Mikroskopowe zapalenie wielonaczyniowe należy różnicować przede wszystkim z innymi typami martwiczego zapalenia naczyń – ziarniniakowatością Wegenera, zespołem Churga–Strauss i guzkowym zapaleniem tętnic.

Leczenie

Stosuje się steroidy w połączeniu z cyklofosfamidem. Krwotok płucny jest stanem bezpośredniego zagrożenia życia i wymaga natychmiastowego leczenia pulsami z metyloprednizolonu i cyklofosfamidu oraz nierzadko jednocześnie stosowanymi zabiegami plazmaferezy.

Powikłania

Przede wszystkim zespół płucno-nerkowy.

Rokowanie

Obecnie ponad 80% chorych przeżywa więcej niż 5 lat. Najczęstsza przyczyna zgonów to zespół płucno-nerkowy. Rokowanie w mikroskopowym zapaleniu wielonaczyniowym jest poważne, zwłaszcza u chorych z krwotokami płucnymi.

Choroba Schönleina–Henocha

łac. *purpura Henoch-Schönlein*

ang. Henoch–Schönlein purpura

Definicja

Najczęstsza postać układowego zapalenia naczyń w wieku rozwojowym. Zapalenie jest wynikiem odpowiedzi immunologicznej z udziałem IgA1 na nieznany czynnik etiologiczny, najprawdopodobniej infekcyjny. Choroba rozwija się na podłożu ostrego leukocytoklastycznego zapalenia naczyń małego kalibru w obrębie skóry, przewodu pokarmowego, błony maziowej stawów i nerek. Badanie histopatologiczne nerki wykazuje typowe zmiany dla nefropatii IgA.

Epidemiologia

Choroba występuje w każdym wieku, z predyspozycją do zachorowania u małych dzieci, ze szczytem w wieku 3–4 lat. Częstość jej występowania szacuje się na ok. 13–18 : 100 000. Chłopcy chorują 2 razy częściej niż dziewczynki.

Etiologia i patogeneza

Patogeneza jest nieznana. Wiadomo, że rozwój tego typu *vasculitis* wiąże się z tworzeniem się kompleksów immunologicznych zbudowanych z podklasy IgA1 polimerycznej IgA i składowej C3 dopełniacza. Odkładanie się kompleksów w ścianie naczynia zapoczątkowuje proces zapalny.

W większości przypadków początek choroby poprzedzony jest infekcją górnych dróg oddechowych paciorkowcem β-hemolizującym, mykoplazmą lub legionellą. Do innych czynników etiologicznych zalicza się infekcje wirusowe (parwowirus B19, CMV, HBV, HCV), leki (penicylina, aspiryna), produkty żywnościowe (orzechy, jeżyny), szczepienia ochronne i ekspozycję na niską temperaturę.

Obraz kliniczny

Najbardziej charakterystycznym objawem jest wysypka w postaci różnej wielkości wyniosłych plamistych lub grudkowo-plamistych wykwitów zapalnych o zmien-

nie nasilonym komponencie krwotocznym. Wykwity nie znikają pod wpływem ucisku. Najczęściej lokalizują się w obrębie wyprostnych części podudzi i na pośladkach. U dzieci < 3. rż. dość często obserwuje się zmiany pęcherzowe i obrzęki naczynioworuchowe. Zmianom skórnym zwykle towarzyszy gorączka > 38°C i zapalenie stawów (70% przypadków). To ostatnie najczęściej dotyczy stawów skokowych i kolanowych. Ma przelotny charakter. Bóle dominują nad obiektywnymi cechami zapalenia stawów.

Zapalenie naczyń w obrębie przewodu pokarmowego objawia się kolkowymi bólami brzucha z utajonymi lub jawnymi krwawieniami. W przypadku zmian w układzie pokarmowym zawsze istnieje ryzyko wystąpienia wgłobienia jelit. Rzadziej obserwowane są perforacje i zawały ściany jelita.

Zapalenie nerek dotyczy 40% pacjentów i zazwyczaj rozwija się między 2. a 6. tygodniem trwania choroby. Zmiany morfologiczne w nerkach wahają się od łagodnego ogniskowego do uogólnionego martwiczego zapalenia kłębuszków nerkowych. Nefropatia najczęściej objawia się krwinkomoczem, rzadziej niewielkim białkomoczem. Przewlekłe zapalenie nerek obserwowane jest w 20% przypadków i czasem prowadzi do niewydolności narządu. Czynniki ryzyka rozwoju przewlekłej nefropatii stanowią wiek > 6. rż., zajęcie przewodu pokarmowego i płeć męska (patrz rozdz. 14 „Choroby układu moczowego”).

Sporadycznie u dzieci z chorobą Schönleina–Henocha obserwowane są objawy neurologiczne (drgawki, pląsawica, porażenia), pulmonologiczne (krwotoki) i okulistyczne (zapalenie błony naczyniowej).

Nierzadko przebieg choroby ma charakter nawrotowy, przy czym kolejne epizody są coraz łagodniejsze.

Przebieg naturalny

Choroba Schönleina–Henocha ma zwykle przebieg łagodny, samoograniczający się, ale z tendencją do nawrotów.

Metody diagnostyczne

Rozpoznanie choroby Schönleina–Henocha opiera się na typowym obrazie klinicznym i kryteriach diagnostycznych zmodyfikowanych w 2010 r. (tab. 18.24).

Badania laboratoryjne zwykle nie wykazują żadnych nieprawidłowości, z koagulogramem i liczbą płytek krwi włącznie. W przypadku zajęcia nerek najczęściej stwierdza się krwinkomocz, któremu w 75% przypadków towarzyszy białkomocz.

Tabela 18.24. Kryteria diagnostyczne choroby Schönleina–Henocha
■ Wyczuwalna plamica skóry lub wybroczyny głównie w obrębie kończyn dolnych niezwiązane z małopłytkowością – **warunek konieczny oraz**   ■ Co najmniej 1 z poniższych   – Rozlany kolkowy ból brzucha (możliwe wgłobienie jelita, krwawienie z przewodu pokarmowego)   – Typowe zmiany histopatologiczne w skórze (leukocytoklastyczne zapalenie naczyń z przewagą złogów IgA) lub w nerkach (rozplemowe kłębuszkowe zapalenie nerek z przewagą złogów IgA)   – Zmiany stawowe – zapalenie, obrzęk lub ból z ograniczeniem ruchomości   – Nefropatia – białkomocz (> 0,3 g/24 h) lub obecność albumin w rannej porcji moczu, krwinkomocz lub erytrocyturia > 5 wpw

Tabela 18.25. Kryteria rozpoznania łagodnego zespołu nadmiernej ruchomości stawów
■ Bierne przyleganie kciuka do części dłoniowej przedramienia   ■ Bierny przeprost łokci > 10°   ■ Bierny przeprost kolan > 10°   ■ Nadmierne bierne zgięcie grzbietowe stawu skokowego i nadmierne wywinięcie stopy   ■ Bierny przeprost palców z równoległym przyleganiem do przedramienia
Wymagane jest spełnienie co najmniej 4 z powyższych kryteriów

Różnicowanie

Leukocytoklastyczne zapalenie naczyń w tym zespole wymaga różnicowania z odczynami polekowymi, infekcyjnym zapaleniem wsierdzia, zakażeniem meningokokowym i układowymi chorobami tkanki łącznej, zwłaszcza toczniem rumieniowatym układowym i guzkowym zapaleniem tętnic.

Leczenie

Nie ma jednego ogólnie przyjętego schematu leczenia choroby Schönleina–Henocha. Z uwagi na często poprzedzające rozwój choroby zakażenie układu oddechowego wskazane jest stosowanie antybiotyków i usunięcie ewentualnych ognisk zakażenia.

W przypadkach łagodnego przebiegu choroby stosuje się wyłącznie leczenie objawowe. Zmiany na skórze i krwinkomocz nie są wskazaniem do leczenia immunosupresyjnego. Bezpośrednie wskazanie do steroidoterapii stanowi zajęcie przewodu pokarmowego i obrzęki.

18.3   *Lidia Rutkowska-Sak*
ŁAGODNY ZESPÓŁ NADMIERNEJ RUCHOMOŚCI STAWÓW

łac. *benigna arthritis hypermobility syndrome*
ang. benign joint hypermobility syndrome

Definicja

Jedna z niezapalnych chorób reumatycznych. Zespół charakteryzujący się amplitudą ruchu w stawach kończyn i kręgosłupa przekraczającą zakres prawidłowy, ograniczany torebką stawową, więzadłami i innymi elementami z otaczających tkanek miękkich.

Epidemiologia

Choroba występuje u 2–30% dzieci w wieku przedszkolnym, najczęściej w rodzinach, w których choruje jedna lub więcej osób. Częściej występuje u dziewczynek.

Etiologia i patogeneza

Niejasną rolę przypisuje się czynnikom genetycznym, związanym z chromosomem X. Nadmierna wiotkość więzadeł wynika z nieprawidłowości w genie kodującym białka, takie jak kolagen, elastyna czy fibrylina, co prowadzi do utraty wytrzymałości na rozciąganie w obszarze stawu i zwiększonej kruchości tkanek.

Obraz kliniczny

W obrazie chorobowym dominuje ból stawów, często prowadzący do ograniczenia aktywności fizycznej. W przypadku przeciążeń i urazów mechanicznych występują płaskostopie, podwichnięcia drobnych stawów rąk i rzepek czy naderwania ścięgien.

Do rozpoznania choroby u dzieci służą kryteria Cartera i Wilkinsona (tab. 18.25).

Przebieg naturalny

U większości dzieci z tym zespołem nasilenie nadmiernej ruchomości stawów zmniejsza się wraz z wiekiem.

Metody diagnostyczne

Wyniki badań dodatkowych nie odbiegają od normy.

Różnicowanie

Z zespołem Marfana, zespołem Ehlersa–Danlosa, wrodzoną łamliwością kości i zespołem Sticklera.

Leczenie

Odpowiednia kinezyterapia w celu umiejętnego wzmocnienia siły mięśni stabilizujących stawy bez ich obciążania.

Powikłania

Nawracające zwichnięcia stawów.

Rokowanie

Choroba predysponuje do wystąpienia wczesnych zmian zwyrodnieniowych.

18.4   *Lidia Rutkowska-Sak*
BÓLE WZROSTOWE

łac. *augmentum dolores*

ang. growth pain

Definicja

Idiopatyczne bóle mięśniowo-szkieletowe lub łagodne bóle nocne.

Epidemiologia

Nieznana.

Etiologia i patogeneza

Często występuje rodzinnie. Wydaje się, że zmniejszony próg bólowy u dzieci po całodziennych przeciążeniach jest przyczyną występowania bólów wzrostowych.

Niektórzy autorzy przypisują dolegliwości zaburzeniom naczyniowym lub niedoborowi witaminy D, ale jak dotychczas nie ustalono jednoznacznych przyczyn dolegliwości.

Obraz kliniczny

Cechy kliniczne są zdefiniowane w kryteriach Petersona i Mellesona. Wszystkie muszą być spełnione dla postawienia rozpoznania.

- Choroba występuje u dzieci w wieku od 4 do 12 lat (najczęściej między 4. a 6. rż.).
- Ból jest okresowy, nie występuje codziennie.
- Ból występuje popołudniu lub wieczorem, nigdy rano.

- Ból dotyczy symetrycznie ud, dołów podkolanowych, podudzi – najczęściej lokalizuje się na przedniej części kości piszczelowych, nigdy nie dotyczy stawów.
- Chód dziecka jest prawidłowy.
- Badanie fizykalne i badania laboratoryjne nie wykazują odchyleń od normy.

Przebieg naturalny

Dolegliwości z wiekiem samoistnie ustępują.

Metody diagnostyczne

Rozpoznanie polega na wykluczeniu innych przyczyn dolegliwości bólowych oraz spełnieniu objawów zawartych w kryteriach.

Różnicowanie

Łagodny zespół nadmiernej ruchomości stawów, bóle pourazowe.

Leczenie

W leczeniu pomaga łagodny masaż, czasem też leki przeciwbólowe, niekiedy preparaty witaminy D.

Powikłania

Nie ma powikłań.

Rokowanie

Dobre.

Piśmiennictwo

1. Romicka A., Rostropowicz-Denisiewicz K.: *Zarys reumatologii wieku rozwojowego*. Elamed, Katowice 2010.
2. Steciwko A.: *Medycyna rodzinna – co nowego*. Cornetis, Wrocław 2010.
3. Romicka A., Rostropowicz-Denisiewicz K.: *Zapalne choroby reumatyczne w wieku rozwojowym*. Wydawnictwo Lekarskie PZWL, Warszawa 2005.
4. Cassidy J.T., Petty R.E.: *Textbook of pediatric rheumatology*. Elsevier, Oxford 2005.
5. Postępski J., Tuszkiewicz-Misztal E.: *Atlas reumatologii dziecięcej*. Medycyna Praktyczna, 2008.

CHOROBY ZAKAŹNE

red. Magdalena Marczyńska

Choroby infekcyjne występują często w populacji dziecięcej. Niemowlęta przez pierwsze 6 miesięcy życia chronione są przez matczyne przeciwciała (o ile ich matka chorowała na daną chorobę lub była przeciw niej szczepiona). Dziecko, wchodząc w większe zbiorowiska (żłobek, przedszkole, szkoła), kontaktuje się z nowymi patogenami i często ulega zakażeniu. Typowe dla tego okresu infekcje nazwano chorobami zakaźnymi wieku dziecięcego, znacznie rzadziej stwierdza się je u dorosłych. Często mają charakterystyczne objawy kliniczne. Wiedza o okresach wylęgania i zakaźności pozwala zmniejszyć ryzyko ich wystąpienia oraz ułatwia podjęcie właściwego postępowania. Wielu z nich można skutecznie zapobiegać. Mimo nabywanego doświadczenia rozpoznanie choroby może stanowić problem, ponieważ „każdy choruje jak umie" (prof. J. Bogdanowicz), poza tym, jeśli dla kogoś dziedzina ta nie stanowi codziennej praktyki, zawsze warto zajrzeć do źródeł.

19.1 WYSYPKI W PRZEBIEGU CHORÓB ZAKAŹNYCH
Małgorzata Szczepańska-Putz

Wiele chorób zakaźnych, szczególnie wirusowych, przebiega z wysypką. Często jest ona wiodącym objawem choroby. Choć obraz może być zmodyfikowany przez wcześniejsze szczepienie, obecność w surowicy krwi biernie dostarczonych przeciwciał lub zastosowane leczenie, np. antybiotykoterapię. W wywiadzie istotne są przebyte szczepienia ochronne i choroby. Należy określić:

■ rodzaj wysypki (plamista, grudkowa, pęcherzykowa, mieszany charakter),

■ kolor wykwitów (intensywnie czerwone, różowe, bladoróżowe),

■ zajmowany obszar, miejsce najobfitszego występowania i ewentualną obecność na śluzówkach,

■ czy wysypka ma charakterystyczny układ,

■ czy pojawiła się jednoczasowo, czy stopniowo,

■ jakie są objawy towarzyszące (gorączka, świąd).

Analiza tych danych pozwala na prawidłowe różnicowanie i rozpoznanie. W okresie ustępowania większość intensywnych w kolorze wysypek plamistych brunatnieje, brązowieje, przebarwia się. Wykwity najbardziej charakterystyczne dla chorób zakaźnych to:

■ plamka – wykwit na poziomie skóry, niewyczuwalny dotykiem; wysypki dzielą się na drobnoplamiste (średnica wykwitów 1–2 mm), średnioplamiste (≤ 5 mm) i gruboplamiste (> 5 mm),

■ pęcherzyk – wykwit ponad powierzchnią skóry, wypełniony płynem (przezroczysty, surowiczy, krwisty), pokryty naskórkiem lub nabłonkiem, ustępuje bez blizny, jeśli ma średnicę > 0,5 cm mówi się o pęcherzu,

■ grudka – wykwit wyraźnie odgraniczony, o większej spoistości, wystaje ponad powierzchnię skóry do < 0,5 cm, może mieć różną średnicę, w wysypce drobnogrudkowej średnica grudek nie przekracza 2 mm,

■ bąbel pokrzywkowy – wykwit wyniosły nad powierzchnię skóry, szybko powstaje i ustępuje, białokremowy lub różowy, różnej wielkości (mały < 1 cm, duży > 8 cm), z rumieniową obwódką, okrągły lub owalny, o nieregularnym zarysie, obrączkowaty, pełzający, zwykle z obrzękiem skóry.

19.1.1

Wysypki plamiste

Wysypki plamiste występują w przebiegu płonicy, trzydniówki, różyczki, rumienia zakaźnego, odry, zakażeń wirusami ECHO, mononukleozy zakaźnej i posocznicy wywołanej *Neisseria meningitidis*.

Szkarlatyna (płonica)

Wysypka wynika z działania egzotoksyny pirogennej paciorkowców i występuje u osób wrażliwych. Pojawia się w 2.–3. dobie objawów ogólnych (patrz rozdz. 19.8.1 „Choroby wywołane przez paciorkowce β-hemolizujące grupy A"). Jest drobnogrudkowo-plamista, od bladoróżowej do czerwonej (ryc. 19.1). Grudki mogą też mieć kolor otaczającej skóry. Wyczuwa się je pod palcami lub ogląda, ustawiając pacjenta pod odpowiednim kątem do źródła światła. Najintensywniejsze zmiany stwierdza się w miejscach najbardziej ucieplonych (na podbrzuszu, w pachwinach, pod pachami), choć rozszerzają się one na całą skórę. Wolny pozostaje obszar między fałdami nosowo-wargowymi i wokół ust (tzw. trójkąt Fiłatowa). W naturalnych zgięciach skóry na podbrzuszu i w zgięciach łokciowych wysypka układa się linijnie, tworząc tzw. linie Pastii (łamliwość drobnych naczyń włosowatych). Towarzyszą jej typowe zmiany na śluzówkach jamy ustnej. Wyjątek stanowi tu szkarlatyna przyranna (wrota zakażenia – uszkodzona skóra), w której śluzówki nie zostają zajęte. Wysypka utrzymuje się do kilku dni. Po jej ustąpieniu skóra jest szorstka i sucha. Od 2. tygodnia choroby stwierdza się otrębiaste złuszczanie naskórka na twarzy i tułowiu, po 2 tygodniach na opuszkach palców rąk, a po kolejnych 3–4 tygodniach płatowate na stopach (ryc. 19.2).

Trzydniówka

Inne nazwy to choroba trzydniowa, wysypka nagła i rumień nagły. Chorują dzieci między 6. mż. a 4. rż. Wysypka jest bladoróżowa, średnioplamista. Pojawia się po spadku trwającej 3–4 dni gorączki. Występuje jednocześnie na twarzy i tułowiu, z mniejszą intensywnością na kończynach (ryc. 19.3). Utrzymuje się ok. 2 dni. Ustępuje bez przebarwień i złuszczania.

Różyczka

Wysypka bladoróżowa do żywoczerwonej, drobnoplamista na tułowiu i kończynach (przypomina płonicę), średnioplamista na skórze twarzy (jak w odrze)

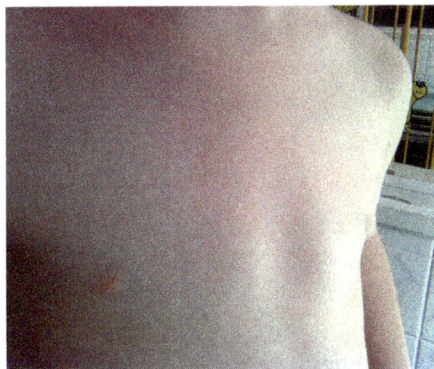

Rycina 19.1. Wysypka w przebiegu szkarlatyny.

Rycina 19.2. Otrębiaste złuszczanie naskórka w przebiegu szkarlatyny.

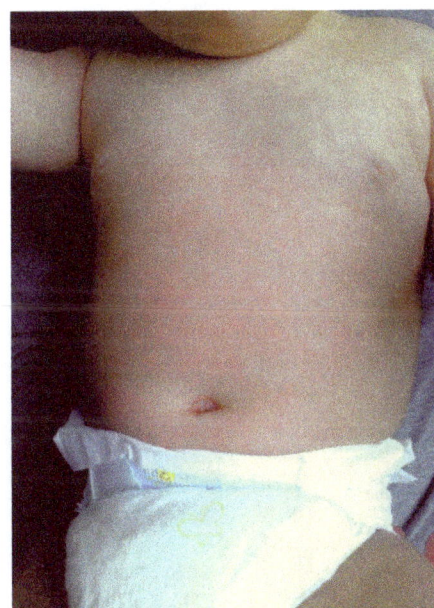

Rycina 19.3. Trzydniówka.

z zajęciem okolicy fałdów nosowo-wargowych. Nasila się w ciągu 24 godzin, utrzymuje kilka dni i ustępuje bez przebarwień. Może wystąpić delikatne łuszczenie. Charakterystyczne jest powiększenie węzłów chłonnych (na potylicy, za małżowinami usznymi, na karku) i śledziony (patrz rozdz. 19.7.4 „Różyczka").

Rumień zakaźny

U dzieci choroba ma łagodny przebieg. Wysypka jest jej najbardziej charakterystycznym objawem. Na twarzy stwierdza się gruboplamiste, zlewające się zmiany, intensywniejsze na policzkach, kontrastujące z bladością czoła, powiek i skóry między fałdami nosowo-wargowymi, tworzące zarys motyla. W kolejnych dniach wykwity plamisto-grudkowe pojawiają się na tułowiu (ryc. 19.4), głównie na plecach, oraz na kończynach górnych i dolnych (powierzchnie wyprostne). Wykwity ulegają centralnemu przejaśnieniu, tworząc siateczkowate i obrączkowate kształty. Mogą układać się w pierścienie lub girlandy. Dłonie i stopy są wolne. Dzieci starsze i dorośli zgłaszają niekiedy świąd. Wysypka ustępuje samoistnie, bez łuszczenia i przebarwień, po ok. 3 tygodniach. Przez kolejne 3 tygodnie może nawracać po rozgrzaniu skóry czy w sytuacjach stresowych (patrz rozdz. 19.7.5 „Zakażenia parwowirusem B19").

Odra

Po okresie zwiastunów (wysoka gorączka, objawy nieżytowe) na błonie śluzowej policzków, na wysokości

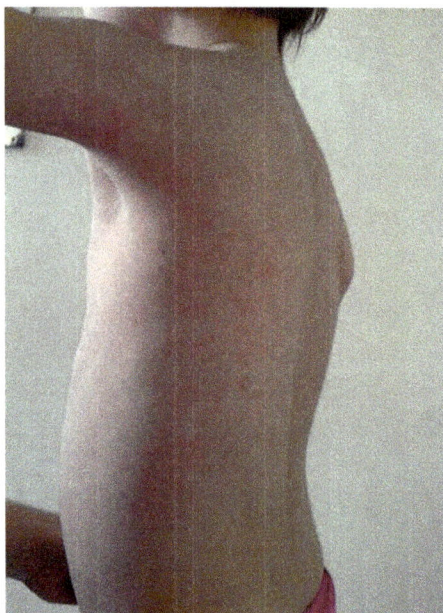

Rycina 19.4. Rumień zakaźny.

zębów trzonowych dolnych, pojawiają się drobne (średnicy 2–3 mm), białe plamki Koplika-Fiłatowa. Bezpośrednio poprzedzają one wystąpienie wysypki odrowej i giną w momencie jej rozwoju. W okresie nieżytowym zdarza się krótkotrwała wysypka (rash) podobna do płoniczej lub różyczkowej, która ustępuje przed pojawieniem się właściwej wysypki odrowej, zazwyczaj gruboplamistej i żywoczerwonej. Początkowo pojedyncze wykwity, zwłaszcza na tułowiu, są oddzielone od siebie obszarami jasnej skóry. W kolejnych dobach plamki dość dokładnie pokrywają skórę. Wysypka ma charakter zstępujący. Pojawia się za uszami. W 1. dobie wchodzi na twarz i zstępuje na szyję. W 2. dobie zajmuje skórę tułowia, w 3. – kończyn. Ustępuje w tej samej kolejności, w jakiej się pojawiła. Od 4. doby blednie skóra twarzy, w 5. – tułowia, później kończyn. Pozostają brunatne przebarwienia, skóra wygląda jak brudna. Najczęściej skóra całego ciała złuszcza się otrębiasto. Objawy nieżytu śluzówek ustępują razem z wysypką (patrz rozdz. 19.7.2 „Odra").

Zakażenie wirusami ECHO

Po 3–5-dniowym okresie gorączki, czasami z wymiotami, biegunką, brakiem apetytu i osłabieniem, może wystąpić bladoróżowa, plamista wysypka na tułowiu i twarzy (intensywniejsza), czasami o charakterze wybroczynowym, która szybko ustępuje. Przypomina trzydniówkę.

Mononukleoza zakaźna

U ok. 5% pacjentów w 2. tygodniu choroby pojawia się wysypka, która utrzymuje się przez 1–7 dni. Ma ona charakter plamisty, grudkowo-plamisty lub pokrzywkowy i przypomina wysypkę w przebiegu różyczki lub płonicy. Lokalizuje się głównie na tułowiu. W mononukleozie zakaźnej występuje nadwrażliwość na penicyliny półsyntetyczne (zwłaszcza ampicylinę).

U 70% chorych w 7.–10. dobie od pierwszej dawki antybiotyku pojawia się wysypka uczuleniowa, odropodobna, żywoczerwona, czasami bardzo intensywna. Zajmuje skórę twarzy, małżowin usznych, tułowia, kończyn, dłoni i stóp. Może występować na błonach śluzowych. Po leczeniu kortykosteroidami blednie i brunatnieje (patrz rozdz. 19.7.1 „Zakażenia wirusami z rodziny Herpesviridae").

Posocznica meningokokowa

Już w pierwszym okresie mogą pojawić się wybroczyny oraz zmiany zatorowo-zakrzepowe związane z bakteriemią i wykrzepianiem wewnątrznaczyniowym. Lokalizują się one na dystalnych częściach ciała i spojówkach. Są ciemnoczerwone, wyczuwalne pod palcami, początkowo pojedyncze o średnicy 1–2 mm. Nie znikają po ucisku. W późniejszym okresie wybroczyn przybywa. Mogą obejmować skórę całego ciała, śluzówki i spojówki. Stają się coraz większe, zlewają się i tworzą duże podbiegnięcia krwawe. W obrębie zmian może dojść do martwicy skóry (patrz rozdz. 19.7.4 „Różyczka").

19.1.2

Wysypki pęcherzykowe

Występują w ospie wietrznej i półpaśću oraz w zakażeniach wirusami opryszczki i *Coxsackie*.

Ospa wietrzna

W okresie objawów prodromalnych (gorszego samopoczucia, bólów mięśniowych) może wystąpić szybko przemijająca, żywoczerwona wysypka typu płoniczego (*rash*). Pierwsze pęcherzyki pojawiają się na tułowiu, owłosionej skórze głowy i na twarzy, najwięcej w miejscach najbardziej ucieplonych. Następnie zajmują skórę kończyn. Bardzo charakterystyczne jest występowanie wykwitów na skórze głowy i na granicy skóry owłosionej. Wysiew przebiega rzutami przez 5–6 kolejnych dni, zwykle z gorączką. Pierwotny wykwit – plamka, przekształca się w grudkę, a grudka w pęcherzyk. Naskórkowy pęcherzyk ma regularny kształt i przezroczystą surowiczą treść z wysoką zawartością VZV. Następnie treść pęcherzyka mętnieje, wytrąca się w niej włóknik. Zmiana zapada się pępkowato w środku i przysycha. W ciągu 7–8 dni wszystkie wykwity przysychają w strupki. Jednocześnie obserwuje się wykwity w różnym stadium, nie wszystkie przechodzą pełną ewolucję. Mogą być zajęte błony śluzowe jamy ustnej (na podniebieniu, dziąsłach, śluzówce, policzkach, języku) i narządów płciowych, spojówki powiekowe i gałkowe oraz rogówka. Szczególnie obfity wysiew dotyczy czasem obszaru skóry wcześniej naświetlanej lub po urazie. Towarzyszące świąd i drapanie ułatwiają zakażenie bakteryjne zmian. Strupki odpadają bez blizn, zostaje drobne odbarwienie lub przebarwienie skóry (nietrwałe). Blizny pozostają jedynie po zakażonych wykwitach, gdy

proces zapalny sięgnął skóry właściwej (patrz rozdz. 19.7.1 „Zakażenia wirusami z rodziny *Herpesviridae*").

Półpasiec

Reaktywacja latentnego zakażenia VZV prowadzi do wystąpienia charakterystycznej, pęcherzykowej wysypki. Ze zwojów międzykręgowych lub zwojów nerwów czaszkowych wirus przechodzi wzdłuż nerwów czuciowych do skóry. Od 2 do 4 dni wcześniej występują bolesność, przeczulica, pieczenie i mrowienie skóry. Wykwity pojawiają się w kilku rzutach, początkowo grudkowe, przekształcają się w pęcherzyki z treścią surowiczą. Wielkość pęcherzyków jest różna, pojedyncze mogą być dość duże, zlewać się ze sobą, układać w skupiska, mieć nieregularne kształty. Przechodzą przez kolejne stadia, jak w ospie wietrznej, ale proces przysychania i powstawania strupów trwa prawie 2 razy dłużej (10–12 dni). Cały okres gojenia może zająć do 21 dni. Zwykle zmiany dotyczą obszaru unerwienia jednego segmentu skóry i nie przekraczają linii środkowej ciała. Zdarza się, że półpasiec obejmuje więcej niż 1 dermatom lub ulega uogólnieniu. W półpaśću uogólnionym pojawiają się wykwity jak w ospie wietrznej. Może to świadczyć o znacznie obniżonej odporności pacjenta.

Zakażenia wirusem opryszczki zwykłej

Zakażenia HSV charakteryzują się bogatą symptomatologią. Zmiany skórne mają postać drobnych pęcherzyków na rumieniowej podstawie z tendencją do grupowania się. HSV-1 wywołuje zmiany na skórze twarzy, górnej części tułowia, śluzówkach jamy ustnej i rogówce, a HSV-2 na dolnej części tułowia, skórze i śluzówkach narządów płciowych. Do pierwotnego kontaktu z HSV-1, rzadko ujawnionego klinicznie, dochodzi najczęściej w 1. rż.

Opryszczkowe zapalenie śluzówek jamy ustnej i dziąseł

Najczęściej rozwija się u dzieci od 1. do 5. rż. Wysiew pęcherzyków poprzedzony jest 2–3-dniowym okresem gorszego samopoczucia z podwyższeniem ciepłoty ciała. Występują obrzęk, przekrwienie i bolesność śluzówek jamy ustnej i dziąseł (ryc. 19.5). Pęcherzyki z przekrwienną obwódką pojawiają się na dziąsłach, języku, błonie śluzowej policzków, podniebieniu i łukach podniebiennych. Ich cienką powierzchnię stanowi nabłonek, który ulega dość szybkiemu zniszcze-

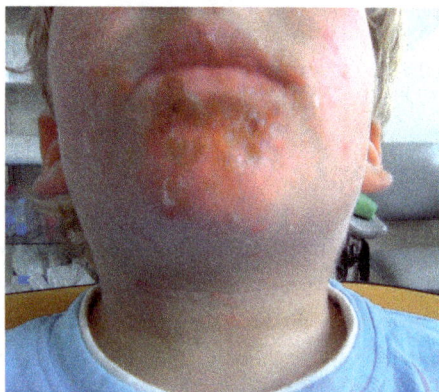

Rycina 19.5. Opryszczkowe zapalenie okolic jamy ustnej z nadkażeniem bakteryjnym.

niu i powstają płytkie, bardzo bolesne nadżerki. Dzieci nie chcą przyjmować pokarmów stałych, a później również płynów. Zmianom towarzyszą obfity ślinotok, mdły, nieprzyjemny zapach z jamy ustnej (*fetor ex ore*) oraz powiększenie i bolesność okolicznych węzłów chłonnych. Wykwity pęcherzykowe mogą pojawiać się na czerwieni wargowej i skórze twarzy. Nadżerki i owrzodzenia pokrywają się białym nalotem i rozpoczyna się okres gojenia. Przejściowo zmiany mogą dość obficie krwawić. Cały proces od pojawienia się pęcherzyków do całkowitego wygojenia trwa ok. 14 dni.

Wyprysk opryszczkowy

Stwierdza się go najczęściej u niemowląt i małych dzieci z atopowym zapaleniem skóry. Pierwsze wykwity zwykle występują na policzkach i górnej części klatki piersiowej. Na zmienionej atopowo skórze pojawiają się grudki, przekształcające się później w pęcherzyki, które pękają. Występuje wysoka gorączka. Powstające owrzodzenia sączą surowiczą treść i stopniowo pokrywają się strupami. Zmianom towarzyszy świąd i może dojść do zakażenia bakteryjnego, czego wyrazem są miodowożółte strupy szerzące się na obwód, zajmujące coraz większy obszar skóry.

Opryszczka narządów płciowych

Wywołana jest przez HSV-2, znacznie rzadziej przez HSV-1. Najczęściej występuje u dorosłych, aktywnych seksualnie. Na skórze i błonach śluzowych zewnętrznych narządów płciowych, a u kobiet także na błonie śluzowej szyjki macicy, stwierdza się grudki, pęcherzyki, nadżerki i owrzodzenia. W zakażeniu pierwotnym mogą być obecne gorączka, objawy dyzuryczne i powiększenie pachwinowych węzłów chłonnych. Przy nawrotach objawy te nie występują.

Choroba rąk, stóp i ust

Choroba rąk, stóp i ust (hand, foot and mouth disease, HFMD) to zakażenie enterowirusowe (*Coxsackie* A16, enterowirus 71) powodujące pęcherzykowe zapalenie śluzówek jamy ustnej z wypryskiem. Dotyczy dzieci w wieku od 2 do 10 lat, przebywających w większych skupiskach. Po okresie gorszego samopoczucia i podwyższonej ciepłoty ciała na śluzówkach języka, policzków, łuków podniebiennych oraz na skórze dłoni i stóp pojawiają się wykwity plamisto-grudkowe i pęcherzykowe. Pęcherzyki na skórze mają zapalną obwódkę, w wyniku zerwania ich powierzchni powstaje płytkie owrzodzenie. U młodszych dzieci wykwity mogą pierwotnie występować jako żywoczerwone grudki na policzkach i górnej części tułowia. Zmiany goją się w ciągu 7–8 dni bez pozostawiania blizn.

19.1.3
Wysypki mieszane

Zespół nabytego niedoboru odporności (AIDS)

Wywołany przez ludzki wirus niedoboru odporności (human immunodeficiency virus, HIV). W początkowym okresie zakażenia, czyli w ostrej chorobie retrowirusowej, obserwowana bywa (10–50% przypadków) wysypka plamista, przypominająca odrową. W fazie zakażenia objawowego (Acquired Immunodeficiency Syndrome, AIDS) na skórze głowy, szyi i klatki piersiowej mogą wystąpić zmiany grudkowe o średnicy do 5 mm, lekko swędzące. Zmiany skórne w przebiegu infekcji HIV są najczęściej manifestacją innych zakażeń.

Zespół Gianottiego–Crostiego
łac. *acrodermatitis papulosa*

Najczęściej występuje u dzieci między 1. a 6. rż. chorych na WZW B. Charakterystyczna wysypka ma postać grudek o średnicy do 5 mm na rumieniowej podstawie. Grudki są czerwonomiedziane. Wysypka lokalizuje się głównie na skórze twarzy, szyi, pośladków i kończyn, rzadko obejmuje tułów (ryc. 19.6). Ustępuje zwykle po 3–4 tygodniach, choć może utrzymywać się dłużej. Podobne zmiany mogą pojawiać się w zakażeniach EBV, CMV, wirusami *Coxsackie* i HHV6.

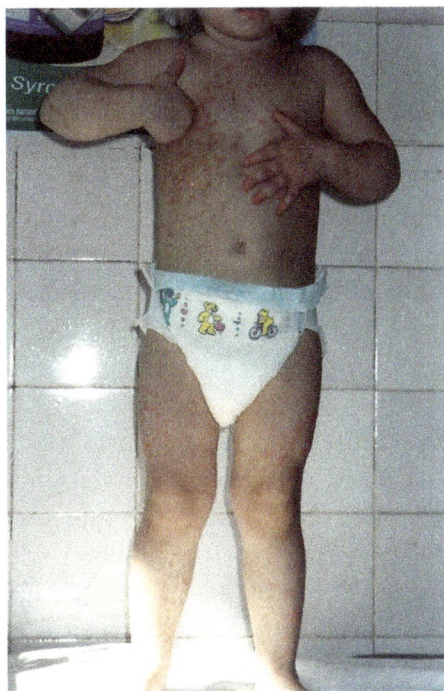

Rycina 19.6. Zespół Gianottiego–Crostiego.

Mięczak zakaźny

łac. *molluscum contagiosum*

Czynnikiem sprawczym jest *Poxvirus*. Na skórze rąk, twarzy, okolicy narządów płciowych i na błonach śluzowych powstają twarde, półprzezroczyste guzki, o średnicy od 1 mm do 1 cm, zapadnięte w środku. Po nakłuciu wydobywa się z nich kaszkowata, perlista treść. Zwykle ustępują samoistnie po kilku miesiącach, nie pozostawiając blizn. Zmiany rozsiane obserwowane są u dzieci zakażonych HIV.

19.2
Jolanta Popielska

POWIĘKSZENIE WĘZŁÓW CHŁONNYCH

19.2.1

Definicje

Węzły chłonne u noworodków i małych niemowląt są fizjologicznie niemacalne. Infekcje czy ekspozycja na antygeny powodują przerost i trwałe ich powiększenie. Za powiększone uważa się węzły chłonne szyjne i pachowe o średnicy ≥ 1 cm i pachwinowe > 1,5 cm.

- Miejscowe powiększenie węzłów jest skutkiem infekcji toczącej się w obrębie danego węzła – „zapalenie węzła" lub choroby drenowanego obszaru tkanek albo choroby uogólnionej (reaktywne).

- **Uogólniona limfadenopatia** – powiększenie węzłów w więcej niż 2 niesąsiadujących regionach, często z towarzyszącymi objawami ogólnymi, zwykle związana z uogólnioną chorobą.
- **Przetrwała uogólniona limfadenopatia** – powiększenie węzłów przez ponad 3 miesiące w co najmniej 2 różnych miejscach, z wyłączeniem pachwin. Powiększenie węzłów chłonnych następuje wskutek proliferacji elementów komórkowych albo nacieku przez komórki nowotworowe czy fagocyty. Różnicowanie obejmuje choroby autoimmunizacyjne, spichrzeniowe, nowotworowe i inne. Istotny jest czas trwania powiększenia węzłów, objawy towarzyszące oraz ew. kontakt z osobami chorymi i ze zwierzętami.

Podstawowe badania obejmują:

- badania laboratoryjne:
  - morfologia krwi z rozmazem,
  - wskaźniki stanu zapalnego (CRP),
- badania obrazowe:
  - USG jamy brzusznej i węzłów chłonnych,
  - RTG klatki piersiowej,
- tuberkulinowy test skórny.

Konieczna może być biopsja lub usunięcie całego węzła chłonnego w celu wykonania badania histopatologicznego. Wskazania do biopsji to:

- powiększanie się węzłów chłonnych w ciągu 2 tyg. obserwacji,
- brak zmniejszania się węzłów w ciągu 4–6 tyg.,
- brak powrotu węzłów do stanu prawidłowego po 8–12 tyg.,
- występują inne objawy sugerujące chorobę nowotworową.

19.2.2

Choroby zakaźne przebiegające z powiększeniem węzłów chłonnych

Choroby zakaźne przebiegające z powiększeniem węzłów chłonnych to:

- zakażenia wirusowe – herpeswirusy, różyczka, odra, adenowirusy, enterowirusy, HAV, HBV, HIV,
- choroby bakteryjne – paciorkowcowe, gronkowcowe, choroba kociego pazura, gruźlica, zakażenia prątkami atypowymi, chlamydiowe, wywołane przez rikietsje,

■ grzybicze – histoplazmoza, kokcydioidomikoza, parakokcydioidomikoza,

■ pasożytnicze – toksoplazmoza, leiszmanioza, trypanosomatoza, filarioza.

Mononukleoza zakaźna

W przebiegu objawowego pierwotnego zakażenia EBV dochodzi do uogólnionej limfadenopatii (patrz rozdz. 19.7.1 „Zakażenia wirusami z rodziny *Herpesviridae*"). Największe są węzły chłonne kąta żuchwy i szyjne tylne. Węzły są zwykle powiększone symetrycznie, niebolesne lub nieznacznie tkliwe, przesuwalne względem siebie i otoczenia, niezrośnięte w pakiety, z towarzyszącym obrzękiem tkanki okołowęzłowej, nie rozmiękają i nie ropieją. Skóra nad nimi pozostaje niezmieniona. Powiększenie utrzymuje się kilka tygodni.

Zakażenie CMV

Cechy charakteryzujące węzły chłonne są identyczne jak w zespole mononukleozowym o etiologii EBV.

Różyczka

Przebiega z uogólnioną limfadenopatią. Patognomoniczne jest powiększenie węzłów chłonnych karkowych, potylicznych, zausznych i szyjnych. Są one spoiste, mogą być tkliwe. Limfadenopatia zazwyczaj pojawia się 24 godziny przed wysypką i utrzymuje do 2 tygodni, choć czasem dłużej. Może być jedynym objawem choroby (patrz rozdz. 19.7.4 „Różyczka").

Odra

Zwykle zajęte są węzły chłonne szyjne, kąta żuchwy i karkowe. Rzadziej stwierdza się uogólnioną limfadenopatię. Niekiedy powiększenie węzłów krezkowych może powodować bóle brzucha. Węzły są ruchome, sprężyste, lekko tkliwe, nie wykazują tendencji do ropienia. Ich powiększenie ustępuje wraz z zanikiem wysypki (patrz rozdz. 19.7.2 „Odra").

Zakażenia adenowirusowe

Adenowirusy mają powinowactwo do układu chłonnego i powodują przerost tkanek limfoidalnych. Najczęściej obserwuje się powiększenie węzłów chłonnych przedusznych i szyjnych, rzadziej uogólnioną limfadenopatię. Pozostałe objawy to gorączka, zapalenie spojówek i gardła, nieżyt nosa, kaszel, wysypka plamisto-grudkowa oraz dolegliwości żołądkowo-jelitowe. Potwierdzeniem rozpoznania są dodatnie wyniki badań serologicznych lub izolacja wirusa z materiału pobranego od pacjenta.

Zakażenia enterowirusowe

Uogólnionej lub miejscowej limfadenopatii często towarzyszą objawy ogólne: gorączka, ból gardła, głowy czy brzucha, kaszel, wysypka, wymioty, biegunka i zapalenie spojówek (patrz rozdz. 19.7.9 „Zakażenie HIV").

Zakażenie HIV

Uogólniona limfadenopatia może wynikać z zakażenia HIV lub infekcji oportunistycznych. Węzły chłonne są niebolesne, przesuwalne względem podłoża i nie rozmiękają. Skóra pozostaje niezmieniona. W zakażeniu drogą parenteralną lub seksualną ostra choroba retrowirusowa ma obraz zespołu mononukleozowego z uogólnioną limfadenopatią. W miarę ustępowania objawów węzły zmniejszają się, choć w ok. 30% występuje przetrwała uogólniona limfadenopatia (patrz rozdz. 19.7.9 „Zakażenie HIV").

Choroby bakteryjne

W przebiegu chorób bakteryjnych w większości przypadków powiększeniu ulegają węzły chłonne okolicy zakażenia. Są one tkliwe, przesuwalne względem siebie i podłoża, bez tendencji do ropienia. Skóra nad nimi pozostaje niezmieniona. Czasem może dojść do uogólnionej limfadenopatii. Występują też objawy charakterystyczne dla danej choroby. W badaniach dodatkowych stwierdza się leukocytozę z odmłodzeniem obrazu białokrwinkowego i podwyższone wykładniki stanu zapalnego. Rozpoznanie potwierdzają wyniki badań bakteriologicznych.

Ropne nieswoiste zapalenie węzłów chłonnych

Występuje w wyniku zakażenia w obszarze drenowanym przez węzeł chłonny. Najczęstsza etiologia to gronkowce i paciorkowce β-hemolizujące, rzadziej beztlenowce i inne bakterie. Węzły chłonne są na ogół bolesne, spoiste i związane z podłożem. Skóra nad nimi może być zaczerwieniona i nadmiernie ucieplona. Węzeł może zropieć z wytworzeniem przetoki przezskórnej. W leczeniu stosuje się antybiotykoterapię. Niekiedy konieczna jest interwencja chirurgiczna.

Błonica

łac. *diphtheria*
ang. diphtheria

Choroba wywołana przez pałeczkę maczugowca błonicy (*Corynebacterium diphtheriae*). Dzięki szczepieniom ochronnym występuje w Polsce sporadycznie. Węzły chłonne są obustronnie powiększone, tkliwe, z obrzękiem tkanki okołowęzłowej. Limfadenopatii towarzyszą nasilone objawy ogólne. W badaniach dodatkowych występuje granulocytopenia lub agranulocytoza i cechy skazy krwotocznej. O rozpoznaniu decyduje wynik badania bakteriologicznego.

Choroba kociego pazura

Po zadrapaniu przez kota (95%) lub psa (4%) w okresie do 4 tygodni powiększają się miejscowe węzły chłonne (u 10–20% chorych w 2 sąsiednich regionach). Rzadko stwierdza się uogólnioną limfadenopatię. Węzły mają wielkość 2–5 cm, są miękkie, czasem tkliwe. Skóra może być zaczerwieniona, bez zapalenia tkanki łącznej. W 10–40% przypadków dochodzi do rozmiękania i ropienia, treść jest jałowa. Powiększenie węzłów chłonnych zwykle utrzymuje się przez kilka miesięcy, rzadziej nawet 2–3 lata (patrz rozdz. 19.8.6 „Choroba kociego pazura").

Tularemia

łac. *tularaemia*
ang. tularemia

Choroba odzwierzęca spowodowana przez Gram-ujemną pałeczkę *Francisella tularensis*. W Polsce źródła zakażenia stanowią zające, woda i ugryzienie przez owada odżywiającego się krwią. Wyróżnia się postacie wrzodziejąco-węzłową, oczno-węzłową, płucną i trzewną. W każdej dominuje powiększenie węzłów chłonnych. Limfadenopatię poprzedza rozwój zmiany pierwotnej (grudka, krostka, owrzodzenie), a także objawy ogólne, np. gorączka czy bóle stawowo-mięśniowe i głowy. Węzły chłonne powiększają się powoli (2–3 tyg.) do 0,5–10 cm, są bolesne, skóra nad nimi jest napięta i zaczerwieniona. W 25––30% przypadków dochodzi do martwicy i wytworzenia przetoki. Badania diagnostyczne to posiew krwi i ze zmian miejscowych oraz testy serologiczne. W leczeniu stosuje się gentamycynę, streptomycynę, chloramfenikol lub tetracykliny.

Gruźlica

Najczęstszą postacią u dzieci (> 90%) jest gruźlica płucna z jednoczesnym powiększeniem węzłów chłonnych. Gruźlica obwodowych węzłów chłonnych może być spowodowana zakażeniem wtórnym lub pierwotnym *Mycobacterium tuberculosis, M. bovis* i innymi prątkami. Częściej chorują osoby z niedoborami odporności. Objawy występują 6–9 miesięcy po zakażeniu, czasem po latach. W 90% przypadków zajęte są węzły chłonne szyjne i nadobojczykowe, rzadziej pachowe i pachwinowe. Powiększenie jest zwykle asymetryczne, węzły tworzą pakiety. Przebieg może być przewlekły lub podostry. Wyróżnia się 5 stopni limfadenopatii gruźliczej:

- I° – węzły twarde, niebolesne, przesuwalne względem siebie i podłoża, skóra niezmieniona,
- II° – wytworzenie pakietu węzłów, skóra zaczerwieniona,
- III/IV° – postępuje rozmiękanie węzłów, stwierdza się chełbotanie, zajęcie skóry (napięta, zaczerwieniona) i tkanki podskórnej,
- V° – tworzą się trudno gojące się przetoki skórne, sącząca się treść zawiera prątki.

Choroba przebiega z okresami zaostrzeń i remisji. U osób z niedoborami odporności może wystąpić gwałtowne powiększenie się węzłów z bolesnością i chełbotaniem. Rozpoznanie ustala się na podstawie wywiadu, próby tuberkulinowej, badania histopatologicznego węzła chłonnego i hodowli bakterii. Nieleczona gruźlica skutkuje serowaceniem i martwicą węzłów. Do samoistnej resorpcji dochodzi rzadko. Limfadenopatia pomimo leczenia może utrzymywać się miesiącami lub nawet latami (gruźlicę opisano w rozdz. 9 „Choroby układu oddechowego").

BCG-itis

Powiększenie lokalnych (pachowych) węzłów chłonnych u zdrowych dzieci będące powikłaniem nieprawidłowo (zbyt głęboko) wykonanego szczepienia BCG. Nie wymaga leczenia ani interwencji chirurgicznej. Rozsiane zmiany stanowią wskazanie do diagnostyki niedoborów odporności.

Toksoplazmoza

Powiększenie (jednego lub kilku) węzłów chłonnych szyjnych, karkowych, potylicznych lub uogólnione jest najczęstszą manifestacją toksoplazmozy nabytej.

Rzadziej występuje postać brzuszna z powiększeniem węzłów krezkowych. Limfadenopatia narasta stopniowo, w ciągu kilku tygodni (zwykle 2–3) od zarażenia i może się utrzymywać do roku. Węzły chłonne są ruchome, sprężyste, mogą być tkliwe, z reguły nie ropieją. Skóra nad nimi pozostaje niezmieniona, występuje obrzęk tkanki okołowęzłowej. Limfadenopatii mogą towarzyszyć objawy ogólne zarażenia (patrz rozdz. 19.9 „Zakażenia pasożytnicze").

Jersinioza

Powiększenie węzłów chłonnych w obrębie jamy brzusznej, głównie krezkowych (patrz rozdz. 19.8.5 „Jersinioza").

Choroby zawleczone

U pacjentów, którzy podróżowali, zwłaszcza do krajów tropikalnych, w różnicowaniu limfadenopatii należy brać pod uwagę także choroby zawleczone: choroba Denga (Afryka, Azja Płd., Pacyfik), dżuma (Afryka, Azja, Daleki Wschód), leiszmanioza trzewna (Afryka, Azja, Ameryka Płd., Europa Płd.), trypanosomatoza/śpiączka afrykańska (Afryka Równikowa) czy filariozy (strefa międzyzwrotnikowa).

19.3   *Maria Pokorska-Śpiewak*
NEUROINFEKCJE

19.3.1
Ogólna charakterystyka neuroinfekcji

Definicja
Choroby gorączkowe o różnej etiologii przebiegające z zajęciem ośrodkowego układu nerwowego (OUN). Najczęstsze manifestacje to zapalenie opon mózgowo-rdzeniowych i zapalenie mózgu.

Epidemiologia
W Polsce rejestruje się rocznie ok. 1000 bakteryjnych zapaleń opon m.-r. Największa zapadalność dotyczy dzieci w pierwszych latach życia (80% do 5. rż.). Ryzyko zachorowania zwiększają niedawna kolonizacja jamy nosowej i gardła bakteriami otoczkowymi, bliski kontakt z osobami zakażonymi oraz przebywanie w skupiskach ludzkich. Predysponowane są osoby z niedoborami immunologicznymi (składowych C5–C8 dopełniacza, properdyny), w tym z asplenią. Zakażenia przenoszą się drogą kropelkową lub przez bezpośredni kontakt z chorym lub nosicielem.

Na wirusowe zapalenia opon m.-r. choruje w Polsce 1000–1600 osób rocznie. Są to zachorowania sporadyczne, w przypadku zakażeń enterowirusowych epidemiczne (co kilka, kilkanaście lat, latem i wczesną jesienią). Podobna sezonowość jest typowa dla kleszczowego zapalenia mózgu.

Etiologia i patogeneza
Ponad 90% bakteryjnych zapaleń opon m.-r. wywołują bakterie otoczkowe: *Neisseria meningitidis*, *Streptococcus pneumoniae* i *Haemophilus influenzae* typu b. Dominująca etiologia zależy od wieku dziecka:

- noworodki – paciorkowce grupy B, pałeczki Gram-ujemne, *Listeria monocytogenes*,
- 2.–3. mż. – *S. pneumoniae*, pałeczki Gram-ujemne; *N. meningitidis*,
- 4.–6. mż. – *N. meningitidis*, *S. pneumoniae*, pałeczki Gram-ujemne,
- powyżej 6. mż. – *N. meningitidis*, *S. pneumoniae*, *H. influenzae* typu b.

W 80–90% wirusowych zapaleń opon m.-r. o ustalonej etiologii czynnik sprawczy stanowią enterowirusy. W okresach epidemii świnki jej wirus wywołuje 25% zapaleń. Za wystąpienie choroby odpowiadają też arbowirusy, adenowirusy, HSV, CMV, VZV oraz wirusy grypy, odry i różyczki.

Do zakażenia OUN dochodzi najczęściej drogą krwiopochodną. Ze skolonizowanej jamy nosowej lub gardła patogen dostaje się do krwi i dociera do OUN, przełamując barierę krew–mózg. Czasem drobnoustroje szerzą się przez ciągłość (przy zapaleniu ucha środkowego, zatok obocznych nosa, po urazie czaszki). Reakcja zapalna powoduje zwiększoną przepuszczalność naczyń, obrzęk komórek tkanki mózgowej, upośledzenie odpływu płynu mózgowo-rdzeniowego i wzrost ciśnienia śródczaszkowego.

Obraz kliniczny
Objawy wirusowego zakażenia OUN mogą się pojawić po kilku dniach niespecyficznych objawów grypopodobnych, czasem z przejściowym okresem bezobjawowym (przebieg dwufazowy w zakażeniach entero-, flawi- i adenowirusami), lub od razu z innymi symptomami choroby wirusowej (zakażenia HSV, CMV, wścieklizna). Przyzakaźne zakażenia OUN występują w przebiegu świnki, odry, różyczki oraz zakażenia VZV i EBV.

Objawy **zapalenia opon m.-r.** to bóle głowy, nudności, wymioty, światłowstręt, przeczulica skóry i nadwrażliwość na bodźce dźwiękowe. W przypadku **zapalenia mózgu** występują drgawki, zaburzenia świadomości (do śpiączki włącznie) i porażenia nerwów czaszkowych. W badaniu przedmiotowym u dzieci starszych stwierdza się obecność objawów oponowych (tab. 19.1), nie zawsze wszystkich. Podczas ich oceny pacjent powinien leżeć na płaskim i twardym podłożu. Objawy oponowe nie występują u noworodków i małych niemowląt, u których na zakażenie OUN wskazują niechęć do ssania, utrata łaknienia, wymioty, apatia lub nadmierne pobudzenie, bezdechy, uwypuklone, napięte, tętniące ciemię, przeczulica skóry i objawy zakażenia uogólnionego, a u noworodków zamiast gorączki także hipotermia.

Przebieg naturalny

Zależy od rodzaju patogenu i lokalizacji zmian zapalnych. Zakażenia bakteryjne opon zwykle przebiegają ciężej niż wirusowe. W ciężkich (piorunujących) przypadkach możliwy jest szybki rozwój wstrząsu i zgon.

Metody diagnostyczne

Podejrzenie zapalenia opon m.-r. jest wskazaniem do wykonania punkcji lędźwiowej. Przeciwwskazania do jej wykonania to:

- objawy wzmożonego ciśnienia wewnątrzczaszkowego (ryzyko wklinowania), czyli bradykardia, podwyższone ciśnienie tętnicze, zaburzenia oddychania, tarcza zastoinowa w badaniu dna oka; ciśnienie śródczaszkowe obniża 20% mannitol (0,5 g/kg mc.) podany w ciągu 30 minut przed wykonaniem punkcji lub furosemid,
- zakażenia skóry w miejscu nakłucia,
- zaburzenia krzepnięcia krwi,
- niewydolność krążeniowo-oddechowa, ciężki stan dziecka.

W zależności od czynnika wywołującego zapalenie w płynie m.-r. stwierdza się typowe zmiany (tab. 19.2), a etiologię potwierdza jego badanie mikrobiologiczne.

Wykorzystuje się też metody polegające na wyizolowaniu czynników zakaźnych, wykazaniu miejscowej syntezy przeciwciał czy oznaczeniu materiału genetycznego patogenu, a także aglutynacyjne szybkie odczyny lateksowe.

Badania neuroobrazowe (TK, MR) służą do oceny obrzęku mózgu i określenia lokalizacji zmian. Wskazania do wykonania badań radiologicznych przed punkcją lędźwiową to:

- stwierdzenie objawów wzmożonego ciśnienia śródczaszkowego,
- objawy ogniskowe lub wybrane choroby OUN w wywiadzie (uraz, stan po operacji neurochirurgicznej, rozległe uszkodzenia OUN),
- obecność obrzęku plamki w badaniu dna oka, tarcza zastoinowa (późny objaw),
- zaburzenia świadomości.

Tabela 19.1. Objawy oponowe

OBJAW	OPIS OBJAWU
Sztywność karku	Podczas biernego przyginania głowy do przedniej ściany klatki piersiowej wyczuwa się opór, uniemożliwiający dotknięcie brodą do mostka
Objaw Brudzińskiego górny (karkowy)	Przy biernym przyginaniu głowy do klatki piersiowej następuje odruchowe zgięcie kończyn dolnych w stawach biodrowych i kolanowych, czasem również zgięcie kończyn górnych w stawach łokciowych
Objaw Brudzińskiego dolny (łonowy)	Ucisk nad spojeniem łonowym powoduje zgięcie kończyn dolnych w stawach biodrowych i kolanowych
Objaw Kerniga	Po zgięciu kończyny dolnej w stawie biodrowym i kolanowym (do kąta prostego) nie jest możliwe jej bierne wyprostowanie w stawie kolanowym
Objaw Flataua (karkowo-midriatyczny)	Rozszerzenie źrenic przy biernym przyginaniu głowy do klatki piersiowej
Sztywność grzbietu	Chory siada z pozycji leżącej, kończyny dolne leżą na kozetce, nie może pochylić się do kolan
Objaw Amosa (trójnoga)	Chory, siadając, opiera się na wyprostowanych, szeroko rozstawionych ku tyłowi kończynach górnych oraz piętach, zginając kończyny dolne
Opistotonus	Usztywnienie kręgosłupa i wygięcie go łukowato ku tyłowi, z głową odgiętą do tyłu

Tabela 19.2. Parametry płynu mózgowo-rdzeniowego – typowe zmiany w zależności od etiologii

PARAMETR	BAKTERYJNE	WIRUSOWE	GRUŹLICZE	GRZYBICZE
Pleocytoza/mm³	100–10 000	10–500	10–500	norma–500
Typ komórek dominujących	Granulocyty	Limfocyty	Limfocyty	Granulocyty lub norma
Białko [g/l]	↑↑ > 1 g/l	↑ zwykle < 1 g/l	↑↑ > 1 g/l	↑
Glukoza w płynie m.-r./glukoza w surowicy krwi [%]	↓	N	↓↓↓	↓ lub norma
Chlorki [mmol/l]	Norma	Norma	↓	Norma
Kwas mlekowy [mmol/l]	↑↑	Norma	↑	Norma lub nieco ↑
Wygląd płynu	Mętny	Zwykle przejrzysty	Wodojasny opalizujący	Zwykle przejrzysty

W diagnostyce **zapalenia mózgu** wykorzystuje się: badania neuroobrazowe (MR, TK), badanie płynu mózgowo-rdzeniowego (przy braku przeciwwskazań do punkcji lędźwiowej), badania wirusologiczne i serologiczne, EEG.

Różnicowanie

Ze względu na konieczność szybkiego włączenia odpowiedniego leczenia istotne jest zróżnicowanie etiologii.

- Zakażenia wirusowe przebiegają zazwyczaj łagodniej niż bakteryjne.
- **Podrażnienie opon m.-r.** (*meningismus*) z objawami oponowymi (głównie sztywnością karku), bez zmian w płynie m.-r. zdarza się u dzieci z zapaleniem gardła, płuc czy węzłów chłonnych szyi, ropniem pozagardłowym, rzadziej z młodzieńczym idiopatycznym zapaleniem stawów czy tężcem.
- **Wzmożone ciśnienie wewnątrzczaszkowe** może towarzyszyć ogniskowym zmianom w OUN, guzom mózgu i ropniom.
- Objawy zapalenia mózgu wymagają różnicowania z zatruciami środkami o działaniu toksycznym i narkotykami.
- Zaburzenia świadomości mogą wynikać z ciężkiego odwodnienia lub zaburzeń metabolicznych (w tym cukrzycy).

Leczenie

1 Leczenie empiryczne neuroinfekcji o etiologii bakteryjnej:

- cefalosporyny III generacji (cefotaksym: 200– –300 mg/kg mc./dobę w 3–4 dawkach, maks.

8 g/dobę, lub ceftriakson: 100 mg/kg mc./dobę w 1–2 dawkach, maks. 4 g/dobę) podawane łącznie z wankomycyną (60 mg/kg mc./dobę w 4 dawkach), dołączenie wankomycyny wynika z występowania szczepów pneumokoków opornych na penicylinę i cefalosporyny,
- u noworodków stosuje się ampicylinę z cefotaksymem lub z aminoglikozydem (dawkowanie uzależnione od wieku noworodka w dniach).

Zaleca się, aby leczenie przeciwbakteryjne było włączone jak najszybciej, nawet bez oczekiwania na wynik punkcji lędźwiowej. Po uzyskaniu wyniku badania mikrobiologicznego terapię zmienia się na celowaną, w zależności od wyhodowanego drobnoustroju. Czas antybiotykoterapii uzależniony jest od rodzaju patogenu i wynosi:

- *N. meningitidis* i *H. influenzae* – 7 dni,
- *S. pneumoniae* – 10–14 dni,
- *S. agalactiae* – 14–21 dni,
- *Listeria monocytogenes* > 21 dni,
- pałeczki Gram-ujemne – 21 dni.

2 Leczenie neuroinfekcji o etiologii wirusowej Najczęściej stosuje się leczenie objawowe. Należy monitorować podstawowe czynności życiowe, gdyż ostre powikłania (obrzęk mózgu, stan drgawkowy) mogą się pojawić nagle. W opryszczkowym zapaleniu mózgu lub powikłaniach neurologicznych ospy wietrznej stosuje się leczenie przyczynowe acyklowirem. W neuroinfekcji CMV (u noworodków i pacjentów z obniżoną odpornością) stosuje się gancyklowir.

3 Leczenie objawowe

Przeciwbólowo, przeciwgorączkowo i przeciwzapalnie wykorzystuje się NLPZ. Przeciwobrzękowo w celu zmniejszenia nadciśnienia śródczaszkowego stosuje się 20% mannitol, leki moczopędne (np. furosemid) oraz steroidy (deksametazon). W przypadku obrzęku mózgu zaleca się ułożenie dziecka z głową uniesioną pod kątem 20–30° i zapewnienie mu spokoju, a w ciężkich stanach – intubację i sedację.

Zalecenia dotyczące stosowania steroidów w bakteryjnych zapaleniach opon m.-r. są rozbieżne. Preparaty te obniżają ciśnienie śródczaszkowe, działają przeciwzapalnie i zmniejszają przepuszczalność bariery krew–mózg. Udowodniono, że korzystnie działają w pierwszych dobach zapalenia o etiologii *H. influenzae* (zmniejszają śmiertelność, ryzyko głuchoty i częstość powikłań neurologicznych). Sugeruje się też ich pozytywny wpływ w zapaleniach o etiologii *S. pneumoniae*. Nie wykazano natomiast zasadności ich stosowania w chorobie o innej etiologii.

Istotne jest wyrównanie zaburzeń płynowych. Nawadnianie powinno odbywać się z prowadzeniem bilansu płynów przyjętych i wydalonych. Stosowanie restrykcji płynowych budzi kontrowersje, gdyż nawet łagodne odwodnienie u pacjenta z zapaleniem opon m.-r. może obniżać perfuzję mózgu. Z drugiej strony w przebiegu neuroinfekcji może dojść do rozwoju zespołu niewłaściwego wydzielania wazopresyny (SIADH). Zaleca się pokrycie podstawowego zapotrzebowania płynowego, a w przypadku stwierdzenia SIADH (hiponatremia z normowolemią) ograniczenie podaży dożylnej płynów do 75% zapotrzebowania z częstą kontrolą jonogramu i ew. stosowanie furosemidu.

Powikłania

Powikłania miejscowe zapalenia opon m.-r. to ropnie mózgu i wodniaki podtwardówkowe, które mogą przekształcić się w ropniaki (wymagające drenażu i antybiotykoterapii). Może wystąpić SIADH, z hiponatremią i zatrzymaniem płynów ustrojowych, co nasila obrzęk mózgu. Powikłania późne stanowią utrata słuchu (5–30% chorych), upośledzenie umysłowe (10–20% chorych), padaczka, opóźniony rozwój mowy, zaburzenia wzroku i zaburzenia zachowania (do 50% chorych).

Rokowanie

W bakteryjnym zapaleniu opon m.-r. śmiertelność wynosi 1–8%. Rokowanie w przypadku etiologii wirusowej jest lepsze, choroba zwykle przebiega łagodniej. Wyjątkiem jest opryszczkowe zapalenie mózgu, w którym śmiertelność mimo leczenia acyklowirem wynosi do 20%.

Profilaktyka

Istnieją skuteczne szczepionki przeciwko bakteriom otoczkowym. W przypadku kontaktu bezpośredniego z chorym na inwazyjne zakażenia *N. meningitidis* i *H. influenzae* zaleca się chemioprofilaktykę poekspozycyjną. Szczepienia przeciw ospie wietrznej, śwince i odrze zapobiegają neuroinfekcjom o tej etiologii.

19.3.2
Zakażenie *Neisseria meningitidis*

Epidemiologia

Neisseria meningitidis jest najczęstszym czynnikiem etiologicznym zapaleń opon m.-r. (powyżej 3. mż.). Szacowana zapadalność na inwazyjną chorobę meningokokową (zapalenie opon i sepsę o etiologii meningokokowej) w Europie sięga 1,1 : 100 000, w Polsce 0,5–1 : 100 000 (ok. 200 przypadków rocznie). Zachorowania mają charakter sporadyczny lub epidemiczny. Najwyższa zapadalność dotyczy dzieci w wieku do 4 lat, nastolatków i młodych dorosłych. W Polsce występują niemal wyłącznie zakażenia serotypami B i C (wzrasta odsetek zakażeń serotypem C). Nosicielstwo w nosowej części gardła jest powszechne (2–25% populacji, w środowiskach zamkniętych sięga 40–80%). Źródło zakażenia stanowią chorzy lub nosiciele. Drogi zakażenia – kropelkowa (podczas kaszlu i kichania bakteria jest rozprzestrzeniana na odległość 1 metra) lub bezpośredni kontakt z wydzieliną z dróg oddechowych. Wyższe ryzyko zakażenia mają osoby z niedoborami odporności (niedobory składowych dopełniacza, properdyny), asplenią czy chorobami autoimmunizacyjnymi i przebywające w środowiskach zamkniętych lub złych warunkach socjalnych.

Etiologia i patogeneza

Dwoinka zapalenia opon mózgowo-rdzeniowych to Gram-ujemna bakteria z otoczką polisacharydową. Wyróżnia się 13 serotypów, za około 90% zakażeń odpowiadają serotypy A, B, C, Y i W 135. *N. meningiti-*

dis wywołuje ciężkie zakażenia inwazyjne – zapalenie opon m.-r. i sepsę, rzadziej zapalenie stawów, wsierdzia, osierdzia oraz dróg oddechowych i moczowych. Po kontakcie z chorym lub nosicielem dochodzi do kolonizacji nosowej części gardła, nabycia nosicielstwa. W sprzyjających warunkach drobnoustroje przekraczają barierę błony śluzowej i przedostają się do krwi, wywołując bakteriemię. Drogą krwiopochodną dochodzi do zakażenia OUN. Szacuje się, że do rozwoju zakażenia inwazyjnego dochodzi u 1 osoby na 1000–5000 skolonizowanych.

Obraz kliniczny

Nagły początek, z szybkim narastaniem objawów, gorączką, złym samopoczuciem i pogarszającym się stanem ogólnym. U 10–50% chorych stwierdza się wysypkę krwotoczną. O zajęciu OUN świadczą objawy podmiotowe i przedmiotowe.

Przebieg naturalny

W ciężkich (piorunujących) przypadkach może szybko dojść do wstrząsu.

Metody diagnostyczne

W wynikach badań laboratoryjnych występują:

- leukocytoza granulocytarna,
- wysokie wykładniki stanu zapalnego (CRP, prokalcytonina),
- małopłytkowość (często).

Diagnostyka mikrobiologiczna obejmuje:

- posiew krwi,
- badania płynu mózgowo-rdzeniowego (preparat bezpośredni, testy lateksowe, posiew, metody PCR),
- wymaz z jamy nosowej i gardła.

Różnicowanie

Z innymi przyczynami sepsy i zapaleń opon m.-r.

Leczenie

Pacjent z podejrzeniem inwazyjnej choroby meningokokowej wymaga pilnej hospitalizacji w ośrodku dysponującym oddziałem intensywnej terapii (transport do szpitala karetką R). Zaleca się jak najszybsze wdrożenie empirycznej antybiotykoterapii w momencie wysunięcia podejrzenia choroby, nawet przed wykonaniem badań. Stosuje się penicylinę krystaliczną lub cefalosporyny III generacji. Przy wyborze penicyliny dodatkowo konieczne jest podanie jednej dawki cefalosporyny III generacji lub cyprofloksacyny w celu zniesienia nosicielstwa w jamie nosowej i gardle.

Powikłania

U 20% pacjentów obserwuje się trwałe powikłania neurologiczne (utrata słuchu, drgawki, opóźnienie rozwoju psychoruchowego). Niekiedy konieczna jest amputacja kończyny z powodu jej martwicy.

Rokowanie

Rokowanie w inwazyjnej chorobie meningokokowej jest niepewne. Śmiertelność sięga 10–12%, a we wstrząsie septycznym – 50%.

19.3.3
Zakażenie *Streptococcus pneumoniae*

Epidemiologia

Najbardziej podatne na zakażenie są najmłodsze dzieci (< 2. rż.) i starsi dorośli (po 65. rż.), a także osoby z niedoborami immunologicznymi, wcześniaki z dysplazją oskrzelowo-płucną oraz pacjenci po urazach i z wadami OUN, w szczególności z wyciekiem płynu mózgowo-rdzeniowego. Warunkiem rozwoju inwazyjnej choroby pneumokokowej (patrz dalej) jest nosicielstwo pneumokoków w nosowej części gardła, które dotyczy 5–25% populacji, a najczęściej (nawet 80–98%) występuje u dzieci między 6. mż. a 5. rż. Ryzyko nosicielstwa jest wyraźnie wyższe u dzieci w domach dziecka oraz uczęszczających do żłobków i przedszkoli (60% *vs.* 22% w grupie pozostających w domach), a także u dorosłych domowników w rodzinach z dziećmi.

Zakażenia pneumokokowe stwierdza się na całym świecie. W Europie zapadalność na inwazyjną chorobę pneumokokową u dzieci wynosi 10–23 : 100 000 rocznie. *S. pneumoniae* odpowiada za 23% bakteryjnych zapaleń opon m.-r., częściej niż inne bakterie powoduje poważne powikłania i może być przyczyną zapaleń nawrotowych. Człowiek zakaża się drogą kropelkową lub przez kontakt bezpośredni.

Etiologia i patogeneza

Pneumokoki są Gram-dodatnimi bakteriami otoczkowymi. Stanowią przyczynę powszechnie występujących zakażeń zlokalizowanych (bez wysiewu do krwi – zapalenia ucha środkowego, zatok przynosowych i płuc) i groźnych dla życia zakażeń inwazyjnych, spowodowanych przenikaniem bakterii z miejsc fizjologicznej kolonizacji (np. błony śluzowej nosogardzieli) do krwi lub innych tkanek, w których prawidłowo nie występują.

Inwazyjna choroba pneumokokowa obejmuje zapalenie opon m.-r., sepsę, bakteryjne zapalenie płuc z bakteriemią, bakteriemię bezobjawową, zapalenie wsierdzia i zapalenie otrzewnej.

Spośród ponad 90 serotypów *S. pneumoniae* zakażenia inwazyjne u dzieci wywołują najczęściej serotypy 4, 6B, 9V, 14, 18C, 19F i 23F. W Polsce 73% przypadków to serotypy 14, 6B, 23F i 18C, a w izolowanych zapaleniach opon m.-r. dominują 3, 8, 19F i 6B. Patogen dostaje się do OUN wskutek bakteriemii, choć możliwe jest również szerzenie się przez ciągłość (w zapaleniu ucha czy zatok przynosowych, ew. po urazie głowy).

Obraz kliniczny

Objawy narastają szybko, w ciągu kilku–kilkunastu godzin. Częściej niż w innej etiologii obserwuje się:

- zaburzenia świadomości,
- objawy ogniskowego uszkodzenia OUN,
- porażenia nerwów czaszkowych.

Zajęciu OUN może towarzyszyć zapalenie płuc. Zwykle nie obserwuje się zmian skórnych.

Przebieg naturalny

Zwykle ciężki i powikłany.

Metody diagnostyczne

Jak w zakażeniu *N. meningitidis* (patrz str. 973).

Różnicowanie

Z innymi przyczynami bakteryjnego zapalenia opon m.-r., sepsy i zapalenia płuc.

Leczenie

Narasta oporność pneumokoków na antybiotyki β-laktamowe, makrolidy, linkozamidy i tetracykliny. Obecnie w Polsce 31% szczepów wykazuje oporność na penicylinę, wiele z nich także na ceftriakson. W leczeniu empirycznym bakteryjnego zapalenia opon m.-r. do cefalosporyny III generacji należy dodać wankomycynę.

Powikłania

Trwałe ubytki neurologiczne obserwuje się u 20––50% pacjentów po przebyciu pneumokokowego zapalenia opon m.-r.

Rokowanie

Śmiertelność w przebiegu inwazyjnej choroby pneumokokowej wynosi 10–25%.

19.3.4

Zakażenie *Haemophilus influenzae* typu b (Hib)

Epidemiologia

Trzeci pod względem częstości czynnik etiologiczny zapaleń opon m.-r. W krajach, w których wprowadzono rutynowe szczepienia przeciw Hib, w tym w Polsce, zapadalność znacznie się zmniejszyła. W Polsce notuje się 40–50 przypadków rocznie. Chorują głównie małe dzieci (4. mż.–2. rż.). Zachorowania > 5. rż. są rzadkością.

Etiologia i patogeneza

Haemophilus influenzae jest Gram-ujemnym niezarodnikującym drobnoustrojem o różnorodnych kształtach. Wyróżnia się szczepy otoczkowe i bezotoczkowe (nietypowalne). Wśród otoczkowych (a––f) za większość chorób odpowiada serotyp b (w Polsce 94% przypadków). Do zakażenia OUN dochodzi drogą krwiopochodną, przez sploty naczyniowe.

Obraz kliniczny i przebieg naturalny

Najczęściej zakażenia mają gwałtowny przebieg, ale zdarzają się przypadki o początku podostrym, z objawami narastającymi w ciągu kilku dni.

Metody diagnostyczne

Jak w zakażeniu *N. meningitidis* (patrz str. 973).

Różnicowanie

Z innymi przyczynami bakteryjnego zapalenia opon m.-r.

Leczenie

Lekiem z wyboru są cefalosporyny III generacji, na które wrażliwa jest większość szczepów. Oporność na penicyliny wykazuje ok. 13% szczepów.

Powikłania

Poważne powikłania neurologiczne stwierdza się u 25% pacjentów, z czego 6% przypadków stanowi trwała utrata słuchu.

Rokowanie

Śmiertelność wynosi 5%.

19.3.5

Zakażenia enterowirusowe

Stanowią najczęstszą przyczynę wirusowych zapaleń opon m.-r. o ustalonej etiologii. Opisano je w rozdz. 19.7.7 „Zakażenia enterowirusowe".

19.3.6

Kleszczowe zapalenie mózgu

łac. *encephalitis ixodica*
ang. tick-borne encephalitis

Definicja

Wczesnoletnie lub wiosenno-letnie zapalenie mózgu i zapalenie opon mózgowo-rdzeniowych będące sezonową chorobą OUN, przenoszoną przez kleszcze i wywoływaną przez wirusy z rodziny *Flaviviridae*.

Epidemiologia

Kleszczowe zapalenie mózgu (KZM) występuje endemicznie na terenach Europy Środkowo-Wschodniej. W Polsce rocznie rozpoznaje się ok. 250 zachorowań (ok. 30% wszystkich zapaleń mózgu), w okresie od wiosny do jesieni. Szczególnie narażeni są pracownicy leśni, służby mundurowe i rolnicy oraz osoby zatrudnione na terenach endemicznych, u których zakażenie przebiega często bezobjawowo lub skąpoobjawowo. Zakażeniu ulegają także turyści, myśliwi, zbieracze runa leśnego i inni ludzie przybywający na tereny endemiczne. Częściej chorują mężczyźni.

Etiologia i patogeneza

Głównym przenosicielem i rezerwuarem flawiwirusów są kleszcze (*Ixodes ricinus* i *Ixodes persulcatus*). Kleszcze zakażają się wirusem od zwierząt ciepłokrwistych (dzikich gryzoni, małych ssaków leśnych, ptaków). Ze śliną kleszcza wirus przedostaje się do organizmu gospodarza, którym przypadkowo może być człowiek. Ryzyko zachorowania na objawowe KZM po ukłuciu przez kleszcza na terenach endemicznych wynosi dla dorosłego 1 : 1000, u dzieci jest niższe. Wirus namnaża się w komórkach w miejscu ukłucia, a następnie naczyniami limfatycznymi dostaje się do okolicznych węzłów chłonnych i układu siateczkowo-śródbłonkowego (śledziona, wątroba, szpik kostny), skąd przez krew dochodzi do OUN. Okres wylęgania choroby trwa od 7 do 28 dni.

Obraz kliniczny i przebieg naturalny

W większości przypadków zakażenie przebiega bezobjawowo lub skąpoobjawowo, u dzieci łagodniej niż u dorosłych. W przypadkach objawowych KZM rozwija się zwykle dwufazowo:

■ pierwsza faza (1–8 dni, odpowiada wiremii) – objawy grypopodobne: gorączka, bóle stawów, osłabienie, uczucie rozbicia, nieżyt górnych dróg oddechowych, mdłości, wymioty, rzadziej wysypka,

■ druga faza – po kilkudniowym okresie bezobjawowym u 10–30% pacjentów występuje zajęcie OUN, najczęstszą i najlżejszą postacią jest zapalenie opon m.-r. (60% chorych), choć występują też zapalenie mózgu i opon m.-r. (30%) oraz najcięższe zapalenie mózgu, rdzenia kręgowego i opon m.-r. (10%).

Metody diagnostyczne

Badania serologiczne, w tym immunoenzymatyczne (ELISA), pozwalają na wykrycie swoistych przeciwciał w klasie IgG i IgM. Metoda PCR wykrywa specyficzne sekwencje RNA wirusa w płynie m.-r. lub surowicy krwi. Dowodem zakażenia jest izolacja wirusa z płynu m.-r. lub krwi (w badaniach naukowych).

Różnicowanie

Z innymi przyczynami wirusowych zapaleń mózgu i zapaleń opon m.-r.

Leczenie

Wyłącznie objawowe (przeciwgorączkowe, przeciwbólowe, przeciwobrzękowe). Istotna jest rehabilitacja i psychoterapia.

Powikłania

U 35–59% chorych dochodzi do wystąpienia neurologicznych objawów ubytkowych, porażeń i niedowładów nerwów. Często występują zaniki mięśni obręczy piersiowej, uszkodzenie móżdżku i objawy psychiczne (zaburzenia świadomości, koncentracji czy snu, depresja).

Rokowanie

Rekonwalescencja trwa długo, objawy neurologiczne, zaburzenia psychiczne i zmniejszona wydolność fizyczna ustępują powoli. Śmiertelność dotyczy 1–2% przypadków.

19.3.7

Opryszczkowe zapalenie mózgu

łac. *encephalitis herpetica*
ang. herpetic encephalitis

Definicja

Proces zapalny w obrębie mózgu wywołany pierwotnym lub wtórnym zakażeniem wirusem opryszczki zwykłej (HSV-1 lub 2). Zazwyczaj ma ciężki przebieg.

Epidemiologia

Choroba stanowi ok. 10% wszystkich zapaleń mózgu i 20% o ustalonej etiologii. Najczęściej dotyczy noworodków, dzieci między 6. mż. a 4. rż. i osób dorosłych.

Etiologia i patogeneza

U dzieci opryszczkowe zapalenie mózgu jest najczęściej konsekwencją zakażenia pierwotnego, u dorosłych – wtórnego. W 96% przypadków wywołuje je HSV-1.

Po zakażeniu pierwotnym jamy ustnej i gardła wirus transportowany jest wstecznie przez aksony do zwoju nerwu trójdzielnego, gdzie przechodzi w stan latencji. Reaktywacja zakażenia w zwojach prowadzi do zapalenia tkanki mózgowej. Niekiedy dochodzi do pierwotnego zakażenia OUN przez jamę nosową, komórki węchowe i nerw węchowy. Zmiany zapalne dotyczą istoty szarej, obejmują głównie dolno-przyśrodkową część płatów skroniowych, korę okolicy oczodołowo-czołowej, układ limbiczny i hipokamp. Z reguły są asymetryczne. U noworodków zwykle mają charakter rozlany.

Obraz kliniczny i przebieg naturalny

U dzieci obserwuje się początkowo niespecyficzne objawy prodromalne: gorączkę, infekcję dróg oddechowych czy przewodu pokarmowego. Pojawiają się bóle głowy, nudności i wymioty. Objawy neurologiczne obejmują drgawki ogniskowe, połowicze, z tendencją do uogólniania się, niedowład połowiczy, halucynacje, zaburzenia pamięci, afazję i zaburzenia świadomości do głębokiej śpiączki włącznie. U młodych dorosłych przebieg może być bardzo dynamiczny. Dominują gorączka, ból głowy, szybko narastające zaburzenia świadomości i drgawki.

Metody diagnostyczne

W płynie m.-r. stwierdza się pleocytozę (20–300 komórek/mm^3) z przewagą limfocytów. Typowa jest obecność erytrocytów (wynik procesu krwotocznego). Stężenie białka nieznacznie przekracza normę, a glukozy i chlorków mieści się w jej granicach. Potwierdzenie zakażenia stanowi wykrycie materiału genetycznego wirusa (HSV DNA) metodą PCR. Badania serologiczne mają ograniczone znaczenie ze względu na powszechną obecność przeciwciał anty--HSV w populacji.

Badania neuroobrazowe (TK i MR) uwidoczniają charakterystyczne zmiany w obrębie płatów skroniowych i efekt masy (przemieszczenie struktur linii środkowej, przemieszczenie i ucisk komory bocznej).

Różnicowanie

Z innymi przyczynami zapalenia mózgu, guzem mózgu (ze względu na efekt masy) i zatruciami.

Leczenie

Acyklowir dożylnie, minimum przez 2 tygodnie, postępowanie przeciwobrzękowe, przeciwdrgawkowe, przeciwgorączkowe. Leczenie przyczynowe powinno być włączone jak najszybciej, już przy podejrzeniu neuroinfekcji o etiologii HSV, przed potwierdzeniem rozpoznania.

Powikłania i rokowanie

U połowy dzieci po opryszczkowym zapaleniu mózgu stwierdza się trwałe uszkodzenia OUN objawiające się opóźnieniem rozwoju psychoruchowego, niedowładem spastycznym czy padaczką lekooporną.

Rokowanie

W przypadkach nieleczonych śmiertelność wynosi 70–80%, przy leczeniu acyklowirem – 20%.

19.4   *Sabina Dobosz*

POSOCZNICA (SEPSA)

łac. *sepsis*

ang. sepsis

Definicja

Posocznica to zespół ogólnoustrojowej reakcji zapalnej będącej wynikiem zakażenia bakteryjnego, wirusowego, grzybami lub pierwotniakami.

Zespół uogólnionej reakcji zapalnej (systemic inflammatory response syndrome, **SIRS**) to stan charakteryzujący się nagłym wystąpieniem co najmniej 2 z poniżej wymienionych objawów, w tym koniecznie nieprawidłowej ciepłoty ciała lub liczby leukocytów:

- ciepłota ciała > 38,5°C lub < 36°C,
- tachykardia > 2 odchyleń standardowych dla wieku (normy patrz rozdz. 26 „Badania i normy w pediatrii") – niewyjaśnione utrzymywanie się odchyleń przez minimum 30 minut do 4 godzin, bez wpływu czynników zewnętrznych lub leków; w 1. rż. także bradykardia utrzymująca się > 30 minut (normy patrz rozdz. 26 „Badania i normy w pediatrii"), bez wpływu czynników zewnętrznych lub leków,
- tachypnoë – średnia częstotliwość oddechu powyżej 2 odchyleń standardowych dla wieku (patrz rozdz. 26 „Badania i normy w pediatrii") lub konieczność mechanicznej wentylacji z powodu nagłych zaburzeń oddychania niezwiązanych z chorobami neuromięśniowymi lub znieczuleniem,

■ liczba leukocytów powyżej lub poniżej normy dla wieku (patrz rozdz. 26 „Badania i normy w pediatrii") niezwiązana z lekami lub > 10% niedojrzałych postaci neutrofili w rozmazie krwi.

Ciężka sepsa – stan powodujący niewydolność lub zaburzenia czynności narządów lub układów, w którym występuje jeden z poniższych objawów:

■ zaburzenia czynności układu krążenia:
  ■ niedociśnienie tętnicze (< 5. centyla dla wieku, wzrostu i płci lub ciśnienie skurczowe < 2 SD dla normy dla wieku) utrzymujące się co najmniej 1 godzinę pomimo odpowiedniego nawodnienia dożylnego (> 40 ml/kg mc. płynów izotonicznych) lub
  ■ konieczność podawania leków obkurczających naczynia krwionośne w celu utrzymania prawidłowego ciśnienia tętniczego lub
  ■ co najmniej 2 z zaburzeń: kwasica metaboliczna, niedobór zasad (BE) < −5 mmol/l, stężenie mleczanów we krwi tętniczej ponad 2-krotnie przekraczające górną granicę normy, oliguria < 0,5 ml/kg mc./godzinę przy prawidłowym nawodnieniu, opóźniony powrót włośniczkowy > 5 sekund, różnica między temperaturą centralną i powierzchowną ciała > 3°C,
■ zespół ostrej niewydolności oddechowej (acute respiratory distress syndrome, ARDS) – wskaźnik oksygenacji $PaCO_2/FiO_2 \leqslant 300$ mmHg, obustronne zacienienia w RTG klatki piersiowej, bez objawów lewokomorowej niewydolności serca.

Ciężka sepsa objawia się zwykle niewydolnością 2 lub więcej układów/narządów, w tym układu oddechowego, nerek, OUN lub wątroby i zaburzeniami homeostazy.

Wstrząs septyczny to klinicznie ciężka postać sepsy z zaburzeniami układu krążenia. Przede wszystkim z utrzymującym się niedociśnieniem tętniczym, powodującym zmniejszenie przepływu tkankowego krwi, które wymaga podawania leków obkurczających naczynia krwionośne.

Zespół niewydolności wielonarządowej (multiple organ dysfunction syndrom, **MODS**) oznacza występowanie poważnych zaburzeń czynności wielu narządów u osób z ostrą chorobą, które uniemożliwia utrzymanie homeostazy bez interwencji leczniczej.

Epidemiologia

Sepsa występuje w warunkach szpitalnych i pozaszpitalnych. W dniu przyjęcia do szpitala skolonizowanych bakteriami chorobotwórczymi jest 5–15% pacjentów, a po pobycie na oddziale intensywnej terapii (OIT) do 86%. W Polsce u dorosłych leczonych na oddziale intensywnej terapii częstość występowania sepsy wynosi 34%, ciężkiej sepsy 16%, a wstrząsu septycznego 6%, u większości z nich występuje niewydolność wielonarządowa.

Etiologia i patogeneza

Sepsa może stanowić powikłanie infekcji narządowej lub konsekwencję kolonizacji błon śluzowych przez patogeny. Kolonizacja ma związek z czasem hospitalizacji, stosowaniem procedur inwazyjnych i cewników naczyniowych oraz długością i intensywnością antybiotykoterapii. Do rezerwuarów bakterii kolonizujących należą skóra, jama nosowa, gardło, przewód pokarmowy i układ moczowy. W ok. 30% przypadków nie udaje się ustalić ogniska pierwotnego. Punktem rozsiewu mogą być zmiany zapalne w zatokach przynosowych, uchu, gardle, przyzębiu, OUN czy jamie brzusznej.

U dzieci od 3. mż. do 3. rż. występuje zwiększone ryzyko rozwoju ukrytej bakteriemii, której konsekwencją bywa sepsa. Do grupy wysokiego ryzyka rozwoju sepsy należą niemowlęta, dzieci leczone długotrwale antybiotykami, niedożywione, z rozległymi urazami, chorobami przewlekłymi, nowotworami i wrodzonymi lub nabytymi niedoborami odporności. Czynnik etiologiczny jest związany z wiekiem dziecka. U noworodków najczęściej stwierdza się *Streptococcus* grupy B, *E. coli*, *Listeria monocytogenes*, enterowirusy i HSV, a u dzieci starszych *S. pneumoniae*, *N. meningitidis* i *S. aureus*. Inwazyjne procedury diagnostyczne, cewniki naczyniowe, intubacja, cewnik w pęcherzu moczowym, żywienie pozajelitowe oraz przetaczanie płynów i krwi wiążą się z ryzykiem kolonizacji szczepami szpitalnymi – bakteriami Gram-ujemnymi i grzybami.

Patogeneza sepsy jest uwarunkowana wirulencją drobnoustroju i miejscem jego wtargnięcia, obecnością chorób współistniejących, wiekiem i stanem odżywienia pacjenta oraz polimorfizmem genów sterujących odpowiedzią cytokinową i innymi efektorami reakcji immunologicznej. Za rozwój sepsy odpowiadają liczne substancje wytwarzane przez bakterie, m.in. lipopolisacharyd (LPS) – endotoksyna, składnik błony zewnętrznej ściany komórkowej bakterii Gram-ujemnych, kwas lipoteichowy – składniny komórkowej bakterii Gram-dodatnich, oraz inne elementy strukturalne: peptydoglikan, flageliny (rzęski), mannan, lipoproteiny, fragmenty DNA bakteryjnego, RNA wirusów, egzotoksyny gronkowców i paciorkowców.

Po wniknięciu patogenu do organizmu zostają uruchomione początkowo wrodzone, a później nabyte mechanizmy odpowiedzi immunologicznej. Lipopolisacharyd tworzy we krwi kompleks z białkiem go wiążącym, a następnie aktywuje cząsteczki CD14 na powierzchni monocytów/makrofagów i neutrofilów oraz cząsteczki krążące w osoczu. Do wnętrza komórki przekazany zostaje sygnał rozpoczynający kaskadę reakcji biochemicznych, indukujących ponad 150 genów, odpowiedzialnych za reakcję zapalną. W następstwie aktywacji komórek powstają cytokiny i chemokiny prozapalne, m.in.: interleukiny 1, 6, 12, 15 i 18, czynnik martwicy nowotworów α (TNF-α). Ich pojawienie się skutkuje rozpoczęciem syntezy/pobudzeniem kolejnych mediatorów zapalenia: leukotrienów, prostaglandyn, białek ostrej fazy, ICAM, PAF, iNOS i wolnych rodników tlenowych. Równocześnie dochodzi do aktywacji mediatorów przeciwzapalnych (IL-4, IL-10 i IL-13). Wyczerpanie możliwości syntezy mediatorów prozapalnych daje przewagę czynnikom przeciwzapalnym, osłabiającym odporność ustroju.

W sepsie najwcześniej dochodzi do aktywacji i uszkodzenia śródbłonka naczyniowego. Obraz kliniczny zależy od stopnia upośledzenia jego funkcji. Zwykle rozwija się DIC. Występują też zaburzenia czynności i wydolności różnych narządów i układów. Hipotensja i hipoperfuzja powodują zmniejszenie dowozu tlenu do tkanek i niedotlenienie. Nasilenie przemian beztlenowych prowadzi do kwasicy mleczanowej.

Jedna z hipotez zakłada, że sepsa polega na wymykającej się spod kontroli odpowiedzi typu zapalnego, kolejna, że w ciężkiej sepsie dochodzi do immunosupresji i anergii (brak reaktywności na dany antygen). Poznanie patogenezy sepsy stanowi nadal przedmiot badań. Zróżnicowana podatność na zakażenie ogólnoustrojowe jest uwarunkowana genetycznie, wiąże się prawdopodobnie z różną intensywnością aktywacji receptorów i genów odpowiedzialnych za nasilenie reakcji prozapalnej.

Obraz kliniczny

Niejednorodny i nieswoisty. Objawy i kryteria rozpoznania podano w definicjach. Początkowo pojawiają się zaburzenia termoregulacji (hiper- lub hipotermia), tachykardia i tachypnoë. Ciśnienie krwi przez dłuższy czas pozostaje prawidłowe, u dzieci jego obniżenie stanowi późny objaw. Rozwijają się objawy zaburzonej perfuzji tkankowej i zmniejszonego rzutu serca: opóźniony powrót włośniczkowy, słabo- lub niewyczuwalne tętno obwodowe, zimne kończyny i brak diurezy. Ze strony OUN stwierdza się dezorientację, rozdrażnienie, senność, ospałość lub śpiączkę.

Wybroczyny mogą wystąpić w przebiegu każdego zakażenia bakteryjnego, bez związku z DIC. Bakterie Gram-dodatnie wytwarzające toksyny pirogenne i erytrogenne powodują pojawienie się rozsianych zmian rumieniowych i wysypki drobnoplamistej. Zmiany pęcherzowe lub o charakterze *cellulitis* mogą być wywołane przez gronkowce i paciorkowce. Bakterie Gram-ujemne powodują czasem rozwój zmian pęcherzykowych, pęcherzowych lub *ecthyma gangrenosum*.

Żółtaczka stanowi objaw zakażenia lub MODS. Mogą występować objawy infekcji ogniskowej, np. zapalenia płuc, opon m.-r., skóry, układu moczowego czy stawów.

Przebieg naturalny

Nieopanowanie zakażenia we wczesnym etapie przez skuteczne leczenie prowadzi do wstrząsu septycznego, niewydolności wielonarządowej i zgonu.

Metody diagnostyczne

Podstawowe badania zmierzają do ustalenia źródła infekcji i czynnika etiologicznego. Materiały do badań bakteriologicznych (krew, mocz, wymazy z jamy nosowej i gardła, wymazy z ran i ropni, posiew kału i płynu m.-r.) powinny być pobrane przed rozpoczęciem antybiotykoterapii. Na posiew należy pobierać odpowiednią ilość krwi, z osobnego nakłucia żyły, co najmniej 2 razy w ciągu doby. W preparacie bezpośrednim krwi można wykazać obecność np. pneumokoków, krętków czy zarodźców. Metody serologiczne (ELISA), molekularne (PCR) i immunologiczne (cytometria przepływowa) skracają diagnostykę.

Ocenia się morfologię krwi obwodowej, wskaźniki stanu zapalnego (prokalcytonina, CRP), biochemię (Na, K, glikemia, mocznik, AspAT, AlAT), gazometrię i koagulogram. Neutropenia zwiększa ryzyko rozwoju ciężkiej infekcji, a niedokrwistość i kwasica mleczanowa pogłębiają niedotlenienie tkanek. Trombocytopenia może zwiastować DIC. Nieprawidłowe wartości koagulogramu świadczą też czasem o niewydolności wątroby. Ocena stężeń Na i K, glikemii i gazometrii powinna być częsta. Stężenie mocznika i kreatyniny ocenia funkcję nerek i stan nawodnienia. Wzrost stężenia CRP jest powolny (do 24 godzin) i niespecyficzny (wzrasta w infekcjach wirusowych, po urazach, zabiegach operacyjnych). Prokalcytonina to czulszy marker, jej stężenie rośnie już po 3 godzinach od początku sepsy. Wartość > 0,5 ng/ml świadczy o uogólnionym zakażeniu bakteryjnym. Wynik w granicach 0,5–2 ng/ml spotyka się w SIRS i urazach wielonarządowych, w sepsie osiąga wartości > 10 ng/ml. Stężenie prokalcytoniny ma także znaczenie prognostyczne. Utrzymywanie się go na wysokim poziomie pomimo leczenia koreluje dodatnio ze śmiertelnością.

W diagnostyce sepsy pomocne są badania obrazowe, m.in. RTG klatki piersiowej, TK/MR OUN, USG jamy brzusznej i ECHO serca.

Różnicowanie
Spełnienie kryteriów rozpoznania sepsy wymaga różnicowania w zakresie patogenów wywołujących uogólnioną reakcję zapalną i lokalizację źródła zakażenia.

Leczenie
W podejrzeniu sepsy ważne jest jak najszybsze równoległe wdrożenie diagnostyki oraz leczenia przyczynowego, objawowego i nakierowanego na hamowanie uogólnionej reakcji zapalnej, a także opanowanie czynników predysponujących do powikłań. Obowiązuje założenie 2 dojść dożylnych. Pacjent z objawami ciężkiej sepsy jak najszybciej powinien trafić na oddział intensywnej opieki medycznej.

1 Antybiotykoterapia
Przed uzyskaniem wyników badań bakteriologicznych stosuje się leczenie empiryczne (tab. 19.3):
- noworodki – ampicylina z aminoglikozydem lub cefotaksym, przy podejrzeniu infekcji wewnątrzszpitalnej należy zastosować wankomycynę, a podejrzewając HSV acyklowir,
- niemowlęta i dzieci starsze – cefotaksym lub ceftriakson, w zapaleniu opon m.-r. z możliwością zakażenia szczepem metycylinoopornym gronkowca lub pneumokokami opornymi na ceftriakson dodaje się wankomycynę,

Tabela 19.3. Dawkowanie leków w sepsie

LEK	DAWKOWANIE
Ceftriakson	100 mg/kg mc./dobę i.v. w 1–2 dawkach (maks. 4 g/dobę)
Cefotaksym	200–300 mg/kg mc./dobę i.v. w 3–4 dawkach (maks. 12 g/dobę)
Cefepim	100–150 mg/kg mc./dobę i.v. w 2–3 dawkach
Ampicylina	200–400 mg/kg mc. i.v. w 3 dawkach
Penicylina G	250–500 tys. j./kg mc./dobę i.v. w 4–6 dawkach
Wankomycyna	60 mg/dobę i.v. w 2–3 dawkach
Amikacyna	20–30 mg/kg mc. i.v. w 3 dawkach*
Klindamycyna	40 mg/kg mc./dobę i.v. w 4 dawkach
Metronidazol	30 mg/kg mc. i.v. w 3–4 dawkach
Acyklowir	500 mg/m² pc. lub 10 mg/kg mc. i.v. co 8 godzin

* Według rekomendacji postępowania w zakażeniach bakteryjnych ośrodkowego układu nerwowego (KOROUN).

- podejrzenie sepsy meningokokowej – ceftriakson lub penicylina krystaliczna, podane jak najszybciej (nawet przed pobraniem badań) ze względu na piorunujący przebieg,
- chorzy z niedoborami immunologicznymi i w zakażeniach wewnątrzszpitalnych – wankomycyna łącznie z lekiem skutecznym w zakażeniu *Pseudomonas* (ceftazydym lub cefepime, aminoglikozyd, tikarcylina z kwasem klawulanowym, piperacylina z tazobaktamem, imipenem lub meropenem),
- podejrzenie infekcji bakteriami beztlenowymi – klindamycyna lub metronidazol.

W przypadkach znanego ogniska zakażenia ważne jest jego usunięcie (zakażone tkanki lub narządy, cewniki naczyniowe). Leczenie przeciwdrobnoustrojowe powinno trwać 7–10 dni. Należy je zweryfikować po uzyskaniu wyników posiewów.

2 Leczenie wspomagające
Wczesne intensywne nawadnianie i leczenie katecholaminami poprawia rokowanie. W pierwszym okresie nawadniania należy podać 20 ml/kg mc. 0,9% NaCl, 2 : 1 lub roztworu Ringera w szybkim wlewie dożylnym (5–10 minut). Podobne objętości płynów powtarza się do uzyskania normalizacji czynności serca

i ciśnienia tętniczego, prawidłowej filtracji nerkowej (≥ 1 ml moczu/kg mc./godzinę) i powrotu włośniczkowego < 2 s oraz ustąpienia zaburzeń świadomości. Podanie 60–80 ml/kg mc. płynu nawadniającego w pierwszych 2 godzinach leczenia nie grozi powikłaniami. W niektórych przypadkach pacjenci wymagają podaży większych objętości płynów (100–200 ml//kg mc.). W dalszym nawadnianiu na równi traktowane są krystaloidy z koloidami.

W celu utrzymania odpowiedniego dowozu tlenu do tkanek stosuje się koncentrat krwinek czerwonych. Należy utrzymać wartości hemoglobiny na poziomie ok. 10 g/dl. W objawowej skazie krwotocznej zaburzenia homeostazy wyrównuje się przez transfuzje płytek krwi, świeżego mrożonego osocza czy krioprecypitatu.

Wykazano, że ok. 50% dzieci na OIT ma częściową lub całkowitą niewydolność kory nadnerczy. Zaleca się podanie hydrokortyzonu w bolusie (50 mg/kg mc.) i kontynuowanie w dawkach frakcjonowanych do kolejnych 50 mg/kg mc./dobę.

Gdy pomimo prawidłowego nawodnienia utrzymuje się hipotensja, stosuje się preparaty obkurczające naczynia. Lekiem pierwszego rzutu jest dopamina. W przypadku wstrząsu niewrażliwego na dopaminę podaje się adrenalinę lub noradrenalinę. Wazopresyna pomaga we wstrząsie opornym na noradrenalinę. Dobutamina, zwiększająca kurczliwość mięśnia sercowego, jest wskazana w przypadku niskiego rzutu serca.

U pacjentów opornych na powyższe leczenie stosuje się nitroprusydek sodu lub inhibitor fosfodiesterazy typu III (milrinone). Należy kontrolować i wyrównywać zaburzenia elektrolitowe i metaboliczne (Na, K, Ca, glikemia, kwasica mleczanowa).

W ostrej niewydolności nerek stosuje się dializoterapię, a w niewydolności oddechowej wentylację mechaniczną płuc (patrz rozdz. 25 „Postępowanie w stanach zagrożenia życia u dzieci").

Powikłania

Powikłania odległe zależą od stopnia uszkodzenia narządów, układów i od możliwości ich regeneracji.

Rokowanie

Zależy od źródła zakażenia, patogenu, obecności zaburzeń wielonarządowych i nasilenia odpowiedzi immunologicznej. Ciężka sepsa jest jedną z głównych przyczyn zgonu u dzieci (10–20% śmiertelność). U dorosłych śmiertelność sięga 50%.

19.5   *Agnieszka Ołdakowska*

OSTRE BIEGUNKI INFEKCYJNE

Definicja

Pojęcie biegunka oznacza zmianę konsystencji stolców na płynną lub półpłynną i/lub zwiększenie liczby wypróżnień (zwykle ≥ 3/24 h) z towarzyszącą gorączką i wymiotami lub bez tych objawów. Definicja jakościowa biegunki – co najmniej 3 luźne lub wodniste stolce lub każda liczba luźnych stolców zawierających krew w ciągu 24 godzin. Biegunka inwazyjna (zapalna) to krwista/śluzowa biegunka o nagłym początku (z obecnością neutrofili w kale, jeśli badanie takie wykonano) z towarzyszącą gorączką.

Ostra biegunka infekcyjna (łac. *diarrhoea infectiosa*, ang. infectious diarrhea) trwa zwykle do 7–14 dni.

Epidemiologia

W Europie częstość występowania biegunki u dzieci do ukończenia 3. rż. wynosi 0,5–1,9 epizodu rocznie u każdego dziecka. Najczęstszą przyczyną są zakażenia rotawirusowe (do 5. rż. 10–35%) i norowirusowe, a wśród patogenów bakteryjnych *Campylobacter* i *Salmonella*. W 45–60% biegunek nie udaje się ustalić czynnika etiologicznego. W Polsce dominują zakażenia rotawirusowe i salmonellozy (*S. enteritidis*, *S. typhimurium*).

Etiologia i patogeneza

Czynnikami etiologicznymi są wirusy, bakterie i toksyny bakteryjne, rzadziej pasożyty i grzyby.

Bakterie tlenowe:

- pałeczki z rodzaju *Salmonella* – wywołują salmonellozy, naturalnym rezerwuarem tych bakterii jest przewód pokarmowy zwierząt, a najczęstsze źródła zakażenia człowieka to mięso, drób i jaja, rzadziej droga fekalno-oralna czy bezpośredni kontakt,
- pałeczki z rodzaju *Shigella* – wywołują czerwonkę bakteryjną, bakterie chorobotwórcze tylko dla człowieka *S. dysenteriae*, *S. flexneri*, *S. boydii* i *S. sonnei*,
- rodzaj *Yersinia* (patrz rozdz. 19.8.5 „Jersinioza"),
- szczepy patogenne *E. coli* – EPEC (enteropatogenne *E. coli*), VTEC/STEC (syntetyzujące werotoksynę/toksynę Shiga, w krwistych biegunkach używano nazwy EHEC – enterokrwotoczne *E. coli*), EIEC (enteroinwazyjne *E. coli*), ETEC (enterotoksyczne *E. coli*), EAggEC (enteroagregacyjne *E. coli*),

■ *Plesiomonas shigelloides*, *Vibrio cholerae* (cholera – zachorowanie wywołane przez *V. cholerae* O1 lub O139, w Europie przypadki przywleczone), *Vibrio parahaemolyticus*, *Aeromonas hydrophila*,

■ Gram-dodatnie pałeczki *Listeria monocytogenes* i laseczki *Bacillus cereus* (typ biegunkowy),

■ gronkowce (głównie *S. aureus*), laseczki *Bacillus cereus* (typ wymiotny) – wytwarzają toksyny bakteryjne.

Bakterie rosnące w warunkach mikroaerofilnych – najczęściej izoluje się *Campylobacter jejuni*, rzadziej *Campylobacter coli*. Najważniejszym rezerwuarem *C. jejuni* jest drób, do zakażenia dochodzi przez skażoną żywność lub wodę. W Europie *Cambylobacter* to najczęstszy czynnik etiologiczny biegunek bakteryjnych. Niska zapadalność w Polsce spowodowana jest prawdopodobnie ograniczoną dostępnością do diagnostyki.

Bakterie beztlenowe to przede wszystkim Gram-dodatnia laseczka *Clostridium difficile*, która występuje w środowisku naturalnym (gleba, woda) oraz w przewodzie pokarmowym ludzi (w tym noworodków i niemowląt) i zwierząt. Za patogenne oddziaływanie w biegunkach poantybiotykowych odpowiadają enterotoksyczna toksyna A i cytotoksyczna toksyna B. Objawy biegunki wywołanej przez *C. difficile* są różne, od biegunki o łagodnym przebiegu, przez ciężką biegunkę ze stolcami zawierającymi śluz i krew do rzekomobłoniastego zapalenia jelit.

Czynniki wirusowe:

■ rotawirusy (głównie grupa A, choć patogenne są też grupy B i C) – należą do rodziny *Reoviridae*, stanowią najczęstszą przyczynę biegunek u dzieci do 5. rż. Zakażenia przenoszą się drogą fekalno-oralną i kropelkową, wirus jest wydalany kilka dni przed pojawieniem się objawów i do tygodnia po ich ustąpieniu (u osób z niedoborami odporności nawet do kilku miesięcy). Zakażenia rotawirusem to najczęstsze zakażenia wewnątrzszpitalne na oddziałach pediatrycznych.

■ adenowirusy (typ 40/41) – rodzina *Adenoviridae*,

■ norowirusy – rodzina *Caliciviridae*,

■ rzadziej – astrowirusy (*Astroviridae*), enterowirusy (*Picornaviridae*), reowirusy (*Reoviridae*), torowirusy i koronawirusy (*Coronaviridae*), parwowirusy (*Parvoviridae*).

Biegunki pasożytnicze najczęściej wywołują:

■ *Giardia intestinalis* (patrz rozdz. 19.9.6 „Giardioza [lamblioza]"),

■ *Cryptosporidium parvum* – szerzy się przez zanieczyszczoną wodę, pokarmy i brudne ręce, u dzieci z niedoborami odporności czy chorobami nowotworowymi choroba ma ciężki przebieg,

■ *Entamoeba histolytica* – powoduje biegunkę z domieszką śluzu i krwi (czerwonkę pełzakową), występuje głównie w strefie subtropikalnej i tropikalnej, w Europie zachorowania dotyczą podróżujących do krajów endemicznego jej występowania.

W patogenezie biegunek biorą udział 2 główne mechanizmy:

■ **biegunka osmotyczna** – polega na zaburzeniu równowagi między dostarczonymi do przewodu pokarmowego składnikami odżywczymi a możliwością ich trawienia i wchłaniania, charakterystyczne jest zatrzymanie wypróżnień po zaprzestaniu karmienia,

■ **biegunka sekrecyjna** – spowodowana zwiększeniem wydzielania do światła jelita wody i elektrolitów wskutek pobudzenia aktywności cyklazy adenylowej lub guanylowej, ew. kinazy C.

W patogenezie biegunek bakteryjnych rozróżnia się mechanizmy:

■ enteroinwazyjny – bakterie penetrują do wnętrza enterocytów, mnożą się, powodują stan zapalny i powstawanie owrzodzeń, charakterystyczna jest obecność śluzu/krwi w stolcach,

■ enterotoksyczny – bakterie produkują enterotoksyny, które po połączeniu z receptorami enterocytów pobudzają syntezę cAMP lub cGMP, wzrasta sekrecja chloru do światła jelita i zmniejsza się absorpcja sodu i wody (wodnista biegunka),

■ enterocytotoksyczny – bakterie produkują cytotoksyny uszkadzające enterocyty, co powoduje stan zapalny i wzmożoną sekrecję elektrolitów do światła jelita,

■ enteroadherencyjny – bakterie ściśle przylegają do powierzchni enterocytów, uszkadzają mikrokosmki, zmniejsza się więc powierzchnia trawienno-absorpcyjna (wodnista biegunka).

Obraz kliniczny

Okres wylęgania w zależności od czynnika wywołującego wynosi od kilku–kilkunastu godzin przy zatruciach pokarmowych (np. enterotoksynami *Staphylococcus aureus*) do kilku dni przy zakażeniach bakteryjnych. Typowymi objawami są wymioty, biegunka, gorączka i bóle brzucha. Mogą im towarzyszyć objawy ze strony układu oddechowego, zapalenie spojówek i zaburzenia neurologiczne.

W badaniu podmiotowym należy uwzględnić aktywność dziecka, gorączkę, objętość i częstotliwość wymiotów i biegunki, ilość przyjętych płynów, pragnienie, oddawanie moczu, choroby współistniejące oraz wywiad epidemiologiczny. Przedmiotowo ocenia się stan ogólny/świadomość, wygląd dziecka (zapadnięte oczy), temperaturę ciała, tętno, ciśnienie tętnicze, objawy hiperwentylacji (głęboki, szybki oddech), płacz/łzy, napięcie skóry, czas powrotu włośniczkowego, stan błon śluzowych, ciemiączko (u niemowląt) i diurezę. Najbardziej przydatne w ocenie stanu odwodnienia są:

- wydłużony czas powrotu włośniczkowego (wartość prawidłowa < 2 s),
- nieprawidłowe napięcie skóry (napięcie skóry ocenia się na bocznej ścianie jamy brzusznej na poziomie pępka: fałd skóry ujęty pomiędzy kciuk a palec wskazujący badającego powinien od razu po zwolnieniu ucisku wrócić do poprzedniego położenia),
- nieprawidłowy rytm oddychania (głęboki, przyspieszony oddech).

Wyróżnia się następujące stopnie odwodnienia:

- minimalnego stopnia (zmniejszenie masy ciała o < 3%),
- łagodnego/umiarkowanego stopnia (zmniejszenie masy ciała o 3–9%),
- ciężkiego stopnia (zmniejszenie masy ciała o > 9%).

Określenie ubytku masy ciała jest najlepszym kryterium stopnia odwodnienia, ale często brakuje danych sprzed choroby.

Większość przypadków biegunek o łagodnym i umiarkowanym nasileniu ma samoograniczający się przebieg, w ciągu kilku dni ustępują dolegliwości i normalizują się wypróżnienia.

Metody diagnostyczne

W biegunce o ciężkim przebiegu i u chorych wymagających nawodnienia dożylnego należy oznaczyć CRP, morfologię z rozmazem, badania biochemiczne oceniające czynność nerek (mocznik, kreatynina), stężenie elektrolitów (Na, K), glikemię i gazometrię krwi żylnej. Nie zaleca się rutynowego wykonywania oceny leukocytów ani laktoferyny w stolcu.

Identyfikacja czynnika etiologicznego – nie zaleca się rutynowego wykonywania posiewu kału u dzieci z ostrą biegunką. **Badanie bakteriologiczne** stolca należy wykonać w przypadku biegunki: krwistej, o bardzo ciężkim przebiegu (odwodnienie > 9% lub ciężki stan ogólny), trwającej ponad 10–14 dni, przed podjęciem antybiotykoterapii oraz ew. ze względów epidemiologicznych. Ogólny posiew kału ma na celu wykrycie chorobotwórczych pałeczek jelitowych *Salmonella*, *Shigella*, VTEC/STEC, EIEC, *Y. enterocolitica* i *Y. pseudotuberculosis*, bakterii z rodzaju *Aeromonas* i *Plesiomonas* (nie zawsze możliwe jest pełne badanie), a u dzieci do 2. rż. dodatkowo EPEC. Posiew kału w celu izolacji *Campylobacter* wymaga innych podłoży i warunków inkubacji. Obecnie wprowadzane są testy wykazujące obecność w kale antygenów *Campylobacter*. Przy podejrzeniu zakażenia *Clostridium difficile* należy oznaczyć w kale toksyny A i B. Badanie w kierunku cholery należy przeprowadzić u powracających z krajów jej endemicznego występowania, u których pojawiła się obfita wodnista biegunka bez gorączki i z narastającymi objawami odwodnienia.

Czynniki wirusowe – powszechnie dostępne są testy wykazujące obecność rota-, adeno- i/lub norowirusów na podstawie wiązania specyficznych przeciwciał z występującymi w kale antygenami.

Czynniki pasożytnicze – testy immunoenzymatyczne kału i badania mikroskopowe rozmazów kału są stosowane w diagnostyce giardiazy i kryptosporydiozy. Badania w kierunku *E. histolytica* przeprowadza się jedynie u powracających z krajów jej endemicznego występowania.

Różnicowanie

Z zakażeniami parenteralnymi (układu moczowego, dróg oddechowych, ucha środkowego, posocznicą), chorobami chirurgicznymi (zapalenie wyrostka robaczkowego, wgłobienie lub niedrożność jelit) i alergiami pokarmowymi.

Leczenie

1 Nawodnienie doustne

W większości przypadków leczenie objawowe jest wystarczające. Zaleca się hipoosmolarne płyny do nawadniania doustnego ze stężeniem Na rzędu 60 mmol/l. W ciągu pierwszych 4 godzin podaje się 50–100 ml/kg mc. takiego płynu, a także dodatkowo 5–10 ml/kg mc. po każdym biegunkowym stolcu i/lub wymiotach. Należy poić dziecko często, małymi porcjami. Faza leczenia podtrzymującego powinna pokryć zapotrzebowanie dobowe na płyny, wynoszące w zależności od masy ciała:

- 0–10 kg – 100 ml/kg mc./dobę
- 10–20 kg – 1000 ml + 50 ml na każdy kg mc. > 10 kg,
- > 20 kg – 1500 ml + 20 ml na każdy kg mc. > 20 kg.

2 Postępowanie żywieniowe

U dzieci z ostrą biegunką infekcyjną należy kontynuować karmienie, u dzieci odwodnionych przerwa w karmieniu nie powinna przekraczać 4–6 godzin od rozpoczęcia intensywnego nawadniania. Należy stosować dietę odpowiednią do wieku (częstsze posiłki, mniejsze porcje), a u niemowląt kontynuować karmienie piersią. Zazwyczaj nie ma wskazań do zmiany dotychczasowej mieszanki. Nie zaleca się podawania napojów o dużej zawartości cukrów (klarowane soki owocowe, napoje gazowane).

3 Postępowanie uzupełniające

Probiotyki o udowodnionej skuteczności (*Lactobacillus GG*, *Saccharomyces boulardii*). Można zastosować smektyn dwuoktanościenny. Nie zaleca się podawania leków przeciwwymiotnych, zapierających i nifuroksazydu.

4 Leczenie szpitalne

Wskazania do hospitalizacji obejmują:

- wstrząs,
- odwodnienie > 9% mc.,
- zaburzenia neurologiczne (apatia, senność patologiczna, drgawki),
- uporczywe lub żółciowe wymioty,
- niepowodzenie leczenia doustnymi płynami nawadniającymi,
- wskazania społeczne,
- podejrzenie stanu wymagającego interwencji chirurgicznej.

Zasady nawodnienia drogą dożylną oraz wyrównywanie zaburzeń elektrolitowych i kwasowo-zasadowych opisano w rozdz. 8 „Wrodzone wady metabolizmu".

5 Leczenie przyczynowe

U większości dzieci bez chorób współistniejących z ostrą biegunką infekcyjną nie należy stosować leczenia przeciwdrobnoustrojowego. Wskazania do leczenia przyczynowego zależą od czynnika etiologicznego:

- salmonellozy – stosowanie antybiotyków u dzieci bez współistniejących chorób sprzyja nosicielstwu, antybiotykoterapia jest zalecana u dzieci ze zwiększonym ryzykiem rozwoju bakteriemii i powikłań, tj. u pacjentów ze współistniejącymi zaburzeniami odporności, z anatomiczną/czynnościową asplenią, w trakcie steroidoterapii lub terapii immunosupresyjnej, z nieswoistymi zapaleniami jelit oraz z achlorhydrią, a także u noworodków i niemowląt < 3. mż.; stosuje się kotrimoksazol, ceftriakson lub cefotaksym, u dorosłych fluorochinolony,
- shigelloza – zakażenie potwierdzone posiewem lub podejrzenie zakażenia jest wskazaniem do leczenia. Przy potwierdzonej lekowrażliwości lek pierwszego rzutu to kotrimoksazol. Empirycznie (gdy nie ma wyników lekooporności) stosuje się azytromycynę lub cefalosporyny III generacji, a u dorosłych fluorochinolony,
- *Campylobacter* – antybiotykoterapię zaleca się jedynie w przypadku biegunki z krwią oraz w celu ograniczenia szerzenia się zakażenia w zbiorowiskach dziecięcych, leczenie wdrożone w ciągu pierwszych 3 dni łagodzi objawy; stosuje się azytromycynę, fluorochinolony (u osób dorosłych),
- *E. coli* – w zakażeniach VTEC/STEC antybiotykoterapia nie jest zalecana i nie wpływa na czas biegunki, w zakażeniach ETEC i EPEC skraca czas trwania choroby, choć leczenie jest wskazane tylko w przypadku ciężkiego lub przewlekającego się przebiegu. Obecnie u dzieci starszych i dorosłych stosuje się niewchłanialny z przewodu pokarmowego antybiotyk ryfaksyminę, skuteczną w zakażeniach ETEC i EAggEC,
- *Clostridium difficile* – biegunka poantybiotykowa najczęściej ustępuje po odstawieniu antybiotyku, w przypadkach o umiarkowanym i ciężkim przebiegu stosuje się doustnie metronidazol, a przy

oporności doustnie wankomycynę; profilaktyczną rolę pełni podawanie probiotyków,

- *Cryptosporidium* – biegunki ostre ustępują samoistnie u dzieci z prawidłową odpornością i nie wymagają leczenia, w zakażeniach u osób z niedoborami odporności podaje się nitazoksanid,
- *Giardia intestinalis* – stosuje się furazolidon, metronidazol lub tynidazol (patrz rozdz. 19.9 „Zakażenia pasożytnicze”),
- etiologia nieznana – **antybiotykoterapia empiryczna** w ciężkich przypadkach inwazyjnej (zapalnej) biegunki – kotrimoksazol, ceftriakson, fluorochinolony (u dorosłych).

Powikłania

Odwodnienie jest najczęstszą przyczyną hospitalizacji. Zaburzenia wodno-elektrolitowe i kwasowo-zasadowe oraz hipoglikemia mogą prowadzić do zaburzeń neurologicznych (drgawki). W przypadku zakażeń bakteryjnych istnieje ryzyko rozwoju posocznicy lub pojawienia się pozajelitowych ognisk zakażenia. Zespół hemolityczno-mocznicowy najczęściej spowodowany jest zakażeniami STEC serotyp O157:H7, rzadziej *Shigella dysenteriae*. Do innych powikłań należą reaktywne zapalenia stawów (*Salmonella, Shigella, Campylobacter, Yersinia*) i zespół Guillaina–Barrégo.

Rokowanie

Większość zakażeń żołądkowo-jelitowych ma samoograniczający się przebieg i dobre rokowanie. Prawidłowe nawadnianie i leczenie przyczynowe (w wybranych przypadkach) gwarantują skuteczność terapii. Zgony z powodu ostrej biegunki infekcyjnej w krajach europejskich występują sporadycznie.

W zapobieganiu biegunkom ważne są poprawa warunków sanitarnych, częste mycie rąk, właściwe warunki przygotowania i przechowywania żywności oraz odpowiednia jakość wody. Szczepionka przeciwko zakażeniom rotawirusowym jest zalecana dla niemowląt w pierwszym półroczu życia.

Biegunka podróżnych

Stanowi najczęstszy problem zdrowotny w podróży. Zakażeniom sprzyjają niskie standardy higieniczne, zanieczyszczenie wody pitnej i zmiana sposobu odżywiania się. W 80% przypadków przyczyną biegunek są bakterie, głównie ETEC, ale też *Salmonella, Shigella* i *Campylobacter*, rzadziej *Yersinia, Vibrio cholerae*, infekcje wirusowe i pasożytnicze (*Cryptosporidium parvum, Entamoeba histolytica, Giardia intestinalis, Dientamoeba fragilis*). W większości przypadków wystarczy postępowanie objawowe. W biegunkach bakteryjnych o ciężkim przebiegu stosuje się kotrimoksazol, ryfaksyminę lub fluorochinolony (u dorosłych), a w zakażeniach *Campylobacter* azytromycynę. Leczenie zakażeń *V. cholerae* skraca czas objawów i wydalania bakterii – podaje się doksycyklinę (u dzieci starszych), kotrimoksazol lub azytromycynę. Zakażenia *Entamoeba histolytica* początkowo leczy się metronidazolem, a następnie paromomycyną (lek aktywny wobec cyst).

Zapobieganie wystąpieniu biegunki podróżnych polega na piciu butelkowanej lub przegotowanej wody, właściwym przygotowywaniu posiłków i przestrzeganiu zasad higieny. Dostępna jest doustna szczepionka przeciwko cholerze, częściowo chroniąca także przed zakażeniami ETEC.

19.6 *Agnieszka Ołdakowska*

ZAKAŻENIA WRODZONE

19.6.1

Ogólna charakterystyka zakażeń wrodzonych

łac. *infectiones congenita*
ang. congenital infections

Definicja

Zakażenia wrodzone to zespoły objawów u noworodka/niemowlęcia spowodowane zakażeniem w okresie życia wewnątrzmacicznego. Definicję rozszerza się o zakażenia w okresie okołoporodowym.

Epidemiologia

Zakażenia wrodzone dotyczą kilku procent noworodków i są obarczone wysoką śmiertelnością.

Etiologia i patogeneza

Czynniki etiologiczne określa się akronimem TORCHS:

- **T** – toksoplazmoza,
- **O** – inne (ang. others),
- **R** – różyczka,
- **C** – cytomegalia,
- **H** – HSV,
- **S** – *syphilis*.

Do grupy „inne” należą: HIV, HBV, HCV, parwowirus B19, grypa, *Coxsackie* B, odra, świnka, listerioza, chlamydioza, ospa wietrzna i malaria – lista jest stale wydłużana. Każda infekcja w ciąży może wiązać się z ryzykiem dla płodu. Do zakażeń dochodzi drogą przezłożyskową (najczęściej), drogą wstępującą z pochwy i szyjki macicy, przez ciągłość lub w czasie procedur inwazyjnych (amniopunkcja).

Obraz kliniczny

Bardzo różny, od ciężkich zaburzeń embrio- i organogenezy do bezobjawowego przebiegu lub następstw ujawniających się dopiero u dzieci starszych. Zakażenia wrodzone mogą być przyczyną poronienia/ /urodzenia martwego. Najczęściej występujące nieprawidłowości to dystrofia wewnątrzmaciczna, wcześniactwo, zajęcie OUN (mało-/wodogłowie, zapalenie opon m.-r. i mózgu, zwapnienia śródczaszkowe, drgawki, zaburzenia napięcia mięśniowego, niedowłady/porażenia, opóźnienie rozwoju psychoruchowego), zmiany oczne (jaskra, zaćma, zapalenie siatkówki i naczyniówki), niedosłuch, wady serca, powiększenie wątroby i śledziony, żółtaczka, śródmiąższowe zapalenie płuc, zaburzenia hematologiczne (niedokrwistość, małopłytkowość, neutropenia) i zmiany skórne. Objawy wymagają różnicowania z posocznicą bakteryjną, chorobami metabolicznymi i zespołami genetycznymi.

Przebieg naturalny

Zakażenia wrodzone mogą prowadzić do wad wrodzonych, uszkodzeń wielonarządowych, a nawet zgonu. Zajęcie ośrodkowego układu nerwowego i narządów zmysłów wiąże się z ryzykiem trwałych deficytów i różnego stopnia niepełnosprawności. Nawet w przypadkach o łagodnym przebiegu nieprawidłowości mogą ujawnić się w późniejszym okresie życia dziecka.

Metody diagnostyczne

Diagnostykę serologiczną utrudnia fakt, że przeciwciała IgG przechodzą przez łożysko, a u wcześniaków miana bywają niskie. Przeciwciała IgM mogą nie być produkowane w ogóle lub pojawiają się późno. Podejrzewając zakażenie wrodzone, należy wykonać:

- morfologię krwi,
- badania biochemiczne: aminotransferazy, bilirubinę,
- USG przezciemiączkowe,
- USG jamy brzusznej,
- ocenę dna oka,
- badanie słuchu,
- badanie neurologiczne.

Podstawą **zapobiegania** zakażeniom wrodzonym jest profilaktyka stosowana u ciężarnych. W Polsce obecnie kobietom w ciąży zaleca się następujące badania w kierunku chorób zakaźnych:

- serologiczny odczyn kiłowy – VDRL,
- HBsAg,
- przeciwciała anty-HIV,
- przeciwciała anty-HCV,
- przeciwciała przeciw toksoplazmozie,
- przeciwciała przeciw różyczce.

Rozpoznanie choroby przenoszonej drogą płciową wiąże się z koniecznością przeprowadzenia badania w kierunku pozostałych zakażeń. Przed wykonaniem badań inwazyjnych (amniopunkcja) należy wykluczyć zakażenia HIV, HBV i HCV. Niektórym chorobom można zapobiegać przez szczepienia (grypa, różyczka, ospa wietrzna, odra, świnka, WZW typu B). Rozpoznanie zakażenia wrodzonego jest dramatem dla rodziny i niesie ryzyko wystąpienia poważnych i trwałych uszkodzeń dla dziecka.

19.6.2

Toksoplazmoza wrodzona

łac. *toxoplasmosis congenita*
ang. congenital toxoplasmosis

Definicja

Rozpoznanie toksoplazmozy wrodzonej opiera się na stwierdzeniu co najmniej 1 z następujących kryteriów laboratoryjnych:

- wykazanie *Toxoplasma gondii* w tkankach (łożysko) lub płynach ustrojowych noworodka,
- wykrycie kwasu nukleinowego *T. gondii* (płyn owodniowy, płyn mózgowo-rdzeniowy noworodka),
- znamienny wzrost lub utrzymywanie się swoistych przeciwciał u niemowląt.

Epidemiologia

Toksoplazmoza jest jedną z najczęstszych pasożytniczych inwazji odzwierzęcych. Przeciwciała świadczące o zarażeniu stwierdza się u kilkudziesięciu procent kobiet w wieku rozrodczym.

Etiologia i patogeneza

Temat omówiono w rozdz. 19.9 „Zakażenia pasożytnicze". Niebezpieczne dla płodu jest pierwotne zarażenie matki w czasie ciąży, a także występujące rzadko uaktywnienie latentnego zarażenia u kobiet z immunosupresją. Ryzyko zarażenia płodu wzrasta z czasem trwania ciąży (od 6–20% w I trymestrze do 70% pod koniec ciąży), natomiast zarażenia we wczesnej ciąży prowadzą do najpoważniejszych uszkodzeń.

Obraz kliniczny

Od bezobjawowego zakażenia do ciężkich wielonarządowych uszkodzeń. W postaciach objawowych dominują objawy z OUN (wodogłowie, rzadziej małogłowie, zapalenie opon m.-r. i mózgu, zwapnienia śródczaszkowe, drgawki, zaburzenia napięcia mięśniowego, niedowłady/porażenia spastyczne, objawy ogniskowe, upośledzenie rozwoju psychoruchowego) i narządu wzroku. Zmiany oczne to małoocze, zez, oczopląs, zaćma oraz zapalenie siatkówki i naczyniówki (białożółtawe puszyste ogniska zlokalizowane w tylnym biegunie dna oka, nieaktywne zmiany są wysycone na obwodzie barwnikiem i wyraźnie odgraniczone). Do innych objawów należą niska masa urodzeniowa, powiększenie wątroby i śledziony, limfadenopatia, żółtaczka, zmiany skórne, obrzęki, śródmiąższowe zapalenie płuc, zaburzenia słuchu, niedokrwistość i małopłytkowość. Przy zakażeniu w III trymestrze ciąży większość dzieci w okresie noworodkowym nie ma objawów (wyjątkowo pojawiają się objawy sepsy), ale zmiany oczne mogą wystąpić po kilku–kilkunastu latach.

Przebieg naturalny

Ciężkie postacie wrodzonej toksoplazmozy prowadzą do uszkodzeń wielonarządowych i różnego stopnia niepełnosprawności. Przy łagodniejszym przebiegu dominują zmiany oczne. Zapalenie siatkówki i naczyniówki ma charakter nawrotowy i może prowadzić do utraty wzroku.

Metody diagnostyczne

1 Diagnostyka w ciąży

Potwierdzeniem pierwotnego zarażenia jest serokonwersja u ciężarnej. Jeśli nie wykonano badań wcześniej, zarażenie podejrzewa się przy wysokich mianach swoistych przeciwciał IgG w surowicy krwi (> 300 j.m./ml), niskiej awidności IgG oraz obecnych IgM i/lub IgA, a także w przypadku znamiennego wzrostu miana IgG w kolejnych badaniach. Wykonanie amniopunkcji pozwala na oznaczenie DNA *T. gondii* metodą PCR w płynie owodniowym.

2 Diagnostyka u noworodka

Wysokie miana swoistych przeciwciał IgG oraz dodatnie IgM i/lub IgA. W celu zróżnicowania pochodzenia przeciwciał IgG porównuje się wynik testu Western-blot u matki i noworodka. Oznaczanie antygenu krążącego *Toxoplasma*, badanie histopatologiczne łożyska czy próby biologiczne są stosowane rzadko. U dzieci z podejrzeniem toksoplazmozy wrodzonej wykonuje się badanie płynu m.-r. (ogólne i DNA *T. gondii* metodą PCR). Wykluczenie zakażenia wrodzonego przy braku charakterystycznych objawów opiera się na stwierdzeniu obniżania się miana IgG (aż do negatywizacji odczynów) i ujemnych wynikach IgM/IgA.

Różnicowanie

Inne zakażenia wrodzone. Różnicowanie zmian ocznych: CMV, kiła, różyczka, HSV, gruźlica i retinoblastoma, a u dzieci starszych także toksokaroza i borelioza.

Leczenie

Dzieci z toksoplazmozą wrodzoną są leczone przez pierwsze 12–18 mż. Stosuje się pirymetaminę i sulfadiazynę/sulfadoksynę oraz kwas folinowy. Obowiązuje stała opieka okulistyczna. Czynne zmiany oczne u dzieci starszych stanowią wskazanie do leczenia przeciwpasożytniczego i przeciwzapalnego.

Profilaktyka

Podstawą jest powszechne testowanie ciężarnych. W przypadku rozpoznania świeżego zarażenia w ciąży należy zastosować spiramycynę w cyklach 3-tygodniowych do końca ciąży, a u ciężarnych w II i III trymestrze przy potwierdzonym zarażeniu płodu pirymetaminę i sulfadiazynę. Kobiety nieposiadające przeciwciał należy poinformować o sposobach zapobiegania zarażeniu i powtórzyć oznaczenia w II i III trymestrze ciąży.

19.6.3

Zespół różyczki wrodzonej

łac. *rubella congenita*

ang. congenital rubella syndrome (CRS)

Definicja

Jest to zespół wad wrodzonych wywołanych zakażeniem płodu wirusem różyczki. Rozpoznanie wymaga potwierdzenia badaniami laboratoryjnymi.

Rozpoznanie kliniczne.

Do najbardziej charakterystycznych objawów należą:

- zaćma,
- wrodzona jaskra,

■ wrodzone wady serca,

■ głuchota,

■ retinopatia pigmentowa, ang. salt and pepper retinopathy.

Inne objawy to:

■ plamica małopłytkowa,

■ powiększenie śledziony,

■ małogłowie,

■ opóźnienie rozwoju,

■ zapalenie opon m.-r. i mózgu,

■ zmiany radiologiczne w kościach długich,

■ żółtaczka w ciągu 24 godzin po urodzeniu.

Badania laboratoryjne. Potwierdzeniem różyczki wrodzonej jest izolacja wirusa z materiału klinicznego (wymaz z gardła, mocz). Inne badania to wykrycie kwasu nukleinowego metodą PCR w wymazie z nosogardła, wykazanie obecności swoistych przeciwciał IgM lub utrzymywanie się/wzrost swoistych IgG u niemowląt.

Epidemiologia

Wprowadzenie powszechnych szczepień spowodowało spadek zachorowań u ciężarnych oraz znaczne zmniejszenie częstości występowania różyczki wrodzonej. Program WHO zakłada eliminację zespołu różyczki wrodzonej do 2015 r.

Etiologia i patogeneza

Wirus różyczki należy do rodziny *Togaviridae*. Zespół różyczki wrodzonej dotyczy 70–90% dzieci matek ze świeżą infekcją w ciąży (nawet bezobjawową). Wirus zakaża łożysko i jest przenoszony do płodu, rozsiewając się w różnych narządach i tkankach. Najgroźniejsze i najczęstsze są zakażenia w I trymestrze ciąży (ryzyko ok. 90%). Ryzyko zakażenia maleje w II trymestrze (ok. 20%) i wzrasta do niemal 100% pod koniec ciąży. Infekcje po 20. tygodniu ciąży z reguły nie powodują wad wrodzonych. W patogenezie różyczki wrodzonej istotną rolę odgrywają zahamowanie podziałów zakażonych komórek i indukcja apoptozy. W soczewce, ślimaku i mózgu dochodzi do rozwoju zapalenia naczyń, prowadzącego do niedokrwienia i wtórnych uszkodzeń.

Obraz kliniczny

Objawy zespołu różyczki wrodzonej to wady narządu wzroku (zaćma, jaskra wrodzona, retinopatia pigmentowa, ang. salt and pepper retinopathy), wrodzone wady serca (przetrwały przewód tętniczy, zwęże-nie pnia płucnego, tetralogia Fallota), niedosłuch/ /głuchota, wybroczyny na skórze, hepatosplenomegalia, żółtaczka, małogłowie, zapalenie opon m.-r. i mózgu (zmiany w OUN mogą prowadzić do głębokiej niepełnosprawności umysłowej) oraz zmiany w układzie kostnym (charakterystyczne linijne obszary przejaśnień w przynasadach kości długich w badaniu RTG).

Przebieg naturalny

Zespół różyczki wrodzonej prowadzi do wielonarządowych uszkodzeń i różnego stopnia niepełnosprawności. Późne następstwa to ubytki słuchu i wady narządu wzroku, często także endokrynopatie (cukrzyca, choroby tarczycy, przedwczesne dojrzewanie płciowe). Dzieci z różyczką wrodzoną wydalają wirusa do 18. mż.

Metody diagnostyczne

U seronegatywnych ciężarnych po kontakcie z różyczką oznaczenia należy powtórzyć po 2–6 tygodniach. Serokonwersja świadczy o zakażeniu. Rozpoznanie u noworodka opiera się na badaniach serologicznych (IgG, IgM), izolacji wirusa (z gardła, krwi, moczu, płynu mózgowo-rdzeniowego) lub wykorzystaniu metody PCR.

Różnicowanie

Inne zakażenia wrodzone.

Leczenie

Nie istnieje leczenie przyczynowe.

Profilaktyka

Skuteczną metodą są powszechne szczepienia. Kobiety planujące ciążę, które nie mają przeciwciał przeciwko różyczce, powinny zostać zaszczepione najpóźniej miesiąc przed planowaną ciążą. Podanie gammaglobuliny seronegatywnej kobiecie po kontakcie z różyczką w I trymestrze ciąży wydłuża okres wylęgania choroby i może mieć znaczenie ochronne.

19.6.4

Cytomegalia wrodzona

łac. *cytomegalia congenita*

ang. congenital cytomegalovirus infection

Definicja

Zakażenie płodu wirusem cytomegalii (CMV). Badania potwierdzające zakażenie (DNA CMV PCR) należy przeprowadzić w pierwszych tygodniach życia.

Epidemiologia

Ludzki wirus cytomegalii należy do *Herpesviridae*. Połowa osób dorosłych ma przeciwciała świadczące o przebytym zakażeniu. Cytomegalia jest najczęstszym zakażeniem wrodzonym i dotyczy 1–2% noworodków.

Etiologia i patogeneza

Wirus łatwo przenosi się niemal ze wszystkimi płynami ustrojowymi. Człowiek jest jego jedynym rezerwuarem. Wewnątrzmaciczne krwiopochodne zakażenie (możliwe w każdym okresie ciąży) powoduje zespół cytomegalii wrodzonej. Ryzyko zakażenia płodu u matek z pierwotną infekcją wynosi 30–50%, a przy reaktywacji latentnego zakażenia/reinfekcji jest niskie. Powszechnie występują zakażenia okołoporodowe i przez karmienie piersią.

Obraz kliniczny

U 90% noworodków z cytomegalią wrodzoną nie stwierdza się żadnych objawów, ale nawet u tych dzieci istnieje ryzyko wystąpienia późnych uszkodzeń słuchu. Objawowa cytomegalia wrodzona to wielonarządowa, uogólniona choroba, w której dominują:

- objawy ze strony OUN (zapalenie opon m.-r. i mózgu, zwapnienia okołokomorowe, zaniki korowe, torbiele podwyściółkowe),
- uszkodzenie narządu wzroku (zapalenie siatkówki i naczyniówki – zmiany krwotoczne),
- uszkodzenie narządu słuchu (niedosłuch zmysłowo-nerwowy).

Inne objawy to wcześniactwo, hipotrofia wewnątrzmaciczna, zmiany skórne, zapalenie wątroby i śledziony, żółtaczka, małopłytkowość, skaza krwotoczna, a także zapalenie płuc, mięśnia sercowego i zaburzenia ze strony przewodu pokarmowego.

Przebieg naturalny

Dzieci ze skąpoobjawowym/bezobjawowym zakażeniem rozwijają się prawidłowo. Ciężkie postacie cytomegalii wrodzonej mogą przebiegać z wielonarządowymi uszkodzeniami i prowadzić do trwałych powikłań neurologicznych.

Metody diagnostyczne

Na pierwotne **zakażenie ciężarnych** wskazuje serokonwersja w ciąży lub wysokie miano przeciwciał IgG, niska awidność IgG i obecność IgM. W przypadkach wykonywania amniopunkcji po 22. tc. wynik ilościowy PCR CMV z płynu owodniowego > 10^5 świadczy o objawowej infekcji płodu. **Wrodzone zakażenie CMV** powinno być rozpoznane w ciągu 3 tygodni (najlepiej w 1. tż.). Opóźniona diagnostyka nie pozwala na wykluczenie infekcji okołoporodowej czy nabytej. Na zakażenie noworodka wskazuje wysokie miano przeciwciał w klasie IgG (> 300 j.m./ /ml) i obecność IgM. Oznacza się DNA CMV metodą PCR z krwi, moczu i płynu m.-r. Izolacja wirusa i oznaczanie pp65Ag nie są stosowane rutynowo.

Różnicowanie

Inne zakażenia wrodzone. Różnicowanie żółtaczki powinno uwzględniać posocznicę bakteryjną i zaburzenia metaboliczne.

Leczenie

Nie ma standardów leczenia cytomegalii wrodzonej. W objawowych zakażeniach (zaburzenia neurologiczne, niedosłuch, ciężkie zapalenia wątroby z cholestazą, zmiany oczne) stosuje się gancyklowir dożylnie. Nie udowodniono skuteczności hiperimmunizowanej globuliny anty-CMV.

Rokowanie

U 90% dzieci z objawowym zakażeniem wrodzonym stwierdza się trwałe zaburzenia neurologiczne i/lub ubytki słuchu. U wszystkich dzieci obowiązują kontrolne badania audiologiczne z powodu ryzyka wystąpienia późnych uszkodzeń.

Profilaktyka

Częste mycie rąk, szczególnie wtedy, gdy w otoczeniu są małe dzieci, może ograniczyć szerzenie się zakażeń. Nie zaleca się rutynowych badań u ciężarnych.

19.6.5

Wrodzone i okołoporodowe zakażenia HSV

łac. *herpes congenita*
ang. perinatal HSV infections

Definicja

Zakażenie wirusem HSV w okresie płodowym lub okołoporodowo.

Epidemiologia

Wrodzone i okołoporodowe zakażenia HSV (HSV-1, HSV-2) występują rzadko, ale są obarczone wysokim ryzykiem trwałych powikłań i zgonu.

Etiologia i patogeneza

Wirus opryszczki zwykłej (HSV) typu 1 i 2 należy do *Herpesviridae*. Dziecko może ulec zakażeniu okołoporodowo (od matki z opryszczką narządów płciowych), rzadziej w czasie ciąży, wyjątkowo od osoby z inną postacią opryszczki. Replikacja wirusa rozpoczyna się w miejscu wtargnięcia. W następstwie wiremii lub przez transmisję neuronalną zakażenie rozprzestrzenia się do OUN i innych tkanek.

Obraz kliniczny
Wrodzone zakażenie HSV wiąże się z wysokim (15––57%) ryzykiem zgonu i wystąpienia trwałych powikłań. Objawy są wielonarządowe:

- skóra – zmiany pęcherzykowe, blizny,
- narząd wzroku – zapalenie siatkówki i naczyniówki, zapalenie spojówek i rogówki, małoocze,
- OUN – małogłowie/wodogłowie, zwapnienia śródczaszkowe,
- hepatosplenomegalia.

Postacie kliniczne zakażeń okołoporodowych (objawy zwykle pojawiają się do 2.–3. tż.):

- zakażenie uogólnione – wielonarządowe, wysokie ryzyko zgonu,
- zapalenie mózgu – z zaburzeniami świadomości, apatią/pobudzeniem, spadkiem/brakiem łaknienia, obniżeniem napięcia mięśniowego i drgawkami,
- zmiany w gałce ocznej – zapalenie spojówek i rogówki (postać ograniczona, bez leczenia istnieje ryzyko progresji do infekcji uogólnionej).

Przebieg naturalny
Wrodzone i okołoporodowe zakażenie HSV jest chorobą o ciężkim przebiegu, obarczoną wysokim ryzykiem zgonu i poważnych deficytów neurologicznych. Zmiany w gałce ocznej mogą prowadzić do niedowidzenia.

Metody diagnostyczne
U noworodków i niemowląt przeprowadza się izolację wirusa (ze zmian skórnych, śluzówkowych, spojówek) oraz badanie PCR z płynu m.-r. Badania serologiczne są mniej przydatne. Przy zajęciu OUN stwierdza się nieprawidłowości w badaniach obrazowych i w EEG.

Różnicowanie
Inne zakażenia wrodzone, bakteryjne zapalenie opon m.-r., sepsa. Zmiany skórne różnicuje się z wysypkami pęcherzykowymi okresu noworodkowego.

Leczenie
Leczenie ciężarnych z opryszczką narządów płciowych – acyklowir doustnie przez 4 tygodnie przed porodem. Cięcie cesarskie zmniejsza ryzyko zakażenia.

Noworodka z objawami zakażenia HSV należy niezwłocznie leczyć acyklowirem dożylnie przez 14–21 dni. Zalecane jest też leczenie wszystkich noworodków z ekspozycji.

Rokowanie
Uogólnione zakażenie HSV oraz zapalenie mózgu wiąże się z wysokim ryzykiem trwałych powikłań (głównie neurologicznych), może być przyczyną zgonu.

19.6.6
Kiła wrodzona
łac. *syphilis congenita*
ang. congenital syphilis

Definicja
Zakażenie płodu krętkiem kiły. Rozpoznanie ustala się na podstawie kryteriów klinicznych, konieczne jest potwierdzenie laboratoryjne. Kryteria epidemiologiczne dotyczą dzieci matek z potwierdzoną kiłą.

Kryteria kliniczne – stwierdzenie co najmniej jednego z objawów u dziecka < 2. rż.: hepatosplenomegalia, zmiany śluzówkowo-skórne, kłykciny płaskie, przewlekłe zapalenie błony śluzowej nosa, żółtaczka, porażenie rzekome, zajęcia OUN, niedokrwistości, zespół nerczycowy, niedożywienie. **Potwierdzenie laboratoryjne** – wykrycie *Treponema pallidum* w materiale z pępowiny, łożyska, wydzieliny z nosa czy zmiany skórnej lub stwierdzenie przeciwciał IgM przeciw *T. pallidum* wraz z dodatnim wynikiem testu VDRL w surowicy krwi dziecka.

Kryteria epidemiologiczne. Konieczna jest ocena i porównanie badań serologicznych matki i dziecka oraz analiza danych o leczeniu w czasie ciąży.

Epidemiologia
W Europie wzrasta liczba przypadków chorób przenoszonych drogą płciową. Największe ryzyko zakażenia płodu istnieje u kobiety z kiłą pierwotną lub wtórną. Mimo zaleceń testowania ciężarnych i dostępności leczenia nadal notuje się w Polsce przypadki kiły wrodzonej.

Etiologia i patogeneza

Kiłę wywołuje krętek *Treponema pallidum*. Kiła wrodzona jest wynikiem przeniknięcia krętka przez łożysko. Do zakażenia może dojść w każdym okresie ciąży. W III trymestrze ryzyko jest najwyższe.

Obraz kliniczny

Niespecyficzne objawy **kiły wczesnej** (gorączka, zaburzenia przyrostu masy ciała, limfadenopatia, żółtaczka, hepatosplenomegalia, obrzęki) mogą się pojawić po urodzeniu lub po kilku tygodniach/miesiącach. Później dołączają objawy skórne i śluzówkowe (plamisto-grudkowe wysypki, rozległe zajęcie jamy nosa prowadzące do sapki, kłykciny płaskie na pograniczu skóry i błon śluzowych – zmiany bardzo zakaźne, goją się i ustępują samoistnie) oraz zmiany kostne (zapalenie kości i chrząstek stawowych oraz zapalenie okostnej kości długich, powodujące objawy bólowe i oszczędzanie kończyny – porażenie rzekome Parrota). Do zaburzeń hematologicznych należą małopłytkowość, niedokrwistość hemolityczna i niekiedy znaczna leukocytoza.

Przebieg naturalny

Nieleczone zakażenie prowadzi do wystąpienia **kiły późnej**, z przewlekłym zapaleniem kości, zębów i OUN. Zmiany kostne to uwydatnienie guzowatości czołowych, wygięcie do przodu środkowej części piszczeli (podudzia szablowate), nieprawidłowa budowa siekaczy (zęby Hutchinsona) i zaburzenia szkliwa. Wynikiem przewlekłego zapalenia błony śluzowej nosa z destrukcją kości i chrząstek jest nos siodełkowaty. Po zmianach na granicy skórno-śluzówkowej pozostają linijne blizny (blizny Parrota). Utajone zakażenie opon mózgowo-rdzeniowych i naczyń prowadzi do zaburzeń zachowania i niepełnosprawności intelektualnej. Inne nieprawidłowości, będące wynikiem nadwrażliwości, to zapalenie rogówki ze światłowstrętem i łzawieniem (ryzyko zmętnienia rogówki) oraz jednostronne zapalenie stawów (zazwyczaj zajęty jest staw kolanowy – stawy Cluttona).

Metody diagnostyczne

Badania serologiczne dzielą się na niekrętkowe (VDRL) przeciwko nieswoistym antygenom (kardiolipinie) oraz przeciwkrętkowe (FTA-ABS) swoiste dla *T. pallidum*. Krętka kiły można wykryć badaniem mikroskopowym w ciemnym polu widzenia lub bezpośrednim testem immunofluorescencyjnym (DFA-TP) w materiale z wymazu z nosa, zmian skórnych lub łożyska.

Przy rozpoznaniu kiły wrodzonej istotne są dane o chorobie i leczeniu matki, objawy u dziecka, wyniki ilościowych odczynów VDRL u matki i u dziecka oraz obecność swoistych przeciwciał w klasie IgM (FTA-ABS) u dziecka. U pacjentów z objawami wykonuje się badania radiologiczne kości i ocenę płynu m.-r. (ogólna i VDRL).

Różnicowanie

Inne zakażenia wrodzone.

Leczenie

Penicylina krystaliczna (10 dni).

Rokowanie

Kiła wrodzona może być przyczyną poronienia, zgonu w okresie noworodkowym/niemowlęcym oraz trwałych powikłań ze strony OUN, układu kostno-stawowego, zębów, skóry i narządu wzroku. Prawidłowe leczenie zmniejsza ryzyko rozwoju powikłań narządowych.

Profilaktyka

Podstawą zapobiegania jest rutynowe testowanie (VDRL) i właściwe leczenie ciężarnych.

19.6.7

Wrodzone zakażenie parwowirusem B19

łac. *Parvovirus B19 congenita*

ang. congenital parvovirus B19 infection

Definicja

Zakażenie parwowirusem B19 w okresie płodowym.

Epidemiologia

Człowiek jest jedynym rezerwuarem wirusa. Połowa osób dorosłych ma dowody przebytego zakażenia. Ryzyko transmisji wertykalnej dotyczy kobiet z pierwotnym zakażeniem w ciąży i jest największe w II trymestrze (20–30%).

Etiologia i patogeneza

Wirus replikuje w szpiku kostnym, uszkadzając komórki układu czerwonokrwinkowego i wywołując niedokrwistość. Ciężka niedokrwistość prowadzi do rozwoju uogólnionych obrzęków i wodobrzusza.

Obraz kliniczny

U większości noworodków urodzonych przez matki z potwierdzonym zakażeniem parwowirusem B19 w ciąży nie stwierdza się żadnych nieprawidłowości. Ryzyko ciężkiego przebiegu zakażenia (nieimmunologiczny obrzęk płodu, zapalenie mięśnia sercowego) lub poronienia wynosi poniżej 5%.

Przebieg naturalny

Większość zakażeń wrodzonych przebiega skąpoobjawowo lub bezobjawowo. Wirus niekiedy prowadzi do ciężkiej anemii i uogólnionego obrzęku płodu z wysiękami w jamach ciała, wyjątkowo do poronienia (zakażenia w I trymestrze). Uważa się, że zakażenie nie powoduje zaburzeń rozwoju psychoruchowego ani wad wrodzonych, wyjątkowo obserwowano nieprawidłowości OUN.

Metody diagnostyczne

Oznaczanie swoistych przeciwciał w klasie IgM i identyfikacja wirusa metodami molekularnymi (PCR). Podwyższony poziom alfa-fetoproteiny u matki wskazuje na zakażenie. Zaleca się powtarzanie USG płodu co tydzień przez 6–8 tygodni. Objawem zakażenia parwowirusem B19 może być zwiększona przezierność karkowa. Wczesne objawy obrzęku płodu to powiększenie łożyska i wielowodzie. Metodą nieinwazyjnej oceny niedokrwistości u płodu jest określenie maksymalnej skurczowej prędkości przepływu krwi w tętnicy środkowej mózgu (ulega podwyższeniu w przypadku niedokrwistości).

Różnicowanie

Wady genetyczne, inne zakażenia wrodzone, inne przyczyny niedokrwistości.

Leczenie

Leczenia swoistego nie ma. W obrzęku płodu stosuje się transfuzje dopłodowe i rozważa wcześniejsze rozwiązanie ciąży. Noworodki otrzymują standardowe immunoglobuliny.

Rokowanie

W przypadku wystąpienia niedokrwistości i uogólnionego obrzęku płodu zakażenie może być przyczyną poronienia/zgonu noworodka. W większości przypadków rokowanie jest dobre.

Profilaktyka

Przestrzeganie zasady częstego mycia rąk ogranicza szerzenie się zakażeń. Nie zaleca się rutynowego testowania kobiet ciężarnych.

19.6.8

Zespół ospy wietrznej wrodzonej

łac. *varicella congenita*

ang. congenital varicella syndrome

Definicja

Zespół objawów spowodowany wewnątrzmacicznym zakażeniem wirusem ospy wietrznej i półpaśca (VZV).

Epidemiologia

Dotyczy 2% noworodków, których matki zachorowały na ospę wietrzną w czasie ciąży.

Etiologia i patogeneza

Wirus ospy wietrznej i półpaśca (VZV) należy do *Herpesrviridae*. Najpoważniejsze nieprawidłowości obserwuje się w przypadku pierwotnego zakażenia do 20. tc. Ryzyko rozsianego i ciężkiego przebiegu ospy wietrznej jest wysokie u noworodków, których matki zachorowały na ospę wietrzną 5 dni przed porodem lub 2 dni po nim. Półpasiec u matki nie stanowi zagrożenia dla płodu.

Obraz kliniczny

Zależy od wieku ciążowego i obejmuje niedorozwój kończyn, nieprawidłowości narządu wzroku (małoocze, zaćma, zapalenie siatkówki i naczyniówki), zajęcie OUN (małogłowie/wodogłowie, zwapnienia w mózgu, aplazja struktur OUN) i blizny skórne.

Przebieg naturalny

W zależności od ciężkości zakażenia dzieci z zespołem ospy wietrznej wrodzonej mogą rozwijać się prawidłowo lub wymagać specjalistycznej opieki i rehabilitacji. U noworodków matek, które zachorowały w okresie okołoporodowym ospa wietrzna może przebiegać ciężko, z zajęciem narządów wewnętrznych.

Metody diagnostyczne

Rozpoznanie opiera się na wywiadzie (przechorowanie ospy wietrznej w ciąży) i objawach. U noworodka oznacza się przeciwciała w klasie IgM i DNA wirusa metodą PCR (płyn z pęcherzyków, płyn mózgowo-rdzeniowy).

Różnicowanie

Wady genetyczne, inne zakażenia wrodzone. Zmiany skórne należy różnicować z wysypkami pęcherzykowymi okresu noworodkowego.

Leczenie

Aktywne zakażenie u noworodków z zespołem ospy wietrznej wrodzonej jest wskazaniem do leczenia acyklowirem. Noworodkom, których matka zachorowała od 5 dni przed porodem do 2 dni po porodzie podaje się swoistą immunoglobulinę (VZIG), a w przypadku zachorowania acyklowir.

Profilaktyka

Metodą z wyboru jest szczepienie kobiet, które nie przebyły ospy wietrznej (2 dawki, z tego druga 6 tygodni przed planowaną ciążą). Podanie VZIG kobietom w ciąży po kontakcie z chorym jest zalecane ze względu na ryzyko ciężkiego przebiegu ospy u ciężarnej.

19.7
ZAKAŻENIA WIRUSOWE

19.7.1

Ewa Talarek

Zakażenia wirusami z rodziny *Herpesviridae*

Zakażenia wirusem opryszczki zwykłej

Wirus opryszczki zwykłej (HSV) wywołuje zakażenia skóry, błon śluzowych, oka, narządów płciowych i OUN oraz zakażenia uogólnione.

Epidemiologia

Wyróżnia się typy 1 (HSV-1) i 2 (HSV-2) wirusa. Przenoszą się one przez bezpośredni kontakt. Zakażeniu sprzyja uszkodzenie skóry lub błony śluzowej. Źródłem zakażenia są osoby ze zmianami chorobowymi i bezobjawowi nosiciele.

Do zakażenia HSV-1 dochodzi zwykle między 1. a 5. rż. Zdarzają się ogniska zachorowań (zapalenie jamy ustnej) w środowisku domowym lub placówkach opieki. Zakażenie HSV-2 (głównie przez kontakty seksualne) dotyczy nastolatków i dorosłych. Możliwe jest zakażenie noworodka w trakcie porodu. Pierwotne zakażenie HSV przechodzi w bezobjawowe zakażenie latentne (występujące u 3–60% populacji), które może ulec reaktywacji.

Etiologia i patogeneza

HSV-1 i 2 wywierają efekt cytopatyczny. Zmianą typową dla zakażenia jest pęcherzyk. U osób zdrowych zakażenie dotyczy jedynie skóry i/lub błon śluzowych, zwykle bez wiremii. Do rozsiewu drogą krwi dochodzi najczęściej u noworodków i pacjentów z niedoborami odporności lub z chorobami skóry. HSV może przetrwać w komórkach nabłonka (zakażenie latentne).

Obraz kliniczny

Pierwotne zakażenie HSV i reaktywacja zakażenia latentnego manifestują się pojawieniem się wykwitów pęcherzykowych na skórze i/lub błonach śluzowych. Na skórze pęcherzyki są napięte, w ciągu kilku dni pękają, pokrywają się strupkami i ulegają wygojeniu. Na błonach śluzowych, ze względu na macerację, płyn pęcherzykowy wycieka, a pęcherzyk zapada się, tworząc szarą błonę. Pęcherzyki pojawiają się rzutami, gojenie trwa 7–10 dni i nie pozostawia blizn, z wyjątkiem zmian nawracających i powikłanych zakażeniem bakteryjnym. W zakażeniu pierwotnym często występuje gorączka. Reaktywacja przebiega zwykle bez objawów ogólnych, a wykwity zwykle pojawiają się w tym samym co wcześniej miejscu, rzadziej w innej lokalizacji. HSV może zakażać skórę/błonę śluzową zmienioną chorobowo lub uszkodzoną wskutek urazu.

Opryszczkowe zapalenie jamy ustnej i dziąseł (łac. *gingivostomatitis herpetica*, ang. herpetic gingivostomatitis) jest najczęstszą formą pierwotnego zakażenia HSV-1. Częstym powikłaniem jest odwodnienie i wtórne zakażenie grzybicze.

Wyprysk opryszczkowy (łac. i ang. eczema herpeticum), inaczej wysypka ospopodobna Kaposiego (łac. *eruptio varicelliformis Kaposi*, ang. Kaposi varicelliform eruption), jest postacią kliniczną pierwotnego zakażenia HSV-1, która występuje niemal wyłącznie u dzieci (1.–2. rż.) z atopowym zapaleniem skóry. Nagle pojawia się wysoka gorączka i liczne pęcherzyki na podłożu zmian atopowych (patrz str. 1101). Przy masywnych zmianach dochodzi do obnażenia z naskórka znacznych powierzchni skóry, co może prowadzić do zaburzeń wodno-elektrolitowych, utraty białka i wtórnych zakażeń bakteryjnych. Istnieje ryzyko rozsiewu wirusa do OUN i narządów wewnętrznych. Zmiany należy różnicować z ospą wietrzną, półpaścem oraz zakażeniami gronkowcowymi i paciorkowcowymi skóry (ryc. 19.7).

Zanokcica opryszczkowa (łac. *paronychia herpetica*, ang. herpetic whitlow) to pierwotne zakażenie skóry (zwykle uszkodzonej) okolicy wału paznokciowego (ryc. 19.8). Powstają głęboko umiejscowione pęcherzyki, z obrzękiem, zaczerwienieniem i bolesnością otaczającej skóry. Zmiany goją się samoistnie w ciągu 2 tygodni. Zdarzają się nawroty. Zanokcica może współistnieć z opryszczkowym zapaleniem

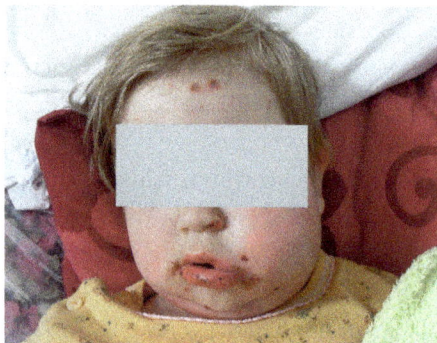

Rycina 19.7. Zakażenie HSV z nadkażeniem bakteryjnym.

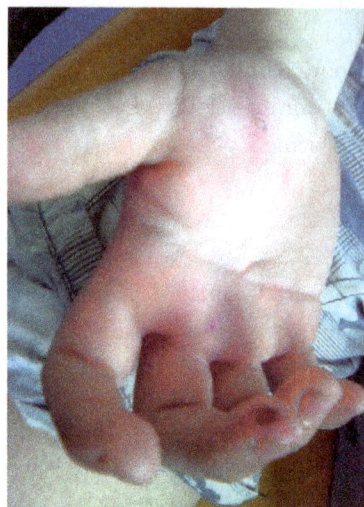

Rycina 19.8. Zanokcica opryszczkowa.

jamy ustnej i dziąseł czy wypryskiem opryszczkowym. Wymaga różnicowania z zanokcicą bakteryjną.

Zapalenie spojówek i/lub rogówki (łac. i ang. conjunctivitis, keratitis, keratoconjunctivitis) może być manifestacją zakażenia pierwotnego lub reaktywacji. Spojówki są nastrzyknięte i obrzęknięte, z niewielką ilością ropnej wydzieliny lub bez niej. Zapalenie rogówki ma postać powierzchownego owrzodzenia o drzewkowatym kształcie (niespotykane w innych zakażeniach) lub głębokiego owrzodzenia o kształcie dysku. Często współistnieją pęcherzyki na powiekach. Wymagane jest różnicowanie z adenowirusowym zapaleniem spojówek i rogówki. Zmiany rogówki w przebiegu zakażenia pierwotnego goją się bez śladu, w przypadku nawrotu może powstać blizna upośledzająca widzenie.

Opryszczkowe zapalenie mózgu opisano w rozdz. 19.3 „Neuroinfekcje".

Opryszczka wargowa (łac. i ang. herpes labialis) jest manifestacją reaktywacji latentnego zakażenia HSV-1. Na granicy czerwieni wargowej i skóry pojawia się grupa pęcherzyków. Często wystąpienie zmiany poprzedza świąd lub ból. Gojenie trwa 3–7 dni.

Opryszczka narządów płciowych (łac. *herpes genitorum*, ang. genital herpes) została opisana w rozdz. 19.1 „Wypryski w przebiegu chorób zakaźnych".

Uogólnione ciężkie zakażenie HSV może wystąpić u osób z wrodzonym lub nabytym niedoborem odporności lub chorobami nowotworowymi, w trakcie leczenia immunosupresyjnego czy po przeszczepach. Choroba ma często ostry przebieg, z rozsiewem HSV do narządów wewnętrznych i OUN, z objawami sepsy. Zmiany na skórze i błonach śluzowych mogą być zlokalizowane lub uogólnione (jak w ospie wietrznej), choć czasem wcale się ich nie stwierdza. Należy różnicować z innymi ciężkimi zakażeniami uogólnionymi.

HSV wywołuje także **zapalenie wątroby** o przebiegu łagodnym (osoby immunokompetentne) lub piorunującym (immunosupresja).

Zakażenia wrodzone i okołoporodowe opisano w rozdz. 19.6 „Zakażenia wrodzone".

Metody diagnostyczne

Rozpoznanie ustala się na podstawie obrazu klinicznego. W przypadkach niejasnych pomocne są badania serologiczne, izolacja wirusa i badanie zeskrobin ze zmian skórnych lub materiału biopsyjnego. Serokonwersję lub 4-krotny wzrost miana przeciwciał IgG u pacjentów z pierwotnym zakażeniem HSV stwierdza się zwykle po ustąpieniu objawów. Przeciwciała w płynie mózgowo-rdzeniowym w przypadku zajęcia OUN również pojawiają się później. Największe znaczenie ma wykrycie DNA wirusa metodą PCR.

Leczenie

Leczenia acyklowirem (dożylnie) wymagają pacjenci z:

- opryszczkowym zapaleniem opon mózgowo-rdzeniowych i mózgu,
- ciężkim uogólnionym zakażeniem,
- wypryskiem opryszczkowym.

W innych postaciach zakażenia pierwotnego leczenie acyklowirem doustnie rozpoczęte w ciągu pierwszych 72 godzin choroby ogranicza liczbę wykwitów, przyspiesza gojenie, łagodzi dolegliwości i skraca zakaźność. Acyklowir stosowany miejscowo zmniejsza zakaźność, ale nie wpływa na przebieg choroby. W opryszczkowym zapaleniu rogówki leczenie powinien prowadzić okulista. Terapia przyczynowa nie zapobiega reaktywacji.

Rokowanie

W pierwotnym zakażeniu HSV u osoby immunokompetentnej jest dobre. U noworodków istnieje ryzyko zgonu mimo leczenia przyczynowego. Opryszczkowe zapalenie mózgu obarczone jest wysoką śmiertelnością (70–80% bez leczenia, 20% przy leczeniu acyklowirem), często stwierdza się też poważne odległe następstwa. Rokowanie poprawia wczesne rozpoznanie i leczenie.

Profilaktyka

Nie ma szczepionki ani swoistej immunoglobuliny.

Zakażenia wirusem ospy wietrznej i półpaśca

Pierwotne zakażenie wirusem ospy wietrznej i półpaśca (VZV) przebiega pod postacią ospy wietrznej. Półpasiec jest manifestacją kliniczną reaktywacji.

Epidemiologia

Zakażenie VZV jest bardzo częste, zwłaszcza w klimacie umiarkowanym. Źródło stanowi chory na ospę wietrzną lub półpasiec. Wirus przenosi się drogą bezpośredniego kontaktu, powietrzną i kropelkową. **Ospa wietrzna** występuje zwykle u dzieci. W Polsce zgłaszanych jest łącznie sto kilkadziesiąt tysięcy przypadków rocznie, najwięcej zachorowań dotyczy dzieci w wieku 5–9 lat. Epidemie obserwuje się zimą i wiosną. Zakaźność jest bardzo wysoka, po bezpośrednim kontakcie w środowisku domowym ryzyko zachorowania wynosi 80–90%, po kontakcie np. w szkole ok. 30%. Zakaźność rozpoczyna się 2 dni przed pojawieniem się wysypki i trwa do przyschnięcia wszystkich wykwitów (zwykle 6–7 dni). **Półpasiec** występuje głównie u osób dorosłych, z ospą wietrzną w wywiadzie. Ryzyko rozwoju półpaśca po przechorowaniu ospy w ciągu życia wynosi 10–15%. Pacjent jest zakaźny (ryzyko zakażenia 20–40%) od pojawienia się wykwitów do momentu, gdy wszystkie są pokryte strupkami.

Etiologia i patogeneza

VZV należy do rodziny *Herpesviridae*. Wrotami zakażenia są górne drogi oddechowe. Na początku okresu wylęgania (10–21 dni) wirus namnaża się w tkance chłonnej migdałków/gardła i w wyniku krótkotrwałej wiremii rozprzestrzenia się na cały układ siateczkowo-śródbłonkowy. Pod koniec tego okresu powtórnie występuje wiremia, trwająca 3–7 dni. VZV obecny jest w komórkach jednojądrzastych krwi obwodowej i z nimi przenosi się do błony śluzowej górnych dróg oddechowych (warunkując zakaźność drogą kropelkową) i do skóry, powodując dosiewanie wykwitów. U osób immunokompetentnych układ immunologiczny hamuje replikację wirusa, u pacjentów z niedoborem odporności, zwłaszcza komórkowej, dochodzi do rozsianego zakażenia ze zmianami w płucach, wątrobie, mózgu i innych narządach. U wszystkich wirus wstecznie, drogą nerwów czuciowych, trafia do zwojów przykręgowych, gdzie utrzymuje się latami. Dzięki komórkowej i humoralnej odpowiedzi nie dochodzi do reinfekcji. Może nastąpić reaktywacja zakażenia latentnego – wirus drogą nerwów czuciowych dostaje się do skóry, wywołuje zmiany typowe dla półpaśca, zwykle bez wiremii.

Obraz kliniczny

Ospa wietrzna (łac. *varicella*, ang. varicella, chickenpox) u dzieci zwykle zaczyna się gorączką i pojawieniem się wykwitów na skórze (ryc. 19.9 i 19.10). U nastolatków i dorosłych wystąpienie wysypki mogą poprzedzać objawy prodromalne: osłabienie, bóle głowy i brzucha (1–2 dni). Charakterystyczna jest wysypka wielopostaciowa (patrz rozdz. 19.2 „Powiększenie węzłów chłonnych"). Pacjenci narażeni na ciężki przebieg ospy wietrznej i/lub wysokie ryzyko powikłań to noworodki, kobiety ciężarne oraz dzieci i dorośli z niedoborem odporności.

Półpasiec (łac. *herpes zoster*, ang. herpes zoster, shingles) manifestuje się wykwitami na obszarze skóry unerwionej przez jeden nerw czuciowy, czasem wysypka obejmuje 2 lub 3 sąsiednie dermatomy, nie przekracza linii pośrodkowej (patrz rozdz. 19.2 „Powiększenie węzłów chłonnych"). U starszych dzieci i dorosłych pojawienie się zmian skórnych bywa poprzedzone świądem, bólem i pieczeniem. Neuralgia po ustąpieniu wykwitów u dzieci praktycznie nie występuje.

Metody diagnostyczne

U osób immunokompetentnych rozpoznanie ospy wietrznej nie budzi wątpliwości, nie wymaga badań dodatkowych. Często stwierdza się leukopenię (zwłaszcza w pierwszych 3 dobach choroby) i limfocytozę. U części pacjentów aktywność aminotransferaz jest miernie podwyższona. W przypadkach wątpliwych (pacjenci z immunosupresją, osoby szczepione przeciwko ospie wietrznej) stosuje się test immunofluorescencji bezpośredniej (potwierdzający obecność VZV w komórkach ze zmian skórnych), hodowlę wirusa, metodę PCR (do wykrywania DNA VZV w płynie z pęcherzyków, we krwi lub w płynie mózgowo-rdzeniowym) oraz badania serologiczne. Potwierdzeniem ospy wietrznej jest wykrycie swoistych przeciwciał klasy IgM lub 4-krotny wzrost miana przeciwciał klasy IgG. Przeciwciała klasy IgG utrzymują się przez całe życie, ich obecność potwierdza przebycie zakażenia pierwotnego VZV.

Różnicowanie

Ospa wietrzna może wymagać różnicowania z wypryskiem opryszczkowym, uogólnionym zakażeniem HSV, rozsianym półpaścem, ukąszeniami owadów i wysypkami polekowymi.

Leczenie

Leczenie przyczynowe nie jest rutynowo zalecane u zdrowych dzieci. Lek z wyboru w terapii ospy wietrznej i półpaśca u pacjentów z niedoborami odporności to acyklowir podawany dożylnie. Stosuje się go też u dzieci z ciężkim przebiegiem i powikłaniami. Leczenie objawowe obejmuje leki przeciwgorączkowe i przeciwświądowe (hydroksyzyna) oraz właściwe nawodnienie (podawanie płynów obojętnych w smaku, o temperaturze pokojowej) i przestrzeganie higieny (codzienna kąpiel). Nie należy używać płynnych pudrów, ułatwiających mnożenie się bakterii pod pudrową pokrywą.

Powikłania

Wtórne zakażenie bakteryjne (paciorkowcowe, gronkowcowe) wykwitów (ryc. 19.11 i 19.12) manifestuje się ropnym zapaleniem skóry i tkanki podskórnej, płonicą przyranną (ryc. 19.13), naciekami ropnymi (ryc. 19.14) lub powstaniem ropni podskórnych, ropowicą (ryc. 19.15) czy martwiczym zapaleniem powięzi. Konsekwencją zakażenia bakteryjnego bywa posocznica.

Najczęstszym **powikłaniem neurologicznym** (1 : 4000 przypadków) jest zapalenie móżdżku z ataksją móżdżkową (zaburzenia równowagi, mowa skandowana, drżenie zamiarowe, dodatnie próby Romberga, palec-nos i pięta-kolano, oczopląs). Objawom mogą towarzyszyć: gorączka, ból głowy, nudności i wymioty. Zapalenie móżdżku występuje głównie u dzieci w wieku przedszkolnym. Rzadszym powikła-

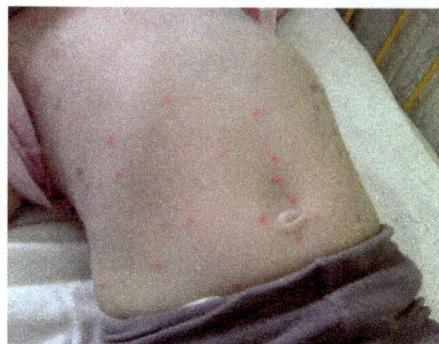

Rycina 19.9. Ospa wietrzna.

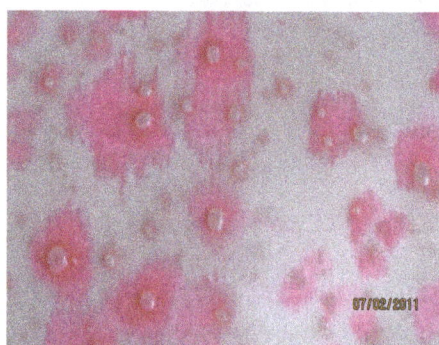

Rycina 19.10. Ospa wietrzna, wykwity z bliska.

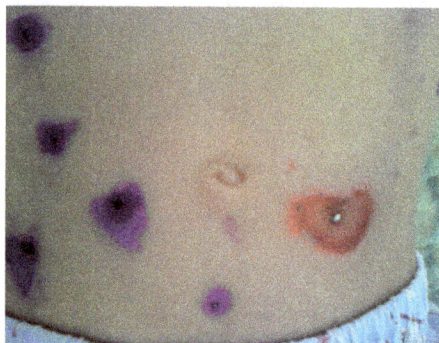

Rycina 19.11. Ospa wietrzna nadkażona bakteryjnie, spełzanie naskórka.

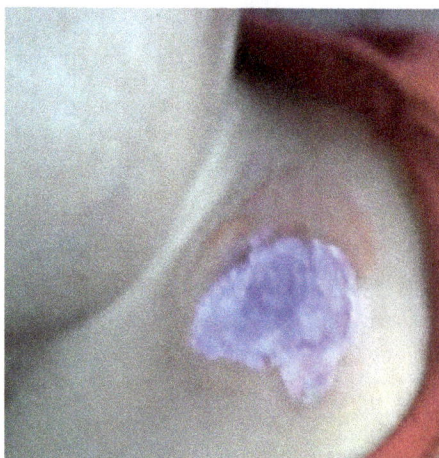

Rycina 19.12. Nadkażenie bakteryjne skóry w przebiegu ospy wietrznej.

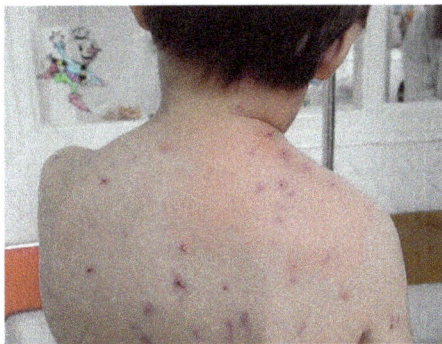

Rycina 19.13. Ospa wietrzna z nadkażeniem bakteryjnym, w tle wysypka płonicza.

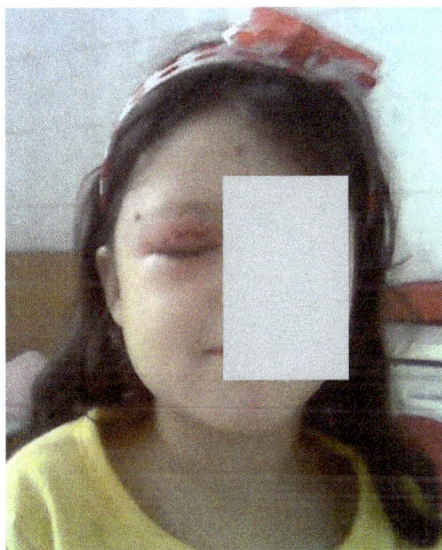

Rycina 19.14. Naciek zapalny w przebiegu ospy wietrznej.

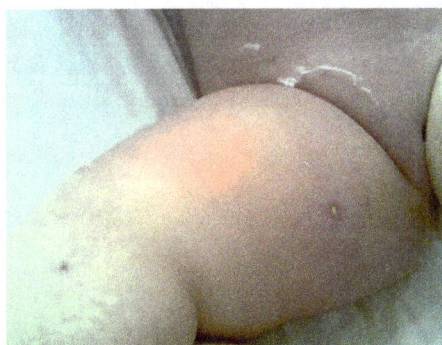

Rycina 19.15. Ropowica uda w przebiegu ospy wietrznej.

niem neurologicznym jest zapalenie opon mózgowo--rdzeniowych i mózgu (1 : 50 000), które stanowi zagrożenie życia, a przebieg przypomina czasem opryszczkowe zapalenie mózgu.

Małopłytkowość jest zwykle łagodna, czasem pojawiają się wybroczyny, rzadko wylewy do skóry, pęcherzyki o charakterze krwotocznym czy krwawienie z przewodu pokarmowego.

Zapalenie wątroby objawia się jedynie przejściowym miernym podwyższeniem aktywności aminotransferaz.

Zapalenie płuc u dzieci zwykle jest wywołane przez wtórne zakażenie bakteryjne, u dorosłych, w tym u kobiet ciężarnych, częściej przez VZV (z poważnym rokowaniem).

Wystąpić mogą również zapalenie stawów, zapalenie mięśnia sercowego, zapalenie osierdzia, zespół nerczycowy.

Rokowanie

U dzieci immunokompetentnych jest z reguły dobre, mogą wystąpić powikłania wymagające hospitalizacji. Zdarzają się również pojedyncze zgony. U dzieci z niedoborami odporności, zwłaszcza komórkowej, przebieg może być ciężki, z rozsiewem VZV do narządów wewnętrznych i zagrożeniem życia.

Profilaktyka

Dostępne są szczepionka i swoista immunoglobulina (patrz rozdz. 19.10 „Profilaktyka chorób zakaźnych").

Mononukleoza zakaźna

łac. *mononucleosis infectiosa*
ang. infectious mononucleosis

Definicja

Choroba zakaźna wywoływana przez wirusa Epsteina−Barr (EBV).

Epidemiologia

EBV jest bardzo rozpowszechniony, zakażenie dotyczy ok. 95% ludzi na świecie. W środowiskach o niższym statusie socjoekonomicznym do zakażenia dochodzi w pierwszych latach życia, z objawami nieswoistymi lub bezobjawowo. Zespół mononukleozy zdarza się bardzo rzadko. W krajach rozwiniętych chorują dzieci, nastolatki i młodzi dorośli, 50% z nich ma klasyczny zespół objawów. Zakażenia EBV szerzą się drogą bezpośredniego kontaktu z osobą chorą lub zakażoną bezobjawowo (kontakt ze śliną – „choroba pocałunków"). Wirus jest obecny w ślinie przez ⩾ 6 miesięcy od zakażenia i okresowo przez całe życie.

Etiologia i patogeneza

EBV należy do rodziny *Herpesviridae*. Po infekcji pierwotnej następuje bezobjawowe zakażenie latentne (całe życie). W pierwotnym zakażeniu wirus replikuje w komórkach nabłonka jamy ustnej i rozprzestrzenia się na sąsiadujące tkanki, w tym gruczoły ślinowe.

Następuje wiremia i zakażenie limfocytów B. W odpowiedzi wzrasta liczba limfocytów T CD8⁺, z odwróceniem stosunku CD4⁺/CD8⁺ (norma 2 : 1). W zakażeniu latentnym okresowo dochodzi do bezobjawowej reaktywacji, z replikacją wirusa na niskim poziomie. EBV odpowiada też za choroby z proliferacją komórkową, takie jak:

- zespół hemofagocytarny,
- rak nosogardzieli,
- chłoniak Burkitta,
- ziarnica złośliwa,
- chłoniak z limfocytów B,
- leukoplakia włochata,
- limfoidalne śródmiąższowe zapalenie płuc.

Niekontrolowanej limfoproliferacji sprzyjają zakażenie HIV, nowotwory i immunosupresja po przeszczepach.

Obraz kliniczny

Okres wylęgania mononukleozy wynosi 30–50 dni, u małych dzieci bywa krótszy. Mogą wystąpić objawy prodromalne, trwające 1–2 tygodnie: osłabienie, bóle mięśni, głowy, gardła i brzucha, wymioty. Charakterystyczny zespół mononukleozy to:

- gorączka – zwykle utrzymuje się przez 2–3 tygodnie, u małych dzieci czasem trwa krócej lub nie występuje wcale,
- zapalenie gardła – przypomina paciorkowcowe, migdałki są powiększone (ryc. 19.16), często z nalotami (ryc. 19.17), na podniebieniu miękkim mogą być widoczne wybroczyny (*enanthema*),
- powiększenie węzłów chłonnych (ryc. 19.18) (u 90% pacjentów) (patrz rozdz. 19.2 „Powiększenie węzłów chłonnych"),
- powiększenie wątroby i śledziony.

Do mniej stałych objawów należą nieżyt nosa z gęstą śluzową wydzieliną, obrzęk powiek górnych i nasady nosa (objaw Glanzmanna), wysypka i żółtaczka (u dzieci rzadko).

Przebieg naturalny

Mononukleoza zakaźna jest chorobą samoograniczającą się. Objawy ustępują w ciągu 2–4 tygodni. Niekiedy przez kilka kolejnych tygodni utrzymuje się osłabienie i uczucie zmęczenia.

Metody diagnostyczne

1 Charakterystyczne odchylenia w morfologii krwi obwodowej

Leukocytoza i limfocytoza, w tym ⩾ 10% lub ⩾ 1000 G/l limfocytów atypowych łącznie z typowym zespołem objawów pozwalają na rozpoznanie choroby. Limfocyty atypowe (antygenowo pobudzone limfocyty T) są większe i mają duże, położone niecentralnie jądro. Obniżona może być liczba płytek krwi (zwykle bez skazy krwotocznej), a podwyższona aktywność aminotransferaz.

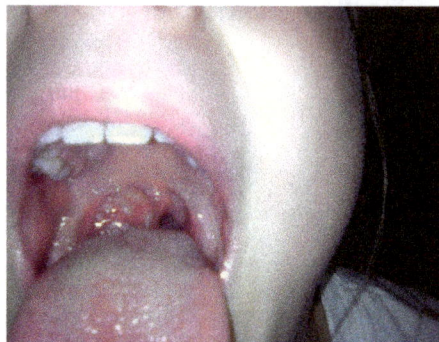

Rycina 19.16. Mononukleoza zakaźna, powiększenie migdałków podniebiennych.

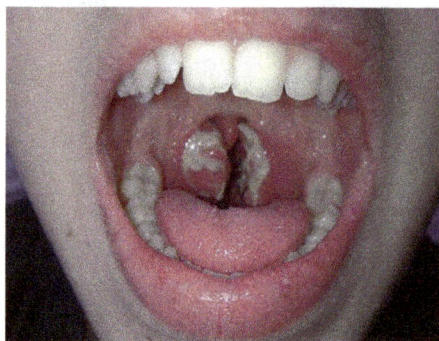

Rycina 19.17. Mononukleoza zakaźna, naloty na migdałkach podniebiennych.

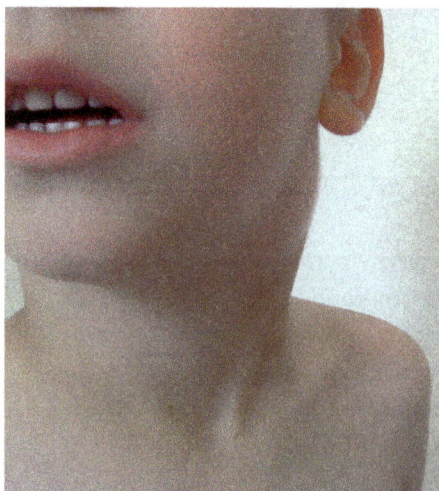

Rycina 19.18. Mononukleoza zakaźna, limfadenopatia.

2 Testy wykrywające przeciwciała

Nieswoiste przeciwciała heterofilne wykrywa się dzięki odczynowi Paula–Bunnella–Davidsohna (PBD) i testom lateksowym. Przeciwciała te stwierdza się u 80–90% starszych dzieci i dorosłych, rzadko u dzieci < 5. rż.

Spośród przeciwciał swoistych przeciwko antygenom EBV największe znaczenie w diagnostyce mają przeciwciała przeciw wirusowemu antygenowi kapsydowemu (anty-VCA) w klasie IgM. Są one obecne w okresie objawów i przez kilkanaście tygodni po ich ustąpieniu. Nieco później w ostrej fazie zakażenia pojawiają się anty-VCA w klasie IgG, obecne do końca życia. W diagnostyce zakażenia EBV wykorzystuje się także przeciwciała przeciw antygenowi wczesnemu (anty-EA), obecne przez kilkanaście miesięcy od zakażenia (w wysokim mianie u pacjentów z niedoborem odporności i z przetrwałym zakażeniem w fazie aktywnej replikacji) oraz przeciw antygenowi jądrowemu (anty-EBNA), pojawiające się 3–4 miesiące od zakażenia i obecne w niskim mianie do końca życia. Obecność innych przeciwciał przy braku anty-EBNA świadczy o świeżym zakażeniu EBV.

3 Diagnostyka wirusologiczna

Hybrydyzacja *in situ* i metoda PCR stosowane są u pacjentów z immunosupresją, u których wyniki badań serologicznych nie pozwalają na określenie okresu zakażenia. Ilościową metodę PCR stosuje się w monitorowaniu chorób proliferacyjnych.

Różnicowanie

Z zespołem mononukleozowym w przebiegu zakażeń CMV, adenowirusami, HAV, HBV, HIV i *Toxoplasma gondii*, a także z paciorkowcowym zapaleniem gardła i ostrą białaczką limfoblastyczną.

Leczenie

Nie ma leczenia przyczynowego. Acyklowir podawany dożylnie w wysokich dawkach hamuje replikację EBV, ale nie łagodzi i nie skraca choroby. Zalecany jest odpoczynek i leczenie objawowe: leki przeciwgorączkowe, odpowiednie nawodnienie. W ostrym okresie choroby powinno się prowadzić oszczędzający tryb życia i unikać sportów (unikanie tępego urazu brzucha i pęknięcia śledziony). Wskazania do hospitalizacji mają pacjenci z ciężkim i/lub powikłanym przebiegiem choroby. W obturacji górnych dróg oddechowych i małopłytkowości ze skazą krwotoczną stosowane są kortykosteroidy.

Powikłania

Zapalenie wątroby, najczęściej bez objawów klinicznych, z miernie podwyższoną aktywnością AlAT i AspAT (do 50% pacjentów, głównie nastolatków i dorosłych), według wielu autorów nie jest powikłaniem.

Obturacja górnych dróg oddechowych spowodowana jest znacznym powiększeniem migdałków, obrzękiem śluzówki nosogardzieli i niedrożnością nosa. Występuje u 1–5% pacjentów, częściej u dzieci.

Z podobną częstością zdarzają się **powikłania neurologiczne**: drgawki, zapalenie opon mózgowo-rdzeniowych, porażenie obwodowe nerwu VII lub innych nerwów czaszkowych, zapalenie mózgu, poprzeczne zapalenie rdzenia kręgowego i zespół Guillaina–Barrégo.

Powikłania hematologiczne to małopłytkowość, niedokrwistość hemolityczna lub aplastyczna, neutropenia i pancytopenia.

Pęknięcie śledziony zdarza się u 1 : 1000 chorych dorosłych, u dzieci rzadziej. Przebieg może być dramatyczny. Dominującym objawem jest ból brzucha. Zwykle dochodzi do pęknięcia podtorebkowego, wymagającego obserwacji klinicznej.

Inne powikłania to nadkażenia bakteryjne (paciorkowcowe zapalenie gardła), zapalenie mięśnia sercowego, śródmiąższowe zapalenie płuc, zapalenie trzustki i zapalenie ślinianek, a u chłopców także zapalenie jądra/najądrza.

Rokowanie

Dobre. Powikłania mają na ogół charakter przemijający. Obturacja górnych dróg oddechowych i pęknięcie śledziony mogą zagrażać życiu, wymagają leczenia szpitalnego, rzadko interwencji chirurgicznej (tonsillektomia, splenektomia).

Profilaktyka

Tylko nieswoista.

19.7.2

Ewa Duszczyk

Odra

łac. *morbilli*

ang. measles (morbilli)

Definicja

Ostra choroba zakaźna, z wysoką gorączką, stanem zapalnym błon śluzowych i wysypką wywołaną przez wirusa odry.

Epidemiologia

Źródłem zakażenia jest chory człowiek. Choroba przenosi się drogą kropelkową. Zakaźność jest bardzo wysoka. Chory na odrę zaraża 5 dni przed wystąpieniem wysypki i do 3 dni od jej pojawienia się. Podatna na zakażenie jest każda osoba, która nie przebyła odry lub nie była szczepiona. Przebycie choroby pozostawia trwałą odporność. Za uodpornioną uznaje się osobę szczepioną dwiema dawkami szczepionki. Nie chorują niemowlęta do 6. mż. chronione przez przeciwciała IgG od matki, o ile chorowała ona na odrę lub była szczepiona. W krajach nieprowadzących szczepień przeciwko odrze co 2–3 lata występują epidemie, najczęściej wiosną. W Polsce od 1975 r. szczepienie spowodowało spadek zapadalności, wygasanie okresowości epidemicznej i sezonowości, a także epidemie wyrównawcze. Obecnie rocznie rejestruje się około 100 przypadków odry. Zapadalność spadła < 1 : 100 000.

Etiologia i patogeneza

Odrę powoduje *Morbillivirus* (RNA) z rodziny *Paramyxoviridae*. Izoluje się go z wydzieliny z nosa i gardła, krwi, moczu i kału w okresie nieżytowym i do 3–4 dni po wystąpieniu wysypki. Wirus odry wnika do ustroju przez błony śluzowe dróg oddechowych. Po replikacji w komórkach błony śluzowej przedostaje się do krwi (faza wiremii) i dociera do komórek układu siateczkowo-śródbłonkowego, w których replikuje. Około 7. dnia okresu wylęgania ponownie przedostaje się do krwi, a z nią – do śluzówek, spojówek, dróg oddechowych i skóry. W tkance limfatycznej (węzłów chłonnych, migdałków, śledziony, grasicy, wyrostka robaczkowego) i nabłonku układu oddechowego pojawiają się charakterystyczne dla odry wielojądrowe komórki olbrzymie (połączenie kilku komórek). Tworzą się wysięki surowicze wokół naczyń włosowatych, z proliferacją śródbłonka i naciekami limfocytarnymi, co manifestuje się nieżytem nosa i gardła, zapaleniem spojówek oraz wysyp-

ką. Charakterystyczne dla odry plamki Koplika–Fiłatowa powstają w wyniku martwicy nabłonka oraz obecności wysięku surowiczego i nacieków z komórek olbrzymich. Przy zajęciu OUN dochodzi do powstania okołonaczyniowych nacieków z komórek jednojądrowych z ogniskową demielinizacją włókien nerwowych.

Obraz kliniczny

Wyróżnia się 4 okresy kliniczne odry:

- okres wylęgania – zwykle trwa 9–11 dni, często przebiega bezobjawowo, choć mogą wystąpić pogorszenie stanu ogólnego, brak łaknienia i podwyższenie ciepłoty ciała,

- okres zwiastunów/nieżytowy – trwa 3–4 dni, pojawiają się: wysoka gorączka (> 39°C), nieżyt nosa, gardła i krtani (może rozszerzyć się na dolne drogi oddechowe), męczący suchy (szczekający) kaszel oraz zapalenie spojówek ze światłowstrętem i łzawieniem („zapłakana twarz"), a czasem też obrzęk powiek; w 2.–3. dniu okresu nieżytowego na przekrwionej śluzówce policzków, na wysokości dolnych zębów trzonowych i przedtrzonowych, widać białe wykwity z czerwoną zapalną obwódką – **plamki Koplika–Fiłatowa**, patognomoniczne dla odry; w 2. dniu występowania plamek wzrasta gorączka, nierzadko do 40°C, stan ogólny pogarsza się, występują senność, brak łaknienia i apatia, a także niekiedy duszność, tachykardia, sinica, osłuchowe objawy zapalenia oskrzeli lub płuc, stany majaczeniowe i drgawki,

- okres wysypkowy – trwa około 3–4 dni, pojawia się wysypka o charakterze zstępującym (patrz rozdz. 19.1 „Wysypki w przebiegu chorób zakaźnych"), kaszel staje się wilgotny i mniej męczący, występują apatia i znaczna senność, częste objawy to krwawienia z nosa oraz u młodszych dzieci biegunka i wymioty, obserwuje się mierne powiększenie węzłów chłonnych (podżuchwowych, szyjnych, karkowych) i śledziony oraz ból brzucha (łagodny) spowodowany powiększeniem krezkowych węzłów chłonnych, może wystąpić ostre zapalenie wyrostka robaczkowego, wyjątkowo rzadko zdarza się przebieg odry bez wysypki,

- okres zdrowienia – po zejściu wysypki na kończyny (3.–4. dzień okresu wysypkowego), gorączka i wysypka ustępują, szybko poprawia się stan ogólny, choć osłabienie i brak łaknienia mogą się utrzymywać dłużej, na skórze stwierdza się drobne otrębiaste łuszczenie.

Metody diagnostyczne

Istotną rolę odgrywają wywiad i obraz kliniczny. W morfologii krwi stwierdza się leukopenię ze względną limfocytozą i obniżenie liczby płytek krwi. OB może być nieznacznie przyspieszony. Rozpoznanie potwierdza wykrycie metodą immunoenzymatyczną przeciwciał odrowych w klasie IgM (u osób ostatnio nieszczepionych) lub co najmniej 4-krotny wzrost miana przeciwciał w klasie IgG. Stosuje się także izolację wirusa i metodę PCR.

Różnicowanie

Różyczka, trzydniówka, płonica, zakażenia entero- i adenowirusowe przebiegające z wysypką, mononukleoza zakaźna, wysypki polekowe, choroba posurowicza.

Leczenie

Nie ma leczenia swoistego. Stosuje się preparaty przeciwgorączkowe i przeciwkaszlowe. Należy zapewnić odpowiednią podaż płynów. Z powodu światłowstrętu dziecko można układać tyłem do źródła światła. Nie ma potrzeby hospitalizacji, chyba że wystąpią powikłania. W zapaleniu krtani stosuje się steroidy, w nadkażeniach bakteryjnych antybiotyki, a w neuroinfekcjach leki obniżające ciśnienie śródczaszkowe (20% mannitol, deksametazon, furosemid) i środki przeciwdrgawkowe.

Powikłania

Zapalenie płuc może być spowodowane wirusem odry lub nadkażeniem bakteryjnym (*S. pneumoniae*, *S. pyogenes*, *H. influenzae*, *S. aureus*). Najciężej przebiega u osób wyniszczonych i z wrodzonymi wadami serca. Stanowi najczęstszą przyczynę zgonu w przebiegu odry. U niemowląt może wystąpić **zapalenie oskrzelików** z niewydolnością oddechowo-krążeniową. **Podgłośniowe zapalenie krtani** charakteryzuje się szczekającym kaszlem, chrypką, narastającą dusznością wdechową i dużym niepokojem dziecka. U 5–15% chorych występuje zapalenie ucha środkowego.

Powikłaniem hematologicznym jest **ostra skaza małopłytkowa** (ciężka krwotoczna postać odry).

Odrowe zapalenie mózgu zdarza się z częstością 1 : 1000 przypadków. Jego wystąpienie nie zależy od ciężkości odry. Do zajęcia OUN może dojść w każdym okresie, najczęściej pod koniec okresu wysypko-

wego, a także po 2–3 tygodniach od początku odry. Objawy to wysoka gorączka, bóle głowy, niepokój, zaburzenia świadomości, drgawki i miernie zaznaczone objawy oponowe, w płynie mózgowo-rdzeniowym stwierdza się pleocytozę limfocytarną, wzrost stężenia białka i prawidłowe stężenie glukozy. Śmiertelność wynosi 10–30%, a trwałe następstwa występują u 20–40% chorych.

Inne powikłania neurologiczne, np. poprzeczne i wstępujące zapalenie rdzenia kręgowego czy zespół Guillaina–Barrégo, występują bardzo rzadko. Ryzyko rozwoju powikłań neurologicznych wzrasta z wiekiem, > 10. rż. jest 2–3-krotnie wyższe niż wcześniej.

Szczególne powikłanie neurologiczne odry stanowi **podostre stwardniające zapalenie istoty białej mózgu** (łac. *leucoencephalitis subacuta scleroticans*, ang. subacute sclerosing panencephalitis), choroba degeneracyjna, występująca u dzieci starszych i młodzieży. Wirus wywołujący SSPE różni się od klasycznego wirusa odry brakiem białka M (matrix protein). Uważa się, że jego pojawienie się stanowi wynik mutacji wirusa odry, który przetrwał w organizmie chorego po ustąpieniu objawów choroby pierwotnej. W bioptatach mózgu i w badaniu autopsyjnym stwierdza się nacieki zapalne i ogniska martwicy, głównie w płatach ciemieniowych, skroniowych i potylicznych. Do wystąpienia tego zapalenia wyraźnie usposabia wczesne przebycie odry (do 2. rż.). Chłopcy chorują 2–3 razy częściej niż dziewczynki. Częstość jego występowania szacuje się na 1 : 100 000 przypadków odry. Okres między zachorowaniem na odrę a wystąpieniem zapalenia wynosi od pół roku do 18 lat, zwykle 5–7 lat. Przebieg odry nie ma wpływu na dynamikę choroby, która ma charakter postępujący. Początek, zazwyczaj podostry, rzadziej nagły, sugeruje chorobę „udarową" lub psychozę. Najczęściej obserwuje się stopniowe pogarszanie się stanu chorego, w nielicznych przypadkach pojawiają się okresy przejściowej poprawy. Dodatkowe infekcje przyspieszają progresję choroby. Do zgonu dochodzi po tygodniach, miesiącach lub latach (w ok. 40% w ciągu roku). Rozpoznanie potwierdza typowy zapis EEG oraz wysokie miano przeciwciał odrowych we krwi i w płynie mózgowo-rdzeniowym. W TK stwierdza się najpierw obrzęk, a później zanik mózgu.

W przebiegu odry i w okresie rekonwalescencji obniżona jest odporność komórkowa. Odczyny skórne np. tuberkulinowy wygasają na ok. 1 miesiąc.

Rokowanie

W odrze niepowikłanej jest dobre, przy powikłaniach pulmonologicznych i neurologicznych – poważne. Odra u kobiety w ciąży może być przyczyną poronienia. Nie obserwowano teratogennego działania wirusa.

Profilaktyka

Szczepienia ochronne.

19.7.3 *Ewa Duszczyk*

Świnka (nagminne zapalenie ślinianek przyusznych)

łac. *parotitis epidemica*
ang. mumps (epidemic parotitis)

Definicja

Ostra choroba zakaźna ze stanem zapalnym ślinianek przyusznych, rzadziej podżuchwowych i/lub podjęzykowych wywołana przez wirusa świnki.

Epidemiologia

Do czasu opracowania szczepionki w 1967 r. świnka występowała endemicznie na całym świecie. Epidemie obserwowano co 4–5 lat. Chorowały głównie dzieci do 15. rż. W Polsce szczepienia są obowiązkowe od 2004 r. Zapadalność z 354,1 : 100 000 w 2004 r. spadła do 7,7 : 100 000 w 2010 r. Źródło zakażenia stanowi chory człowiek. Choroba szerzy się drogą kropelkową, przez kontakt bezpośredni lub pośredni. Chory zaraża na 7 dni przed wystąpieniem obrzęku ślinianek i do 9 dni po jego pojawieniu się. U 20–30% populacji zakażenie przebiega bezobjawowo. Przebycie świnki pozostawia zwykle trwałą odporność, choć opisywano powtórne zachorowania. Jeśli matka chorowała na świnkę, niemowlęta do 8.––10. mż. są chronione przez jej przeciwciała.

Etiologia i patogeneza

Czynnikiem etiologicznym jest RNA wirus z rodziny *Paramyxoviridae* z rodzaju *Rubulavirus*. Wyróżnia się 9 genotypów oznaczonych literami od A do I. Dominują genotypy A i D. Znany jest jeden serotyp. Człowiek to jedyny naturalny gospodarz tego wirusa. Wrota zakażenia stanowi błona śluzowa górnych dróg oddechowych. Okres wylęgania świnki wynosi 14––25 dni (zwykle 16–18). Wirus namnaża się w komórkach nabłonka dróg oddechowych, tkance limfatycznej górnych dróg oddechowych i w gruczołach ślinowych. Na 1–2 dni przed wystąpieniem objawów przedostaje się do krwi.

Obraz kliniczny

Początek jest zwykle nagły. Choroba może zacząć się gorączką, bólami głowy i mięśni (głównie szyi) czy ogólnym rozbiciem. Pojawia się obrzęk i bolesność jednej lub obu ślinianek przyusznych (w 60–70% przypadków) i niekiedy podżuchwowych (10% chorych), największy w 2.–3. dobie choroby. Początkowo obrzęk obejmuje śliniankę, następnie otaczające tkanki (okolica łuku jarzmowego, skroni, wyrostka sutkowatego). Jeśli stan zapalny dotyczy ślinianek podżuchwowych, obrzęk schodzi na szyję, czasami na klatkę piersiową. Zwykle ma konsystencję ciastowatą, choć bywa twardy. Skóra jest napięta i ucieplona, rzadko zaczerwieniona. Obrzęknięte ślinianki są bolesne. W jamie ustnej stwierdza się zaczerwienienie wokół ujścia przewodu ślinianki z niewielkim obrzękiem brodawki. Występują: zmniejszone wydzielanie śliny, nadwrażliwość na kwaśny smak, obniżone łaknienie, uczucie suchości w jamie ustnej oraz trudności w żuciu i połykaniu. Równolegle z obrzękiem ślinianek u starszych dzieci pojawia się gorączka rzędu 38–39°C, która trwa 3–4 dni. U małych dzieci częściej przebieg jest bezgorączkowy. Gorączka występuje ponownie przy zajęciu kolejnych ślinianek lub przy rozwoju powikłań. Obrzęk i bolesność ślinianek ustępuje zwykle po tygodniu. Stan pacjenta jest na ogół dobry lub dość dobry.

Wirus ma powinowactwo do OUN. Zmiany zapalne w płynie mózgowo-rdzeniowym ma 65–70% dzieci, objawy oponowe 10%. Bóle głowy, ponowna gorączka, wymioty i objawy oponowe występują zwykle między 4. a 8. dniem choroby. Mogą poprzedzać o kilka dni pojawienie się obrzęku ślinianek. Rzadziej rozwijają się w okresie zdrowienia. Zespół oponowy stwierdza się czasem bez zajęcia ślinianek. Chłopcy chorują 3–4 razy częściej niż dziewczynki. Objawy oponowe mają mierne nasilenie. Najczęściej występuje sztywność karku. W płynie mózgowo-rdzeniowym stwierdza się limfocytarną, niezbyt wysoką pleocytozę, z reguły < 500 komórek/mm^3, choć zdarzają się przypadki z cytozą > 2000 komórek//mm^3. Stężenie białka z reguły jest nieznacznie podwyższone, a glukozy i anionu chlorowego prawidłowe. Zmiany zapalne w płynie mózgowo-rdzeniowym występują tak często, że zapalenie opon mózgowo-rdzeniowych uznaje się za element obrazu klinicznego świnki, a nie za powikłanie tej choroby.

Metody diagnostyczne

Rozpoznanie najczęściej jest kliniczne. Znaczenie ma wywiad epidemiologiczny. W początkowym okresie można stwierdzić leukopenię z limfocytozą, następnie umiarkowaną leukocytozę z limfocytozą i monocytozą. Istotne jest stwierdzenie podwyższonego stężenia amylazy we krwi i w moczu. W przypadkach typowych nie ma wskazań do rozszerzania diagnostyki, w wątpliwych oznacza się swoiste przeciwciała w klasach IgM i IgG (metodą immunoenzymatyczną). Przeciwciała IgM, wykrywane w ostrym okresie choroby, potwierdzają rozpoznanie. W przypadku przeciwciał klasy IgG istotna jest serokonwersja lub 4-krotne narastanie miana. Rzadko stosuje się izolację wirusa świnki ze śliny, krwi, płynu mózgowo-rdzeniowego czy moczu.

Różnicowanie

Zapalenie ślinianek z obrzękiem mogą spowodować wirusy paragrypy (typ 1, 2, 3), grypy (typ A), EBV, CMV, *Coxsackie A*, ECHO, HIV i HCV. W różnicowaniu świnki należy brać też pod uwagę bakteryjne zapalenie ślinianek, najczęściej gronkowcowe. Ostre zapalenie ślinianek z tendencją do ropienia może wystąpić w przebiegu płonicy, zapalenia jamy ustnej, błonicy, duru brzusznego i posocznicy. Za zakażeniem bakteryjnym przemawiają jednostronna lokalizacja, podwyższone wykładniki stanu zapalnego (OB, CRP) i leukocytoza. Zapalenie ślinianek zdarza się też w zakażeniach grzybiczych. Okresowe powiększenie ślinianki, związane z podawaniem pokarmów i odruchowym wydzielaniem śliny sugeruje kamicę przewodu ślinowego. Rzadko przyczyną zapalenia ślinianek są leki, np. fenylbutazon, tiouracyl, jodki, guanetydyna.

Powody przewlekłego obrzęku ślinianek to torbiel lub guz ślinianki, zakażenie HIV, sarkoidoza i zespół Sjögrena (patrz str. 944).

Leczenie

Leki przeciwgorączkowe i nawodnienie. Nie ma wskazań do podawania antybiotyków. Hospitalizacji wymagają dzieci z zapaleniem opon mózgowo-rdzeniowych (leczenie objawowe przeciwgorączkowe i przeciwobrzękowe), odwodnione z powodu niechęci do przyjmowania płynów i/lub wymiotów oraz z zapaleniem jądra, tarczycy czy mózgu (wskazanie do steroidów).

Powikłania

Częściej występują u dorosłych. U 30–38% chłopców po okresie dojrzewania i u młodych mężczyzn rozwija się **zapalenie jądra i najądrza**, jedno- lub obustronne. Pod koniec pierwszego tygodnia świnki pojawia się wysoka gorączka, silny ból promieniujący do krocza, obrzęk i zaczerwienienie jądra, często z bólem głowy, brzucha i wymiotami. Zapalenie jądra może wystąpić bez zajęcia ślinianek. Rzadko, u pacjentów z obustronnym zapaleniem jądra, dochodzi do upośledzenia funkcji plemnikotwórczej i w konsekwencji do niepłodności. Zapalenie jądra różnicuje się z chlamydiozą, rzeżączką i następstwami urazu.

U około 7% kobiet i dziewcząt po okresie dojrzewania występuje **zapalenie jajnika/jajników**, z bólami w dole brzucha, które nie powoduje bezpłodności.

Zapalenie trzustki, subkliniczne lub łagodne, jest typowym powikłaniem świnki. Rzadko zdarza się cięższy przebieg z bardzo silnym bólem brzucha, w nadbrzuszu po lewej stronie, z obroną mięśniową tej okolicy, gorączką, wymiotami i biegunką. Zwykle po 3–4 dniach dolegliwości ustępują. W surowicy krwi stwierdza się podwyższone stężenie amylazy i lipazy.

Rzadkie powikłania to inne zapalenia, np. tarczycy, gruczołu łzowego, stawów, mięśnia sercowego, wątroby i nerwu ślimakowego lub wzrokowego. Świnka może być przyczyną głuchoty (5 : 100 000 przypadków).

Poważnym powikłaniem (2 : 100 000 chorych) jest zapalenie opon mózgowo-rdzeniowych i mózgu. Manifestuje się ono zaburzeniami świadomości, śpiączką, drgawkami i porażeniami nerwów czaszkowych. Śmiertelność wynosi 1%.

Świnka w I trymestrze ciąży może zwiększać ryzyko samoistnego poronienia. Nie udowodniono wpływu wirusa na występowanie wad wrodzonych. Opisano przypadki świnki wrodzonej, od matki chorującej w okresie okołoporodowym.

Rokowanie

Dobre w większości przypadków, poważne w zapaleniu mózgu i mięśnia sercowego.

Profilaktyka

Szczepienia ochronne.

19.7.4   *Ewa Duszczyk*

Różyczka

łac. *rubeola*

ang. rubella (German measles)

Definicja

Ostra choroba zakaźna z bladoróżową wysypką, powiększeniem węzłów chłonnych i miernie nasilonymi objawami infekcji górnych dróg oddechowych wywołana przez wirusa różyczki.

Epidemiologia

Przed wprowadzeniem szczepień ochronnych różyczka była bardzo rozpowszechniona. Epidemie występowały co 6–8 lat. Szczepienia wpłynęły na zmianę sytuacji epidemiologicznej. Obecnie zapadalność wynosi około 11/100 000.

Różyczka występuje sezonowo, głównie zimą i wczesną wiosną. Połowa zakażeń przebiega bezobjawowo. Nie chorują niemowlęta do 6. mż., których matki chorowały na różyczkę lub były szczepione. Okres wylęgania wynosi 14–21 dni (najczęściej 16––18). Chory jest zakaźny dla otoczenia na 7 dni przed wystąpieniem objawów i przez kolejne 5–7 dni.

Etiologia i patogeneza

Wirus różyczki (RNA) należy do rodzaju *Rubivirus*, rodziny *Togaviridae*. Jedynym rezerwuarem jest człowiek. Zakażenie przenosi się drogą kropelkową, przez kontakt bezpośredni z materiałem zakaźnym i przez łożysko. Materiał zakaźny stanowi wydzielina z jamy nosowej i gardła chorego, a także krew, kał i mocz dziecka z zespołem różyczki wrodzonej. Podatność na zakażenie jest powszechna. Wrota to jama nosowo--gardłowa. Po namnożeniu się w komórkach nabłonka dróg oddechowych i okolicznych węzłach chłonnych wirus przedostaje się do krwi. Wiremię stwierdza się ok. 7 dni przed wystąpieniem objawów. Między 2. a 3. dniem choroby pojawiają się we krwi swoiste przeciwciała i wiremia powoli ustępuje.

Obraz kliniczny

U dzieci starszych i dorosłych przez kilka dni występują objawy zwiastunowe: złe samopoczucie, bóle głowy i mięśni, zapalenie gardła i spojówek bez światłowstrętu oraz stan podgorączkowy/gorączka. Na dzień przed pojawieniem się wysypki powiększają się węzły chłonne karkowe, potyliczne, zauszne i szyjne, czemu towarzyszy ich bolesność. Powiększenie węzłów chłonnych może utrzymywać się przez kilka tygodni i być jedynym objawem choroby. U małych dzieci pierwszym objawem różyczki bywa wysypka

(patrz rozdz. 19.1 „Wysypki w przebiegu chorób zakaźnych"). U niektórych chorych stwierdza się powiększenie śledziony i stan zapalny gardła, a na podniebieniu plamki Forsheimera. Ciepłota ciała zwykle nie przekracza 38°C. Różyczka nabyta przebiega zazwyczaj lekko, różyczkę wrodzoną opisano w rozdz. 19.6 „Zakażenia wrodzone".

Metody diagnostyczne

Najczęściej rozpoznanie opiera się na przesłankach klinicznych i epidemiologicznych. W morfologii krwi obwodowej stwierdza się leukopenię ze względną limfocytozą. W 5.–6. dniu choroby u ok. 50% pacjentów występuje zwiększony odsetek komórek plazmatycznych (ok. 10%), a czasem również obniżenie liczby płytek krwi. Wykonanie badań serologicznych jest konieczne w przypadkach wątpliwych, np. u kobiet we wczesnej ciąży po kontakcie z chorym na różyczkę. Stosuje się metodę ELISA i test wiązania dopełniacza. Rozpoznanie potwierdza wykrycie przeciwciał w klasie IgM. Przeciwciała IgG świadczą o odporności nabytej naturalnie lub poszczepiennej. Użycie metody PCR i hybrydyzacji *in situ* pozwala wykryć materiał genetyczny wirusa.

Różnicowanie

Wysypkę w przebiegu różyczki należy różnicować z odrą i płonicą (patrz str. 964 i 1022).

Leczenie

Nie ma leczenia przyczynowego. Stosuje się postępowanie objawowe, zwykle w warunkach ambulatoryjnych. W różyczkowym zapaleniu stawów skuteczne są NLPZ. Powikłania neurologiczne i hematologiczne wymagają hospitalizacji. W zapaleniu mózgu stosuje się leki przeciwdrgawkowe, obniżające ciśnienie śródczaszkowe i przeciwzapalne (steroidy). W skazie małopłytkowej podaje się prednizon i preparaty uszczelniające naczynia, wskazania do przetoczenia koncentratu płytek krwi stwierdza się rzadko.

Powikłania

Zapalenie stawów, najczęściej dłoni i kolanowych, objawia się obrzękiem i bolesnością, które pojawiają się zwykle w okresie wysypkowym i utrzymują się od kilku dni do kilku tygodni. Dolegliwości ustępują bez pozostawienia trwałych następstw. Rzadko (1 : 3000 przypadków) występuje przemijająca **skaza małopłytkowa**. Sporadycznie powikłanie różyczki stanowi **zapalenie mózgu** (1 : 6000 chorych). Objawy pojawiają się zwykle w pierwszych 2 dniach wysypki, niekiedy później. Występują bóle głowy, wymioty, sztywność karku, drgawki i utrata przytomności. Z chwilą ujawnienia się objawów neurologicznych wysypka ustępuje. W płynie mózgowo-rdzeniowym stwierdza się pleocytozę limfocytarną (kilkanaście–kilkaset komórek/mm^3), nieznacznie podwyższone stężenie białka i prawidłowe stężenie glukozy.

Zakażenie wirusem różyczki w ciąży może prowadzić do wewnątrzmacicznej infekcji płodu (patrz str. 73).

Rokowanie

Różyczka nabyta przebiega zwykle lekko. W powikłaniach neurologicznych i hematologicznych rokowanie jest poważne, w różyczce wrodzonej zależy od rodzaju wad wrodzonych.

Profilaktyka

Szczepienia ochronne.

19.7.5   *Małgorzata Aniszewska*

Zakażenia parwowirusem B19

łac. *infectio parvovirus B19*

ang. parvovirus B19 infection

Definicja

Zespół objawów klinicznych w następstwie zakażenia parwowirusem B19 (DNA), z rodziny *Parvoviridae*, rodzaju *Erythrovirus*.

Epidemiologia

Parwowirus B19 jest rozpowszechniony na całym świecie. Jedyny rezerwuar stanowi człowiek. Zachorowania sporadyczne stwierdza się przez cały rok, a w strefie klimatu umiarkowanego późną zimą lub wczesną wiosną występują epidemie. Po okresach aktywności trwających 3–6 lat następuje spadek zachorowań. Przeciwciała świadczące o przebytym zakażeniu ma 30–50% ludzi do 20. rż., z wiekiem odsetek ten rośnie do prawie 100% w populacji dorosłych. Przechorowanie daje trwałą odporność. Objawowe zakażenia są częstsze u dzieci w wieku 5–15 lat.

Drogi zakażenia – kropelkowa (wirus jest obecny w wydzielinie górnych dróg oddechowych 5–12 dni od zakażenia, ryzyko zakażenia z kontaktu domowego to 15–30%) i krwiopochodna (przetoczenie zakażonej krwi).

Okres wylęgania zależy od patogenezy:

■ gdy objawy są związane z wiremią (przemijający przełom aplastyczny, aplazja czerwonokrwinkowa, nieimmunologiczny obrzęk płodu) okres wylęgania wynosi 4–14 dni (zwykle 7–11),

■ jeśli objawy stanowią konsekwencję reakcji immunologicznej po zakażeniu (rumień zakaźny, artropatia) okres wylęgania wynosi 16–28 dni, a pacjent z objawami nie jest zakaźny,

■ u pacjentów z zaburzeniami odporności (w tym u noworodków zakażonych wewnątrzmacicznie) okres wylęgania i zakaźności zależy od czasu utrzymywania się wiremii.

Etiologia i patogeneza

Wirus replikuje w komórkach aktywnie dzielących się, które mają antygen grupowy krwi P (receptor dla wirusa), a więc w komórkach progenitorowych linii czerwonokrwinkowej w szpiku, a także w komórkach śródbłonka, łożyska i płodowych komórkach mięśnia sercowego. Zakażenie powoduje lizę komórek i przejściowo hamuje erytropoezę (do 0% retikulocytów). U pacjentów z prawidłowym czasem przeżycia krwinek czerwonych przebieg jest bezobjawowy, może wystąpić mierne obniżenie stężenia hemoglobiny. W ciągu 2 dni pojawiają się swoiste przeciwciała w klasie IgM, a następnie IgG – neutralizujące, kontrolujące replikację wirusa, z natychmiastowym odblokowaniem erytropoezy (wzrasta liczba retikulocytów i stężenie hemoglobiny). W ostrym zakażeniu wiremia jest wysoka, następnie obniża się i może utrzymywać się na niskim poziomie przez kilka lat. Przewlekanie się replikacji stwierdza się częściej u osób z immunodeficytem (białaczka, wrodzone i nabyte niedobory odporności). Ciężki przebieg dotyczy dzieci: 1) z przewlekłą lub ostrą hemolizą (zahamowanie erytropoezy może spowodować przełom czerwonokrwinkowy); 2) z zaburzeniami produkcji przeciwciał (przewlekanie się zakażenia powoduje przewlekłą hipoplazję szpiku, zwłaszcza szeregu czerwonokrwinkowego, rzadko trombocytów i mielocytów); 3) płodów.

Po kilkunastu dniach od przebytego zakażenia może dojść do uruchomienia mechanizmów immunologicznych powodujących artropatię lub zmiany skórne. Nie mają one związku z aktywną replikacją wirusa i zazwyczaj ustępują samoistnie.

Obraz kliniczny

Najczęstsze postacie kliniczne to rumień zakaźny (choroba piąta, zespół spoliczkowanego dziecka), zespół rękawiczek i skarpetek, artropatia, przemijający przełom aplastyczny, aplazja czerwonokrwinkowa i nieimmunologiczny obrzęk płodu.

Rumień zakaźny (łac. *erythema infectiosum*, ang. fifth disease) to najczęstsza manifestacja zakażenia parwowirusem B19, wg dawnej klasyfikacji „piąta" z wysypkowych chorób zakaźnych wieku dziecięcego (obok różyczki, odry, płonicy i atypowej płonicy), łagodna, samoograniczająca się. Występują dwie fazy:

- prodromalna – 4–14 (zwykle 7) dni od zakażenia pojawiają się podwyższona ciepłota ciała, miernie nasilona infekcja górnych dróg oddechowych i niewielka limfadenopatia, wirus obecny w tym czasie w wydzielinie górnych dróg oddechowych może być źródłem zakażenia,
- wysypkowa – w 16–18 dni od ekspozycji (zazwyczaj bez gorączki i infekcji) na twarzy pojawia się symetryczny rumień w kształcie motyla, rzadziej stwierdza się go na jednym policzku (zespół spoliczkowanego dziecka), wysypka na tułowiu (ryc. 19.19) i kończynach przypomina girlandy (patrz rozdz. 19.1 „Wysypki w przebiegu chorób zakaźnych"), w tej fazie pacjent nie jest zakaźny i nie wymaga izolacji. Zmiany ustępują samoistnie, rokowanie pomyślne.

Rumień zakaźny należy różnicować z odrą, różyczką, różą twarzy, rumieniem wielopostaciowym, wysypką alergiczną i kolagenozami.

Zespół rękawiczek i skarpetek (ang. gloves and socks syndrome) objawia się wysypką ograniczoną do skóry dłoni i stóp. Początkowo występuje obrzęk i rumień (wyraźnie odgraniczony od skóry zdrowej, stąd skarpetki i rękawiczki), następnie grudkowa wysypka krwotoczna ze świądem. Podobne zmiany mogą być obecne na twarzy, pośladkach, łokciach, kolanach. Często towarzyszą im ogólne osłabienie, bóle głowy, stan podgorączkowy, zapalenie gardła, zmiany grudkowo-pęcherzykowe na podniebieniu twardym i miękkim, zmiany podobne do plamek Koplika na śluzówkach policzków oraz obrzęk, rumień i płytkie owrzodzenia w obrębie błon śluzowych narządów płciowych. Zmiany ustępują samoistnie, rokowanie pomyślne. Różnicowanie z kiłą drugorzędową, riketsjozą, erlichiozą oraz zakażeniami wirusami *Coxsackie* A i B, ECHO, odry, EBV i CMV.

Artropatia może być izolowanym objawem lub towarzyszy zmianom skórnym. Częściej występuje u dorosłych i młodzieży (60% chorych) niż u dzieci (5–8%), u kobiet niż u mężczyzn. Zwykle dotyczy symetrycznie stawów śródręcza (75% przypadków), ko-

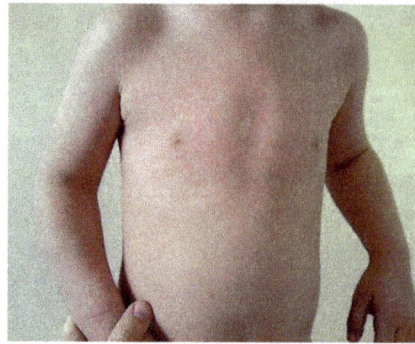

Rycina 19.19. Rumień zakaźny.

lan (65%), nadgarstków (55%) i łokci (40%). Nie ma zmian w badaniu USG. Dolegliwości (od porannej sztywności do objawowego zapalenia stawów) na ogół ustępują samoistnie w ciągu 2–4 tygodni. Rokowanie pomyślne. Dłuższe utrzymywanie się objawów wymaga szerszej diagnostyki. Pacjent nie jest zakaźny. Różnicowanie z boreliozą, artropatią w zakażeniu HCV i młodzieńczym idiopatycznym zapaleniem stawów.

Przemijający przełom aplastyczny (łac. *crisis aplasticus fugitivus*, ang. transient aplastic crisis) występuje u pacjentów z przewlekłą hemolizą i nasiloną erytropoezą w przebiegu hemoglobinopatii (np. niedokrwistość sierpowatokrwinkowa, talasemie), membranopatii (np. sferocytoza wrodzona), enzymopatii, niedokrwistości autoimmunizacyjnych czy stanów po masywnym krwotoku, przeszczepie komórek krwiotwórczych lub nerki. Objawy to gorączka, uczucie rozbicia, bladość, tachykardia, tachypnoë i osłabienie wynikające z gwałtownie narastającej niedokrwistości. Przebieg naturalny i rokowanie jak w ostrych niedokrwistościch o innej etiologii. Objawy ustępują samoistnie wraz z zahamowaniem replikacji wirusa. Pacjent jest zakaźny w trakcie trwania objawów (do 14 dni).

Aplazja czerwonokrwinkowa (red cell aplasia) oznacza głęboką niedokrwistość czerwonokrwinkową u pacjentów z niedoborami odporności. Występują gorączka (nie zawsze), osłabienie, bladość, tachykardia i tachypnoë. Przebieg naturalny i rokowanie jak w aplazjach czerwonokrwinkowych o innej etiologii. Może się przewlekać w związku z utrzymującą się replikacją wirusa. Objawy ustępują wraz z zahamowaniem replikacji. Pacjent jest zakaźny w trakcie trwania objawów.

Zakażenie płodu opisano w rozdz. 19.6 „Zakażenia wrodzone".

Metody diagnostyczne

W okresie wiremii stwierdza się mierne obniżenie stężenia hemoglobiny, niedokrwistość, brak retikulocytów, leukopenię i trombocytopenię. W przełomie aplastycznym – głęboką niedokrwistość, brak retikulocytów, leukopenię i ew. skazę małopłytkową. Testy serologiczne (ELISA, RIA) wykazują swoiste przeciwciała w klasie IgM, które występują po 10–12 dniach od zakażenia i utrzymują się przez 6–8 tygodni, stanowią więc markery wczesnej fazy. Przeciwciała w klasie IgG pojawiają się kilka dni po przeciwciałach IgM (zwykle w 2. tygodniu od zakażenia) i utrzymują się przez lata. Metody molekularne wykrywają materiał genetyczny wirusa we krwi i w materiale biopsyjnym. Najczęściej (w ośrodkach referencyjnych) stosowana jest metoda PCR. Monitorowanie płodu opisano w rozdz. 19.6 „Zakażenia wrodzone".

Różnicowanie

Opisano przy okazji obrazu klinicznego poszczególnych postaci klinicznych.

Leczenie

Objawowe:

■ przełom aplastyczny – przetoczenie koncentratu krwinek czerwonych,
■ przewlekłe zakażenie u osób z immunodeficytem – przetaczanie immunoglobulin,
■ nieimmunologiczny obrzęk płodu – transfuzje dopłodowe krwi (zmniejszają ryzyko zgonu z 30% do 16%) (patrz str. 247),
■ zapalenie stawów – NLPZ,
■ rumień zakaźny oraz zespół rękawiczek i skarpetek – nie wymagają terapii.

Profilaktyka

Nieswoista.

19.7.6   *Ewa Talarek*

Grypa

łac. *influenza*

ang. influenza (flu)

Definicja

Ostra choroba z objawami ze strony układu oddechowego i wysoką gorączką wywołana przez wirus grypy.

Epidemiologia

Występuje na całym świecie, w klimacie umiarkowanym od jesieni do wiosny, a w klimacie tropikalnym przez cały rok. Wirus grypy A wywołuje epidemie i pandemie, wirus B zachorowania endemiczne i epidemie. Epidemie występują co 1–3 lata. Co 10–40 lat pojawia się wirus o zupełnie odmiennym składzie antygenowym i może dojść do pandemii (epidemii obejmującej kilka kontynentów). Od końca XIX wieku wystąpiło 5 pandemii grypy, ostatnia w latach 2009–2010. Źródłem zakażenia jest chory człowiek. Wirus znajduje się w wydzielinie z dróg oddechowych na 1 dzień przed wystąpieniem objawów i przez pierwszych 5–10 dni ich trwania, a u dzieci nawet do 21 dni. Zakażenie następuje drogą kropelkową w bezpośrednim kontakcie (odległość do 1 m, kaslanie, kichanie) lub przez przeniesienie za pośrednictwem rąk.

Etiologia i patogeneza

Grypę wywołuje wirus RNA z rodziny *Orthomyxoviridae*. Wyróżnia się 3 typy wirusa: A, B i C. Rezerwuarem wirusa A są ludzie i zwierzęta, wirusa B – wyłącznie ludzie, wirusa C – ludzie i świnie. Wirus A (najczęstsza przyczyna grypy) dzieli się na podtypy na podstawie właściwości antygenowych białek powierzchniowych – hemaglutyniny i neuraminidazy, wykazując ogromną zmienność. Po wniknięciu do górnych dróg oddechowych za pośrednictwem hemaglutyniny wirus przylega do komórek nabłonka rzęskowego i wnika do nich na drodze endocytozy. Następuje replikacja. Dochodzi do złuszczania nabłonka oddechowego i obnażenia błony śluzowej, upośledzenia funkcji rzęsek i produkcji śluzu, co ułatwia inwazję innych patogenów. Zakażenie ograniczone jest do układu oddechowego (nosogardziel, tchawica, oskrzela), rzadko występuje wiremia. Objawy ogólne prawdopodobnie wywołują cytokiny produkowane w odpowiedzi na zakażenie. Nasilenie objawów zależy głównie od wcześniejszego kontaktu ze szczepami wirusa podobnymi antygenowo i obecności przeciwciał (możliwa odporność krzyżowa).

Obraz kliniczny

Okres wylęgania grypy wynosi od 18 do 72 godzin. Objawy pojawiają się nagle, występują: gorączka, dreszcze, bóle mięśni, osłabienie, wyczerpanie, bóle głowy, suchy kaszel, katar, ból gardła, niekiedy brak łaknienia, wymioty i/lub biegunka. Stwierdza się zapalenie gardła, błony śluzowej nosa i spojówek, powiększenie węzłów chłonnych szyjnych, rzadziej zmiany osłuchowe nad płucami (rzężenia, furczenia, świsty).

Przebieg naturalny

Większość objawów utrzymuje się przez kilka dni, gorączka 2–4 dni, a kaszel i osłabienie dłużej.

Metody diagnostyczne

Podstawowe badania laboratoryjne nie wykazują zwykle odchyleń od normy. Wykładniki stanu zapalnego nie są podwyższone. Czasem obserwuje się przemijającą leukopenię. Szybkie testy wykrywające antygeny wirusa grypy w wymazie z nosogardzieli nie są polecane ze względu na niską czułość. Metoda RT-PCR, wykrywająca RNA wirusa w materiale z jamy nosowej i gardła, potwierdza rozpoznanie. Służy do tego również stwierdzenie znamiennego wzrostu miana swoistych przeciwciał neutralizujących przeciw wirusowi (w odstępie 2 tygodni).

Różnicowanie

Z zakażeniami wywołanymi przez wirusy paragrypy, rhinowirusy i adenowirusy oraz zakażeniami bakteryjnymi np. *Mycoplasma pneumoniae*.

Leczenie

Objawy ustępują samoistnie, bez leczenia. Stosuje się leki przeciwgorączkowe (paracetamol, ibuprofen). Bardzo istotne jest prawidłowe nawodnienie. Zaleca się, aby pacjent pozostał w domu przez okres choroby i przynajmniej przez 24 godziny po ustąpieniu gorączki.

U osób z ciężkim lub powikłanym przebiegiem grypy i z grup ryzyka takiego przebiegu WHO zaleca włączenie terapii przeciwwirusowej optymalnie w ciągu 48 godzin od pojawienia się objawów. Decydują wskazania kliniczne, nie należy jej opóźniać w oczekiwaniu na wyniki badań. Do starszych leków należą amantadyna i rymantydyna, leki nowszej generacji to inhibitory neuraminidazy – oseltamiwir (podawany doustnie) i zanamiwir (podawany wziewnie). Leczenie trwa 5 dni.

Powikłania

Do powikłań grypy sezonowej u dzieci, podobnie jak u dorosłych, należą: zapalenie płuc, oskrzeli, zatok przynosowych, mięśnia sercowego, mięśni z mioglobinurią i opon mózgowo-rdzeniowych, a także encefalopatia, zespół Guillaina–Barrégo i wtórne zakażenia bakteryjne z posocznicą włącznie. U dzieci mogą też wystąpić drgawki gorączkowe, zapalenie ucha środkowego i zapalenie oskrzelików (u niemowląt).

Duszność, przyspieszony oddech, wysiłek oddechowy, sinica, hipoksja, odwodnienie, senność, zaburzenia świadomości, splątanie i/lub drgawki świadczą o ciężkim/powikłanym przebiegu. Wysoka gorączka trwająca ponad 3 dni wynika z przetrwałej replikacji wirusa bądź wtórnego zakażenia bakteryjnego.

Zapalenie płuc wywołuje wirus grypy lub wtórne zakażenie bakteryjne. Przebieg zapalenia płuc i zapalenia oskrzelików może być ciężki, z dusznością i niewydolnością oddechową. Niektórzy pacjenci wymagają intensywnej opieki medycznej i wentylacji mechanicznej.

Rokowanie

Grypa jest zwykle łagodną chorobą samoograniczającą się z dobrym rokowaniem. Ciężki przebieg i powikłania, wymagające hospitalizacji, dotyczą głównie dzieci młodszych (< 5. rż., a zwłaszcza < 2. rż.) i dzieci z chorobami przewlekłymi (choroby układu oddechowego, krążenia, nerwowego i moczowego, niedobory immunologiczne, cukrzyca).

Profilaktyka

Obejmuje przecięcie dróg zakażenia, chemioprofilaktykę i immunoprofilaktykę. Chemioprofilaktykę po- lub preekspozycyjną zaleca się u pacjentów z grup ryzyka, w tym dzieci, w sytuacji dużego narażenia na zakażenie. Stosuje się oseltamiwir lub zanamiwir w dawkach profilaktycznych lub włącza leczenie w momencie pojawienia się pierwszych objawów. Najskuteczniejszą profilaktyką grypy sezonowej są szczepienia.

19.7.7   *Maria Pokorska-Śpiewak*

Zakażenia enterowirusowe

Enterowirusy są wirusami RNA z rodziny *Picornaviridae*. Należą do nich wirusy polio (serotypy 1–3), *Coxsackie* A (A1–A22, A24) i B (B1–B6) oraz ECHO (1–9, 11–21, 24–27, 29–33). Patogeny te odpowiadają za schorzenia wielu narządów i układów o różnorodnym przebiegu klinicznym.

Enterowirusy poza polio (non-polio)

Epidemiologia

Zakażenia enterowirusowe występują powszechnie, w klimacie umiarkowanym głównie latem i jesienią. W Polsce ponad 90% szczepów stanowią echowirusy typów 4, 6, 7, 9, 11 i 30, *Coxsackie* B typów 2–5 oraz *Coxsackie* A 9. Zachorowania mają charakter sporadyczny lub epidemiczny, najczęściej występują u dzieci < 10. rż. Zakażenia szerzą się drogą fekalno-oralną i kropelkową wskutek kontaktu bezpośredniego z osobą chorą lub bezobjawowym nosicielem, rzadziej przez zakażone przedmioty lub środki spożywcze.

Enterowirusy są najczęstszą przyczyną wirusowych zapaleń opon mózgowo-rdzeniowych u dzieci. Odpowiadają za ponad 90% przypadków o ustalonej etiologii. Stanowią też czynnik sprawczy 10–20% zapaleń mózgu o ustalonej etiologii.

Etiologia i patogeneza
Wrota zakażenia stanowią śluzówka przewodu pokarmowego i jama nosowa. Wirusy replikują w komórkach nabłonka przewodu pokarmowego i oddechowego, skąd rozprzestrzeniają się do różnych narządów i układów. Szczególne powinowactwo wykazują wobec OUN, serca, wątroby, trzustki, płuc, skóry i błony śluzowej. Okres wylęgania zakażenia trwa zwykle 2–7 dni.

Obraz kliniczny i przebieg naturalny
Prawie 95% zakażeń enterowirusowych ma przebieg bezobjawowy lub skąpoobjawowy. Jeden typ wirusa może powodować różne manifestacje kliniczne, a jedna choroba może być wywołana przez różne typy enterowirusów. Do tego inne zakażenia wirusowe lub bakteryjne mogą mieć identyczny obraz kliniczny.

Zakażenia OUN (wywoływane głównie przez: *Coxsackie* A 7, 9, *Coxsackie* B 1–5, ECHO 4, 6, 7, 9, 11, 30, enterowirus 71) najczęściej mają łagodny przebieg. Charakterystyczna jest dwufazowość – początkowo występują gorączka i niespecyficzne objawy, które ustępują po kilku dniach, a następnie ponownie narasta gorączka i pojawiają się objawy oponowe. W badaniu płynu mózgowo-rdzeniowego stwierdza się pleocytozę zwykle < 500 komórek/mm³, początkowo (pierwsze 48 godzin) z przewagą komórek wielojądrowych, potem jednojądrowych. Stężenie białka jest prawidłowe lub nieco podwyższone, a glukozy prawidłowe lub nieznacznie obniżone.

Zakażenia przewodu pokarmowego (*Coxsackie* A 2, 4–7, 9, 10, 14, 16, B 1–5, ECHO 1–9, 11, 12, 14, 16–21, 24, 25, 30, enterowirus 71) najczęściej objawiają się nudnościami, wymiotami, biegunką lub zaparciami z bólami brzucha. Występują jako izolowane lub towarzyszą objawom ze strony innych narządów i układów. Zapalenie wątroby rozwija się głównie u noworodków.

Zapalenie mięśnia sercowego i osierdzia (*Coxsackie* B 2–5) u dzieci w 25–35% przypadków wynika z zakażenia enterowirusami. Najczęściej choroba poprzedzona jest objawami infekcji górnych dróg oddechowych, do których dołączają gorączka, ból w klatce piersiowej, osłabienie, duszność i zaburzenia rytmu serca. Stwierdza się zmiany w EKG i podwyższoną aktywność CK-MB i troponiny.

Herpangina (*Coxsackie* A 1–4, 6–8, 10, B 1–5, ECHO 6, 9, 16–17) to ostre zapalenie gardła, z gorączką i typowymi pęcherzykowymi zmianami na śluzówkach jamy ustnej (podobnymi do zakażeń HSV). Wykwity na migdałkach, podniebieniu miękkim, języczku i tylnej ścianie gardła mają charakter grudek, następnie pęcherzyków i owrzodzeń z czerwoną obwódką. Utrzymują się 3–6 dni i ustępują samoistnie.

Choroba rąk, stóp i ust (choroba bostońska, *Coxsackie* A 5, 7, 9, 10, **16**, B 2, 5, enterowirus **71**) (patrz str. 966) przebiega z gorączką i zmianami pęcherzykowymi na dłoniach, stopach i śluzówkach jamy ustnej. Ustępuje samoistnie w ciągu tygodnia. Grubościenne pęcherzyki mają średnicę 3–7 mm. Zakaźność jest duża – do 90% w zbiorowiskach dziecięcych. Różnicowanie z zakażeniami VZV i HSV.

Wysypki (*Coxsackie* A 2, 4, 5, 9, 16, B 1, 3–5, ECHO 1–7, 9, 11, 14, 16, 18, 19, 25, 30, 33) w zakażeniach enterowirusowych występują na skórze (*exanthema*) i błonach śluzowych (*enanthema*). Plamki, grudki, pęcherzyki lub wybroczyny mogą towarzyszyć objawom zakażenia innych narządów i układów. Różnicowanie ze szkarlatyną, z odrą, różyczką i ospą wietrzną.

Nagminna pleurodynia (choroba bornholmska), czyli zapalenie mięśni międzyżebrowych i niekiedy opłucnej (*Coxsackie* A 4, 6, 9, 10, B 1–6), występuje sporadycznie lub epidemicznie. Przebiega z gorączką, atakami ostrego bólu w klatce piersiowej (u dorosłych) i jamie brzusznej (częściej u dzieci). Napady bólu trwają 15–30 minut, towarzyszą im tachypnoë i bladość skóry. Przedmiotowo stwierdza się tkliwość zajętych mięśni, bez zmian w badaniu RTG klatki piersiowej. Ustępuje samoistnie w ciągu kilku dni.

Ostre krwotoczne zapalenie spojówek (*Coxsackie* A 24, enterowirus 70) – zaczerwienienie spojówek z pęcherzykami, wybroczynami i wyciekiem wodnistym z oka. Chory odczuwa ból gałki ocznej i światłowstręt, skarży się na nieostre widzenie. W 20% przypadków występują gorączka i ból głowy.

Stany gorączkowe o nieustalonej etiologii (niespecyficzna choroba gorączkowa) stanowią częstą manifestację zakażenia wszystkimi typami enterowirusów – najczęstszą u niemowląt i małych dzieci. Gorączka trwa średnio 3 dni. Mogą jej towarzyszyć objawy zakażenia układu oddechowego lub pokarmowego. Czasem ma przebieg dwufazowy. Samoistne wyleczenie zwykle następuje po tygodniu.

Zakażenia enterowirusowe o ciężkim przebiegu obserwuje się u noworodków zakażonych wewnątrzmacicznie lub okołoporodowo. Mogą przypominać posocznicę z niewydolnością wielonarządową. Na powikłany przebieg narażone są także osoby z zaburzeniami odpowiedzi humoralnej, u których obserwuje się czasem przetrwałe zakażenia OUN i zespoły przypominające zapalenie skórno-mięśniowe.

Metody diagnostyczne
W większości przypadków rozpoznanie jest możliwe na podstawie obrazu klinicznego. Wirusy izoluje się z kału, płynu mózgowo-rdzeniowego i wymazu z gardła. Metoda PCR umożliwia szybkie wykrycie i identyfikację większości typów enterowirusów. Badania serologiczne wykonuje się z 2 próbek surowicy krwi pobranych w odstępie 3 tygodni. Potwierdzeniem świeżego zakażenia jest przynajmniej 4-krotny wzrost miana przeciwciał.

Różnicowanie
Na podstawie objawów klinicznych z innymi chorobami wirusowymi i bakteryjnymi.

Leczenie
Nie ma leczenia przyczynowego. Objawowo stosuje się leki przeciwbólowe, przeciwgorączkowe i przeciwzapalne. W przypadku ciężkich zakażeń, u noworodków i osób z zaburzeniami odporności, podaje się dożylne immunoglobuliny.

Powikłania
Kardiologiczne i neurologiczne, w szczególności u noworodków, pogarszają rokowanie i mogą wiązać się ze zwiększoną śmiertelnością. Po zakażeniu OUN trwałe następstwa pozostają u 10% pacjentów.

Rokowanie
Zwykle dobre – zakażenia mają przebieg łagodny i ustępują samoistnie.

Profilaktyka
Nie istnieją szczepionki przeciw enterowirusom non-polio. Profilaktyka polega na przestrzeganiu podstawowych zasad higieny.

Poliomyelitis (choroba Heinego–Medina)
łac. *poliomyelitis anterior acuta*
ang. poliomyelitis, polio, infantile paralysis

Definicja
Według definicji WHO poliomyelitis jest to choroba z klinicznymi objawami porażeń wiotkich, potwierdzona przez izolację dzikiego szczepu wirusa z kału osoby chorej. Inne nazwy tej jednostki chorobowej to ostre nagminne porażenie dziecięce i zapalenie rogów przednich rdzenia kręgowego. Przypadki spowodowane przez szczepionkowe szczepy wirusa określa się jako ostre nagminne porażenie poszczepienne (vaccine associated paralitic polio, VAPP).

Epidemiologia
Rezerwuar i źródło zakażenia stanowi człowiek. Do zakażenia dochodzi drogą pokarmową, rzadziej kropelkową lub kontaktową. Drogą kropelkową wirus jest wydalany przez 2–4 dni, a z kałem przez 2–3 tygodnie (czasem do kilkunastu tygodni). Okres wylęgania choroby wynosi 4–35 dni (najczęściej 7–14). Przypadki poliomyelitis stwierdza się w Afryce i Azji (endemiczne: Afganistan, Indie, Nigeria i Pakistan). Od 1988 r. prowadzony jest program WHO eradykacji polio. Eradykację ogłoszono w Ameryce, regionie zachodniego Pacyfiku i w Europie. W tych rejonach notuje się jedynie sporadyczne zachorowania wywołane szczepami szczepionkowymi. W Polsce od 1984 r. nie stwierdza się zachorowań wywołanych dzikim wirusem polio.

Etiologia i patogeneza
Poliomyelitis jest wywoływane przez 3 serotypy wirusa (1–3), które wnikają do organizmu przez błonę śluzową przewodu pokarmowego. Wirus namnaża się w tkance limfoidalnej gardła i jelit, skąd drogą krwi dostaje się do OUN. Objawy neurologiczne są następstwem bezpośredniego uszkodzenia neuronów i wtórnej reakcji immunologicznej organizmu. Uszkodzeniu ulegają rogi przednie rdzenia kręgowego (głównie w odcinku lędźwiowym i szyjnym), jądra ruchowe pnia mózgu, komórki ruchowe kory mózgowej, twór siatkowaty, podwzgórze, pień mózgu, jądra podkorowe i móżdżek.

Obraz kliniczny i przebieg naturalny
Choroba może mieć różny przebieg kliniczny:

■ zakażenie bezobjawowe (90–95% przypadków),

■ zakażenie poronne (4–8% przypadków) – łagodna choroba gorączkowa z osłabieniem, bólem głowy, brzucha i/lub gardła, wymiotami i brakiem apetytu, trwa od 24 do 72 godzin, następuje całkowite wyzdrowienie, nie ma zmian w płynie m.-r., bardzo często nie zostaje rozpoznana,

■ postać nieporażenna (oponowa, 1–2% przypadków) – aseptyczne zapalenie opon mózgowo-rdzeniowych z gorączką, bólem głowy, światłowstrętem, bólem mięśni, wymiotami, objawami oponowymi i osłabieniem odruchów, w badaniu płynu m.-r. stwierdza się niewielką pleocytozę z przewagą limfocytów, $^2/_3$ przypadków ma przebieg dwufazowy – I faza jak w zakażeniu poronnym (okres pozornego zdrowienia) i II faza z zapaleniem opon m.-r., wyzdrowienie następuje po czasie od 3 do 10 dni,

■ postać porażenna (1–2% przypadków) – objawy jak wyżej oraz porażenie mięśni szkieletowych, możliwy jest przebieg dwufazowy – porażenie poprzedzone okresem nieżytowym, zwykle stwierdza się bardzo szybki rozwój porażeń (do 48 godzin), a następnie powolny zanik odnerwionych mięśni, uszkodzenie rdzenia przedłużonego prowadzi do zaburzeń rytmu serca, nadciśnienia tętniczego, niewydolności mięśni oddechowych i zaburzeń naczynioruchowych. Wyróżnia się 4 typy postaci porażennej – rdzeniowy, opuszkowy, opuszkowo-rdzeniowy i mózgowy.

Metody diagnostyczne

Diagnostyka jest wykonywana wyłącznie w referencyjnych laboratoriach. Wirusa izoluje się i identyfikuje metodami biologii molekularnej z kału, płynu m.-r. lub wymazu z gardła. Mniej przydatne są badania serologiczne, w których ocenia się obecność przeciwciał w klasie IgM lub wzrost miana przeciwciał w 2 próbkach surowicy krwi pobranych w odstępie 3–4 tygodni.

W przebiegu poliomyelitis obserwuje się charakterystyczne zmiany w badaniu ogólnym płynu m.-r.

■ w 1. tygodniu – rozszczepienie komórkowo-białkowe (umiarkowana pleocytoza limfocytarna do 1000 komórek/mm^3 i prawidłowe/nieznacznie podwyższone stężenie białka),

■ w 2. tygodniu – rozszczepienie białkowo-komórkowe (podwyższone stężenie białka przy prawidłowej liczbie komórek),

■ w kolejnych tygodniach (zwykle 4–8) – stopniowa normalizacja parametrów płynu m.-r.

Różnicowanie

Z ostrymi porażeniami wiotkimi, np. w zakażeniach wirusami *Coxsackie* i ECHO. Objawy poliomyelitis muszą być różnicowane z zespołem Guillaina–Barrégo, poprzecznym zapaleniem rdzenia kręgowego i porażeniami pourazowymi.

Leczenie

Nie ma leczenia przyczynowego. W warunkach szpitalnych stosuje się leki przeciwbólowe, przeciwgorączkowe i uspokajające. Chory powinien mieć zapewniony spokój. Najistotniejszą rolę odgrywa wczesna rehabilitacja. W typie opuszkowym z porażeniem mięśni oddechowych konieczne jest wspomaganie oddychania.

Rokowanie

W postaciach, w których nie dochodzi do samoistnego wyleczenia, jest poważne. Śmiertelność wynosi 5–7%, w typie opuszkowym do 30%. Wyniki leczenia porażeń są niepewne – może dochodzić do nieodwracalnych zaników mięśniowych i przykurczów.

Profilaktyka

Stosuje się szczepionki żywe atenuowane oraz zabite inaktywowane (patrz str. 1075).

19.7.8   *Barbara Kowalik-Mikołajewska*

Wirusowe zapalenie wątroby

łac. *hepatitis viralis*

ang. viral hepatitis

Choroba wątroby wywołana zakażeniem wirusowym. Najbardziej charakterystyczną cechą zapalenia wątroby jest stałe lub okresowe podwyższenie powyżej normy aktywności aminotransferaz. Wirusy, stanowiące główną przyczynę infekcyjnych zapaleń wątroby, podzielono na pierwotnie hepatotropowe (HAV, HBV, HCV, HEV) i wtórnie hepatotropowe (parwowirus B19, adenowirusy, HSV-1 i 2, VZV, CMV, EBV, HHV-6, HIV, enterowirusy, paramyksowirusy, wirus różyczki).

Wirusowe zapalenie wątroby w wieku rozwojowym często przebiega bezobjawowo lub skąpoobjawowo, co nie jest jednoznaczne z chorobą „łagodną".

Wirusowe zapalenie wątroby typu A (WZW A)

Definicja

Ostra choroba wątroby wywołana przez wirusa zapalenia wątroby typu A (HAV), zaliczana do „chorób brudnych rąk", zależnych od stanu sanitarnego obszaru, warunków bytowania i zasad higieny populacji. Szerzy się drogą przewodu pokarmowego (fekalno--oralną).

Epidemiologia

WZW A występuje w klimacie umiarkowanym i gorącym. Człowiek jest jedynym rezerwuarem HAV. Obszary o wysokiej endemiczności to Afryka, Azja, Ameryka Południowa i Środkowa. W tych regionach największą zapadalność obserwuje się wśród dzieci, dominuje bezobjawowy przebieg. Niegdyś w Polsce zapadalność była wysoka. Od połowy lat 90. sytuacja uległa poprawie. W przeprowadzonych wtedy badaniach u 90% dzieci do 14. rż. nie stwierdzono obecności przeciwciał anty-HAV. Obecnie główne przyczyny zachorowań to import HAV z podróży i szerzenie się choroby wśród imigrantów. Źródła zakażenia stanowią osoby chore, nieprawidłowo przechowywana i przetwarzana żywność oraz zanieczyszczona woda pitna (np. ściekami kanalizacyjnymi). Możliwe jest zakażenie HAV noworodka przez chorą matkę w trakcie porodu drogami natury.

Etiologia i patogeneza

Wirus zapalenia wątroby typu A (RNA) należy do rodzaju Enterowirusów, rodziny *Picornaviridae*. Wyodrębniono 1 serotyp HAV i 7 genotypów, co umożliwia identyfikację źródła zakażenia. Wirus jest oporny na działanie wielu czynników fizykochemicznych, m.in. w związku z brakiem otoczki lipidowej. Nie działają na niego niskie temperatury (−70°C), alkohol ani kwaśne środowisko (pH < 3). W ciepłych przybrzeżnych wodach mórz HAV może przetrwać 3 miesiące. Inaktywacja wirusa zachodzi w trakcie gotowania (100°C) przez 15 min oraz ogrzewania przez 20 min w temperaturze 75°C.

Wrotami zakażenia jest przede wszystkim przewód pokarmowy. Źródłem zakażenia jest głównie człowiek zakażony wirusem A zapalenia wątroby, szczególnie w okresie wylęgania choroby, a także woda zanieczyszczona ściekami kanalizacyjnymi lub pokarm. W wyjątkowych sytuacjach, w krótkim okresie wiremii, źródłem zakażenia HAV może być krew.

Po zakażeniu hepatocyta wirus namnaża się, a następnie jest wydalany do dróg żółciowych i jelit. Zakażone hepatocyty ulegają martwicy przy udziale limfocytów cytotoksycznych oraz prawdopodobnie limfocytów CD8 i antygenów MHC klasy I (na komórkach wątrobowych). Wiremia jest najwyższa na kilkanaście dni przed wzrostem aktywności AlAT i ustępuje w ciągu 5−7 dni trwania żółtaczki, wkrótce po pojawieniu się przeciwciał anty-HAV w klasie IgM. Zakażenie ulega samoistnemu ograniczeniu. Nie dochodzi do przewlekłego zapalenia wątroby.

Obraz kliniczny

Okres wylęgania wynosi od 14 do 42 dni, a zakaźność 14−21 dni przed wystąpieniem żółtaczki i 5−7 dni po jej ujawnieniu się. U 70% dzieci przebieg jest bezżółtaczkowy lub skąpoobjawowy, co zwiększa ryzyko rozprzestrzenienia choroby. Dominują objawy dyspeptyczne, bóle i wzdęcia brzucha, wymioty, okresowo biegunka lub zaparcia stolca. Inne symptomy to gorączka (do 50% przypadków), zapalenie górnych dróg oddechowych, osłabienie i bóle stawowe. Dolegliwości są przemijające i poza początkowym okresem u większości chorych nie powodują zmiany trybu życia. Niektórzy pacjenci zwracają uwagę na ciemny mocz i odbarwiony stolec. Sporadycznie występują tzw. pozawątrobowe manifestacje WZW A, które mogą stanowić poważne powikłania – ostra niewydolność nerek, niedokrwistość aplastyczna, małopłytkowość, zapalenie pęcherzyka żółciowego, zapalenie trzustki czy zespół Guillaina−Barrégo.

W badaniu przedmiotowym stwierdza się niewielkie, niebolesne powiększenie węzłów chłonnych obwodowych, żółtaczkę (najwyraźniejsza na spojówkach i śluzówkach) oraz niewielkie powiększenie wątroby i śledziony.

Metody diagnostyczne

Główne enzymy wskaźnikowe ostrego zapalenia wątroby to aminotransferaza alaninowa (AlAT) i asparaginianowa (AspAT). Aktywność tej pierwszej jest zwykle wyższa, tzw. wskaźnik De Ritisa określający stosunek aktywności AspAT do AlAT w ostrym zapaleniu wątroby typu A wynosi < 1. W fazie zdrowienia aktywność enzymów wątrobowych powoli się obniża. Gwałtowne jej zmniejszenie świadczy o niewydolności wątroby. Stwierdza się wtedy również obniżony czas i wskaźnik protrombinowy, obniżone stężenie albumin i mocznika oraz podwyższone stężenie amoniaku w surowicy krwi.

Rozpoznanie WZW A potwierdza się przez wykazanie we krwi obecności przeciwciał anty-HAV w klasie IgM, które pojawiają się z początkiem objawów klinicznych i utrzymują się 16–20 tygodni. Test immunoserologiczny ma 100% czułość i swoistość. Przeciwciała odpornościowe IgG występują i narastają równolegle z IgM. U niemowląt matek zaszczepionych przeciwko WZW A IgG utrzymują się do 6.–8. mż.

Różnicowanie
Ostre WZW A potwierdzone serologicznie nie wymaga różnicowania. W niektórych przypadkach, zwłaszcza w fazie zaostrzenia istotne jest wykluczenie choroby Wilsona, niektórych genetycznie uwarunkowanych hepatopatii i autoimmunizacyjnego zapalenia wątroby (szczególnie u dziewcząt).

Leczenie
Nie ma obowiązku hospitalizacji. Leczenia szpitalnego wymagają chorzy z podejrzeniem niewydolności wątroby, trudnościami diagnostycznymi i powikłaniami. Ze wskazań epidemiologicznych należy hospitalizować chorych żyjących w dużych skupiskach ludzkich (np. domy dziecka, ośrodki dla uchodźców), jednak należy pamiętać, że nie jest to równoznaczne z przerwaniem łańcucha epidemicznego zakażenia HAV. Leczenie WZW A jest objawowe i sprowadza się do spoczynkowego trybu życia, regularnego odżywiania i diety lekkostrawnej.

Powikłania
WZW A przebiega bez powikłań u > 95% chorych. U pozostałych osób obserwuje się 2–3-krotne zaostrzenia choroby, a raczej wykładników laboratoryjnych bez objawów klinicznych lub z przedłużaniem zdrowienia. Najcięższym powikłaniem jest ostra niewydolność wątroby, dotycząca 0,01–0,5% pacjentów. Charakteryzuje ją gwałtowny przebieg z rozwojem encefalopatii. Leczenie z wyboru stanowi przeszczep wątroby. Wirus może przyczynić się do ujawnienia się autoimmunizacyjnego zapalenia wątroby, szczególnie u dziewcząt.

Rokowanie
Wirusowe zapalenie wątroby typu A jest ostrą samoograniczającą się chorobą. Rokowanie co do wyzdrowienia jest pomyślne w ponad 99% przypadków. Wyzdrowienie pozostawia trwałą odporność. W przypadkach powikłanych ostrą niewydolnością wątroby śmiertelność wynosi 40–60%. Obecnie jest możliwe

szczepienie przeciwko WZW A i składa się z 2 dawek szczepionki w odstępie 6–12 miesięcy. Szczepienie jest zalecane dla każdego dziecka (w wieku przedszkolnym, szkolnym i młodzieży), które nie chorowało na tę chorobę, a szczególnie gdy ma inne przewlekłe schorzenie wątroby (hepatopatię). Przeciwciała swoiste odpornościowe anty-HAV wytwarzają się już po 14 dniach u ponad 80% zaszczepionych. Preparat gammaglobuliny może być podany w profilaktyce poekspozycyjnej u dzieci, które nie chorowały na WZW A, ale łącznie z pierwszą dawką szczepionki.

Wirusowe zapalenie wątroby typu B (WZW B)

Definicja
Proces zapalny w obrębie wątroby wywołany pierwotnie hepatotropowym wirusem zapalenia wątroby typu B.

Epidemiologia
Zapadalność na WZW B w Polsce w latach 70. i 80. przekraczała 30–40 : 100 000 mieszkańców. Obecnie endemiczność jest niska, zakażenie dotyczy 1,5% populacji. Do zakażenia wirusem B zapalenia wątroby dochodzi przez naruszenie ciągłości tkanek, kontakt seksualny lub zakażenie tzw. odmatczyne płodu lub dziecka (okołoporodowe).

W krajach o niskiej endemiczności dominuje droga seksualna, a w krajach o wysokiej endemiczności odmatczyna. W Polsce obniża się ryzyko jatrogennego zakażenia HBV. Ponieważ w Polsce obowiązujące szczepienia ochronne u dzieci przeciwko WZW B rozpoczęły się w 1994 roku, a w pozostałych grupach wiekowych populacji nie miały charakteru powszechnego obowiązku, dlatego nie obserwuje się obniżenia zachorowalności u kobiet w wieku rozrodczym. Może to skutkować zakażeniami odmatczynymi.

Etiologia i patogeneza
Wirus HB (HBV) należy do rodziny *Hepadnaviridae*. Zawiera podwójnie skręconą nić DNA, co ułatwia integrację z genomem hepatocyta i wytworzenie kolistego DNA nazywanego minichromosomem (covalently closed circular DNA, cccDNA). Z powodu niedostępności dla leków przeciwwirusowych cccDNA stanowi źródło podtrzymywania replikacji. Niewielka replikacja może prowadzić do progresji w kierunku marskości wątroby i pierwotnego raka wątrobowokomórkowego. Antygeny HBV to:

- HBcAg (antygen rdzeniowy HBV) – złożony z materiału genetycznego wirusa i polimerazy DNA,
- HBeAg (antygen „e" HBV) – fragment białka rdzeniowego (HBcAg),
- HBsAg (antygen powierzchniowy HBV) – zewnętrzna białkowo-lipidowa otoczka, która warunkuje wytworzenie przeciwciał odpornościowych po zakażeniu lub po skutecznym szczepieniu.

Okres wylęgania wynosi 42–180 dni. Przebieg zakażenia zależy od sprawności mechanizmów odpornościowych gospodarza. Reakcja limfocytów T (CD4+ i CD8+), głównie cytotoksycznych, w kierunku eliminacji zakażenia (w mechanizmie martwiczo-zapalnym) następuje w stosunku do HBcAg i HBeAg.

Obraz kliniczny

Nie odbiega od opisanego w WZW A. U dzieci zakażenie jest najczęściej bezobjawowe. Choroba może zakończyć się samoistnym wyzdrowieniem, z trwałą normalizacją aktywności enzymów wątrobowych, eliminacją HBsAg w okresie do 6 miesięcy od zachorowania i wytworzeniem przeciwciał anty-HBs. Wyzdrowienie u dzieci jest rzadsze niż u dorosłych i odwrotnie proporcjonalne do wieku zakażenia. Znaczniki przebytego zakażenia stanowią przeciwciała anty-HBc w klasie IgG, wykrywane przez całe życie. Niektórzy badacze uważają, że ich obecność jest wyrazem minireplikacji (*occult replication*).

U dzieci w fazie ostrej obserwuje się czasami zespół Gianottiego–Crostiego. Objawia się on wysypką plamisto-grudkową o charakterystycznym układzie (patrz rozdz. 19.1 „Wysypki w przebiegu chorób zakaźnych") i stanowi postać zapalenia drobnych naczyń skórnych wywołanego naciekiem z mononuklearów (komórek jednojądrowych) i obrzękiem śródbłonka naczyń. W części przypadków stwierdza się powiększenie wątroby i czasami śledziony, a także obwodową limfadenopatię. W badaniach laboratoryjnych obserwuje się podwyższenie aktywności aminotransferaz, obecność antygenu HBs (HBsAg+) i niekiedy hiperbilirubinemię.

Ostra niewydolność wątroby rozwija się u 1–3% chorych z WZW B.

Zapalenie wątroby typu B trwające dłużej niż 6 miesięcy z definicji staje się **przewlekłe**. U dzieci jest ono znacznie częstsze niż u dorosłych (70–95% *vs.* 5–10%). W tej fazie, najczęściej bezobjawowej, stwierdza się we krwi obecność wykładników zakażenia i replikacji (namnażania) wirusa HB: HBsAg, HBeAg, przeciwciał anty-HBc, materiału genetycznego wirusa (DNA HBV). Aktywność AlAT i AspAT pozostaje zwykle w normie, okresowo bywa nieznacznie podwyższona. Przewlekłe WZW B jest chorobą niewyleczalną. Marskość wątroby dotyczy 0,5–3% dzieci, głównie z innymi obciążeniami, jak wrodzone niedobory odporności, zespół Downa czy przewlekłe hepatopatie. Częściej niż u dorosłych prowadzi ona do niewydolności wątroby.

Przebieg naturalny

Faza tolerancji immunologicznej, która występuje po zakażeniu HBV jest u dzieci najdłuższa i najbardziej chrakterystyczna. Może trwać 10–15 lat i dłużej. Utrzymuje się wysoki poziom replikacji wirusa, HBeAg, HBsAg i prawidłowa lub nieznacznie podwyższona aktywność aminotransferaz (tab. 19.4). Zmiany zapalne w wątrobie są niewielkiego stopnia.

Tolerancja immunologiczna wynika z niedojrzałości mechanizmów odpornościowych warunkujących eliminację zakażenia HBV. Leczenie przeciwwirusowe i immunomodulacyjne w tej fazie jest nieskuteczne.

Faza aktywacji układu immunologicznego ujawnia się narastaniem aktywności AlAT i AspAT, które wyrażają zapalno-martwiczy proces eliminacji zakażenia HBV. Obserwuje się obniżanie wiremii i eliminację HBeAg, czasami z serokonwersją do przeciwciał anty-HBe. W obrazie histologicznym wątroby widać bardziej agresywne zmiany. Leczenie w tej fazie jest wskazane i najbardziej skuteczne.

Kolejne fazy charakteryzuje serokonwersja w układzie HBe, niski lub wahający się poziom wiremii oraz niska lub okresowo podwyższona aktywność AlAT i AspAT. Ten okres przebiega najczęściej skąpoobjawowo lub bezobjawowo.

Metody diagnostyczne

Testy immunoserologiczne i wirusologiczne uzupełnione badaniami biochemicznymi i obrazowymi (USG jamy brzusznej). Badanie histopatologiczne tkanki wątrobowej (biopsję igłową) wykonuje się ze wskazań specjalisty. Techniki fibroskanu nie zostały dostatecznie zweryfikowane. Wnioski z badań:

- potwierdzenie zakażenia HBV stanowi obecność HBsAg i/lub przeciwciał anty-HBc IgG i IgM (ostre zakażenie) i/lub materiału genetycznego (DNA HBV),

Tabela 19.4. Przebieg WZW typu B

FAZY CZAS (lata zakażenia)	TOLERANCJA 0-15	AKTYWACJA > 15-20	NIEAKTYWNA > 20-25	REAKTYWACJA → MINIREPLIKACJA dalsze lata
HBeAg/pc anty – HBe	HBeAg(+)		HBeAg(–)/pc anty – HBe(+)	

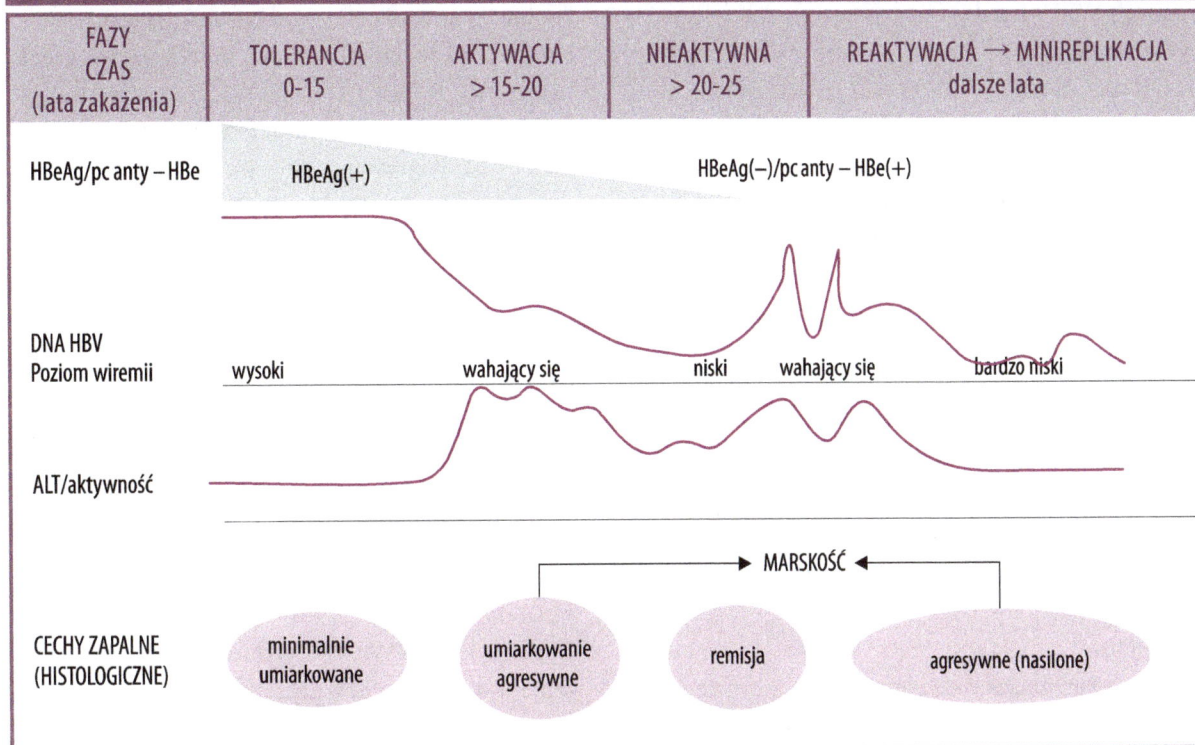

Wykresy: DNA HBV Poziom wiremii — wysoki, wahający się, niski, wahający się, bardzo niski; ALT/aktywność.

MARSKOŚĆ

CECHY ZAPALNE (HISTOLOGICZNE): minimalnie umiarkowane | umiarkowanie agresywne | remisja | agresywne (nasilone)

- wykładniki replikacji HBV to DNA HBV, przeciwciała anty-HBc IgM i HBeAg,
- obecność HBeAg we krwi dowodzi wysokiej zakaźności,
- przeciwciała anty-HBe są wykładnikami skuteczności leczenia i mniejszej zakaźności,
- przeciwciała anty-HBs świadczą o odporności po przebytym zakażeniu (z obecnością anty-HBc) lub skutecznym zaszczepieniu przeciwko WZW B (bez anty-HBc),
- określenie ilościowe wiremii HBV pozwala na ocenę skuteczności leczenia przewlekłego.

Różnicowanie

Obejmuje przyczyny podwyższonej aktywności aminotransferaz (wirusowe, bakteryjne, toksyczne, pasożytnicze i metaboliczne, w tym chorobę Wilsona, autoimmunizacyjne zapalenia wątroby i niealkoholową chorobę stłuszczeniową wątroby). Trudności diagnostyczne mogą wystąpić w fazie ostrej niewydolności wątroby i w późnych powikłaniach zakażenia HBV. Pomocna jest ocena bioptatu wątroby.

Leczenie

Ostrego WZW B nie leczy się przyczynowo. W Polsce jedynym zarejestrowanym preparatem w terapii zakażenia przewlekłego u dzieci jest interferon α-2b, skuteczny u 30–40% pacjentów. Lek podaje się domięśniowo 3 razy w tygodniu. Działa immunomodulacyjnie i przeciwwirusowo. Nie indukuje mutacji HBV. Terapia może być powtarzana i długa, nie wymaga stałej hospitalizacji.

Analogi nukleozydów mogą być stosowane w badaniach klinicznych.

Wskazaniem do leczenia szpitalnego są zaburzenia wydolności wątroby w okresie ostrego i przewlekłego zapalenia.

Powikłania

WZW B może podstępnie prowadzić (po 20–30 latach) do marskości wątroby i/lub pierwotnego raka wątrobowokomórkowego. Rak wątrobowokomórkowy w zakażeniu HBV jest często powikłaniem niezależnym od marskości wątroby. Okołoporodowe zakażenia HBV u płci męskiej predysponują do wystąpienia późnych powikłań u 25% chorych.

Rokowanie

Z ostrego WZW B nabytego w okresie niemowlęcym wyzdrowieje 30% pacjentów, a w przypadku zakażenia u dzieci starszych 60–80%. Przewlekłe zapalenie wątroby rozwija się u ponad 90% noworodków, 70% niemowląt i 20–40% dzieci starszych. Niewydolność wątroby stanowi powikłanie 1–3% ostrych zapaleń wątroby, ze śmiertelnością przekraczającą 80%.

Profilaktyka zakażenia wirusem B, a tym samym powikłań zakażenia to przede wszystkim szczepienia ochronne prowadzone w całej populacji dzieci i dorosłych. Podstawowy schemat szczepienia obejmuje 3 dawki w ciągu 6–12 miesięcy. Wykładnikiem dobrej odpowiedzi na szczepienie jest ochronny poziom przeciwciał anty-HBs powyżej 10 IU/l.

Wirusowe zapalenie wątroby typu C (WZW C)

Definicja

Proces zapalny toczący się pierwotnie w obrębie wątroby wywołany przez wirusa zapalenia wątroby typu C. Jest chorobą szerzącą się drogą krwiopochodną po naruszeniu ciągłości tkanek, odmatczynie i drogą seksualną. HCV to wirus hepato- i limfotropowy.

Epidemiologia

Około 3% populacji świata jest zakażonych HCV, w Polsce co najmniej 1,5% populacji, w tym ok. 2% kobiet ciężarnych. Stanowią one potencjalne źródło zakażenia okołoporodowego i wewnątrzmacicznego dla 3–6% dzieci, czyniąc zakażenia odmatczyne głównym źródłem HCV w populacji pediatrycznej. Ryzyko zakażenia potomka jest wyższe przy wiremii u matki ponad 5–6 log10 IU/ml, zakażeniu genotypem 1, współzakażeniu HIV, obecności materiału genetycznego HCV (RNA HCV) w komórkach jednojądrowych krwi obwodowej matki, u osób z układem HLA-DRB1 i przy wydłużaniu II okresu porodu > 6 godzin. Rozwiązanie ciąży planowym cięciem cesarskim nie zmniejsza ryzyka transmisji. Karmienie piersią przez matki zakażone HCV jest bezpieczne (z wyjątkiem okresu ostrego zapalenia wątroby).

Prawdopodobieństwo zakażenia partnera seksualnego wynosi < 5%.

Etiologia i patogeneza

HCV należy do rodziny *Flaviviridae*. Jego materiał genetyczny stanowi jednoniciowy RNA. Nukleokapsyd tworzy białko rdzeniowe C (*core*), które może mieć różną wielkość i wykrywane jest częściej w cytoplazmie niż w jądrze komórki wątrobowej. Ma ono zdolność łączenia się z białkami komórkowymi i wpływa na metabolizm m.in. lipidów (stłuszczenie heptocytów). Wirus zmienia się, samoistnie mutuje już 6 miesięcy po zakażeniu. Białka otoczkowe wirusa, E1 i E2, odgrywają rolę w jego adhezji do hepatocytu oraz w patogenezie zespołu Sjögrena zależnego od HCV.

Wyodrębniono 6 genotypów HCV i ponad 100 podtypów. Genotypy wpływają na skuteczność leczenia. W zakażeniu genotypami 2 i 3 jest ona większa. W tym ostatnim obserwuje się też większe stłuszczenie wątroby. W Polsce i w innych krajach Europy dominuje genotyp 1, choć w ostatnich latach znaczący udział mają także genotypy 3 i 4.

Przeciwciała neutralizujące nie mają znaczenia w odporności na zakażenie HCV.

Obraz kliniczny

Okres wylęgania WZW C wynosi 15–150 dni. Zakażenie u dzieci i u 80% dorosłych przebiega bezobjawowo i jest wykrywane po wielu latach, przypadkowo. U dorosłych żółtaczkę stwierdza się w 10–20% przypadków. Starsze dzieci zgłaszają okresowe bóle brzucha, osłabienie, czasami bóle stawów i mięśniowe. Pozawątrobowe manifestacje zakażenia HCV, jak mieszana krioglobulinemia, zapalenie kłębuszków nerkowych (najczęściej bloniasto-rozplemowe), porfiria skórna późna, występują u dzieci bardzo rzadko. Wynikają one z zaburzeń aktywności limfocytów B, co wiąże się z częstymi odczynami autoimmunizacyjnymi w przebiegu zakażenia HCV.

W badaniu przedmiotowym najczęściej nie stwierdza się odchyleń. Wyniki badań laboratoryjnych wykazują mierne podwyższenie aktywności AlAT i AspAT, najczęściej o przebiegu sinusoidalnym, z okresową normalizacją. W niektórych przypadkach obserwuje się cechy supresji szpiku (leukopenia, małopłytkowość).

Przebieg naturalny

HCV nie wpływa na rozwój płodu. U większości dzieci zakażonych od matki w 1. rż. stwierdza się okresowy wzrost aktywności aminotransferaz powyżej normy bez żółtaczki. Samoistne wyzdrowienie obserwuje się u ok. 30% dzieci do 3. rż. Tendencja ta nie narasta w dalszych latach życia.

Przewlekłe zapalenie wątroby typu C rozwija się u 50–80% dzieci i ma przebieg bezobjawowy. Zmiany zapalne i włóknienie w wątrobie są niewielkie.

Progresja koreluje z wiekiem dziecka i czasem trwania choroby (co najmniej 10 lat). Obserwacje wskazują na dość stacjonarny przebieg w pierwszych 10–20 latach od zakażenia. Nadkażenie HBV czy HIV oraz hepatopatie metaboliczne mogą przyspieszać postęp choroby.

Metody diagnostyczne

Zakażenie HCV rozpoznaje się na podstawie wykrycia obecności swoistych przeciwciał anty-HCV w surowicy krwi metodą immunoenzymatyczną (testy ELISA III generacji) i/lub materiału genetycznego HCV techniką PCR. Przeciwciała anty-HCV nie są odpornościowe – występują u osób zakażonych. U dzieci mogą być nieobecne. Wykrywa się je średnio po 8 tygodniach od zakażenia. Stwierdzenie przeciwciał anty-HCV u osoby po ekspozycji, która wcześniej ich nie miała, może być podstawą rozpoznania ostrego WZW C. Metoda PCR pozwala wykryć zakażenie w 2 tygodnie po narażeniu. Ilościową PCR wykorzystuje się w monitorowaniu terapii.

Przy diagnostyce zakażenia odmatczynego należy pamiętać, że przeciwciała anty-HCV klasy IgG pochodzenia matczynego przechodzą przez łożysko i są obecne we krwi dziecka do 18. mż. Wykrycie ich później świadczy o zakażeniu dziecka. Potwierdzenie zakażenia odmatczynego stanowi 2-krotne stwierdzenie dodatniego wyniku HCV PCR (test jakościowy), tj. w 1. i 2. półroczu życia dziecka.

Różnicowanie

Takie jak w innych typach WZW.

Leczenie

U dorosłych z ostrym WZW C stosuje się interferony α (pegylowane, rekombinowane lub naturalne) przez 24 tygodnie. Nie ma standardu terapii ostrego WZW C u dzieci, w zakażeniu przewlekłym podaje się interferon α pegylowany/rekombinowany z rybawiryną. Pierwszy z tych leków działa immunomodulacyjnie i przeciwwirusowo, drugi przeciwwirusowo. Czas terapii zależy od poziomu wiremii, genotypu wirusa i odpowiedzi na leczenie po 4 i 12 tygodniach. Skuteczność leczenia przewlekłego WZW C u dzieci dla genotypów 2 i 3 wynosi 85–100%, a dla genotypu 1 ok. 50%. Konieczność hospitalizacji zależy od pojawienia się objawów niepożądanych. Uwagi wymagają zaburzenia funkcji tarczycy, leukopenia, małopłytkowość i odczyny autoimmunizacyjne.

Powikłania

Ostra niewydolność wątroby w przebiegu zakażenia HCV jest bardzo rzadkim powikłaniem. Późne powikłania przewlekłego WZW C występują u dzieci rzadziej niż u dorosłych (2–4,5% vs. 20%). Należą tu marskość wątroby i rak wątrobowokomórkowy, rozwijający się na podłożu marskości. Powikłania zwykle dotyczą dzieci ze współistniejącymi schorzeniami metabolicznymi lub genetycznymi, z niedoborami odporności czy z przewlekłymi chorobami infekcyjnymi.

Rokowanie

Samoistne ustąpienie wiremii HCV stwierdza się u ok. 30% dzieci zakażonych odmatczynie. W pozostałych przypadkach ostateczne rokowanie co do wyleczenia czy wyzdrowienia jest trudne do przewidzenia. Nie ma też jak dotąd szczepionki przeciwko WZW C.

Profilaktyka

Wobec braku szczepionki przeciwko zakażeniu HCV działania profilaktyczne sprowadzają się do przestrzegania ścisłych wskazań do przetoczenia krwi i preparatów krwiopochodnych, zasad higieny przy wszelkich zabiegach medycznych i niemedycznych (np. kosmetycznych) związanych z naruszeniem ciągłości tkanek, wyłącznie jednorazowego stosowania narzędzi do tego przeznaczonych. Kontrola specjalistyczna wykonywana co 6–12 miesięcy u pacjentów z przewlekłym wirusowym zapaleniem wątroby typu C połączona z wykonywaniem badań, takich jak: USG jamy brzusznej z przepływami, badanie poziomu alfa-fetoproteiny (AFP) oraz wskaźnika protrombinowego, aktywności AlAT i AspAT i morfologii krwi obwodowej, pozwala na wczesne zauważenie postępu choroby w kierunku późnych powikłań.

19.7.9   *Magdalena Marczyńska*

Zakażenie HIV

łac. *infectio HIV*

ang. human immunodeficiency virus infection

Definicja

Zaburzenie funkcji układu immunologicznego spowodowane zakażeniem retrowirusem o nazwie ludzki wirus niedoboru odporności (human immunodeficiency virus, HIV), prowadzące do wystąpienia zespołu nabytego niedoboru odporności (aquired immunodeficiency syndrome, AIDS).

Epidemiologia

Zakażenie HIV u dziecka opisano po raz pierwszy w 1982 r. Obecnie na świecie żyje ok. 2,6 mln dzieci zakażonych HIV (90% w Afryce). Infekcji ulega ok. 0,5 mln dzieci rocznie, podobna liczba umiera. Na drodze transmisji wertykalnej – od matki (zwykle w okresie okołoporodowym) zakaziło się 90% z nich. Najistotniejszym czynnikiem ryzyka jest wiremia HIV u ciężarnej. Ryzyko wertykalnego zakażenia wynosi 15–30%, ale rośnie do 50% przy karmieniu piersią ponad $1/2$ roku. Inne źródła infekcji to kontakty seksualne i zakażona krew.

W Polsce do 2010 r. rozpoznanie postawiono u 160 dzieci, choć szacunkowa ich liczba wynosi 1000. Oferta badania w kierunku HIV u kobiety jest warunkiem podjęcia świadomej decyzji prokreacyjnej i skutecznego zapobiegania zakażeniu dziecka. Niemal wszystkie dzieci matek zakażonych HIV objętych profilaktyką mogą być zdrowe (ryzyko zakażenia wynosi wtedy < 1%).

Etiologia i patogeneza

Znane są 2 typy wirusa – HIV-1 (wszystkie kontynenty) i HIV-2 (głównie w Afryce Zachodniej). HIV-1 jest znacznie bardziej zakaźny, powoduje wyższą wiremię, szybciej prowadzi do AIDS i częściej przenosi się drogą wertykalną. Ma kilka podtypów (od A do K), w Europie dominują A i B. Znajomość podtypów umożliwia śledzenie transmisji wirusa.

Po przerwaniu bariery błony śluzowej (lub dostaniu się bezpośrednio do krwiobiegu) HIV zakaża komórki z receptorem CD4 lub z innymi receptorami (np. lektyna typu C). Zakażeniu ulegają głównie limfocyty T CD4, a także makrofagi, komórki mikrogleju, komórki dendrytyczne węzłów chłonnych i komórki Hofbauera łożyska. Wirus replikuje w węzłach chłonnych, szpiku, śledzionie, przewodzie pokarmowym, OUN, płucach i układzie rozrodczym. W okresie maksymalnej replikacji (2–3 miesiące od zakażenia) codziennie powstaje > 10^{12} nowych cząstek wirusa. Odwrotna transkryptaza umożliwia transkrypcję nici RNA HIV na dwuniciowy DNA, który (dzięki integrazie wirusowej) integruje się z chromosomem zakażonej komórki. Następuje cykl produkcji prowirusów, transkrypcja do RNA i utworzenie dojrzałej formy (z udziałem proteaz i rewertazy). HIV opuszcza komórkę przez pączkowanie. W każdym cyklu replikacyjnym powstaje ok. 10 pseudotypów (mutantów).

Obraz kliniczny

Objawy są początkowo nieswoiste. U niemowląt szybko dochodzi do encefalopatii HIV (zahamowanie rozwoju psychomotorycznego, wzmożone/obniżone napięcie mięśniowe, porażenia, niedowłady). Uszkodzenie enterocytów powoduje nietolerancję laktozy z biegunką, złym przybieraniem na wadze i skazą atopową. Dziecko często choruje na infekcje górnych dróg oddechowych, pojawiają się zakażenia oportunistyczne.

Kolejne stopnie immunosupresji w zakażeniu HIV określa się na podstawie liczby limfocytów T CD4 i ich udziału procentowego w ogólnej liczbie limfocytów (tab. 19.5). Ustalono również klasyfikację objawów klinicznych w zależności od progresji zakażenia HIV (tab. 19.6).

Przebieg naturalny

Dynamika choroby u dzieci zakażonych od matek jest szybsza niż u dorosłych. Stwierdza się 4–5-krotnie wyższą wiremię. Najwyższe ryzyko rozwoju AIDS i zgonu w ciągu 6 miesięcy występuje w 1. i 2. rż. (odpowiednio > 10% i > 5%). U niemowląt nieotrzymujących terapii dochodzi do uszkodzeń narządowych, głównie OUN, oraz do ciężkich zakażeń oportunistycznych, niezależnie od niedoboru odporności. Najczęstszą przyczyną zgonu w 1. rż. jest pneumocytoza. Terapię antyretrowirusową należy rozpocząć jak najwcześniej, przed ukończeniem 3. mż. Stosuje się ją przez całe życie. Leczenie hamuje postęp choroby.

Metody diagnostyczne

U dzieci matek zakażonych HIV przeciwciała anty--HIV utrzymują się do 18. mż. IgG przechodzą przez łożysko. Postępowanie:

- o zakażeniu dziecka świadczy stwierdzenie materiału genetycznego wirusa metodą PCR (jakościowe), test potwierdzający to oznaczenie ilościowe PCR HIV (liczby kopii wirusa),
- zakażenie HIV można wykluczyć między 4. a 6. mż. na podstawie dwukrotnych wyników badań niestwierdzających obecności wirusa (wykonanych po ukończeniu 30. dnia życia oraz w 4. miesiącu życia), równolegle należy wykluczyć wertykalne zakażenia HBV i HCV,
- powyżej 18. mż. zakażenie potwierdza obecność przeciwciał anty-HIV w testach immunoenzymatycznych z weryfikacją wyniku testem referencyjnym (Western blot).

Różnicowanie

Zakażenie HIV powinno być uwzględnione w diagnostyce różnicowej:

- zaburzeń rozwoju fizycznego (nieprawidłowy przyrost masy ciała i wzrostu) i patologii OUN (zwłaszcza w 1. rż.),
- chorób rozrostowych krwi (niedokrwistość, leukopenia, małopłytkowość, wysokie wykładniki stanu zapalnego, limfadenopatia, hepatosplenomegalia, niejasne stany gorączkowe),
- chłoniaków pierwotnych OUN,

- alergii pokarmowej (nietolerancja laktozy, biegunka),
- chorób autoimmunizacyjnych (przewlekłe powiększenie ślinianek, wysypki, nieswoiste zapalenia jelit),
- wrodzonych niedoborów odporności,
- u nastolatków różnicowania wymaga zespół mononukleozy, przebiegający jak ostra choroba retrowirusowa (patrz str. 968). W tej grupie wiekowej wskazaniem do wykonania testu w kierunku HIV poza wymienionymi wyżej przyczynami jest też rozpoznanie choroby przenoszonej drogą płciową.

Tabela 19.5. Klasyfikacja immunologiczna dzieci zakażonych HIV [wg Centers for Disease Control and Prevention]

STAN IMMUNOLOGICZNY	WARTOŚĆ CD4 W ZALEŻNOŚCI OD WIEKU DZIECKA [%/mm^3]		
	< 12. MŻ.	12.–59. MŻ.	≥ 5. RŻ.
Bez niedoboru	≥ 25/> 1500	≥ 25/> 1000	≥ 25/> 500
Umiarkowany niedobór	15–24/750–1499	15–24/500–999	15–24/200–499
Głęboki niedobór	< 15/< 750	< 15/< 500	< 15/< 200

Tabela 19.6. Klasyfikacja objawów klinicznych zakażenia HIV u dzieci [wg Centers for Disease Control and Prevention]

OBJAWY ŁAGODNE (A)	OBJAWY UMIARKOWANE (B)	OBJAWY AIDS (C)
■ Powiększenie węzłów chłonnych (średnica ≥ 0,5 cm, w co najmniej 2 niezwiązanych ze sobą miejscach lub obustronnie w 1 miejscu ■ Powiększenie wątroby lub śledziony, powiększenie ślinianek (niebolesne, samoistnie ustępujące i nawracające) ■ Zapalenie skóry ■ Nawracające lub przewlekłe infekcje górnych dróg oddechowych, zapalenie zatok przynosowych, zapalenie ucha środkowego	■ Niedokrwistość (Hb < 8 g/dl) lub leukopenia (< 1000/mm^3), lub małopłytkowość (< 100 000/mm^3) przez co najmniej 30 dni ■ Bakteryjne zapalenie opon m.-r., zapalenie płuc lub sepsa (1 epizod) ■ Kandydoza jamy ustnej (przez co najmniej 2 miesiące, w wieku ≥ 6 miesięcy) ■ Przewlekła lub nawracająca biegunka, nawracające opryszczkowe zapalenie jamy ustnej (co najmniej 2 w ciągu roku) ■ Półpasiec (2-krotne zachorowanie lub choroba obejmująca co najmniej 2 dermatomy) ■ Drugie zachorowanie na ospę wietrzną ■ Gorączka trwająca ponad 1 miesiąc ■ Kardiomiopatia, nefropatia ■ Zapalenie wątroby ■ Limfocytowe śródmiąższowe zapalenie płuc	■ Ciężkie nawracające zakażenia bakteryjne (sepsa, zapalenie płuc, opon m.-r. czy kości, ropnie narządów wewnętrznych i jam ciała) ■ Kandydoza przełyku, tchawicy, oskrzeli, płuc ■ Kokcydiomykoza uogólniona ■ Kryptokokoza (pozapłucna) ■ Kryptosporydioza (biegunka > 1 miesiąca) ■ Cytomegalowirusowe zapalenie siatkówki lub inne (poza zajęciem wątroby, śledziony, węzłów chłonnych u dziecka > 1. mż.) ■ Opryszczka trwająca ponad miesiąc lub zapalenie oskrzeli, płuc czy przełyku o etiologii HSV (> 1. mż.) ■ Mięsak Kaposiego ■ Chłoniak pierwotny OUN ■ B-komórkowy chłoniak nieziarniczy ■ Gruźlica pozapłucna ■ Uogólnione zakażenie prątkami atypowymi, pneumocytoza ■ Toksoplazmoza OUN ■ Encefalopatia HIV ■ Zespół wyniszczenia

Leczenie

Dzieci zakażone HIV objęte są opieką specjalistycznych ośrodków, codziennie, przez całe życie otrzymują skojarzone leczenie antyretrowirusowe (combined antiretroviral treatment, cART). Stosuje się nukleozydowe i nienukleozydowe inhibitory odwrotnej transkryptazy, inhibitory proteazy oraz inhibitory fuzji. Leki hamują replikację HIV, nie prowadzą do jego wyeliminowania. U dzieci z głęboką immunosupresją włącza się także chemioprofilaktykę pierwotną i/lub terapię zakażeń oportunistycznych (pneumocytoza, toksoplazmoza, zakażenia prątkami atypowymi, grzybice). Wszystkie powyższe leki mają liczne działania niepożądane i wchodzą w szereg interakcji lekowych.

Profilaktyka

Podstawowe znaczenie ma zapobieganie zakażeniom wrodzonym. Warunkiem jest wykonanie testu u kobiety w ciąży (2 razy – w I i III trymestrze). Ciężarna zakażona HIV powinna zostać objęta opieką specjalistyczną i od początku II trymestru ciąży otrzymywać cART.

Skuteczna terapia prowadzi do zahamowania replikacji wirusa. Wiremia w 33.–39. tc. obniża się wówczas poniżej progu wykrywalności (< 50 kopii/ml) i możliwy jest poród fizjologiczny. Od odejścia wód płodowych do urodzenia dziecka nie może upłynąć więcej niż 4 godziny. Nie wolno przebijać pęcherza płodowego. Należy unikać stosowania próżniociągu i kleszczy.

Jeśli leczenie kobiety było nieskuteczne lub zostało późno włączone i wykrywa się wiremię w 34.–39. tc., zaleca się planowe cięcie cesarskie w momencie ukończenia 38. tc.

Gdy badania nie wykonano w trakcie ciąży, test w kierunku HIV należy zaproponować każdej rodzącej lub w 1. dobie po porodzie. Szybkie testy w ciągu 2 godzin pozwalają wykryć przeciwciała anty-HIV w surowicy krwi. Wynik dodatni wymaga weryfikacji i nie stanowi podstawy do postawienia rozpoznania u kobiety. Daje jednak szansę zapobieżenia zakażeniu dziecka przez włącznie profilaktyki lekowej. Negatywny wynik testu potwierdzenia wyklucza zakażenie u kobiety i skutkuje zakończeniem terapii noworodka.

Noworodek matki zakażonej HIV powinien zostać jak najszybciej dokładnie umyty i należy odśluzować z górnych dróg oddechowych zaaspirowaną treść.

W ciągu 4–12 godzin trzeba rozpocząć profilaktykę doustnymi lekami antyretrowirusowymi. Maksymalny czas do jej podjęcia wynosi 48 godzin, późniejsze jej włączenie jest nieuzasadnione. Po tym czasie należy jedynie rozpocząć badania diagnostyczne w kierunku zakażenia HIV, a w sytuacji rozpoznania zakażenia u dziecka zastosować leczenie antyretrowirusowe.

W profilaktyce stosuje się zydowudynę, lamiwudynę i newirapinę. Liczba leków zależy od oceny ryzyka transmisji zakażenia. Powinno się poprosić o konsultację specjalistyczną.

Profilaktyka zakażenia HIV u nastolatków aktywnych seksualnie polega na właściwej edukacji i zalecaniu stosowania prezerwatyw. Poekspozycyjne profilaktyczne podawanie leków antyretrowirusowych dotyczy sytuacji szczególnego narażenia dziecka, m.in. gwałtu, gdy sprawca jest zakażony lub jego status nie został określony.

Rokowanie

Skuteczna terapia, właściwie realizowana i kontrolowana, umożliwia prowadzenie normalnego życia, naukę szkolną, planowanie rodziny i zdrowego potomstwa oraz zapewnia wieloletnie przeżycie. Przewlekła choroba i działania niepożądane leczenia zwiększają ryzyko rozwoju odległych powikłań, np. zespołu metabolicznego, lipodystrofii, cukrzycy, miażdżycy czy zaburzeń poznawczych i koncentracji. W rezultacie obniża się jakość życia dorosłego pacjenta.

19.8
ZAKAŻENIA BAKTERYJNE

19.8.1   *Małgorzata Aniszewska*

Choroby wywoływane przez paciorkowce β-hemolizujące grupy A

Paciorkowce β-hemolizujące grupy A (*Streptococcus pyogenes*, group A Streptococcus bacterium – GAS) odpowiadają za większość zakażeń paciorkowcowych u dzieci. Najczęściej wywołują zapalenie gardła, szkarlatynę, liszajec i różę.

Człowiek jest naturalnym rezerwuarem GAS. Zakażenia występują na całym świecie, częściej w klimacie umiarkowanym. W zamkniętych społecznościach mogą pojawiać się epidemie.

Gatunki paciorkowców klasyfikuje się na podstawie ich właściwości hemolitycznych – paciorkowce α wywołują hemolizę częściową, β – całkowitą, a γ jej nie powodują. Wśród β-hemolizujących wyróżniamy grupy od A do V. Grupa A (GAS) obejmuje ponad 100 serotypów, przy czym serotypy wywołujące zapalenie gardła bardzo rzadko powodują zakażenie skóry, a odpowiedzialne za infekcję skóry zwykle nie powodują zapalenia gardła.

Proteina M syntetyzowana przez niektóre paciorkowce ma właściwości antyfagocytarne. Stymuluje produkcję specyficznych przeciwciał chroniących przed powtórnym zachorowaniem na określony serotyp bakterii. Uodpornienie przeciw wszystkim serotypom GAS jest niemożliwe.

Streptococcus produkuje liczne enzymy i toksyny, w tym toksynę erytrogenną (egzotoksynę pirogenną), której synteza stanowi konsekwencję nadkażenia paciorkowca bakteriofagiem. Występuje ona w odmianach A, B i C, ma udział w powstawaniu wysypki płoniczej. Ekspozycja na każdy rodzaj toksyny stymuluje produkcję specyficznych przeciwciał, dlatego na płonicę (szkarlatynę) można chorować 3 razy w życiu. Toksyna erytrogenna odpowiada także za inwazyjne formy kliniczne zakażenia GAS, w tym zespół wstrząsu toksycznego. Niektóre z pozostałych enzymów i toksyn wykorzystuje się w diagnostyce zakażeń paciorkowcowych:

■ streptolizyna O – stwierdzenie w surowicy krwi przeciwciał przeciw temu antygenowi powierzchniowemu paciorkowców grup A, C i G (odczyn antystreptolizynowy – ASO) potwierdza reakcję na zakażenie. ASO narasta 3–6 tygodni po infekcji paciorkowcowej (u 80% zakażonych), normalizuje się w ciągu 4–6 miesięcy. Jego miano może nie wzrosnąć przy szybko włączonej skutecznej antybiotykoterapii i w paciorkowcowym zapaleniu skóry,

■ przeciwciała przeciw DNazie – są obecne we wszystkich postaciach zakażenia GAS, także skórnych, znaczenie ma co najmniej 2-krotny wzrost miana przeciwciał w czasie rekonwalescencji w stosunku do początkowej fazy choroby (oceniony tym samym testem).

Dostępny komercyjnie szybki test wykrywający antygeny paciorkowców grupy A (Streptotest) pozwala na uzyskanie wyniku w 10 minut. Może jednak wykazać kolonizację i istnieje ryzyko uzyskania wyniku fałszywie ujemnego (czułość 50–90%).

W ciągu ostatnich lat obserwuje się wzrost częstości występowania postaci inwazyjnych zakażenia GAS: bakteriemii, zespołu wstrząsu toksycznego i martwiczego zapalenia powięzi. Stanowią one następstwo różnych postaci klinicznych infekcji GAS (najczęściej zakażeń skóry). W 50% wrota zakażenia pozostają nieznane. Czynniki ryzyka rozwoju postaci inwazyjnych to:

■ wiek < 5. rż. i > 65. rż.,
■ cukrzyca,
■ ospa wietrzna (pacjenci w trakcie jej trwania),
■ niedobór odporności,
■ przewlekłe choroby płuc i układu krążenia.

Paciorkowcowe zapalenie gardła i/lub migdałków (angina paciorkowcowa)

łac. *pharyngitis streptococcica*
ang. streptococcal pharyngitis

Definicja

Ostra infekcyjna choroba gardła i/lub migdałków z towarzyszącymi objawami ogólnoustrojowymi wywołana zakażeniem paciorkowcem β-hemolizującym grupy A.

Epidemiologia

Najczęściej występuje u dzieci w wieku od 3 do 15 lat. Częściej w klimacie umiarkowanym, zimą i wczesną wiosną. Źródło zakażenia stanowi człowiek chorujący, rzadziej nosiciel. Pacjent przestaje być zakaźny po 24 godzinach od zastosowania antybiotyku. Droga zakażenia jest kropelkowa, przez bezpośredni kontakt ze śliną i wydzieliną górnych dróg oddechowych. Okres wylęgania wynosi od 2 do 5 dni. Paciorkowce β-hemolizujące grupy A są czynnikiem etiologicznym 15–30% przypadków zapaleń gardła w populacji. Ze względu na obecność wielu serotypów można chorować wielokrotnie, zachorowanie nie daje trwałej odporności.

Obraz kliniczny

Początek jest nagły, z bólem gardła, gorączką, bólem głowy i brzucha lub wymiotami. Po kilku godzinach dołącza się obrzęk i zaczerwienienie śluzówek gardła, migdałków, podniebienia miękkiego i języczka (gardło szkarłatne). Na podniebieniu miękkim może być obecna wysypka (*enanthema*). Od 2. doby na migdałkach pojawia się wysięk śluzowy, ropny lub włóknikowy, punktowy lub obejmujący całą powierzchnię (jego brak nie wyklucza rozpoznania). W zależności od rodzaju wysięku i nasilenia zmian wyróżnia się anginę nieżytową, mieszkową i pseudobłoniczą. Język może być pokryty białym nalotem z ewolucją jak w szkarlatynie. Zwykle występuje powiększenie węzłów chłonnych szyjnych przednich – miernie spoiste, tkliwe, bez obrzęku tkanki okołowęzłowej, bez tendencji do rozmiękania, skóra nad węzłami pozostaje niezmieniona. Często powiększone są też inne grupy węzłów chłonnych (w tym jamy brzusznej), może dojść do hepato- i splenomegalii.

U dzieci do 3. rż. obraz paciorkowcowej infekcji górnych dróg oddechowych (*streptococcosis*) jest mniej charakterystyczny. Stwierdza się obecność surowiczej wydzieliny kataralnej, uogólnioną mierną limfadenopatię i podwyższenie ciepłoty ciała.

Przebieg naturalny

Objawy ustępują samoistnie po 3–5 dniach. Przypadki nieleczone częściej mają przebieg powikłany.

Metody diagnostyczne

Rozpoznanie ustala się na podstawie obrazu klinicznego. Przy nietypowym przebiegu wskazane jest wykonanie badań dodatkowych (m.in. posiew wymazu z gardła, morfologia, CRP).

Różnicowanie

Z zapaleniem gardła o etiologii wirusowej (adenowirusy, ECHO, *Coxsackie*, EBV).

Leczenie

Prawidłowa antybiotykoterapia zapobiega powikłaniom i chroni przed gorączką reumatyczną. Lekiem z wyboru jest penicylina V (fenoksymetylopenicylina) podawana przez 10 dni. Gdy istnieje uzasadniona obawa, że leczenie nie będzie prowadzone zgodnie z zaleceniami, należy zastosować terapię parenteralną penicyliną krystaliczną w szpitalu. Po zastosowaniu penicyliny nosicielstwo GAS w gardle stwierdza się u 20% pacjentów.

Lekiem II rzutu, u pacjentów uczulonych na penicylinę, jest erytromycyna (doustnie lub parenteralnie) przez 10 dni. Terapia alternatywna to amoksycylina, azytromycyna lub cefalosporyny o wąskim spektrum (doustnie lub parenteralnie).

Nie udowodniono ochronnego wpływu antybiotykoterapii na występowanie ostrego kłębuszkowego zapalenia nerek jako konsekwencji zakażenia GAS.

Powikłania

Zapalenie ucha środkowego, wyrostka sutkowatego, zatok przynosowych czy węzłów chłonnych szyi, ropień okołomigdałkowy, angina Ludwiga (ropowica dna jamy ustnej).

Rokowanie

Po zastosowaniu prawidłowej antybiotykoterapii dobre.

Szkarlatyna (płonica)

łac. *scarlatina*
ang. scarlet fever

Definicja

Ostra choroba zakaźna, przebiegająca z zapaleniem gardła, charakterystyczną wysypką drobnoplamistą i gorączką, wywołana przez paciorkowce β-hemolizujące grupy A produkujące egzotoksynę erytrogenną.

Epidemiologia

Zachorowania najczęściej występują u dzieci między 5. a 15. rż., bardzo rzadko < 3. rż. Chorują osoby wrażliwe na toksynę erytrogenną. Zapadalność w Polsce wynosi 150 przypadków/100 000 mieszkańców.

Źródło zakażenia stanowią osoby chore, w mniejszym stopniu nosiciele. Pacjent wykazuje zakaźność przez cały okres obecności paciorkowców w gardle, do 24 godzin od zastosowania skutecznej antybiotykoterapii. Zakażenie szerzy się drogą kropelkową, przez bezpośredni kontakt ze śliną i wydzieliną górnych dróg oddechowych, a także przez uszkodzoną skórę (np. oparzenie – szkarlatyna przyranna). Okres wylęgania wynosi od 1 do 7 dni.

Obraz kliniczny

Początek jest nagły. Występują gorączka, ból głowy, dreszcze, wymioty i ból brzucha. W kolejnych godzinach dołączają się zapalenie gardła i wysypka drobnoplamista (ryc. 19.20). Gorączka sięga 39–40°C w pierwszych 2 dniach choroby, później ulega obniżeniu. Zapalenie gardła i migdałków oraz limfadenopatia są takie, jak w paciorkowcowym zapaleniu gardła.

Wysypka pojawia się zazwyczaj w ciągu 24–48 godzin choroby, wyjątkowo wraz z pierwszymi jej objawami. Język początkowo pokrywa biały nalot (język

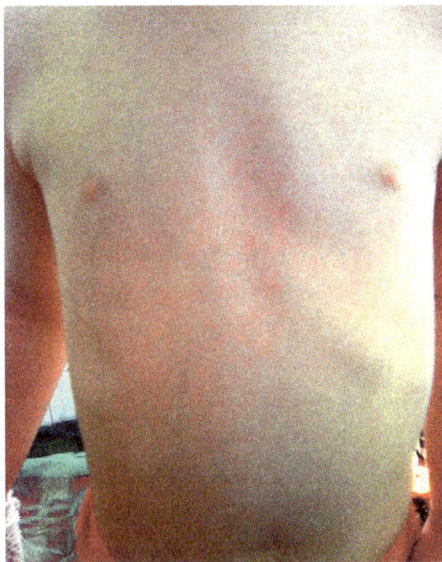

Rycina 19.20. Szkarlatyna.

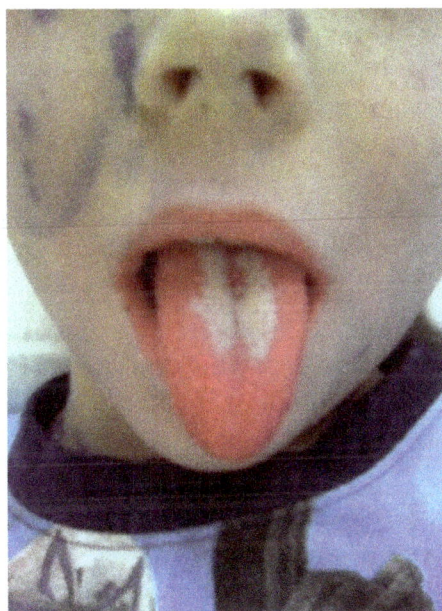

Rycina 19.21. Język malinowy w przebiegu szkarlatyny.

obłożony), który ustępuje od obwodu. W kolejnych dniach odsłaniają się żywoczerwone brodawki językowe (język malinowy) (ryc. 19.21). Charakterystyczna jest nadwrażliwość na bodźce smakowe, cieplne i dotykowe. Podniebienie i języczek mogą być obrzęknięte i zaczerwienione, z wysypką (*enanthema*).

Temperatura ciała ulega normalizacji i objawy wycofują się u pacjentów nieleczonych po 5–7 dniach. Przebieg naturalny bez zastosowania właściwej antybiotykoterapii jest obarczony znacznym ryzykiem wystąpienia powikłań.

Szkarlatyna przyranna przebiega jak wyżej, zazwyczaj bez zmian w gardle. Podobny obraz kliniczny ma zakażenie gronkowcowe.

Metody diagnostyczne

Diagnoza na podstawie charakterystycznego obrazu klinicznego. Przy ciężkim lub nietypowym przebiegu należy wykonać badania dodatkowe.

Różnicowanie

Choroba Kawasakiego, różyczka, trzydniówka, rumień zakaźny (w początkowej fazie zmian skórnych), zakażenia enterowirusami, polekowe odczyny alergiczno-toksyczne.

Leczenie

Takie jak w paciorkowcowym zapaleniu gardła (patrz str. 1021). Po zastosowaniu leczenia rokowanie dobre.

Powikłania

Jak w paciorkowcowym zapaleniu gardła, ale również:

- przebieg septyczny – w następstwie bakteriemii, stan ogólny średnio ciężki, wysoka gorączka z dreszczami, słabo odpowiadająca na leki przeciwgorączkowe, mogą wystąpić zapalenie stawów, hepatosplenomegalia i żółtaczka,
- przebieg toksyczny – konsekwencja nadmiernej odpowiedzi organizmu na egzotoksyny bakteryjne, stan ogólny średnio ciężki, wysoka gorączka, słabo odpowiadająca na leki przeciwgorączkowe, dreszcze, nasilona wysypka obejmuje skórę całego ciała, ma podłoże rumieniowe z obrzękiem tkanki podskórnej, szybko następuje masywne złuszczanie, może dojść do uszkodzenia tkanek (martwicze zapalenie powięzi, zapalenie mięśni); niekiedy przebiega jako zespół wstrząsu toksycznego z tachykardią, obniżonym ciśnieniem tętniczym krwi i tachypnoë, pacjent jest spocony i osłabiony, pojawiają się cechy niewydolności nerek, płuc, OUN i układu krążenia.

Wystąpienie powikłań pogarsza rokowanie.

Liszajec

łac. *impetigo*

ang. impetigo

Zapalenie powierzchownych warstw skóry po jej uszkodzeniu (np. zadrapanie) u osoby z uprzednią kolonizacją szczepami GAS. Częstszą przyczyną występowania tej choroby są zakażenia *Staphylococcus aureus*, dlatego opisano ją w rozdz. 19.8.2 „Zakażenia gronkowcowe".

Liszajec o etiologii paciorkowcowej o łagodnym przebiegu leczy się miejscowo mupirocyną. Przy zmianach na znacznych obszarach skóry i w liszajcu pęcherzowym stosuje się dikloksacylinę, cefalosporyny II generacji lub klindamycynę (możliwa koinfekcja *Staphylococcus aureus*), a także miejscowo 1% roztwór wodny gencjany, a gdy występują strupy – rywanol lub maść borno-rywanolową.

Zapalenie skóry i tkanki podskórnej

łac. *cellulitis*

ang. cellulitis

Po wniknięciu GAS przez uszkodzoną skórę pojawiają się ból, zaczerwienienie, wzmożone ucieplenie i naciek zapalny w obrębie zmienionych tkanek. Często towarzyszy im gorączka. Lokalne węzły chłonne są zwykle powiększone, czasem z cechami stanu zapalnego. Stan pacjenta może być ciężki.

Naciek zapalny może rozszerzać się, powodując zapalenie lokalnych naczyń chłonnych, powięzi i mięśni, a także zorganizować się w ropień. Często chory przyjmuje przymusową pozycję ciała z powodu silnych dolegliwości bólowych. Może dojść do zakażenia uogólnionego.

Zapalenie skóry i tkanki podskórnej zawsze wymaga leczenia przyczynowego penicyliną krystaliczną, amoksycyliną, klindamycyną lub cefalosporyną II generacji, a w ciężkim przebiegu parenteralnie dwoma antybiotykami, których spektrum obejmuje koinfekcję *Staphylococcus aureus*. Powinno się wykonać posiew wymazu ze skóry/rany. Tworzenie się ropni może wymagać interwencji chirurgicznej. W niektórych przypadkach należy rozważyć włączenie leczenia przeciwzakrzepowego.

Róża

łac. *erysipelas*

ang. erysipelas

Ostre zapalenie skóry i tkanki podskórnej, a często także naczyń chłonnych, o etiologii GAS. Charakteryzuje się nagłym początkiem z gorączką. Wokół miejsca uszkodzenia skóry pojawia się rumień. Zmiana jest bolesna, ucieplona, ze znacznym obrzękiem, pokryta napiętą, błyszczącą skórą. W obrębie rumienia mogą pojawić się pęcherze surowicze (róża pęcherzowa, *erysipelas bullosa*), co zwykle zwiastuje cięższy przebieg. Granica między skórą zmienioną i zdrową jest wyraźna, może być nieco uniesiona. Lokalne węzły chłonne ulegają powiększeniu i wykazują bolesność.

Zakażenie może szerzyć się drogą naczyń chłonnych. Wtedy przebieg jest ciężki i prowadzi do zakażenia uogólnionego.

Różnicowanie przeprowadza się z półpaścem i rumieniem guzowatym.

Występują te same powikłania, co w zapaleniu skóry i tkanki podskórnej. Dodatkowo istnieje ryzyko pojawienia się odczynów zakrzepowo-zatorowych w lokalnych naczyniach.

Leczenie jak wyżej.

Martwicze zapalenie powięzi

łac. *fascitis necroticans*

ang. necrotizing fascitis

Postępujące martwicze zapalenie tkanek miękkich szerzące się wzdłuż powięzi.

Zazwyczaj zakażenie florą mieszaną. Początkowe objawy przypominają zapalenie skóry lub różę. Potem pojawia się zasinienie i występują pęcherze z treścią surowiczą lub krwistą. Postępuje martwica tkanek, w tym powięzi. Nasilają się dolegliwości bólowe, niewspółmierne do obrazu zmienionej skóry i tkanki podskórnej. Stan pacjenta jest ciężki. Należy niezwłocznie rozpocząć antybiotykoterapię i przeprowadzić pilną interwencję chirurgiczną. Rokowanie pozostaje poważne. Śmiertelność > 30%.

Zespół paciorkowcowego wstrząsu toksycznego

łac. *commotus septicus*

ang. toxic shock syndrome

Zespół objawów niewydolności wielonarządowej będącej konsekwencją postępującego zakażenia powłok o etiologii GAS. Zwykle występuje u dorosłych, u dzieci często związany z nadkażeniem paciorkowcowym wykwitów ospy wietrznej.

Stan ogólny pacjenta jest ciężki. Stwierdza się gwałtowne obniżenie ciśnienia tętniczego krwi oraz co najmniej 2 z poniższych objawów:

- zaburzenie funkcji nerek lub wątroby,
- koagulopatia,
- zespół ostrej niewydolności oddechowej (ARDS),
- uogólniona wysypka drobnoplamista na podłożu rumieniowym,
- martwica tkanek miękkich.

Rokowanie jest poważne. Śmiertelność sięga 20– –30%.

19.8.2   *Ewa Talarek*

Zakażenia gronkowcowe

Definicja

Zakażenia wywoływane przez Gram-dodatnie ziarniaki z rodzaju *Staphylococcus*.

Epidemiologia

Gronkowce są bardzo rozpowszechnione. Stanowią część fizjologicznej ludzkiej flory, kolonizują jamę nosową, skórę, włosy, paznokcie, doły pachowe i okolicę krocza. Zakażenia objawowe dotyczą nosicieli i osób dotychczas niezakażonych. Gronkowce wywołują zakażenia sporadyczne i mogą być przyczyną epidemii, zwykle szpitalnych. Szerzą się:

- przez bezpośredni kontakt z chorym lub nosicielem,
- przez kontakt z zanieczyszczonymi przedmiotami,
- drogą powietrzną.

W warunkach szpitalnych źródłem zakażenia mogą być ręce i ubrania personelu. Szerzeniu się zakażeń sprzyja niski poziom higieny, zatłoczenie i zbyt mała liczba personelu w oddziałach szpitalnych. Przyczyną choroby może być też spożycie żywności zawierającej enterotoksyny.

Okres wylęgania wynosi zwykle kilka dni, a przy zatruciu pokarmowym kilka godzin.

Etiologia i patogeneza

Najczęstszą przyczyną zakażeń są gronkowce koagulazododatnie, głównie *Staphylococcus aureus*. Bakterie produkują egzotoksyny (odpowiedzialne za zjadliwość) oraz hemolizyny, koagulazę, leukocydynę, hialuronidazę, stafylokinazę, toksyny epidermolityczne, toksynę zespołu wstrząsu toksycznego typu 1 (TSST-1) i enterotoksyny.

Wrota zakażenia stanowią rany, oparzenia, otarcia naskórka, wykwity ospy wietrznej lub opryszczki, zmiany atopowe skóry i ugryzienia/ukłucia owadów.

Typową zmianą jest ropień. Miejscowa destrukcja tkanek wywołana obecnością bakterii i uwalnianych przez nie toksyn wywołuje przekrwienie i odpowiedź zapalną z nagromadzeniem leukocytów wielojądrzastych. W części centralnej dochodzi do martwicy. Powstaje ropa zawierająca bakterie i leukocyty, otoczona ścianą z włóknika i zapalnie zmienionymi tkankami. Ropień może przebić się przez skórę lub tworzyć przetoki drążące w głąb tkanek z powstaniem wtórnych ropni. Ropnie mogą powstawać w skórze, tkance podskórnej, węzłach chłonnych, stawach, nerkach, wątrobie, śliniankach, mięśniach, płucach i kościach. Czasem dochodzi do rozsiewu bakterii drogą krwiopochodną. Główną barierę przed zakażeniem stanowi nienaruszona skóra i błony śluzowe. Istotna dla przebiegu choroby i eliminacji drobnoustrojów jest zdolność fagocytozy leukocytów wielojądrzastych.

Ciężkie zakażenia występują u pacjentów z granulocytopenią i niedoborami odporności (z zaburzeniami fagocytozy). Zwiększoną podatność wykazują:

- noworodki,
- osoby w podeszłym wieku,
- pacjenci z cukrzycą,
- chorzy z marskością wątroby,
- pacjenci z chorobami nowotworowymi,
- osoby w trakcie leczenia immunosupresyjnego.

Zakażeniom dróg oddechowych sprzyjają choroby wirusowe z uszkodzeniem nabłonka oddechowego (grypa, odra). W przypadku *S. epidermidis* i innych szczepów koagulazoujemnych (*S. haemolyticus*, *S. saprophyticus*) najistotniejszym czynnikiem zjadliwości jest zdolność tworzenia **biofilmu** – wielu warstw komórek drobnoustrojów osadzonych w bezpostaciowej pozakomórkowej masie. Biofilm wykazuje odporność na reakcje obronne gospodarza i działanie antybiotyków. Szczepy koagulazoujemne zwykle nie produkują toksyn, ale wydzielają liczne enzymy, m.in. ułatwiające kolonizację skóry czy powodujące rozkład IgG, IgA, IgM i fibrynogenu. Zakażeniom sprzyjają, oprócz przerwanej bariery skórno-śluzówkowej, immunosupresja, wcześniejsza antybiotykoterapia i obecność cewników naczyniowych lub wszczepionych protez z tworzyw sztucznych.

Obraz kliniczny

Zależy od gatunku gronkowca, zjadliwości szczepu, stanu odporności gospodarza i współistniejących chorób (patrz dalej).

Staphylococcus aureus (gronkowiec złocisty) wywołuje:

- zakażenia skóry i tkanek miękkich,
- zapalenie mieszków włosowych,
- ropnie,
- czyraki,
- ropowicę,
- zapalenie węzłów chłonnych,
- zakażenia inwazyjne: zapalenie płuc, kości i szpiku, stawów, opon mózgowo-rdzeniowych, wsierdzia, posocznicę.

Choroby wywoływane przez toksyny gronkowca złocistego to:

- zespół oparzonej skóry,
- zespół wstrząsu toksycznego,
- zatrucia pokarmowe.

Staphylococcus epidermidis odpowiada za:

- zapalenie wsierdzia,
- zapalenie opon mózgowo-rdzeniowych.

Staphylococcus haemolyticus może powodować:

- zapalenie wsierdzia,
- zapalenie otrzewnej,
- zakażenie układu moczowego,
- posocznicę.

Staphylococcus saprophyticus wywołuje głównie zakażenie układu moczowego (niezwiązane z obecnością cewnika).

Metody diagnostyczne

Rozpoznanie zakażenia gronkowcowego zależy od postaci klinicznej i opiera się na dodatnim wyniku posiewu odpowiedniego materiału biologicznego (wymaz ze zmiany skórnej, treść ropna, krew, płyn mózgowo-rdzeniowy). Hodowla pozwala potwierdzić rozpoznanie, zidentyfikować szczep i określić jego antybiotykowrażliwość. Oznaczenie minimalnych stężeń hamujących (MIC) powinno być standardowym postępowaniem w ciężkich zakażeniach.

W przypadkach związanych z obecnością i działaniem toksyn gronkowcowych wyniki posiewów ze zmienionej skóry lub z krwi są ujemne, a rozpoznanie ustala się na podstawie obrazu klinicznego. Czasem udaje się wyhodować *S. aureus* z miejsc skolonizowanych (np. nosogardzieli, spojówki).

Leczenie

Zależy od postaci klinicznej i wrażliwości izolowanego szczepu na metycylinę.

W leczeniu zakażeń wywołanych przez **szczepy metycylinowrażliwe** (MSSA, methicillin-sensitive *Staphylococcus aureus*) lekiem I rzutu są penicyliny izoksazolilowe (kloksacylina). Alternatywnie stosuje się cefalosporyny (cefaleksyna, cefadroksyl, cefuroksym) lub amoksycylinę z kwasem klawulanowym, a przy nadwrażliwości na antybiotyki β-laktamowe klindamycynę lub makrolidy.

Szczepy oporne na metycylinę (methicillin-resistant *Staphylococcus aureus*, MRSA) mogą wykazywać także oporność na inne chemioterapeutyki (aminoglikozydy, makrolidy, linkozamidy, tetracykliny, chinolony, kotrimoksazol, wankomycynę i teikoplaninę). Jeśli nie można oprzeć się na wyniku posiewu, antybiotykoterapia empiryczna zależy od sytuacji epidemiologicznej. W Polsce wzrasta częstość występowania MRSA w szpitalach, nie ma danych dotyczących zakażeń pozaszpitalnych. Oporność na metycylinę dotyczy również gronkowców koagulazoujemnych, co stwarza istotne problemy terapeutyczne. W zakażeniach wywołanych przez MRSA lekiem z wyboru jest wankomycyna (rzadziej teikoplanina), w ciężkich zakażeniach i zakażeniach gronkowcami koagulazoujemnymi łącznie z antybiotykiem aminoglikozydowym.

W zakażeniach szczepami wieloopornymi stosowane są linezolid, tygecyklina i daptomycyna.

W przypadku pojedynczych zmian skórnych w przebiegu liszajca czy zapalenia mieszków włosowych wystarczająca może być antybiotykoterapia miejscowa (mupiromycyna). Czyrak ulega zwykle samoistnemu wygojeniu.

Małe powierzchowne ropnie wymagają zwykle jedynie interwencji chirurgicznej, duże i/lub głębiej zlokalizowane – leczenia chirurgicznego i antybiotyku. W przypadku ropnia lub obecności zakażonego ciała obcego (np. cewnika) sama antybiotykoterapia jest zwykle nieskuteczna.

W ciężkich zakażeniach antybiotyki powinny być podane parenteralnie, przynajmniej do 3 dni po ustąpieniu gorączki i innych objawów, leczenie może być kontynuowane doustnie. Ciężkie zakażenia mają tendencję do przetrwania lub nawracania i wymagają antybiotykoterapii przez minimum 21 dni.

Rokowanie

Zależy od etiologii i postaci zakażenia, a także od wieku dziecka, współistniejących chorób, stanu odporności i odżywienia. W ciężkich zakażeniach istotne jest szybkie włączenie odpowiedniego antybiotyku, w przypadku ropnia drenaż, a przy obecności zakażonego ciała obcego usunięcie go. W zakażeniach skóry zwykle rokowanie jest dobre.

Liszajec

łac. *impetigo*

ang. impetigo

Zakaźna choroba powierzchownych warstw skóry (ryc. 19.22), najczęściej wywołana przez *S. aureus*, ale również przez inne drobnoustroje.

Liszajec niepęcherzowy – na twarzy lub kończynach w miejscach zadrapań, urazów czy wykwitów o innej etiologii pojawiają się pęcherzyki lub krostki, pokrywające się miodowożółtymi strupami. Przebiega zwykle bez gorączki i objawów ogólnych. Podobnie wyglądają zmiany w przebiegu zakażenia paciorkowcem β-hemolizującym grupy A (różnicowanie na podstawie posiewu).

Liszajec pęcherzowy (łac. *impetigo bullosa*, ang. bullous impetigo) najczęściej występuje u noworodków i małych niemowląt, choć zdarza się u dzieci w każdym wieku. Początkowo występują małe pęcherzyki, szybko powiększając się do dużych (o średnicy do kilku cm), cienkościennych, wiotkich pęcherzy wypełnionych przejrzystym płynem, który może zmętnieć, nabrać charakteru ropnego. Pęcherze łatwo pękają, odsłaniając czerwone, wilgotne, sączące podłoże, z resztkami spełzniętego naskórka dookoła. Zmiany goją się bez pozostawienia blizn. Najczęściej zlokalizowane są na twarzy, tułowiu, pośladkach

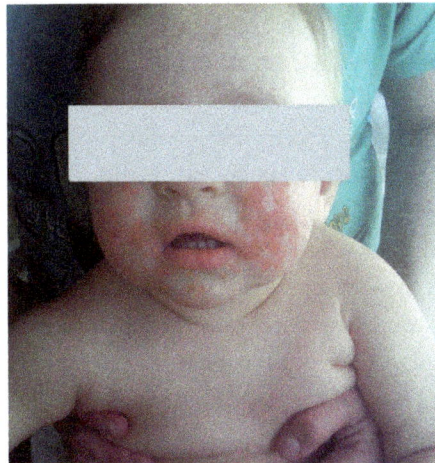

Rycina 19.22. Liszajec.

i w okolicy krocza. Mogą pojawiać się nowe w odległych częściach ciała, bywają liczne. Objawy ogólne na ogół nie występują, z wyjątkiem noworodków.

Powikłania to zapalenie tkanki łącznej, rzadziej zapalenie kości i szpiku kostnego, ropne zapalenie stawów czy posocznica.

W różnicowaniu u noworodka należy uwzględnić: pęcherzowe oddzielanie się naskórka, mastocytozę, zakażenie HSV i początek gronkowcowego zespołu oparzonej skóry, a u dzieci starszych także kontaktowe zapalenie skóry, oparzenie i pęcherzycę.

Gronkowcowy zespół oparzonej skóry (choroba Rittera)

łac. *pemphigus neonatorum*

ang. staphylococcal scalded skin syndrome (SSSS)

Definicja

Uogólnione złuszczające zapalenie skóry wywołane zakażeniem szczepem *S. aureus* wytwarzającym toksyny epidermolityczne (eksfoliatyny).

Epidemiologia

Występuje głównie u niemowląt i dzieci do 5. rż.

Etiologia i patogeneza

Chorobę wywołują szczepy *S. aureus* produkujące toksyny epidermolityczne, rozprzestrzeniające się drogą krwiopochodną z miejsca zakażenia (nosogardzieli, spojówek, układu moczowego, krwi).

Obraz kliniczny

Wystąpienie zmian skórnych mogą poprzedzać gorączka, osłabienie, drażliwość i wyraźna tkliwość skóry. Pojawia się rozlany rumień, ze szczególnym nasileniem w okolicy zginaczy i dookoła naturalnych otworów ciała. W miejscach pokrytych rumieniem skóra nagle marszczy się, w ciężkich przypadkach powstają jałowe wiotkie pęcherze, a następnie rozległe nadżerki. Charakterystyczny jest nasilony rumień wokół ust oraz promieniste pęknięcia i strupy dokoła ust, oczu i nosa. W tym stadium naskórek oddziela się płatami od skóry w odpowiedzi na niewielki uraz, np. potarcie (objaw Nikolskiego). Spełzający naskórek odsłania czerwone, wilgotne, błyszczące obszary, mogące zajmować rozległe powierzchnie. Faza spełzania naskórka rozpoczyna się po 2–5 dniach obecności rumienia. Gojenie trwa 10–14 dni. Nie pozostają blizny. Zmianom skórnym mogą towarzyszyć zapalenie spojówek, zapalenie gardła i nadżerki na wargach. Nie stwierdza się zmian w obrębie śluzówek jamy ustnej.

Różnicowanie

Należy uwzględnić liszaj pęcherzowy, choroby pęcherzowe, pęcherzycę, rumień wielopostaciowy, wysypki polekowe i toksyczną nekrolizę naskórka.

Powikłania

Zaburzenia gospodarki wodno-elektrolitowej (związane z rozległymi ubytkami naskórka), zapalenie tkanki łącznej (cellulitis), zapalenie płuc, posocznica. Może także dojść do wtórnego zakażenia bakteryjnego odsłoniętych obszarów skóry.

Szkarlatyna gronkowcowa

łac. *scarlatina staphylococcica*
ang. scarlet fever-like disease

Niektóre szczepy gronkowców produkują egzotoksyny o działaniu zbliżonym do toksyn erytrogennych paciorkowców odpowiedzialnych za płonicę. Obraz kliniczny może przypominać płonicę, z gorączką i obecnością drobnej, plamistej lub plamisto-grudkowej (płoniczopodobnej) wysypki, czasem bez zapalenia gardła.

Płonica gronkowcowa często związana jest z uszkodzeniem skóry – raną, oparzeniem, rozdrapanymi wykwitami ospy wietrznej (płonica przyranna). Niekiedy występuje etiologia mieszana, paciorkowcowo-gronkowcowa. Różnicowanie jak w płonicy paciorkowcowej (patrz str. 1022).

Zapalenie mieszków włosowych

łac. *folliculitis*
ang. folliculitis

Zakażenie powierzchowne, najczęściej dotyczące skóry głowy, pośladków i kończyn. Zmiany mają postać małych krostek na podłożu zaczerwienionej skóry. Goją się bez bliznowacenia.

Czyrak

łac. *furunculus*
ang. furuncle, boil

Głębokie ropne zapalenie mieszka włosowego lub okołomieszkowe z formowaniem czopa martwiczego. Najczęstsze lokalizacje to twarz, kark, pachy, pachwiny i pośladki. Początkowo obecny jest naciek zapalny. W jego centrum dochodzi do martwicy i ropienia, a następnie do pęknięcia i wydalenia martwiczego czopa. Zmiana goi się z pozostawieniem blizny. Może być bardzo bolesna. Zwykle nie towarzyszą jej objawy ogólne. Czynnikami sprzyjającymi rozwojowi czyraka są otyłość, nadmierna potliwość, maceracja skóry, otarcia i zapalenie skóry o innej etiologii.

Powikłaniem czyraka zlokalizowanego na górnej wardze lub policzku może być zakrzepowe zapalenie zatoki jamistej.

Czyrak gromadny

łac. *carbunculus*
ang. carbuncle

Zapalenie grupy przylegających mieszków włosowych z powstaniem kilku, kilkunastu martwiczych czopów z towarzyszącym stanem zapalnym otaczających tkanek. Może wystąpić gorączka. Rzadko dochodzi do bakteriemii.

Czyraczność

łac. *furunculosis*
ang. furunculosis

Obecność mnogich czyraków w różnych stadiach rozwoju. Występuje u pacjentów z niedoborem żelaza, cukrzycą, niedożywieniem, zakażonych HIV i z innymi niedoborami odporności. Nawracająca czyraczność zwykle związana jest z przewlekłym nosicielstwem *S. aureus* lub częstym bezpośrednim kontaktem z nosicielem, np. w środowisku domowym.

Zespół wstrząsu toksycznego
ang. toxic shock syndrome

Ciężki, zagrażający życiu stan, charakteryzujący się gorączką, hipotensją, uogólnioną wysypką i upośledzeniem czynności narządów wewnętrznych.

Najczęściej dotyczy dziewcząt i młodych kobiet (15–25 lat), używających w trakcie menstruacji tamponów. Może zdarzyć się też u dzieci z raną, oparzeniem, tamponadą nosa, ropniem lub ropniakiem, zapaleniem płuc, zatok przynosowych czy kości i szpiku oraz pierwotną bakteriemią.

Choroba zaczyna się nagle wysoką gorączką, wymiotami, biegunką, bólem gardła, głowy i mięśni. Na skórze pojawia się plamista wysypka rumieniowa, czasem wybroczyny. Spojówki oraz śluzówki jamy ustnej i narządów płciowych są przekrwione. W ciężkich przypadkach występują zaburzenia świadomości, a także spadek ciśnienia tętniczego i diurezy.

Badania laboratoryjne wykazują leukocytozę i małopłytkowość, obniżone parametry nerkowe, hiperbilirubinemię oraz podwyższoną aktywność aminotransferaz i kinazy fosfokreatynowej, a w ciężkich przypadkach – wykładniki DIC. Chorobę rozpoznaje się na podstawie obrazu klinicznego.

Różnicowanie z chorobą Kawasakiego, płonicą, odrą i posocznicą.

19.8.3   *Małgorzata Szczepańska-Putz*

Krztusiec
łac. *pertussis*
ang. pertussis

Definicja
Bakteryjna choroba zakaźna wywołana przez pałeczkę krztuśca (*Bordetella pertussis*) przebiegająca z napadowym kaszlem.

Epidemiologia
Powszechne szczepienia wpłynęły na spadek zachorowalności. Od 1960 r. w Polsce stosuje się szczepionkę całokomórkową, skojarzoną z anatoksyną tężcową i toksoidem błoniczym (DTP). Po zakażeniu naturalnym odporność utrzymuje się przez 7–20 lat, a po

szczepieniu przez 5–10 lat; nie ma trwałej odporności. Do zakażenia dochodzi drogą kropelkową w czasie bezpośredniego kontaktu z chorym (u ok. 80% osób wrażliwych). Połowa zakażonych ma objawy kliniczne. W większych zbiorowiskach mogą powstać ogniska zakażeń.

Chory wydala pałeczki krztuśca przez drogi oddechowe w czasie kaszlu, kichania i mówienia. Zakaża w okresie nieżytowym i do 3 tygodni od początku kaszlu napadowego. Skuteczna antybiotykoterapia skraca zakaźność do 5 dni.

Etiologia i patogeneza
Bordetella pertussis jest Gram-ujemną pałeczką tlenową, chorobotwórczą tylko dla człowieka. Wykazuje tropizm do urzęsionego nabłonka. Jej zjadliwość wynika z produkcji toksyn i substancji aktywnych biologicznie odpowiedzialnych m.in. za uszkodzenie tkanki mózgowej. Najważniejszy czynnik zjadliwości *B. pertussis*, wywołujący ogólne objawy, to toksyna krztuścowa. Pozostałe substancje uszkadzają miejscowe mechanizmy obronne i niszczą komórki układu oddechowego. Wpływają też na zdolność przylegania bakterii do komórek nabłonkowych układu oddechowego i jego kolonizacji. Niszczenie nabłonka dróg oddechowych zaburza wydzielanie śluzu. Zalega on w drogach oddechowych, jest gęsty i lepki, wzmaga napady kaszlu.

Pałeczki *Bordetella parapertussis* wywołują parakrztusiec. **Krztusiec rzekomy** przebiega łagodniej, z mniej nasilonymi napadami kaszlu, rzadziej daje powikłania i lepiej rokuje.

Obraz kliniczny
Zależy od wieku chorego, stanu odporności i czasu, jaki upłynął od szczepienia lub po naturalnym zakażeniu. Okres wylęgania wynosi od 7 do 21 dni. Choroba trwa od 6 do 12 tygodni i przebiega w trzech fazach.

Faza nieżytowa trwa od kilku dni do 2 tygodni. Występuje przekrwienie błon śluzowych nosa, spojówek, gardła i oskrzeli, złe samopoczucie. Pojawia się kaszel, początkowo łagodny, suchy. Ciepłota ciała zwykle nie przekracza 38°C. Pałeczki *B. pertussis* przez błony śluzowe przenikają do układu limfatycznego. Wydzielają toksyny działające miejscowo i na centralne ośrodki regulujące odruch kaszlu. U noworodków i niemowląt do 3. mż. faza nieżytowa trwa bardzo krótko, bywa niezauważona.

Faza napadowego kaszlu trwa od 2 do 4 tygodni. Narasta częstość i intensywność kaszlu. Napady są coraz dłuższe, zwłaszcza w nocy i nad ranem. Atak kaszlu ma charakterystyczne cechy: po serii kilku drobnych kaszlnięć następuje głęboki wdech i seria kaszlu bez uzupełniających wdechów aż do końca wydechu, ze skurczem krtani, do utraty tchu. Obserwuje się wyraźny wysiłek, poczucie duszenia się, zasinienie skóry i śluzówek, wytrzeszcz gałek ocznych, wysunięcie języka, czasami z podcięciem wędzidełka języka. W szczytowym momencie następuje głęboki wdech przez skurczoną krtań. Świst wdechowy przypomina pianie koguta. Następuje ponowna seria kaszlu. Napad może się składać z kilku, kilkunastu sekwencji. Niekiedy kończy się bezdechem czy drgawkami (zwłaszcza u niemowląt). Siła i częstość napadów kaszlu jest zmienna, od kilku do kilkudziesięciu na dobę. Wysiłek powoduje wzmożone ciśnienie żylne i wystąpienie wybroczyn na skórze twarzy i szyi (ryc. 19.23) oraz na spojówkach. Napad kaszlu może być sprowokowany różnymi bodźcami: hałasem, światłem, uciskiem szpatułki na nasadę języka czy karmieniem. Kaszel u niemowląt i młodszych dzieci kończy się wymiotami. Dziecko jest zmęczone, apatyczne.

Faza zdrowienia trwa od 2 do kilkunastu tygodni. Stopniowo zmniejsza się częstość i nasilenie napadów kaszlu. Kolejna infekcja górnych dróg oddechowych czy wysiłek fizyczny mogą powodować nawrót kaszlu o podobnym charakterze. U noworodków niekiedy nie stwierdza się ataków kaszlu, ale obserwuje się bezdechy, narastającą duszność i napady drgawek. U starszych dzieci i u dorosłych przebieg jest łagodniejszy. Główny, czasem jedyny objaw, stanowią męczące ataki kaszlu, które sugerują czasem zapalenie oskrzeli. Dokuczliwe bywają zaburzenia snu związane z kaszlem w nocy.

Metody diagnostyczne
Rozpoznanie najczęściej ustala się na podstawie obrazu klinicznego. Ważny jest wywiad dotyczący szczepień i kontaktu z osobą chorą na krztusiec lub przewlekle kaszlącą. U niemowląt i małych dzieci w morfologii krwi stwierdza się leukocytozę z limfocytozą. U starszych dzieci z poronną postacią krztuśca odchylenia w badaniach mogą nie występować.

Diagnostyka bakteriologiczna – izolacja, hodowla i identyfikacja bakterii z odkrztuszonej wydzieliny lub wymazu z nosogardła trwa 7–12 dni.

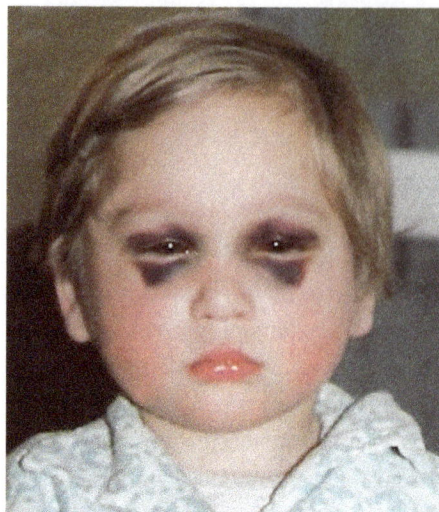
Rycina 19.23. Podbiegnięcia krwawe w przebiegu krztuśca.

Diagnostyka serologiczna – odczyn hemaglutynacji biernej wykrywa przeciwciała przeciw toksynie lipopolisacharydowej B. pertussis. Istotne jest stwierdzenie 4-krotnego wzrostu ich stężenia w odstępie co najmniej 2 tygodni.

Test immunoenzymatyczny ELISA ocenia odpowiedź humoralną. Przeciwciała klasy IgA pojawiają się w surowicy krwi po zakażeniu i utrzymują się kilka miesięcy. W przypadku przeciwciał klasy IgG konieczna jest ocena dynamiki stężenia (w odstępie co najmniej 2 tygodni). U niemowląt przeciwciała klasy IgG mogą pochodzić od matki. Przeciwciała klasy IgM świadczą o świeżym zakażeniu lub niedawnym szczepieniu.

Diagnostyka molekularna – wykrywanie DNA B. pertussis metodą PCR w materiale pobranym z nosogardzieli. Wyniki mogą być fałszywie dodatnie (niższa swoistość). Czułość PCR zmniejsza się z czasem trwania choroby.

Różnicowanie
Z zakażeniami górnych dróg oddechowych adenowirusami, RSV, wirusem grypy, Mycoplasma pneumoniae, Chlamydia trachomatis i Chlamydophila pneumoniae oraz Bordetella parapertussis.

Leczenie
Ze względu na ryzyko ciężkiego przebiegu z koniecznością wentylacji mechanicznej niemowlęta do 6. mż. i dzieci starsze z chorobami przewlekłymi powinny być hospitalizowane w szpitalach z oddziałem intensywnej opieki medycznej. Przyczynowo stosowane są makrolidy (klarytromycyna, azytromycyna)

i kotrimoksazol. Objawowo podaje się leki rozrzedzające wydzielinę i ułatwiające jej ewakuację z górnych dróg oddechowych oraz inhalacje z 0,9% NaCl. Ważna jest właściwa pielęgnacja dziecka, czyli zapewnienie dopływu chłodnego, świeżego powietrza, częstsze karmienie mniejszymi porcjami, wysokie ułożenie i właściwe nawodnienie.

Powikłania

Najbardziej zagrożone są noworodki i niemowlęta. Niekiedy występują:

- zmiany w OUN – obrzęk i zaburzenia ukrwienia mózgu, wynaczynienia, ogniska niedokrwienia, drgawki uogólnione lub ogniskowe, encefalopatia (trwałe uszkodzenie mózgu u 0,6–2% chorych),
- zapalenie płuc (*B. pertussis* lub nadkażenie bakteryjne) – występuje w 20% przypadków, stwierdza się wzrost ciepłoty ciała i duszność; u niemowląt zapalenie płuc i ucha środkowego może być spowodowane zachłyśnięciem się przy wymiotach/ulewaniu w czasie ataku kaszlu,
- pęknięcie pęcherzyków płucnych i odma śródmiąższowa/przyścienna, ew. podskórna – przy intensywnym wysiłku kaszlowym,
- niedodma segmentowa – w wyniku zatkania oskrzelików wydzieliną,
- krwawienia z nosa, przepuklina brzuszna, wypadanie śluzówki odbytnicy – rzadkie powikłania.

Rokowanie

Krztusiec dla noworodków i niemowląt do 6. mż. stanowi zagrożenie życia. Może dojść do niewydolności oddechowo-krążeniowej, niedotlenienia, toksycznego uszkodzenia mózgu i poważnych odległych następstw (padaczka, upośledzenie rozwoju psychoruchowego). Starsze dzieci i dorośli chorują łagodniej i rokowanie jest dobre.

Profilaktyka

Najskuteczniejsze są szczepienia ochronne. Po szczepieniu podstawowym przeciwciała wytwarza 80––90% zaszczepionych. Osobom z bliskiego kontaktu niezależnie od wieku i stanu uodpornienia należy podać antybiotyk makrolidowy.

19.8.4 *Sabina Dobosz*

Choroba z Lyme (borelioza)

łac. *borreliosis Lyme*

ang. Lyme disease

Definicja

Wieloukładowa choroba wywołana przez krętki z rodzaju *Borrelia* przenoszone przez kleszcze *Ixodes*. Może dojść do zajęcia skóry, stawów, serca oraz ośrodkowego i obwodowego układu nerwowego.

Epidemiologia

Rezerwuarem krętków *Borrelia sensu lato* są zwierzęta wolno żyjące, małe i średnie ssaki, ptaki i gady, na skórze których żerują kleszcze z rodzaju *Ixodes ricinus*. Częstość występowania zakażonych kleszczy w Europie wynosi 3–34%, na terenach leśnych północno--wschodniej Polski wynosi ok. 25%.

W Polsce w 2010 r. zapadalność na boreliozę wynosiła 23,6 : 100 000 i była najwyższa w województwach podlaskim, warmińsko-mazurskim, śląskim i małopolskim.

Wszystkie stadia rozwojowe kleszcza, tj. larwa, nimfa i postać dorosła, żywią się krwią. Zakażenie człowieka następuje w czasie penetracji kleszcza przez skórę. Krętki dostają się do organizmu ze śliną lub wymiocinami kleszcza. Ryzyko zakażenia rośnie wraz z długością kontaktu z zakażonym kleszczem, po 72 godzinach sięga 100%.

Etiologia i patogeneza

Krętki *Borrelia* są Gram-ujemnymi spiralnie zwiniętymi bakteriami, wolno rosnącymi, które wymagają specjalnych podłoży hodowlanych. Do kompleksu *Borrelia burgdorferi sensu lato* zalicza się 10 genogatunków. Boreliozę wywołują głównie *B. burgdorferi sensu stricto*, *B. garinii* i *B. afzelii*, występujące na terenie Polski.

Różny tropizm narządowy krętków wiąże się z odmiennymi manifestacjami klinicznymi. Po dostaniu się do skóry krętki rozprzestrzeniają się miejscowo i wywołują wczesną zmianę skórną. Po kilku dniach/ /tygodniach drogą krwi lub chłonki dostają się do różnych narządów.

Obraz kliniczny

Borelioza wczesna ograniczona ujawnia się w czasie od 1 do 8 tygodni po ekspozycji jako:

- rumień wędrujący (ryc. 19.24 i 19.25),
- chłoniak limfocytowy skóry.

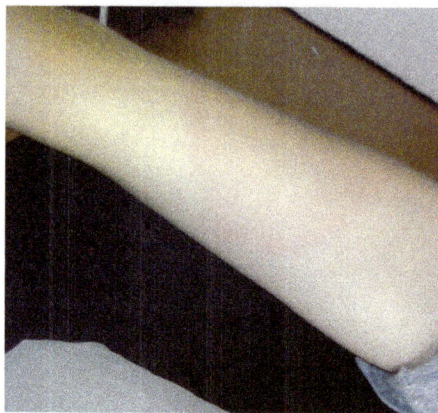

Rycina 19.24. Borelioza. Rumień wędrujący na kończynie.

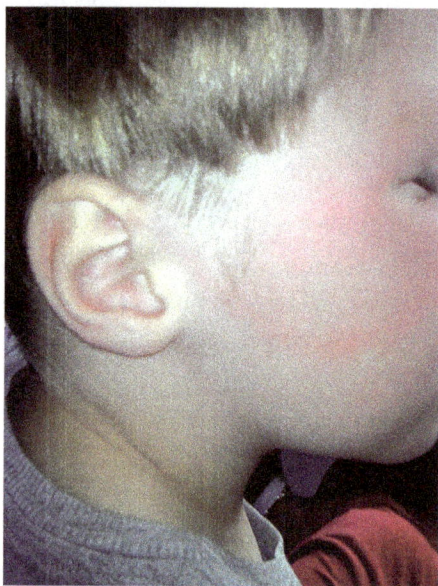

Rycina 19.25. Borelioza. Rumień wędrujący na twarzy.

Borelioza wczesna rozsiana występuje od 3 do 26 tygodni po ekspozycji:

- rumień wędrujący mnogi/wtórny,
- wczesna neuroborelioza,
- ostre zapalenie stawów,
- ostre zapalenie mięśnia sercowego.

Borelioza późna (przewlekła) – objawy pojawiają się po 6–12 miesiącach od zakażenia. Może nie być objawów miejscowych, stwierdza się:

- przewlekłe zanikowe zapalenie skóry,
- zapalenie stawów,
- zmiany neurologiczne.

Rumień wędrujący (erythema migrans) to zmiana skórna plamista, owalna lub okrągła, czerwona lub czerwonosina, o ostrych granicach, rozprzestrzeniająca się na zewnątrz, z przejaśnieniem w środku, najczęściej w miejscu ukłucia kleszcza. Pojawia się zwykle w czasie od 3 do 30 dni (maks. 3 miesiące) po ekspozycji. Typowa lokalizacja u dzieci to górna połowa ciała. Rzadko występuje bolesność lub świąd skóry. W przypadkach nietypowych nie ma przejaśnienia w środku, stwierdza się krwotoczny charakter lub nieregularny kształt zmiany. Wkrótce po ekspozycji może dojść do odczynu alergiczno-zapalnego na wydzieliny i wydaliny kleszcza – zmiana plamisto-grudkowa o średnicy 1–2 cm, stopniowo ustępująca.

Graniczna średnica rumienia potwierdzająca rozpoznanie to co najmniej 5 cm. W przypadku mniejszej średnicy zaleca się badanie kontrolne za kilka dni i przy rozszerzaniu się zmiany włączenie antybiotykoterapii.

Niekiedy występują słabo wyrażone objawy ogólne: złe samopoczucie, stany podgorączkowe lub gorączka, bóle mięśniowe i stawowe, limfadenopatia. W przypadkach nieleczonych rumień może utrzymywać się kilka miesięcy i samoistnie ustąpić. Rumień wędrujący jest jedyną postacią boreliozy, której nie potwierdza się serologicznie.

Różnicowanie przeprowadza się z odczynem alergicznym, ukłuciem przez inne owady, ziarniniakiem obrączkowym i rumieniem trwałym.

Mnogie rumienie wędrujące powstają w wyniku rozsiewu krętka drogą krwiopochodną, w ostrej rozsianej postaci choroby. Mogą przypominać zmianę pierwotną, choć są zwykle mniejsze i jednolicie zabarwione. Częstość ich występowania jest znacznie mniejsza, w Europie stanowią 4–8% manifestacji skórnych zakażenia.

Chłoniak boreliozowy (borrelial lymphocytoma) to sinawoczerwony, pojedynczy, niebolesny guzek rozwijający się po kilku tygodniach od ukłucia kleszcza. Występuje rzadko (1% chorych), częściej u dzieci. Zwykle lokalizuje się na małżowinie usznej, mosznie lub brodawkach sutkowych. Nieleczony utrzymuje się do kilku lat. Rozpoznanie wymaga potwierdzenia serologicznego i histologicznego (nacieki limfocytarne z grudkami limfatycznymi i centrami pseudorozrodczymi). Różnicowanie z chłoniakiem złośliwym, sarkoidozą, gruźlicą toczniową i toczniem rumieniowatym układowym.

Przewlekłe zanikowe zapalenie skóry kończyn (acrodermatitis chronica atrophicans) nie występuje u dzieci. **Zapalenie stawów** opisano w rozdz. 18 „Reumatologia".

Zapalenie mięśnia sercowego (Lyme carditis) jest rozpoznawane rzadko. Występuje we wczesnej fazie choroby, zwykle ok. 20 dni po zakażeniu (od 1 tygodnia do 7 miesięcy). Zaburzenia wykrywa się przypadkowo. Najczęściej stwierdza się blok przedsionkowo-komorowy o zmiennym stopniu, który niekiedy wymaga elektrostymulacji. U większości chorych (ok. 95%) zapalenie ustępuje bez leczenia w ciągu kilku tygodni. Rozpoznanie potwierdzają swoiste przeciwciała (IgM) i zaburzenia przewodnictwa w EKG.

Neuroborelioza – objawy ze strony układu nerwowego mogą wystąpić zarówno we wczesnej, jak i w późnej fazie choroby i obejmują obwodowy i/lub ośrodkowy układ nerwowy. Neuroboreliozę mogą powodować wszystkie 3 patogenne dla człowieka gatunki *B. burgdorferi sensu lato*, najczęściej (> 70% przypadków) – *B. garinii*. Symptomatyka jest różnorodna. W stadium wczesnym rozsianym mogą wystąpić:

- porażenie pojedynczych lub mnogich nerwów czaszkowych (najczęściej VII),
- porażenie korzeni nerwowych (zespół Bannwartha – silne dolegliwości bólowe w obrębie splotu barkowego lub odcinka lędźwiowo-krzyżowego kręgosłupa) lub pojedynczych nerwów obwodowych,
- limfocytowe zapalenie opon mózgowo-rdzeniowych,
- zapalenie mózgu,
- zapalenie mózgu i rdzenia kręgowego.

Różnicowanie wczesnej neuroboreliozy obejmuje inne zapalenia opon m.-r., dyskopatie, chorobę zwyrodnieniową kręgosłupa i rwę kulszową.

W stadium późnym neuroboreliozy może dojść do zapalenia mózgu i rdzenia kręgowego (*encephalomyelitis*) o powolnym, postępującym przebiegu z zajęciem istoty białej. Obwodowa neuropatia objawia się zaburzeniami czucia, drętwieniem i bólami korzeniowymi, rzadko niedowładami. W przewlekłej encefalopatii dochodzi do upośledzenia pamięci i koncentracji, pojawiają się rozdrażnienie, senność i zmiany osobowości. Różnicowanie ze stwardnieniem rozsianym, z zespołami otępienia i z zaburzeniami psychicznymi.

Metody diagnostyczne

W diagnostyce boreliozy stosuje się testy serologiczne. Testy ELISA (wysoka czułość i niska swoistość) mogą być fałszywie dodatnie. Metoda Western-blot jest stosowana do potwierdzenia (wysoce swoista przy niższej czułości). Wynik tekstu należy interpretować zgodnie z zaleceniami producenta. Reakcje na pojedyncze antygeny nie potwierdzają rozpoznania.

Przeciwciała klasy IgM mogą być wykrywane od 2. tygodnia choroby. Szczyt produkcji następuje ok. 2. miesiąca. Potem u większości chorych ich ilość spada i syntetyzowane są immunoglobuliny klasy IgG (szczyt po 4.–6. miesiącach). IgG utrzymują się przez kilka lat, także po prawidłowym leczeniu.

Rozpoznanie rumienia wędrującego opiera się wyłącznie na obrazie klinicznym. Inne postacie boreliozy wymagają wykazania swoistych przeciwciał IgM i/lub IgG. Dodatni wynik badania serologicznego bez typowych objawów klinicznych nie upoważnia do rozpoznania choroby i jej leczenia.

Badanie PCR nie jest zalecane w rutynowej diagnostyce. Wykrycie DNA krętkowego nie określa, czy pochodzi z żywych organizmów, dodatni wynik nie oznacza aktywnego zakażenia. Wykrycie krętków *Borrelia* mikroskopowo lub z hodowli z tkanek, krwi lub płynu mózgowo-rdzeniowego jest obarczone wysokim odsetkiem błędu. Badanie płynu stawowego cechuje brak swoistości i nie należy ono do rutynowych procedur diagnostycznych.

U chorych z zapaleniem opon mózgowo-rdzeniowych w płynie m.-r. stwierdza się pleocytozę limfocytarną, z umiarkowanym wzrostem stężenia białka i prawidłowym stężeniem glukozy. W innych postaciach neuroboreliozy zmiany w płynie m.-r. występują rzadko. W płynie m.-r. obecność swoistych przeciwciał w klasie IgM i IgG w wyższym mianie niż w surowicy krwi świadczy o wewnątrzoponowej produkcji i potwierdza neuroboreliozę (wskaźnik przeciwciał > 2).

Różnicowanie

Omówiono przy poszczególnych postaciach klinicznych.

Leczenie

Decyzja o rozpoznaniu i leczeniu jest podejmowana na podstawie obrazu klinicznego z uwzględnieniem wyników badań dodatkowych. Długość i rodzaj zastosowanych antybiotyków zależy od postaci klinicznej

Tabela 19.7. Dawkowanie leków w różnych postaciach boreliozy u dzieci

OBRAZ KLINICZNY	LEK	DAWKOWANIE I DROGA PODANIA	CZAS TERA-PII [DNI]
Rumień wędrujący Chłoniak boreliozowy Porażenie nerwów czaszkowych Rumień wędrujący mnogi	Amoksycylina	50 mg/kg mc./dobę *p.o.* w 3 dawkach (maks. 1,5 g/dobę)	14–21
	Doksycyklina	2 × 100 mg (> 8. rż.) *p.o.*	14–21
	Aksetyl cefuroksymu	30 mg/kg mc./dobę *p.o.* w 2 dawkach (maks. 1 g/dobę)	14–21
	Azytromycyna	10 mg/kg mc./dobę *p.o.* raz dziennie	7–10
	Klarytromycyna	15 mg/kg mc./dobę *p.o.* w 2 dawkach	14–21
Zapalenie stawów (I rzut)	Leki jak wyżej *p.o.*, ale dłuższe leczenie		14–28
Neuroborelioza (zapalenie opon m.-r., mózgu, korzeni) Zapalenie stawów (nawrót) Zapalenie mięśnia sercowego	Ceftriakson	75–100 mg/kg mc./dobę *i.v.* raz dziennie (maks. 2 g/dobę)	14–28
	Cefotaksym	150–200 mg/kg mc./dobę *i.v.* w 3–4 dawkach	14–28
	Penicylina G	0,2–0,4 MU/kg mc./dobę *i.v.* w 4–6 dawkach (maks. 20 MU/dobę)	14–28

i tolerancji leczenia przez pacjenta (tab. 19.7). Nie zaleca się wielomiesięcznej antybiotykoterapii ani wielokrotnego powtarzania kuracji.

Powikłania

U około 10% chorych z postacią wczesną zapalenia stawów, zwłaszcza nieleczoną, może rozwinąć się zapalenie przewlekłe, w wyniku którego powstają zmiany destrukcyjne w stawach, pogarszające samopoczucie i jakość życia chorych. U ok. 5% chorych z zapaleniem mięśnia sercowego pomimo leczenia utrzymuje się blok przedsionkowo-komorowy. Przewlekłe zespoły neurologiczne, polineuropatia czuciowa, postępująca encefalopatia są powikłaniami późnymi neuroboreliozy.

Rokowanie

W prawidłowo leczonym rumieniu wędrującym rokowanie jest dobre. Wysoką skuteczność leczenia notuje się też przy objawach ze strony układu nerwowego i stawów. Chorzy z zakażeniem przewlekłym mają złe rokowanie co do wyleczenia, ale choroba nie zagraża życiu.

Profilaktyka

Podstawowe metody profilaktyki to używanie odpowiedniej odzieży, stosowanie repelentów zawierających DEET (N,N-diethyl-3-methylbenzamide) i dokładne oglądanie skóry po powrocie z terenu leśnego. W przypadku żerującego w skórze kleszcza ważne jest jak najszybsze usunięcie go, najlepiej pęsetą (wykręcenie) lub aparatami wytwarzającymi podciśnienie.

Nie należy kleszcza rozcierać, smarować tłuszczem ani kremami. U dzieci nie stosuje się profilaktyki po ukłuciu przez kleszcza.

19.8.5   *Małgorzata Aniszewska*

Jersinioza

łac. *yersiniosis*
ang. yersiniosis

Definicja

Ostra lub przewlekła choroba odzwierzęca wywołana zakażeniem pałeczkami *Yersinia enterocolitica* i/lub *Yersinia pseudotuberculosis*. Przebiega najczęściej jako zapalenie jelita cienkiego lub grubego, zwykle z zapaleniem krezkowych węzłów chłonnych.

Epidemiologia

Pałeczki *Yersinia* rozpowszechnione są na całym świecie. Więcej zakażeń stwierdza się w klimacie umiarkowanym i subtropikalnym. Do zakażeń sporadycznych dochodzi jesienią i zimą, zachorowania epidemiczne nie zależą od pory roku. Rezerwuar patogenu stanowią zwierzęta, głównie świnie, ale także psy, koty, owce, króliki, świnki morskie, krowy, konie, małpy, żaby, ryby, kraby, ostrygi i ptaki. Źródłem zakażenia mogą być wydaliny zwierząt (droga fekalno-oralna) oraz zanieczyszczone nimi woda, warzywa i owoce, surowe lub niedogotowane mięso (wieprzowina), mleko krowie, kóz i owiec, ale także człowiek (droga fekalno-oralna).

Okres wylęgania wynosi od 1 do 14 dni. Okres zakaźności wiąże się z czasem wydalania bakterii z kałem przez osoby zakażone i trwa od 14 do 97 dni. Nie ustalono wpływu terapii na skrócenie zakaźności.

Etiologia i patogeneza

Pałeczki *Y. enterocolitica* i *Y. pseudotuberculosis* należą do rodzaju *Yersinia* i rodziny *Enterobacteriaceae*. Rosną w warunkach tlenowych i beztlenowych, optymalna temperatura wynosi 22–29°C, choć możliwy jest wzrost w zakresie od 0 do 45°C. Zachowują więc zdolność namnażania także w żywności przechowywanej w chłodziarce w temperaturze 4–8°C. Są wrażliwe na powszechnie stosowane środki odkażające oraz wysoką temperaturę.

Pałeczki Yersinia kolonizują komórki błony śluzowej jelita cienkiego, komórki M kępek Peyera i makrofagi. Bakterie produkują antygeny V-W i Yop decydujące o zjadliwości, inwazyny ułatwiające adhezję i zakażenie komórek błony śluzowej jelita oraz endotoksyny i enterotoksyny uruchamiające mechanizm sekrecyjny.

Przebieg inwazyjny może doprowadzić do bakteriemii, a w konsekwencji do rozwoju ropni narządowych (wątroby, śledziony, nerek) lub posocznicy. Pacjenci z antygenem zgodności tkankowej HLA-B27 po przebytym zakażeniu mogą rozwinąć reaktywne zapalenie stawów lub rumień guzowaty.

Obraz kliniczny

Zależy od gatunku i grupy serologicznej bakterii oraz wieku i stanu odporności osoby zakażonej.

Ostre zapalenie jelit (*enterocolitis*) lub **żołądka i jelit** (*gastroenterocolitis*) objawia się biegunką, bólem brzucha, wymiotami (rzadko) i podwyższeniem ciepłoty ciała. Stolce są wodniste, mogą zawierać śluz i/lub krew. Niekiedy stwierdza się ostre zapalenie końcowej części jelita krętego (*ileitis terminalis*) i zapalenie węzłów chłonnych krezki (częściej *Y. pseudotuberculosis*). Bóle brzucha mają charakter kolkowy, rozlany lub ograniczony do śródbrzusza lub prawego dołu biodrowego. Różnicowanie z nieżytem żołądkowo-jelitowym o innej etiologii i z zapaleniem wyrostka robaczkowego. W większości dochodzi do samowyleczenia.

Przebieg inwazyjny zaczyna się zwykle od nieżytu żołądkowo-jelitowego o znacznym nasileniu, z silnymi bólami brzucha i wysoką gorączką z dreszczami. Bakteriemia może doprowadzić do powstania ropni narządowych lub do zakażenia uogólnionego. Ryzyko wystąpienia posocznicy dotyczy głównie niemowląt, pacjentów z niedoborami odporności, zaburzeniami gospodarki żelaza (hemochromatoza, talasemia), przewlekłymi chorobami wątroby i cukrzycą. Śmiertelność w zakażeniu uogólnionym wynosi 20–50%.

Zapalenie stawów (odczynowe) występuje u 10% dzieci (zwykle > 7. rż.) zakażonych *Y. enterocolitica*, częściej u dorosłych. Bóle i obrzęki stawów pojawiają się w okresie do 2 tygodni po ostrej fazie zakażenia. Najczęściej dotyczą 1–2 stawów (kolanowych, skokowych, nadgarstka). Zdarzają się zajęcia wielu stawów jednocześnie. Dolegliwości ustępują samoistnie w ciągu kilku miesięcy. Różnicowanie przeprowadza się z zapaleniem stawów w przebiegu boreliozy, zakażeniami parwowirusem B19 i HCV oraz z chorobami tkanki łącznej.

Rumień guzowaty może mieć różną etiologię, w tym zakażenie *Y. enterocolitica*. Zakażenie *Y. pseudotuberculosis* u dzieci może imitować chorobę Kawasakiego.

Metody diagnostyczne

Można wykonać posiewy bakteriologiczne kału, krwi (podejrzenie bakteriemii), materiału z ropni czy płynu otrzewnowego. Wzrost uzyskuje się na podłożach selektywnych lub po wstępnej inkubacji w temperaturze 4°C.

Testy serologiczne (ELISA, Western-blot) wykrywają specyficzne przeciwciała, które pojawiają się po 1–4 tygodniach od początku objawów i utrzymują się kilka miesięcy. Odpowiedź humoralna dzieci może być słabsza niż dorosłych.

Badania obrazowe (USG, TK) powinno się wykonać przy podejrzeniu zapalenia węzłów chłonnych krezki, w przebiegu rzekomowyrostkowym i przy podejrzeniu ropni narządowych.

Morfologia krwi obwodowej może wykazywać leukocytozę z przewagą granulocytów i zwiększonym odsetkiem form niedojrzałych. Stężenie CRP jest zazwyczaj wysokie.

Różnicowanie

Opisano przy poszczególnych jednostkach chorobowych.

Leczenie

Przebieg łagodny leczy się objawowo. Mogą zaistnieć wskazania do nawadniania parenteralnego, wyrównywania niedoborów elektrolitowych czy podania NLPZ. Hospitalizacji i leczenia przyczynowego wymagają: zapalenie węzłów chłonnych krezki, zespół rzekomowyrostkowy, podejrzenie zakażenia uogólnionego, przebieg przewlekający się i choroba ze zlokalizowanymi ropniami. Stosuje się cefalosporyny III generacji, piperacylinę, karbapenemy, monobaktamy, aminoglikozydy, chloramfenikol, fluorochinolony, tetracykliny i kotrimoksazol. W zakażeniu uogólnionym włącza się terapię skojarzoną cefalosporyną III generacji z aminoglikozydem lub fluorochinolonem, ew. aminoglikozydem z fluorochinolonem.

19.8.6   *Barbara Kowalik-Mikołajewska*

Choroba kociego pazura

łac. *lymphoreticulosis benigna*
ang. cat-scratch disease

Definicja
Ostra samoograniczająca się choroba bakteryjna o dwufazowym przebiegu wywołana przez Gram-ujemną pałeczkę tlenową *Bartonella henselae*, rzadziej *Bartonella clarridgeiae*. W 1. fazie choroby w miejscu uszkodzenia skóry powstaje plamka przekształcająca się w grudkę i pęcherzyk z treścią surowiczą. W 2. fazie obserwuje się powiększenie i zapalenie okolicznych węzłów chłonnych.

Epidemiologia
Rezerwuarem bakterii jest najczęściej młody kot lub pies. Zakażeniu sprzyja ciepły i wilgotny klimat. Częściej chorują dzieci i młodzi dorośli (z przewagą płci męskiej).

Etiologia i patogeneza
Patogeneza zakażenia zależy od dojrzałości układu odpornościowego gospodarza (odpowiedź komórkowa). U osób immunokompetentnych rozwija się ograniczona reakcja wytwórcza z tworzeniem ziarniniaków. U osób z niedoborami immunologicznymi dochodzi do bakteriemii oraz wniknięcia bakterii do śródbłonka drobnych naczyń żylnych.

Wydzielany przez *Bartonella* czynnik mitogenny stymuluje proliferację komórek śródbłonka, hamuje apoptozę i aktywuje cytokiny prozapalne. Skutkiem tego jest angiogeneza, która u osób z AIDS prowadzi do peliozy narządów (bacillary peliosis) lub naczyniakowatości bakteryjnej (bacillary angiomatosis). Patomechanizm choroby kociego pazura z zajęciem OUN nie został wyjaśniony.

Obraz kliniczny
Okres wylęgania pierwotnego objawu wynosi 3–12 dni, a limfadenopatii do 60 dni. W miejscu zadrapania/ugryzienia przez kota lub pchłę kocią powstaje zmiana pierwotna – niewielka, niebolesna grudka (0,5–1 cm średnicy), znikająca w ciągu 2–3 tygodni bez pozostawienia blizny. Wynika ona z martwicy tkanki z naciekami leukocytów wielojądrowych, limfocytów i eozynofilów, z wytworzeniem mikroropni. Po 1–3 tygodniach pojawia się powiększenie okolicznych grup węzłów chłonnych. Są one asymetryczne, o wzmożonej spoistości, niebolesne. Do 15% węzłów ulega zropieniu. U części chorych stwierdza się jedynie limfadenopatię, u innych mogą wystąpić gorączka, wymioty, osłabienie, bóle głowy i brak łaknienia. Nacieki mogą pojawić się w wielu narządach wewnętrznych.

W 90% przypadków choroba ma przebieg łagodny. Ustępuje samoistnie po 8–12 tygodniach. Możliwy jest ciężki przebieg pod postacią encefalopatii, ataksji móżdżkowej, zespołów korzonkowych, zapalenia rdzenia kręgowego, porażenia nerwu twarzowego typu Bella czy neuropatii obwodowej, bez odchyleń w płynie m.-r. Opisano zajęcie narządu wzroku – zespół Parinauda, zapalenie siatkówki, błony naczyniowej czy ciałka szklistego. Zdrowienie następuje bez pozostawienia objawów ubytkowych. Inne postacie choroby to ziarniniakowe zapalenie wątroby, rumień guzowaty i zapalenie kości.

U osób z niedoborami immunologicznymi wyróżnia się 4 postacie kliniczne choroby kociego pazura:

- zapalenie opon mózgowo-rdzeniowych i mózgu,
- naczyniakowatość bakteryjna (bacillary angiomatosis) – występują guzki skórne i/lub podskórne, ograniczone stwardnienia i przebarwienia, podobne do mięsaka Kaposiego; proces może zająć narządy wewnętrzne, przebiegać z bólami brzucha, objawami dyspeptycznymi, ubytkiem masy ciała, gorączką i drgawkami,
- pelioza bakteryjna (bacillary peliosis) – odmiana naczyniakowatości układu siateczkowo-śródbłonkowego wątroby, śledziony, węzłów chłonnych brzusznych i szpiku kostnego, z wynaczynieniami krwi do zatok wątrobowych otoczonymi tkanką włóknistą, z wtórnym uszkodzeniem miąższu,
- zapalenie wsierdzia – może rozwinąć się u osób z pierwotnie uszkodzonymi zastawkami serca i czasem prowadzi do sepsy.

Metody diagnostyczne

U osób immunokompetentnych z charakterystycznym obrazem i wywiadem nie jest konieczne potwierdzenie laboratoryjne. W przypadkach wątpliwych oznacza się swoiste przeciwciała (IgM i IgG) metodą immunofluorescencji pośredniej (od 3. tygodnia choroby). Miano diagnostyczne różni się w zależności od testu ($\geqslant 64$ lub > 320), a przy niepewnym wyniku powinno się powtórzyć badanie. Rozpoznanie potwierdza wykrycie swoistych przeciwciał w klasie IgM lub 4-krotny wzrost miana swoistych przeciwciał w klasie IgG.

Badanie tkanek, węzłów chłonnych czy ropy metodą PCR ma dużą czułość i swoistość, ale jest długotrwałe i kosztowne. Podobnie jak hodowla bakterii na podłożach beztlenowych (trwa 2–8 tygodni). W badaniu histopatologicznym węzła chłonnego (barwienie srebrem) stwierdza się hiperplazję ośrodków rozmnażania, martwicę w warstwie korowej węzła, ziarniniaki kwasochłonne, mikroropnie otoczone histiocytami).

Różnicowanie

Zakażenia bakteryjne węzłów chłonnych wtórne do procesów lokalnych (np. próchnica zębów, promienica), gruźlica, toksoplazmoza nabyta, chłoniaki, choroba Hodgkina, sarkoidoza, zespoły mononukleozowe, HIV, zapalenie ślinianki przyusznej, choroby autoimmunizacyjne i zespoły przebiegające z encefalopatią lub z zapaleniem wątroby. Obraz histopatologiczny węzła chłonnego przypomina tularemię, brucelozę, gruźlicę, choroby pasożytnicze i odczyny polekowe.

Leczenie

Nie ma bezwzględnych wskazań do terapii u osób immunokompetentnych, gdy choroba przebiega łagodnie. Leczenie jest zalecane:

- w przewlekłej limfadenopatii ($\geqslant 3$ tygodnie) z wyraźnymi objawami ogólnymi,
- przy nietypowym przebiegu (10–20% przypadków),
- u chorych z obniżoną odpornością,
- w przypadkach zapalenia wsierdzia.

Stosuje się makrolidy (azytromycyna, klarytromycyna, roksytromycyna) oraz ryfampicynę i kotrimoksazol. W nietypowych i ciężkich postaciach podaje się ciprofloksacynę, aminoglikozydy i doksycyklinę.

W naczyniakowatości i peliozie skuteczna jest erytromycyna, a w zapaleniu wsierdzia aminoglikozydy i ceftriakson.

Leczenie typowych postaci powinno trwać 5 dni, a nietypowych co najmniej 14 dni (leczenie szpitalne). Najdłużej (6–16 tygodni) leczy się zapalenia wsierdzia, naczyniakowatość i peliozę.

Powikłaniem choroby kociego pazura jest najczęściej zropienie zapalnego węzła chłonnego, które dotyczy ok 15% przypadków.

W przypadku zropienia węzła chłonnego konieczna jest interwencja chirurgiczna.

Rokowanie

Typowy przebieg (ponad 80% przypadków) kończy się wyzdrowieniem (po 8–20 tygodniach). Także nietypowe postacie u osób immunokompetentnych ustępują bez objawów ubytkowych. U pacjentów z niedoborami odporności choroba kociego pazura może mieć przebieg uogólniony, zagrażający życiu (1–2% śmiertelność, w tym 12% przy zapaleniu wsierdzia z sepsą).

Nie stosuje się metod profilaktycznych w chorobie kociego pazura.

19.9   *Jolanta Popielska*

ZARAŻENIA PASOŻYTNICZE

Zarażenia przewodu pokarmowego to jedne z najczęstszych chorób na świecie. W Polsce zarażenia pasożytnicze występują rzadko i mogą dotyczyć niespełna 10% populacji. Zapobiegają im prawidłowe zachowania higieniczne, poprawa warunków sanitarnych, dokładne mycie warzyw, unikanie surowego i półsurowego mięsa, długie mrożenie/gotowanie mięsa, zakaz nawożenia gleb ludzkimi ekskrementami i opróżniania szamb na pola uprawne oraz odpowiednie warunki hodowli zwierząt domowych.

19.9.1

Owsica (enterobioza)

łac. *oxyuriasis (enterobiosis)*
ang. *oxyuriasis (enterobiasis)*

Definicja

Choroba przewodu pokarmowego wywołana przez owsika ludzkiego.

◣ Epidemiologia

W Polsce owsica występuje u nawet > 10% dzieci w wieku od 5 do 14 lat z dużych skupisk. Człowiek jest jedynym żywicielem.

◣ Etiologia i patogeneza

Zarażenie owsikiem ludzkim (*Enterobius vermicularis*) następuje przez połknięcie jaj inwazyjnych przeniesionych pod paznokciami lub z pościelą, ubraniem, kurzem czy jedzeniem. Owsiki dojrzewają do postaci dorosłej (1 cm) w jelicie grubym. Nocą samice migrują w okolice odbytu i składają jaja, które mogą przetrwać w środowisku do 20 godz.

◣ Obraz kliniczny

Głównym objawem jest nocny świąd okolicy odbytu. W masywnym długotrwałym zarażeniu występuje brak łaknienia, bladość skóry, cienie pod oczami, gorszy rozwój dziecka, nadpobudliwość oraz miejscowy stan zapalny skóry i przeczosy.

◣ Przebieg naturalny

Najczęściej przebieg jest bezobjawowy lub skąpoobjawowy, przewlekły.

◣ Metody diagnostyczne

Trzykrotnie wykonuje się wymaz z odbytu (rano przed myciem). Badanie kału jest nieużyteczne.

◣ Różnicowanie

Owsicę należy różnicować z innymi chorobami przebiegającymi ze świądem odbytu.

◣ Leczenie

Pyrantel (1 × 10–11 mg/kg mc., maks. 1 g), mebendazol (1 × 100 mg) lub albendazol (1 × 400 mg) podaje się osobie zarażonej i wszystkim domownikom. Zaleca się powtórne leczenie po 2–4 tygodniach. Przy stałej ekspozycji (internaty, domy dziecka) możliwe jest regularne leczenie co 3–4 miesiące. Równolegle należy przestrzegać higieny, często zmieniać bieliznę, stosować dietę z ograniczeniem węglowodanów, bogatą w białko i błonnik oraz dbać o codzienne wypróżnienia.

◣ Powikłania

Nadkażenia bakteryjne zmian skórnych, przeczosy. Rzadko: zapalenie wyrostka robaczkowego, narządów rodnych, jamy otrzewnej.

◣ Rokowanie

Dobre. Jest jednak trudna do wyleczenia, a przy braku higieny jest chorobą przewlekłą.

19.9.2

Glistnica

łac. *ascaridosis*

ang. ascariasis

◣ Definicja

Choroba przewodu pokarmowego wywołana przez glistę ludzką.

◣ Epidemiologia

Najczęstsza parazytoza przewodu pokarmowego na świecie. W Polsce występuje z częstością < 1% populacji.

◣ Etiologia i patogeneza

Zarażenie glistą ludzką (*Ascaris lumbricoides*) następuje przez połknięcie dojrzałego jaja, zawierającego larwę. Larwy migrują przez układ wrotny, płuca, drogi oddechowe, gardło i żołądek do jelita cienkiego, w którym dojrzewają (postać dorosła ma długość do 35 cm), składają jaja i wydzielają toksyny. Jaja wydalane z kałem przez 3–4 tygodnie dojrzewają do stadium zakaźnego w glebie.

◣ Obraz kliniczny

Objawy są związane z aktualnym miejscem pobytu glisty. Objawy płucne (nasilenie nocą, ustępują samoistnie) to kaszel, czasem z odpluwaniem podbarwionej krwią wydzieliny i/lub z wymiotami, nasilenie alergii, złe samopoczucie i gorączka. Objawy z przewodu pokarmowego stanowią bóle brzucha, wzdęcia, mdłości, wymioty, brak łaknienia i biegunka tłuszczowa/zaparcia. Objawami toksemii są apatia/ /nadmierne pobudzenie, zaburzenia snu i objawy alergiczne. Długo trwające zarażenie może prowadzić do zahamowania rozwoju psychofizycznego.

◣ Przebieg naturalny

Objawy płucne ustępują samoistnie po ok. 2 tygodniach. Objawy ze strony przewodu pokarmowego i toksemii o różnym nasileniu mogą utrzymywać się przez cały okres obecności glisty w przewodzie pokarmowym (ok. 2 lata).

◣ Metody diagnostyczne

W diagnostyce stosuje się badanie parazytologiczne kału na obecność jaj (możliwość pomyłki z elementami roślinnymi, cząstkami pokarmowymi, skrobią). Metody serologiczne mają małe znaczenie. Rozpoznanie potwierdza natomiast znalezienie w kale wydalonej dorosłej postaci (zweryfikowanej parazytologicznie). Pomocne jest stwierdzenie niewielkiej leukocytozy i eozynofilii. W RTG klatki piersiowej widoczne są niekiedy nacieki Löefflera.

Różnicowanie

Objawy płucne należy różnicować z zapaleniem płuc, oskrzeli, rzadziej astmy oskrzelowej. Objawy z przewodu pokarmowego powinny być różnicowane z innymi chorobami o etiologii bakteryjnej, wirusowej i pasożytniczej, z organicznymi chorobami przewodu pokarmowego (np. alergią na białko mleka krowiego, celiakią, chorobami wątroby, kamicą pęcherzyka żółciowego, chorobą wrzodową żołądka i dwunastnicy) oraz bólami brzucha na tle psychogennym.

Leczenie

Leczenie albendazolem (> 2 rż. 1 × 400 mg *p.o.*), mebendazolem (100 mg/12 h przez 3 dni) lub pyrantelem (1 × 10 mg/kg mc. maks. 750 mg) stosuje się wyłącznie u osób z potwierdzonym rozpoznaniem. Nasilone objawy płucne i/lub alergiczne wymagają podania steroidów. W czasie kuracji należy przestrzegać diety ubogiej w węglowodany, a bogatej w białko.

Powikłania

Występują przede wszystkim w masywnej glistnicy (niespotykanej w Polsce). Są to: niedrożność jelit, przewodów żółciowych, dróg oddechowych, zapalenie wyrostka robaczkowego lub otrzewnej.

Rokowanie

Pomyślne. Leczenie ma 100% skuteczności. W przypadku masywnej glistnicy (głównie imigranci z krajów tropikalnych) rokowanie jest niepewne – jest ona stanem potencjalnie zagrażającym życiu.

19.9.3

Tasiemczyce

łac. *taeniases*

ang. tapeworm infections

Definicja

Choroby ludzi i zwierząt wywołane przez tasiemce (ryc. 19.26), które do pełnego rozwoju wymagają 2 żywicieli – pośredniego i ostatecznego. Człowiek jest żywicielem ostatecznym dla tasiemca nieuzbrojonego (*Taenia saginata*), uzbrojonego (*T. solium*) i karłowatego (*Hymenolepis nana*) oraz bruzdogłowca szerokiego (*Diphyllobothrium latum*). Może być też żywicielem przypadkowym tasiemca psiego (*Dipylidium caninum*) i szczurzego (*Hymenolepis diminuta*). Bywa również żywicielem pośrednim *T. solium* (wą-

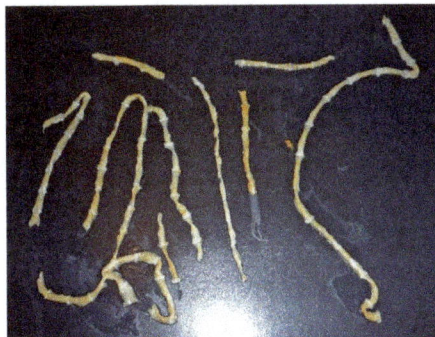

Rycina 19.26. Tasiemce.

grzyca) lub tasiemców bąblowcowych (patrz rozdz. 19.9.5 „Bąblowica").

Epidemiologia

Tasiemczyce przewodu pokarmowego występują na całym świecie. W Polsce z częstością < 1% populacji.

Etiologia i patogeneza

Człowiek zaraża się, spożywając surowe lub niedogotowane mięso zawierające wągry. Przytwierdzony za pomocą przyssawek/haczyków do błony śluzowej jelita tasiemiec rośnie do postaci dorosłej (2–20 m).

Obraz kliniczny

Objawami są bóle brzucha, nudności, biegunka lub zaparcia, zaburzenia łaknienia (zwiększenie lub upośledzenie) i chudnięcie. Rzadziej występują osłabienie, wymioty, zaburzenia snu, pokrzywki, objawy ze strony OUN czy niedokrwistość.

Przebieg naturalny

Początkowo przebieg jest bezobjawowy. Objawy mogą narastać stopniowo w ciągu kilku pierwszych miesięcy od zarażenia i w różnym nasileniu utrzymywać się latami.

Metody diagnostyczne

W diagnostyce tasiemczyc wykonuje się 3-krotne badanie parazytologiczne kału, a potem weryfikację parazytologiczną wydalonych członów. Pomocne jest stwierdzenie niewielkiej eozynofilii.

Różnicowanie

Inne choroby przewodu pokarmowego o etiologii bakteryjnej, wirusowej i pasożytniczej, organiczne choroby przewodu pokarmowego (np. alergia na białko mleka krowiego, celiakia, choroby wątroby, kamica pęcherzyka żółciowego, choroba wrzodowa żołądka i dwunastnicy) oraz bóle brzucha na tle psychogennym.

Leczenie

Tasiemczyce leczy się niklozamidem lub prazykwantelem u osób z potwierdzonym rozpoznaniem. Terapię uznaje się za skuteczną, gdy od 4. miesiąca po leczeniu nie stwierdza się wydalania członów.

Powikłania

Zapalenie wyrostka robaczkowego, zapalenie dróg żółciowych, wyniszczenie, niedokrwistość, wągrzyca (inwazja *T. solium*).

Rokowanie

W większości przypadków jest dobre, w zarażeniu pokarmowym *T. solium* ostrożne, ponieważ zwiększa ryzyko wystąpienia wągrzycy.

19.9.4

Wągrzyca

łac. *cysticercosis*

ang. cysticercosis

Epidemiologia

Wągrzyca, podobnie jak zarażenie tasiemcem uzbrojonym występuje na całym świecie. W Polsce w ostatnich latach rozpoznano pojedyncze przypadki.

Etiologia i patogeneza

Człowiek zaraża się, spożywając pokarm zanieczyszczony jajami lub członami macicznymi wydalonymi przez ludzi zarażonych *T. solium*. Uwolnione w przewodzie pokarmowym larwy migrują do narządów, gdzie osiągają postać wągrów.

Obraz kliniczny

Objawy wągrzycy zależą od liczby i lokalizacji wągrów. Najczęściej zajmuje ośrodkowy układ nerwowy, gałkę oczną i mięśnie (w tym mięsień serca).

Przebieg naturalny

Początkowo choroba przebiega bezobjawowo. Objawy narastają stopniowo w ciągu kilku – kilkunastu lat, co jest związane ze wzrostem wągrów lub martwicą pasożyta. Prowadzi to do uszkodzenia narządów i ich funkcji.

Metody diagnostyczne

Badania serologiczne (ELISA, immunoblot) we krwi oraz w płynie mózgowo-rdzeniowym i kale, badanie histopatologiczne bioptatu, a także badania obrazowe, np. TK (wykazanie cyst, zwapnień).

Różnicowanie

W zależności od lokalizacji wągrzyca wymaga różnicowania z patologią poszczególnych narządów, np. zmiany w OUN m.in. z zapaleniem opon mózgowo-rdzeniowych, zapaleniem mózgu, gruźlicą, toksoplazmozą, sarkoidozą, zapaleniem naczyń, guzem, ropniem, udarem.

Leczenie

Terapię u pacjentów z wągrzycą dobiera się indywidualnie, w zależności od postaci choroby. Często jest to leczenie skojarzone przyczynowe (albendazolem lub prazykwantelem) ze steroidami lub zabiegiem chirurgicznym.

Powikłania

W zależności od lokalizacji wągrzycy, np. przy zajęciu OUN – wodogłowie, padaczka, przy zajęciu gałki ocznej – ślepota.

Rokowanie

Poważne, może dojść do uszkodzenia ważnych dla życia i prawidłowego funkcjonowania człowieka narządów.

19.9.5

Bąblowica

łac. *hydatidosis*

ang. hydatidosis

Definicja

Choroba tkanek spowodowana inwazją postaci larwalnej tasiemca bąblowcowego.

Epidemiologia

Występuje na całym świecie, w Polsce z częstością < 1% populacji. Postać policystyczną spotyka się tylko w Ameryce Środkowej i Południowej.

Etiologia i patogeneza

Żywicielami ostatecznymi tasiemców są pies, wilk, lis, szakal itp., a pośrednimi owce, kozy, bydło, konie, świnie, osły, króliki, zające, żyrafy, sporadycznie człowiek. Zarażenie larwalną postacią tasiemców bąblowcowych następuje przez spożycie pokarmu zanieczyszczonego jajami inwazyjnymi (np. poziomki, jagody leśne) i powoduje bąblowicę jednokomorową (*Echinococcus granulosus*), wielokomorową (*E. multilocularis*) i policystyczną (*E. vogeli, E. oligarthrus*). Larwy migrują do narządów wewnętrznych (głównie wątroby) i przekształcają się w stale wolno rosnące stadium typu bąblowiec (torbiel).

Obraz kliniczny

Objawy zależą od lokalizacji, wielkości i liczby pęcherzy oraz rodzaju bąblowicy. Zmiany zlokalizowane są najczęściej w wątrobie, rzadziej w mózgu, gałce ocznej lub w płucach.

Przebieg naturalny

Początkowo choroba przebiega bezobjawowo. Po kilku – kilkudziesięciu latach wywołuje objawy wolno rosnącego guza lub nacieku nowotworowego.

Metody diagnostyczne

W diagnostyce wykorzystuje się badania obrazowe i odczyny serologiczne. Badanie materiału pooperacyjnego potwierdza rozpoznanie.

Różnicowanie

W zależności od lokalizacji bąblowica wymaga różnicowania z patologią poszczególnych narządów, np. zmiany w wątrobie m.in. z bakteryjnymi ropniami wątroby, marskością, nowotworami i przerzutami nowotworowymi czy zapaleniem dróg żółciowych.

Leczenie

Leczenie zależy od umiejscowienia, wielkości i liczby pęcherzy. Stosuje się zabieg chirurgiczny, terapeutyczne nakłucie torbieli, chemioterapię (albendazol, mebendazol) lub obserwację bez interwencji.

Powikłania

Wtórne nadkażenia bakteryjne, stan zapalny zajętych organów, bąblowica wtórna (skutek pęknięcia ścian pęcherza), uogólnienie się procesu chorobowego, wstrząs anafilaktyczny.

Rokowanie

W przypadku bąblowicy jednojamowej wątroby jest dobre (możliwe samoistne wchłonięcie), w lokalizacji pozawątrobowej i wielokomorowej bywa niepewne lub poważne.

19.9.6

Giardioza (lamblioza)

łac. *giardiosis* (*lambliosis*)

ang. giardiasis (lambliasis)

Definicja

Choroba przewodu pokarmowego wywołana zarażeniem pierwotniakiem *Giardia lamblia* (inaczej *G. intestinalis* lub *Lamblia intestinalis*).

Epidemiologia

Występuje na całym świecie, w Polsce z częstością 1–10% populacji. Człowiek jest jedynym żywicielem.

Etiologia i patogeneza

Zarażenie pierwotniakiem następuje przez połknięcie cysty. W jelicie i drogach żółciowych zachodzi okresowa zmiana postaci z przetrwalnikowych cyst w wegetatywne trofozoity.

Obraz kliniczny

Najczęściej przebiega bezobjawowo. Objawy to bóle brzucha, biegunka (tłuszczowa, fermentacyjna), objawy alergiczne i toksyczne, rzadziej niedokrwistość czy żółtaczka. Najciężej chorują osoby z obniżeniem odporności (głównie z niedoborem IgA).

Przebieg naturalny

U nieleczonych choroba zazwyczaj zanika samoistnie po kilku tygodniach lub miesiącach. Rzadko (zwłaszcza u osób z niedoborami odporności) może utrzymywać się latami.

Metody diagnostyczne

W diagnostyce stosuje się badania parazytologiczne kału i testy serologiczne, a w sytuacjach wątpliwych badanie parazytologiczne treści dwunastniczej, gastroduodenoskopię lub badanie wycinka błony śluzowej jelita. Pomocne jest stwierdzenie niewielkiej eozynofilii.

Różnicowanie

Lambliozę należy różnicować z innymi chorobami o etiologii bakteryjnej, wirusowej i pasożytniczej, z organicznymi chorobami przewodu pokarmowego (np. alergią na białko mleka krowiego, celiakią, chorobami wątroby, kamicą pęcherzyka żółciowego, chorobą wrzodową żołądka i dwunastnicy) oraz bólami brzucha na tle psychogennym.

Leczenie

Leczenie metronidazolem (15 mg/kg mc. w 3 dawkach przez 5–7 dni), tinidazolem (1 × 50 mg/kg mc., maks. 2 g), furazolidonem (6 mg/kg mc./24 h w 4 dawkach przez 7–10 dni), albendazolem (400 mg przez 5 dni) lub chlorochiną (300 mg w 3 dawkach przez 7 dni) prowadzi się u osób z potwierdzonym mikrobiologicznie lub serologicznie zarażeniem niezależnie od obecności objawów.

Powikłania

Powikłaniami lambliozy mogą być: wyniszczenie organizmu (znaczny ubytek masy ciała, niedobory składników odżywczych i witamin – głównie rozpuszczalnych w tłuszczach), nieprawidłowy rozwój dziecka, pogorszenie postępów w nauce, niedokrwistość (awitaminozy B_{12} i kwasu foliowego), żółtaczka, nietolerancja laktozy.

Rokowanie

Zwykle dobre. Przy niedoborach odporności może dochodzić do wyniszczenia.

19.9.7

Toksokaroza

łac. *toxocarosis*

ang. toxocariasis

Definicja

Choroba tkanek spowodowana inwazją postaci larwalnych glisty psiej lub kociej.

Epidemiologia

Występuje na całym świecie. W Polsce rozpoznaje się kilkaset przypadków toksokarozy rocznie.

Etiologia i patogeneza

Człowiek (żywiciel przypadkowy) zaraża się *Toxocara canis* lub *T. cati*, połykając jaja inwazyjne. Żywicielem ostatecznym tych nicieni są psy i koty. Uwolnione w dwunastnicy larwy migrują drogą krwi do różnych narządów, w których tworzą się ziarniniaki. Larwy nie dojrzewają i nie zostają wydalone z kałem.

Obraz kliniczny

Objawami wczesnymi są osłabienie, bóle brzucha, głowy, oczu i kończyn, zmniejszone łaknienie, mdłości, wysypki skórne, kaszel, obrzęki kończyn, nasilenie alergii, limfadenopatia, powiększenie wątroby i śledziony, stany podgorączkowe, nadpobudliwość i drgawki. Późne objawy to jednostronne zmiany w narządzie wzroku, obniżenie ostrości wzroku, zez, ślepota. Na dnie oka stwierdza się proliferacje, ziarniniaki pozapalne, zapalenie błony naczyniowej, odwarstwienie siatkówki i wtórną zaćmę.

Przebieg naturalny

Choroba może rozpocząć się nagle, z nasilonymi objawami ogólnymi lub jej przebieg może być skąpo- lub bezobjawowy. Objawy te ustępują w ciągu kilku – kilkunastu miesięcy. Kilka lat po infestacji pasożytniczej mogą wystąpić zmiany oczne. Po około 10 latach (w czasie obumierania larw) może nasilić się odczyn alergiczno-zapalny.

Metody diagnostyczne

W diagnostyce stosuje się test ELISA IgG i Western--blot z antygenem *Toxocara spp.* Pomocne w rozpoznaniu jest stwierdzenie leukocytozy, eozynofilii, wzrostu aktywności aminotransferaz i dysproteinemii.

Różnicowanie

Ostra pełnoobjawowa toksokaroza wymaga różnicowania m.in. z posocznicą, białaczką, chłoniakiem, zapaleniem naczyń, alergią, nadwrażliwością na leki i z zespołem eozynofilii idiopatycznej.

Poszczególne objawy toksokarozy (w postaci niepełnoobjawowej) wymagają różnicowania z jednostkami chorobowymi, w których te symptomy występują.

Postać oczna wymaga różnicowania m.in. z toksoplazmozą, cytomegalią, nowotworami gałki ocznej czy zmianami zwyrodnieniowymi.

Leczenie

W leczeniu stosuje się albendazol (15 mg/kg mc. w 2 dawkach, maks. 2 × 200 mg przez 7 dni), dietylkarbamazynę (6 mg/kg mc. w 2 dawkach, przez 21 dni) i tiabendazol (50 mg/kg mc. w 2 dawkach przez 7 dni), przy zmianach ocznych steroidy, fotokoagulację i kriopresję, a w hipereozynofilii, w ciężkich postaciach toksokarozy i w przypadku zmian ocznych dodatkowo steroidy.

Powikłania

Powikłaniem postaci mózgowej może być padaczka, postaci ocznej – niedowidzenie lub jednooczna ślepota.

Rokowanie

W postaci trzewnej jest dobre. Uszkodzenie wzroku jest trwałe. U każdego pacjenta obowiązuje regularne badanie dna oczu przez 10 lat.

19.9.8

Toksoplazmoza

łac. *toxoplasmosis*

ang. toxoplasmosis

Definicja

Choroba tkanek wywołana przez pierwotniaka *Toxoplasma gondii*.

Epidemiologia

Występuje na całym świecie. Około 60% społeczeństwa polskiego to osoby seropozytywne. Rocznie odnotowuje się kilkaset nowych rozpoznań.

Etiologia i patogeneza

Żywicielem ostatecznym pierwotniaka jest kot. Człowiek (żywiciel pośredni) zaraża się, spożywając półsurowe lub surowe mięso zawierające oocysty (30--63% przypadków) bądź żywność lub wodę zanieczyszczoną kocimi odchodami, czasem także przez przetoczenie krwi, w laboratorium czy przezłożyskowo. Okresowo może dochodzić do reaktywacji infekcji.

Obraz kliniczny

Wyróżnia się toksoplazmozę nabytą i wrodzoną. Toksoplazmoza nabyta u ludzi immunokompetentnych w 80–90% przypadków nie wywołuje żadnych objawów. W sytuacji ich wystąpienia najczęściej stwierdza się miejscową limfadenopatię, rzadziej zespół mononukleozopodobny, zajęcie OUN czy zmiany oczne. Toksoplazmoza nabyta u osób z immunosupresją charakteryzuje się wspomnianymi zaburzeniami z ogniskowymi lub rozsianymi zmianami narządowymi (OUN, serce, płuca, wątroba, siatkówka).

Toksoplazmozę wrodzoną opisano wcześniej (patrz str. 238).

Przebieg naturalny

Toksoplazmoza nabyta u ludzi immunokompetentnych w większości przypadków ma przebieg bezobjawowy, samoograniczający się. Dodatnie odczyny serologiczne utrzymują się do końca życia. Toksoplazmoza nabyta u osób z immunosupresją przebiega najczęściej jako reaktywacja zarażenia lub rzadziej infekcja pierwotna, prowadząc do rozwoju poważnej choroby. Nieleczona zwykle kończy się trwałym uszkodzeniem ważnych dla życia narządów lub zgonem.

Metody diagnostyczne

W diagnostyce stosuje się badania serologiczne, test Western-Blot, awidność, metody molekularne (PCR), badanie krążących antygenów i badanie histopatologiczne węzłów.

Różnicowanie

Nabyta toksoplazmoza wymaga różnicowania z innymi chorobami przebiegającymi z powiększeniem węzłów chłonnych, zakażeniem EBV, CMV, ostrą chorobą retrowirusową. U osób z niedoborami odporności różnicowanie powinno obejmować zakażenia bakteryjne, wirusowe, pasożytnicze i wywołane przez patogeny atypowe.

Leczenie

Toksoplazmoza nabyta z reguły nie wymaga terapii. Leczyć należy osoby z postacią wielonarządową, immunosupresją, czynnym zapaleniem siatkówki i naczyniówki, ciężarne oraz dzieci z zarażeniem wrodzonym. Stosuje się spiramycynę i pirymetaminę z sulfametoksazolem. W przypadku aktywnego zapalenia siatkówki, zarażenia uogólnionego oraz neurotoksoplazmozy z wysokim stężeniem białka w płynie mózgowo-rdzeniowym należy dołączyć leczenie wspomagające steroidami.

Powikłania

W toksoplazmozie wrodzonej: wodogłowie, uszkodzenie funkcji psychomotorycznych dziecka, upośledzenie widzenia, ślepota.

W toksoplazmozie nabytej u osób immunokompetentnych: bardzo rzadkie – trwałe ubytki neurologiczne, upośledzenie widzenia, zapalenie węzłów chłonnych.

W toksoplazmozie nabytej u osób z niedoborem odporności: trwałe uszkodzenie OUN, niewydolność wielonarządowa, zgon.

Rokowanie

W postaci nabytej u osób immunokompetentnych jest dobre, a u osób z niedoborami odporności i w postaci wrodzonej niepewne.

19.9.9

Świerzb

łac. *scabies*

ang. scabies

Definicja

Choroba skóry wywołana przez świerzbowca ludzkiego.

Epidemiologia

Zachorowania występują na całym świecie. W Polsce rejestruje się kilkanaście tysięcy przypadków rocznie.

Etiologia i patogeneza

Zarażenie świerzbowcem ludzkim (*Sarcoptes scabiei*) następuje przez bezpośredni kontakt z chorym i przedmiotami. Wszystkie stadia rozwojowe roztoczy drążą korytarze w skórze, w której samice składają jaja.

Obraz kliniczny

Objawami są różowe grudki, pęcherzyki (średnicy 1–2 mm), obrzęk, świąd, w skórze widoczne są szaro-czarne korytarze z szarym lub białym punkcikiem na końcu (świerzbowiec) i nadkażenia bakteryjne. Zmiany umiejscowione są najczęściej między palcami rąk, w okolicach nadgarstków, dołów pachowych, kostek, pośladków, pępka, pasa, piersi, pachwin i narządów płciowych.

Nietypowy przebieg występuje u niemowląt (krosty, pęcherzyki, pęcherze, grudki, brak widocznych korytarzy) oraz osób z obniżoną odpornością, wyniszczonych i z chorobami psychicznymi (świerzb norweski – nasilony z dużymi nawarstwieniami hiperkeratotycznymi).

Przebieg naturalny

Objawy występują w czasie od kilku dni do 4 tygodni po zarażeniu. Nieleczony świerzb jest chorobą przewlekłą, a objawy o różnym nasileniu mogą utrzymywać się latami.

Metody diagnostyczne

Zmiany skórne i swędząca osutka u domowników sugerują rozpoznanie, a badanie parazytologiczne świerzbowca lub zeskrobin skórnych je potwierdza.

Różnicowanie

Zmiany grudkowo-pęcherzykowe należy różnicować z: pokrzywką, ospą wietrzną, wysypkami wirusowymi, polekowymi, opryszczkowym zapaleniem skóry, zapaleniem mieszków włosowych. Zmiany wypryskowe z: atopowym zapaleniem skóry, łojotokowym zapaleniem skóry; pęcherzowe (zwłaszcza u niemowląt) – z pęcherzycą; grudkowe – z pokrzywką.

Leczenie

Trzydniowe leczenie, po gorącej kąpieli, 10% benzoesanem benzylu, maścią siarkową, maścią Wilkinsona lub krotamitonem stosuje się równolegle u zarażonego i wszystkich domowników. Konieczne jest przestrzeganie higieny, częsta zmiana bielizny i pościeli, codzienna kąpiel. Jeśli po leczeniu objawy utrzymują się ponad 2 tygodnie, terapię należy powtórzyć.

Powikłania

Nieleczony, długo trwający świerzb może prowadzić do powstania niesztowicy, zapalenia mieszków włosowych, czyraczności, zapalenia tkanki łącznej, węzłów chłonnych i różnego typu reakcji psychicznych. Konsekwencją nadkażenia paciorkowcami może być kłębuszkowe zapalenie nerek.

Rokowanie

Dobre.

19.10
Magdalena Marczyńska
PROFILAKTYKA CHORÓB ZAKAŹNYCH

Profilaktyka chorób zakaźnych to działania wchodzące w zakres promocji zdrowia mające na celu niedopuszczenie do zachorowania bądź zmniejszenie skutków choroby. Polega ona na działaniach nieswoistych i swoistych. Może być czynna (szczepienie) lub bierna (stosowanie immunoglobulin). Zapobiega zachorowaniu zanim dojdzie do kontaktu z chorym oraz jest stosowane po ekspozycji na patogen. W trak-

cie chorób zakaźnych osoby chore powinny być izolowane, by nie kontaktowały się z populacją wrażliwą na zakażenie (tab. 19.8).

Nieswoiste działania zapobiegające chorobom zakaźnym to:

- edukacja i przestrzeganie właściwej higieny,
- poprawa warunków sanitarnych,
- unikanie kontaktu z osobami chorymi,
- dokładne mycie warzyw spożywanych na surowo,
- unikanie spożywania surowego, niepoddanego obróbce termicznej mięsa,
- właściwe przechowywanie żywności,
- niespożywanie nieprawidłowo przechowywanych produktów mlecznych w celu uniknięcia zatruć pokarmowych,
- niespożywanie surowych jaj w ramach zapobiegania salmonellozie,
- zakaz nawożenia gleb ludzkimi ekskrementami i opróżniania szamb na pola uprawne.

Działania swoiste to np. kontrola mięsa zapobiegająca włośnicy czy odpowiednie mrożenie i długie gotowanie mięsa w celu zapobiegania chorobom pasożytniczym.

19.10.1
Zapobieganie zakażeniom wrodzonym

Zakażeniu odmatczynemu HBV, VZV, HPV, wirusem różyczki i *Bordetella pertussis* można zapobiec poprzez szczepienie kobiet planujących ciążę, które nie chorowały na te choroby i nie zostały zaszczepione wcześniej.

W profilaktyce krztuśca u noworodka i niemowlęcia (przed zaszczepieniem dziecka) należy pamiętać, że zakażenie naturalne i szczepienie nie chronią na całe życie. Dlatego obydwoje rodzice powinni otrzymać dawkę przypominającą szczepionki przeciw krztuścowi, najlepiej przed planowaną ciążą lub wkrótce po urodzeniu dziecka.

Ciężarnej kobiecie, która w przeszłości nie przebyła różyczki ani nie była zaszczepiona, po kontakcie z różyczką należy sprawdzić miano przeciwciał IgG, a gdy się ich nie stwierdza, podać gammaglobulinę.

Metodą zmniejszającą ryzyko transmisji HPV i HSV w sytuacji stwierdzenia zmian na narządach płciowych ciężarnej jest ukończenie ciąży cięciem cesarskim.

Tabela 19.8. Okresy wylęgania i zakaźności chorób zakaźnych wieku dziecięcego

NAZWA CHOROBY	OKRES WYLĘGANIA	OKRES ZAKAŹNOŚCI
Ospa wietrzna	10–21 dni	48 godzin przed pojawieniem się wysypki, do przyschnięcia wszystkich wykwitów (6–7 dni)
Mononukleoza zakaźna	30–50 dni	Okresowo przez całe życie
Trzydniówka	5–15 dni	Nieokreślony
Odra	9–11 dni	5 dni przed wystąpieniem wysypki i 3 dni po jej pojawieniu się
Różyczka	14–21 dni	7 dni przed wystąpieniem wysypki i do 7 dni po jej pojawieniu się
Rumień zakaźny	4–14 dni	Pacjent z rumieniem zakaźnym nie zakaża, w kryzie aplastycznej 4–14 dni
Grypa	18–72 godziny	1 dzień przed wystąpieniem objawów i przez 5–10 pierwszych dni ich trwania (u dzieci nawet do 21 dni)
Poliomyelitis	4–35 dni	Drogą kropelkową – 2–4 dni, z kałem 2–3 tygodnie
Choroba rąk, stóp i ust	3–6 dni	Do kilku tygodni po ustąpieniu objawów
WZW A	14–42 dni	14–21 dni przed wystąpieniem żółtaczki i 5–7 dni po jej ujawnieniu się
WZW B	42–180 dni	Cały okres replikacji wirusa
WZW C	15–150 dni	Cały okres replikacji wirusa
Szkarlatyna	1–7 dni	Okres obecności paciorkowców w gardle
Angina	2–5 dni	Okres obecności paciorkowców w gardle
Krztusiec	7–21 dni	Okres nieżytowy i do 3 tygodni od początku napadowego kaszlu
Borelioza	1–8 tygodni	Chory nie zakaża
Jersinioza	1–14 dni	14–97 dni

W zapobieganiu zarażeniu płodu toksoplazmozą w przypadku rozpoznania pierwotnej infekcji u ciężarnej należy skierować ją do poradni specjalistycznej (leczenie przez całą ciążę). Konieczne są również badania u dziecka.

U kobiet zakażonych HBV i HCV, jeśli mają wysoką wiremię, powinno się zastosować leczenie przyczynowe. W WZW B leczenie lamiwudyną w czasie ciąży jest w fazie badań klinicznych i dotychczas nie jest zalecane. Noworodek matki z przewlekłym zakażeniem HBV powinien w 1. dż. otrzymać szczepionkę i swoistą immunoglobulinę. Kobiety z przewlekłym zakażeniem HCV należy leczyć przeciwwirusowo, ale terapię należy zakończyć na 6 miesięcy przed planowaną ciążą. Profilaktyka wertykalnego zakażenia HIV została opisana wcześniej (patrz str. 1017).

19.10.2
Profilaktyka bierna

W niektórych chorobach i w określonych grupach pacjentów istnieją wskazania do podania po kontakcie z chorym przeciwciał (immunoglobulin) swoistych (z wysokim mianem przeciwciał przeciw określonemu patogenowi) lub nieswoistych (gammaglobulin).

Po kontakcie z **ospą wietrzną** immunoglobulinę swoistą (varicella zoster immunoglobulin, VZIG) należy podać:

■ noworodkowi matki, która zachorowała na ospę wietrzną od 5 dni przed porodem do 48 godzin po porodzie (noworodki te zagrożone są ciężkim przebiegiem i zgonem z powodu ospy wietrznej, nie produkują własnych przeciwciał i nie mogły otrzymać matczynych),

■ wcześniakom urodzonym > 28. tc., których matki nie chorowały na ospę i nie były przeciw niej szczepione,

■ wcześniakom urodzonym < 28. tc. lub z masą urodzeniową < 1000 g niezależnie od wywiadu u matki,

■ dzieciom z głęboką immunosupresją (choroby rozrostowe krwi, przeszczep szpiku, steroidy stosowane przez minimum 2 tygodnie w dawce 2 mg/kg mc., AIDS),

■ kobietom ciężarnym, które nie chorowały i nie były szczepione przeciwko VZV, ze względu na ryzyko ciężkiego przebiegu ospy wietrznej, z zapaleniem płuc i zgonem.

Po kontakcie z **odrą** osoby z niedoborami odporności, niemowlęta i kobiety ciężarne powinny otrzymać do 6 dni po ekspozycji nieswoistą gammaglobulinę (0,25 ml/kg mc. *i.m.*). Dzieci immunokompetentne, nieszczepione lub zaszczepione niekompletnie (1 dawką) należy jak najszybciej (najlepiej do 72 godz.) po kontakcie z chorym zaszczepić.

Po kontakcie z chorym na **wirusowe zapalenie wątroby typu A**, jeśli był on w okresie zakaźności (do 7 dni od wystąpienia żółtaczki), można podać nieswoistą immunoglobulinę (0,02–0,03 ml/kg mc.) Zaleca się też poekspozycyjne szczepienie przeciwko WZW A, które daje trwałą odporność.

W przypadku wysokiego ryzyka po narażeniu na **tężec** szczepi się i podaje się swoistą immunoglobulinę (250–500 IU). Dzieci szczepione zgodnie z programem szczepień ochronnych poza opracowaniem chirurgicznym rany z reguły nie wymagają profilaktyki czynno-biernej, tzn. gdy od ostatniego szczepienia upłynęło ponad 5 lat podaje się przypominającą dawkę szczepionki. Immunoglobulinę należy podać w sytuacji wysokiego ryzyka zakażenia tężcem (rana głęboka, zanieczyszczona lub późno opracowana). Jeśli dziecko nie było szczepione lub upłynęło ponad 10 lat od ostatniego szczepienia należy podać pełne szczepienie (3 dawki) i immunoglobulinę. W sytuacji porodu w warunkach antysanitarnych i braku uodpornienia matki przeciw tężcowi noworodkowi należy podać swoistą immunoglobulinę 10 IU/kg mc.

Profilaktyka bierna (łącznie ze szczepieniem) stosowana jest także po ekspozycji wysokiego ryzyka na wściekliznę. Omówienie choroby przekracza ramy rozdziału, opisane jest w literaturze specjalistycznej.

Rzadko istnieją wskazania do podania antytoksyny jadu żmij czy botulinowej. Preparaty immunoglobulin są stosowane także terapeutycznie.

Profilaktykę czynną omówiono w rozdz. 20 „Choroby układu odpornościowego i szczepienia ochronne".

19.10.3
Chemioprofilaktyka pierwotna

Przed wyjazdem na tereny endemicznego występowania **malarii** należy skonsultować się ze specjalistą. Istotny element zapobiegania zachorowaniu stanowi stosowanie repelentów (zawierających DEET) i moskitier, chroniących przed ukłuciami owadów. Leki wykorzystywane w profilaktyce zalecane są w zależności od rejonu wyjazdu i wiedzy na temat lekooporności. Podaje się prokwanil (sam lub w połączeniu z atowakwonem), chlorochinę i meflokinę. O wyborze leku i dawce decyduje lekarz.

Chemioprofilaktyka pierwotna, poza malarią, dotyczy wyłącznie pacjentów z obniżoną odpornością (dzieci z chorobami rozrostowymi krwi i z HIV). Najczęściej zapobiega się **pneumocytozie**. Stosowany jest kotrimoksazol przez 3 kolejne dni tygodnia w dawce 150 mg trimetoprimu/m^2 pc./24 h. Znacznie rzadziej stosuje się profilaktykę pierwotną innych **grzybic**, np. u pacjentów po przeszczepie szpiku, z neutropenią czy z AIDS.

19.10.4
Chemioprofilaktyka poekspozycyjna

Ściśle określone zalecenia dotyczą inwazyjnej choroby meningokokowej oraz o etiologii *Haemophilus influenzae.*

W sytuacji stwierdzenia zakażenia inwazyjnego *Neisseria meningitidis* – osobom z bliskiego kontaktu najlepiej w ciągu 24 godzin, ale do 2 tygodni od wystąpienia zachorowania, należy podać chemioprofilaktykę. Jest ona zalecana domownikom i osobom śpiącym w jednym pokoju z chorym w ciągu 7 dni poprzedzających zachorowanie. Należy rozważyć rozpoczęcie szczepienia u dzieci niezaszczepionych. Dzieci z zakażeniem potwierdzonym bakteriologicznie (także nieinwazyjnym) powinny być leczone antybiotykiem w celu eliminacji nosicielstwa w nosogardzieli.

W chemioprofilaktyce inwazyjnej choroby meningokokowej u dzieci stosuje się rifampicynę przez 2 dni (< 1. mż. 5 mg/kg mc./12 h; u starszych 10 mg/kg mc./12 h) albo ceftriakson jednorazowo (125 mg *i.m.* do ukończenia 15 lat i 250 mg *i.m.* > 15 lat).

Chemioprofilaktyka po kontakcie z chorym z inwazyjnym zakażeniem *H. influenzae* jest zalecana osobom z niedoborami odporności i u nieszczepionych dzieci < 4. rż. Stosuje się rifampicynę.

Istnieją także zalecenia chemioprofilaktyki **u dzieci z bezpośredniego kontaktu z chorym na krztusiec.** Podaje się makrolid – erytromycynę 40–50 mg/kg mc. w 2–4 dawkach podzielonych (maks. 2 g) przez 14 dni lub klarytromycynę 15 mg/kg mc. w 2 dawkach podzielonych przez 7 dni.

Dzieciom z chorobami rozrostowymi krwi od 8 dnia po kontakcie z **ospą wietrzną** przez 7–10 dni podaje się doustnie acylowir (do 3 lat 4 × 200 mg, od 4. do 7. roku życia 4 × 400 mg, od 8. do 14. roku życia 4 × 800 mg i powyżej 15. roku życia 5 × 800 mg).

Piśmiennictwo

1. American Academy of Pediatrics, red. L.K. Pickering: *Red book, 2009 report of the Committee on Infectious Diseases 28ed.* American Academy of Pediatrics, Elk Grove Village 2009.
2. Cianciara J., Juszczyk J.: *Choroby zakaźne i pasożytnicze.* Czelej, Lublin 2007.
3. Cohen B.A.: *Dermatologia pediatryczna.* Urban & Partner, Wrocław 2006.
4. Dziubek Z.: *Choroby zakaźne i pasożytnicze.* Wydawnictwo Lekarskie PZWL, Warszawa 2010.
5. Feigin R.D., Cherry J.D., Demmler-Harrison G.J., Kaplan S.L.: *Textbook of pediatric infectious diseases.* Saunders Elsevier, Filadelfia 2009.
6. Fisher R.G., Thomas G.B.: *Moffet's pediatric infectious diseases.* Lippincott Williams & Wilkins, Filadelfia 2005.
7. Gorbach S.L., Bartlett J.G., Blacklow N.R.: *Infectious diseases.* Lippincott Williams & Wilkins, Filadelfia 2004.
8. Horban A., Podlasin R., Cholewińska G., Wiercińska-Drapało A. (red.): *Zasady opieki nad osobami zakażonymi HIV. Zalecenia Polskiego Towarzystwa Naukowego AIDS.* PTN AIDS, Warszawa 2011.
9. Kliegman R.M., Behrman R.E., Jenson H.B., Stanton B.F.: *Nelson textbook of pediatrics.* Saunders Elsevier, Filadelfia 2007.
10. Magdzik W., Naruszewicz-Lesiuk D., Zieliński A.: *Wakcynologia.* α-medica Press, Bielsko-Biała 2007.
11. Panel on Antiretroviral Therapy and Medical Management of HIV-Infected Children. *Guidelines for the use of antiretroviral agents in pediatric HIV infection.* August 16, 2010.
12. Pawłowski Z.S., Stefaniak J.: *Parazytologia w ujęciu wielodyscyplinarnym.* Wydawnictwo Lekarskie PZWL, Warszawa 2004.
13. Szczeklik A.: *Choroby wewnętrzne. Stan wiedzy na rok 2011.* Medycyna Praktyczna, Kraków 2011.

CHOROBY UKŁADU ODPORNOŚCIOWEGO I SZCZEPIENIA OCHRONNE | *Ewa Bernatowska*

W niniejszym rozdziale połączono naukowe podstawy funkcjonowania układu odpornościowego z praktyczną wiedzą kliniczną. Ułatwia to poznanie patomechanizmu chorób wynikających z pierwotnych i wtórnych niedoborów odporności oraz zrozumienie dysfunkcji układu immunologicznego i chorób o podłożu autoimmunizacyjnym. Szeroko omówiono patomechanizm odpowiedzi immunologicznej na zakażenia. Fragment o szczepieniach ochronnych, będących koniecznym elementem profilaktyki zakażeń, zawiera również opis niezwykle istotnych aspektów patomechanizmu odpowiedzi na poszczególne rodzaje szczepionek. Zdjęcia pacjentów z wrodzonymi defektami odporności zamieszczone w niniejszym rozdziale pochodzą z archiwum Kliniki Immunologii Instytutu „Pomnik – Centrum Zdrowia Dziecka".

20.1
UKŁAD ODPORNOŚCIOWY

W ochronie przed zakażeniami i innymi obcymi czynnikami organizm człowieka dysponuje mechanizmami obronnymi o charakterze nieswoistym i swoistym. Oba rodzaje odporności funkcjonują dwufazowo, rozpoznają antygen, a następnie dążą do jego eliminacji. Poza tym ściśle ze sobą współdziałają na każdym etapie odpowiedzi immunologicznej (ryc. 20.1). Układ odpornościowy utrzymuje też homeostazę ustroju i nadzoruje przebieg procesów immunologicznych, m.in. hamuje rozwój autoagresji i kontroluje rozrost nowotworowy. Odpowiedź swoista dzieli się na humoralną i komórkową.

20.1.1
Odporność nieswoista

Odporność nieswoista (nieadaptacyjna, wrodzona) zaczyna funkcjonować bezpośrednio po urodzeniu, w chwili zadziałania drobnoustrojów, ich antygenów lub innych obcych czynników.

Pierwszą linię obrony organizmu stanowią:

- bariery fizyczne (skóra, rzęski, śluz),
- bariery biochemiczne (lizozym zawarty we łzach i innych wydzielinach, kwas żołądkowy, niskie i zmienne pH),
- organizmy saprofityczne konkurujące z potencjalnymi patogenami.

W przypadku gdy bariery fizyczne zostaną przerwane i zawiodą czynniki biochemiczne, drobnoustrój ulega fagocytozie (wrodzone komórkowe mechanizmy odporności). Komórki zdolne do fagocytozy drobnoustrojów lub ich antygenów to monocyty, makrofagi i wielojądrzaste neutrofile. Wywodzące się z hematopoetycznych komórek pnia szpiku kostnego linii monocytarnej jednojądrzaste fagocyty występują przede wszystkim w wątrobie, śledzionie i innych tkankach ustrojowych. Obecne we krwi obwodowej monocyty migrują do tkanek i stają się wówczas niezwykle efektywnymi makrofagami. Liczba komórek wielojądrzastych (neutrocytów) różni się istotnie w kolejnych okresach rozwoju dziecka. W często wykonywanym badaniu morfologii krwi z rozmazem warto zwrócić uwagę na liczbę tych komórek i odnieść ją do wartości prawidłowych w danej

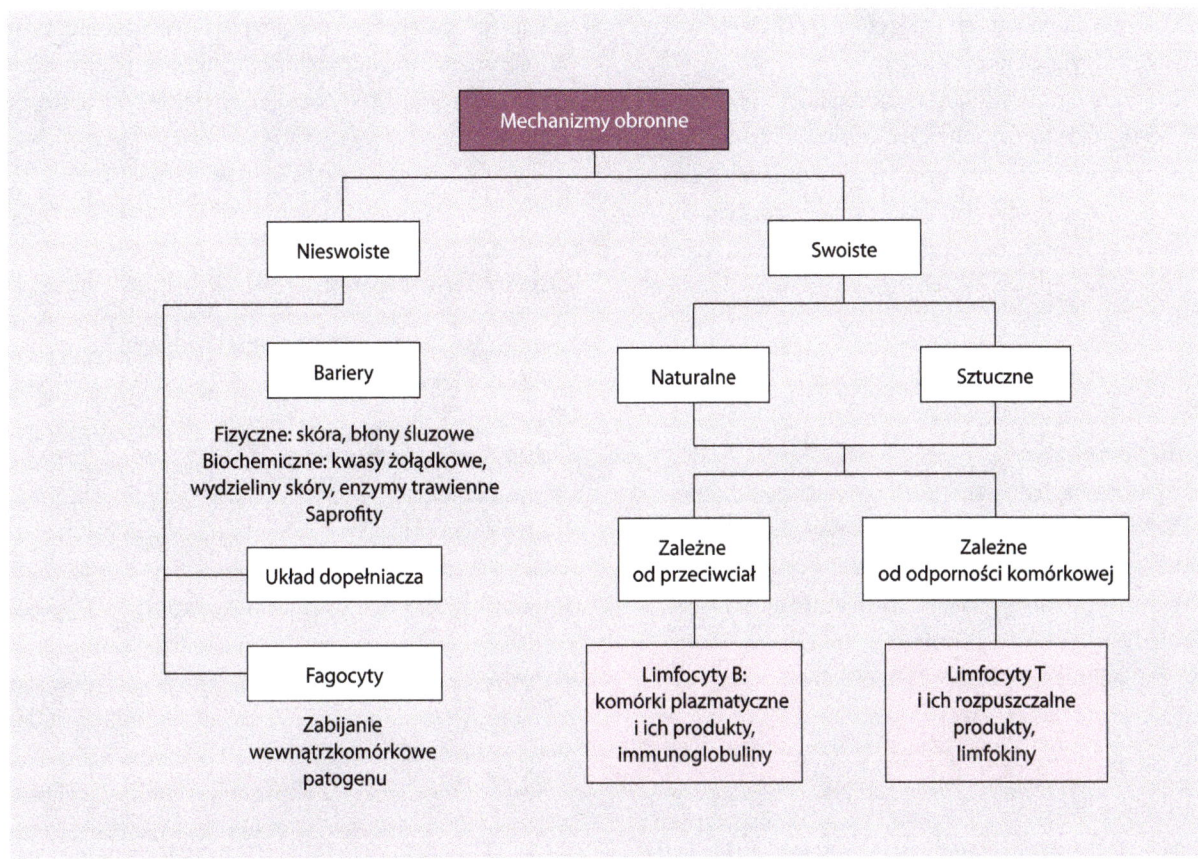

```
                        ┌──────────────────────┐
                        │  Mechanizmy obronne  │
                        └──────────┬───────────┘
              ┌────────────────────┴────────────────────┐
        ┌───────────┐                            ┌───────────┐
        │ Nieswoiste│                            │  Swoiste  │
        └─────┬─────┘                            └─────┬─────┘
              │                            ┌───────────┴───────────┐
        ┌───────────┐               ┌───────────┐          ┌───────────┐
        │  Bariery  │               │ Naturalne │          │  Sztuczne │
        └───────────┘               └───────────┘          └───────────┘
```

Bariery

Fizyczne: skóra, błony śluzowe
Biochemiczne: kwasy żołądkowe,
wydzieliny skóry, enzymy trawienne
Saprofity

Układ dopełniacza

Fagocyty

Zabijanie
wewnątrzkomórkowe
patogenu

**Zależne
od przeciwciał**

**Zależne
od odporności komórkowej**

Limfocyty B:
komórki plazmatyczne
i ich produkty,
immunoglobuliny

Limfocyty T
i ich rozpuszczalne
produkty,
limfokiny

Rycina 20.1. Mechanizmy obronne ustroju.

grupie wiekowej (patrz rozdz. 26 „Badania i normy w pediatrii").

Jednojądrzasty system fagocytarny osiadłych form monocytów i makrofagów najliczniej prezentowany jest w płucach, zatokach śledziony, węzłach chłonnych oraz jako komórki Kupffera w wątrobie. Monocyty, makrofagi i komórki wielojądrzaste przylegają do drobnoustrojów (zjawisko adhezji), pochłaniają je i zabijają. Odgrywają też kluczową rolę w prezentacji drobnoustrojów i ich antygenów limfocytom T i B.

Komórki NK (komórki zabójcy, natural killer cells) uczestniczą w nadzorze immunologicznym i zabijają komórki docelowe, w tym niektóre komórki nowotworowe i komórki zakażone wirusami. Odsetek i liczba bezwzględna komórek NK stanowią ważny wyznacznik wielu procesów chorobowych, dlatego tak istotne jest porównanie uzyskanych wyników pacjenta do norm zdrowej populacji dzieci w tym samym wieku (patrz rozdz. 26 „Badania i normy w pediatrii").

Rozpuszczalne mediatory reakcji immunologicznej

Rozpuszczalne mediatory reakcji immunologicznych to wiele białek osoczowych: przeciwciała, cytokiny wytwarzane przez limfocyty oraz białka ostrej fazy, np. białko C-reaktywne. Czynniki te poprzez opsonizację patogenów wspomagają proces fagocytozy. Biorą udział w nieswoistej obronie ustroju, tworząc powiązany funkcjonalnie kompleks 20 białek układu dopełniacza, z których żadne nie jest transportowane przez łożysko. Inne rozpuszczalne czynniki osoczowe to fibronektyna, białka krzepnięcia i białka układu kinina–kalikreina.

Laktoferyna odgrywa istotną rolę bakteriostatyczną jako czynnik niezbędny w optymalizacji funkcji neutrofilów, szczególnie w akcie przylegania leukocytów.

Fibronektyna należy do glikoproteidów. Bierze udział w obronie przeciwbakteryjnej, zwiększając opsonizację *Staphylococcus aureus* i innych patogenów bakteryjnych. Wzmaga fagocytozę kompleksów fibryny z fibrynogenem.

Lizozym (muraminidaza) jest białkiem powodującym hydrolizę mukopolisacharydowych otoczek bakteryjnych, głównie bakterii Gram-ujemnych. Znajduje się w tkankach i narządach wewnętrznych, choć najwyższą koncentrację osiąga w cytoplazmie wielojądrzastych leukocytów, w śluzie z nosa, w jelitach i we łzach.

Rozwój odporności nieswoistej u noworodków

Liczba bezwzględna neutrofili w pierwszych godzinach życia człowieka jest bardzo wysoka. Ich cechy morfologiczne powinny być prawidłowe, choć nie w pełni rozwinięte pozostają niektóre właściwości, np. redukcja błękitu nitrotetrazolowego. Upośledzenie funkcji wyraża się obniżeniem chemotaksji i ruchliwości. U wcześniaków stwierdza się dodatkowo zmniejszoną adhezję komórek. U noworodków słabszą aktywność wykazują komórki NK. Obserwowane przemijające obniżenie ilości antygenów klasy II DR w konsekwencji osłabia interakcje między monocytami i limfocytami T i B. Stanowi to przyczynę gorszej reakcji obronnej na zakażenie.

Drobnoustroje, które uległy opsonizacji, zostają zabite wewnątrzkomórkowo w mechanizmie zależnym lub niezależnym od udziału rodników tlenowych. Zdolność ta może być przejściowo zaburzona w sytuacjach takich, jak niedotlenienie, gorączka, hiperbilirubinemia czy zakażenie.

Synteza składowych dopełniacza zaczyna się we wczesnym życiu płodowym, wyprzedzając nieco syntezę własną immunoglobulin. Niedobory poszczególnych składowych ($^2/_3$ wartości u osób dorosłych w chwili urodzenia) sprawiają, że zarówno alternatywna, jak i klasyczna droga aktywności dopełniacza jest niesprawna. Stwierdza się też upośledzenie innych funkcji układu dopełniacza (chemotaktycznej, anafilaktycznej). Obniżenie aktywności alternatywnej drogi układu dopełniacza wiąże się z podwyższonym ryzykiem zakażenia *Escherichia coli*, jako że znacznie zmniejszona jest możliwość opsonizacji tych bakterii.

U noworodków stwierdza się istotny niedobór aktywności opsonizacyjnej m.in. wobec *Escherichia coli*. Ta sama aktywność w stosunku do *Staphylococcus aureus czy* paciorkowców grupy B jest prawidłowa. W pierwszych tygodniach po urodzeniu w surowicy krwi występują niskie stężenia laktoferyny i fibronektyn.

Odporność swoista

Odporność swoista (adaptacyjna) dzieli się na humoralną i komórkową.

Odporność humoralna

Liczba komórek B syntetyzujących przeciwciała w zdrowej populacji jest różna w poszczególnych grupach wiekowych. Jedynie porównanie wartości odsetkowych i liczb bezwzględnych u pacjentów z podejrzeniem niedoboru odporności z wartościami norm dla wieku pozwala na poprawną ocenę i uniknięcie błędu przy stawianiu diagnozy (patrz rozdz. 26 „Badania i normy w pediatrii").

Swoiste mechanizmy obronne w okresie życia płodowego i w okresie rozwoju dziecka są kształtowane przez odporność czynną i bierną. Ta pierwsza powstaje zarówno naturalnie, rozwija się po pewnym czasie ekspozycji na antygen, jak i w sposób sztuczny w wyniku stymulacji, np. po szczepieniu. Pobudzone limfocyty B, szczególnie w okresie wczesnego rozwoju dziecka, ulegają mutacjom somatycznym. Dochodzi do klonalnej selekcji tych komórek, które produkują przeciwciała o większym powinowactwie, wzrasta więc jakość przeciwciał. Główna rola przeciwciał (immunoglobulin) polega na zewnątrzkomórkowym zabijaniu wirusów i bakterii. Odporność bierną tworzą transportowane przez łożysko cząsteczki IgG pochodzenia matczynego. Dodatkowo wzmacnia się ją w wyniku przetaczania preparatów gamma-globulin lub osocza.

Okres fizjologicznego spadku miana przeciwciał, czyli hipogammaglobulinemia okresu niemowlęcego, występuje między 2. a 6. mż., gdy stężenie matczynych przeciwciał IgG obniża się poniżej 2–3 g/l, i wiąże się z ryzykiem rozwoju poważnych zakażeń. Wzrost syntezy własnych IgG pojawia się w 6. mż. i osiąga w 1. rż. zakres 60% stężenia występującego u osób dorosłych. Izotypy IgA i IgE nie zostają przetransportowane przez łożysko, a ich synteza, rozpoczynająca się w momencie narodzin, jest niska (ryc.

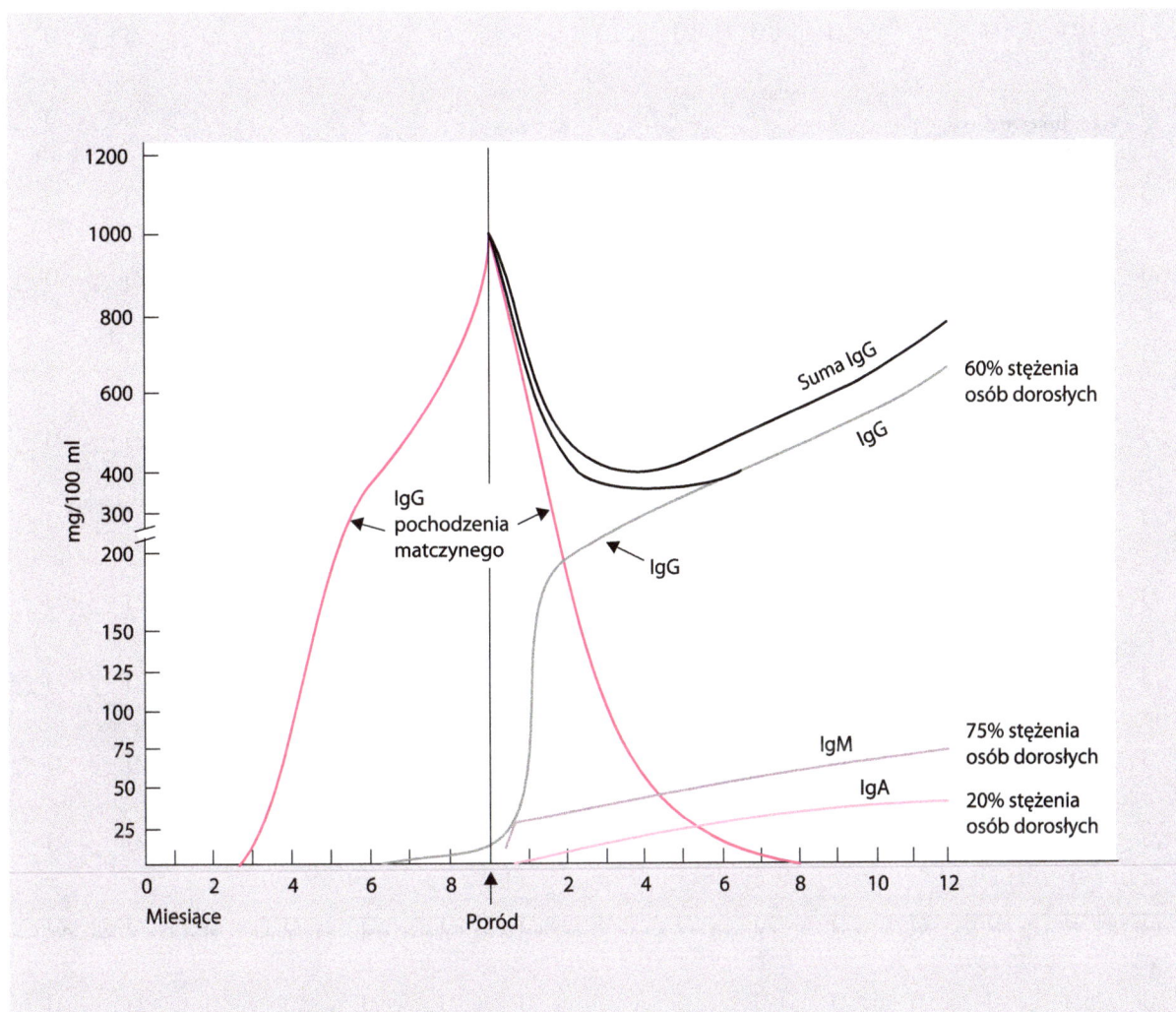

Rycina 20.2. Stężenie IgG, IgA i IgM u płodu i niemowlęcia.

20.2). Stężenie IgA stopniowo rośnie, osiągając 20% wartości u dorosłych w 1. rż. i 47% w 8. rż. Wzrost stężeń poszczególnych immunoglobulin to proces stopniowy, dlatego interpretując wyniki badań, należy go odnosić do norm dla wieku (patrz rozdz. 26 „Badania i normy w pediatrii").

Istotny problem kliniczny stwarza opóźnienie w dojrzewaniu syntezy przeciwciał w odpowiedzi na niektóre patogeny. Uważa się, że ważną rolę w opsonizacji bakterii u noworodków odgrywa IgM. Jednak wykazano również, że u dzieci z niskim stężeniem IgG podanie preparatów gamma-globulin powodowało korekcję defektu opsonizacyjnego.

U niemowląt występuje obniżona synteza przeciwciał w klasie IgG2 w odpowiedzi na antygeny polisacharydowe bakterii otoczkowych *Neisseria meningitidis*, *Haemophilus influenzae* i *Streptococcus pneumo-*

niae. Odpowiedź na antygeny białkowe w okresie noworodkowym w podklasach IgG1 i IgG3 jest prawidłowa.

Aktywność limfocytów T pomocniczych jest prawidłowa w odniesieniu do syntezy IgM przez limfocyty B, a niewystarczająca w stosunku do syntezy IgG i IgA. Zawarte w siarze przeciwciała IgA wobec *Escherichia coli* mogą neutralizować bakterie tylko w obecności dopełniacza i lizozymu (stwierdza się go dużo w surowicy, a mało w wydzielinach noworodków). Natomiast bakterioliza tych drobnoustrojów przez swoiste przeciwciała klasy IgG wymaga jedynie dopełniacza.

Odporność komórkowa

Odporność komórkowa jest zaangażowana głównie w wewnątrzkomórkowy proces unicestwiania wiru-

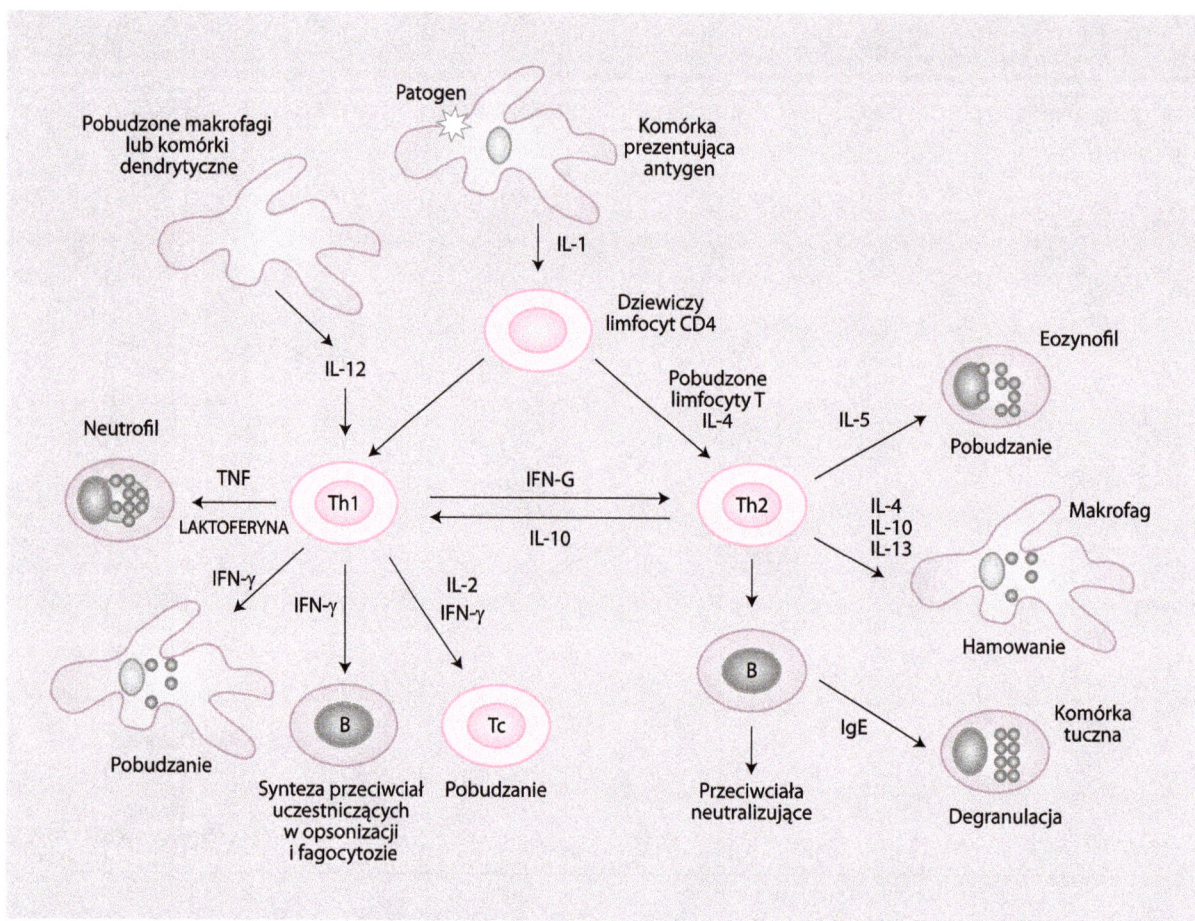

Rycina 20.3. Funkcje limfocytów w rozwoju odporności na zakażenia [modyfikacja wg Gołąba i wsp., Immunologia, Wyd. Lek. PZWL 2002].

sów, grzybów i pasożytów. Kontroluje rozrost komórek nowotworowych i chroni ustrój przed obcymi antygenami. W reakcji na obcy antygen aktywowane zostają limfocyty T. Działają one stymulująco na limfocyty B, eliminują samodzielnie drobnoustroje lub ich antygeny, a także wywierają wpływ na inne immunokompetentne komórki krwi obwodowej, granulocyty i makrofagi oraz wytwarzają limfokiny (ryc. 20.3).

Podstawą oceny układu odporności komórkowej jest określenie odsetka i bezwzględnych wartości subpopulacji limfocytu T, które pełnią najważniejszą rolę w obronie immunologicznej ustroju. Ustala się liczbę limfocytów T (CD3), limfocytów T pomocniczych (CD4) i limfocytów T regulatorowych (CD8). Poszczególne fazy dojrzewania linii komórek T wyrażają się zmienną liczbą limfocytów, wyższe bezwzględne wartości obserwujemy u dzieci do 2. rż. (patrz rozdz. 26 „Badania i normy w pediatrii"). Interpretacja wyników uzyskanych u dzieci z podejrzeniem zaburzeń

odporności powinna być więc dokonywana na podstawie wartości norm dla określonego wieku.

Limfocyty T pomocnicze (Th) kierują swoistą odpowiedzią immunologiczną. Dziewicze komórki CD4 mogą być indukowane przez pobudzone makrofagi lub komórki dendrytyczne oraz IL-12 i IFN-γ. Zapoczątkowuje to fazę pobudzenia, proliferacji i różnicowania limfocytu Th1 zmierzającą do eliminacji patogenu. Inny kierunek różnicowania, związany z IL-4, skutkuje powstaniem limfocytów Th2, które wiążą się z rozwojem przewlekłych procesów immunopatologicznych. IFN-γ wydzielany przez Th1 hamuje Th2, a IL-10 wydzielana przez Th2 stopuje subpopulacje Th1. Limfocyty Th2 indukują kaskadę gwałtownie przebiegających reakcji ze strony komórek kwasochłonnych lub komórek tucznych, doprowadzając do ich degranulacji.

Limfocyty T regulatorowe (supresorowe, Treg) mają działanie supresyjne. Zmniejszają syntezę immunoglobulin. Wytwarzana przez limfocyt CD8

IL-10 wpływa hamująco na odpowiedź ustroju po podaniu antygenu (indukcja tolerancji).

Limfocyty T cytotoksyczne (Tc) odgrywają istotną rolę w niszczeniu zakażonych komórek, zwłaszcza zawierających wirusy. Warunkiem rozpoznania i zniszczenia zakażonej komórki jest obecność antygenu w błonie komórkowej związanego z głównym układem zgodności tkankowej (MHC).

Funkcję proliferacyjną limfocytów ocenia się w teście transformacji blastycznej, stymulując komórki miogenami: fitohemaglutyniną (PHA), kompleksem receptorów limfocytu T (TCR) i konkanawaliną A (ConA).

Rodzaje reakcji cytotoksycznych:

- reakcja cytotoksyczności komórkowej zależnej od przeciwciał (antibody-dependent cellular cytotoxicity, ADCC) – istotną rolę odgrywają limfocyty NK, makrofagi, monocyty i niektóre limfocyty T,
- reakcja zależna od limfocytów T – wymaga uczulenia komórek efektorowych przez swoistą lizę uczulonych komórek,
- cytotoksyczność zależna od komórek NK.

Cytokiny pełnią wiele funkcji w ustroju i produkowane są przez różne komórki. Do czynników rozpuszczalnych wytwarzanych przez limfocyty T należą m.in.:

- interleukiny (IL) – czynniki uwalniane z komórek, które biorą aktywny udział w przekazywaniu sygnałów między komórkami, biorą udział w procesach różnicowania się niektórych typów komórek,
- interferony (IFN) – biorą udział w obronie przeciwwirusowej (IFN-α, IFN-β) i w regulacji odpowiedzi odpornościowej (IFN-γ),
- czynniki martwicy nowotworów (TNF) – TNF-α i TNF-β,
- czynniki wzrostu – np. czynnik wzrostu fibroblastów (FGF) czy czynnik wzrostu naskórka (EGF),
- czynniki stymulujące wzrost kolonii (CSF) – czynnik stymulujący powstawanie makrofagów (M-CSF), czynnik stymulujący powstawanie granulocytów (G-CSF) i czynnik stymulujący tworzenie kolonii granulocytów i makrofagów (GM-CSF),
- chemokiny – oddziałują chemotaktycznie na komórki leukocytarne regulujące proces angiogenezy i tworzenie przerzutów nowotworowych.

Cytokiny prozapalne to TNF-α, TNF-β, IL-1, IL-2, IL-6, IL-12, IL-15 i IL-18. Interferony α i β wytwarzają zakażone wirusem komórki, stanowią one pierwszą linię obrony – chroniąc niezakażone komórki przed inwazją wirusów.

Cytokiny przeciwzapalne to: TNF, IL-4, IL-10, IL-13.

Limfocyty Th w okresie noworodkowym w niedostatecznym stopniu stymulują syntezę przeciwciał, choć ich aktywność może być prawidłowa w odniesieniu do IgM. Funkcja limfocytów Treg, oceniana w teście skórnym nadwrażliwości typu późnego z mitogenami, jest obniżona. Poza tym nadmiernie hamują one syntezę immunoglobulin wszystkich klas. Reakcja cytotoksyczna zależna od limfocytów T wobec alogenicznych komórek jest o 50% słabsza w porównaniu z wykazywaną u osób dorosłych. Występuje obniżenie działania cytotoksycznego cytokin wobec niektórych komórek docelowych, a ich stężenie u donoszonych noworodków wynosi 60% wartości stwierdzanej u dorosłych. Podobnie zachowują się komórki matki wobec komórek noworodka.

20.1.3
Patomechanizm odpowiedzi immunologicznej na zakażenia

W odpowiedzi nieswoistej na zakażenie biorą udział komórki zdolne do fagocytozy drobnoustrojów lub ich antygenów, czyli monocyty, makrofagi i wielojądrzaste neutrofile, które migrując do tkanek, stają się efektywnymi makrofagami. Ważne zadanie mają też czynniki humoralne, niebędące przeciwciałami, w tym składowe układu dopełniacza. Alternatywna droga aktywacji dopełniacza pozwala na bezpośrednią fagocytozę pokrytych jego cząsteczkami wybranych patogenów, bez udziału swoistych mechanizmów obronnych (przeciwciał). Opsoniny samodzielnie podejmują wiele czynności bezpośrednio uszkadzających patogeny i ułatwiających ich fagocytozę poprzez receptory (np. integryny) umiejscowione na powierzchni monocytów czy makrofagów.

W odpowiedź swoistą na zakażenia zaangażowane są zarówno limfocyty B, jak i T. Cząsteczki MHC klasy I i II rozpoznają większość patogenów. Zależnie od objawów klinicznych i typu choroby w ustroju obserwuje się mniejsze lub większe zaburzenia między czynnikami pro- i przeciwzapalnymi (tab. 20.1).

Tabela 20.1. Mechanizm odpowiedzi immunologicznej na poszczególne rodzaje patogenów

PATOGENY	MECHANIZMY ODPOWIEDZI IMMUNOLOGICZNEJ			
	FAGOCYTOZA	KOMÓRKI T	SYNTEZA PRZECIWCIAŁ	UKŁAD DOPEŁNIACZA
Bakterie				
Otoczkowe	+		+++	+
Gronkowiec	+++		+	++
Escherichia coli	+++		+	++
Mykobakterie		+++		
Grzyby				
Candida	+	+++	+	+
Aspergillus	+++	+++		
Pneumocystis jiroveci		+++		
Wirusy				
Wirusy herpes (CMV, EBV, HHV)	+	+++	+	+
Enterowirusy		+	++	
Inne patogeny				
Cryptosporidium		+		

Odporność na zakażenia bakteryjne

Rodzaj odpowiedzi immunologicznej na zakażenie bakteryjne uwarunkowany jest typem bakterii, ich zjadliwością i strukturą, w tym głównie specyfiką budowy ścian komórkowych. Generalnie odporność na zakażenia bakteryjne wywołane przez patogeny zewnątrzkomórkowe zależy od odpowiedzi humoralnej (ryc. 20.4). Swoiste przeciwciała obecne w wystarczającym stężeniu w organizmie mogą chronić przed rozwojem zakażenia. Ta protekcja jest dostateczna jedynie wtedy, gdy patogenność drobnoustroju wynika z obecności pojedynczej toksyny lub molekuły adhezyjnej.

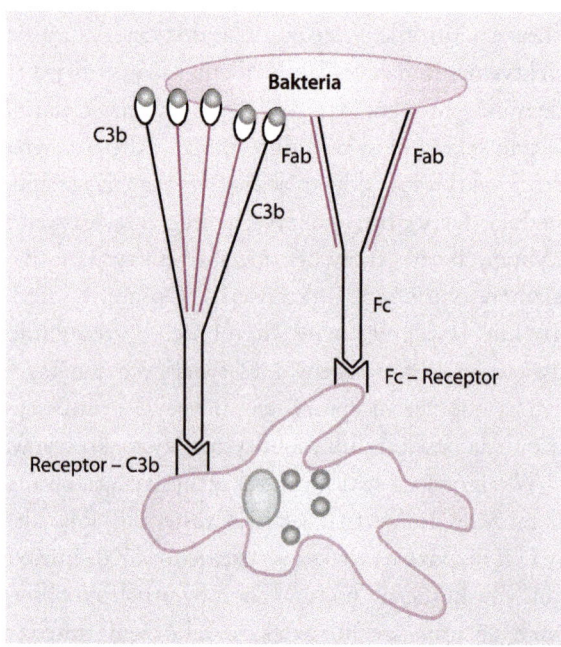

Rycina 20.4. Proces fagocytozy bakterii.

Odporność na zakażenia wirusowe

W zakażeniu wirusowym dominująca rola przypada odpowiedzi typu komórkowego (ryc. 20.5). Przeciwciała swoiste, obecne we krwi obwodowej, mogą opóźnić lub wręcz zahamować dalszą ekspansję wirusa, chroniąc komórkę przed zakażeniem. Jeśli ta droga obrony zawiedzie, aktywacji ulegają komórki NK i makrofagi. Komórki NK hamują szerzenie się zakażenia wirusowego w przebiegu reakcji cytotoksyczności komórkowej zależnej od przeciwciał. Rośnie też stężenie interferonów. Proces szerzenia się wirusów z zainfekowanej komórki na komórki sąsiednie może być hamowany przez nieswoisty wpływ IFN-α i IFN-β lub swoistą odpowiedź sąsiednich komórek wydzielających IFN-γ. Zakażone komórki zostają rozpoznane i zniszczone przez limfocyty Tc, czasem jeszcze zanim wirus ulegnie replikacji (działanie efektywne przeciw wirusom HHV i grypy), albo rozpoznane przez limfocyty Th (np. wirus odry), które wspomagają również rozwój prekursorów Tc. Dzięki obecnym na limfocytach receptorom dochodzi nie tylko do powstania komórek efektorowych, ale też komórek pamięci.

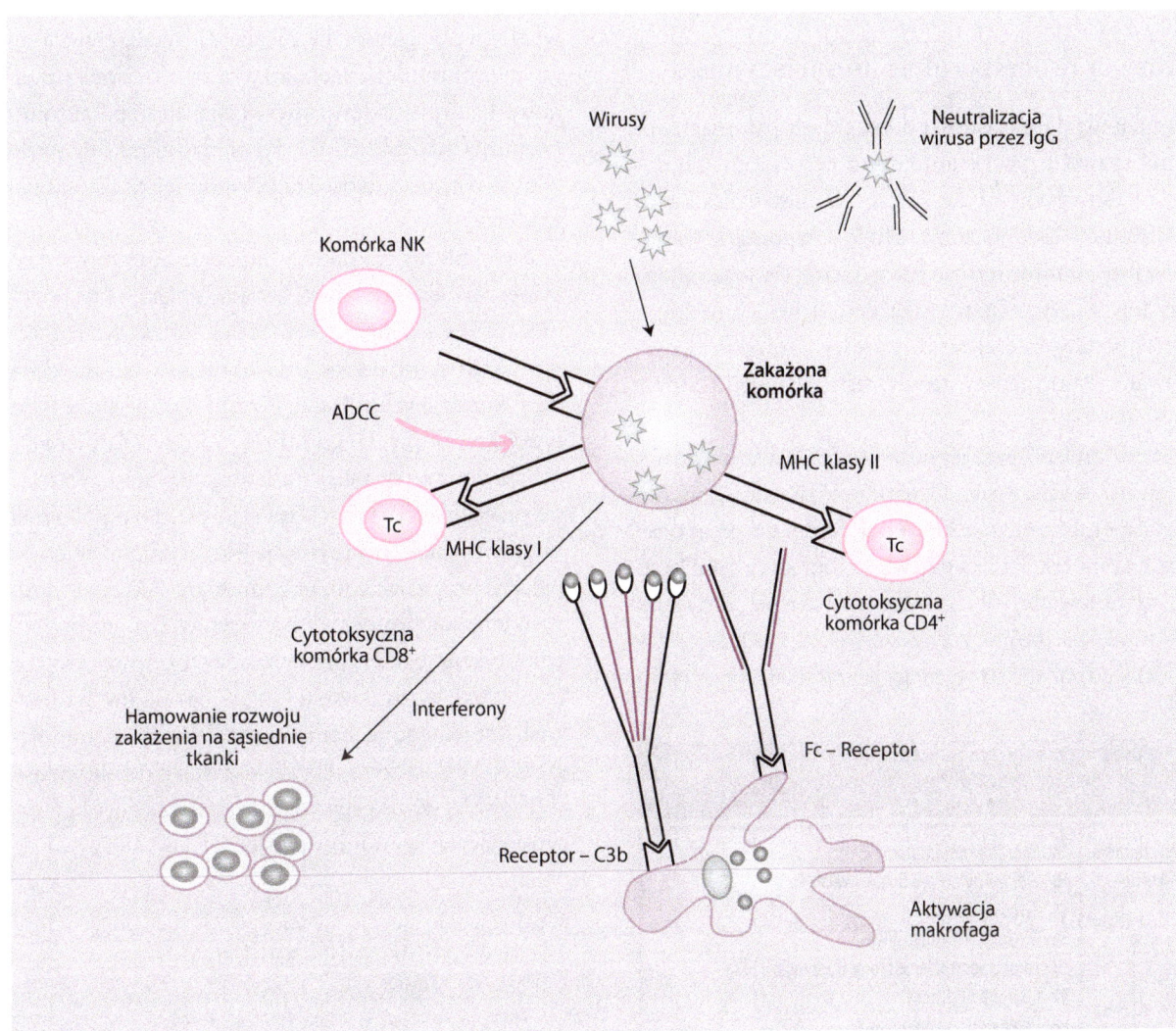

Rycina 20.5. Mechanizmy obronne w zakażeniu wirusowym.

Odporność na zakażenia grzybicze

Mechanizmy odpowiedzi immunologicznej zaangażowane w walkę z grzybami wydają się podobne do stwierdzanych w zakażeniach bakteryjnych. Grzybicze zakażenia skórne u osób immunokompetentnych mają zwykle charakter samoograniczający się. W odpowiedzi na patogen istotną rolę odgrywają TLR, CLR i IL-1β. Spośród czynników hamujących rozwój zakażeń grzybiczych warto wspomnieć o inflamasomach będących kompleksami złożonymi z wielu białek, które stanowią pierwszą nieswoistą linię obrony komórki. Obrona T-zależna to typ IV reakcji nadwrażliwości typu opóźnionego. Komórki Th produkują cytokiny, które aktywują makrofagi, a te następnie niszczą grzyby.

Odporność na zakażenia pasożytnicze

Odporność nieswoista przeważa w zwalczaniu zakażeń pasożytniczych, biorą w niej udział nieswoiste przeciwciała i odpowiedź T-zależna. Typ odpowiedzi immunologicznej zwykle zależy od rodzaju pasożyta. W eliminacji *Leishmanii*, pasożyta bytującego w komórkach makrofagalnych, wiodącą rolę odgrywają IFN-γ, działanie enzymów lisosomalnych i efektywny metabolizm tlenowy. Z kolei *Toxoplasma gondii*, pasożyt przylegający do wnętrza komórkowych wakuoli, jest zdolny do opuszczenia fagosomu, uniknięcia działania enzymów lizosomalnych i dalszego bezpiecznego bytowania w cytoplazmie komórki. Praktycznie wszystkie rodzaje pasożytów mają zdolność unikania mechanizmów obronnych organizmu, co warunkuje ich przeżycie.

20.1.4
Rozwój procesu autoimmunizacyjnego

Istnieje wiele niejasności dotyczących patomechanizmu rozwoju zjawisk autoimmunizacyjnych. Choroby o takim podłożu dotyczą co 20 mieszkańca Europy i Stanów Zjednoczonych. Rolę w zapoczątkowaniu procesu autoimmunizacji przypisuje się czynnikom środowiskowym (uraz, zakażenie, leki) i fizycznym (promieniowanie ultrafioletowe). Coraz częściej opisywane jest tło genetyczne dysregulacji układu odpornościowego.

Po usunięciu patogenów z ustroju układ immunologiczny wycisza się. Dodatkowo zwykle sprawnie działają mechanizmy klonalnej delecji autoreaktywnych komórek T i B, a dziewicze limfocyty T CD4 są kostymulowane, by tolerować własne antygeny ustroju. Jeśli któraś z tych sekwencji zawiedzie, komórki odpornościowe mogą zwrócić się przeciwko

Tabela 20.2. Choroby autoimmunizacyjne narządowo swoiste i nieswoiste

Narządowo swoiste
- Choroba Hashimoto
- Pierwotny obrzęk śluzakowaty
- Tyreotoksykoza
- Niedokrwistość złośliwa
- Zanikowe zapalenie błony śluzowej żołądka
- Choroba Addisona
- Przedwczesna menopauza
- Cukrzyca typu 1
- Zespół sztywnego człowieka (stiff-man syndrome)
- Zespół Goodpasture'a
- Miastenia
- Niepłodność męska
- Pęcherzyca
- Pemfigoid
- Współczulne zapalenie oka
- Stwardnienie rozsiane
- Autoimmunizacyjna niedokrwistość hemolityczna
- Samoistna plamica małopłytkowa
- Samoistna leukopenia
- Pierwotna marskość żółciowa wątroby
- Przewlekłe czynne zapalenie wątroby (HBsAg ujemne)
- Marskość skąpoobjawowa (niektóre przypadki)
- Wrzodziejące zapalenie jelita grubego
- Zespół Sjögrena
- Reumatoidalne zapalenie stawów
- Zapalenie skórno-mięśniowe
- Twardzina (sklerodermia)
- Mieszana choroba tkanki łącznej
- Zespół antyfosfolipidowy
- Toczeń krążkowy
- Toczeń rumieniowaty układowy

Narządowo nieswoiste

własnym antygenom. Dochodzi do przełamania tolerancji immunologicznej i rozwija się określona narządowa bądź narządowo nieswoista choroba autoimmunizacyjna (tab. 20.2). Pomiędzy nimi jest wiele chorób o mniej lub bardziej określonej swoistości narządowej.

Molekularna mimikra – hipoteza autoimmunizacyjnego działania drobnoustrojów opiera się na podobieństwie sekwencji genów białek ludzkich i patogenów. Wirusy i bakterie upodabniają swoje antygeny do stwierdzanych u ludzi. Często opisuje się reakcję krzyżową, w przebiegu której przeciwciała pierwotnie skierowane przeciw mikroorganizmowi zwracają się przeciw antygenom własnego ustroju o podobnej budowie białek. Taka sytuacja jest szczególnie niebezpieczna przy zakażeniu uogólnionym. Aktywatorami poliklonalnej proliferacji limfocytów T mogą być superantygeny bakteryjne, wirusowe czy pasożytnicze (ryc. 20.6). Warunkiem wystąpienia opisanych tu zjawisk jest utrata mechanizmów tolerancji immunologicznej. Wśród czynników zakaźnych głównie wirusy (HIV, EBV, wirus ospy wietrznej, wirus odry) powodują znaczną immunosupresję.

20.2
PIERWOTNE NIEDOBORY ODPORNOŚCI

20.2.1
Częstość występowania pierwotnych niedoborów odporności

Pierwotny niedobór odporności to rzadkie wrodzone zaburzenia układu immunologicznego. Występują z częstością 10 : 100 000 populacji. Ich rejestr prowadzi Europejskie Towarzystwo Niedoborów Odporności (www.esid.org). Rejestr dzieci z pierwotnymi niedoborami odporności zdiagnozowanych w 9 ośrodkach Diagnostyki i Leczenia Pierwotnych Zaburzeń Odporności w Polsce liczy obecnie 2255 przypadków (ryc. 20.7).

Pacjenci z niedoborami odporności charakteryzują się większą podatnością na zakażenia, choroby rozrostowe układu chłonnego i choroby autoimmunizacyjne. W chwili obecnej poznano ponad 150 pierwotnych zaburzeń odporności uwarunkowanych genetycznie, o znanym *locus* genowym, niemniej liczba przypadków z nieustalonymi mutacjami jest znacznie wyższa.

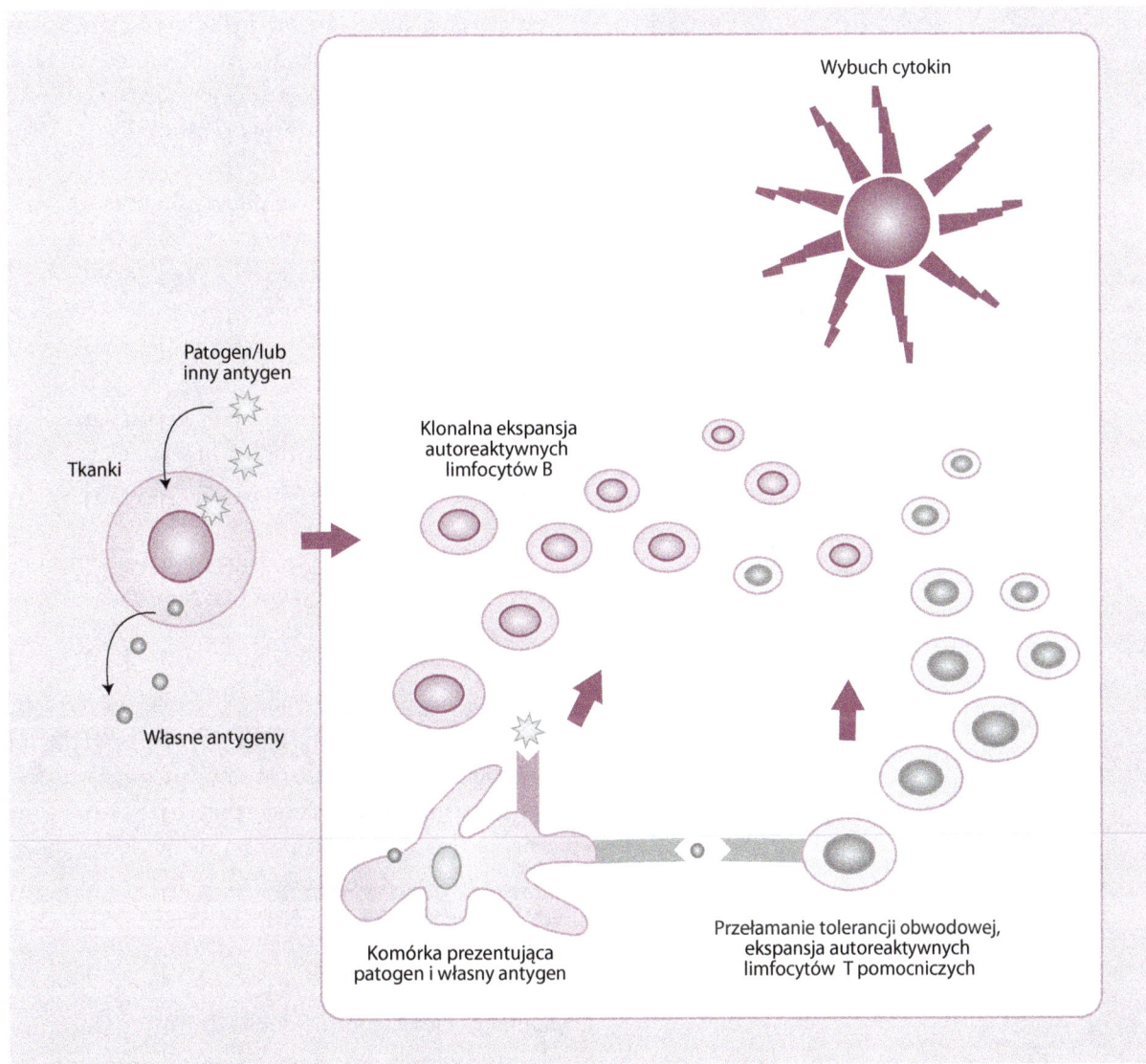

Rycina 20.6. Mechanizm indukcji autoimmunizacji.

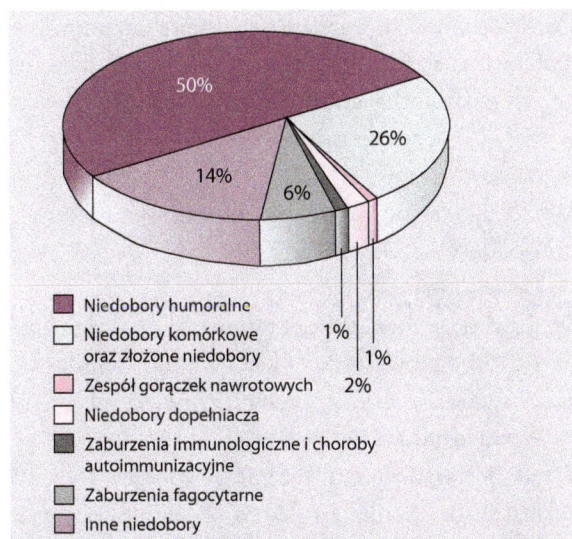

Rycina 20.7. Pierwotne niedobory odporności w Polsce (stan na 2011 r.).

20.2.2

Kiedy należy podejrzewać pierwotne zaburzenia odporności

Dzieci z pierwotnymi niedoborami odporności chorują na ciężkie i uporczywe zakażenia bakteryjne, wirusowe i grzybicze, najczęściej górnych i dolnych dróg oddechowych, przewodu pokarmowego czy skóry. Zaburzenia immunologiczne można podejrzewać, gdy u dziecka występują nawracające ropnie, stany zapalne jamy ustnej i dziąseł, a także w przypadku gorączek o nieustalonej etiologii.

Istnieje grupa objawów klinicznych, które wymagają szczególnej uwagi lekarza pierwszego kontaktu i opiekunów dziecka. Immunolodzy kliniczni we

Tabela 20.3. Objawy ostrzegawcze sugerujące pierwotny niedobór odporności

- Co najmniej 4 zakażenia uszu w ciągu roku
- Co najmniej 2 zapalenia zatok w ciągu roku
- Trwająca 2 miesiące lub dłużej antybiotykoterapia z niewielką poprawą stanu klinicznego
- Co najmniej 2 zapalenia płuc w ciągu roku
- Brak przyrostu masy ciała i zahamowanie prawidłowego rozwoju
- Powtarzające się głębokie ropnie skórne lub narządowe
- Przewlekła grzybica jamy ustnej lub skóry u dzieci po 1. rż.
- Konieczność długotrwałego leczenia zakażeń dożylnymi antybiotykami
- Przebycie 2 lub więcej ciężkich zakażeń tkanek miękkich, w tym posocznica
- Wywiad rodzinny wskazujący na występowanie pierwotnych niedoborów odporności

współpracy z fundacją im. Jeffreya Modella opracowali listę 10 ostrzegawczych objawów, które kwalifikują dziecko do badań diagnostycznych w kierunku pierwotnych niedoborów odporności (tab. 20.3). Wystarczą dwa z tych objawów, aby skierować dziecko na badania do poradni immunologii w celu przeprowadzenia diagnostyki pierwotnych niedoborów odporności. Szczegółowe informacje dotyczące opieki nad pacjentami, standardy diagnostyczne pierwotnych niedoborów odporności i zasady szczepień ochronnych w tych zespołach można znaleźć na stronie www.immunologia.czd.pl.

20.2.3
Pierwotne niedobory odporności z przewagą defektu przeciwciał

Najliczniejsza grupa niedoborów, które stanowią > 50% wszystkich wrodzonych defektów odporności humoralnej. W zależności od głębokości zaburzeń objawy zakażenia mogą mieć formę od bardzo łagodnej do niezwykle ciężkiej.

Agammaglobulinemia sprzężona z chromosomem X
ang. X-linked agammaglobulinemia

Epidemiologia
Częstość występowania choroby wynosi 1 : 50 000– –100 000 żywych urodzeń.

Etiologia i patogeneza
Agammaglobulinemia sprzężona z chromosomem X wynika z mutacji w genie *btk*, który koduje kinazę ty-

rozynową. Białko to jest niezbędne w procesie prawidłowego wzrostu i dojrzewania limfocytów B. Blok ich dojrzewania występuje na etapie różnicowania się komórek pro-B i pre-B w szpiku kostnym.

Obraz kliniczny
W obrazie klinicznym dominują zakażenia, głównie bakteryjne, płuc, opon mózgowo-rdzeniowych, uszu i spojówek. Pierwsze pojawiają się zwykle ok. 6. mż., gdy niemowlę traci ochronę przeciwciał przekazanych mu przez matkę w okresie życia płodowego.

Metody diagnostyczne
We krwi stwierdza się brak lub niewielką liczbę limfocytów B oraz wszystkich klas immunoglobulin G, A i M, a także upośledzenie syntezy przeciwciał.

Przebieg naturalny
Przed wprowadzeniem leczenia gamma-globulinami rokowanie było niepomyślne. Do zgonu z powodu zakażenia dochodziło zwykle w 1. dekadzie życia.

Leczenie
Wczesne rozpoznanie choroby, już w pierwszych miesiącach życia, gdy wystąpią pierwsze poważne zakażenia, jest sygnałem do natychmiastowego wdrożenia leczenia dożylnie lub podskórnie podawanymi gamma-globulinami. Regularna comiesięczna podaż preparatów zapobiega zakażeniom lub w znacznym stopniu je ogranicza.

Delecja ciężkiego łańcucha immunoglobulin
ang. μ heavy chain deficiency

Epidemiologia i patogeneza
Delecja regionu stałego łańcucha ciężkiego immunoglobulin na ramieniu chromosomu 14q32 dziedziczy się jako cecha autosomalna recesywna. Defekt występuje niezwykle rzadko.

Obraz kliniczny
Występują nawracające zakażenia górnych i dolnych dróg oddechowych.

Metody diagnostyczne
We krwi stwierdza się brak lub niewielką liczbę limfocytów B oraz wszystkich klas immunoglobulin G, A i M, a także upośledzenie syntezy przeciwciał.

Przebieg naturalny
Przed wprowadzeniem leczenia do zgonu z powodu zakażeń dochodziło zwykle w 1. dekadzie życia. Obecnie dostępne jest leczenie substytucyjne preparatami gamma-globulin.

Pospolity zmienny niedobór odporności
ang. common variable immunodeficiency disorder

Epidemiologia
Występuje z częstością 1 : 50 000 populacji ogólnej, co czyni go najczęstszym spośród ciężkich defektów odporności humoralnej.

Etiologia i patogeneza
Jedynie u 10% chorych udaje się określić podłoże genetyczne choroby, tj. mutacje receptorów – TACI (TNFSF13C dla BAFF lub APRIL), mutacje w cząsteczce kostymulującej ICOS, lub mutacje białek receptorów CD19, CD20 i CD81. U 20% chorych wywiad wskazuje na występowanie zaburzeń immunologicznych u innych członków rodziny.

Obraz kliniczny
Choroba może pojawić w każdym okresie życia, choć najczęściej występuje u starszych dzieci i u osób dorosłych. Stwierdza się nawracające zakażenia bakteryjne i wirusowe dróg oddechowych (często doprowadzające do rozstrzeni oskrzeli) i przewodu pokarmowego, powiększenie węzłów chłonnych, hepatosplenomegalię, choroby autoimmunizacyjne (u 20% pacjentów) oraz zwiększoną predyspozycję do nowotworów, głównie układu limfatycznego.

Przebieg naturalny
Przebieg naturalny choroby jest bardzo zróżnicowany. Do zgonu może dojść w przebiegu zakażenia lub choroby autoimmunizacyjnej.

Metody diagnostyczne
Występuje prawidłowa lub zmniejszona liczba limfocytów B. Kryterium rozpoznania choroby stanowi stwierdzenie obniżenia co najmniej 2 głównych klas IgG i IgA i/lub IgM < 2 SD dla wieku (patrz rozdz. 26 „Badania i normy w pediatrii". Dodatkowym niezbędnym warunkiem rozpoznania jest brak izohemaglutynin dla grup krwi AB0 lub obniżona synteza swoistych przeciwciał po szczepieniu.

Leczenie
W leczeniu stosuje się substytucję dożylnymi lub podskórnymi preparatami gamma-globulin. Jeśli pomimo regularnych przetoczeń występują zakażenia, włącza się przewlekłą antybiotykoterapię.

Niedobór ligandu CD40
ang. CD40 ligand deficiency

Epidemiologia
Częstość występowania defektu szacuje się na 1 : 1 000 000 populacji ogólnej.

Etiologia i patogeneza
Dziedziczy się autosomalnie recesywnie. Mutacja dotyczy ligandu CD40 (TNFSF5 lub CD154). W stanie zdrowia białko to pełni funkcję regulującą apoptozę komórek, czyli proces naturalnej śmierci limfocytów.

Obraz kliniczny
Charakterystyczne objawy to oportunistyczne zakażenia i choroby autoimmunizacyjne. Występuje hepatosplenomegalia.

Metody diagnostyczne
Liczba limfocytów B jest prawidłowa, a neutrofili obniżona. Stwierdza się brak lub obniżone stężenie IgG i IgA oraz prawidłowe lub podwyższone IgM.

Przebieg naturalny
Przed wprowadzeniem leczenia gamma-globulinami zgon następował z powodu zakażeń lub marskości wątroby (np. w związku z zakażeniem *Cryptosporidium*).

Leczenie
Obecnie przeszczepienie komórek macierzystych krwiotwórczych wykonuje się jeszcze przed rozwojem zmian w wątrobie, co pozwala na uniknięcie konieczności transplantacji.

Selektywny niedobór IgA
ang. selective IgA deficiency

Epidemiologia
Najczęściej występujący wrodzony niedobór odporności (w Europie 1 : 760 mieszkańców, w Japonii 1 : 18 500 żywych urodzeń).

Etiologia i patogeneza
Locus genowe choroby jest nieznane.

Obraz kliniczny
W izolowanym niedoborze IgA nie ma charakterystycznych objawów. Stwierdza się predyspozycję do częstszego występowania zespołu złego wchłaniania i chorób alergicznych. Obserwowane u nielicznych pacjentów nawracające zakażenia wiążą się raczej z współistnieniem niedoboru podklas IgG.

Przebieg naturalny
Bezobjawowy.

Metody diagnostyczne

Pewne rozpoznanie selektywnego niedoboru IgA można postawić dopiero po 4. rż., jeśli oznaczy się stężenie IgA < 0,07 g/l przy prawidłowych stężeniach IgG i IgM.

Leczenie

Selektywny niedobór IgA nie wymaga leczenia.

Przemijająca hipogammaglobulinemia niemowląt

ang. transient hypogammaglobulinemia of infancy

Epidemiologia

Przemijająca hipogammaglobulinemia niemowląt występuje częściej niż jest rozpoznawana. Częstość występowania nieokreślona.

Niedobór odporności wyrażający się deficytem IgG i IgA (poniżej co najmniej 2 SD).

Metody diagnostyczne

Występuje niedojrzałość komórek CD4 odpowiedzialnych za wspomaganie syntezy immunoglobulin. Prawidłowa produkcja IgG może pojawić się dopiero w 3. rż. Stężenie IgM jest prawidłowe.

Obraz kliniczny

Zwykle bezobjawowy przebieg. Rzadko rozwijają się poważne zakażenia i tylko one stanowią wskazanie do podawania gamma-globulin.

Przebieg naturalny

Zwykle nie ma objawów zakażeń.

Leczenie

W przypadku zakażeń podaje się preparaty gamma--globulin.

Leczenie substytucyjne pierwotnych niedoborów odporności preparatami gamma-globulin

Defekty odporności ze znacznie obniżonym stężeniem IgG wymagają regularnego leczenia preparatami gamma-globulin (program terapeutyczny Narodowego Funduszu Zdrowia). Na podstawie danych klinicznych określono wskazania do ich podawania w różnych stanach chorobowych (tab. 20.3).

Stosowane w Polsce preparaty gamma-globulin mają udokumentowaną efektywność kliniczną i sprawdzony profil bezpieczeństwa, uwzględniający ryzyko przenoszenia zakażeń wirusowych i możliwość istnienia innych, nieznanych jeszcze wirusów. Jedną z najskuteczniejszych metod usuwania poten-

Tabela 20.4. Stosowanie dożylnych preparatów gamma-globulin w różnych stanach chorobowych wg stopnia wiarygodności badań klinicznych

Klarowne zalecenia, potwierdzone rekomendacją komitetów agencji rządowych i medycznych gremiów opiniotwórczych
- Pierwotne niedobory odporności
- Przewlekła białaczka limfocytarna z hipogammaglobulinemią
- AIDS pediatryczny
- Alogeniczny przeszczep szpiku
- Samoistna małopłytkowość
- Choroba Kawasakiego

Stosowanie potwierdzane kontrolowanymi badaniami klinicznymi
- Noworodki z niską masą urodzeniową i przedwcześnie urodzone
- Choroby układu nerwowego – stwardnienie rozsiane, zespół Guillaina–Barrégo, przewlekła zapalna demielinizacyjna polineuropatia
- Chirurgia/uraz
- Hemofilia wywołana przeciwciałami przeciwko czynnikowi VIII

Stosowanie eksperymentalne
- Wtórne niedobory odporności – po chemioterapii
- Zaburzenia hematologiczne – neutropenia, anemia hemolityczna, aplazja czerwonokrwinkowa
- Zaburzenia neurologiczne – niekontrolowane drgawki, miopatie zapalne, miastenia
- Choroby kolagenowe i zapalne naczyń – toczeń rumieniowaty układowy, uogólnione zapalenie naczyń, reumatoidalne zapalenie stawów, zapalenie jelita grubego, nawracające poronienia
- Inne choroby na tle zapalnym – astma, pęcherzyca

Brak skuteczności terapeutycznej
- Oparzenia

cjalnych patogenów stanowi ich inaktywacja detergentami, które usuwa się następnie w procesie produkcyjnym. Obecnie występują co najmniej trzy rodzaje zabezpieczeń – ekspozycja na rozpuszczalnik i detergent, nanofiltracja i inkubacja w niskim pH (4,6–5,1) przez 20–21 dni w temp. 30–32°C.

Dawki preparatu gamma-globulin podawane dożylnie w leczeniu niedoborów immunoglobulin reguluje się w zależności od stężenia IgG, które nie powinno spaść < 5 g/l. Przy niższych wartościach mogą rozwinąć się ostre lub przewlekłe zmiany zapalne, np. rozstrzenie oskrzeli. Rozpiętość stosowanych dawek jest duża, od 0,2 do 0,8 g/kg mc. raz w miesiącu.

Coraz częściej prowadzi się terapię preparatami podskórnymi w dawce 0,1–0,2 g/kg mc. raz w tygodniu. Przetoczenia odbywają się w warunkach domowych. Pacjent lub opiekun sam podłącza automatyczną pompę z lekiem. W 2011 r. ponad 30% pacjentów w Polsce z niedoborami produkcji przeciwciał leczono tym sposobem. Terapia w warunkach domowych

Tabela 20.5. Działania niepożądane związane z przetoczeniami dożylnych preparatów gamma-globulin

NIEWIELKIE	UMIARKOWANE	CIĘŻKIE
■ Ból głowy	■ Ból głowy	■ Aseptyczne zapalenie mózgu
■ Ból pleców	■ Świąd	■ Ostre uszkodzenie nerek
■ Nudności	■ Neutropenia	■ Zawał mózgu
■ Wymioty	■ Zapalenie stawów	■ Zawał mięśnia sercowego
■ Biegunka	■ Krwawienie	■ Zwiększona lepkość krwi
■ Uczucie zimna	■ Choroba posurowicza	■ Zakrzepica
■ Gorączka	■ Łysienie	■ Zapalenie naczyń
■ Dreszcze	■ Wysypka	■ Anemia hemolityczna
■ Zaczerwienienie twarzy	■ Rumień wielopostaciowy	■ DIC
■ Wzrost/spadek ciśnienia tętniczego	■ Reakcja anafilaktoidalna	■ Reakcja anafilaktyczna
■ Uczucie ucisku w klatce piersiowej	■ Martwica w miejscu wlewu	
■ Skrócony oddech		

jest mniej stresująca dla dzieci i ich opiekunów, wiąże się z niższymi kosztami i większą wygodą, gdyż pacjenci przyjeżdżają na kontrolne badania do szpitala jedynie 2–3 razy w roku.

Działania niepożądane terapii preparatami gamma-globulin występują rzadko. Mechanizm ich powstawania nie został do końca poznany. Postuluje się, że aktywują one układ dopełniacza. Znaczenie ma też obecność przeciwciał IgE przeciw przetaczanym antygenom. Nie ma jednak korelacji między wysokim stężeniem IgE a częstością reakcji ubocznych. Również nie u wszystkich chorych, u których stwierdza się przeciwciała anty-A, występują reakcje na IgA zawarte w preparatach.

Objawy niepożądane podania gamma-globulin bywają nietypowe (tab. 20.5). Mogą pojawić się po wielu godzinach lub dniach od zakończenia wlewu. Często wynikają z nieprawidłowości podczas toczenia. Nieraz zwolnienie przepływu lub chwilowe wstrzymanie podaży leku powodują ich ustąpienie. Niezwykle rzadko obserwuje się reakcje anafilaktyczne, zwykle również związane ze zbyt szybkim podawaniem preparatu. Reakcje niepożądane zdarzają się częściej u pacjentów z niedoborami odporności.

20.2.4
Ciężki złożony niedobór odporności
ang. severe combined immunodeficiency (SCID)

Epidemiologia
Mutacja *common γ chain* występuje z częstością 1 : 100 000 żywych urodzeń, inne niezmiernie rzadko (ok. 1 : 1 000 000). W ok. 30% przypadków wy-

wiad rodzinny wykazuje zgony z powodu zakażeń we wczesnym dzieciństwie.

Etiologia i patogeneza
Złożone zaburzenia odporności związane z upośledzeniem odpowiedzi komórkowej i humoralnej wskutek defektu zarówno limfocytów B, jak i T. Mają rozmaitą etiologię (tab. 20.6).

Obraz kliniczny
SCID to grupa wrodzonych niedoborów odporności o bardzo ciężkim przebiegu. Predysponują do poważnych, niejednokrotnie śmiertelnych zakażeń bakteryjnych, wirusowych i/lub grzybiczych. Dominujące objawy kliniczne to:

- brak prawidłowego rozwoju dziecka, szczególnie przyrostu masy ciała,
- przewlekła biegunka,
- ciężkie zakażenia narządowe lub uogólnione (zapalenie płuc, mózgu, kości, wątroby, OUN), w tym oportunistyczne,
- współwystępowanie chorób autoimmunizacyjnych (ryc. 20.8) z ich objawami (niedokrwistość, małopłytkowość, łysienie plackowate, powiększenie wątroby, śledziony i węzłów chłonnych, zaburzenia neurologiczne, zmiany skórne).

Przebieg naturalny
Dzieci nieleczone umierają zwykle w pierwszych 2 latach życia.
Metody diagnostyczne
Badania genetyczne poprzedzone określeniem liczby i odsetka limfocytów B, T i NK we krwi, a także ocena funkcji limfocytów T w teście transformacji blastycznej.

Tabela 20.6. Ciężkie złożone niedobory odporności (N – norma, ↓ – obniżone, ↓↓↓ – znacznie obniżone, ↑ – podwyższone, X – sprzężone z chromosomem X, AR – autosomalne recesywne, NK – komórki NK)

NAZWA	LIMFOCYTY T	B	Ig W SUROWICY	CECHY	DZIEDZICZENIE	PATOGENEZA
1. Ciężki złożony niedobór odporności T–B+						
Ciężki niedobór odporności sprzężony z chromosomem X	↓↓↓	N lub ↑	↓	↓↓↓ NK, w hipomorficznych mutacjach niekiedy N lub ↓ T i NK	XL	Defekt łańcucha γ receptorów dla IL-2, IL-4, IL-7, IL-9, IL-15 i IL-21
Niedobór JAK3	↓↓↓	N lub ↑	↓	↓↓↓ NK, w hipomorficznych mutacjach niekiedy zmienna liczba T i NK	AR	Defekt aktywacji kinazy janusowej 3
IL-7R – α	↓↓↓	N lub ↑	↓	Prawidłowe NK	AR	Defekt łańcucha α receptora IL-7
Niedobór CD45	↓↓↓	N	↓	Prawidłowe T γ/δ	AR	Defekt CD45
Niedobór CD3δ/CD3ε/CD3ζ	↓↓↓	N	↓	Prawidłowe NK, brak T γ/δ	AR	Defekt kompleksu receptorów limfocytów CD38/CD3ε/CD3
Niedobór Coronin-1A	↓↓↓	N	↓	Grasica obecna	AR	Defekt grasiczych komórek T i ich przemieszczenia
2. Ciężki złożony niedobór odporności T–B–						
Niedobór RAG-1/RAG-2	↓↓↓	↓↓↓	↓	Zaburzona rekombinacja VDJ, często jako zespół Omenna	AR	Mutacje genów *RAG1* i *RAG2*
DCLRE1C – niedobór Artemis	↓↓↓	↓↓↓	↓	Zaburzona rekombinacja VDJ, radiowrażliwość, często jako zespół Omenna		Defekt naprawy białka DNA Artemis
Niedobór DNAPKcs	↓↓↓	↓↓↓	↓	Granulocytopenia, trombocytopenia	AR	Defekt naprawy białka DNAPKcs
Niedobór deaminazy adenozyny	Brak (mutacja *null*) lub postępujące ↓	Brak lub postępujące ↓	Postępujące ↓	Zaburzenia neurologiczne, uszkodzenie słuchu, objawy ze strony płuc i wątroby		Brak deaminazy adenozyny, wzrost stężeń limfocytotoksycznych metabolitów (adenozylohomocysteina)
Dysgenezja siateczki	↓↓↓	N lub ↓	↓	Granulocytopenia, głuchota	AR	Defekt dojrzewania limfocytów T i B oraz komórek mieloidalnych (defekt komórki pnia)
3. Zespół Omenna	Obecne (ograniczona heterogenność	N lub ↓	↑ IgE, inne ↓	Erytrodermia, eozynofilia, adenopatia, hepatosplenomegalia	AR	Hipomorficzna mutacja *RAG1/2*, Artemis, IL-7R α, RMRP, ADA, ligaza IV DNA
4. Niedobór ligazy IV DNA	↓	↓	↓	Mikrocefalia, dysmorfia, radiowrażliwość, może współistnieć z objawami zespołu Omenna	AR	Defekt ligazy IV DNA (NHEJ)
5. Cernunnos	↓	↓	↓	Mikrocefalia, zahamowanie rozwoju płodu, radiowrażliwość	AR	Defekt Cernunns (NHEJ)
6. Niedobór ligandu CD40	N	Tylko IgM+ i IgD+	N lub ↑ IgM, inne ↓	Neutropenia, trombocytopenia, anemia hemolityczna, choroby dróg żółciowych i wątroby, oportunistyczne zakażenia	XL	Defekt ligandu CD40, powodujący przejście w inne formy izotopów Ig oraz uszkodzenie sygnału komórek dendrytycznych

Tabela 20.6. cd.

NAZWA	LIMFOCYTY T	LIMFOCYTY B	Ig W SU-ROWICY	CECHY	DZIE-DZICZE-NIE	PATOGENEZA
7. Niedobór CD40	N	Tylko IgM$^+$ i IgD$^+$	N lub ↑ IgM, inne ↓	Neutropenia, choroby układu pokarmowego, dróg żółciowych i wątroby, oportunistyczne zakażenia	AR	Defekt ligandu CD40, powodujący przejście w inne formy izotopów Ig oraz uszkodzenia sygnału komórek dendrytycznych
8. Niedobór fosforylazy nukleozydu purynowego	Postępujące ↓	N	N lub ↓	Niedokrwistość autoimmunohemo-lityczna, objawy neurologiczne	AR	Defekt komórki T wskutek uszkodzenia toksycznymi metabolitami nukleozydu purynowego
9. Niedobór łańcucha γ dla CD3	N (redukcja ekspresji TCR)	N	N		AR	Upośledzenie transkrypcji łańcucha CD3γ
10. Niedobór CD8	Brak CD8, N CD4	N	N		AR	Defekt łańcucha α CD8
11. Niedobór ZAP-70	CD8 ↓, N CD4	N	N		AR	Mutacja genowa ZAP-70
12. Niedobór kanału Ca^{2+}	N (defekt aktywacji TCR)	N	N	Zapalenie naczyń, dysplazja ektodermalna, miopatia	AR	Defekt kanału Ca^{2+}
13. Niedobór antygenów MHC klasy I	Niedobór CD8	N	N	Zapalenie naczyń	AR	Mutacja przekazu czynnika dla antygenów MHC klasy I
14. Niedobór antygenów zgodności tkankowej klasy II (MHC)	N lub niedobór CD4	N	N lub ↓	–	AR	Defekt genu regulacyjnego (białko C2TA lub RFX-5) do transkrypcji cząstek MHC klasy II
15. Niedobór Winged helix (Nude)	↓↓↓	N	↓	Cechy łysienia, nieprawidłowe dojrzewanie limfocytów T	AR	Defekt transkrypcji kodowanej przez *FOXN1*
16. Niedobór CD25	N lub ↓	N	N	Limfadenopatia, hepatosplenome-galia, autoimmunizacja	AR	Defekt łańcucha α receptora dla IL-2
17. Niedobór STAT5b	↓	N	N	Niedobór hormonu wzrostu, cechy dysmorfii, wyprysk, autoimmuniza-cja	AR	Defekt STAT5b, nieprawidłowy rozwój i funkcja limfocytów T γ δ
18. Niedobór Itk	↓	N	N lub ↓		AR	Limfoproliferacja związana z zakażeniem EBV
19. Niedobór Dock8	↓	↓	↓ IgM, ↑ IgE	Nawracające zakażenia dróg oddechowych, zakażenia skórne, atopia, niskie NK	AR	Defekt *DOCK8*

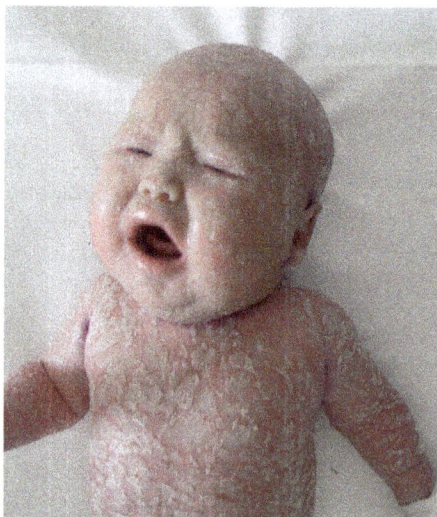

Rycina 20.8. Niemowlę z objawami ciężkiego uogólnionego zapalenia skóry – zespół Omenna.

Leczenie

Czas rozpoznania i rozpoczęcia efektywnej terapii decyduje o życiu pacjenta. Wszyscy pacjenci w oczekiwaniu na przeszczepienie komórek macierzystych krwiotwórczych wymagają intensywnego leczenia i profilaktyki zakażeń.

20.2.5

Zespół Wiskotta–Aldricha

ang. Wiskott–Aldrich syndrome

Epidemiologia

Występuje u chłopców z częstością 1 na 250 000 urodzeń.

Etiologia i patogeneza

Choroba ujawnia się w okresie niemowlęcym lub we wczesnym dzieciństwie, dziedziczy się jako cecha sprzężona z chromosomem X (mutacja *WASP*).

Obraz kliniczny

Charakterystyczne objawy to małopłytkowość o różnym nasileniu, atopowe zapalenie skóry i nawracające infekcje. Zmiany zapalne skóry z upływem czasu ulegają nasileniu. Spośród infekcji dominują ropne zapalenia uszu. Każde zakażenie może mieć bardzo ciężki przebieg (ryc. 20.9). Czasem rozwijają się choroby autoimmunizacyjne, np. niedokrwistość. Istnieje wysokie ryzyko pojawienia się chłoniaka. W związku z małopłytkowością występuje zagrożenie wystąpienia krwawień.

Przebieg naturalny

Pacjenci umierają w 1. lub 2. dekadzie życia z powodu nowotworów układu chłonnego lub krwawień.

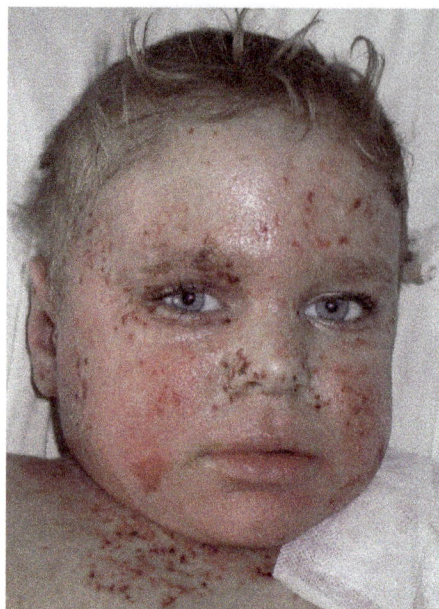

Rycina 20.9. Zakażenie *Herpes simplex* u chłopca z zespołem Wiskotta–Aldricha.

Metody diagnostyczne

Decydujące jest badanie genetyczne.

Leczenie

Leczenie objawowe antybiotykami. W przypadku niedoboru przeciwciał podaje się immunoglobuliny. Przeszczepienie komórek macierzystych krwiopochodnych najlepiej wykonać przed ukończeniem 5. rż.

20.2.6

Zespół DiGeorge'a

ang. DiGeorge syndrome

Epidemiologia

Występuje z częstością 1 : 2000–4000 żywych urodzeń.

Etiologia i patogeneza

Jeden z zespołów mikrodelecji 22q11.2 długiego ramienia chromosomu 22, określany mianem zespołu CATCH22. Zwykle pojawia się sporadycznie, jako mutacja *de novo*, choć znane jest również występowanie rodzinne z dziedziczeniem autosomalnym dominującym (patrz rozdz. 6 „Genetyczne uwarunkowania chorób").

Obraz kliniczny

Triada objawów chorobowych to tężyczka hipokalcemiczna (niedoczynność przytarczyc), wada serca (zwykle zauważana jako pierwsza) i zaburzenia odporności. Wszystkie dzieci z zespołem DiGeorge'a mają charakterystyczny wygląd twarzy:

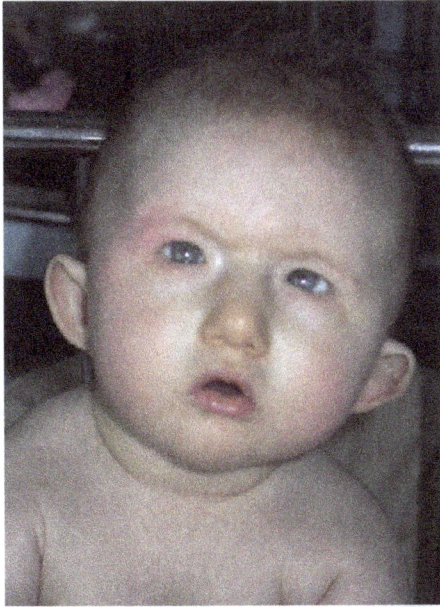

Rycina 20.10. Dziecko z zespołem DiGeorge'a.

- szerokie ustawienie gałek ocznych,
- antymongoidalne skośne ustawienie oczu,
- duże, nisko osadzone i zniekształcone małżowiny uszne (karbowana małżowina, niewykształcony obrębek ucha) (ryc. 20.10).

U większości dzieci stwierdza się gotyckie podniebienie, mowę nosową i niewielkiego stopnia upośledzenie rozwoju umysłowego. Czasem stwierdza się zwiększoną tendencję do zakażeń.

Przebieg naturalny

Przebieg choroby zależy od ekspresji objawów klinicznych. Dzieci z ciężkimi wadami serca obarczone są wysokim ryzykiem zgonu. Zaburzenia wynikające z niedoczynności przytarczyc wymagają leczenia korygującego zaburzenia gospodarki wapniowo-fosforanowej, co i tak w wielu przypadkach nie chroni przed osteoporozą, która może pojawić się już we wczesnym dzieciństwie.

Metody diagnostyczne

Badanie genetyczne potwierdza chorobę u 90% pacjentów. U 20% stwierdza się obniżenie liczby i funkcji limfocytów T.

Leczenie

Leczenie objawowe. W przypadku braku limfocytów T i B (dotyczy 1 : 200 dzieci z zespołem DiGeorge'a) istnieje konieczność przeszczepienia komórek grasicy lub komórek macierzystych krwiopochodnych.

20.2.7
Zespoły chorobowe związane z nadmierną łamliwością chromosomów

Grupa wrodzonych zespołów chorobowych związanych z niestabilnością chromosomów. Komórki pacjentów są bardzo wrażliwe na promieniowanie X, co przy zmniejszonej zdolności do naprawy DNA prowadzi do niestabilności chromosomów. Z tego powodu u tych chorych należy ograniczyć do minimum wykonywanie badań radiologicznych. Genetycznie uwarunkowany brak możliwości naprawy materiału genetycznego (DNA) wiąże się z większą skłonnością do rozwoju chorób nowotworowych, a towarzyszące temu niedobory odporności są przyczyną zakażeń.

Zespół ataksja-teleangiektazja
ang. ataxia-telangiectasia

Epidemiologia
Występuje z częstością 1 : 100 000 żywych urodzeń.

Etiologia i patogeneza
Choroba jest dziedziczona autosomalnie recesywnie. Wynika z mutacji w genie *ATM* zlokalizowanym na chromosomie 11 w *locus* q22–23.

Obraz kliniczny
Charakterystyczne jest poszerzenie naczyń na skórze i spojówkach gałek ocznych (teleangiektazje) (ryc. 20.11). Na skórze stwierdza się zmiany z hiperpigmentacją typu *café au lait*, a także ogniska hipopigmentacji. Postępująca degeneracja układu nerwowego powoduje m.in. niezborność ruchową i chwiejny chód. U niektórych dzieci występują przewlekłe nawracające zakażenia dróg oddechowych oraz zaburzenia odporności. Często rozwijają się nowotwory ukła-

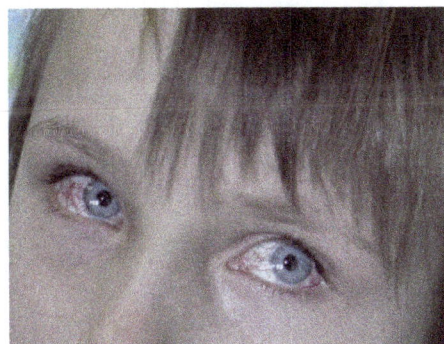

Rycina 20.11. Rozszerzone naczynia krwionośne, trwały objaw u dzieci z zespołem ataksja-teleangiektazja.

du limfatycznego. U 30% pacjentów stwierdza się upośledzenie rozwoju umysłowego.

▲ Przebieg naturalny

Pacjenci umierają z powodu postępującej degradacji psychoruchowej i chorób nowotworowych w 2. lub 3. dekadzie życia.

▲ Metody diagnostyczne

Badania molekularne, kariotyp, badania odporności humoralnej i komórkowej.

▲ Leczenie

Objawowe. Pojedynczy pacjenci mający niedobór immunoglobulin wymagają leczenia preparatami gamma-globulin. U niektórych z nich w związku z oportunistycznymi infekcjami pomimo stosowania przetoczeń immunoglobulin podejmuje się przewlekłą profilaktykę antybiotykową.

Zespół Nijmegen
ang. Nijmegen breakage syndrome

▲ Epidemiologia

Na świecie opisano ponad 300 przypadków zespołu. Najwięcej z nich stwierdzono w Europie Środkowo--Wschodniej, przede wszystkim w Polsce (ok. 200).

▲ Etiologia i patogeneza

Dziedziczenie autosomalne recesywne. Mutacja genu *NBS1*.

▲ Obraz kliniczny

Charakterystyczne objawy to małogłowie, „ptasia" twarz, plamy *café au lait* i zahamowanie wzrostu i przyrostu masy ciała (ryc. 20.12). Rozwój umysłowy jest prawidłowy lub upośledzony. U 60% dzieci występują nawracające zakażenia układu oddechowego, związane z niedoborami przeciwciał i zaburzeniami odporności komórkowej, które wymagają stałego leczenia preparatami immunoglobulin. Śmiertelność z powodu nowotworów, głównie chłoniaków typu B lub T jest najwyższa spośród wszystkich chorób związanych z nadmierną łamliwością chromosomów.

▲ Przebieg naturalny

Większość dzieci umiera w 1. dekadzie życia z powodu nowotworów, niemniej zdarzają się również wieloletnie przeżycia bez objawów klinicznych.

▲ Metody diagnostyczne

Badania molekularne, kariotyp, badania odporności humoralnej i komórkowej.

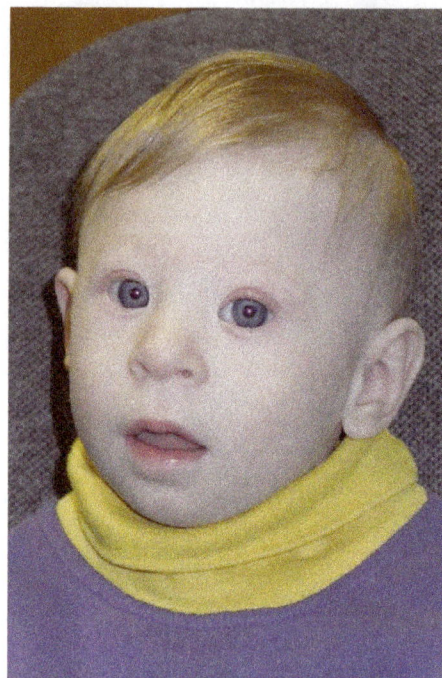

Rycina 20.12. Charakterystyczny fenotyp dziecka z zespołem Nijmegen.

▲ Leczenie

Więcej niż połowa dzieci z zespołem Nijmegen ma niedobór immunoglobulin i wymaga stałych przetoczeń preparatów gamma-globulin. Podejmowane są pojedyncze próby przeszczepienia komórek macierzystych krwiopochodnych u dzieci, głównie w okresie remisji białaczki czy chłoniaka.

Zespół Blooma
ang. Bloom syndrome

▲ Epidemiologia

Opisano ponad 200 chorych z tym zespołem.

▲ Etiologia i patogeneza

Choroba dziedziczy się autosomalnie recesywnie. Znana jest mutacja genu *BLM* z *locus* na długim ramieniu chromosomu 15 (15q26.1).

▲ Obraz kliniczny

Zahamowanie wzrostu, niska masa ciała, ptasi wygląd twarzy i rumień teleangiektatyczny, który powiększa się przy ekspozycji na działanie promieni słonecznych. Skłonność do zachorowań na białaczkę i chłoniaki. Niekiedy nawracające zakażenia.

▲ Przebieg naturalny

Przebieg kliniczny w porównaniu z pozostałymi zespołami z tej grupy jest dość łagodny.

Metody diagnostyczne

Badania molekularne, kariotyp, badania odporności humoralnej i komórkowej.

Leczenie

Niewielka liczba dzieci z powodu zakażeń i obniżonego stężenia IgG wymaga substytucji preparatami gamma-globulin.

Zespół Nethertona

ang. Netherton syndrome

Epidemiologia

Choroba rzadka. Opisano ok. 200 przypadków.

Etiologia i patogeneza

Dziedziczy się autosomalnie recesywnie. Mutacja genu *SPINK5* kodującego inhibitor proteazy serynowej LEKTI.

Obraz kliniczny

Wrodzona erytrodermia ichtiotyczna (zaczerwienienie i złuszczenie skóry), łamliwe włosy (bambusowe/ /paciorkowate, bamboo hair), nawracające zakażenia skórne (głównie gronkowcowe, predysponujące do rozwoju sepsy) oraz niedobór masy ciała i wzrostu. Po 1. rż. zmiany skórne łagodnieją, pojawia się rybia łuska.

Przebieg naturalny

Bardzo zróżnicowany. Od zgonów w pierwszych latach życia z powodu infekcji do wieloletnich przeżyć.

Metody diagnostyczne

Badania molekularne. Liczba limfocytów B i T jest prawidłowa.

Leczenie

Substytucja preparatami gamma-globulin. Podejmowane są próby przeszczepienia macierzystych komórek krwiotwórczych.

Zespół hiper-IgE

ang. Hyper-IgE syndrome

Epidemiologia

Opisano ponad 200 przypadków na świecie.

Etiologia i patogeneza

Dziedziczy się autosomalnie dominująco (mutacja genu *STAT3*) lub autosomalnie recesywnie (mutacja genu *TYK2* lub *DOCK8*).

Obraz kliniczny

Charakterystyczne objawy to grube rysy twarzy z wydatnym nosem (ryc. 20.13), atopowe zapalenie skóry, częste występowanie anafilaksji oraz bakteryjne zakażenia skóry (czasami trudno gojące się rany) i ropnie narządowe, w tym ropnie płuc. Najczęściej przyczyną zakażeń jest *Staphylococcus aureus*, rzadziej grzyby.

Przebieg naturalny

Nasilenie objawów klinicznych jest zróżnicowane u poszczególnych chorych. Inwazyjne zakażenia stanowią przyczynę kalectwa, rzadziej zgonu.

Metody diagnostyczne

Badania molekularne, badania odporności humoralnej i komórkowej. Wysokie miano IgE.

Leczenie

Substytucja preparatami gamma-globulin wymagana jest rzadko, głównie z powodu zakażeń związanych z niedoborem najczęściej podklas IgG. Niekiedy stosuje się profilaktykę antybiotykową i przeciwgrzybiczą.

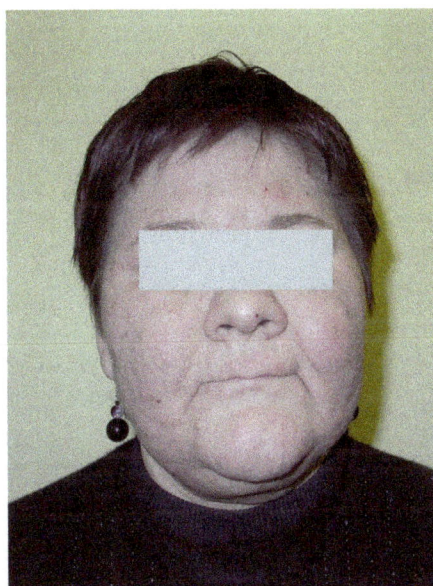

Rycina 20.13. Zespół hiper-IgE – charakterystyczne pogrubione rysy twarzy i zmiany skórne.

20.2.8

Choroby związane z nieprawidłową funkcją układu odporności

Zaburzenia funkcji układu odporności to grupa chorób z różnorodną gamą objawów klinicznych. Wystąpić może częściowy albinizm lub bielactwo dotyczące skóry i włosów, związane z różnymi niedoborami odporności.

Zespoły związane z hipopigmentozą
ang. immunodeficiency with hypopigmentation

Epidemiologia
Choroby z tej grupy występują rzadko, z częstością ok. 1 : 200 000 żywych urodzeń.

Etiologia i patogeneza
Zespół Chediaka–Higashiego – defekt *LYST*, zespół Griscelliego typ 2 – defekt *RAB27A*, i zespół Hermansky'ego–Pudlaka – defekt *AP3B1*.

Obraz kliniczny
Zaburzenia układu odpornościowego w różnym stopniu predysponujące do zakażeń, encefalopatia, skłonność do krwawień oraz albinizm oczno-skórny.

Przebieg naturalny
Chorzy w zależności od ekspresji objawów klinicznych umierają w 1. lub 2. dekadzie życia.

Leczenie
Przeszczepienie macierzystych komórek krwiotwórczych u niektórych pacjentów skutkuje pełną rekonstytucją układu odpornościowego.

Zespoły hemofagocytarne
ang. hemophagocytic lymphohistiocytosis

Epidemiologia
Grupa rzadkich chorób, z których niektóre mają podłoże genetyczne.

Etiologia i patogeneza
Rodzinnie występujące zespoły hemofagocytarne dziedziczą się autosomalnie recesywnie. Opisano mutacje genów *PRF1* (niedobór perforyny, *UNC13D* i *STX11*).

Obraz kliniczny
Występują bardzo ciężkie objawy stanu zapalnego z przewlekłą gorączką i hepatosplenomegalia. Wyrzut cytokin i ekspansja hiperaktywnych limfocytów T skutkują rozwojem niewydolności wielonarządowej.

Przebieg naturalny
Zróżnicowany w postaci wtórnej. Wysoka śmiertelność w pierwszych latach życia w postaci pierwotnej.

Metody diagnostyczne
Ocenia się obecność hemofagocytozy w szpiku i węzłach chłonnych w pobudzonych makrofagach. Liczba limfocytów T i B jest prawidłowa, a komórek NK obniżona (wykazują niską aktywność cytotoksyczną).

We krwi stwierdza się cytopenię (neutropenia, trombocytopenia), hipofibrynogenemię, hipertrójglicerynemię, hiperferrytynemię, hiperbilirubinemię oraz wzrost aktywności aminotransferaz.

Leczenie
Steroidy, immunoglobuliny, cyklosporyna, etopozyd.

Zespół limfoproliferacyjny – niedobór XLP1
ang. Lymphoproliferative syndrom – XLP1 deficiency

Epidemiologia
Występuje z częstością mniejszą niż 1 : 1 000 000 żywych urodzeń.

Etiologia i patogeneza
Dziedziczenie sprzężone z chromosomem X. Mutacja genu *SH2D1A* w typie 1 i *XIAP* w typie 2 choroby.

Obraz kliniczny
Przyczynę ciężkich objawów klinicznych stanowi zakażenie EBV. Występują zapalenie wątroby prowadzące do marskości, aplazja szpiku i chłoniaki.

Przebieg naturalny
Do chwili zakażenia EBV przebieg jest zwykle bezobjawowy.

Metody diagnostyczne
Badanie genetyczne. Liczba limfocytów B i T jest prawidłowa, a stężenie immunoglobulin w normie lub obniżone.

Leczenie
Substytucja preparatami gamma-globulin w przypadku niedoboru przeciwciał. Coraz częściej podejmuje się próby przeszczepiania macierzystych komórek krwiopochodnych oraz wykonuje transplantacje wątroby (w marskości wątroby).

20.2.9

Pierwotne niedobory odporności predysponujące do rozwoju chorób autoimmunizacyjnych

Zespoły autolimfoproliferacyjne związane są z występowaniem zaburzeń autoimmunizacyjnych spowodowanych nieprawidłową apoptozą limfocytów. Skutkuje to przetrwałą aktywacją limfocytów i prowadzi do głębokich zaburzeń mechanizmów immunoregulacyjnych. Konsekwencje hipomorficznej mutacji *RAG1/RAG2* przedstawiono w tabeli 20.6.

Autoimmunizacyjny zespół wielogruczołowy typu 1

ang. autoimmune polyglandular syndrome type 1 (APS1)

Więcej w rozdz. 17 „Choroby układu wydzielania wewnętrznego".

Epidemiologia
Występuje z częstością 1,4–2 : 100 000.

Etiologia i patogeneza
Mutacja genu *AIRE*.

Obraz kliniczny
Objawy kliniczne to endokrynopatia, kandydoza skórno-śluzówkowa i dystrofia endodermalna. O rozpoznaniu decyduje wystąpienie 2 spośród 3 objawów – kandydoza skórno-śluzówkowa, niedoczynność przytarczyc, choroba Addisona (przewlekła niedoczynność kory nadnerczy).

Przebieg naturalny
Pacjenci nieleczeni mają kliniczne objawy związane z niewydolnością gruczołów endokrynnych.

Metody diagnostyczne
Badania genetyczne. Liczba limfocytów B i T jest prawidłowa.

Leczenie
Leczenie chorób autoimmunizacyjnych narządowo swoistych oparte jest na uzupełnianiu brakujących czynników metabolicznych. Leczenie kandydozy w zależności od nasilenia objawów prowadzi się lekami przeciwgrzybicznymi.

Autoimmunizacyjny zespół limfoproliferacyjny

ang. autoimmune lymphoproliferative syndrome (ALPS)

Epidemiologia
Występuje z częstością mniejszą niż 1 : 1 000 000 żywych urodzeń.

Etiologia i patogeneza
Najczęściej mutacja genu *TNFRSF6* skutkująca defektem ligandu Fas, który w warunkach fizjologicznych kontroluje proliferację aktywowanych limfocytów. Defekt dziedziczy się autosomalnie recesywnie.

Obraz kliniczny
Manifestacje kliniczne to powiększenie węzłów chłonnych, śledziony i wątroby oraz objawy związane z autoimmunizacją (anemia, neutropenia, małopłytkowość, zwykle po zakażeniu EBV).

Przebieg naturalny
Zróżnicowany.

Metody diagnostyczne
Diagnostyka genetyczna, cytometria przepływowa, limfocyty CD95 lub ligand FAS. Liczba limfocytów B i T jest prawidłowa.

Leczenie
Prednizon w dawkach modyfikowanych w zależności od intensywności objawów klinicznych zazwyczaj kontroluje objawy. Preparaty gamma-globulin w okresie zaostrzeń. W razie braku poprawy stosuje się przeciwciała anty-CD20.

Leczenie chorób autoimmunizacyjnych

Obecnie istnieje wiele sposobów terapii blokujących niszczenie tkanek. Dobór narządowo swoistej lub nieswoistej terapii immunotropowej opiera się na tradycyjnych preparatach i coraz częściej stosowanych lekach biologicznych.

Leczenie chorób autoimmunizacyjnych narządowo swoistych polega na uzupełnianiu brakujących czynników metabolicznych, w anemii złośliwej parenteralnej suplementacji witaminy B_{12}, w miastenii podawania inhibitorów cholinesterazy, w cukrzycy typu I insulinoterapii, w niedoczynności tarczycy stosowania tyroksyny, czy też odwrotnie – w tyreotoksykozie włączenia leków przeciwtarczycowych.

Strukturalny defekt narządowy – nieodwracalne zniszczenie nerek w przebiegu tocznia rumieniowatego układowego wymaga terapii nerkozastępczej.

Autoimmunizacyjne zapalenie wątroby doprowadzić może do niewydolności wątroby i konieczności wykonania przeszczepienia narządu.

Konwencjonalna steroidoterapia stosowana jest jako monoterapia, leczenie pierwszego rzutu oraz w leczeniu skojarzonym z innymi lekami immunosupresyjnymi. Steroidy nieswoiście zmniejszają reaktywność immunologiczną.

Leki przeciwzapalne – w immunoterapii antygenowo nieswoistej od dawna stosowane są immunoglobuliny (wszystkie preparaty niemodyfikowane chemicznie, zawierające nieuszkodzony fragment Fc). Do generacji nowoczesnych leków biologicznych należą cytokiny (IFN-β i α) i przeciwciała monoklonalne (inhibitor TNF-α, antagonista receptora dla IL-1, przeciwciała blokujące receptor dla IL-6 i przeciwciało anty-CD20).

Grupa leków cytostatycznych jest wykorzystywana w leczeniu systemowych chorób autoimmunizacyjnych. Należą do nich:

■ leki antymitotyczne – hamują podział komórek zdrowych i chorych (pochodne iperytu azotowego, endoksan),
■ leki alkilujące – blokują enzymy odpowiedzialne za naprawę DNA (pochodne nitrozomocznika),
■ antybiotyki o działaniu cytostatycznym – stabilizują DNA przez tworzenie niemożliwej do rozplecenia spirali (antracyna) lub przecinają nici DNA (bleomycyna),
■ leki o działaniu antymetabolicznym – hamują reakcje enzymatyczne, podział komórek (metotreksat) lub antymetabolity zasad pirymidynowych oraz purynowych, poprzez wbudowanie się w strukturę DNA dzięki podobieństwu chemicznemu.

Plazmafereza jest uznaną metodą leczniczą wykorzystującą różne techniki w celu oddzielenia i usunięcia osocza z niepożądanymi składnikami krwi, takimi jak cytokiny, autoprzeciwciała czy kompleksy immunologiczne.

Jeśli opisane powyżej leczenie immunotropowe zawodzi, w rzadkich przypadkach podejmuje się próbę przywrócenia prawidłowej funkcji układu odporności przez przeszczepienie komórek macierzystych szpiku kostnego lub komórek grasicy.

20.2.10
Wrodzone defekty liczby i/lub funkcji komórek fagocytarnych

Ochrona przed zakażeniami bakteryjnymi i grzybiczymi zależy od liczby i funkcji granulocytów. U niemowląt może występować znaczny ich niedobór spowodowany obecnością przeciwciał niszczących te komórki, tzw. autoimmunizacyjna neutropenia niemowląt. Rozpoznaje się ją u dzieci w ogólnym dobrym stanie bez obecności poważnych zakażeń.

Istnieje kilka bardzo rzadkich rodzajów wrodzonych zaburzeń odporności wynikających z braku lub niedostatecznego wytwarzania granulocytów w szpiku. O rozpoznaniu decyduje obraz biopsji szpiku, który określa stopień zahamowania rozwoju linii granulocytarnej.

Ciężka wrodzona neutropenia
ang. severe congenital neutropenia

Epidemiologia
Opisano kilkadziesiąt przypadków w Europie i na Środkowym Wschodzie.

Etiologia i patogeneza
Choroba Kostmanna (mutacja *HAXI*) została opisana w Szwecji i w innych krajach Europy. Dziedziczy się w sposób autosomalny recesywny. Cykliczna neutropenia (mutacja *ELA2*) dziedziczy się autosomalnie dominująco.

Obraz kliniczny
Ciężkie zakażenia bakteryjne, głównie gronkowcowe, posocznice, ropnie skórne i narządowe, zapalenia płuc czy wyrostka sutkowatego mogą być przyczyną zgonu pomimo leczenia antybiotykami. Cykliczna neutropenia może przebiegać łagodniej. Charakterystyczne dla niej jest zapalenie przyzębia.

Metody diagnostyczne
Badania genetyczne.

Przebieg naturalny
Ciężkie zakażenia bakteryjne mogą doprowadzić do zgonu już w pierwszych latach życia.

Leczenie
W chorobie Kostmanna przy braku efektu leczenia czynnikiem wzrostu granulocytów konieczne jest przeszczepienie komórek macierzystych krwiopochodnych. W cyklicznej neutropenii niekiedy stosuje

się profilaktykę antybiotykową, a w okresach zaostrzeń choroby podaje się czynnik wzrostu granulocytów.

Przewlekła choroba ziarniniakowa

ang. chronic granulomatous disease

Epidemiologia
Występuje z częstością 1 : 250 000–500 000 urodzeń.

Etiologia i patogeneza
Postać sprzężona z chromosomem X jest najczęstsza
i wywołuje ją mutacja genu *CYBB*. W postaci autoso-
malnej recesywnej stwierdza się mutacje genu *CYBA*
lub *NCF2*. Skutkują one defektem zabijania bakterii
katalazododatnich i grzybów.

Obraz kliniczny
Przewlekające się ciężkie zakażenia płuc, kości i węzłów chłonnych (ryc. 20.14). Często występują ropnie wątroby i będące efektem autoimmunizacji ziarniniaki narządowe.

Przebieg naturalny
Pacjenci umierają w pierwszej lub drugiej dekadzie
życia z powodu zakażeń.

Metody diagnostyczne
Badania genetyczne. Test NBT (redukcja błękitu nitrotetrazolowego) z wynikiem 0% i wybuch tlenowy
badany w teście z dihydrorodaminą metodą cytome-
trii przepływowej.

Leczenie
Profilaktyka przeciwgrzybicza i przeciwbakteryjna
zapobiega zakażeniom u większości pacjentów przez
wiele lat. Przeprowadza się przeszczepy komórek
macierzystych szpiku kostnego. U pacjentów dorosłych rozpoczęto próby terapii genetycznej.

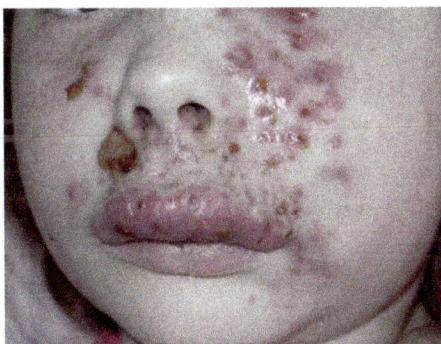

Rycina 20.14. Dziewczynka z przewlekłą chorobą ziarniniakową
i ciężką aspergilozą.

20.2.11
Zaburzenia autozapalne
ang. autoinflammatory disorders

Klasyfikacja Komitetu Ekspertów ds. Pierwotnych
Niedoborów Odporności, Międzynarodowej Unii
Towarzystw Immunologicznych określa obecnie go-
rączki nawrotowe jako choroby autozapalne.

Rodzinna gorączka śródziemnomorska
ang. familial mediterranean fever

Epidemiologia
Szacuje się, że na świecie dotkniętych tą chorobą jest
ponad 100 000 osób. Najczęściej występuje w popu-
lacjach wywodzących się z basenu Morza Śródziem-
nego.

Etiologia i patogeneza
Choroba dziedziczy się autosomalnie recesywnie
(mutacja genu *MEFV*). Stwierdza się defekt dojrzewania granulocytów i funkcji aktywacji monocytów.

Obraz kliniczny
Nawrotowe gorączki (38–40°C), trudne do obniżenia, mogą być jedyną manifestacją choroby. U większości pacjentów występują jednak również bóle
brzucha (niekiedy z zapaleniem otrzewnej), zapalenia opłucnej i osierdzia, zapalenia stawów oraz zmiany przypominające różę na kończynach dolnych.

Przebieg naturalny
Przy właściwym leczeniu kolchicyną objawy znacznie
się wyciszają.

Metody diagnostyczne
Badania genetyczne.

Leczenie
Stałe leczenie kolchicyną.

Inne gorączki nawrotowe
Najczęstszym zespołem wśród gorączek nawrotowych jest zespół PFAPA spowodowany nieznaną mutacją. Przykłady bardzo rzadkich chorób przebiegających z gorączkami nawrotowymi stanowią TRAPS
(tumor necrosis factor receptor superfamily 1A-asso-
ciated periodic syndrome) i zespół hiper-IgD.

W zespole PFAPA zgodnie z akronimem jego nazwy (periodic fever, aphthous stomatitis, pharyngitis,
cervical adenitis) występują okresowe gorączki, afto-
we zapalenie jamy ustnej, zapalenie gardła i zapalenie
węzłów chłonnych szyi. Powyższe objawy zwykle

ustępują z wiekiem. W innych chorobach nawrotowe gorączki raczej utrzymują się przez całe życie.

Diagnostyka polega na wykluczeniu innych przyczyn gorączki i przeprowadzeniu badań genetycznych.

W zespole PFAPA znaczną poprawę przynosi usunięcie migdałów podniebiennych. W okresie gorączki podaje się steroidy. W TRAPS i zespole hiper-IgD stosuje się leczenie immunotropowe np. inhibitorem dla receptora IL-1, anakinrą lub etanerceptem.

20.2.12
Defekty układu dopełniacza
ang. complement deficiencies

Epidemiologia
Częstość występowania zaburzeń układu dopełniacza nie została precyzyjnie ustalona. Stwierdza się etniczne predyspozycje do niedoborów poszczególnych składowych. W populacji europejskiej najczęstszy jest niedobór składowej C2, w Afryce C6, a wśród Azjatów C8 i C9.

Etiologia i patogeneza
Układ dopełniacza pełni bardzo ważną rolę w obronie przeciwbakteryjnej. Współdziała z przeciwciałami w walce z zakażeniami. Znanych jest ponad 30 jego składowych, białek znajdujących się w surowicy krwi i płynach tkankowych. Defekt dotyczy przeważnie jednej ze składowych dopełniacza, ale to wystarczy, by zakłócić łańcuch odpowiedzi ustroju.

Obraz kliniczny
W niedoborze składowych C5–C9 dominują inwazyjne zakażenia meningokokowe. Niedobory składowych C1, C2 i C4 manifestują się objawami chorób tkanki łącznej, tocznia rumieniowatego układowego czy zapalenia stawów i naczyń.

Przebieg naturalny
Zależy od defektu i związanych z nim chorób.

Metody diagnostyczne
Badania stężeń składowych dopełniacza.

Leczenie
Szczepienia ochronne przeciwko meningokokom, leczenie objawowe.

20.2.13
Pierwotne niedobory odporności wiążące się z predyspozycją do poważnych zakażeń

Opisywanych jest coraz więcej mutacji genetycznych, które predysponują do określonego typu bardzo ciężkich zakażeń. Charakterystyczną cechę tych defektów stanowi brak innych objawów, jeśli nie doszło do kontaktu z danym patogenem.

Genetycznie uwarunkowana predyspozycja do ciężkich zakażeń bakteryjnych
Zakażenia wywołane mutacją IRAK-4 i MyD88 – opisano ok. 86 przypadków na świecie. Mutacje IRAK-4 i MyD88 dziedziczą się autosomalnie recesywnie. Występuje predyspozycja do inwazyjnych zakażeń bakteryjnych, głównie wywołanych przez *Streptococcus pneumoniae* i *Staphylococcus aureus*. Mają one ciężki przebieg, który może być przyczyną kalectwa lub zgonu. Metody diagnostyczne to badania molekularne i określenie defektu odpowiedzi receptora TLR na antygeny.

Leczenie zakażeń przez całe życie. Wysoka śmiertelność w przebiegu zakażeń u małych dzieci (ok. 40%). U dzieci starszych i w 2. dekadzie życia nie obserwuje się zgonów z powodu zakażeń inwazyjnych.

Zakażenia związane z mutacją STAT3 – opisano pojedyncze przypadki na świecie. Stwierdza się defekt aktywacji IL-6 wywołany mutacją w genach *STAT3* i *TYK2*, dziedziczący się autosomalnie dominująco. Pacjenci mają predyspozycję do wielu typów zakażeń bakteryjnych – przede wszystkim *Staphylococcus aureus*, rzadziej występują mykobakteriozy, salmonelloza czy BCG-itis. Rozwijają się też zakażenia wirusowe. Ciężki przebieg inwazyjnych zakażeń może być przyczyną kalectwa lub zgonu. Diagnostyka to badania molekularne oraz określenie stężeń IL-6 i IL-10. Zakażenia leczy się przez całe życie.

Genetycznie uwarunkowana predyspozycja do ciężkich zakażeń bakteryjnych i wirusowych
Zakażenia związane z mutacją NEMO – opisane pojedyncze przypadki na świecie. Przyczyną predyspozycji do ciężkich zakażeń jest hipomorficzna mutacja NEMO dziedzicząca się jako cecha sprzężona z chromosomem X. Defekt czynnika NFκB, główne-

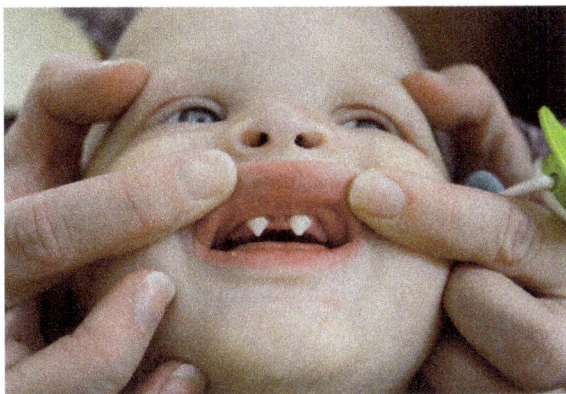

Rycina 20.15. Dysplazja zębów u pacjenta z zespołem Nemo.

go modulatora odpowiedzi T-zależnej prowadzi do upośledzenia reakcji na antygeny wielu receptorów, w tym TLR, receptora dla IL-1 i TNF.

Występują liczne zakażenia (*Streptococcus pneumoniae*, *Mycobacterium avium*, *Pneumocystis jiroveci*, HSV1), a także objawy skórne, którym mogą towarzyszyć zmiany dysplastyczne paznokci, zębów (ryc. 20.15) czy włosów. Zakażenia mogą skutkować zgonem. Leczenie jest wyłącznie objawowe.

Defekt receptora TLR3 – opisano pojedyncze przypadki na świecie. Receptor TLR3 jest mediatorem produkcji antywirusowej IFN-α i β. Powoduje zaburzenia syntezy IL-29. U dzieci opisywano zapalenia mózgu wywołane przez HSV1, które mogą skutkować rozwojem padaczki. Poza tym nie stwierdza się innych zakażeń.

Metody diagnostyczne to badania molekularne i określenie defektu odpowiedzi receptora TLR na antygeny. Leczenie jest zachowawcze. U nosicieli HSV1 rozważa się profilaktykę acyklowirem.

Zakażenia związane z mutacją STAT1 – opisane pojedyncze przypadki na świecie. Predyspozycja do zakażeń jest wynikiem utraty funkcji STAT1-zależnej odpowiedzi na IFN- α, β i γ oraz IL-27. Mutacja STAT1 dziedziczy się autosomalnie recesywnie. Manifestacja klinicznych objawów to zakażenia wywołane patogenami wewnątrzkomórkowymi. Przewlekłe zakażenia bakteryjne i wirusowe prowadzą do dysfunkcji wielonarządowej.

Wykonuje się badania molekularne, a także określa stężenia interferonów α, β i γ oraz cytokiny IL-27. O ile leczenie zakażeń nie przynosi widocznej poprawy, stosuje się leczenie wspomagające (brakującym) interferonem.

Genetycznie uwarunkowana predyspozycja do uporczywych, poważnych zakażeń wywołanych przez *Candida*

Zakażenia związane z mutacją STAT1 – rozpoznano > 50 przypadków na świecie. Defekt spowodowany jest mutacją białek genu *STAT1* odpowiedzialnych za przekaz sygnału do uwalniania IL-17. Genetycznie uwarunkowany spadek potencjału funkcyjnego przekazu i transkrypcji sygnału jest bezpośrednim powodem rozwoju objawów klinicznych zakażenia *Candida*. Cecha dziedzicząca się autosomalnie dominująca spowodowana jest niedoborem IL-17F, a autosomalnie recesywnie wynika z defektu receptora dla IL-17RA.

W obrazie klinicznym dominuje przewlekła kandydoza skórno-śluzówkowa. Uporczywe, trudno poddające się leczeniu zakażenie prowadzi do rozwoju przewlekłych zmian zapalnych płuc. Chorzy nie prezentują żadnych innych poważnych zakażeń, w tym wywołanych przez pozostałe patogeny grzybicze.

Metody diagnostyczne to badania molekularne, określenie ekspresji receptora dla IL-17 oraz stężenia cytokiny IL-17 po stymulacji antygenowej.

Pacjenci z przewlekłą kandydozą skórno-śluzówkowa leczeni są przez całe życie preparatami przeciwgrzybiczymi.

Genetycznie uwarunkowana predyspozycja do zakażeń wywołanych prątkami BCG oraz słabo wirulentnymi mykobakteriami

Genetycznie uwarunkowana, dziedzicząca się wg praw Mendla predyspozycja do chorób wywołanych przez mykobakterie – najliczniejszą grupę stanowią defekty receptora dla IFN-γ. Dotychczas wykryto na świecie > 300 przypadków. Opisano 6 mutacji genów odpowiadających za ten typ zakażeń: *IFNGR1* – gen kodujący łańcuch receptora dla IFN-γ wiążący ligand; *IFNGR2* – gen kodujący łańcuch pomocniczy receptora dla IFN-γ; *IL12B* – gen kodujący podjednostkę p40 wspólną dla IL-12 i IL-23; *IL12RB1* – gen kodujący wspólny łańcuch β1 receptorów dla IL-12 i IL-23; defekt czynnika NFκB; *STAT1* – gen kodujący czynnik 1 przekazu sygnału i aktywacji transkrypcji odpowiedzi w zakresie uwalniania IFN-γ.

Uogólnione zakażenie wywołane prątkiem szczepionkowym BCG wynika z defektu receptora dla

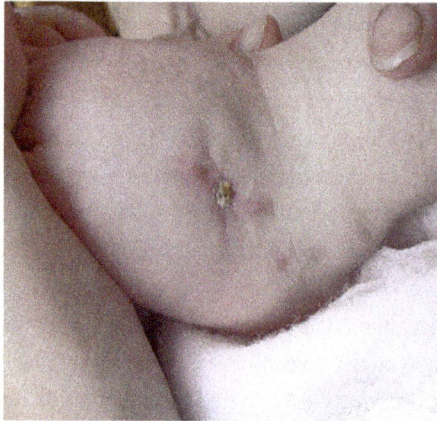

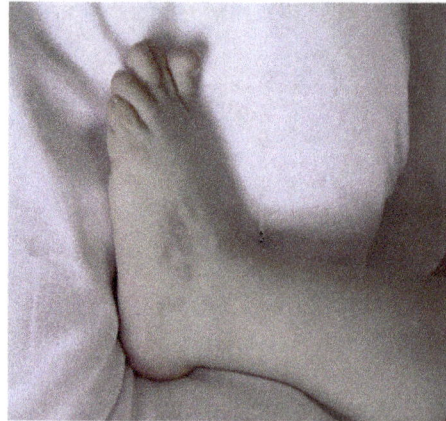

Rycina 20.16. Zakażenie kości śródstopia szczepionkowym prątkiem *Mycobacterium bovis* (BCG) u dziecka z defektem receptora dla IFN-γ przed terapią i po całkowitym wyleczeniu 3 lekami przeciwgruźliczymi.

IFN-γ lub IL-12. Zwykle rozwija się zapalenie kości wywołane prątkiem *Mycobacterium bovis* (ryc. 20.16), rzadziej zakażenia narządów wewnętrznych.

W częściowym defekcie receptora dla IFN-γ (*IFNGR2*), który dziedziczy się autosomalnie dominująco, obecny jest powierzchniowy receptor dla IFN-γ, natomiast nie ma sygnału wewnątrzkomórkowego. Przebieg kliniczny uogólnionego zakażenia ogranicza się głównie do układu kostnego. W pozostałych, znacznie rzadziej występujących defektach, przebieg mykobakterioz zwykle jest dość łagodny.

Diagnostyka polega na przeprowadzeniu testów molekularnych i ocenie funkcji wydzielniczych poszczególnych cytokin.

Większość defektów rokuje dość dobrze, niemniej wymaga długotrwałego leczenia preparatami przeciwgruźliczymi. W rzadkich przypadkach, gdy terapia przeciwprątkowa nie przynosi oczekiwanego efektu, konieczne jest leczenie wspomagające IFN-γ. U dzieci z tym samym rodzajem defektu przebieg choroby i odpowiedź na leczenie mogą być bardzo różne.

Genetyczna predyspozycja do chorób wywołanych przez mykobakterie związana z ciężkim złożonym niedoborem odporności – rokowanie jest znacznie poważniejsze niż w defekcie opisanym powyżej. Głębokie upośledzenie odporności dotyczy zarówno limfocytów B, jak i T. Uogólnione zakażenie *Mycobacterium bovis* lub rzadziej *Mycobacterium tuberculosis* dotyczy nie tylko układu kostnego, ale również narządów wewnętrznych (ryc. 20.17). Pomimo wielolekowej terapii przeciwprątkowej ok. 30% pacjentów umiera nie doczekawszy przeszczepienia komórek macierzystych krwiotwórczych. Polska szczepionka BCG zawiera najmniej reaktogenny podszczep brazylijski prątka bydlęcego Moreau, który jak dotąd nie był przyczyną zgonu.

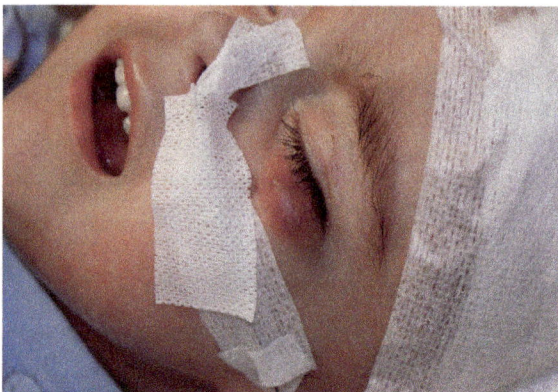

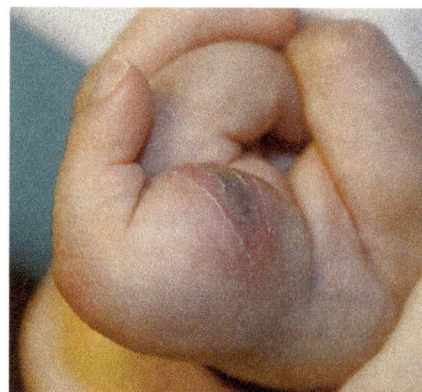

Rycina 20.17. Uogólnione zakażenie prątkiem *Mycobacterium bovis* i *Mycobacterium tuberculosis* o fatalnym przebiegu u dziecka z ciężkim złożonym niedoborem odporności.

20.3
WTÓRNE NIEDOBORY ODPORNOŚCI

Wtórne niedobory odporności wywołane są czynnikami zewnętrznymi lub przebiegiem choroby. Często mogą się cofnąć. Etiologia zakażeń występujących u tych pacjentów charakteryzuje się dużym zróżnicowaniem. Patogeny to m.in. *Aspergillus, Candida, Pseudomonas aeruginosa, Mycobacterium tuberculosis,* prątki atypowe oraz CMV, EBV i wirusy *Herpes.*

Choroby przebiegające z poważnym niedoborem odporności to choroby nowotworowe (przewlekła białaczka limfatyczna, chłoniak, chłoniak Hodgkina), gammapatie monoklonalne, asplenia i dysfunkcja śledziony oraz zakażenie HIV. Słabiej wyrażone defekty immunologiczne występują również w innych chorobach, takich jak nowotwory narządów litych, zaburzenia metaboliczne (cukrzyca), niewydolność nerek, choroby płuc i serca czy choroby wątroby.

Czynniki skutkujące niedoborem odporności to leczenie immunosupresyjne, steroidoterapia w wysokich dawkach, chemio- i radioterapia czy choroba przeszczep przeciwko gospodarzowi. Do rozwoju zakażeń usposabiają także wiek < 5 lat (bakterie otoczkowe), zbyt częste lub długotrwałe podawanie antybiotyków (grzybice), niedożywienie, nadmierny kontakt ze związkami chemicznymi (np. metalami ciężkimi), narażenie na promieniowanie jonizujące i długotrwałe przebywanie w okolicy o zwiększonym zanieczyszczeniu powietrza, gleby czy wód.

20.4
SZCZEPIENIA OCHRONNE

20.4.1
Odpowiedź organizmu na szczepienia

Antygeny szczepionkowe inicjują w różnym stopniu odpowiedź humoralną i komórkową w zależności od rodzaju szczepionki oraz stanu odporności osoby szczepionej.

Odpowiedź pierwotna – białka i/lub polisacharydy szczepionkowe prezentowane przez makrofagi wzbudzają ekspansję limfocytów T i/lub B. Około 10. dnia po szczepieniu obserwuje się znaczący wzrost liczby swoistych przeciwciał. Po ekspozycji na antygen komórki B dzielą się i produkują immunoglobuliny, głównie w klasie IgM. Przeciwciała IgG syntetyzowane są w drugiej kolejności, zbyt wolno i w niewystarczającej liczbie, aby zapobiec poważnym zakażeniom. Powstaje również populacja komórek pamięci T i B, które prezentują te same receptory powierzchniowe, co komórki produkujące immunoglobuliny. Jednak nie wszystkie antygeny indukują powstanie komórek pamięci. Przykładowo polisacharydy bakterii otoczkowych stymulują jedynie syntezę swoistych przeciwciał utrzymujących się w ustroju krótko. Dopiero dzięki połączeniu polisacharydów z białkiem nośnikowym udało się uzyskać T-zależną, długotrwałą odpowiedź przeciwciał (ryc. 20.18).

Odpowiedź wtórna – ponowne zaszczepienie tą samą szczepionką wywołuje szybszą produkcję przeciwciał. Syntetyzowane są głównie IgG w ilości większej niż po pierwotnej dawce. Wykazują one ponadto większe niż wcześniejsze immunoglobuliny powinowactwo do antygenu, co zwiększa ich skuteczność w walce z zakażeniem. Różnica między pierwotną i wtórną reakcją jest silniej zaznaczona, gdy antygen stymuluje zarówno limfocyty B, jak i T. Efektywność szczepień ocenia się poprzez określenie miana swoistych przeciwciał. W odpowiedzi swoistej na szczepionkę bierze się pod uwagę udział komórek T, szczególnie w odpowiedzi na antygeny białkowe (takie jak toksyna tężcowa czy błonicza).

Odpowiedź na poszczególne rodzaje szczepionek. Najbardziej efektywną, długotrwałą odpowiedź na antygen indukują szczepionki żywe, zawierające atenuowane szczepy bakterii czy wirusów. Należą do nich szczepionki przeciwko gruźlicy, odrze, śwince, różyczce, ospie wietrznej i wirusowi *polio.* Dla zachowania ochrony przed zakażeniem dla większości z nich zalecane są dawki przypominające w odstępie kilkuletnim (patrz kalendarz szczepień na stronie Głównego Inspektoratu Sanitarnego http://www.pis.gov.pl).

Inaktywowane szczepy patogenów też wykazują dobrą immunogenność, lecz wymagają podawania częściej dawek przypominających. Z tej grupy szczepionki przeciwko *poliomyelitis*, grypie i durowi brzusznemu wywołują działanie ochronne przez ok. 6 miesięcy.

Rekombinowane szczepionki zawierające fragmenty DNA wirusa, np. przeciw wirusowemu zapaleniu wątroby typu B, stymulują ochronne miana

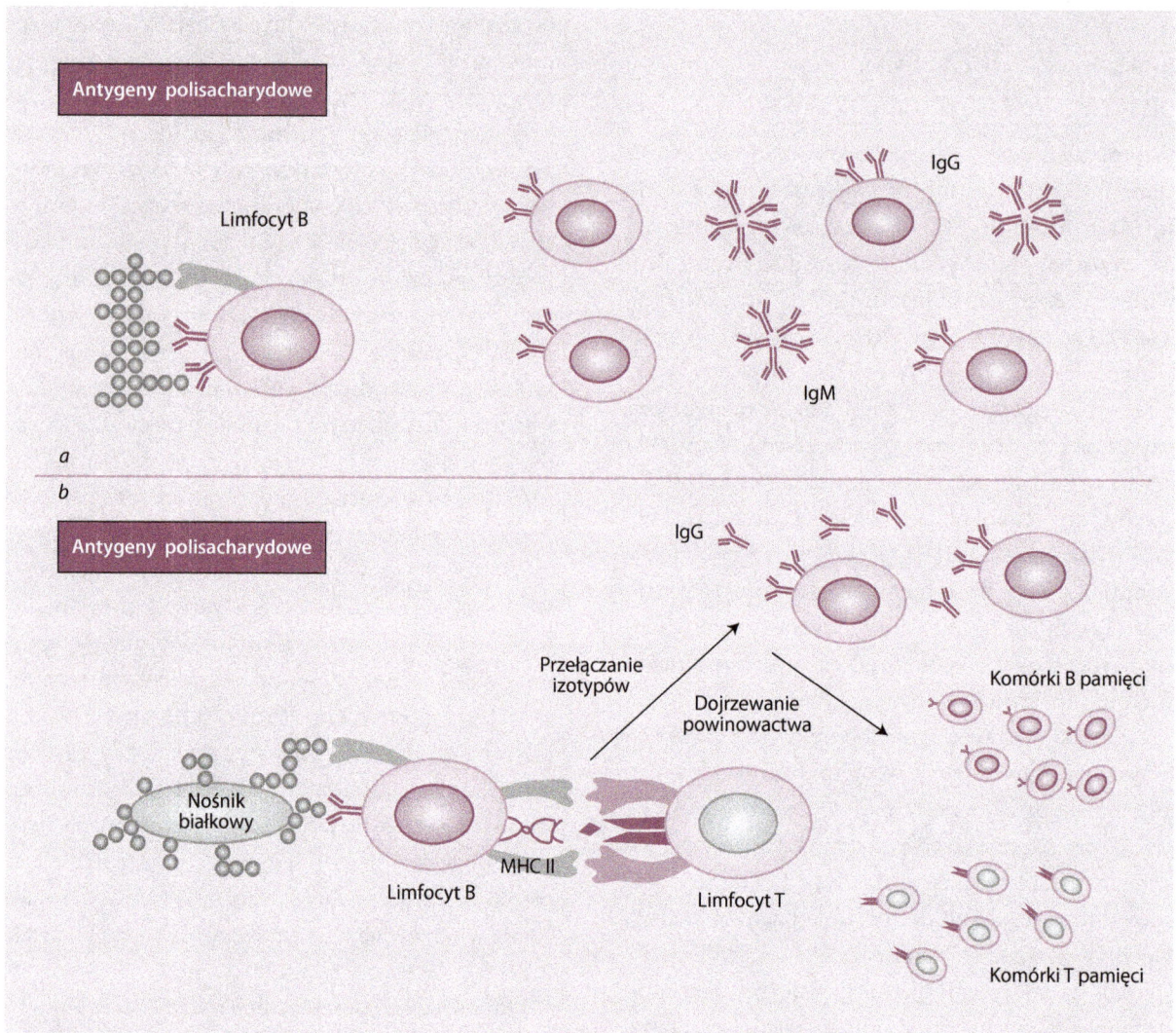

Rycina 20.18. (*a*) Interakcja antygenów polisacharydowych z limfocytem B; (*b*) Interakcja polisacharydów skoniugowanych z białkiem nośnikowym z limfocytem B. Prezentacja przez limfocyt B antygenu limfocytom CD4+ T poprzez cząsteczki MHC klasy II prowadzi do kostymulacji, w wyniku której następuje przełączenie izotopów immunoglobulin, zainicjowany zostaje proces dojrzewania powinowactwa przeciwciał i powstają liczne komórki pamięci B i T.

przeciwciał dopiero po zaszczepieniu trzema dawkami. Odporność utrzymuje się przez wiele lat i w chwili obecnej nie zaleca się dawek przypominających.

20.4.2
Program szczepień ochronnych

Zgodnie z zaleceniami Światowej Organizacji Zdrowia oraz szczegółowymi wytycznymi Komitetu Chorób Zakaźnych Amerykańskiej Akademii Pediatrii (*Red Book*, 2009) dzieci poddawane szczepieniom powinny być zdrowe lub w stabilnym okresie przebiegu choroby.

Nie wykonuje się szczepień żywymi ani zabitymi szczepionkami w ostrych stanach chorobowych oraz przy zaostrzeniu przewlekłego procesu chorobowego. Istotne jest zachowanie właściwych odstępów między szczepieniami (tab. 20.7).

Szczepienia obowiązkowe
Szczepienie przeciw gruźlicy

W Polsce utrzymuje się tendencja spadkowa zachorowań na gruźlicę. W 2010 roku zapadalność na tę chorobę wyniosła 19,7 : 100 000. Gruźlica wieku dziecięcego w Polsce to nadal niewielki odsetek w po-

Tabela 20.7. Minimalne odstępy między szczepieniami – rekomendacje Komitetu Doradczego ds. Szczepień przy Centers for Disease Control and Prevention w Atlancie i *Red Book* 2009

RODZAJ SZCZEPIONKI	ZALECANE NAJKRÓTSZE ODSTĘPY MIĘDZY DAWKAMI RÓŻNYCH SZCZEPIONEK
2 lub więcej inaktywowane	Podawane w tym samym czasie lub dowolny odstęp między dawkami
Inaktywowane i żywe	Podawane w tym samym czasie lub dowolny odstęp między dawkami
2 lub więcej żywe parenteralne, doustne*	Podawane w tym samym czasie lub w odstępie 4 tygodni, gdy nie podano ich podczas tej samej wizyty

* żywe, doustne szczepionki (przeciw rotawirusom czy durowi brzusznemu) podane jednocześnie lub w dowolnym odstępie czasu przed lub po inaktywowanych lub żywych podawanych drogą iniekcji

równaniu z liczbą zachorowań u osób dorosłych. W 2010 roku zachorowało 62 dzieci.

Szczepienie BCG w 1. dż. ochroni dziecko przed rozsianą postacią gruźlicy i przed zapaleniem opon mózgowo-rdzeniowych. Ochrona po jednej dawce szczepionki BCG utrzymuje się co najmniej 15 do 20 lat. Jednorazowe szczepienie BCG przeznaczone jest dla noworodków i dla dzieci wcześniej nieszczepionych do ukończenia 15. rż. Od wielu lat odsetek zaszczepionych szczepionką BCG noworodków jest wysoki, sięga 93%.

Szczepienie przeciw wirusowemu zapaleniu wątroby typu B

Polska należy do krajów o średniej liczbie zachorowań na WZW typu B, a liczba nowych zachorowań maleje. W 2011 roku zapadalność wynosiła 4,15 : 100 000. Zachorowania obserwuje się głównie wśród młodzieży i młodych dorosłych, którzy nie byli szczepieni.

W okresie niemowlęcym podaje się 3 dawki szczepionki, a skuteczność szczepień określa się na 85–100%. Niepotrzebne są szczepienia przypominające. Przed planowanym zabiegiem chirurgicznym nie wykonuje się oznaczeń poziomu przeciwciał i zgodnie z obowiązującymi przepisami nie podaje się dawki przypominającej.

Szczepienie przeciw błonicy, tężcowi i krztuścowi

Dzięki szczepieniom wprowadzonym w latach 50. oraz wysokiej liczbie zaszczepionych dzieci nie obserwuje się zachorowań na błonicę. Powszechne szczepienia przeciw tężcowi sprawiły, że obecnie pojedyncze zachorowania stwierdza się jedynie wśród ludzi starszych, którzy nie byli szczepieni. Od lat stosowany schemat szczepień podstawowych i przypominających zapewnia odporność przeciwko krztuścowi przez okres od 4 do 12 lat. W związku z występowaniem zachorowań wśród młodzieży w miejsce szczepień obowiązkowych Td (szczepionka tężcowo-błonicza) w 14. i 18. rż. zaleca się szczepionkę DTaP (skojarzona szczepionka przeciwko błonicy, tężcowi i bezkomórkowa przeciwko krztuścowi).

Szczepienia przeciwko *Haemophilus influenzae* typu b

Dzięki wprowadzeniu w 2007 roku powszechnych szczepień niemowląt nie obserwuje się inwazyjnych zakażeń wywołanych przez *Haemophilus influenzae* typu b u dzieci do 5. rż. Należy pamiętać, że ze względu na powszechne występowanie tej bakterii, brak szczepień naraża dziecko na poważne zakażenie.

Szczepienia przeciwko *poliomyelitis*

Od 1982 roku w Polsce nie zarejestrowano przypadku zachorowania na *poliomyelitis* wywołanego przez dziki wirus polio. W polskim kalendarzu szczepień od 2004 roku stosuje się 3 dawki szczepionki inaktywowanej przeciwko polio oraz jedną dawkę żywej szczepionki w 6. rż.

Szczepienia przeciwko odrze, śwince i różyczce (MMR)

Utrzymujący się od lat wysoki odsetek (> 95%) dzieci szczepionych dwudawkowym schematem szczepień MMR zapewnia ochronę przed zachorowaniem na odrę. Pojedyncze przypadki zachorowań występują wśród niezaszczepionych, a także jako efekt zawleczenia z obszarów, na których odra nadal występuje, np. z Afryki. Zachorowania na różyczkę stwierdza się wśród osób nieszczepionych, szczególnie młodych mężczyzn. Utrzymuje się też tendencja spadkowa zachorowań na świnkę.

Szczepienia zalecane, niefinansowane z budżetu Ministerstwa Zdrowia (2012 rok)

Szczepienia zalecane są równie ważne jak szczepienia obowiązkowe. Lekarz pierwszego kontaktu ma obowiązek poinformowania rodziców lub opiekunów dziecka o zagrożeniu zachorowaniem na chorobę zakaźną, przeciw której można dziecko zaszczepić. Powinien również odnotować ten fakt w dokumentacji medycznej.

Jedną z chorób zakaźnych o najcięższym przebiegu i wysokim odsetku zgonów u niemowląt i dzieci do 5. rż. jest inwazyjna choroba pneumokokowa. Zakażenie *Streptococcus pneumoniae* powoduje nie tylko zapalenie mózgu, lecz również jest najczęstszą przyczyną zapaleń płuc u dzieci w tej grupie wiekowej. Inwazyjna choroba meningokokowa występuje rzadziej niż zakażenia pneumokokowe, ale przebieg zakażenia częściej kończy się zgonem.

Spośród powszechnie występujących chorób zakaźnych na ospę wietrzną rocznie choruje > 100 000 dzieci. Przebieg zakażenia zwykle jest dość łagodny, choć zdarzają się pojedyncze przypadki o ciężkim przebiegu.

Ponad 80% ostrych biegunek u niemowląt i dzieci powodowanych jest przez rotawirusy. Zakażenia są powszechne, prowadzą często do odwodnienia dziecka i konieczności hospitalizacji.

Pozostałe szczepionki zalecane wymienione są w Programie Szczepień Ochronnych zamieszczonych na stronie internetowej Ministerstwa Zdrowia (www.mz.gov.pl).

20.4.3
Niepożądane odczyny poszczepienne

Szczepionki zapobiegają chorobom i zgonom, mogą jednak wywołać również niepożądane odczyny poszczepienne, niekiedy o ciężkim przebiegu. Mimo że niepożądane odczyny poszczepienne występują rzadko, każda osoba zaangażowana w realizację szczepień ochronnych powinna znać objawy, które mogą wystąpić po szczepieniu. Zawsze musi też poinformować opiekunów szczepionego dziecka o potencjalnym zagrożeniu.

Spośród szczepionek stosowanych w programie szczepień najbardziej reaktogenna jest szczepionka BCG. W zdrowej populacji u 1 na 2000 zaszczepionych BCG dzieci występuje powiększenie węzłów chłonnych pachowych lewych, które może utrzymywać się przez kilka miesięcy.

Szczepionka DTP (skojarzona szczepionka błonica-tężec-krztusiec) jest 5-krotnie bardziej reaktogenna niż DTaP zarówno w odniesieniu do uogólnionych, jak i miejscowych odczynów poszczepiennych. Przeciwwskazania do kontynuacji szczepień przeciw krztuścowi stanowią ciężka reakcja anafilaktyczna na poprzednią dawkę szczepionki lub zawarte w niej komponenty, encefalopatia z brakiem lub zaburzeniami świadomości oraz drgawki z gorączką lub bez gorączki. Jednak nawet te ciężkie reakcje ustępują i nie powodują trwałych uszkodzeń mózgu.

Pozostałe szczepionki również mogą być powodem niepożądanych odczynów poszczepiennych, których opis znaleźć można w ulotkach poszczególnych preparatów.

20.4.4
Bezpieczeństwo szczepień

Szczepionki zapobiegają chorobom zakaźnym, mogą jednak spowodować niepożądane odczyny poszczepienne. Ciężkie odczyny są niezwykle rzadkie, jednak każda osoba zaangażowana w realizację szczepień ochronnych powinna znać objawy uboczne mogące wystąpić po szczepieniu i co najistotniejsze poinformować opiekunów dziecka o potencjalnym zagrożeniu.

Szczepienia nie wywołują autyzmu (teza potwierdzona naukowo). Rozpowszechniony w latach 90. pogląd wiążący szczepienia z występowaniem chorób układu nerwowego, w tym autyzmu, okazał się zwykłym oszustwem. Doszło do manipulacji w badaniach nad rzekomą szkodliwością szczepionki przeciw odrze, śwince i różyczce (MMR). W 2010 r. prestiżowe czasopismo medyczne „Lancet" po raz pierwszy w swej historii opublikowało sprostowanie, odcinając się od fałszywych publikacji.

Czy szczepienia mogą być przyczyną autoimmunizacji? Teoria mimikry dotyczy zakażeń i mówi o tym, że podczas infekcji podobieństwo sekwencji genów białek ludzkich i drobnoustrojów może spowodować reakcję układu odpornościowego przeciw tkankom własnego ustroju. W odniesieniu do szczepień udokumentowano zachorowania na niedokrwistość autoimmunizacyjną po szczepieniu MMR – 1 : 40 000 dawek, co stanowi 6-krotnie niższy wskaźnik niż w przebiegu zwykłego zachorowania na odrę.

Tiomersal (etylen rtęci), związek organiczny, który jest konserwantem zawartym w niektórych szczepionkach, nie ma działania neurotoksycznego, co udowodniono w wielu badaniach. Wydalany jest w całości z ustroju już po kilku godzinach.

Szczepionki nie obciążają nadmiernie układu odpornościowego. Jedna z hipotez aktywistów ruchów antyszczepionkowych bezpodstawnie zakłada, że zbyt wiele szczepionek nadmiernie obciąża układ odporności. Teoretycznie w tym samym czasie pojedyncze antygeny mogą indukować odpowiedź ponad 10^5 klonów limfocytów B. Podanie wielu szczepionek jednocześnie, zawierających nawet po kilkanaście antygenów, nie przeciąża układu odpornościowego dziecka i działa w tym zakresie nieporównywalnie słabiej niż aktywna choroba zakaźna.

20.4.5
Źródła informacji dotyczące bezpieczeństwa szczepień

Każde doniesienie o potencjalnie szkodliwym działaniu szczepionek jest dogłębnie analizowane przez GACVS (Światowy Komitet Doradczy ds. Bezpieczeństwa Szczepień, WHO), a bieżącą informację można znaleźć na stronie http://www.who.int/vaccinesafety/en/. Analizowano m.in. doniesienia z lat 2000–2002 dotyczące związku pomiędzy występowaniem białaczki limfocytarnej u osób szczepionych przeciw WZW B. Doniesienia te na podstawie metaanalizy i innych badań nie znajdują jak dotąd żadnego potwierdzenia.

Dotychczasowa analiza wykazuje też, że nie ma dowodów na to, aby szczepienia powodowały alergie, stwardnienie rozsiane, cukrzycę typu 1, przewlekłe zapalenie stawów, zespół nerczycowy czy choroby nowotworowe.

Piśmiennictwo

1. Bernatowska E., Grzesiowski P.: *Szczepienia ochronne – obowiązkowe i zalecane od A do Z*. Wydawnictwo Lekarskie PZWL, Warszawa 2010.
2. Folb P., Bernatowska E., Chen R., Clemens J. i wsp.: *A global perspective on vaccine safety and public health: The Global Advisory Committee on Vaccine Safety*. Am. J. Public Health, 2004, 94(11): 1926–1931.
3. Gołąb J., Jakóbisiak M., Lasek W.: *Immunologia*. Wydawnictwo Naukowe PWN, Warszawa 2002.
4. International Union of Immunological Societies Expert Committee on Primary Immunodeficiencies: *Primary immunodeficiencies: 2009 update*. J. Allergy Clin. Immunol., 2009, 124(6): 1161–1180.
5. Ochs H., Smith C., Puck J.: *Primary immunodeficiency disease: a molecular & cellular approach*. Oxford University Press, Oksford 2003.
6. Roitt I., Brostoff J., Male J.: *Immunology*. Mosby, Filadelfia 2000.

CHOROBY ALERGICZNE | *red. Marek Kulus*

21.1 *Anna Zawadzka-Krajewska*

ASTMA OSKRZELOWA

łac. *asthma bronchiale*

ang. bronchial asthma

Definicja

Przewlekła choroba zapalna dróg oddechowych charakteryzująca się obecnością nadreaktywności oskrzeli na bodźce swoiste i/lub nieswoiste oraz obturacją oskrzeli o zmiennym nasileniu, która ustępuje całkowicie lub częściowo, samoistnie lub po podaniu leków.

Podział astmy ze względu na udział czynników etiologicznych:

- alergiczna:
  - IgE-zależna,
  - IgE-niezależna,
- niealergiczna.

Podział astmy ze względu na ciężkość przebiegu (tab. 21.1):

- sporadyczna,
- przewlekła:
  - łagodna,
  - umiarkowana,
  - ciężka.

Klasyfikacja astmy na podstawie ciężkości jest przydatna w podejmowaniu decyzji dotyczących leczenia przy pierwszej ocenie chorego.

Podział astmy ze względu na stopień kontroli:

- kontrolowana,
- częściowo kontrolowana,
- niekontrolowana.

Tabela 21.1. Klasyfikacja ciężkości astmy przed leczeniem

STOPIEŃ CIĘŻKOŚCI	OBJAWY, PEF, FEV_1
Stopień 1 – astma sporadyczna	- Objawy występują rzadziej niż raz w tygodniu - Napady krótkotrwałe - Objawy nocne nie częściej niż 2 razy w miesiącu - Między napadami czynność płuc prawidłowa - FEV_1 lub PEF $\geqslant$ 80% wartości należnej - Zmienność PEF lub FEV_1 < 20%
Stopień 2 – astma przewlekła łagodna	- Objawy występują częściej niż 1 raz w tygodniu, ale rzadziej niż codziennie - Objawy nocne częściej niż 2 razy w miesiącu, ale rzadziej niż raz na tydzień - Między napadami czynność płuc prawidłowa - FEV_1 lub PEF $\geqslant$ 80% wartości należnej - Zmienność PEF lub FEV_1 < 20–30%
Stopień 3 – astma przewlekła umiarkowana	- Codzienne zaostrzenia - Zaostrzenia mogą zaburzać sen i utrudniać aktywność - Objawy nocne co najmniej raz w tygodniu - FEV_1 lub PEF w granicach 60–80% wartości należnej - Zmienność FEV_1 lub PEF > 30%
Stopień 4 – astma przewlekła ciężka	- Codziennie objawy - Częste zaostrzenia - Częste objawy nocne - PEF lub FEV_1 $\leqslant$ 60% wartości należnej - Zmienność PEF lub FEV_1 > 30%

FEV_1 – natężona objętość wydechowa pierwszosekundowa; PEF – szczytowy przepływ wydechowy

Tabela 21.2. Stopień kontroli astmy

KRYTERIUM	ASTMA KONTROLOWANA (WSZYSTKIE KRYTERIA SPEŁNIONE)	ASTMA CZĘŚCIOWO KONTROLOWANA ⩾ 1 KRYTERIUM W ⩾ 1 TYG.	ASTMA NIEKONTROLOWANA
Objawy dzienne	Nie częściej niż 2 razy w tygodniu	Częściej niż 2 razy w tygodniu	⩾ 3 kryteria astmy częściowo kontrolowanej w którymkolwiek tygodniu
Ograniczenie aktywności	Brak	Jakiekolwiek	
Objawy nocne, przebudzenia	Brak	Jakiekolwiek	
Leczenie doraźne	Nie częściej niż 2 razy w tygodniu	Częściej niż 2 razy w tygodniu	
Czynność płuc	Prawidłowa	< 80% wartości należnej	
Zaostrzenia	Nie występują	Co najmniej 1 rocznie	

Podział ten uwzględnia stopień nasilenia ciężkości choroby i odpowiedź na zastosowane leczenie. U dzieci < 5. rż. podstawą oceny są wyłącznie parametry kliniczne (tab. 21.2).

Epidemiologia

Astma jest najczęstszą przewlekłą chorobą układu oddechowego wieku dziecięcego. Na świecie w zależności od populacji na astmę choruje od 0,6 do 15% dzieci, w Polsce ok. 10% dzieci w wieku 13–14 lat i 9% w wieku 6–7 lat. Szczyt zapadalności występuje u dzieci najmłodszych. Przeszło 60% przypadków ujawnia się do 3. rż., a 80% do wieku wczesnoszkolnego.

Etiologia i patogeneza

Czynniki ryzyka zachorowania na astmę:

1 czynniki osobnicze:
- czynniki genetyczne – zidentyfikowano ponad 25 regionów chromosomalnych, w których zlokalizowane są geny odpowiedzialne za podatność na rozwój astmy,
- płeć – we wczesnym dzieciństwie astma częściej występuje u chłopców, różnica zanika po 10. rż., a podczas dojrzewania i w późniejszym okresie astma rozwija się częściej u dziewcząt i kobiet,
- nadreaktywność oskrzeli,
- alergia,
- otyłość,

2 czynniki środowiskowe:
- alergeny występujące wewnątrz pomieszczeń:
  - roztocze kurzu domowego,
  - alergeny zwierząt domowych,
  - alergeny pleśni i grzybów drożdżopodobnych,
- alergeny występujące na zewnątrz pomieszczeń – pyłki roślin wiatropylnych (drzew, traw, chwastów) i grzybów (pleśnie, drożdże),
- zakażenia układu oddechowego,
- dym tytoniowy,

3 czynniki wywołujące zaostrzenia:
- alergeny,
- zakażenia układu oddechowego (szczególnie wirusowe),
- wysiłek fizyczny,
- leki,
- zmiany pogody,
- emocje i stres,
- pokarmy, dodatki do żywności,
- dym tytoniowy i czynniki drażniące.

Stałą cechą astmy jest zapalenie dróg oddechowych. Objawy kliniczne wynikają przede wszystkim z procesu zapalnego toczącego się w oskrzelach średniego i drobnego kalibru. Konsekwencję przewlekłego procesu zapalnego stanowi ograniczenie przepływu powietrza w oskrzelach spowodowane przez:

- skurcz mięśniówki gładkiej oskrzeli,
- obrzęk błony śluzowej,
- nadmierne gromadzenie się gęstej, lepkiej wydzieliny w świetle oskrzeli,
- przebudowę oskrzeli (remodeling).

U dzieci występuje przede wszystkim astma atopowa, u podłoża której leżą mechanizmy IgE-zależne. W ciągu 10–15 minut po kontakcie z alergenem pojawia się ostra obturacja oskrzeli. Jest ona skutkiem pobudzenia mastocytów opłaszczonych swoistymi

IgE i zainicjowanej w ten sposób reakcji alergicznej. Wydzielanie mediatorów zgromadzonych w ziarnistościach mastocytów, takich jak histamina, enzymy proteolityczne i glikolityczne czy heparyna, oraz wytwarzanie *de novo* prostaglandyny, leukotrienów, adenozyny i wolnych rodników tlenowych powoduje skurcz mięśni gładkich oskrzeli, nadmierne wydzielanie śluzu, rozkurcz naczyń krwionośnych, wysięk osocza z naczyń mikrokrążenia i pobudzenie zakończeń nerwów dośrodkowych. Po 6–8 godzinach pojawia się późna faza reakcji alergicznej. Obturacja zaczyna ponownie narastać i może utrzymywać się przez wiele godzin. Reakcja późna ma istotniejsze znaczenie w patogenezie astmy niż reakcja wczesna i stanowi początek przewlekłego zapalenia.

W późnej fazie reakcji alergicznej stwierdza się wzrost nieswoistej nadreaktywności oskrzeli, którego przyczyny stanowią:

- uszkodzenie komórek nabłonka dróg oddechowych ułatwiające penetrację substancji drażniących do mięśniówki oskrzeli,
- bezpośredni wpływ mediatorów zapalnych na reaktywność mięśni oskrzeli,
- zwiększona zdolność komórek do uwalniania mediatorów,
- zwiększona aktywność przywspółczulna autonomicznego układu nerwowego.

Obraz kliniczny

Fenotyp astmy zależy w dużej mierze od wieku dziecka. Nie każdy epizod obturacji oskrzeli, szczególnie u małego dziecka, jest równoznaczny z rozpoznaniem astmy. U dzieci do 5. rż. astma przebiega przede wszystkim pod postacią kaszlu i/lub świszczącego oddechu. Do rzadziej obserwowanych objawów należą typowe napady duszności wydechowej charakterystyczne dla dzieci starszych i osób dorosłych. Zaostrzenia spowodowane są najczęściej zakażeniami wirusowymi układu oddechowego i przebiegają pod postacią obturacyjnych zapaleń oskrzeli.

Najczęstsze objawy astmy to:

- duszność – zwykle wydechowa, choć u małych dzieci również wdechowo-wydechowa, często pojawia się lub nasila w godzinach nocnych (o 3–4 rano),

- świszczący oddech (wheezing) – przeważnie podczas zakażenia układu oddechowego lub po nim oraz po wysiłku, karmieniu lub płaczu,
- kaszel – z reguły suchy, napadowy, po wysiłku czy kontakcie z alergenami, może być jedynym objawem astmy – tzw. kaszlowy wariant astmy (cough variant asthma),
- ucisk w klatce piersiowej, brak tchu – objawy występujące u dzieci starszych.

W okresie objawowym choroby osłuchowo nad polami płucnymi słyszalne są świsty, furczenia i wydłużona faza wydechu.

Przebieg naturalny

Objawy podmiotowe astmy ustępują samoistnie u ok. 50% dzieci do okresu pokwitania. Mogą jednak powracać w wieku dorosłym. Kliniczna remisja choroby występuje częściej, jeśli w okresie dzieciństwa czynność płuc była prawidłowa. Brak odpowiedniej kontroli choroby prowadzi do stałego upośledzenia czynności płuc związanego ze zmianami w strukturze oskrzeli (remodeling).

Metody diagnostyczne

1 Badania czynnościowe płuc

Spirometria, ocena szczytowego przepływu wydechowego (PEF) i jego dobowej zmienności oraz testy dynamiczne (test odwracalności obturacji oskrzeli, testy prowokacyjne swoiste i nieswoiste). Wykorzystanie badań ogranicza wiek pacjenta. Spirometrię zwykle udaje się wykonać > 5.–6. rż., a pomiar PEF > 5. rż.

Dla astmy oskrzelowej charakterystyczne są:

- wzrost FEV_1 > 12% i 200 ml po inhalacji krótkodziałającym β_2-mimetykiem,
- poprawa wyniku spirometrii po próbnym leczeniu steroidem,
- zmniejszenie FEV_1 o 20% względem wartości wyjściowej dla stężeń metacholiny < 8 mg/ml (lub jej odpowiedników) w teście prowokacji nieswoistej, oceniającym stopień nadreaktywności oskrzeli,
- dobowa zmienność PEF przekraczająca 20%,
- wzrost PEF o co najmniej 15% po inhalacji krótko działającym β_2-mimetykiem,
- spadek FEV_1 o 15% lub PEF o 20% względem wartości wyjściowych w 5–15 minut po próbie wysiłkowej.

Wynik prawidłowy badania spirometrycznego nie wyklucza rozpoznania astmy.

2 Ocena procesu zapalnego
- Ocena liczby eozynofili we krwi obwodowej i w tkankach – eozynofilia bezwzględna > 400//mm^3 lub względna > 5% wszystkich leukocytów może sugerować obecność alergii.
- Ocena mediatorów wyzwalanych przez komórki biorące czynny udział w procesie zapalnym – badanie markerów aktywności komórek zapalnych, przede wszystkim mediatorów eozynofilów (ECP,

MBP) w popłuczynach oskrzelikowo-pęcherzykowych umożliwia ustalenie intensywności procesu zapalnego w oskrzelach.
- Pomiar stężenia tlenku azotu (NO) i tlenku węgla (CO) w wydychanym powietrzu.

3 Identyfikacja czynników przyczynowych
- Punktowe testy skórne – nie są podstawą do rozpoznania astmy, umożliwiają jedynie wykrycie czynnika ryzyka lub czynnika nasilającego przebieg choroby.
- Stężenie swoistych IgE w surowicy krwi.

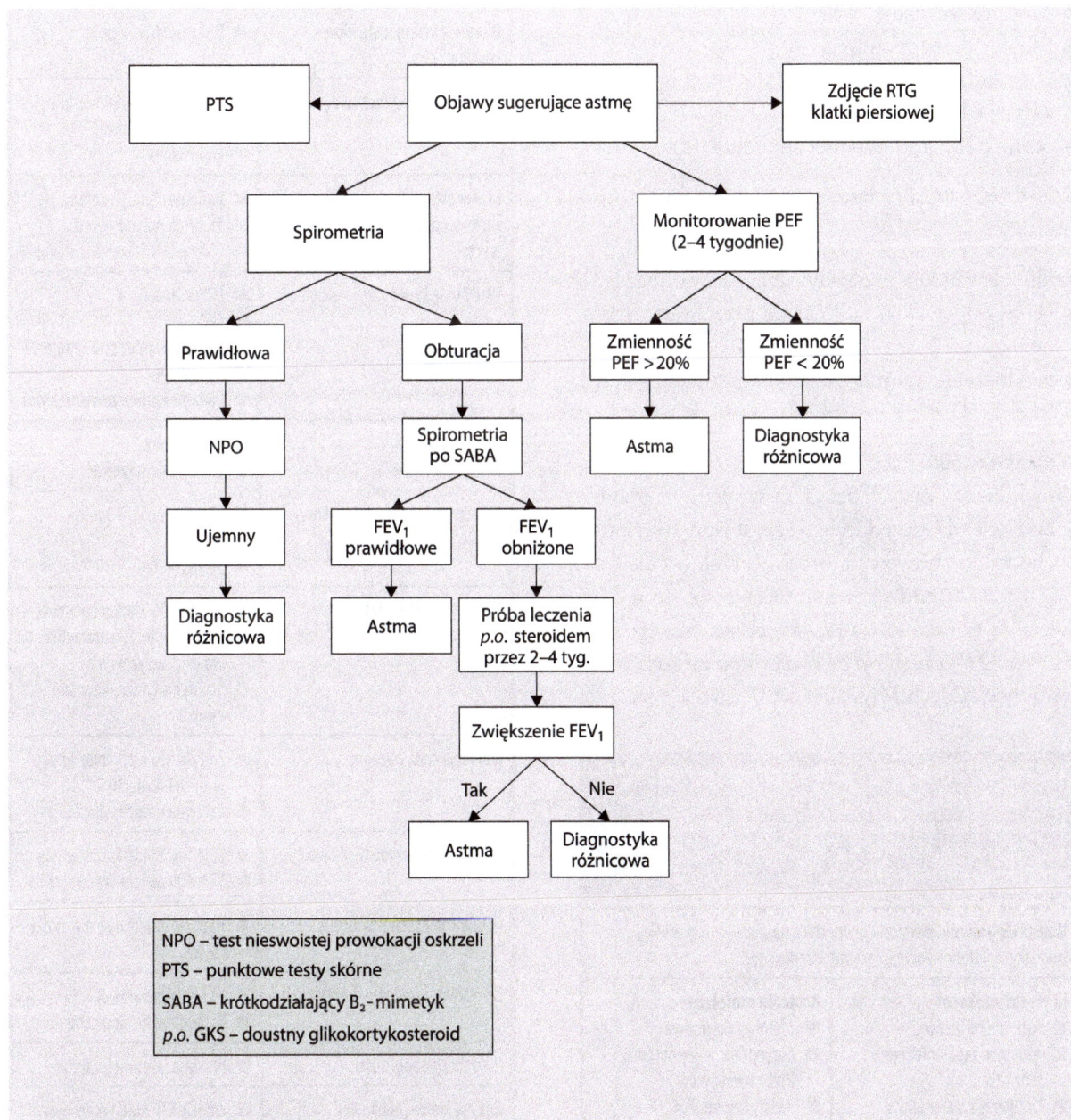

Rycina 21.1. Algorytm rozpoznawania astmy u dzieci starszych.

4 Zdjęcie RTG klatki piersiowej

W okresie bezobjawowym nie ma odchyleń od stanu prawidłowego. W zaostrzeniach jest konieczne w celu diagnostyki powikłań. Wykonuje się je także po to, by wykluczyć inne niż astma przyczyny obturacji oskrzeli.

5 Badanie gazometryczne

W ciężkich postaciach astmy jest niezbędne do oceny wydolności układu oddechowego.

Rozpoznanie astmy u dzieci > 5. rż. ustala się na podstawie:

- danych z wywiadu,
- badania przedmiotowego,
- potwierdzenia odwracalności obturacji lub nadreaktywności oskrzeli,
- oceny PEF i jego dobowej zmienności (ryc. 21.1).

U dzieci do 5. rż. astmę podejrzewa się w oparciu o:

- kliniczny indeks przewidywania astmy (tab. 21.3),
- ocenę odpowiedzi na leczenie przeciwastmatyczne,
- wykluczenie innych przyczyn obturacji oskrzeli (tab. 21.4).

Różnicowanie

U niemowląt i małych dzieci, ze względu na różnice w budowie układu oddechowego, stosunkowo łatwo dochodzi do objawów obturacji oskrzeli w czasie zakażeń układu oddechowego. Ocenia się, że u 50% dzieci do 6. rż. chociaż raz stwierdzano świszczący oddech. U $^2/_3$ z nich był on związany z infekcją wirusową dróg oddechowych, a u 5% obturacja wystąpiła

Tabela 21.3. Indeks przewidywania astmy (asthma predictive index). U dzieci spełniających warunek główny do wysunięcia podejrzenia astmy upoważnia spełnienie 1 z większych i 2 mniejszych kryteriów

Warunek główny: świszczący oddech co najmniej 4 razy w roku, trwający > 1 dobę i powodujący zaburzenia snu

Kryteria większe	Kryteria mniejsze
■ Astma u rodziców ■ Atopowe zapalenie skóry u dziecka ■ Uczulenie na alergeny powietrznopochodne	■ Alergia pokarmowa ■ Eozynofilia > 4% ogólnej liczby leukocytów ■ Świsty bez infekcji

w przebiegu różnych zespołów chorobowych upośledzających drożność oskrzeli (tab. 21.4).

Dane z wywiadu i objawy, których nie obserwuje się zwykle u dzieci chorych na astmę, a zatem sugerują one inną niż astma przyczynę obturacji, to:

- początek objawów w okresie noworodkowym,

Tabela 21.4. Przyczyny obturacji oskrzeli u dzieci

ROZPOZNANIE	BADANIA
Poinfekcyjna nadreaktywność oskrzeli	■ Zdjęcie RTG klatki piersiowej ■ Spirometria
Wiotkość krtani, tchawicy i oskrzeli	■ Bronchofiberoskopia
Wady układu oddechowego	■ Zdjęcie RTG klatki piersiowej ■ TK klatki piersiowej ■ Endoskopia
Przewlekłe zapalenie błony śluzowej nosa i zatok przynosowych	■ Badanie otolaryngologiczne ■ TK zatok przynosowych
Wady układu sercowo-naczyniowego	■ ECHO serca ■ EKG ■ Cewnikowanie serca, angio-TK ■ Endoskopia ■ Badanie kontrastowe przełyku
Mukowiscydoza	■ Test potowy ■ Badania genetyczne
Refluks żołądkowo-przełykowy	■ 24-godzinna pH-metria przełyku ■ Scyntygrafia
Nawracające zachłyśnięcia	■ Zdjęcie RTG klatki piersiowej ■ Ocena popłuczyn oskrzelikowo-pęcherzykowych ■ Scyntygrafia (znakowane mleko)
Aspiracja ciała obcego	■ Zdjęcie RTG klatki piersiowej (wdech i wydech) ■ Sztywna bronchoskopia
Dysplazja oskrzelowo-płucna	■ Zdjęcie RTG klatki piersiowej ■ TK klatki piersiowej
Pierwotna dyskineza rzęsek	■ Badanie struktury i czynności rzęsek
Zarostowe zapalenie oskrzelików	■ TK klatki piersiowej ■ Badania wirusologiczne
Niedobory odporności	■ Badania immunologiczne
Guzy w klatce piersiowej	■ Zdjęcie RTG klatki piersiowej ■ TK klatki piersiowej

Tabela 21.5. Farmakoterapia astmy u dzieci > 5. rż.

STOPIEŃ INTENSYWNOŚCI LECZENIA				
I	II	III	IV	V
Krótko działający β₂-mimetyk w razie potrzeby				
1 z poniższych	1 z poniższych	Dodaj 1 lub więcej	Dodaj 1 lub 2 do leczenia stopnia IV	
Wziewny GKS (mała dawka)	Wziewny GKS (mała dawka) + LABA	Wziewny GKS (średnia lub duża dawka) + LABA	GKS *p.o.*	
LTRA	Wziewny GKS (mała dawka) + LTRA	LTRA	Przeciwciała anty-IgE	
	Wziewny GKS (mała dawka) + TPD	TPD		
	Wziewny GKS (średnia lub duża dawka)			

GKS – glikokortykosteroid; LTRA – antagonista receptorów leukotrienowych; LABA – długo działający β₂-mimetyk; TPD – teofilina o przedłużonym działaniu

■ intubacja i sztuczna wentylacja w okresie noworodkowym,

■ świszczący oddech bez reakcji na leczenie przeciwastmatyczne,

■ świszczący oddech towarzyszący karmieniu lub wymiotom,

■ nagły początek (kaszel, krztuszenie się) bez uchwytnego podłoża alergicznego (wywiad).

Leczenie

1 Leczenie przewlekłe

Zasadniczym celem leczenia astmy jest osiągnięcie i utrzymanie pełnej kontroli choroby. Terapia u dzieci > 5. rż. przypomina stosowaną u dorosłych. Początkowo podaje się leki i dawki zalecane dla danego stopnia ciężkości astmy (tab. 21.5). Zmniejszenie intensywności leczenia, o stopień niżej, należy rozważać po osiągnięciu kontroli i utrzymaniu jej przez 3 miesiące.

U dzieci < 5. rż. leczenie kontrolujące należy rozpocząć od małej dawki wziewnego glikokortykosteroidu (tab. 21.6) i kontynuować je przez co najmniej 3 miesiące. Po tym czasie, jeżeli nie uzyska się pełnej kontroli astmy, powinno się dwukrotnie zwiększyć dawkę leku lub dodać do dotychczasowego leczenia lek przeciwleukotrienowy (LTRA) (tab. 21.7).

Jeśli objawy astmy występują jedynie sezonowo, po okresie ekspozycji na alergen można zakończyć lecze-

Tabela 21.6. Małe dawki dobowe wziewnych glikokortykosteroidów u dzieci do 5. rż.

LEK	MAŁA DAWKA DOBOWA [µg]
Beklometazon	100
Budezonid z inhalatora ciśnieniowego z dozownikiem	200
Budezonid nebulizacje	500
Flutykazon	100

Tabela 21.7. Leczenie astmy w oparciu o stopień kontroli choroby u dzieci do 5. rż.

ASTMA KONTROLOWANA	ASTMA CZĘŚCIOWO KONTROLOWANA	ASTMA NIEKONTROLOWANA
Krótko działający β₂-mimetyk w razie potrzeby		
	Wziewny GKS (mała dawka) **lub** LTRA	Wziewny GKS (podwójna mała dawka) **lub** wziewny GKS (mała dawka) + LTRA

nie przewlekłe. Obowiązuje kontrola po 3–6 tygodniach od zakończenia terapii oceniająca utrzymywanie się remisji objawów.

Korzystny długotrwały efekt w leczeniu łagodnej i umiarkowanej astmy atopowej można uzyskać po zastosowaniu immunoterapii alergenowej.

2 Leczenie zaostrzeń w warunkach ambulatoryjnych
Zaostrzenie astmy manifestuje się narastającą dusznością, świszczącym oddechem, kaszlem i uczuciem ściskania w klatce piersiowej. Napadowi duszności towarzyszy zmniejszenie wydechowego przepływu powietrza, które można ocenić, mierząc PEF i FEV_1.

W przypadku umiarkowanego zaostrzenia zwykle najskuteczniejszym sposobem leczenia jest powtarzana inhalacja szybko działającego β_2-mimetyku (SABA) co 20 minut w ciągu 1. godziny. Potem konieczna dawka β_2-mimetyku zależy od ciężkości zaostrzenia. W lekkich zaostrzeniach wystarczą 2–4 dawki co 3–4 godziny, umiarkowane zaostrzenie wymaga 6–10 dawek co 1–2 godziny. W cięższych zaostrzeniach konieczne bywa stosowanie do 10 dawek w odstępach krótszych niż godzina (ryc. 21.2).

Wskazaniem do zastosowania glikokortykosteroidów doustnych jest brak szybkiej lub utrzymującej się poprawy, czyli zwiększenia PEF > 80% wartości

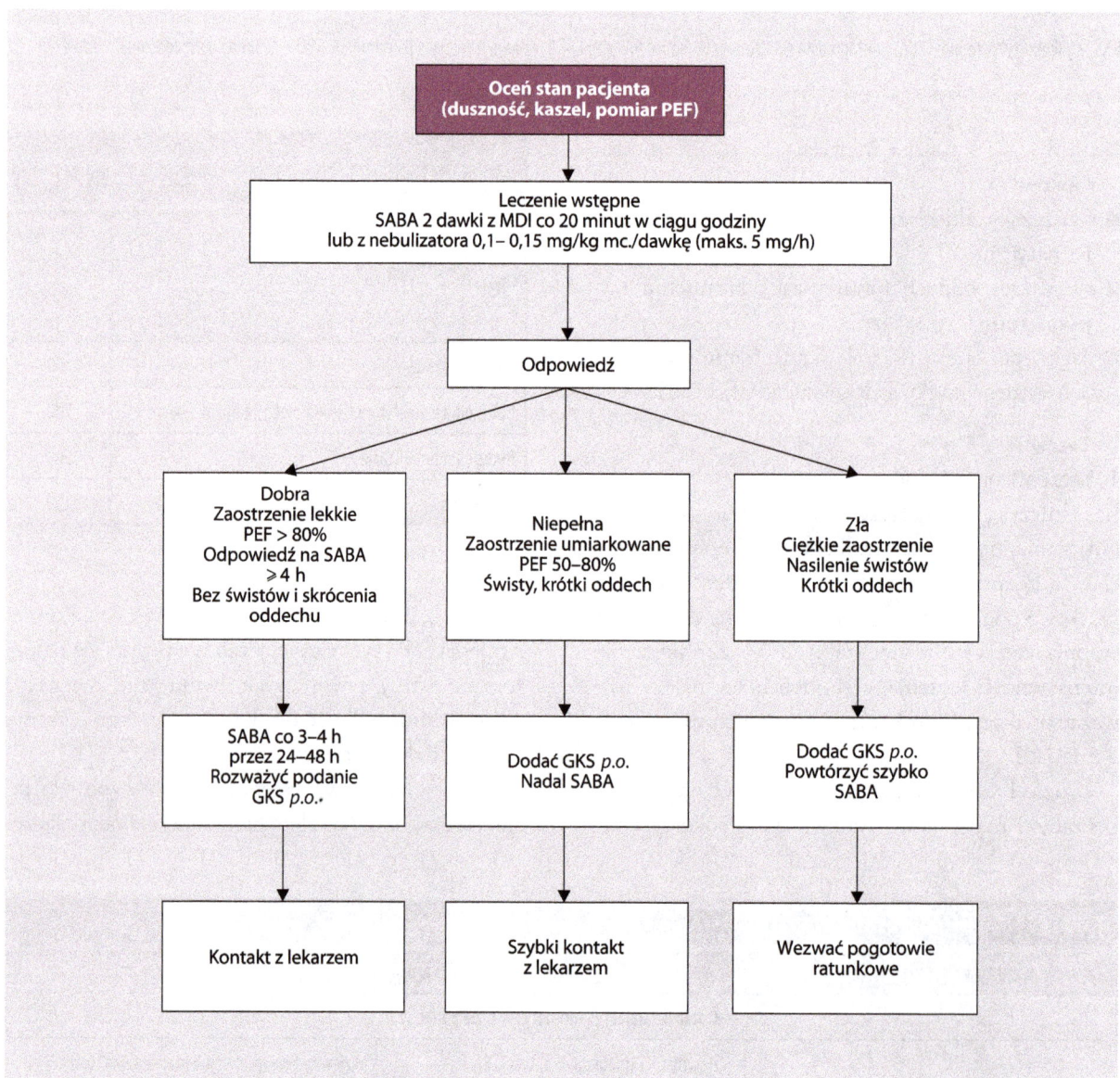

Rycina 21.2. Leczenie zaostrzenia astmy w warunkach domowych.

należnej lub maksymalnej, po jednej godzinie leczenia szybko działającym β₂-mimetykiem. Glikokortykosteroidy doustne podaje się w dawce 0,5–1 mg/kg mc. w przeliczeniu na prednizolon.

3 Leczenie astmy w szpitalu

Wskazania do niezwłocznego przyjęcia dziecka do szpitala to:

- brak odpowiedzi na 3-krotne podanie 2 dawek krótko działającego β₂-mimetyku (SABA) w ciągu 1–2 godzin,
- tachypnoë mimo trzykrotnego podania SABA,
- trudności w jedzeniu, piciu, mówieniu,
- sinica, bezdech lub zagrożenie bezdechem,
- saturacja < 92%,
- warunki socjalne uniemożliwiające prawidłowe leczenie w domu.

W trakcie terapii należy monitorować wskaźniki ciężkości zaostrzenia: tętno, częstość oddechów, wysycenie hemoglobiny tlenem mierzone za pomocą pulsoksymetru, PEF (> 5. rż.) (tab. 21.8).

Podstawę leczenia zaostrzeń astmy stanowią:

- powtarzane inhalacje krótko działającego β₂-mimetyku,
- wczesne podanie ogólnoustrojowe glikokortykosteroidów,
- inhalacje z leku przeciwcholinergicznego w 1. godzinie leczenia,
- aminofilina podawana dożylnie pod kontrolą stężenia w surowicy krwi,
- leczenie tlenem (tab. 21.9).

Tabela 21.8. Ocena zaostrzenia przebiegu astmy u dzieci < 5. rż.

OBJAWY	UMIARKOWANE	CIĘŻKIE
Zaburzenia świadomości	Nie	Tak
SaO₂	⩾ 94%	< 90%
Mowa	Zdania	Słowa
Tętno	< 100/min	> 200/min 0.–3. rż. > 180/min 4.–5. rż.
Sinica centralna	Brak	Obecna
Nasilenie świszczącego oddechu	Zmienne	Cisza nad polami płucnymi

Tabela 21.9. Wstępne leczenie ciężkiego zaostrzenia astmy u dzieci < 5. rż.

LECZENIE	DAWKI/DROGA PODANIA
Tlen	4 l/min do uzyskania SaO₂ > 94%
SABA	200 µg salbutamolu przez tubę lub 2,5 mg salbutamolu przez nebulizator co 20 minut w ciągu 1. godziny
Bromek ipratropium	2 dawki co 20 minut (tylko w ciągu 1. godziny)
GKS	Prednizolon *p.o.* 1–2 mg/kg mc./dobę przez maks. 5 dni **lub** Metylprednizolon *i.v.* 1 mg/kg mc. co 6 h (1. dzień), 1 mg/kg mc. co 12 h (2. dzień), potem 1 mg/kg mc. raz dziennie
Aminofilina	Dawka nasycająca wynosi 6–10 mg/kg mc., a podtrzymująca 0,9 mg/kg mc./h (podawać w oparciu o stężenie teofiliny w surowicy krwi)
SABA *p.o.*	Nie
LABA	Nie

4 Sposoby przyjmowania leków

W leczeniu astmy oskrzelowej należy zawsze uwzględnić sposób przyjmowania leków (tab. 21.10). Leki przeciwastmatyczne można stosować drogą wziewną, doustną i pozajelitową. Główne zalety podawania leków bezpośrednio do oskrzeli przez inhalację to:

Tabela 21.10. Sposoby przyjmowania leków drogą wziewną w astmie

RODZAJ INHALATORA	WIEK PACJENTA	SPOSÓB PRZYJMOWANIA
Inhalator ciśnieniowy z dozownikiem (MDI)	Do 2. rż.	10 oddechów przez tubę z maseczką
	3.–7. rż.	5 oddechów przez tubę z ustnikiem
	> 7. rż.	1 wolny głęboki wdech z zatrzymaniem na szczycie wdechu przez 10 sekund, przez tubę z ustnikiem
Inhalator proszkowy (DPI)	> 5. rż.	Szybki i głęboki wdech z zatrzymaniem na szczycie wdechu przez 10 sekund
Nebulizator	Wszystkie grupy wiekowe przy zaostrzeniu	Nebulizacja (inhalacja)

■ możliwość uzyskania większego stężenia leku w drogach oddechowych,

■ ograniczenie lub uniknięcie działań niepożądanych,

■ wcześniejszy początek działania leków.

5 Samokontrola astmy i edukacja

Systematyczne pomiary PEF są niezwykle pomocne:

■ w ocenie stopnia kontroli astmy,

■ w ocenie skuteczności przyjmowanych leków,

■ we wczesnym rozpoznaniu zaostrzeń astmy,

■ dla poprawy współpracy na linii pacjent – lekarz,

■ przy obiektywizacji objawów choroby.

Każdy chory na astmę powinien otrzymać opracowany przez lekarza plan terapii przewlekłej i postępowania w przypadku wystąpienia zaostrzenia. Skuteczność leczenia astmy jest uzależniona od ścisłej współpracy z pacjentami i ich rodzicami. Dlatego poprawiają ją wszelkie działania edukacyjne mające na celu zrozumienie choroby oraz zapoznanie z planem leczenia i techniką inhalacji.

Rokowanie

Objawy astmy ustępują do okresu pokwitania u ok. 50% dzieci, zwłaszcza chłopców. Nawet przy braku klinicznych objawów choroby czynność płuc jest często upośledzona i/lub utrzymuje się nadreaktywność oskrzeli. Rokowanie pogarsza współistnienie atopowego zapalenia skóry u dziecka lub jego najbliższych krewnych.

Rokowanie w astmie lekkiej u dzieci jest na ogół dobre. Jednak u 5–10% dzieci chorych na astmę przewlekłą lekką w późniejszym okresie życia rozwija się astma ciężka. Prawidłowa kontrola choroby zmniejsza ryzyko trwałego uszkodzenia układu oddechowego i przyspieszonego pogarszania się wraz z wiekiem sprawności wentylacji.

21.2   *Anna Zawadzka-Krajewska*

ALERGICZNY NIEŻYT NOSA

łac. *rhinitis allergica*

ang. allergic rhinitis

Definicja

Zespół objawów klinicznych wywołanych przez alergiczną reakcję zapalną błony śluzowej nosa.

Alergiczny nieżyt nosa dzieli się na:

■ okresowy – trwa nie dłużej niż przez 4 dni w tygodniu lub krócej niż przez kolejne 4 tygodnie,

■ przewlekły – trwa ponad 4 dni w tygodniu i/lub powyżej 4 kolejnych tygodni.

Oba nieżyty nosa mogą mieć przebieg:

■ łagodny – bez zaburzeń snu, uciążliwych objawów, trudności w pracy lub nauce i zmian w dziennej aktywności,

■ umiarkowany – objawy zaburzają codzienne czynności i/lub sen chorego,

■ ciężki – chory nie może prawidłowo funkcjonować w ciągu dnia i/lub nie może spać.

Epidemiologia

Alergiczny nieżyt nosa jest najczęstszą chorobą alergiczną u dzieci. Dotyczy 10–25% ogólnej populacji. W Polsce jego objawy prezentuje 25% dzieci w wieku 6–7 lat i 29% w wieku 13–14 lat, a także 31% osób dorosłych w wieku od 20 do 44 lat. W wieku dziecięcym i u nastolatków alergiczny nieżyt nosa częściej występuje u chłopców.

Etiologia i patogeneza

Na alergiczny nieżyt nosa chorują osoby predysponowane genetycznie, po ekspozycji na uczulające je alergeny, m.in.:

■ pyłki roślin wiatropylnych (drzew, traw, chwastów),

■ alergeny grzybów pleśniowych, których spory występują w atmosferze,

■ roztocze kurzu domowego (przewlekły nieżyt),

■ alergeny zwierząt (przewlekły nieżyt),

■ alergeny grzybów pleśniowych wewnątrzdomowych (przewlekły nieżyt).

Obraz kliniczny

Objawy alergicznego nieżytu nosa to:

■ surowiczy wyciek z nosa,

- upośledzenie drożności nosa,
- napadowe kichanie,
- świąd nosa,
- zapalenie spojówek.

U dzieci młodszych często jedynym objawem choroby jest niedrożność nosa. Poza tym obserwuje się głośny oddech, pochrząkiwanie, gapowaty wyraz twarzy, cienie pod oczami, bruzdę poprzeczną na nosie spowodowaną częstym jego pocieraniem (salut alergiczny), spierzchnięte wargi lub wadę zgryzu.

Przebieg naturalny

Alergiczny nieżyt nosa u dzieci najczęściej ujawnia się w wieku szkolnym jako najpóźniej występujący element marszu alergicznego. Możliwe jest jednak rozpoznanie tej choroby nawet w 1. rż. Ustalenie rozpoznania u dzieci młodszych wymaga szczególnej staranności ze względu na szereg innych przyczyn mogących naśladować objawy tej choroby.

Alergiczny nieżyt nosa to najistotniejszy czynnik ryzyka rozwoju astmy, a jego nasilenie zaostrza astmę. Współistnienie tych chorób zwiększa ryzyko koniecz-

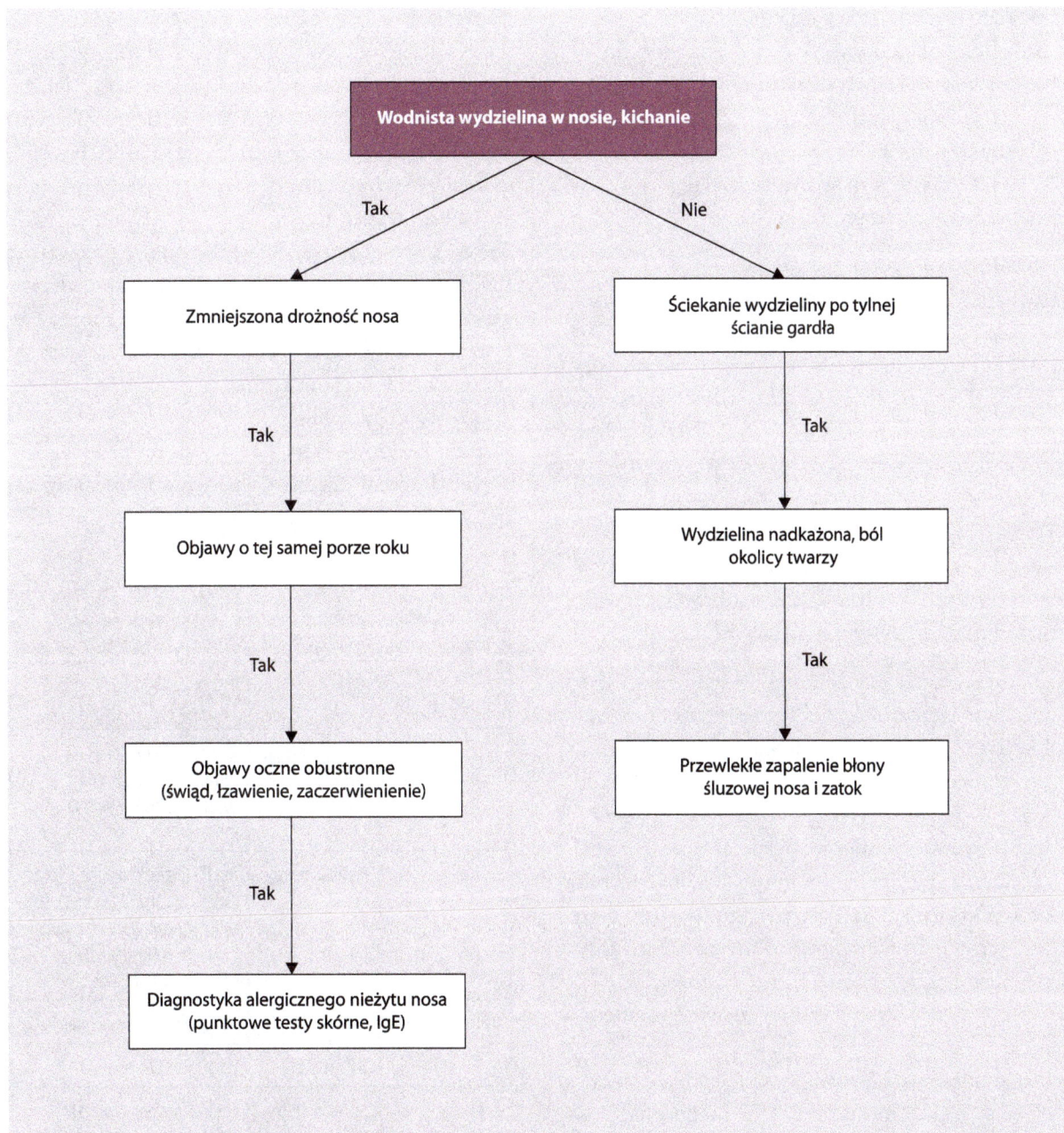

Rycina 21.3. Algorytm rozpoznawania alergicznego nieżytu nosa.

ności hospitalizacji z powodu zaostrzeń astmy, rośnie liczba dodatkowych wizyt lekarskich i koszty leczenia. Skuteczna terapia nieżytu poprawia przebieg astmy.

Alergiczny nieżyt nosa często współwystępuje z zapaleniem zatok przynosowych i zapaleniem spojówek. Jego prawidłowe leczenie łagodzi przebieg tych chorób.

Metody diagnostyczne (ryc. 21.3)

- Wywiad osobniczy i rodzinny w kierunku chorób atopowych.
- Ocena, czy alergiczny nieżyt nosa jest kolejnym krokiem w marszu alergicznym.
- Badanie przedmiotowe, w tym ocena błon śluzowych i anatomicznych struktur nosa.
- Badania diagnostyczne:
  - punktowe testy skórne,
  - oznaczenie alergenowoswoistych IgE,
  - donosowe próby prowokacyjne.

Różnicowanie

Zakażenie błony śluzowej nosa (szczególnie wirusowe), ciało obce, wady anatomiczne nosa, mukowiscydoza, zespół dyskinetycznych rzęsek, przerost migdałka gardłowego. Dodatkowo u dzieci starszych zmiany pourazowe w nosie, a u młodzieży polipy nosa i zmiany rozrostowe (ziarniniak Wegenera).

Leczenie

Farmakoterapia, immunoterapia swoista i edukacja pacjentów. Intensywność leczenia zależy od ciężkości i czasu trwania choroby. Do leków stosowanych w terapii alergicznego nieżytu nosa należą:

- glikokortykosteroidy donosowe – najbardziej skuteczne w leczeniu alergicznego nieżytu nosa, leki I wyboru w nieżycie umiarkowanym i ciężkim, w którym dominującym objawem jest blokada nosa,
- leki przeciwhistaminowe – skuteczne w leczeniu objawów wywołanych histaminą: kichania, surowiczego wycieku z nosa i świądu nosa,
- leki przeciwleukotrienowe – szczególnie przy współistniejących objawach astmy oskrzelowej,
- kromony i nedokromil sodu – niewielka skuteczność,
- leki zmniejszające blokadę nosa – efedryna, fenylefryna, fenylopropanolamina i pseudoefedryna stosowane w celu zmniejszenia obrzęku błony ślu-

zowej nosa, przepisywane na krótki czas, łagodzą objawy.

Immunoterapia swoista stanowi jedyne leczenie przyczynowe alergicznego nieżytu nosa. Zmienia naturalny przebieg choroby oraz zapobiega rozwojowi nowych uczuleń i astmy u pacjentów z objawami alergicznego nieżytu nosa.

21.3   *Agnieszka Krauze*

ZESPÓŁ ALERGII JAMY USTNEJ

ang. oral allergy syndrome

Definicja

Zespół objawów wywołanych kontaktem alergenu pokarmowego z jamą ustną i gardłem związany z IgE-zależną odpowiedzią wywołaną przez reagujące krzyżowo determinanty białkowe obecne w pyłkach roślin, owocach i warzywach.

Epidemiologia

Pacjenci z zespołem alergii jamy ustnej to przeważnie dzieci chorujące na alergiczny nieżyt nosa i pyłkowicę, u których po pewnym okresie trwania choroby po spożyciu surowych owoców i warzyw pojawiają się objawy w obrębie jamy ustnej.

Etiologia i patogeneza

Reakcja krzyżowa (tab. 21.11), której przebieg jest zwykle łagodny, choć u 8% pacjentów obserwuje się objawy spoza przewodu pokarmowego, a u 1,7%

Tabela 21.11. Przykłady alergii krzyżowej pyłków roślin i pokarmów roślinnych

ROŚLINA	ALERGEN	KRZYŻOWO REAGUJĄCA CZĄSTKA POKARMU
Brzoza	Główny antygen brzozy Bet v1	Mal d1 (jabłko), Api g1 (seler), Pru ar1 (morela), Pyr c1 (gruszka), Pru av1 (wiśnia), Gly m4 (soja)
Brzoza	Profilina brzozy Bet v2	Ara H5 (orzeszki ziemne), Api g4 (seler), Bra ana c1 (ananas), Dau c4 (marchew), Lyc e1 (pomidor), Pru p4 (brzoskwinia), Pyr c4 (gruszka), Lit c1 (liczi)
Bylica	Profilina Art. V 4	Api g4 (seler), Dau c4 (marchew)
	LTP Art. V 3	Pru p3 (brzoskwinia)
Ambrozja	Profilina Amb a 8	Cuc m2 (melon), mus xp1 (banan)

Tabela 21.12. Najczęstsze reakcje krzyżowe z pokarmami u chorych z zespołem alergii jamy ustnej

PYŁEK ROŚLINY	POKARM
Leszczyna	Orzech laskowy
Brzoza	Seler, marchew, ziemniak, śliwka, wiśnia, pomidor, jabłko, orzech włoski i laskowy, koper
Trawy	Pomidor, orzeszek ziemny, soja, pszenica, melon, arbuz, kiwi, seler
Bylica	Seler, jabłko, marchew, zioła, rumianek, przyprawy
Ambrozja	Banan, arbuz, melon, kiwi

wstrząs anafilaktyczny. Dolegliwości po spożyciu jednego pokarmu występują u 23–76% chorych z pyłkowicą. Aż 70% chorych z zespołem alergii jamy ustnej reaguje na więcej niż 2 produkty (tab. 21.12).

Białka wywołujące reakcje alergiczne są zwykle termolabilne i ulegają degradacji w trakcie obróbki termicznej lub pod wpływem enzymów żołądkowych. Produkty przetworzone w ten sposób mogą być zwykle spożywane przez osoby uczulone i nie wywołują objawów.

Obraz kliniczny

Objawy o narastającej ciężkości, zaczynające się niewielkim świądem, obrzękiem warg, języka, podniebienia i gardła (pierwsze 15 minut). Następnie może pojawić się masywny obrzęk naczynioruchowy śluzówki tych okolic prowadzący do upośledzenia drożności dróg oddechowych i trudności w połykaniu, a z powodu obrzęku głośni do chrypki. Czasem występują wymioty i ból brzucha.

Do czynników ryzyka wystąpienia reakcji systemowej należą objawy po spożyciu pokarmu w formie gotowanej, dodatnie testy skórne z komercyjnymi alergenami pokarmowymi, brak objawów pyłkowicy i udokumentowana reakcja po konsumpcji brzoskwini.

Metody diagnostyczne

- Dokładny wywiad dotyczący spożywanych pokarmów i towarzyszących temu objawów, a także ewentualnego wcześniejszego rozpoznania pyłkowicy.
- Zalecane jest wykonanie punktowych testów skórnych z surowymi owocami i warzywami (testy prick by prick), ich komercyjnie wytwarzanymi

odpowiednikami oraz z krzyżowo reagującymi alergenami pyłków roślin.

- Uzupełnienie stanowi wykonanie próby prowokacji z pokarmem w formie świeżej i poddanym obróbce termicznej. Rezygnuje się z niej w sytuacjach, gdy u chorego występowały reakcje systemowe, a badania diagnostyczne potwierdzają wywiad.

Leczenie

Podstawowym sposobem terapii jest eliminacja z diety chorego pokarmu odpowiedzialnego za wystąpienie objawów chorobowych. Ponieważ u większości pacjentów objawy występują po spożyciu produktu w formie surowej, zaleca się jego obróbkę termiczną przed konsumpcją.

Pacjenci, u których występowały reakcje systemowe, powinni nosić przy sobie adrenalinę w autostrzykawce.

Wydaje się, iż istotną rolę w terapii zespołu alergii jamy ustnej może odgrywać immunoterapia podskórna lub podjęzykowa alergenem pyłku rośliny mającej wspólny epitop z uczulającym pokarmem.

21.4

Wioletta Zagórska

POKRZYWKA I OBRZĘK NACZYNIORUCHOWY (OBRZĘK QUINCKEGO)

łac. *urticaria et angioedema*

ang. urticaria (hives, nettle rush) and angioedema (Quincke's edema)

Definicja

Pokrzywka i obrzęk naczynioruchowy to reakcje miejscowego rozszerzenia naczyń i zwiększenia ich przepuszczalności z przesiękiem płynu i tworzeniem się obrzęku w odpowiedzi na kontakt z alergenem, infekcję lub stres. Pokrzywka dotyczy warstwy powierzchownej skóry (wykwitem podstawowym jest bąbel pokrzywkowy), a obrzęk naczynioruchowy także warstw głębszych.

Epidemiologia

Pokrzywka przynajmniej raz w życiu wystąpiła u 20% osób. W połowie przypadków pokrzywka i obrzęk naczynioruchowy pojawiają się razem, w 40% występuje sama pokrzywka, a w 10% sam obrzęk naczynioruchowy.

Etiologia i patogeneza

Bąbel pokrzywkowy dotyczy powierzchownych warstw skóry właściwej. Cechują go:

- centralny obrzęk różnego rozmiaru, prawie zawsze otoczony rumieniem,
- świąd lub uczucie pieczenia w okolicy zmiany,
- powrót do prawidłowego wyglądu skóry w czasie od 1 do 24 godzin.

Obrzęk naczynioruchowy dotyczy głębszych warstw skóry właściwej i tkanki podskórnej:

- obrzęk jest blady, bardziej lub mniej rozlany, niezmieniający się przy ucisku, zwykle ustępuje wolniej niż pokrzywka,
- występuje głównie w obszarach ubogich w tkankę łączną, tj w okolicy oczodołów, warg, narządów płciowych i błon śluzowych,
- zmianom skórnym towarzyszy uczucie bólu i pieczenia, a nie świąd.

W badaniu histologicznym zmian skórnych stwierdza się:

- poszerzenie naczyń postkapilarnych i limfatycznych,
- cząstki adhezyjne w bąblu,
- mieszane zapalenie naczyń – nacieki neutrofilów, eozynofilów, makrofagów, limfocytów T pomocniczych i mastocytów.

Wzrost przepuszczalności naczyń, wysięk i nacieki komórkowe wywołane są przez różnorodne mediatory reakcji zapalnych. Inicjacja reakcji może odbywać się na drodze immunologicznej lub nieimmunologicznej (tab. 21.13).

Głównym mediatorem zapalnym odpowiedzialnym za powstawanie zmian skórnych jest histamina. Inne to m.in. serotonina, TNF-α, proteazy, proteoglikany, prostaglandyna D2, leukotrieny, PAF, IL-1, chymaza, tryptaza, anafilatoksyny C3a, C4a i C5a, bradykinina, autoprzeciwciała (anty-FcεRIα, anty-IgE) oraz substancja P. Źródło czynników zapalnych stanowią głównie komórki tuczne, bazofile oraz komórki plazmatyczne, eozynofile, neutrofile, komórki nabłonkowe, neurocyty, makrofagi i białka osocza (aktywacja układu dopełniacza i krzepnięcia).

Najczęstsze przyczyny pokrzywek:

- pokarmy – ryby, mleko, jaja, orzechy, niektóre owoce (truskawki), warzywa, pszenica,
- leki – penicylina, NLPZ, opioidy, polimiksyna, kontrasty diagnostyczne,
- konserwanty – benzoesan, sulfaty, glutaminian jednosodowy, barwniki stosowane w produktach spożywczych,
- alergeny powietrznopochodne – sierść, naskórek zwierząt, pyłki roślin, roztocza, pleśnie,
- jady owadów,
- zakażenia – *Helicobacter pylori*, paciorkowce, gronkowce, jersinioza, wirusowe zapalenia wątroby, nicień ryb morskich (*Anisakis simplex*), *Mycoplasma pneumoniae*, *Giardia lamblia*, parwowirus B19,
- choroby autoimmunizacyjne,
- narażenia zawodowe,
- czynniki psychogenne,
- czynniki hormonalne – zmiany cyklu menstruacyjnego.

Obraz kliniczny

Obraz kliniczny pokrzywek jest różnorodny. Jednocześnie mogą występować różne pokrzywki. Klasyfikacja pokrzywek i/lub obrzęku naczynioruchowego ze względu na czas trwania aktywnych zmian skórnych:

- pokrzywka ostra – do 6 tyg. trwania czynnych zmian skórnych,
- pokrzywka przewlekła – ponad 6 tyg. trwania czynnych zmian skórnych,
- pokrzywka epizodyczna – z częstymi nawrotami.

Tabela 21.13. Mechanizmy odgrywające rolę w rozwoju pokrzywki

MECHANIZMY IMMUNOLOGICZNE	MECHANIZMY NIEIMMUNOLOGICZNE
- IgE-zależne (reakcje typu I) - Kompleksy immunologiczne (reakcje typu III – zapalenie naczyń) - Aktywacja składowych dopełniacza na drodze klasycznej lub alternatywnej - Autoimmunizacyjne (przeciwciała anty-FcεRI lub anty-IgE)	- Bezpośrednia degranulacja komórki tucznej (np. opiaty, czynniki fizyczne, neurogenne czy neurohormonalne) - Aspiryna, NLPZ, dodatki w pokarmach (barwniki azowe, konserwanty) - Inhibitory konwertazy angiotensyny

Klasyfikacja kliniczna pokrzywek i/lub obrzęku naczynioruchowego:

- pokrzywka samoistna – ostra lub przewlekła,
- pokrzywka fizykalna:
  - z zimna – wywołana przez zimne powietrze, wodę, wiatr,
  - z ucisku – wywołana uciskiem, bąble powstają po 3–8 godzinach,
  - cieplna – wywołana bodźcem cieplnym,
  - słoneczna – wywołana promieniowaniem UV lub światłem widzialnym,
  - ze wzmożonym dermografizmem – wywołana ostrym potarciem, bąble powstają po 1–5 minutach,
  - wibracyjna – wywołana wibracjami.
- inne zaburzenia pokrzywkowe:
  - pokrzywka wywołana wodą,
  - pokrzywka cholinergiczna – wywołana przez wzrost temperatury ciała,
  - pokrzywka kontaktowa – po kontakcie z substancjami pokrzywkogennymi,
  - pokrzywka/anafilaksja wywołana wysiłkiem.

Elementy różnicujące w obrazie klinicznym w poszczególnych podtypach pokrzywek:

- czas pojawiania się bąbla:
  - szybko – w reakcjach IgE-zależnych (np. po ukąszeniu owadów),
  - opóźnione objawy – uczulenie na alergeny inhalacyjne, reakcje typu III, reakcje autoimmunizacyjne, w alergii pokarmowej,
- lokalizacja bąbli – w miejscu czynnika drażniącego w pokrzywkach fizykalnych, kontaktowych,
- zabarwienie zmian skórnych i czas ich ustępowania:
  - ciemniejsze zabarwienie bąbli w mastocytozie,
  - zmiany krwotoczne i dłużej ustępujące związane są z uszkodzeniem naczyń w reakcjach typu III,
- obecność objawów uogólnionych:
  - w reakcjach typu I – duszność, katar, łzawienie, wstrząs,
  - w reakcjach typu III – bóle stawowe i mięśniowe, białkomocz,
  - w mechanizmie aktywacji układu dopełniacza – gorączka, bóle stawowe, wzrost stężeń markerów zapalenia.

Przebieg naturalny

U dzieci i młodzieży częściej występują ostre postacie pokrzywki. Główne ich przyczyny to nietolerancje pokarmowe, leki i infekcje. Spośród determinant wywołujących pokrzywki przewlekłe u dzieci wymienić należy czynniki fizyczne (ucisk, zimno) i zaburzenia autoimmunizacyjne.

U 70% chorych objawy występują dłużej niż 1 rok, w tym u 14% powyżej 5 lat, a mogą trwać nawet do 10 lat. Przebieg pokrzywki, zwłaszcza przewlekłej, ma duży wpływ na jakość życia chorych.

Metody diagnostyczne

Ze względu na niejednorodną etiologię i różnorodność pokrzywek rozpoznanie opiera się na dokładnie przeprowadzonym badaniu podmiotowym (tab. 21.14), przedmiotowym, podstawowych i poszerzonych badaniach laboratoryjnych oraz testach prowokacyjnych potwierdzających przyczynę określonego typu pokrzywki (tab. 21.15). Algorytm postępowania w diagnostyce pokrzywki i obrzęku naczynioruchowego przedstawiono na rycinie 21.4.

Różnicowanie

W diagnostyce różnicowej należy uwzględnić zmiany skórne ze świądem podobne do pokrzywek, a więc

Tabela 21.14. Dane, które należy uwzględnić przy zbieraniu wywiadu u dziecka z pokrzywką

DIAGNOSTYKA POKRZYWKI – WYWIAD

1. Czas wystąpienia choroby
2. Częstotliwość pojawiania się zmian i czas ich utrzymywania się
3. Zmienność dobowa
4. Kształt, rozmiar i lokalizacja zmian skórnych
5. Współwystępowanie obrzęku naczynioruchowego
6. Współistnienie ze zmianami świądu, bólu i innych objawów subiektywnych
7. Wywiad rodzinny w kierunku pokrzywki i atopii
8. Obecnie lub w przeszłości występujące alergie, zakażenia i inne choroby (przede wszystkim układu pokarmowego)
9. Stosowanie NLPZ, maści, kropli miejscowych i innych leków, szczepienia, iniekcje
10. Związek objawów z pokarmem
11. Palenie tytoniu
12. Rodzaj wykonywanej pracy
13. Hobby
14. Związek choroby z wyjazdami, wakacjami
15. Implanty chirurgiczne, stomatologiczne
16. Reakcje na ukąszenia owadów
17. Związek z cyklem menstruacyjnym
18. Stres, choroby psychiatryczne i psychosomatyczne
19. Związek ze środkami czystości (kosmetyki, proszki)
20. Zaburzenia jakości życia wywołane pokrzywką

Tabela 21.15. Zalecane badania laboratoryjne w diagnostyce pokrzywek

TYP POKRZYWKI	BADANIA PODSTAWOWE	BADANIA POSZERZONE
Pokrzywka ostra	Brak	Brak, jeżeli alergia w wywiadzie – punktowe testy skórne, IgE swoiste (typ I alergii)
Pokrzywka przewlekła	Morfologia, rozmaz, OB/CRP, unikanie podejrzanych leków	Wykrywanie zakażeń, nadwrażliwość typu I, test z surowicą autologiczną, autoprzeciwciała, hormony tarczycy, testy fizykalne, dieta bez pseudoalergenów przez 3 tygodnie, oznaczenie stężenia tryptazy, biopsja zmian skórnych
Pokrzywki fizykalne		
Z zimna	Testy prowokacyjne (lód, zimna woda)	Morfologia, OB/CRP, krioglobuliny, wykrywanie zakażeń
Z ucisku	Test z obciążeniem 0,2–1,5 kg/cm² przez 10 i 20 min	Brak
Cieplna	Test prowokacyjny (ciepła woda)	Brak
Słoneczna	Prowokacje UV i światłem widzialnym o różnej długości	Należy wykluczyć inne dermatozy prowokowane światłem
Ze wzmożonym dermografizmem	Test z dermografem	Morfologia, OB/CRP
Inne zaburzenia pokrzywkowe		
Pokrzywka wywołana wodą	Mokre okłady o temp. ciała przykładane na 20 min	Brak
Pokrzywka cholinergiczna	Prowokacja wysiłkiem i gorącą kąpielą (pacjent musi się spocić)	Brak
Pokrzywka kontaktowa	Testy płatkowe lub punktowe odczytywane po 20 min	Brak
Pokrzywka/anafilaksja wywołana wysiłkiem	Zgodnie z wywiadem test wysiłkowy po spożyciu pokarmu lub bez tego elementu	Brak

rumień wielopostaciowy, atopowe zapalenie skóry, alergiczny wyprysk kontaktowy, ukąszenia owadów, łupież różowy Gilberta i inne zmiany plamistogrudkowe.

W diagnostyce różnicowej obrzęku naczynioruchowego bierze się pod uwagę obrzęki zapalne, pourazowe, endokrynologiczne oraz zastoinowe w niewydolności krążenia.

Leczenie

1 Leczenie przyczynowe
Wykluczenie lub unikanie zdiagnozowanych wcześniej czynników wywołujących objawy (alergeny inhalacyjne, pokarmowe, uczulenie na jad owadów, leki, zakażenia, czynniki fizyczne, choroby autoimmunizacyjne).

2 Leczenie objawowe (tab. 21.16)
■ Wytwarzanie tolerancji czynników fizykalnych (np.: w pokrzywce z zimna, cholinergicznej, słonecznej).

■ Leki przeciwhistaminowe H1 II generacji – podstawowe leki w 1. etapie leczenia, w przypadku braku skuteczności dawki podstawowej, przed rozpoczęciem alternatywnego leczenia wskazane jest zwiększenie dawki leku przeciwhistaminowego nawet czterokrotnie. Leki przeciwhistaminowe H1 I generacji nie powinny być stosowane w leczeniu podstawowym pokrzywek. Leki przeciwhistaminowe H2 (cymetydyna) mogą być łączone z lekami przeciwhistaminowymi H1 w pokrzywkach przewlekłych, przy braku skuteczności tych pierwszych, jako leczenie alternatywne (słabe dowody skuteczności).

■ Glikokortykosteroidy – hamują uwalnianie mediatorów zapalnych i redukują liczbę komórek zapalnych. Nie powinny być stosowane w terapii przewlekłej ze względu na liczne powikłania. Zalecane są w ostrych pokrzywkach, zwłaszcza ze współistniejącymi objawami ogólnymi.

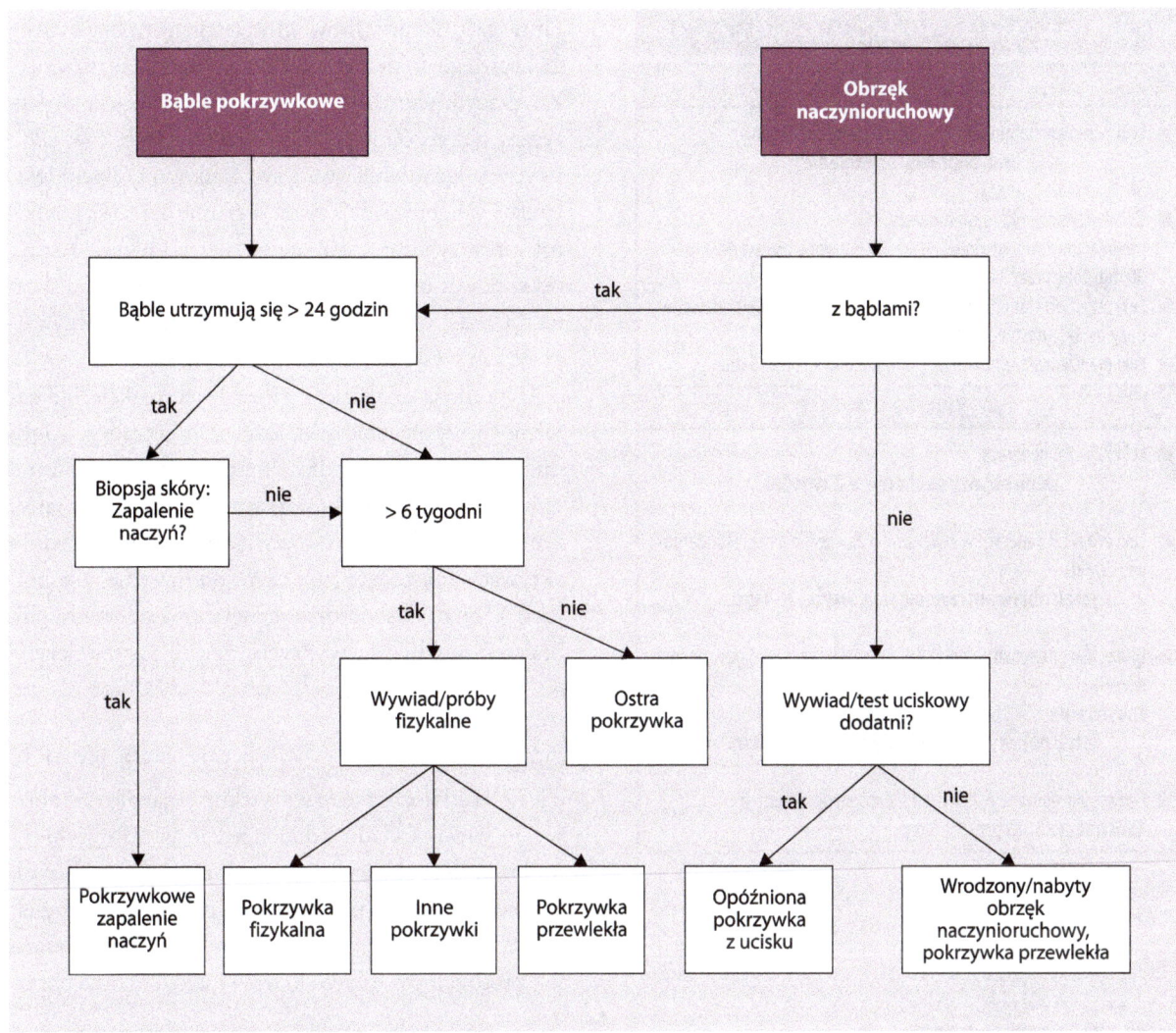

Rycina 21.4. Algorytm diagnostyki pokrzywki i obrzęku naczynioruchowego.

3 Nowe możliwości terapeutyczne:

Leki blokujące mediatory zapalne i leczenie immunosupresyjne – leki antyleukotrienowe, przeciwciała przeciw IgE, przeciwciała przeciw TNF-α, dożylne immunoglobuliny, plazmafereza, metotreksat, cyklosporyna, UVA i UVB terapia (efektywność w pojedynczych doniesieniach).

Pacjentów należy edukować o postępowaniu terapeutycznym w stanach zagrożenia życia.

Powikłania

Pokrzywka i/lub obrzęk naczynioruchowy wywołane mechanizmami immunologicznymi IgE-zależnymi mogą stanowić zagrożenie dla życia chorego. Zwłasz-cza wtedy, gdy przyczyna dolegliwości pozostaje nieznana, a reakcja przebiega z zaburzeniami drożności dróg oddechowych. Reakcje anafilaktyczne opisano dalej (patrz str. 1096).

Rokowanie

W przypadku rozpoznania czynników wywołujących pokrzywkę rokowanie jest dobre. Pokrzywki przewlekłe mają poważny wpływ na jakość życia chorego, choć większość zmian skórnych ustępuje samoistnie w czasie do 2 lat. Dłużej ustępują pokrzywki fizykalne. Na skuteczność leczenia duży wpływ mają prawidłowa współpraca lekarza z pacjentem, systematyczna kontrola stanu pacjenta co 3–6 miesięcy i właściwa terapia.

Tabela 21.16. Algorytm leczenia pokrzywek

POKRZYWKI OSTRE

■ Leki przeciwhistaminowe H1 II generacji (p/hH1 II gen.)
brak poprawy, zaostrzenie
⇓
■ Glikokortykosteroidy systemowe (sGKS):
prednizolon 1 mg/kg, dorośli – 2 × 20 mg/dobę przez 4 dni lub 50 mg/dobę przez 3 dni
■ Leki przeciwhistaminowe H1 I generacji (p/hH1 I gen.), podawane dożylnie (klemastyna, antazolina)
■ Leki przeciwhistaminowe H2 (p/hH2): 1 dawka przez 5 dni

POKRZYWKI PRZEWLEKŁE

■ Leki p/hH1 II generacji
jeżeli objawy są obecne > 2 tygodni
⇓
■ Leki p/h H1 II generacji w zwiększonej dawce (do 4 razy standardowej dawki)
jeżeli objawy utrzymują się powyżej 1–4 tyg.
⇓
■ Dodać leki antyleukotrienowe lub zmienić leki p/hH1 II gen. na inny lek p/hH1
Zaostrzenie: sGKS przez 3–7 dni
jeżeli objawy utrzymują się powyżej 1–4 tyg.
⇓
■ Dodać cyklosporynę A, leki p/hH2, dapson, omalizumab
Zaostrzenie: sGKS przez 3–7 dni

21.5

Joanna Lange

ANAFILAKSJA (WSTRZĄS ANAFILAKTYCZNY)

łac. *anaphylaxis (commotus anaphylacticus)*
ang. anaphylaxis (anaphylactic shock)

Definicja
Ciężka, zagrażająca życiu, systemowa lub uogólniona, natychmiastowa reakcja nadwrażliwości mogąca zakończyć się zgonem.

Epidemiologia
Brak ujednoliconej definicji utrudnia określenie właściwej liczby dzieci po przebytym epizodzie wstrząsu anafilaktycznego. W ciągu ostatnich lat w Wielkiej Brytanii stwierdzono wzrost liczby reakcji anafilaktycznych z 6,7 do 7,9 : 100 000 populacji rocznie. Do okresu pokwitania anafilaksja występuje częściej u chłopców, później dominuje u dziewcząt i kobiet.

Etiologia i patogeneza
Dominujący udział w pojawieniu się anafilaksji mają alergeny pokarmowe, a wśród nich orzeszki ziemne i inne gatunki orzechów. Inne alergeny to białka mleka krowiego, białko jaja kurzego, ryby i świeże owoce. Znaczącym elementem nasilającym reakcję anafilaktyczną, szczególnie u młodzieży, może być wysiłek fizyczny. Użądlenia owadów błonkoskrzydłych, leki, lateks i alergeny inhalacyjne w grupie dzieci są rzadkimi przyczynami pojawienia się objawów. Astma oskrzelowa, przebyta wcześniej reakcja anafilaktyczna i przede wszystkim mastocytoza stanowią czynniki ryzyka wystąpienia ciężkiej anafilaksji.

U podłoża anafilaksji mogą leżeć reakcje IgE-zależne (np. pokarmy, leki, lateks, jad owadów), IgE-niezależne (np. środki kontrastujące stosowane w radiologii, środki biologiczne, NLPZ, dekstrany) i nieimmunologiczne – związane z bezpośrednią aktywacją mastocyta (np. czynniki fizyczne, alkohol, leki). O anafilaksji idiopatycznej mówi się wtedy, gdy brak jest możliwości wykrycia czynnika wyzwalającego objawy.

Obraz kliniczny
Opracowano kryteria rozpoznania anafilaksji (tab. 21.17). U dzieci przede wszystkim pojawiają się objawy ze strony układu oddechowego (stridor, wheezing) i skóry (pokrzywka i obrzęk naczynioruchowy). Objawy z przewodu pokarmowego to bóle brzucha, nudności i wymioty. U niektórych pacjentów wskutek zaburzeń przepływu krwi w mózgu można obser-

Tabela 21.17. Kryteria rozpoznania anafilaksji

■ **Ostry początek objawów** z manifestacją skórną i/lub zajęciem błon śluzowych i objawami co najmniej zajęcia układu oddechowego lub spadku ciśnienia tętniczego z towarzyszącymi objawami dysfunkcji narządowej
lub
■ Pojawienie się **dwóch lub więcej** objawów:
– Zajęcie skóry i/lub błon śluzowych
– Zajęcie układu oddechowego
– Zajęcie przewodu pokarmowego
– Obniżenie ciśnienia tętniczego w odpowiedzi na prawdopodobny alergen
lub
■ **Spadek ciśnienia** po ekspozycji na znany alergen:
– Niemowlęta i dzieci – niskie ciśnienie skurczowe (w zależności od wieku*) lub więcej niż 30% spadek ciśnienia skurczowego
– Dorośli – ciśnienie skurczowe < 90 mmHg lub spadek większy niż 30% wartości wyjściowej

* niskie ciśnienie skurczowe definiowane w zależności od wieku:
< 70 mmHg między 1. mż. a 1. rż.; < [70 mmHg + (2 × wiek)] między 1. a 10. rż.; < 90 mmHg między 1. a 17. rż.

Konieczne przerwanie kontaktu z substancją, alergenem, czynnikiem
będącym przyczyną anafilaksji (np. usunięcie żądła)
Włącz zegar lub rejestruj czas

↓

Sprawdź kontakt z pacjentem, podstawowe czynności życiowe (oddychanie,
czynność serca, ciśnienie krwi), ustal przybliżoną masę ciała pacjenta

↓

Zadzwoń po pomoc

↓

Podaj adrenalinę domięśniowo (przednio-boczna środkowa część uda)
Roztwór 1 : 1000 w dawce 0,01 mg/kg mc.
Dzieci – dawka maksymalna 0,3 mg
Dorośli 0,5 mg

↓

Zapisz czas podania adrenaliny
Kolejne dawki adrenaliny w razie braku poprawy powinny być
podawane co 5–15 minut (większość pacjentów odpowiada
na 1 lub 2 dawki adrenaliny)

↓

Ułóż pacjenta w pozycji na plecach lub w pozycji dla niego wygodnej
(pacjent z zaburzeniami oddychania lub wymiotujący)

↓

Unieś kończyny dolne

↓

Jeżeli potrzeba, podaj tlen 6–8 l/min (maska, wąsy)

↓

Zabezpiecz dojście do żyły (kaliber 14–16),
jeżeli konieczne przetocz np. 0,9% NaCl
(wlew 5–10 minut – 5–10 ml/kg mc. dorośli, 10–20 ml/kg mc. dzieci)

↓

Podaj leki drugiego rzutu:
glikokortykosteroidy – hydrokortyzon 200 mg dorośli, 10 mg/kg mc. (maks. 100 mg) dzieci
metylprednizolon – 50–100 mg dorośli, 1 mg/kg mc. (maks. 50 mg) dzieci
leki antyhistaminowe działające na receptory H1 – fenazolina – > 12. rż. 50–100 mg *i.m.*, dorośli 200–300 mg *i.m.*
młodsze dzieci z zachowanym kontaktem, niewymiotujące – cetyryzyna 5–10 mg *p.o.*
β-mimetyki do nebulizacji – salbutamol – dzieci 2,5 mg/3 ml, dorośli 2,5–5 mg/5 ml
leki antyhistaminowe działające na receptory H2 – ranitydyna – dzieci 1 mg/kg mc. (maks. 50 mg), dorośli – 50 mg

↓

Jeżeli to konieczne, rozpocznij resuscytację oddechowo-krążeniową

↓

Okresowo oceniaj czynności życiowe pacjenta

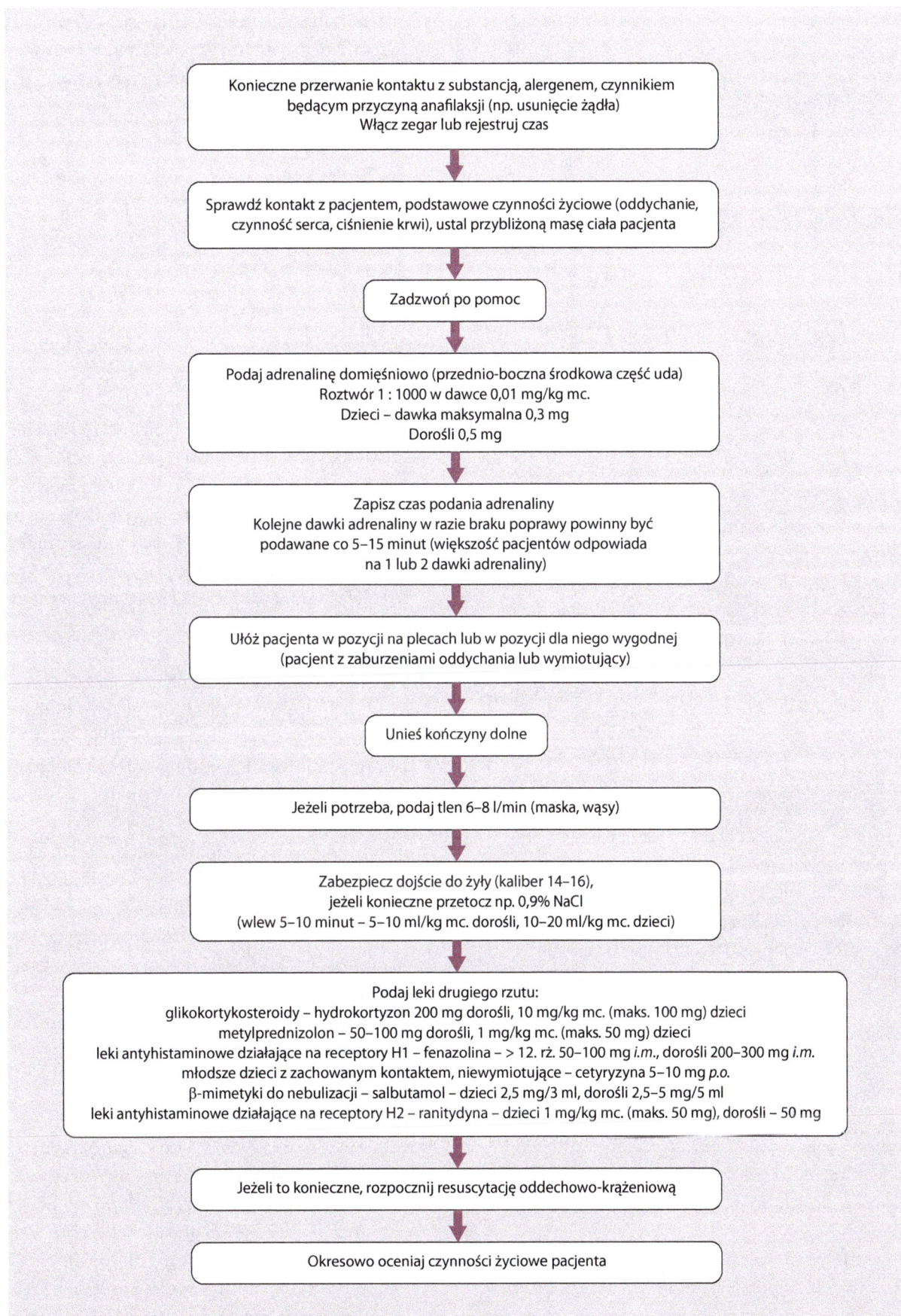

Rycina 21.5. Postępowanie we wstrząsie anafilaktycznym.

wować splątanie, senność, bóle głowy lub pobudzenie. Spadek ciśnienia tętniczego, częsty objaw u osób dorosłych, stwierdza się zaledwie u 4–17% pacjentów pediatrycznych.

Metody diagnostyczne

Podstawowe znaczenie dla rozpoznania ma szczegółowo zebrany wywiad, który powinien pozwolić na sprecyzowanie stopnia nasilenia reakcji anafilaktycznej i określenie czynnika odpowiedzialnego za jej pojawienie się. Badania dodatkowe służą m.in. określeniu, czy reakcja miała podłoże IgE-zależne i ocenie udziału komórek tucznych (tryptaza i inne mediatory). Wykorzystanie testów skórnych i ocena swoistych IgE pozwalają na ustalenie alergii na pokarmy, jady owadów, niektóre leki (np. antybiotyki β-laktamowe) i lateks. Diagnostykę powinno się przeprowadzać po 3–4 tygodniach od momentu zdarzenia. Pozwala to na zmniejszenie liczby wyników fałszywie ujemnych. Znacznie rzadziej ocenia się aktywność bazofilów. Po przebytym epizodzie powinno się oznaczyć stężenie tryptazy.

Leczenie

Po wystąpieniu objawów reakcji anafilaktycznej najważniejsze jest przerwanie działania alergenu, np. usunięcie żądła, przerwanie podawania leku. Ogólne zasady resuscytacyjne nie odbiegają od postępowania w innych stanach zagrożenia życia. Po wstępnej ocenie stanu pacjenta powinno się zadzwonić po pomoc, ułożyć dziecko z wysoko uniesionymi kończynami dolnymi i zabezpieczyć dostęp do żyły obwodowej. W pierwszej kolejności należy podać **adrenalinę**, jako lek interwencyjny I rzutu, stosując dawkę 0,01 mg/kg mc. (maks. 0,3–0,5 mg) domięśniowo w powierzchnię boczną mięśnia czworogłowego uda. Wyliczoną dawkę adrenaliny można powtarzać wielokrotnie w odstępach 5–15-minutowych.

Ponieważ wstrząs anafilaktyczny jest wstrząsem hipowolemicznym, konieczne może być szybkie przetoczenie dużej objętości krystaloidów – 10––20 ml/kg mc. w ciągu 10–20 minut. Pojawienie się objawów zaburzenia drożności dolnych dróg oddechowych stanowi wskazanie do wziewnego i/lub parenteralnego zastosowania leków z grupy β2-mimetyków.

Lekami systemowymi II rzutu stosowanymi w anafilaksji są leki przeciwhistaminowe o działaniu receptorowym H_1, H_2 oraz glikokortykosteroidy, które zapobiegają przede wszystkim reakcjom przedłużonym

i dwufazowym. Zalecana dawka u dzieci we wstrząsie wynosi 1–2 mg/kg mc. metylprednizolonu (lub dawka równoważna innego glikokortykosteroidu) co 6 godzin (ryc. 21.5).

21.6
Joanna Lange
UCZULENIE NA JAD OWADÓW BŁONKOSKRZYDŁYCH
ang. hymenoptera venom allergy

Definicja

Reakcja na jad owadów błonkoskrzydłych, która nie pojawia się po użądleniu u osoby zdrowej.

Epidemiologia

Nadwrażliwość na jad owadów błonkoskrzydłych nie jest zjawiskiem częstym u dzieci. Uważa się, że częstość występowania ciężkich reakcji systemowych w Europie kształtuje się w zakresie 0,15–0,3% populacji. Zgony w populacji ogólnej opisywane są rzadko – 40 rocznie w USA i 100 rocznie w Europie.

W Polsce dominują użądlenia przez osy i pszczoły miodne.

Etiologia i patogeneza

Użądlenie przez samicę pszczoły miodnej wiąże się z pozostawieniem w skórze dziecka aparatu żądlącego. Uwalniana dawka jadu waha się w zakresie od 50 do 140 μg. Samica osy, niepozostawiająca żądła w skórze, jest zdolna do użądleń wielokrotnych. Uwalniana porcja jadu wynosi 1,7–3,1 μg.

U podłoża reakcji po użądleniu mogą leżeć mechanizmy immunologiczne (IgE-zależne i IgE-niezależne) i nieimmunologiczne. Użądlenia gromadne (np. 50–100 owadów) stanowią niekiedy przyczynę wystąpienia reakcji toksycznej, związanej przede wszystkim z działaniem fosfolipazy i hialuronidazy.

Obraz kliniczny

Po użądleniu przez błonkówkę może wystąpić:

- reakcja prawidłowa,
- nadmierna reakcja miejscowa,
- reakcja uogólniona oceniana wg Ringa i Messmera:
  - stopień I – uogólnione objawy skórne, np. świąd, rumień, pokrzywka, obrzęk naczynioruchowy,
  - stopień II – łagodne lub umiarkowane objawy ze strony układu oddechowego, układu krążenia i/lub przewodu pokarmowego, np. obrzęk krtani, świszczący oddech, bóle brzucha, nudności, wymioty czy tachykardia,

- stopień III – wstrząs anafilaktyczny, utrata świadomości,
- stopień IV – zatrzymanie oddychania i czynności serca,
- lub wg L.H. Müllera:
  - stopień I – uogólniona pokrzywka, świąd skóry, osłabienie lub niepokój,
  - stopień II – jakikolwiek z wyżej wymienionych objawów i co najmniej 2 z następujących: obrzęk naczynioruchowy, uczucie ucisku w klatce piersiowej, nudności, wymioty, biegunka, ból brzucha, zawroty głowy,
  - stopień III – jakikolwiek z wyżej wymienionych objawów i co najmniej 2 z następujących: duszność, świszczący wydech, stridor, zaburzenia mowy, chrypka, osłabienie, splątanie, lęk przed śmiercią,
  - stopień IV – jakikolwiek z wyżej wymienionych objawów i co najmniej 2 z następujących: spadek ciśnienia tętniczego krwi, zapaść, utrata przytomności, nietrzymanie moczu i stolca, sinica.
- reakcja nietypowa – objawy choroby posurowiczej, zespół Schönleina–Henocha, zespół Guillaina––Barrégo, uszkodzenie nerek, zawał mięśnia sercowego, zespół wykrzepiania wewnątrznaczyniowego,
- reakcja toksyczna po wielokrotnych użądleniach w krótkim czasie – pojawienie się objawów ma związek z działaniem substancji zawartych w jadzie owada żądlącego, np. fosfolipaz biorących udział w degradacji fosfolipidów będących elementem błon komórkowych, czy też mellityny, która ma działanie hemolityczne i uszkadzające mięsień sercowy.

Przebieg naturalny

U dzieci < 12. rż. z objawami uogólnionymi obejmującymi tylko skórę i tkankę podskórną często obserwuje się zmniejszanie nasilenia dolegliwości po kolejnych użądleniach.

Metody diagnostyczne

Diagnostyki alergologicznej wymagają dzieci, u których użądlenia wywołały reakcję uogólnioną. Dostępnymi metodami (testy skórne, ocena swoistych IgE) poszukuje się potwierdzenia mechanizmu IgE-zależnego uczulenia.

Leczenie

1 Postępowanie po użądleniu

Bezpośrednio po użądleniu, jak najszybciej, jeżeli owadem żądlącym była pszczoła, powinno się usunąć żądło. Normalna reakcja po użądleniu (zaczerwienienie, świąd, ból w miejscu użądlenia, naciek < 10 cm średnicy) nie wymaga żadnej interwencji medycznej.

Duża reakcja miejscowa jest wskazaniem do zastosowania miejscowo (2–3-krotnie w ciągu doby) glikokortykosteroidów o dużej sile działania, optymalnie pod wilgotnym opatrunkiem (ale bez okluzji). W przypadkach znacznie nasilonych i długo utrzymujących się odczynów można podać doustnie lek antyhistaminowy i rozważyć podanie glikokortykosteroidów (np. prednizonu doustnie) w dawce dobowej 0,5–1 mg/kg mc./dobę przez kilka kolejnych dni. Podobne postępowanie jest zalecane w przypadku wystąpienia reakcji nietypowych.

Szczególnej uwagi wymagają reakcje uogólnione, które u większości dzieci mają podłoże IgE-zależne. Objawy pojawiają się zwykle w ciągu 30 minut po epizodzie użądlenia i mogą się utrzymywać nawet do kilku godzin. Przy rozwijającym się wstrząsie anafilaktycznym należy postępować zgodnie z zasadami opisanymi wcześniej (patrz str. 1097).

Reakcje toksyczne związane zwykle z wystąpieniem uszkodzeń wielonarządowych wymagają leczenia na oddziałach szpitalnych lub nawet oddziałach intensywnej opieki medycznej. Sposób postępowania zależy od objawów prezentowanych przez pacjenta.

2 Profilaktyka

Dzieci, u których wystąpiła reakcja układowa po użądleniu przez owada, powinny **na stałe nosić przy sobie leki interwencyjne** w zalecanych dawkach – autostrzykawkę lub ampułkostrzykawkę z adrenaliną, lek przeciwhistaminowy i doustny preparat glikokortykosteroidu. W razie użądlenia przez uczulającego owada natychmiast należy przyjąć doustnie lek przeciwhistaminowy i preparat steroidowy w zaleconych dawkach. Adrenalinę stosuje się wtedy, gdy:

- pomimo podania leków doustnych objawy nasilają się,
- użądlenie nastąpiło w okolicę języka lub szyi,
- po użądleniu pojawiają się objawy ze strony układu oddechowego, przewodu pokarmowego czy układu krążenia.

3 Immunoterapia

Do immunoterapii swoistej kwalifikuje się dzieci > 5. rż. u których wystąpiły po użądleniu objawy ze strony układu oddechowego i/lub układu krążenia. U pozostałych pacjentów z reakcją uogólnioną I° leczenie to stosuje się jedynie w przypadku rozpoznania mastocytozy, stwierdzenia dużego narażenia na użądlenia (członkowie rodzin pszczelarzy, dzieci zamieszkałe w pobliżu pasiek) lub znacznego obniżenia jakości życia spowodowanego lękiem przed użądleniem owadów uniemożliwiającym prawidłowe funkcjonowanie wśród rówieśników. Skuteczność immunoterapii trwającej 3–5 lat ocenia się na 75–95%.

21.7

Agnieszka Krauze

NADWRAŻLIWOŚĆ NA LEKI

ang. drug hypersensitivity

Definicja

Reakcje nadwrażliwości na leki dzieli się na alergiczne i niealergiczne. Pierwsze mają charakter IgE-zależny lub IgE-niezależny, drugie nie mają patomechanizmu immunologicznego.

Epidemiologia

Reakcje nadwrażliwości na leki stanowią 15% wszystkich niepożądanych reakcji polekowych i dotykają 7% ogólnej populacji i od 10% do 20% chorych hospitalizowanych.

Etiologia i patogeneza

Podanie leku może zapoczątkować wystąpienie różnych, często złożonych mechanizmów immunologicznych, wykazując związek ze wszystkimi typami reakcji wg Gella i Coombsa.

Obraz kliniczny

Reakcje nadwrażliwości na leki można zakwalifikować jako:

1 natychmiastowe (do 1 godziny od ostatniego podania leku) – z pokrzywką, obrzękiem naczynioruchowym, skurczem oskrzeli i/lub wstrząsem anafilaktycznym, większość reakcji natychmiastowych ma charakter IgE-zależny, reakcje IgE-niezależne były do niedawna nazywane anafilaktoidalnymi,

2 nienatychmiastowe (po ponad 1 godzinie od ostatniego przyjęcia leku):

- reakcje uogólnione:
  - choroba posurowicza,
  - gorączka polekowa,
  - toczeń polekowy,
- reakcje narządowe:
  - skórne – osutki plamisto-grudkowe, pokrzywka, rumień wielopostaciowy, kontaktowe zapalenie skóry, rumień trwały,
  - płucne – skurcz oskrzeli, alergiczne zapalenie pęcherzyków płucnych, zwłóknienie, eozynofilowe zapalenie płuc, niekardiogenny obrzęk płuc,
  - hematologiczne – niedokrwistość hemolityczna, trombocytopenia, agranulocytoza,
  - wątrobowe – cholestaza, zapalenie wątroby,
  - nerkowe – kłębuszkowe zapalenie nerek, zespół nerczycowy, śródmiąższowe zapalenie nerek,
  - kardiologiczne – zapalenie mięśnia sercowego,
  - objawy neurologiczne.

Metody diagnostyczne

1 Wywiad

Nadwrażliwość na lek jest wysoce prawdopodobna wtedy, gdy:

- wywiad i zmiany w badaniu fizykalnym odpowiadają immunologicznej reakcji polekowej,
- istnieje związek czasowy między przyjęciem leku a wystąpieniem reakcji,
- wiadomo, że lek z określonej grupy chemicznej może wywoływać reakcje nadwrażliwości.

2 Testy *in vivo*

- Testy skórne (punktowe i śródskórne) – szczególnie istotne w reakcjach IgE-zależnych, przeciwwskazane w zespole Stevensa–Johnsona, toksycznej epidermolizie, uogólnionym zapaleniu naczyń, chorobie posurowiczej i ciężkiej anafilaksji.
- Testy płatkowe – stosowane w diagnostyce reakcji opóźnionych.
- Testy prowokacyjne – bezpośrednia próba prowokacji ze wzrastającymi dawkami leków stanowi złoty standard diagnostyki alergii na leki, zwłaszcza w przypadku NLPZ i preparatów miejscowo znieczulających. Prowokacja jest przeciwwskazana w przypadku rumienia wielopostaciowego, zespołu Stevensa–Johnsona, zespołu epidermolizy i cytopenii.

3 Testy *in vitro* (klinicznie mało przydatne)

■ IgE specyficzne.

■ IgG i IgM specyficzne.

■ Test transformacji blastycznej limfocytów.

■ Badania – aktywacji składowych dopełniacza, uwalniania mediatorów, wykrywania kompleksów immunologicznych.

Leczenie

Podstawowym postępowaniem jest odstawienie podejrzanego leku. Działanie to stanowi leczenie z wyboru i często nie ma wskazań do innej terapii, zwłaszcza jeśli objawy kliniczne ustępują w ciągu kilku dni lub tygodni. Leczenie bardziej poważnych reakcji zależy od charakteru zmian skórnych i stopnia reakcji systemowej.

W terapii polekowej reakcji anafilaktycznej, pokrzywek, obrzęku Quinckego i obturacji oskrzeli w zależności od objawów stosowane są leki antyhistaminowe, steroidy, leki rozszerzające oskrzela i adrenalina. U chorych z zespołem Stevensa–Johnsona zaleca się steroidy i duże dawki immunoglobulin. Pacjenci z chorobą posurowiczą i reakcjami o typie choroby posurowiczej powinni otrzymać leki antyhistaminowe, a w przypadkach nasilonych objawów także steroidy.

Odczulanie przeprowadza się u chorych wymagających podania leku, na który mają udowodnioną alergię, ale niemożliwe jest zastosowanie innego leku.

21.8   *Agnieszka Krauze, Joanna Lange*

ATOPOWE ZAPALENIE SKÓRY

łac. *diathesis atopica*

ang. atopic dermatitis

Definicja

Przewlekła nawrotowa choroba zapalna obejmująca naskórek i skórę właściwą, charakteryzująca się nasilonym świądem, typową lokalizacją zmian i częstym współistnieniem innych chorób alergicznych.

Epidemiologia

Atopowe zapalenie skóry (AZS) występuje u dzieci częściej (10–20% populacji) niż u osób dorosłych (do 10% populacji). U 80% dzieci objawy pojawiają się w 1. rż., a u 95% przed 5. rż. U dzieci mieszkających w dużych aglomeracjach miejskich obserwuje się większą częstość zachorowań. AZS u 80% dzieci jest

pierwszą manifestacją alergii, w późniejszym wieku pojawiają się objawy astmy oskrzelowej, a następnie alergicznego nieżytu nosa. Taka sekwencja występowania objawów nosi nazwę marszu alergicznego.

Etiologia i patogeneza

Patogeneza atopowego zapalenia skóry jest złożona. Rozwój i objawy mają ścisły związek ze współdziałaniem czynników środowiskowych, immunologicznych, nieimmunologicznych i genetycznych. Dziedziczenie ma charakter poligenowy. Większość genów zaangażowanych w patogenezę AZS wiąże się z immunoglobulinami klasy E (np. gen dla IL-4 i IL-9, gen kodujący łańcuch β receptora FcεR1). Istotny jest również odkryty niedawno polimorfizm genu dla filagryny, wpływający na funkcję bariery naskórkowej. Podobne zaburzenia wykryto również u pacjentów z rybią łuską zwykłą. Uważa się także, że proces chorobowy w skórze może wynikać z zaburzeń syntezy ceramidów i lipidów w skórze właściwej.

Alergiczny proces zapalny wiąże się m.in. z predyspozycją do nadprodukcji IgE i wzmożonej odpowiedzi IgE-zależnej na antygeny wewnątrz- i zewnątrzpochodne (w tym pokarmowe i inhalacyjne). Poza tym mechanizmem immunologicznym obserwuje się także nadmiernie wyrażoną odpowiedź typu komórkowego. Ważną rolę w patogenezie pełnią limfocyty Th2 i uwalniane przez nie cytokiny (IL-4, IL-13, IL-5, IL-10, IL-31). Spośród nich IL-31 koordynuje interakcję limfocytów T, komórek tucznych, granulocytów kwasochłonnych i komórek nabłonka. Jest ona uważana za jedną z ważniejszych cytokin, nie tylko w chorobach skóry przebiegających ze świądem, ale również np. w chorobach zapalnych jelit.

Konsekwencje defektu bariery naskórkowej to suchość skóry, obniżony próg świądowy, duża wrażliwość na bodźce drażniące, skłonność do zakażeń oraz zwiększona penetracja alergenów i czynników drażniących. Ważną rolę pełnią układ nerwowy i zapalenie neurogenne, które może wyjaśniać zjawisko błędnego koła „świąd-drapanie-świąd".

Obraz kliniczny

Wykwitem typowym dla atopowego zapalenia skóry jest grudka, często wysiękowa, zwykle osadzona na podłożu zapalnym. Przebieg choroby może mieć charakter ostry (rumień, grudki, pęcherzyki) lub przewlekły (suche wykwity, złuszczanie, lichenizacja). Lokalizacja zmian na skórze zależy od wieku dziecka:

■ około 3. mż. pojawiają się wykwity na policzkach i w obrębie owłosionej skóry głowy,

■ u starszych niemowląt można zaobserwować zmiany na całym tułowiu i zewnętrznych powierzchniach kończyn,

■ w wieku przedszkolnym i szkolnym zmiany lokalizują się w zakresie zgięć stawowych kończyn,

■ u dorosłych, poza lokalizacją zgięciową, można obserwować w obrębie dłoni zmiany wypryskowe, które mają niekiedy charakter kontaktowy.

Niezależnie od wieku stałym elementem AZS jest wybitnie nasilony świąd. Jego pojawienie się ma związek z obniżonym progiem świądowym.

Najbardziej charakterystyczną cechę AZS stanowi suchość skóry, mająca bezpośredni związek z defektem bariery naskórkowej. Wybitna suchość może przybierać formę rybiej łuski zwykłej. Niekiedy dochodzi do nadkażeń wywołanych przede wszystkim przez *Staphylococcus aureus*, lecz także przez wirusy (np. HSV) i grzyby (*Candida albicans*).

Atopowe zapalenie skóry może współistnieć z alergią pokarmową, ale alergia na pokarmy nie jest bezpośrednim czynnikiem etiopatogenetycznym obserwowanych zmian skórnych. Udział alergenów pokarmowych jest ważny przede wszystkim u niemowląt i małych dzieci. Uważa się, że alergia pokarmowa o mechanizmie IgE-zależnym występuje w 40% przypadków umiarkowanej postaci AZS i jeszcze częściej w postaci ciężkiej.

Ważny element obrazu klinicznego stanowi uczulenie na alergeny powietrznopochodne. Stały kontakt z nimi jest przyczyną podtrzymywania stanu zapalnego w obrębie skóry.

U dzieci starszych, nastolatków i u dorosłych znacząco wzrasta rola alergenów kontaktowych. Uczulenie na środki chemiczne, nikiel czy lateks może być przyczyną nasilenia zmian skórnych i uniemożliwia niejednokrotnie wykonywanie wielu czynności dnia codziennego.

Przebieg naturalny

Największe nasilenie zmian w przebiegu atopowego zapalenia skóry obserwuje się u młodszych dzieci. Spontaniczne ustępowanie zmian stwierdza się w 30–50% przypadków ok. 5. rż., zwłaszcza w łagodnym atopowym zapaleniu skóry. U niektórych osób dorosłych występuje nawrót choroby lub pojawiają

się zmiany charakterystyczne np. dla uczulenia kontaktowego.

Metody diagnostyczne

Ze względu na brak laboratoryjnego „złotego standardu" diagnostycznego rozpoznanie stawia się na podstawie obrazu klinicznego oraz kryteriów Hanifina i Rajki (tab. 21.18) lub kryteriów brytyjskich (tab. 21.19).

W większości przypadków postawienie właściwego rozpoznania jest łatwe. Trudność mogą sprawiać przypadki wczesnego stadium choroby, choroby w remisji lub obrazu skóry zmodyfikowanego przez leczenie.

Tabela 21.18. Kryteria Hanifina i Rajki – podejrzenie atopowego zapalenia skóry wymaga spełnienia co najmniej 3 kryteriów większych i 3 małych

KRYTERIA WIĘKSZE	KRYTERIA MAŁE
■ Świąd skóry ■ Typowa morfologia i lokalizacja zmian na skórze w zależności od wieku dziecka ■ Przewlekły nawrotowy charakter zmian ■ Dodatni atopowy wywiad osobniczy i/lub rodzinny	■ Suchość skóry ■ Rybia łuska/nadmierne bruzdowanie dłoni ■ Typ I reakcji IgE-zależny ■ Podwyższone stężenie IgE w surowicy krwi ■ Wczesny początek obserwowanych zmian ■ Zakażenia skóry ■ Niespecyficzne zmiany zapalne w obrębie dłoni i stóp ■ Zapalenie wokół brodawek sutkowych ■ Zapalenie czerwieni wargowej ■ Nawracające zapalenie spojówek ■ Objaw Denniego–Morgana (fałd skórny poniżej brzegu powieki dolnej) ■ Stożek rogówki ■ Zaćma podtorebkowa przednia ■ Przebarwienie skóry wokół oczu ■ Zaczerwienienie skóry twarzy ■ Łupież biały ■ Świąd skóry podczas pocenia się ■ Nietolerancja wełny ■ Nietolerancja pokarmów ■ Nasilenie objawów przez czynniki emocjonalne ■ Biały dermografizm ■ Przedni fałd szyjny ■ Rogowacenie mieszkowe

Tabela 21.19. Brytyjskie kryteria diagnostyczne AZS

Warunek obowiązkowy
- Świąd skóry występujący stale w ciągu ostatnich 12 miesięcy

Oraz co najmniej 3 z poniższych
- W wywiadzie – zajęcie fałdów skórnych, zmiany na tułowiu, w obrębie szyi lub wokół oczu
- Dodatni osobniczy wywiad w kierunku astmy oskrzelowej lub alergicznego nieżytu nosa (u dzieci < 4. rż. choroby atopowe u krewnych pierwszego stopnia)
- Uogólniona suchość skóry w ostatnim roku
- Początek choroby < 2. rż. (nie stosuje się, gdy dziecko jest < 4. rż.) lub widoczne zmiany zapalne w zgięciach (lub inna lokalizacja u dziecka < 4. rż.)

Pomocnicze znaczenie w diagnostyce dziecka z atopowym zapaleniem skóry mają testy skórne – typu prick i typu patch z alergenami pokarmowymi i powietrznopochodnymi. Dzięki nim można zakwalifikować pacjenta do jednej z grup diagnostycznych:

- z przewagą I typu reakcji immunologicznej (dodatnie testy prick, ujemne patch),
- z jednoczesnym występowaniem reakcji I i IV typu (dodatnie prick, dodatnie patch),
- z przewagą IV typu reakcji immunologicznej (ujemne prick, dodatnie patch),
- AZS wewnątrzpochodne – z ujemnymi oboma testami (ujemne prick, ujemne patch).

Różnicowanie
W praktyce klinicznej z powodu nadrozpoznawalności atopowego zapalenia skóry należy przeprowadzić szeroką diagnostykę różnicową. W okresie **noworodkowym i niemowlęcym** należy uwzględnić:

- łojotokowe zapalenie skóry – pojawia się bardzo wcześnie (pierwsze dni/tygodnie życia), ze zmianami chorobowymi zlokalizowanymi przede wszystkim na owłosionej skórze głowy i twarzy oraz w okolicy pieluszkowej,
- genodermatozy (rybia łuska, zespół Nethertona).

W kolejnych latach życia AZS wymaga wnikliwego różnicowania z zakażeniami przede wszystkim:

- grzybiczymi – często towarzyszy im świąd, mogą pojawiać się grudki i pęcherzyki, rozstrzygające jest badanie mykologiczne lub nawet histopatologiczne,

- świerzbowcem – charakterystyczna lokalizacja, świąd nocny.

W każdym wieku należy pamiętać o ukierunkowaniu diagnostyki na możliwość wystąpienia kontaktowego zapalenia skóry wywołanego stosowanymi kosmetykami czy środkami piorącymi, a także związanego z tkaninami.

Leczenie
1 Profilaktyka pierwotna
Elementy profilaktyki pierwotnej wystąpienia AZS to:

- karmienie piersią do 6. mż.,
- niepalenie tytoniu w ciąży,
- unikanie narażenia na alergeny kurzu domowego przez kobiety ciężarne, które mają udowodnione nasilanie objawów związane z tymi czynnikami.

Kobiety o nieudowodnionym wywiadzie atopowym nie wymagają unikania kontaktu z alergenami powietrznopochodnymi. Nieudowodniona jest również rola wprowadzania ograniczeń dietetycznych kobiecie w ciąży.

2 Profilaktyka wtórna
Dotyczy dzieci z już rozpoznanym atopowym zapaleniem skóry. Właściwa pielęgnacja skóry prowadzi do zmniejszenia zmian skórnych i redukcji wnikania alergenów przez skórę. Może to zapobiegać rozwojowi alergicznego nieżytu nosa i astmy oskrzelowej. Ważny element stanowi stałe stosowanie preparatów pomagających odtworzyć naturalną barierę **skóry** (np. zawierających ceramidy).

Potwierdzona alergia pokarmowa u dziecka z AZS wymaga ostrożnego stosowania diet z wykluczeniem uczulających pokarmów. Jednocześnie, co należy podkreślić, ważna jest przede wszystkim obserwacja kliniczna, czy dany alergen pokarmowy powoduje nasilanie się zmian na skórze. Brak poprawy po eliminacji pokarmu przez okres 3–4 tygodni pozwala na ponowne jego wprowadzenie do diety. Pomocne w podejmowaniu decyzji są zarówno otwarte, jak i zaślepione próby prowokacyjne.

3 Farmakoterapia
Leczenie składa się z:

- leczenia miejscowego z zastosowaniem preparatów steroidowych lub inhibitorów kalcyneuryny (szczególnie na skórę twarzy i okolice narządów rodnych, gdzie wchłanianie steroidów wynosi 20--30%),

■ leczenia ogólnego, w którym wykorzystuje się leki antyhistaminowe, a w cięższych postaciach choroby immunomodulujące i cytostatyczne, a także fototerapię.

Leczenie cytostatyczne, fototerapia i stosowanie preparatów steroidowych w opatrunkach okluzyjnych powinny być zarezerwowane jedynie dla ciężkich przypadków choroby. W warunkach ambulatoryjnych poza preparatami steroidowymi można zalecać smarowanie inhibitorami kalcyneuryny. Obecnie zaleca się tzw. terapię proaktywną, tzn. w ostrej fazie choroby preparaty przeciwzapalne stosuje się codziennie, a po ustąpieniu zmian 2--3 razy w tygodniu w miejscach wcześniej chorobowo zmienionych przez okres nawet kilku miesięcy.

W ocenie efektywności postępowania terapeutycznego przydatne są skale oceniające ciężkość i nasilenie AZS (skala Rajki i Langelanda, skala SCORAD, skala EASI, skala Silnego). Ułatwiają one obiektywizację oceny obserwowanych podczas leczenia zmian (tab. 21.20). Przy określeniu rozległości procesu skale wykorzystują tzw. regułę dziewiątek (ryc. 21.6).

Rycina 21.6. Reguła dziewiątek w ocenie rozległości AZS u dzieci młodszych (po lewej) i starszych (po prawej).

Tabela 21.20. Skale oceny ciężkości i nasilenia zmian skórnych w AZS

KRYTERIUM	SKALA RAJKI I LANGELANDA	OCENA	SKALA SCORAD	OCENA
A. Rozległość zmian	W oparciu o regułę dziewiątek	1--3 pkt	W oparciu o regułę dziewiątek	0--100%
B. Nasilenie	Przebieg określany na podstawie czasu trwania zaostrzenia i remisji choroby	1--3 pkt	Rumień	0--3
			Obrzęk/grudki	0--3
			Sączenie	0--3
			Przeczosy/strupy	0--3
			Lichenizacja	0--3
			Suchość skóry	0--3
C. Objawy	Wywołane świądem zaburzenia snu	1--3 pkt	Świąd	0--10
			Bezsenność	0--10
Podsumowanie	Stopień nasilenia: 3--4 pkt -- łagodny 4,5--7,5 pkt -- umiarkowany 8--9 pkt -- ciężki		Obliczanie: SCORAD = A/5 + 7 × B/2 + C Stopień nasilenia: 0--25 -- łagodny 25--50 -- umiarkowany > 50 -- ciężki	

Najbardziej kontrowersyjne jest stosowanie immunoterapii alergenowej. Można ją zalecać dzieciom z AZS, u których stwierdza się monowalentne uczulenie na alergeny powietrznopochodne (np. roztocze kurzu domowego).

Ważnym elementem już dla dzieci w wieku szkolnym jest uświadomienie im istoty choroby i pomoc we właściwym doborze zawodu.

Powikłania

Zakażenia skóry, które mogą być wywołane przez wirusy (przede wszystkim z rodziny *Herpesviridae*) lub bakterie (przede wszystkim *Staphylococcus aureus*). Dzieci z atopowym zapaleniem skóry wykazują też większą częstość grzybiczych zakażeń skóry wywołanych przez *Trichophyton rubrum*. Masywne zmiany na skórze mogą prowadzić do erytrodermii. Szczególnie niebezpieczne jest pojawienie się zmian w obrębie powiek, spojówek i rogówki, co niekiedy prowadzi do zaburzeń widzenia. Rzadko spotykane powikłania stanowią stożek rogówki i zaćma, będąca m.in. powikłaniem stosowania glikokortykosteroidów, zarówno systemowych, jak i miejscowych.

Rokowanie

Rokowanie pomimo wieloletniego przebiegu z okresami remisji i zaostrzeń jest dobre. Istotna jest regularna edukacja pacjenta z AZS. Odpowiednia pielęgnacja skóry i właściwy dobór zawodu redukują prawdopodobieństwo zaostrzenia choroby w okresie dorosłości.

Piśmiennictwo

1. Adkinson N.F.: *Drug Allergy* w: (red. E.J. Middleton, C.E. Reed) *Allergy: principles and practice 5th ed.* CV Mosby, St Louis 1998.
2. Bilo B., Bonifazi F.: *Hymenoptera venom immunotherapy.* Immunotherapy, 2011, 3(2): 229–246.
3. Bousquet J., Khaltaev N., Cruz A. i wsp.: *Allergic rhinitis and its impact on asthma.* Allergy, 2008, 63 (suppl. 86): 51–160.
4. Gliński W., Rudzki E.: *Alergologia dla lekarzy dermatologów.* CZELEJ, Lublin 2002.
5. Global Initiative for Asthma: *Global strategy for asthma management and prevention in children 5 years and younger.* Update 2009: http://www.ginasthma.org.
6. Khan D.A.: *Chronic urticaria: diagnosis and management.* Allergy Asthma Proc. 2008, 29 (5): 439–446.
7. Raport NHLBI/WHO: *Światowa strategia rozpoznawania, leczenia i prewencji astmy.* Med. Prakt. Wyd. Spec., 2007, 1: 1–104.
8. Sloane D., Sheffer A.: *Oral allergy syndrome.* Allergy Asthma Proc., 2001, 22 (5): 321–325.
9. Simons E., Ardusso L., Bilo B. i wsp.: *World Allergy Organization guidelines for the assessment and management of anaphylaxis.* WAO Journal, 2010, 4 (2): 13–37.
10. Zuberbier T., Asero R., Bindslev-Jensen C., Walter Canonica G., Church M.K. i wsp.: *EAACI/GA²LEN/ EDF/WAO guideline: definition, classification and diagnosis of urticaria.* Allergy, 2009, 64 (10): 1417– –1443.

CHOROBY OKULISTYCZNE | *Mirosława Grałek*

22.1
ANATOMIA I FIZJOLOGIA NARZĄDU WZROKU – ODMIENNOŚCI WIEKU DZIECIĘCEGO

Narząd wzroku dziecka wyróżniają odmienności anatomiczne i fizjologiczne związane ze wzrostem i dojrzewaniem oczu w miarę ogólnego rozwoju. Przede wszystkim zmienia się wielkość gałek ocznych. Do 1. rż. gałki rosną najszybciej, między 1. a 3. rż. ich wzrost jest średni, a od 3. do 14. rż. powolny. Wielkość jak u dorosłych osiągają ok. 18. rż. Wyraźne różnice w obrazie dna oczu powodują, że u niemowląt niekiedy błędnie rozpoznaje się zanik nerwów wzro-

kowych. W miarę wzrostu gałki ocznej, zmienia się kształt rogówki i soczewki, które ulegają ścieńczeniu i spłaszczeniu i ich siła łamiąca maleje. Procesy te stabilizują się w 11.–12. rż. (tab. 22.1).

U donoszonych noworodków wytwarzanie łez i ich skład są podobne do obserwowanych u dorosłych. U wcześniaków wytwarzanie łez jest wolniejsze i zwiększa się w miarę wzrostu masy ciała i dojrzewania dziecka. W tym okresie stwierdza się cienką twardówkę, która prześwieca na niebiesko z powodu leżącej pod spodem naczyniówki (jak nazwa wskazuje bogato unaczynionej warstwy wewnętrznej oka) i niedostatecznej ilości barwnika w siatkówce. Skąpa ilość barwnika lub jego brak na przedniej powierzchni tęczówki tuż po urodzeniu powoduje, że ma ona kolor niebieski.

Tabela 22.1. Cechy różnicujące gałkę oczną dziecka i dorosłego

CECHA	NIEMOWLĘ	DOROSŁY
Długość gałki ocznej	15,5–18 mm	24 mm
Średnica soczewki	6 mm	9 mm, spłaszczona
Masa i charakterystyka soczewki	65 mg, kulista, mała, miękka, o jednorodnej konsystencji, przezroczysta	260 mg, spłaszczona, twardsza, o niejednorodnej konsystencji, żółtawa
Wymiar przednio-tylny soczewki	3,5 mm	5 mm
Promień krzywizny rogówki/D	7,05 mm/48,89 D	7,89 mm/42,90 D
Poziomy wymiar rogówki	9,5–10,5 mm	11–12 mm
Źrenice	Wąskie, z trudem się rozszerzają, leniwie reagują na światło (mięśnie tęczówki słabo rozwinięte)	Średnio szerokie, dobrze się rozszerzają, prawidłowo reagują na światło
Dno oka	Nieukończone procesy mielinizacji włókien nerwowych – tarcza jasna, siatkówka jasnoróżowa, okolica plamkowa niewykształcona, nie różni się od otaczającej siatkówki	Tarcza o granicach ostrych, wyraźnie odcina się od różowej siatkówki, zaznaczone elementy morfologiczne siatkówki (plamka)

Rozwój widzenia nie jest zakończony w chwili urodzenia. Stan porównywalny do stwierdzanego u dorosłego występuje dopiero ok. 12. mż. Dziecko rodzi się z bezwzględnym odruchem widzenia światła. Podczas patrzenia gałki oczne wykonują bezładne, nieskojarzone ruchy, które stopniowo, w związku z kształtowaniem się widzenia obuocznego, ulegają koordynacji. Odruch fiksacyjny plamkowy (fiksacja centralna) wraz z lokalizacją na wprost rozwija się w 6.–10. tż., co sprzyja równoległemu ustawieniu gałek ocznych. Kolejne stopnie pojedynczego widzenia obuocznego (fuzja i stereoskopia) pojawiają się w warunkach prawidłowych w 1. rż. i doskonalą się w kilku kolejnych latach życia.

22.2
BADANIE OKULISTYCZNE

Badanie okulistyczne, jak każde badanie lekarskie, składa się z badania podmiotowego i przedmiotowego. Ponadto w jego skład wchodzą procedury z wykorzystaniem różnej aparatury specjalistycznej oraz w razie potrzeby badania laboratoryjne i konsultacyjne.

Wywiad chorobowy uwzględnia przede wszystkim dolegliwości zgłaszane ze strony narządu wzroku, czas ich trwania, przebieg, nawroty i dotychczasowe leczenie. Ze względu na dziedziczny charakter niektórych chorób należy zapytać o ich występowanie u rodzeństwa i u innych członków rodziny. Obserwacja zachowania się dziecka podczas zbierania danych pozwala na zorientowanie się w stanie czynności wzrokowej.

Trudności badania przedmiotowego wynikają z wieku pacjenta. U niemowląt i małych dzieci często przeprowadza się je w znieczuleniu ogólnym.

Oglądanie narządu wzroku pozwala na ogólną ocenę aparatu ochronnego, powiek, obecności wydzieliny w worku spojówkowym, ustawienia, osadzenia i wyglądu gałek ocznych, ew. zaburzenia ich ruchomości, a także reakcji źrenic.

Określenie czynności, czyli badanie ostrości wzroku, przeprowadza się metodami dostosowanymi do wieku dziecka i jego możliwości intelektualnych. U najmłodszych obserwuje się reakcję źrenic na światło, wodzenie za światłem i przedmiotami czy fiksowanie przedmiotu. U niemowląt i małych dzieci ostrość wzroku można ocenić, wywołując oczopląs optokinetyczny podczas obserwacji poruszających się specjalnych biało-czarnych znaków. U dzieci starszych wykorzystuje się natomiast tablice ze znakami (optotypami) o różnym stopniu trudności. Klasyczne tablice do dali i bliży opracowane są wg Snellena. Ostrość wzroku określa się dla każdego oka oddzielnie jako ułamek zwykły, wskazujący z jakiej odległości dane znaki zostały rozpoznane. Licznik (d) odpowiada odległości, z której dany znak jest postrzegany, a mianownik (D) oznacza odległość, z której powinien być zobaczony: V (visus) = d/D. V = 5/5 oznacza prawidłową ostrość wzroku. Ostrość wzroku można też podać w ułamku dziesiętnym. Istnieją również inne standardowe testy służące do jej oceny.

Stan refrakcji, czyli siły łamiącej ośrodków optycznych oka, bada się u dzieci zawsze po porażeniu mięśnia rzęskowego (porażenie akomodacji – cykloplegia) i rozszerzeniu (mydriaza) źrenic. W codziennej praktyce lekami stosowanymi w tym celu są 0,5–1% tropikamid i 0,25–0,5% atropina, która powoduje całkowite porażenie akomodacji i rozszerzenie źrenicy. Badanie refrakcji wykonuje się za pomocą ręcznie wykonywanej skiaskopii (retinoskopii) bądź zautomatyzowanej refraktometrii (tzw. badanie komputerowe wzroku). Skiaskopia polega na obserwacji ruchu odblasku z siatkówki uzyskanego dzięki projekcji promieni świetlnych na dno oka. Stosuje się ją przede wszystkim u najmłodszych dzieci. Refrakcję ocenia się oddzielnie w każdym oku.

W celu dokładnej oceny przedniego odcinka oka, tj. rogówki, komory przedniej, tęczówki, źrenicy, soczewki i przedniej części ciała szklistego, przeprowadza się badanie w biomikroskopie (lampie szczelinowej). Używając odpowiednich soczewek skupiających, można w ten sposób zbadać również tylną część ciała szklistego i siatkówkę. U dzieci, zwłaszcza małych, w ocenie tylnego odcinka oka najlepiej sprawdza się jednak wziernikowanie (oftalmoskopia). Za pomocą oftalmoskopu ocenia się szczegóły tarczy nerwu wzrokowego oraz naczynia, okolicę centralną (plamkową) i obwód siatkówki. Wziernikowanie bezpośrednie, jednooczne, umożliwia zbadanie w obrazie prostym małego obszaru siatkówki, kilkunastokrotnie powiększonego. Wziernikowanie pośrednie obuoczne z użyciem soczewki skupiającej + 20,0 dioptrii (D) lub + 28,0 D pozwala na ocenę stereoskopowę dużego obszaru siatkówki w powiększeniu kilkukrotnym i jest jedynym zalecanym badaniem u wcześniaków i pacjentów z siatkówczakiem. Badanie dna oczu przeprowadza się po rozszerzeniu źrenic, w tym celu stosuje się 2,5% roztwór fenylefryny (Neosynephrin) i 0,5–1% tropikamid. Konieczne są przezroczyste ośrodki optyczne.

Do pomiarów ciśnienia śródgałkowego (tonometria) służą różnego rodzaju tonometry. Wykonanie badania wymaga zastosowania znieczulenia miejscowego, np. 0,5% roztworem proksymetakainy (Alcaine), chyba że przeprowadza się tonometrię bezkontaktową, wykorzystywaną głównie do badań przesiewowych, która nie wymaga znieczulenia. Prawidłowe ciśnienie śródgałkowe wynosi od 9 do 21 mmHg (średnio 16 mmHg ± 3 mmHg), ale oceniając ten parametr należy uwzględnić pomiary grubości rogówki (pachymetria).

Często wykonuje się badanie pola widzenia (perymetria). Określa ono przestrzeń, którą ogarnia wzrokiem oko nieruchome, czyli tzw. projekcję zewnętrzną siatkówki. Jest to, niezależnie od metody, badanie subiektywne, wymagające współpracy z dzieckiem i odpowiedniej ostrości wzroku.

Badania elektrofizjologiczne poprzez ocenę potencjałów elektrycznych oceniają funkcję nerwową części układu wzrokowego, czynność recepcyjną siatkówki oraz czynność transmisji bodźca w drogach nerwowych i jego percepcji korowej. Szczególnie przydatne są badania wywołanych potencjałów nerwu wzrokowego i elektroretinografia.

Nowoczesne metody diagnostyczne wspomagane techniką laserową obrazują morfologię tarczy nerwu wzrokowego. Konfokalna skaningowa laserowa oftalmoskopia (HRT) jest wykorzystywana do pomiaru wielkości tarczy i poszczególnych elementów jej układu nerwowego. Skaningowy polarymetr laserowy (aparat GDx) i optyczna tomografia koherentna (OCT) określają grubość włókien nerwowych, a OCT pozwala również na ocenę morfologiczną i pomiar struktur komórkowych siatkówki.

Angiografia fluoresceinowa służy do kontrastowego badania naczyń krwionośnych siatkówki. Jej uzupełnienie stanowi angiografia indocyjaninowa, która uwidacznia dodatkowo zmiany w obrębie naczyniówki.

22.3
UKŁAD OPTYCZNY OKA, WADY REFRAKCJI I ICH KORYGOWANIE

Moc całego układu optycznego oka wynosi ok. 60,0 D przy przeciętnej długości gałki ocznej 24 mm. Najważniejsze jego części stanowią rogówka o sile łamiącej ok. 40,0 D i soczewka, której moc wynosi ok. 20,0 D. Pozostałe elementy mają niewielką moc, nieistotną dla optyki oka. Układ optyczny umożliwia w warunkach prawidłowych skupienie promieni świetlnych biegnących równolegle ze świata zewnętrznego i powstanie obrazów przedmiotów otaczających dokładnie na siatkówce.

Oko, w którym promienie skupiają się na siatkówce, to oko miarowe, czyli normowzroczne (emmetropia). Miarowość oka zależy od właściwej proporcji między długością gałki ocznej i jej siłą łamiącą. Dzięki zdolnościom akomodacyjnym soczewki (zmianie kształtu i siły łamiącej) możliwe jest dobre widzenie z bliska i z daleka. Z wiekiem elastyczność soczewki maleje i akomodacja wygasa.

Oko niemiarowe (ammetropia), czyli z wadą refrakcji, to narząd, którego układ optyczny bez użycia akomodacji nie potrafi zogniskować promieni równoległych na siatkówce. Wady refrakcji powodują różne dolegliwości subiektywne i obiektywne.

Nadwzroczność (łac. *hypermetropia*, ang. hypermetropia, hyperopia), inaczej dalekowzroczność, jest wadą refrakcji polegającą na załamywaniu się promieni światła poza siatkówką, na której tworzą się niewyraźne obrazy widzianych przedmiotów. Wyróżnia się nadwzroczność osiową (mała gałka oczna) i refrakcyjną (zbyt słaba siła łamiąca). U dzieci, które mają dużą możliwość zmiany akomodacji, nadwzroczność może być wyrównana wzrostem siły łamiącej soczewki (nawet do + 10,0 D). Jest to tzw. nadwzroczność ukryta, aby ją ujawnić, należy przeprowadzić badanie refrakcji po porażeniu akomodacji (nadwzroczność jawna). Szczególnym rodzajem nadwzroczności jest wada refrakcji powstała w oku bezsoczewkowym (po operacyjnym usunięciu soczewki).

Krótkowzroczność (łac. *myopia*, ang. myopia, shortsightedness) to wada refrakcji, która cechuje się zogniskowaniem promieni światła przed siatkówką, co powoduje powstanie niewyraźnych obrazów siatkówkowych i gorszą ostrość wzroku. Wyróżnia się krótkowzroczność osiową (duża gałka oczna) i refrakcyjną (nadmierna siła łamiąca). Ze względu na wielkość refrakcji wada dzieli się na małą (do 4,0 D), średnią (do 6,0 D) i wysoką (> 6,0 D).

Niezborność (łac. *astigmatismus*, ang. astigmatism) jest wadą refrakcji zależną od odmiennej siły załamywania światła przechodzącego przez płaszczyzny w różnych południkach gałki ocznej. Promienie światła nie ogniskują się w jednym punkcie. Niezborność stanowi następstwo zmian kształtu rogówki lub rzadziej soczewki, ewentualnie skośnego ułożenia dna oka.

Różnowzroczność (anisometropia) oznacza stan, gdy w każdym oku występuje inna wada refrakcji lub ta sama wada różnego stopnia. Prowadzi do powstania odmiennej wielkości obrazów na siatkówce (aniseikonia). Różnica ich rozmiaru przekraczająca 15––18% powoduje centralne wyłączenie jednego oka i uniemożliwia proces widzenia obuocznego.

Leczenie sferycznych wad refrakcji u dzieci i młodzieży polega na wyrównaniu wady za pomocą szkieł (soczewek) okularowych lub soczewek kontaktowych. W nadwzroczności stosuje się soczewki skupiające (plusowe), a w krótkowzroczności rozpraszające (minusowe). Niezborność korygują soczewki cylindryczne skupiające lub rozpraszające, w połączeniu z soczewkami sferycznymi we współistniejącej krótkowzroczności lub nadwzroczności.

22.4
ZEZ I INNE ZABURZENIA RUCHOMOŚCI GAŁEK OCZNYCH

W warunkach prawidłowych dzięki zachowaniu równowagi przez mięśnie zewnątrzgałkowe gałki oczne przy patrzeniu na wprost są ustawione równolegle (ortoforia).

Zez (łac. *strabismus*, ang. strabismus, squint) to odchylenie gałki ocznej od osi widzenia w dowolnym kierunku. Wyróżnia się zez zbieżny, rozbieżny, ku górze, ku dołowi i skośny.

Najczęstszą postacią zeza jest **zez jawny towarzyszący** (łac. *strabismus manifestans concomitans*, ang. manifest concomitant strabismus). W tej wadzie oko stale odchylone towarzyszy ruchom drugiego oka, zachowując niezmienność kąta odchylenia. Odchylenie może dotyczyć jednego oka lub być naprzemienne. Badanie na synoptoforze określa kąt zeza i inne parametry widzenia obuocznego.

Wady refrakcji, różnowzroczność i niedowidzenie są główną przyczyną odchylenia gałki ocznej i niemożności rozwoju widzenia obuocznego, co prowadzi do choroby zezowej (astereoskopia). Wyróżnia się trzy stopnie widzenia obuocznego: jednoczesną percepcję, fuzji i stereopsję. Zaburzenia mogą dotyczyć każdego z tych etapów. Leczenie polega na określeniu wady refrakcji i jej skorygowaniu, leczeniu niedowidzenia (różnymi metodami), ew. operacji na mięśniach gałkoruchowych.

Zez porażenny (łac. *strabismus paralyticus*, ang. paralytic strabismus), inaczej zwany nietowarzyszącym, występuje rzadziej. Powstaje wskutek uszkodzenia centralnego lub obwodowego co najmniej jednego nerwu zaopatrującego mięśnie gałkoruchowe. Porażenie powoduje nierównoległe ustawienie osi widzenia oraz brak lub upośledzenie ruchomości gałki ocznej w kierunku działania chorego mięśnia. W przypadku gdy porażenie pojawi się w oczach z pojedynczym widzeniem obuocznym, jednym z wiodących objawów jest dwojenie i kompensacyjne ustawienie głowy. Leczenie okulistyczne polega na zasłanianiu naprzemiennym jednego oka i stosowaniu szkieł pryzmatycznych. Leczenie operacyjne można przeprowadzić nie wcześniej niż po upływie roku po leczeniu zachowawczym.

Oczopląs (nystagmus) polega na niezależnych od woli, powtarzających się, rytmicznych ruchach gałek ocznych (gałki ocznej) w jednym lub we wszystkich kierunkach patrzenia. Powstaje z przyczyn okulistycznych lub innych, najczęściej neurologicznych. Oczopląs pochodzenia ocznego rozwija się zazwyczaj przed 2. rż., wynika z niskiej ostrości wzroku i występuje w postaci oczopląsu poziomego. Im znaczniejsze osłabienie widzenia, tym wyraźniejszy oczopląs. Wada ma następujące cechy:

- postać (poziomy, pionowy, obrotowy),
- kierunek (oznaczany wg fazy szybkiej ruchu),
- szybkość (wolny, średni, szybki),
- natężenie (określane w 3-stopniowej skali),
- typ (rytmiczny, wahadłowy).

Cele leczenia to zmniejszenie ruchów oczopląsowych i zniesienie wyrównawczego ustawienia głowy. Uzyskuje się je przez stosowanie szkieł pryzmatycznych lub wykonanie operacji na mięśniach gałkoruchowych.

22.5
CHOROBY OCZODOŁU

22.5.1
Zaburzenia rozwojowe

Zaburzenia rozwojowe oczodołu mogą dotyczyć nieprawidłowości w obrębie struktur kostnych i zawartości oczodołu. Czasem łączą się z innymi zmianami w obrębie twarzoczaszki. Do najczęstszych zaburzeń, obejmujących kształt i wielkość oczodołów, należą wady powstałe w rozwoju embrionalnym, między 3. a 5. tygodniem życia płodowego. Mają one charakter dziedziczny, choć istnieje także wpływ czynników egzogennych.

Dyzostoza żuchwowo-twarzowa (łac. *dysostosis mandibulofacialis*, ang. mandibulofacial dysostosis) dziedziczona jest w sposób autosomalny dominujący z niepełną penetracją genu, z typowymi cechami niedorozwoju żuchwy i szczęki, szczątkowymi małżowinami usznymi oraz współistnieniem różnych zmian ocznych.

Zespół Goldenhara (zespół oczno-uszno-kręgosłupowy; łac. *dysplasia oculo-auriculo-vertebralis*, ang. oculo-auriculo-vertebral dysplasia) cechuje się asymetrycznym niedorozwojem twarzy z deformacją ucha, wyrostkami przyusznymi i zmianami o charakterze skórzaków nagałkowych i tłuszczaków w okolicy skroniowej oczodołu.

Przedwczesne zarośnięcie szwów czaszki (craniosynostosis), inaczej kraniosynostoza, prowadzi do powstania nieprawidłowych proporcji między pojemnością i zawartością jamy czaszki i do deformacji czaszki. Może być jednostronne lub obustronne. Najczęściej występuje w zespołach chorobowych dziedziczonych w sposób autosomalny dominujący (zespół Aperta, zespół Crouzona, zespół Pfeiffera). Objawy oczne są zwykle następstwem wytrzeszczu, przemieszczenia gałek ocznych czy obecności zmian zastoinowych na dnie oczu.

Zmiany zawartości oczodołu dotyczą przede wszystkim zmian w wielkości gałek ocznych – wrodzone bezocze (anophthalmia), małoocze (microphthalmia) (ryc. 22.1).

W wybranych przypadkach w celu przywrócenia czaszce i twarzy normalnego kształtu podejmuje się leczenie operacyjne.

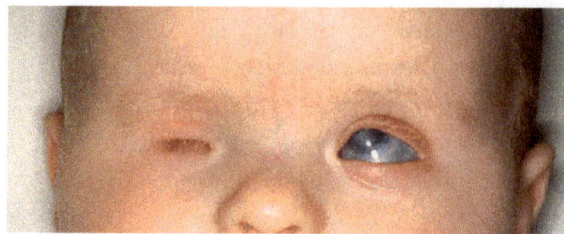

Rycina 22.1. Wrodzony brak jednej gałki ocznej, druga ze zmianami rozwojowymi.

22.5.2
Zapalenia tkanek oczodołu

Zapalenie przedprzegrodowe tkanek oczodołu (łac. *cellulitis periorbitalis*, ang. preseptal cellulitis) najczęściej stanowi następstwo stanu zapalnego (zakażenia bakteryjnego) powiek, ogranicza się do tkanek miękkich leżących do przodu od przegrody oczodołowej. Objawy to bolesność, zaczerwienienie i obrzęk powiek. Ostrość wzroku jest niezmieniona. Stwierdza się bladą gałkę oczną bez objawów zapalnych. Leczenie prowadzi się ambulatoryjnie, podając doustnie antybiotyki.

Zapalenie tkanki łącznej oczodołu (łac. *cellulitis orbitalis*, ang. orbital cellulitis) dotyczy tkanek leżących za jego przegrodą. Stanowi następstwo przejścia procesu zapalnego z zatok (najczęściej sitowych), przyległych struktur twarzy lub okołozębowych czy worka łzowego. Może się również rozwinąć po urazie lub operacji. Czynniki wywołujące to patogeny bakteryjne i grzybicze. Występują bóle głowy, gorączka, bolesność, obrzęk i przekrwienie powiek (linia zapalenia nie przekracza łuku brwiowego), ograniczenie ruchomości gałki ocznej, jej zadrażnienie, wytrzeszcz, spadek ostrości wzroku oraz cechy zastoju żylnego na dnie oczu. Powikłaniami zapalenia tkanki łącznej oczodołu mogą być: ropień podokostnowy czy mózgu, zapalenie opon mózgowo-rdzeniowych, zakrzep zatoki jamistej, zapalenie nerwu wzrokowego oraz zamknięcie światła naczyń siatkówki. Leczenie powinno odbywać się w warunkach szpitalnych i jest wielodyscyplinarne. Podaje się antybiotyk o szerokim spektrum działania dożylnie, a następnie ew. doustnie. W razie wskazań należy podjąć działania chirurgiczne.

22.6
CHOROBY POWIEK I SPOJÓWEK

22.6.1
Zmiany niezapalne

Opadnięcie powieki (ptosis) polega na nieprawidłowo niskim ustawieniu powieki górnej w stosunku do gałki ocznej. Może występować w jednym oku lub w obojgu oczach. W warunkach prawidłowych powieka górna przykrywa ok. 2 mm górnej części rąbka rogówki. Opadnięcie powieki może być różnie nasilone. Niekiedy jest tak znaczne, że dziecko odchyla głowę do tyłu, aby widzieć. Przyczyny opadnięcia powieki dzieli się na wrodzone i nabyte. Wrodzone opadnięcie powieki górnej (łac. *ptosis palpebrae superioris congenita*, ang. congenital ptosis) wynika z zaburzeń rozwojowych mięśnia dźwigacza powieki górnej (przyczyny mięśniopochodne) lub jego unerwienia (przyczyny neuropochodne). Nabyte opadnięcie powieki (łac. *ptosis acquisita*, ang. aquired ptosis) może być pochodzenia neurogennego (uszkodzenie nerwu III, unerwiającego mięsień dźwigacz powieki), miogennego (w miastenii), mechanicznego (mechaniczne przemieszczenie powieki przez masy guza) lub urazowego (uszkodzenie mięśnia dźwigacza powieki).

Objawem wiodącym jest opadnięcie powieki, zwężające szparę powiekową. Szerokość szpary powiekowej decyduje o postępowaniu leczniczym. Podstawę stanowi zabieg chirurgiczny. Jeżeli powieka górna, zasłaniając źrenicę, utrudnia widzenie, nie pozwala na jego prawidłowy rozwój i prowadzi do niedowidzenia z nieużywania, leczenie operacyjne wykonuje się niezwłocznie. Operacja w celach estetycznych jest przeprowadzana u starszych dzieci.

Zespół Hornera, czyli porażenie oczno-współczulne (łac. *syndroma Horner, paralysis oculo-sympathica*, ang. Horner syndrome, oculosympathetic palsy) wiąże się z neuropochodnym opadnięciem powieki. U dzieci może mieć charakter wrodzony lub nabyty. Jest spowodowany uszkodzeniem drogi współczulnej odruchu źrenicznego, na jednym z poziomów szlaku oczno-współczulnego. Przyczyną powstania zespołu mogą być zmiany:

- ośrodkowe – guzy pnia mózgu, choroby demielinizacyjne, tętniaki tętnic szyjnych i aorty,
- przedzwojowe – guzy grzebienia nerwowego, zmiany chorobowe w obrębie szyi i śródpiersia, powiększenie węzłów chłonnych, zabiegi operacyjne,
- pozazwojowe – guzy nosogardzieli, zapalenie ucha środkowego, guzy w obrębie zatoki szyjnej, bóle głowy klasterowe.

Charakterystyczna triada objawów zespołu to:

- zwężenie źrenic (miosis) z zachowanym prawidłowym odruchem źrenicznym na światło i bliskość,
- opadnięcie powieki górnej (ptosis) spowodowane osłabieniem mięśni Müllera,
- zapadnięcie gałki ocznej (enophthalmus) wskutek osłabienia mięśnia tarczkowego dolnego.

We wrodzonym zespole Hornera, po stronie uszkodzenia może wystąpić upośledzenie wydzielania gruczołów potowych twarzy i szyi oraz różnobarwność tęczówek. Pacjent może prezentować wszystkie objawy zespołu lub niektóre z nich. Test farmakologiczny z zastosowaniem kokainy często potwierdza rozpoznanie (źrenica w zespole Hornera nie rozszerza się).

Skrzydlik (pterygium) to zgrubienie włóknisto-naczyniowe spojówki gałkowej o nieznanej etiologii. Czynnikami sprzyjającymi jego rozwojowi są ekspozycja na słońce i przebywanie w suchym, zapylonym powietrzu. Najczęściej skrzydlik lokalizuje się w części nosowej gałki ocznej i widać go w szparze powiekowej. Cechuje się rozrastaniem zmiany spojówkowej, która w postaci trójkątnego fałdu przechodzi na rogówkę. Na rogówce pojawiają się punkcikowate, szare zmętnienia, poprzedzające narastanie fałdu spojówkowego. Zgrubiała spojówka przesuwa się w stronę zmętnień i pokrywa je, rosnąc w kierunku centrum rogówki. Jest zrośnięta z rogówką na całej powierzchni przylegania, tworząc **skrzydlik prawdziwy**.

Skrzydlik rzekomy (pseudopterygium) powstaje w następstwie zmian bliznowatych pozapalnych czy pooparzeniowych. Sfałdowanie spojówki nie jest zrośnięte z podłożem. Jedynie przy wierzchołku łączy się z rogówką. Może powstać w każdej okolicy rogówki.

Skrzydlik stanowi nie tylko defekt kosmetyczny, ale rozrastając się na rogówce, powoduje obniżenie ostrości wzroku, może też ulec odczynowi zapalnemu. Leczenie jest chirurgiczne. Polega na wycięciu zmiany. W celu zapobiegania nawrotom choroby stosuje się dodatkowe metody terapeutyczne (mitomycyna C, krioterapia, laseroterapia, promienie β).

22.6.2
Choroby zapalne

Jęczmień zewnętrzny (łac. *hordeolum externum*, ang. external stye) to ostre gronkowcowe zakażenie gruczołów przyrzęsowych Zeissa lub Molla. Stwierdza się znaczną bolesność z miejscowym uwypukleniem, zaczerwienieniem i obrzękiem w pobliżu brzegu powieki oraz gromadzenie się treści ropnej w świetle zajętego gruczołu. Jęczmień (ropień) może przebić się samoistnie do skórnej strony powieki.

Jęczmień wewnętrzny (łac. *hordeolum internum*, ang. internal stye) jest następstwem ostrego gronkowcowego zakażenia gruczołu tarczkowego Meiboma. Obserwuje się zapalenie ograniczonego obszaru spojówki tarczkowej, jej zaczerwienienie i zgrubienie. Skóra pozostaje zwykle niezmieniona, choć ropień może przebić się od strony skóry lub częściej od strony spojówki.

Powikłania jęczmienia to ropowica powieki i przedprzegrodowa oraz zakrzepowe zapalenie zatoki jamistej. Leczenie prowadzi się ambulatoryjnie. Stosuje się okłady rozgrzewające, nacięcie ropnia z usunięciem treści ropnej i miejscową antybiotykoterapię (najlepiej maść).

Gradówka (chalazion) jest przewlekłym zapaleniem łojowego gruczołu tarczkowego rozwijającym się w następstwie zamknięcia jego światła. Zalegająca gęsta wydzielina powoduje rozdęcie gruczołu. Jałowy ziarninujący proces zapalny objawia się miejscowym zgrubieniem w powiece, w większości wypadków w jej części tarczkowej. Niekiedy widać uwypuklenie skóry nad zmianą. Powieka jest zaczerwieniona i uniesiona. Rozległa gradówka może deformować gałkę oczną i powodować niezborność.

Leczenie jest ambulatoryjne. Zmiana, szczególnie u dzieci, często ulega samoistnemu wchłonięciu. Resorbcję ułatwiają wstrzyknięcia przezspojówkowe steroidów. Chirurgiczne wyłyżeczkowanie zawartości w przypadku wytworzenia się torby wokół gradówki wymaga u dzieci znieczulenia ogólnego.

Najczęściej występującym stanem zapalnym powiek (blepharitis) jest **zapalenie brzegu powiek** (łac. *blepharitis marginalis*, ang. marginal blepharitis). Sta-

nowi ono następstwo zakażenia gronkowcowego i zaburzeń spowodowanych niewydolnością gruczołów łojowych. Objawy to świąd i pieczenie brzegów powiek z ich zaczerwienieniem, nacieki wokół rzęs oraz obecność łusek przy brzegu powiek. Łuski w zapaleniu gronkowcowym są suche i mocno przylegają do brzegu powieki. Ich usunięcie powoduje powstanie owrzodzeń i blizn, a często również wypadanie rzęs. W zapaleniu gruczołów Meiboma stwierdza się zamknięcie przewodów gruczołów tarczkowych z widocznymi ich ujściami i obecnością mętnej pienistej wydzieliny na spojówkach. Leczenie jest ambulatoryjne. Polega na systematycznych zabiegach higienicznych w obrębie powiek, miejscowym stosowaniu maści z antybiotykiem lub z dodatkiem steroidu. Jeśli występują zaburzenia filmu łzowego, zakrapla się sztuczne łzy.

Zapalenie spojówek (conjunctivitis) jest najczęściej występującą chorobą oczu u dzieci. Czynniki etiologiczne stanowią bakterie, wirusy, grzyby, alergeny, szkodliwe oddziaływanie fizyczne czy związki chemiczne oraz niewyrównane wady refrakcji. W zależności od etiologii wyróżnia się zapalenie spojówek infekcyjne i nieinfekcyjne. Wśród tych ostatnich istotną grupę stanowią zapalenia alergiczne (ryc. 22.2). **Noworodkowe zapalenie spojówek** (łac. *ophthalmia neonatorum*, ang. neonatal conjunctivitis), zwane też ropotokiem noworodków, powstaje w następstwie zakażenia dwoinką rzeżączki, chlamydiami, czasem z udziałem innych bakterii (*Stahylococcus aureus*). Może powodować uszkodzenie rogówki i obniżać ostrość wzroku.

Objawy zapalenia i ich nasilenie zależą od przyczyny (tab. 22.2) i czasu trwania choroby. Zapalenie może mieć przebieg ostry (często samoograniczający się), podostry lub przewlekły. Objawy subiektywne

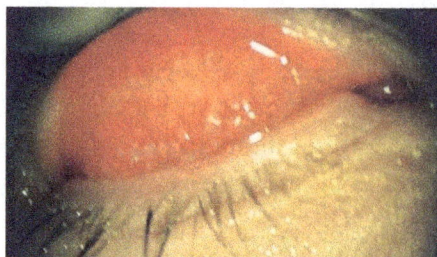

Rycina 22.2. Alergiczne zapalenie spojówek. Spojówka powiek jest przekrwiona. Na spojówce widać brodawki przypominające kostki bruku.

Tabela 22.2. Objawy zapalenia spojówek według etiologii

ETIOLOGIA	PRZEKRWIENIE	WYDZIELINA	OBRZĘK	ZMIANY MORFOLO-GICZNE	BŁONY
Bakteryjne (poza *Chlamydia*)	Nastrzyknięcie powierzchowne	Ropna	Obecny	Brodawki, pryszczyk	Rzekome lub prawdziwe
Chlamydiowe	Nastrzyknięcie powierzchowne	Śluzowo-ropna	Obecny	Brodawki, grudki	Brak
Wirusowe	Nastrzyknięcie powierzchowne	Wodnista, śluzowa	Obecny	Grudki	Rzekome
Alergiczne	Nastrzyknięcie powierzchowne	Wodnista, pienista, biała, gęsta	Obecny, galaretowaty	Przerost brodawkowa-ty, kamienie brukowe, brodawki olbrzymie	Brak

Tabela 22.3. Cechy różnicujące rodzaj przekrwienia gałki ocznej

PRZEKRWIENIE	DIAGNOSTYKA	KOLOR	UKŁAD NACZYŃ	WYSTĘPOWANIE
Spojówkowe powierzchow-ne	Ucisk na spojówkę wywołuje zblednięcie	Czerwony	Wyraźny, najsilniej zaznaczo-ny na obwodzie gałki ocznej	Zapalenie spojówek
Rzęskowe głębokie	Mimo ucisku na spojówkę utrzymuje się	Fioletowy, sinoczerwony	Niewidoczny, układa się wokół rąbka rogówki	Zapalenie błony naczynio-wej
Mieszane	Połączenie obu poprzednich, przy ucisku znika przekrwienie powierzchow-ne	Czerwonofioletowy	Widoczne wyraźne naczynia spojówki i przekrwienie rzęskowe	Zapalenie błony naczynio-wej

to swędzenie, pieczenie, uczucie ciała obcego oraz cechy triady irytacyjnej w postaci światłowstrętu, łzawienia i zwężenia szpary powiekowej. Ostrość wzroku nie ulega pogorszeniu. Spojówka gałkowa jest obrzęknięta i przekrwiona. Na podstawie rodzaju przekrwienia można przeprowadzić różnicowanie między zapaleniem spojówki i zapaleniem błony na-czyniowej (tab. 22.3).

Leczenie przy podejrzeniu etiologii bakteryjnej polega na miejscowym stosowaniu antybiotyku, co skraca czas choroby i zmniejsza jej objawy. Wykona-nie posiewu i uzyskanie antybiogramu wymagane jest w przypadkach niepoddających się terapii, przy przedłużaniu się zapalenia oraz w zapaleniu nowo-rodkowym. W tym ostatnim antybiotyk podaje się zarówno miejscowo, jak i parenteralnie. Profilaktyka noworodkowego rzeżączkowego zapalenia spojówek polega na wykonaniu bezpośrednio po urodzeniu zabiegu Credégo – podanie do obu worków spojów-kowych kropli 1% roztworu azotanu srebra (lapiso-wanie spojówek). Leczenie zapaleń wirusowych

wymaga zastosowania miejscowych leków przeciw-wirusowych, niekiedy wspomaganych preparatami ogólnymi. Terapia zapalenia alergicznego polega na eliminacji alergenu, podawaniu preparatów antyhi-staminowych, stabilizatorów komórek tucznych, NLPZ, steroidów i preparatów sztucznych łez.

Zrosty spojówkowo-gałkowe (symblepharon) sta-nowią następstwo:

- zapaleń spojówek wywołanych przez patogeny bak-teryjne (błonica, rzeżączka, *Chlamydia*) z wytwo-rzeniem błon prawdziwych lub rzekomych,
- zapaleń spojówek w przebiegu autoimmunizacyj-nego zespołu Stevensa–Johnsona czy pemfigoidu ocznego, które szczególnie sprzyjają tworzeniu się litych zrostów powiekowo-gałkowych,
- urazów – oparzenia spojówki i gałki ocznej che-miczne i termiczne.

Zrosty mogą być pojedyncze lub rozlegle. Spłycają częściowo załamki spojówki lub całkowicie je znoszą. Niekiedy powodują nieprawidłowe ustawienie brzegów powiek, utrudniają wzrost rzęs czy zaburzają wytwarzanie i dystrybucję łez, prowadząc do zaburzeń struktur tworzących powierzchnię oka.

Wrodzone zrosty powiekowo-gałkowe występują bardzo rzadko i są związane z nieprawidłowościami rozwojowymi gałki ocznej i powiek.

Leczenie zrostów spojówkowo-gałkowych polega na chirurgicznym odtworzeniu worka spojówkowego po ustaniu fazy czynnej choroby.

22.7
CHOROBY DRÓG ŁZOWYCH

Najczęstszym stanem chorobowym jest występująca u ok. 5% noworodków **wrodzona niedrożność przewodu nosowo-łzowego** (łac. *obstructio ducti nasolacrimalis congenita*, ang. congenital nasolacrimal duct obstruction), zwykle spowodowana obecnością przetrwałej zastawki Hasnera w okolicy ujścia przewodu do małżowiny nosowej dolnej. Objawy to jedno- lub obustronne łzawienie, wydzielina (śluzowa, ropna) wydobywająca się przez punkty łzowe przy ucisku okolicy woreczka łzowego oraz jej zaleganie w worku spojówkowym. Powikłania niedrożności przewodu nosowo-łzowego stanowią zapalenie przedprzegrodowe tkanek oczodołu (patrz wcześniej) i **ostre bakteryjne zapalenie woreczka łzowego** (łac. *dacryocystitis acuta*, ang. acute dacrocystitis) (ryc. 22.3). To ostatnie manifestuje się bolesnością i zaczerwienieniem jego okolic i obecnością obfitej ropnej wydzieliny. Niekiedy tworzy się ropień woreczka z przetoką skórną.

Wrodzona torbiel (rozstrzeń) woreczka łzowego (dacrylocystectasia) łączy się z wrodzoną niedrożnością dróg łzowych. Gromadzący się w rozdętym woreczku łzowym płyn to śluzowa wydzielina nabłonka, a być może również wydzielina gruczołu łzowego i płyn owodniowy. Stwierdza się niebiesko przeświecające uwypuklenie i obrzęk w okolicy woreczka łzowego. Zmiana nie jest bolesna. Przy ucisku okolicy woreczka wydobywa się treść śluzowa lub śluzowo-ropna. Rozstrzeń wymaga różnicowania z naczyniakiem, przepukliną mózgową i dermoidem.

Leczenie w zależności od nasilenia objawów jest ambulatoryjne zachowawcze lub szpitalne operacyjne. Początkowo wykonuje się masaż okolicy worka łzowego z usuwaniem zalegającej wydzieliny. W razie

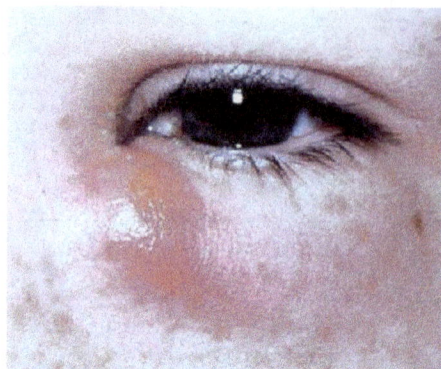

Rycina 22.3. Zapalenie woreczka łzowego w przebiegu wrodzonej niedrożności dróg łzowych.

utrzymywania się niedrożności stosuje się płukanie i zgłębnikowanie dróg łzowych, a w dalszej kolejności intubację rurką silikonową lub operacyjne zespolenie spojówkowo-woreczkowe. Procedury chirurgiczne przeprowadza się po ustąpieniu ostrego stanu zapalnego (po antybiotykoterapii) w znieczuleniu ogólnym.

Nadmierne łzawienie (epiphora) może wynikać z następujących przyczyn:

- stymulacja zakończeń nerwu V przy podrażnieniu rogówki i spojówki lub podrażnienia nerwu VII przy stymulacji błony śluzowej nosa (np. obecność ciała obcego, stany zapalne spojówki i rogówki, katar) – odruchowa stymulacja wydzielania łez,
- stany zapalne gruczołu łzowego,
- zaburzenia psychogenne,
- niedrożność lub niewydolność dróg łzowych odpływowych – zmiany wrodzone lub nabyte dotyczące punktów i kanalików łzowych, worka łzowego, przewodu nosowo-łzowego; brak możliwości odpływu łez powoduje ich zastój w worku spojówkowym i sprzyja pojawieniu się stanów zapalnych worka łzowego i spojówek.

U niemowląt i małych dzieci łzawienie stanowi jeden z objawów wrodzonej niedrożności dróg łzowych (łac. *obstructio ducti nasolacrimalis congenita*, ang. congenital nasolacrimal duct obstruction), często spotykanej wady rozwojowej.

Leczenie łzawienia może być objawowe lub przyczynowe (zachowawcze bądź chirurgiczne). Po udrożnieniu dróg łzowych objawy chorobowe ustępują.

22.8
CHOROBY ROGÓWKI

22.8.1
Wady anatomii rogówki

Wady wrodzone dotyczą wielkości i kształtu rogówki. **Mała rogówka** (microcornea) jest rozpoznawana wtedy, gdy pozioma średnica rogówki nie przekracza 10 mm (u noworodka 9 mm). Występuje jedno- lub obustronnie. **Olbrzymia rogówka** (macrocornea) to stan, gdy pozioma średnica rogówki przekracza 13 mm (u noworodka 12 mm). Również występuje jedno- lub obustronnie. Wymaga różnicowania z jaskrą wrodzoną. **Rogówka płaska** (cornea plana) stanowi rzadko występującą, wrodzoną nieprawidłowość związaną ze spłaszczeniem krzywizny rogówki i jej częściowym zmętnieniem, które może być połączone ze zmniejszeniem średnicy rogówki i prowadzi do nadwzroczności. **Rogówka kulista** (cornea globosa) jest bardzo rzadkim zaburzeniem wrodzonym polegającym na znacznym ścieńczeniu średniego obwodu rogówki i uwypukleniu całej rogówki z obecnością bardzo głębokiej komory przedniej. Nie jest tożsama ze stożkiem rogówki.

Stożek rogówki (keratoconus) oznacza niezapalne centralne lub paracentralne ścieńczenie (ekstazja) rogówki o postępującym przebiegu. Jego etiologia jest nieznana. Postuluje się wpływ czynników genetycznych i środowiskowych. Pierwsze objawy najczęściej występują w okresie dojrzewania. Stwierdza się pogorszenie widzenia, światłowstręt, zniekształcenie obrazów i dwojenie jednooczne. Rogówka przybiera stożkowaty kształt. Promień krzywizny centralnej zmniejsza się. Pojawia się i zwiększa niezborność krótkowzroczna. Narastają zmiany zwyrodnieniowe w strukturze rogówki, co prowadzi do dalszego upośledzenia widzenia. Stożek rogówki współistnieje z wieloma zespołami wrodzonymi (np. zespół Downa, Marfana, Ehlersa–Danlosa). Leczenie w początkowych stadiach jest ambulatoryjne – korekcja okularowa i soczewki kontaktowe. Później konieczne bywa leczenie operacyjne – przeszczepienie rogówki (keratoplastyka).

Dysgenezja odcinka przedniego (łac. *dysgenesis mesenchymalis*, ang. mesenchymal dysgenesis) oznacza nieprawidłowości rozwojowe obejmujące rogówkę i tęczówkę. Często współistnieją one z innymi zaburzeniami, tworząc zespoły chorobowe, np. zespół Axenfelda–Riegera czy zespół Peters-plus. Leczenia przyczynowego brak. Leczenie objawowe zachowawcze lub chirurgiczne zależy od rodzaju powikłań wywołanych dysgenezją.

22.8.2
Zapalenie rogówki
łac. *keratitis*
ang. keratitis

Zapalenie rogówki może mieć etiologię bakteryjną, wirusową, grzybiczą lub pierwotniakową, a także wynikać z mechanicznego uszkodzenia rogówki. Objawy to łzawienie, światłowstręt, ból oka, zadrażnienie gałki ocznej, obrzęk i przymglenie rogówki oraz nacieki powierzchowne i głębokie, różnego kształtu i wielkości, które mogą ulec owrzodzeniu. Blizny pozapalne (plamy, bielmo) obniżają trwale ostrość wzroku. Leczenie zwykle jest ambulatoryjne, przyczynowe – miejscowe, rzadziej ogólne. W stanach ciężkich i nawrotowych należy rozważyć terapię szpitalną.

22.8.3
Złogi w rogówce

Złogi w rogówce powstają wskutek odkładania się w jej strukturach różnych substancji chemicznych stanowiących produkty przemiany materii. Powodują zmniejszenie lub utratę przezroczystości rogówki, prowadząc niekiedy do ślepoty rogówkowej. Mogą występować w chorobach wrodzonych i nabytych oka:

■ wrodzona dystrofia rogówki i genetycznie uwarunkowane choroby metaboliczne przebiegające z objawami ocznymi,

■ zmiany zwyrodnieniowe w przebiegu długotrwałych procesów zapalnych rogówki, tęczówki i ciała rzęskowego, u dzieci najczęściej w przewlekłym reumatoidalnym zapaleniu błony naczyniowej,

■ gałka zanikowa po ciężkich urazach gałki ocznej,

■ odległe powikłania po operacjach wewnątrzgałkowych, spowodowane utratą komórek śródbłonka rogówki, uczestniczących w procesach metabolicznych,

■ działanie niepożądane po stosowaniu niektórych leków (amiodaron, indometacyna).

W dystrofii ziarnistej istoty właściwej rogówki gromadzą się złogi hialinowe (dystrofia Groenouwa I), zagęszczające z czasem jej strukturę i powodujące znaczny spadek ostrości współistniejący z bolesnymi nawracającymi ubytkami nabłonka rogówki. W innym typie tej dystrofii (dystrofia Adellino) w rogówce tworzą się złogi hialinowe i amyloidowe. Dystrofia plamkowa (dystrofia Groenouwa II) jest wynikiem gromadzenia się metabolitów siarczanu keratanu. W mukopolisacharydozach dochodzi do spichrzania w rogówce niedostatecznie zmetabolizowanych glikozoaminoglikanów (mukopolisacharydów). Najczęściej są to siarczan chondroityny, siarczan dermatanu, siarczan heparanu i kwas glukuronowy. W lipidozach odkładają się w rogówce złogi tłuszczowe. W chorobie Wilsona (zaburzenie przemiany białek) występuje charakterystyczny pierścień barwnikowy na obwodzie rogówki (pierścień Kaysera–Fleischera), utworzony przez złogi miedzi.

Pozapalne zwyrodnienie istoty właściwej rogówki współistnieje z odkładaniem się depozytów wapnia w keratopatii taśmowatej (łac. *keratopathia teniata*, ang. band keratopathy). Po urazie oka z obecnością krwi w komorze przedniej, która długo nie ulega wchłonięciu, w rogówce odkładają się złogi hemosyderyny, zmniejszające znacznie przezroczystość całej rogówki.

Postępowanie lecznicze jest indywidualne, zachowawcze lub operacyjne. W dystrofiach wrodzonych obniżających istotnie ostrość wzroku leczenie złogów rogówki sprowadza się do jej przeszczepienia (keratoplastyki). W keratopatii taśmowatej stosuje się miejscowo wymienniki jonowe (chelatowanie z wykorzystaniem wersenianu sodu). W przypadkach zwyrodnień polekowych podstawę stanowi odstawienie leku.

22.9
CHOROBY BŁONY NACZYNIOWEJ

22.9.1
Zapalenie błony naczyniowej

łac. *uveitis*

ang. uveitis

Termin zapalenie błony naczyniowej obejmuje szeroko pojęte wewnątrzgałkowe procesy zapalne, pierwotne lub wtórne, dotyczące tęczówki, ciała rzęskowego i naczyniówki. Kryteria klasyfikacji obejmują:

- podział anatomiczny:
  - zapalenie odcinka przedniego (łac. *uveitis anterior*, ang. anterior uveitis), tj. tęczówki i fałdów rzęskowych,
  - zapalenie części pośredniej (łac. *uveitis intermedialis*, ang. intermediate uveitis) dotyczące części płaskiej ciała rzęskowego,
  - zapalenie tylnego odcinka z zajęciem naczyniówki i często siatkówki (łac. *chorioiditis*, ang. posterior uveitis),
  - zapalenie wszystkich części błony naczyniowej (panuveitis),
- podział histopatologiczny:
  - zapalenie ziarninujące (łac. *uveitis granulomatosa*, ang. granulomatous uveitis),
  - zapalenie nieziarninujące (łac. *uveitis nongranulomatosa*, ang. nongranulomatous uveitis),
- czas trwania zapalenia:
  - zapalenie ostre (łac. *inflammatio acuta*, ang. acute inflammation) – do 6 tygodni,
  - podostre (łac. *inflammatio subacuta*, ang. subacute inflammation) – od 6 tygodni do 3 miesięcy,
  - przewlekłe (łac. *inflammatio chronica*, ang. chronic inflammation) – ponad 3 miesiące i nawrotowe,
  - nawrotowe (łac. *inflammatio recidivans*, ang. inflammation recurrent),
- etiologię zapalenia, którą tworzą:
  - czynniki zakaźne zewnątrzpochodne (pourazowe, patogeny zewnętrzne) i wewnątrzpochodne (czynniki pochodzące od chorego, w tym zakażenia bakteryjne, wirusowe, grzybicze i pasożytnicze),
  - czynniki niezakaźne zewnątrzpochodne (reakcja na antygeny miejscowe) i wewnątrzpochodne (związane z reakcjami immunologicznymi w przebiegu chorób układowych – często w młodzieńczym idiopatycznym zapaleniu stawów, w chorobach nowotworowych),
  - czynniki nieznane (idiopatyczne).

Objawy zapalenia błony naczyniowej to ból oka, zaczerwienienie (nastrzyknięcie głębokie lub mieszane), światłowstręt, zwężenie źrenicy, obniżenie ostrości wzroku, osady rogówkowe, wysięk (włóknisty, ropny), zrosty tylne (tęczówkowo-soczewkowe) oraz guzki ziarninowe (duże, białe kłębki waty) (ryc. 22.4).

Zmiany są jedno- lub obuoczne. W tym drugim przypadku mogą wystąpić w obojgu oczach jednocześnie lub w odstępie czasowym. Najczęstsze powikłania zapalenia błony naczyniowej to zaćma i jaskra. Diagnostyka i różnicowanie muszą być wielokierunkowe (tab. 22.4).

Leczenie zwykle jest ambulatoryjne, jedynie w ciężkich stanach szpitalne. Najczęściej stosuje się preparaty miejscowe (leki rozszerzające źrenicę i porażające akomodację, glikokortykosteroidy, antybiotyki, preparaty antywirusowe) i leczenie choroby ogólnej zgodnie z rozpoznaniem. Ewentualne powikłania oczne wymagają odrębnego postępowania.

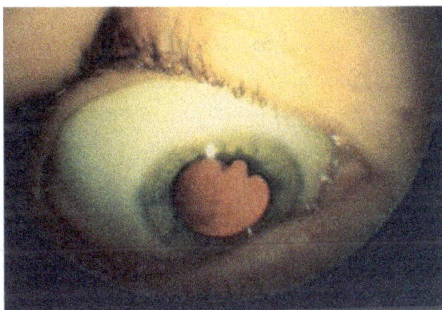

Rycina 22.4. Zapalenie błony naczyniowej przedniego odcinka. Widoczne zrosty tylne (tęczówkowo-soczewkowe) i wysięk w komorze przedniej.

22.9.2
Choroby tęczówki

Tęczówka (iris) stanowi część błony naczyniowej oka, w skład której wchodzą też naczyniówka (łac. *choroidea*, ang. choroid) i ciało rzęskowe (łac. *corpus ciliare*, ang. ciliary body). Tęczówka jest widoczna przez przezroczystą rogówkę, co pozwala już oglądaniem ocenić jej wygląd. Pośrodku tęczówki znajduje się czarna źrenica (łac. *pupilla*, ang. pupil), która reguluje dopływ światła do oka. Wielkość źrenicy zmienia się, zależnie od napięcia mięśni zwieracza i rozwieracza źrenicy.

Beztęczówkowość (aniridia), jedno- lub obustronna, jest chorobą, która dotyczy całej gałki ocznej. Mimo nazwania tej wady beztęczówkowością, zawsze istnieją resztki tęczówki. Z wadą współwystępuje niedorozwój plamki i nerwu wzrokowego, co prowadzi do oczopląsu i znacznego obniżenia ostrości wzroku. Może też rozwinąć się jaskra. U około 30% chorych z beztęczówkowością współistnieje guz Wilmsa.

Wrodzona szczelina tęczówki (łac. *coloboma iridis*, ang. iris colobom), jeśli jest wadą izolowaną, pozostaje bez zasadniczego wpływu na widzenie. Szczelina tęczówki znajduje się przeważnie w dolnonosowym kwadrancie. Może obejmować całą grubość i szerokość tęczówki (od brzegu źrenicy do nasady tęczów-

Tabela 22.4. Różnicowanie zapalenia błony naczyniowej wg etiologii i lokalizacji

ETIOLOGIA	UVEITIS ANTERIOR	UVEITIS INTERMEDIALIS	UVEITIS POSTERIOR	PANUVEITIS
MIZS	+	–	–	–
Choroby związane z HLA- B27	+	–	–	–
Borelioza	+	+	+	–
Uraz	+	–	–	–
Wirusy *Herpes*	+	–	+	–
Sarkoidoza	+	+	–	+
Idiopatyczne	+	+	+	+
Gruźlicze	–	+	–	–
Ostre śródmiąższowe zapalenie nerek	+	–	–	–
Toksokaroza	–	+	–	–
Toksoplazmoza	–	–	+	–

ki) i zmieniać kształt źrenicy. Bywa też ograniczona do przedniej powierzchni i dotyczy fragmentu tęczówki. Typowy kształt źrenicy w tej wadzie przypomina dziurkę od klucza lub odwróconą łzę. Szczelina tęczówki często współistnieje z innymi zaburzeniami rozwojowymi. Nie ma leczenia przyczynowego wad rozwojowych tęczówki.

Nieprawidłowości wielkości i położenia źrenicy są związane nie tylko z wymienionymi zaburzeniami rozwojowymi tęczówki. **Wrodzone zwężenie źrenicy** (łac. *miosis congenita*, ang. congenital miosis) powstaje w następstwie braku lub niedorozwoju mięśnia rozwieracza źrenicy lub z powodu ściągnięcia brzegu źrenicy przez pozostałości włókniste z okresu rozwoju płodowego gałki ocznej. Średnica źrenicy nie przekracza w tej wadzie 2 mm. Często źrenica jest położona ekscentrycznie, słabo reaguje na światło i na leki ją rozszerzające. Wrodzonemu zwężeniu źrenic mogą towarzyszyć inne zmiany rozwojowe oka. Wąska źrenica jest charakterystyczną cechą niektórych zespołów chorobowych, występuje w zespole Lowe'a i wrodzonej różyczce. Innym powodem zwężenia źrenicy jest podanie do obojga oczu leków zwężających źrenicę (miotyków).

Wrodzone rozszerzenie źrenicy (łac. *mydriasis congenita*, ang. congenital mydriasis) stanowi konsekwencję niedoczynności mięśnia zwieracza źrenicy. Łączy się często z wrodzoną bezteczówkowością. Nabyte rozszerzenie źrenic w obojgu oczach może też wynikać z zaburzeń neurologicznych czy stosowania leków rozszerzających źrenicę (mydriatyków).

Różna wielkość źrenic, czyli anizokoria (łac. *anisocoria*, ang. anisocoria), występuje u dzieci zarówno jako fizjologia, jak i objaw różnych stanów chorobowych. U dzieci zdrowych dość często istnieje nierówność źrenic nieprzekraczająca 1 mm, niezmieniająca się przy zmianie oświetlenia i z zachowaną reakcją obu źrenic na światło. Zwężenie jednej źrenicy występuje w zespole Hornera (największa nierówność źrenic w ciemności) (patrz str. 1111), w przebiegu zapalenia tęczówki czy po jednostronnym zastosowaniu miotyków. Przyczyną poszerzenia jednej źrenicy są najczęściej pourazowe uszkodzenie mięśnia zwieracza źrenicy, porażenie nerwu III (pourazowe lub w przebiegu białaczki) czy przebycie choroby wirusowej (np. świnki). Wskutek uszkodzenia przez wirusy włókien pozazwojowych unerwiających mięsień zwieracz tęczówki i mięsień rzęskowy powstają objawy źrenicy tonicznej Holmesa–Adiego z największą różnicą wielkości źrenic w jasnym oświetleniu. Źrenica toniczna słabo lub wcale nie reaguje na światło, a przy patrzeniu do bliży zwęża się powoli. Przyczyną anizokorii może być również zastosowanie mydriatyków do jednego oka.

22.10
CHOROBY SOCZEWKI

22.10.1
Zaćma
łac. *cataracta*
ang. cataract

Choroba oczu prowadząca do zmętnienia soczewki. Ma charakter wrodzony lub nabyty. Zaćma wrodzona występuje z częstością 1–4 : 10 000 urodzeń, jako postać izolowana (jedno- lub obuoczna) lub w połączeniu z wadami rozwojowymi, chorobami metabolicznymi (zespół Lowe'a) czy zaburzeniami chromosomowymi (zespół Turnera). Może być uwarunkowana genetycznie lub powstaje w wyniku infekcji wewnątrzmacicznej patogenami z grupy TORCH.

Do rozwoju zaćmy nabytej prowadzą:

- proces zapalny w obrębie oka,
- długotrwałe odwarstwienie siatkówki,
- nowotwory wewnątrzgałkowe,
- choroby układowe,
- przewlekła steroidoterapia,
- uraz gałki ocznej.

Objawy zaćmy to:

- obniżenie ostrości wzroku zależne od stopnia zmętnienia soczewki,
- utrata przezroczystości soczewki (ryc. 22.5) i brak czerwonego refleksu z dna oka,
- objaw białej źrenicy (leukokoria) przy całkowitym zmętnieniu,
- oczopląs przy wczesnym znacznym spadku ostrości wzroku,
- zez – w zaćmie jednostronnej w oku z zaćmą.

Wskazaniem do operacji jest zmętnienie soczewki w jednym oku lub obojgu oczach. Po operacji należy bezzwłocznie wykonać korekcję bezsoczewkowości (wszczepienie sztucznej soczewki wewnątrzgałkowej, soczewki kontaktowe, korekcja okularowa),

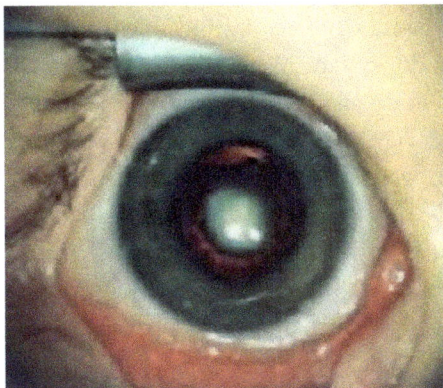

Rycina 22.5. Niecałkowite zmętnienie soczewki i jej wrodzony ubytek w górnej części (*coloboma lentis*).

a następnie prowadzić rehabilitację widzenia. W zaćmie wrodzonej opóźnienie operacji > 16. tż. skutkuje wystąpieniem zespołu braku wrażeń wzrokowych (visual deprivation syndrome), czyli trwałym niedowidzeniem.

22.10.2
Inne choroby soczewki

Inne choroby soczewki, które stwierdza się także w soczewce przezroczystej, dotyczą zmiany jej kształtu (szczelina soczewki, stożek soczewki) i położenia. Zwykle są wrodzone, chociaż przemieszczenie (podwichnięcie lub zwichnięcie soczewki) występuje nie tylko w zespole Marfana czy homocystynurii, ale stanowi także następstwo urazu.

Ubytek soczewki, nazywany też szczeliną (łac. *coloboma lentis*, ang. lens coloboma), jest rzadko spotykaną wadą występującą w postaci wgłobienia równika soczewki, spowodowanego wrodzonym jej ubytkiem. Wada może występować w dowolnym miejscu soczewki, bywa połączona z brakiem więzadełek Zinna w tej okolicy. Często ubytek soczewki łączy się ze szczeliną tęczówki, ciała rzęskowego i naczyniówki.

Leczenie ogranicza się do obserwacji lub chirurgicznego usunięcia soczewki, jeżeli jest ona znacznie przemieszczona i pogarsza ostrość wzroku, grożąc całkowitym zwichnięciem do ciała szklistego lub do komory przedniej.

Oko bezsoczewkowe (aphakia) to oko pozbawione soczewki, czyli po usunięciu zmętniałej lub przezroczystej (przemieszczonej) soczewki ocznej. Po takim zabiegu oko normowzroczne staje się nadwzroczne. Jest to nadwzroczność refrakcyjna, wywołana zmianą siły łamiącej układu optycznego oka, ponieważ

z głównych układów optycznych pozostaje tylko rogówka. Powstałą wadę można wyrównać za pomocą szkieł okularowych, soczewki kontaktowej lub wszczepienia sztucznej soczewki wewnątrzgałkowej. Skorygowanie jednostronnej bezsoczewkowości za pomocą szkieł okularowych o znacznej mocy (około +10,0 Dsph), równoważącej moc usuniętej soczewki własnej, przy drugim oku z prawidłową refrakcją, nie pozwala na widzenie obuoczne, z powodu powstałej znacznej różnowzroczności i odmiennej wielkości obrazów siatkówkowych w obojgu oczach. Szkła korekcyjne mogą być zastosowane w przypadku obustronnej bezsoczewkowości (częsty sposób u niemowląt). W przypadku jednostronnej bezsoczewkowości noszenie soczewki kontaktowej umożliwia zachowanie widzenia obuocznego ze względu na małą różnicę pomiędzy wielkością obrazów siatkówkowych. Ten sposób wyrównania wady jest bezwzględnie wskazany w jednostronnej afakii.

Wszczepienie sztucznej soczewki wewnątrzgałkowej stanowi najlepszą metodę skorygowania wady refrakcji powstałej po usunięciu zaćmy. Pozwala na bezpośrednią po operacji permanentną korekcję, co ma znaczenie w rehabilitacji wzrokowej. Implantacja sztucznej soczewki u dzieci < 1. rż. jest dyskusyjna ze względu na trwający intensywny rozwój gałki ocznej w tym okresie życia i zmieniającą się siłę łamiącą gałki ocznej. Jeżeli oko przed operacją usunięcia soczewki było okiem nadwzrocznym lub krótkowzrocznym, wadę należy uwzględnić przy korekcji oka bezsoczewkowego.

22.11
JASKRA WIEKU DZIECIĘCEGO

Jaskra (glaucoma) definiowana jest jako postępująca swoista neuropatia nerwu wzrokowego, w której główny czynnik ryzyka jej rozwoju stanowi wysokie ciśnienie wewnątrzgałkowe. U dzieci jaskra występuje jako:

- pierwotna jaskra wrodzona (jaskra niemowlęca) – od urodzenia do 3. rż.,
- pierwotna jaskra wrodzona o późnym początku (ryc. 22.6) (jaskra dziecięca) – od 3. do 10. rż.,
- jaskra towarzysząca wrodzonym anomaliom – aniridia, zespół Sturge'a–Webera, zespół Marfana, asocjacja Pierre'a Robina, zespół Axenfelda–Riege-

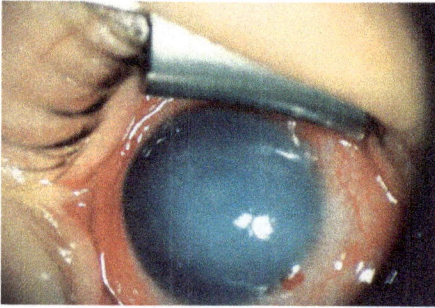

Rycina 22.6. Jaskra wrodzona, obrzęk i przymglenie rogówki.

ra, zespół Peters-plus, zespół Lowe'a, pierwotne przetrwałe hiperplastyczne ciało szkliste, homocystynuria,

- jaskra pierwotnie otwartego kąta (pierwotna jaskra młodzieńcza) – od 10. do 35. rż.,
- jaskra wtórna nabyta – powikłanie zapalenia błony naczyniowej, urazów, retinopatii wcześniaków, nowotworów czy operacji zaćmy.

Jaskra wrodzona występuje z częstością 1 : 10 000 urodzeń, w większości samoistnie, ale może mieć charakter dziedziczny.

Etiopatogeneza jaskry niemowlęcej i dziecięcej jest związana z zaburzeniami rozwoju kąta tęczówkowo-rogówkowego i gałkowej przestrzeni drenującej. Wiąże się to z zahamowaniem odpływu cieczy wodnistej (przeszkoda w utkaniu beleczkowania), prowadząc do wzrostu ciśnienia wewnątrzgałkowego i uszkodzenia nerwu wzrokowego. Pierwotna jaskra młodzieńcza ma podobną patogenezę. Może być późno rozwijającą się jaskrą dziecięcą lub wcześnie ujawniającą się jaskrą otwartego kąta, stwierdzaną zwykle u osób dorosłych.

Objawy jaskry wrodzonej to kurcz powiek, łzawienie, światłowstręt, tarcie powiek i niepokój nocny. W badaniu przedmiotowym dominują dynamiczne zmiany w anatomii gałki ocznej – woloocze (buphthalmos), obrzęk i utrata przezroczystości rogówki, linie Haaba oraz pęknięcie błony Descemeta. Rogówka o średnicy > 13 mm budzi podejrzenie jaskry. Zmiany mogą być jedno- lub obuoczne. **Woloocze** to powiększenie wymiarów gałki ocznej na skutek rozciągania powłok oka, tj. twardówki i rogówki. Zmiana powstaje w następstwie utrzymującego się wysokiego ciśnienia wewnątrzgałkowego w jaskrze wrodzonej.

U starszych dzieci objawy są słabiej zaznaczone i niecharakterystyczne, a przebieg charakteryzuje się mniejszą gwałtownością. Przebieg może być bezobjawowy aż do wystąpienia cech neuropatii nerwu wzrokowego ze zmianami w polu widzenia.

Diagnostyka u niemowląt i małych dzieci wymaga znieczulenia ogólnego. Badanie okulistyczne dzieci w kierunku jaskry powinno obejmować całościową ocenę okulistyczną, z uwzględnieniem pomiarów ciśnienia wewnątrzgałkowego, obejrzeniem tarczy nerwu wzrokowego i badaniami perymetrycznymi. Pacjent powinien się zgłaszać na regularne wizyty kontrolne.

W jaskrze wrodzonej leczenie operacyjne przeprowadza się w 1. rż. Leczenie farmakologiczne jaskry u dzieci jest jedną ze składowych procesu terapeutycznego i może być stosowane w różnych okresach rozwoju choroby, często w skojarzeniu z leczeniem chirurgicznym. W praktyce pediatrycznej do najczęściej wykorzystywanych leków należą β-blokery, inhibitory anhydrazy węglanowej i w ostatnich latach analogi prostaglandyn. Dostępne są ich preparaty łączone.

22.12
CHOROBY SIATKÓWKI

22.12.1
Zaburzenia rozwojowe siatkówki

Zaburzenia rozwojowe siatkówki stwierdza się od urodzenia. Mogą być izolowane bądź współistnieć z różnymi nieprawidłowościami okulistycznymi lub z innych narządów. Duże ubytki (szczeliny) siatkówki i naczyniówki sięgające tarczy nerwu wzrokowego są przyczyną znacznego spadku ostrości wzroku, a obwodowe nie mają istotnego wpływu na widzenie. Ostrość wzroku obniżają niekiedy także rozległe przetrwałe włókna rdzenne, szczególnie obejmujące okolicę bieguna tylnego gałki ocznej. Wymienione zaburzenia rozwojowe powodują przy znacznej rozległości zmian objaw białej źrenicy.

Objawy dziedzicznych chorób siatkówki pojawiają się w różnych okresach życia i prowadzą do znacznego obniżenia ostrości wzroku ze ślepotą włącznie. Oczopląs widoczny w pierwszych tygodniach życia (8.–12. tż.) jest podstawową manifestacją chorób dziedzicznych ujawniających się w okresie niemowlęctwa.

Bielactwo (łac. *albinismus*, ang. albinism) wynika z genetycznie uwarunkowanej niezdolności do syntezy melaniny. Objawy okulistyczne to oczopląs, spadek ostrości wzroku, transiluminacja (przeświecanie) tęczówki, czerwony refleks z dna przy wąskiej źrenicy związany z unaczynieniem naczyniówki (ryc. 22.7).

U dzieci starszych i młodzieży dość często występują choroby dziedzicznie uwarunkowane:

- **zwyrodnienie barwnikowe siatkówki** (retinitis pigmentosa) – ślepota zmierzchowa, postępujące zawężanie koncentryczne pola widzenia i utrata widzenia centralnego; na dnie oczu stwierdza się wąskie naczynia krwionośne, zmiany barwnikowe siatkówki w kształcie ciałek kostnych oraz cechy zaniku nerwu wzrokowego z bladą tarczą,
- **choroba Stargardta** – w początkowym okresie spadek ostrości wzroku nieadekwatny do niewielkich zmian w obrębie okolicy plamkowej, później postępująca inwolucja nabłonka barwnikowego w okolicy plamkowej powodująca powstanie typowego obrazu „bawolego oka", widocznego w oftalmoskopii i w angiografii fluoresceinowej, z dalszym obniżeniem ostrości wzroku, zmiany charakteryzują się występowaniem centralnej pigmentacji otoczonej strefą pozbawioną barwnika, którą opierścienia kolejna strefa hiperpigmentacji,
- **choroba Besta** – zmiany w plamce w wyniku gromadzenia się lipofuscyny, w rozwiniętym okresie choroby obraz plamki przypomina wyglądem żółtko jaja, utrzymuje się użyteczna ostrość wzroku.

Przydatne w diagnostyce chorób siatkówki są badania elektrofizjologiczne i angiograficzne. Nie ma leczenia przyczynowego zmian rozwojowych i chorób dziedzicznych siatkówki.

22.12.2
Retinopatia wcześniaków

łac. *retinopathia praematurorum*
ang. retinopathy of prematurity (ROP)

Wazoproliferacyjna choroba siatkówki występująca u dzieci urodzonych przedwcześnie (patrz rozdz. 7 „Choroby okresu noworodkowego"). Główne czynniki ryzyka jej powstania to niska urodzeniowa masa ciała i wczesny wiek ciążowy w chwili urodzenia. Standaryzacja różnorodnych objawów klinicznych uwzględnia zaawansowanie choroby (faza czynna i bliznowacenia), usytuowanie i rozległość zmian oraz obecność objawu plus (+), czyli znacznej krętości naczyń siatkówki (ryc. 22.8). W zaawansowanym stadium choroby, w całkowitym odwarstwieniu siatkówki z proliferacjami siatkówkowo-szklistkowymi stwierdza się objaw białej źrenicy. Wcześniaki wymagają systematycznych badań okulistycznych. W Polsce objęte są nimi dzieci z urodzeniową masą ciała < 2500 g i wiekiem w momencie urodzenia ⩽ 36 tc. Kontrolę przeprowadza się w 4., 8. i 12. tż. lub dłużej – do czasu pełnego unaczynienia obwodu siatkówki bądź pojawienia się wyraźnych objawów regresji (po 40. tyg. wieku skorygowanego) lub wskazań do terapii. Leczenie polega na fotokoagulacji laserowej nieunaczynionego obszaru siatkówki, co hamuje rozrost proliferacji naczyniowo-włóknistych. Rzadziej stosuje się krioterapię czy doszklistkowe podawanie preparatów anty-VEGF. W zaawansowanych stadiach choroby konieczna bywa operacja z zakresu chirurgii siatkówkowo-szklistkowej.

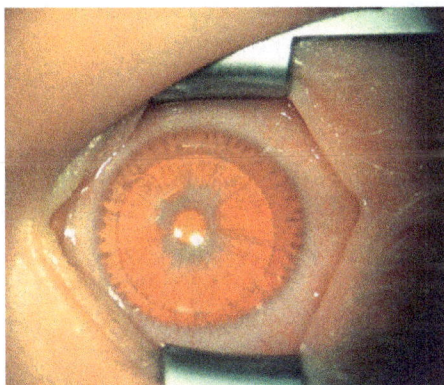

Rycina 22.7. Bielactwo, transiluminacja tęczówki, czerwony refleks z dna przy wąskiej źrenicy.

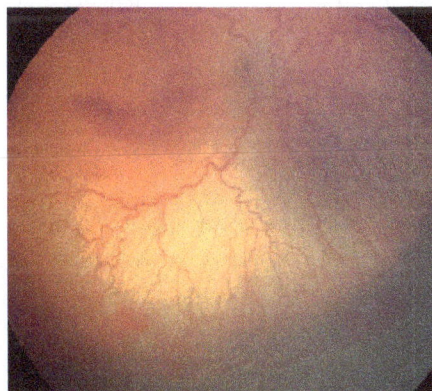

Rycina 22.8. Retinopatia wcześniaków, postać agresywna (ang. rush disease). Widoczny objaw plus.

22.12.3

Zapalenie siatkówki

łac. *retinitis*

ang. retinitis

Zapalenie siatkówki ma różne czynniki etiologiczne: bakteryjne, wirusowe, grzybicze, pasożytnicze, choroby układowe. U dzieci występuje najczęściej w przebiegu toksoplazmozy, toksokarozy i zakażenia wirusem cytomegalii. Objawy to spadek ostrości wzroku (przy centralnym usytuowaniu zmian zapalnych) oraz obecność ognisk zapalnych o różnej wielkości i kształcie na dnie oka (białawe o granicach nieostrych, uniesione, niekiedy z towarzyszącymi zmianami naczyniowymi). W miarę cofania się zapalenia granice zmian stają się wyraźne, płaskie, z dużą ilością barwnika. Leczenie jest ambulatoryjne lub szpitalne, zgodne z etiologią, niekiedy długotrwałe.

22.12.4

Odwarstwienie siatkówki

łac. *ablatio retinae*

ang. retinal detachment

Odwarstwienie siatkówki polega na oddzieleniu warstwy sensorycznej siatkówki od nabłonka barwnikowego przez płyn podsiatkówkowy. Może objąć całą siatkówkę lub jej fragment. Przyczyny odwarstwienia są różne. Odwarstwienie przedarciowe wynika z rozdarcia siatkówki lub obecności w niej otworu. Predysponują do niego zmiany zwyrodnieniowe obwodu siatkówki i trakcje szklistkowo-siatkówkowe (pociąganie siatkówki przez zmienione chorobowo ciało szkliste), wywołane m.in. przez znaczną krótkowzroczność.

Odwarstwienie siatkówki może też wystąpić jako następstwo zaburzeń rozwojowych, zapalenia siatkówki i naczyniówki o różnej etiologii, guzów podsiatkówkowych, obecności pasożytów wewnątrzgałkowych czy urazów oka. Te ostatnie stanowią jedną z najczęstszych przyczyn odwarstwienia siatkówki u dzieci, szczególnie u chłopców.

Objawy subiektywne obejmują skargi na błyski przed okiem, męty, obecność plamy, zasłony przed okiem czy obniżenie ostrości wzroku. Obraz kliniczny odwarstwienia siatkówki zależy od czynnika wywołującego chorobę i czasu jej trwania:

- odwarstwienie zapalne – widoczne jest płaskie uniesienie siatkówki, przeważnie na znacznej powierzchni, siatkówka zmienia barwę na żółtoszarą lub żółtoróżową, matowieje,
- odwarstwienie guzowe – siatkówka jest wyraźnie uniesiona, napięta, o gładkiej powierzchni, nieruchoma,
- odwarstwienie pęcherzowe – widać jeden lub kilka pęcherzy, o różnej wysokości, w odwarstwieniu przedarciowym ruszają się przy poruszaniu gałką, w odwarstwieniu świeżym szarobiałe pęcherze są wyraźnie widoczne na tle niezmienionej różowej siatkówki, w odwarstwieniu otoropochodnym trwającym długo zmiany mogą nie balotować, siatkówka jest szarawa, z liniami demarkacyjnymi, i trakcjami siatkówkowo-szklistkowymi.

Całkowite odwarstwienie może dawać objaw białej źrenicy.

Terapia odwarstwienia siatkówki uwzględnia leczenie przyczynowe, o ile ustalono etiologię (zachowawcze i chirurgiczne). Leczenie odwarstwienia otoropochodnego jest wyłącznie operacyjne i polega na zamknięciu otworu jako przyczyny odwarstwienia. W bardziej skomplikowanych odwarstwieniach połączonych z trakcjami siatkówkowo-szklistkowymi wykonuje się operacje z zakresu chirurgii witreoretinalnej. Zmiany zwyrodnieniowe zagrażające odwarstwieniem siatkówki są wskazaniem do profilaktycznej laseroterapii.

22.13

CHOROBY NERWU WZROKOWEGO

Wrodzone nieprawidłowości rozwojowe obejmują zmiany związane z przetrwałym unaczynieniem płodowym oraz dotyczące samej tarczy. Są to:

- przetrwała tętnica ciała szklistego i przetrwałe hiperplastyczne ciało szkliste,
- tarcza Bergmeistera,
- zespół kwiatu powoju (ang. morning glory syndrome),
- hipoplazja tarczy nerwu wzrokowego,
- tarcza olbrzymia,
- szczelina tarczy nerwu wzrokowego,
- wrodzony dołek tarczy nerwu wzrokowego,

- druzy tarczy nerwu wzrokowego (złogi hialinowe lub koloidowe),
- przetrwałe włókna rdzenne.

Obraz kliniczny tych zmian jest charakterystyczny i zwykle nie powoduje trudności diagnostycznych. Nie ma leczenia przyczynowego.

Nabyte neuropatie nerwu wzrokowego to m.in. zapalenie nerwu wzrokowego:

- odcinka wewnątrzgałkowego – tarczy nerwu wzrokowego (*papillitis*),
- odcinka pozagałkowego (łac. *neuritis retrobulbaris*, ang. retrobulbar optic neuritis),
- obu tych części, niekiedy z zapaleniem siatkówki (*neuroretinitis*).

Do czynników etiologicznych zapalenia nerwu wzrokowego zalicza się zakażenia miejscowe lub ogólne (wirusowe, bakteryjne, grzybicze) oraz procesy demielinizacyjne izolowane lub w przebiegu stwardnienia rozsianego. Objawy to obniżenie ostrości wzroku, zmiany w polu widzenia i zaburzenia widzenia barwnego, a w zapaleniu pozagałkowym także bolesność gałki ocznej. W zapaleniu tarczy nerwu wzrokowego w obrazie oftalmoskopowym dominuje przekrwienie i obrzęk tarczy z zatarciem jej granic o różnej intensywności. W zapaleniu pozagałkowym dno oka pozostaje prawidłowe. W *neuroretinitis* poza cechami zapalnymi tarczy stwierdza się typowe zmiany dla zapalenia siatkówki i ogniska zapalne w kształcie gwiazdy w okolicy plamkowej. Zejściem zapalenia może być zanik nerwu wzrokowego z trwałym obniżeniem ostrości wzroku i bladą tarczą nerwu. Leczenie, jeśli jest możliwe, powinno być przyczynowe.

Tarcza zastoinowa nerwu wzrokowego (papilloedema) jest następstwem wzrostu ciśnienia wewnątrzczaszkowego. W początkowym okresie ostrość wzroku nie ulega zmianie. Na dnie oka widać uniesioną, obrzękniętą tarczę z wypełnioną wnęką naczyniową, poszerzenie żył siatkówki, płomykowate wybroczyny wokół tarczy oraz kłębki waty. Nieprawidłowości narastają w miarę utrzymywania się przyczyn podwyższonego ciśnienia wewnątrzczaszkowego, doprowadzając do zaniku nerwu wzrokowego i znacznego obniżenia ostrości wzroku. Tarcza zastoinowa wymaga różnicowania z obrzękiem zapalnym (*papillitis*). Należy przeprowadzić leczenie przyczynowe choroby zasadniczej.

22.14
GUZY NARZĄDU WZROKU

22.14.1
Guzy nienowotworowe

Odpryskowiak (choristoma) – rozrost prawidłowej, w pełni zróżnicowanej tkanki w niewłaściwym miejscu, m.in. torbiele skórzaste, skórzaki (dermoidy) (ryc. 22.9) i tłuszczakoskórzaki; umiejscowienie oczodołowe i nagałkowe; leczenie operacyjne.

Hamartoma – cechuje się nadmiernym rozrostem tkanki, która fizjologicznie występuje w danym miejscu, np. guzy naczyniowe (naczyniaki) o różnej lokalizacji, zmiany barwnikowe (znamiona) najczęściej na spojówce gałkowej i przydatkach oka; leczenie – obserwacja lub operacyjne.

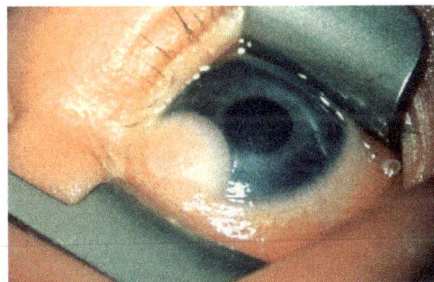

Rycina 22.9. Skórzak rogówki (dermoid).

22.14.2
Nowotwory

Siatkówczak (retinoblastoma) jest najczęstszym pierwotnym złośliwym wewnątrzgałkowym guzem u małych dzieci. Występuje z częstością 1 : 15 000––20 000 urodzeń, dziedzicznie lub w postaci sporadycznej. Wzrost guza może być endofityczny w kierunku ciała szklistego, egzofityczny pod siatkówką lub rozlany. Objawy to biała źrenica (leukokoria) (ryc. 22.10), zez, anizokoria, heterochromia tęczówek, rzekome zapalenie błony naczyniowej, jaskra wtórna i symptomy zapalenia tkanek oczodołu.

Diagnostyka polega na wziernikowaniu pośrednim z wgłobieniem twardówki po rozszerzeniu źrenicy. Zwapnienia charakterystyczne dla guza są widoczne w badaniu USG i TK gałek ocznych. Różnicowanie uwzględnia inne choroby przebiegające z objawem białej źrenicy, takie jak zaćma, zaburzenia rozwojowe siatkówki, zaawansowane stadium ROP, choroba

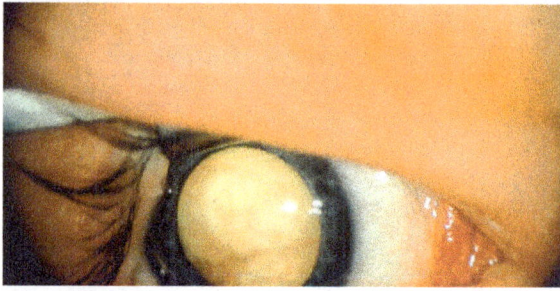

Rycina 22.10. Siatkówczak – biała źrenica (leukokoria).

Coatsa z odwarstwieniem siatkówki i zapalenie błony naczyniowej, a także inne guzy wewnątrzgałkowe. Leczenie polega na chemioterapii (chemoredukcja guza), postępowaniu miejscowym (krioterapia, termochemioterapia, radioterapia) lub usunięciu gałki ocznej (patrz rozdz. 13 „Choroby nowotworowe u dzieci").

Mięsak prążkowanokomórkowy (rhabdomyosarcoma) jest najczęstszym złośliwym pierwotnym guzem oczodołu u starszych dzieci. Jego etiologia nie została poznana, choć przypuszczalnie wpływ mają czynniki genetyczne. Guz oczodołu wywodzi się z embrionalnej tkanki mezenchymalnej zdolnej do różnicowania się w kierunku mięśni prążkowanych. Objawy to jednostronny gwałtownie narastający wytrzeszcz, obrzęk i przekrwienie powiek z ich opadnięciem oraz spadek ostrości wzroku i dwojenie. Nowotwór daje szybkie przerzuty do płuc, węzłów chłonnych i kości. Należy wykonać biopsję guza. Histopatologicznie wyróżnia się 4 jego typy o różnym stopniu złośliwości. Diagnostyka różnicowa uwzględnia zmiany zapalne, guz rzekomy, przerzuty do oczodołu, naczyniaki, chłoniaki, glejaki i białaczki. W leczeniu stosuje się chemioterapię i radioterapię, a niekiedy egzenterację oczodołu (usunięcie zawartości oczodołu z gałką oczną) (patrz rozdz. 13 „Choroby nowotworowe u dzieci").

22.15
URAZY OKA

Przypadkowe urazy narządu wzroku u dzieci są w większości przypadków następstwem braku nadzoru ze strony osób dorosłych. Powstają w czasie zabawy lub zajęć sportowych. Mogą też być skutkiem urazu komunikacyjnego. Zwykle występują urazy mecha-

niczne, tępe. Wylewom krwi do gałki ocznej niekiedy towarzyszy wzrost ciśnienia wewnątrzgałkowego. Po ich wchłonięciu, w ciężkich przypadkach, mogą ujawnić się inne skutki urazu: pęknięcie gałki ocznej podspojówkowe lub w tylnym odcinku, zmętnienie i/lub przemieszczenie soczewki, pęknięcie naczyniówki, odwarstwienie siatkówki czy otwory w plamce. Rzadziej występują urazy ze zranieniem gałki ocznej i obecnością ciała obcego wewnątrzgałkowego oraz złamania kości oczodołu.

Urazy w wyniku krzywdzenia dziecka (child abuse) stanowią 5% wszystkich urazów narządu wzroku i zwykle współistnieją z innymi objawami typowymi dla dziecka bitego. **Zespół dziecka potrząsanego** (shaken baby syndrome) jest nieprzypadkowym urazem głowy u niemowląt i małych dzieci, prowadzącym bardzo często do ciężkich uszkodzeń i śmierci. Uraz wynika z szarpania lub uderzania dziecka albo z obu tych mechanizmów. Charakterystyczne objawy kliniczne zespołu obejmują krwawienia podoponowe, uszkodzenie mózgu i wylewy krwi do siatkówki. Zmiany w siatkówce w różnym stopniu wchłaniania świadczą o permanentności urazu.

Leczenie urazów oka polega na postępowaniu zachowawczym lub operacyjnym w zależności od rodzaju i ciężkości urazu.

Piśmiennictwo

1. Czajkowski J.: *Jaskra u dzieci i młodzieży. Etiopatogeneza, metody diagnostyczne, obraz kliniczny, leczenie.* Oftal, Warszawa 2010.
2. Czajkowski J. (red.): *Alergiczne choroby oczu.* Górnicki Wydawnictwo Medyczne, Wrocław 2003.
3. Grałek M. (red.): *Okulistyka pediatryczna i zez.* Wydawnictwo Medyczne Urban & Partner, Wrocław 2004.
4. Niżankowska M.A.: *Okulistyka. Podstawy kliniczne.* Wydawnictwo Lekarskie PZWL, Warszawa 2007.
5. Prost M. (red.): *Problemy okulistyki dziecięcej.* Wydawnictwo Lekarskie PZWL, Warszawa 1998.
6. Prost M. (red.): *Rozwój gałki ocznej u dziecka.* Instytut „Pomnik-Centrum Zdrowia Dziecka", Warszawa 2000.
7. Turno-Kręcicka A., Barć A., Kański J.J.: *Choroby oczu u dzieci.* Górnicki Wydawnictwo Medyczne, Wrocław 2002.

CHOROBY NOSA, USZU, GARDŁA I KRTANI

Mieczysław Chmielik

Stany zapalne górnych dróg oddechowych i uszu należą do najczęstszych powodów zgłaszania się pacjentów w wieku rozwojowym do lekarza pierwszego kontaktu. Większość z tych schorzeń ma przebieg niezagrażający trwałym ubytkiem zdrowia, choć zdarzają się takie, które mogą prowadzić do kalectwa, a nawet śmierci. Ostre ropne zapalenie ucha łączy się z ryzykiem utraty słuchu, a ostre ropne zapalenie zatok sitowych – wzroku. W przypadku rozwoju ropnych powikłań wewnątrzczaszkowych oba mogą skutkować zgonem. Schorzenia krtani, zwłaszcza przebiegające z upośledzeniem jej drożności, mogą spowodować uduszenie się pacjenta. Zagrażającym życiu powikłaniem ostrych ropnych stanów zapalnych węzłów chłonnych na szyi jest krwotok z tętnicy szyjnej wspólnej, wewnętrznej czy zewnętrznej. Dlatego też dla lekarza ogólnego, a zwłaszcza pediatry, znajomość fizjopatologii górnych dróg oddechowych, krtani, tchawicy, przełyku i uszu ma duże znaczenie. W niniejszym rozdziale omówiono problemy najczęstsze i grożące poważnymi konsekwencjami, a pominięto szczegóły anatomiczne i fizjologiczne oraz niektóre rzadsze problemy kliniczne. Zainteresowanego czytelnika odsyłamy w tych sprawach do podręczników laryngologii dziecięcej.

Ogólna ocena nosa, gardła, uszu i krtani należy do badania pediatrycznego, niemniej warto znać również pewne elementy szczegółowego badania wykonywanego zazwyczaj przez laryngologa dziecięcego.

23.1
BADANIE OTORYNOLARYNGOLOGICZNE DZIECKA

Przeprowadzona ocena musi spełniać wszystkie kryteria dokładnego badania klinicznego. Dziecko wymaga innego podejścia niż dorosły, dlatego badanie musi rozpoczynać się od czynności, które pozwolą lekarzowi nawiązać kontakt z pacjentem. Bardzo ważne jest zdobycie zaufania dziecka, by poddało się bez obaw działaniom związanym z procesem diagnostycznym, a także zapewnienie pacjentom poczucia bezpieczeństwa. Gabinet lekarski powinien wystrojem przypominać salę zabaw w przedszkolu. Badanie lekarskie należy rozpocząć od rozmowy z dzieckiem na tematy dla niego przyjemne. Szczególnie ważne jest, by mały pacjent i jego rodzice nie dostrzegali pośpiechu czy zdenerwowania osoby badającej. Według Komitetu ds. Laryngologii Dziecięcej Światowego Zrzeszenia Towarzystw Laryngologicznych lekarz przeprowadzający badanie powinien:

- odzywać się do dziecka głosem ciepłym, używać znanych mu terminów i rozmowę utrzymywać w tonie przyjacielskim,
- zbieranie wywiadu rozpocząć od rozmowy z dzieckiem, a dopiero potem przejść do pytania rodziców,
- unikać w czasie zbierania wywiadu gwałtownych ruchów i szybkiego chodzenia,
- w miarę możliwości umożliwić dziecku obserwowanie badania innych pacjentów, tak aby mogło przekonać się, że nie jest to połączone z bólem,

- pokazać dziecku wszelkie instrumenty używane do badania, np. wzierniki nosowe, optyki Hopkinsa, a nawet dać je dziecku dotknąć i zademonstrować sposób ich działania,
- tak zorganizować przyjęcia pacjentów, by oczekiwanie na badanie nie trwało zbyt długo – zmęczone dziecko nie ma chęci do współpracy,
- badać małe dzieci w miarę możliwości na kolanach matki,
- tak zaplanować kolejność badania, by najprostsze i najmniej przykre czynności wykonywać najpierw,
- dysponować narzędziami laryngologicznymi w rozmiarze dostosowanym do potrzeb pacjenta w wieku rozwojowym,
- posiadać sprzęt (oświetlenie, wzierniki itp.) najlepszej osiągalnej jakości,
- nie dopuszczać, w miarę możliwości, do gromadzenia się pacjentów w poczekalni ze względu na groźbę wzajemnego infekowania.

Zasady badania przedmiotowego przedstawiono w rozdz. 5 „Badanie kliniczne u dziecka".

23.2
CHOROBY NOSA

Nos, jako pierwszy odcinek dróg oddechowych, pełni szczególną rolę w procesie przemiany powietrza atmosferycznego w oddechowe. Podstawowe, choć nie jedyne, funkcje nosa to ogrzanie, oczyszczenie i nawilżenie przepływającego powietrza. Bardzo ważna jest też funkcja obronna, która polega na alarmowaniu na podstawie wrażeń węchowych o niebezpieczeństwie w przypadku zaistnienia kontaktu ze szkodliwymi gazami i parami. Błona śluzowa nosa stanowi również punkt wyjścia wielu odruchów ważnych dla funkcjonowania organizmu jako całości:

- odruch nosowo-sercowy – bodźce działające na błonę śluzową nosa zmieniają pracę serca, np. przyspieszają lub zwalniają jego rytm,
- odruch nosowo-płucny – bodźce fizyczne lub chemiczne działające na błonę śluzową zwiększają lub zmniejszają przepływ krwi wokół pęcherzyków płucnych,
- odruch nosowo-oskrzelowy – bodźce działające na błonę śluzową nosa zmieniają niektóre parametry czynnościowe w dolnych drogach oddechowych,

np. zwiększa się lub zmniejsza napięcie mięśni drobnych oskrzeli,
- odruch nosowo-żołądkowy – bodźce działające na receptory w nosie zwiększają lub zmniejszają m.in. wydzielanie soków żołądkowych czy powodują wystąpienie odruchu wymiotnego,
- odruch nosowo-płciowy – bodźce i nie do końca wyjaśnione działanie feromonów mogą wpływać na jakość życia płciowego.

Infekcje górnych dróg oddechowych należą do najczęściej występujących chorób w wieku rozwojowym. Większość dzieci co najmniej kilka razy w roku zapada na katar. Ze względu na skomplikowaną etiopatogenezę choroby te nie zostały w sposób wystarczający poznane. Istnieje kilka różnych ich definicji, proponowane są odmienne podziały i nie ma powszechnie obowiązującego schematu leczenia. Do najbardziej znanych i przekonywających należy oparty na pracach różnych ośrodków podział wynikający z tzw. konsensusu brukselskiego z 1994 r., który przedstawia się następująco:

- nieżyty infekcyjne:
  - ostre,
  - podostre z zaostrzeniami,
  - przewlekłe swoiste i nieswoiste,
- nieżyty alergiczne:
  - sezonowe,
  - całoroczne,
- inne.

W niniejszym rozdziale opisane zostaną przede wszystkim nieżyty infekcyjne, gdyż choroby z grupy „inne" u dzieci występują niezwykle rzadko, natomiast nieżyty alergiczne są omówione szczegółowo w rozdz. 21 „Choroby alergiczne".

Błona śluzowa nosa i zatok przynosowych stanowi w sensie fizjopatologicznym jedną całość, dlatego też u dzieci infekcja błony śluzowej nosa prawie zawsze łączy się z analogicznym procesem błony śluzowej zatok przynosowych. Właściwym wydaje się więc traktowanie tych schorzeń jako całości, stąd w literaturze przyjęło się ogólne rozpoznanie zapalenia nosa i zatok przynosowych (*rhinosinusitis*).

23.2.1

Ostre zapalenie nosa i zatok przynosowych

łac. *rhinosinusitis acuta*

ang. acute rhinosinusitis

Definicja

Proces zapalny w obrębie nosa i zatok przynosowych, który trwa do 4 tygodni, nie pozostawia trwałych śladów w obrębie błony śluzowej i poddaje się właściwemu leczeniu zachowawczemu.

Epidemiologia

Jest to jedno z najczęstszych schorzeń u człowieka. U dzieci młodszych występuje zwykle 3–5 razy w ciągu roku, choć u niektórych dzieci dochodzi do takich zakażeń ok. 20 razy w ciągu roku.

Etiologia i patogeneza

Najczęściej pierwotną przyczyną ostrego zapalenia nosa i zatok przynosowych są infekcje wirusowe, które mogą ulec nadkażeniu bakteryjnemu w późniejszym okresie choroby.

Obraz kliniczny

W przebiegu ostrego nieżytu nosa występuje kilka faz:

- początkowa – pacjent skarży się na drapanie i pieczenie w gardle i w nosie, oglądaniem stwierdza się zaczerwienienie i niekiedy podsychanie błony śluzowej nosa i gardła, objawy są niespecyficzne i zwykle trwają jedynie kilka godzin,
- nieżytowa – objawia się bólami głowy, uczuciem ogólnego rozbicia, złym samopoczuciem, a u niemowląt brakiem apetytu, stwierdza się bezbarwny wodnisty wysięk z nosa, faza trwa kilka dni,
- śluzowa – objawy ogólne nasilają się, nos zostaje zablokowany, występuje łzawienie, choroba w tym okresie najczęściej jest wywołana przez wirusy, chociaż mogą się też pojawić czynniki bakteryjne,
- zakażenia bakteryjnego i powikłań (ostre zapalenie ucha środkowego, ostre zapalenie krtani i tchawicy, zapalenie płuc) – nie zawsze występuje,
- zdrowienia – po kilku kolejnych dniach objawy ogólne ustępują, drożność nosa powraca, a ilość wydzieliny zmniejsza się.

Metody diagnostyczne

W badaniu rynoskopowym widać obrzęki błony śluzowej upośledzające drożność nosa i wodnistą wydzielinę. W badaniu radiologicznym obrzęki stwierdza się nie tylko w jamie nosowej, ale i we wszystkich zatokach przynosowych.

Różnicowanie

Z przewlekłymi formami infekcji tej okolicy.

Leczenie

Leczenie ostrego niepowikłanego wirusowego zapalenia nosa i zatok przynosowych jest objawowe. Podaje się preparaty przeciwzapalne, witaminę C i rutynę. W przypadku zaistnienia powikłań o typie bakteryjnym należy włączyć antybiotyk dobrany wg dostępnych zaleceń epidemiologicznych. U małych dzieci i niemowląt nie zaleca się stosowania miejscowego kropli obkurczających ze względu na często występujące powikłania. Środki obkurczające błonę śluzową nosa na długi czas blokują też zwykle ruch rzęsek, co upośledza miejscowe mechanizmy obronne.

Rokowanie

Dobre.

Ostre ropne zapalenie zatok sitowych

łac. *etmoiditis purulenta acuta*

ang. acute suppurative ethmoiditis

Groźne i stosunkowo nierzadkie powikłanie ostrej infekcji górnych dróg oddechowych. Występuje niekiedy już u niemowląt w wyniku zablokowania przez obrzęk ujść zatok sitowych. Ropny proces zapalny, który się w nich toczy, nie znajdując drogi do jamy nosowej, może przebić się w kierunku oczodołu i wywoływać naciek zapalny lub ropień tego regionu.

Ostre zapalenie zatok sitowych objawia się obrzękiem powiek, zwłaszcza powieki górnej w jej przyśrodkowym fragmencie. Gałka oczna bywa wypchnięta, o ograniczonej ruchomości. Choroba grozi utratą wzroku ze względu na kontakt nerwu wzrokowego z zapalnie zmienionymi tkankami oczodołu. Konieczne jest wykonanie TK zatok przynosowych i oczodołu w płaszczyźnie wieńcowej.

Badanie bakteriologiczne posiewu pobranego z przewodu nosowego wspólnego lub tylnej ściany gardła nie ma wystarczającej wiarygodności klinicznej. Wiarygodność taką ma posiew spod małżowiny nosowej środkowej bądź z wnętrza zatoki – pobrać go można w czasie operacji.

W przypadku podjęcia uzasadnionego podejrzenia powikłań oczodołowych ostrego zapalenia zatok sitowych poza intensywną antybiotykoterapią i obkurczaniem błony śluzowej nosa konieczne bywa chirurgiczne otwarcie oczodołu i drenaż zalegającej w nim ropy.

Ostre ropne zapalenie zatoki szczękowej

łac. *sinusitis maxillaris purulenta acuta*
ang. acute suppurative maxillary sinusitis

Powikłanie ostrej infekcji górnych dróg oddechowych występujące rzadziej niż zapalenie zatok sitowych. Pojawia się w przypadku zablokowania przez proces zapalny ujścia naturalnego zatoki szczękowej.

Do objawów ogólnych należą gorączka, dreszcze i podwyższone wskaźniki stanu zapalnego. Miejscowo stwierdza się ból i obrzęk policzka po stronie chorej. Rozpoznanie potwierdza badanie radiologiczne. Uwagi odnośnie do badań bakteriologicznych są analogiczne do opisanych w związku z leczeniem zatok sitowych.

Leczenie, podobnie jak w ostrym zapaleniu zatok sitowych, polega na intensywnej antybiotykoterapii i obkurczaniu błony śluzowej nosa, szczególnie w okolicy ujścia zatoki szczękowej. W razie potrzeby wykonuje się punkcję zatoki z wypłukaniem ropy i pozostawieniem w zatoce antybiotyku. Wskazanym bywa też niekiedy założenie na kilka dni trwałego drenażu tej przestrzeni.

Ostre ropne zapalenie zatoki czołowej

łac. *sinusitis frontalis purulenta acuta*
ang. acute suppurative frontal sinusitis

Schorzenie ze względu na rozwój zatoki czołowej dotyczy zwykle dzieci starszych. Objawy ogólne są analogiczne do opisanych wyżej. Obrzęk i bolesność dotyczą czoła i łuku brwiowego po stronie chorej. Częściej niż w innych zapaleniach zatok pojawiają się powikłania wewnątrzczaszkowe, co wynika z bezpośredniego sąsiedztwa z przednim dołem czaszki.

Leczenie polega na intensywnej antybiotykoterapii ogólnej, miejscowym obkurczaniu błony śluzowej nosa i w razie potrzeby drenażu treści ropnej zatoki.

Ostre ropne zapalenie zatoki klinowej

łac. *sphenoiditis purulenta acuta*
ang. acute suppurative sphenoiditis

Rzadkie powikłanie infekcji górnych dróg oddechowych. Przebiega z intensywnymi objawami ogólnymi. Zwykle występuje ból zlokalizowany na szczycie głowy. Ze względu na lokalizację procesu chorobowego może dawać powikłania zapalne w obrębie zatoki jamistej (zmiany w płynie mózgowo-rdzeniowym, upośledzenie funkcji nerwów przez nią przebiegających).

Leczenie powinno być szczególnie intensywne i odpowiednio wcześnie należy podjąć decyzję o szerokim otwarciu zatoki klinowej do jamy nosowej.

23.2.2
Przewlekłe i podostre nawracające zapalenie nosa i zatok przynosowych u dzieci

łac. *rhinosinusitis chronica et subacuta*
ang. chronic and subacute rhinosinusitis

◣ Definicja

Schorzenia zapalne nosa i zatok przynosowych u dużej grupy dzieci trwają dłużej niż 4 tygodnie (ryc. 23.1), mogą, choć nie muszą, pozostawiać trwałe ślady w obrębie błony śluzowej i nie zawsze poddają się leczeniu zachowawczemu. W literaturze w chwili obecnej nie ma precyzyjnej definicji przewlekłego zapalenia nosa i zatok przynosowych w wieku rozwojowym. Używanie tu definicji obowiązującej u dorosłych nie może mieć zastosowania ze względu na

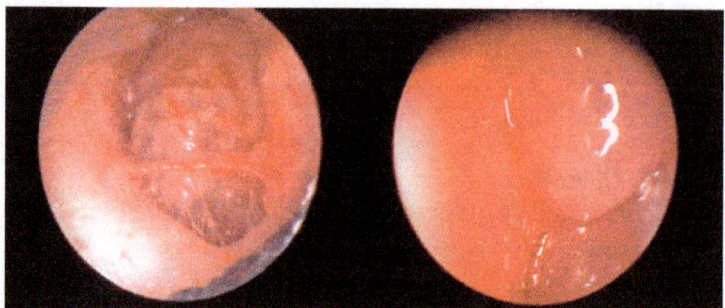

Rycina 23.1. Obraz ujścia zatoki szczękowej w przebiegu przewlekłego zapalenia zatok u dziecka (widok od strony zatoki).

odmienną patomechanikę tych chorób u dzieci. Przyznają to nawet autorzy definicji dla dorosłych.

O ile u dzieci ze zmianami strukturalnymi, jak np. skrzywienie przegrody nosa czy zwężenie ujść zatok przynosowych czy w obrębie górnych dróg oddechowych bądź dotyczącymi składu śluzu czy ruchomości rzęsek można rozpoznawać formę przewlekłą zapalenia nosa i zatok przynosowych, o tyle taka diagnoza nie pasuje do pacjentów, u których zapalenie ma charakter sezonowy (zwykle od wczesnej jesieni do późnej wiosny) i ustępuje z wiekiem (po 12.–14. rż.).

W tej grupie najbardziej logiczny wydaje się termin podostre nawracające zapalenie nosa i zatok przynosowych. W części przypadków zapalenia zatok, zwłaszcza wywołanego zmianami strukturalnymi upośledzającymi drożność nosa lub ujść zatok przynosowych, choroba ma charakter przewlekły i dopiero skuteczne leczenie operacyjne poprawiające tę drożność może doprowadzić do wyleczenia dziecka, a więc można tu rozpoznać przewlekłe zapalenie jam nosa i zatok przynosowych. W wieku przedszkolnym i wczesnoszkolnym u dużej grupy dzieci stwierdza się podobne kliniczne zmiany zapalne w obrębie górnych dróg oddechowych. Zmiany te trwają od wczesnej jesieni do późnej wiosny i w ciepłej porze roku samoistnie ustępują. Dzieci przestają chorować na tę formę schorzenia po 12.–14. roku życia, a więc ta forma schorzenia nie spełnia definicji choroby przewlekłej.

Epidemiologia

Według danych amerykańskich u 0,5–10% dzieci ostra infekcja górnych dróg oddechowych przechodzi w formy dłużej trwające.

Etiologia i patogeneza

Najczęstszym czynnikiem etiologicznym są wirusy, najczęściej z grupy myxo- i paramyxowirusów, adenowirusów, coronawirusów, rzadszym bakterie (*Haemophilus influenzae*, *Streptococcus pneumoniae*, *Moraxella catarrhalis*). Obraz i skład flory bakteryjnej jest zmienny w zależności od pory roku i miejsca zamieszkiwania pacjenta. Aktualne informacje na ten temat znaleźć można w odpowiednich rekomendacjach (patrz piśmiennictwo do tego rozdziału).

Obraz kliniczny

Objawy przewlekłego i podostrego nawracającego zapalenia nosa i zatok przynosowych u dzieci są w zasadzie takie same. Znaczna ich część występuje praktycznie u wszystkich chorych z tymi rozpoznaniami

(objawy stałe), inne stwierdza się często, choć nie zawsze (tab. 23.1).

Metody diagnostyczne

Uzupełnienie badania przedmiotowego stanowią wyniki badań laboratoryjnych (m.in. morfologia, wskaźniki procesu zapalnego, układ krzepnięcia, test chlorkowy, immunoglobuliny, wapń). Mogą one wskazywać na konkretną przyczynę dolegliwości (anemia, krzywica, niedobór immunologiczny, mukowiscydoza). Ocena bakteriologiczna wydzieliny pobranej z nosa ma niewielkie znaczenie, gdyż wykryta flora nie musi być czynnikiem etiologicznym stwierdzonego klinicznie stanu zapalnego, a więc leczenie według uzyskanego w ten sposób antybiogramu może nie przynieść oczekiwanych rezultatów.

Tomografię komputerową zatok przynosowych powinno się wykonać u wszystkich dzieci z podejrzeniem przewlekłego lub podostrego nawracającego zapalenia nosa i zatok przynosowych. Na podstawie wyniku badania określa się zarówno elementy anatomiczne badanej okolicy mające wpływ na drożność nosa i ujść zatok przynosowych, jak i stan błony śluzowej i ew. obecność płynu.

Niezwykle wartościowa jest cytologia błony śluzowej nosa. Stwierdzenie przewagi neutrofili przemawia zwykle za bakteryjną etiologią schorzenia, a eozynofili za alergią. Doświadczony laryngolog może też wyciągać dalej idące wnioski na podstawie analizy poszczególnych typów komórek nabłonka w wymazie.

Tabela 23.1. Objawy przewlekłego i podostrego zapalenia nosa i zatok przynosowych

OBJAWY STAŁE	OBJAWY CZĘSTO WYSTĘPUJĄCE
■ Stały lub często nawracający wyciek śluzowo-ropny z obu jam nosowych ■ Upośledzenie drożności nosa (nocne oddychanie przez usta) ■ Kaszel napadowy, najczęściej napady nad ranem, wieczorem po zaśnięciu i po wysiłku ■ Objawy ogólne – nerwowość, męczliwość, potliwość, zaburzenia koncentracji uwagi, nadruchliwość	■ Nawracające zapalenia oskrzeli i płuc ■ Bóle stawowe ■ Brak apetytu, poranne nudności i wymioty, bóle brzucha ■ *Fetor ex ore* ■ Bóle głowy ■ Krwawienia z nosa ■ Tiki mięśni twarzy ■ Nosowanie zamknięte ■ Sińce pod oczami ■ Zgrzytanie zębami w czasie snu ■ Wysięk na migdałkach

Znaczenie kliniczne może mieć również wykonanie klirensu rzęskowego. Badanie polega na podaniu barwnika lub substancji smakowej na błonę śluzową w pobliżu nozdrzy przednich, a następnie na pomiarze czasu od tego momentu do stwierdzenia obecności tych preparatów w obrębie gardła środkowego. U dzieci z upośledzoną ruchomością rzęsek nie obserwuje się ich przenoszenia wraz z otuliną śluzową w kierunku gardła środkowego, co może sugerować obecność zespołu dyskinetycznych rzęsek.

Różnicowanie

Odróżnienie infekcyjnych i nieinfekcyjnych form tego schorzenia – uwzględnić należy wyniki badań bakteriologicznych, cytologicznych i obrazowych.

Leczenie

Leczenie przewlekłego zapalenia nosa i zatok przynosowych wymaga, jeśli to możliwe, usunięcia przyczyny schorzenia. Dotyczy to zwłaszcza deformacji upośledzających drożność nosa lub ujść zatok przynosowych. Przykładowo u pacjenta z przerośniętym migdałkiem gardłowym wykonuje się adenotomię, skrzywiona przegroda nosa wymaga korekty plastycznej, wrodzone defekty zwężające ujścia zatok usuwa się operacyjnie, a przy polipach nosa przeprowadza się polipektomię (osłona antybiotykowa tylko w przypadku współistnienia infekcji ropnej). Leczenie środkami obkurczającymi, mukolitycznymi czy stosowanie miejscowe glikokortykosteroidów nie powinno być rutyną, rezerwuje się je jedynie dla dzieci, które wymagają takiego postępowania.

Podostre nawracające zapalenie zatok u dzieci młodszych prawie zawsze jest połączone z infekcją bakteryjną. Pacjenci ci wymagają zatem kuracji antybiotykiem, która powinna trwać > 14 dni. Ze względu na małą wartość diagnostyczną posiewów z nosa dobór antybiotyków powinien być empiryczny na podstawie wiedzy na temat najczęściej występujących w danym czasie i miejscu rodzajów drobnoustrojów (patrz piśmiennictwo do tego rozdziału). Jeśli taka terapia jest nieskuteczna, należy pobrać materiał do posiewu spod małżowiny nosowej środkowej lub z wnętrza zatoki. Leczenie miejscowe w związku z ogólnoustrojowym mechanizmem powstawania schorzenia ma mniejsze znaczenie. Brak tu wiarygodnych doniesień o skuteczności stosowania glikokortykosteroidów, leków obkurczających błonę śluzową nosa czy mukolityków.

Rozwój podostrego nawracającego zapalenia zatok przynosowych wiąże się ze specyficznymi dla dzieci w wieku wczesnoszkolnym możliwościami układu odpornościowego. Właściwe leczenie przyczynowe polega więc m.in. na poprawie skuteczności ogólnych i miejscowych mechanizmów obronnych. Celowym wydaje się szczepienie tych pacjentów przeciwko grypie, pneumokokom i *Haemophilus influenzae* oraz stosowanie wieloważnych szczepionek bakteryjnych przeciw drobnoustrojom najczęściej występującym w górnych drogach oddechowych. Powyższe stwierdzenie nie dotyczy chorych, których możliwości obronne są ograniczone. A zatem przed taką kuracją powinno się sprawdzić poziomy immunoglobulin, a zwłaszcza IgA, IgG, IgE i IgM. U dzieci alergicznych należy upewnić się, czy szczepionka nie zawiera składników, na które pacjent jest uczulony.

Dobre rezultaty uzyskać można po właściwie przeprowadzonym leczeniu klimatycznym. U dzieci chorujących na podostre nawracające zapalenie nosa i zatok przynosowych zalecać należy wyjazdy w okresie letnim nad morze, a w okresie zimowym w góry. Pobyt w uzdrowisku nie powinien być krótszy niż 3 tygodnie, ze względu na to, że zmiana klimatu dosyć często powoduje początkowo zaostrzenie przewlekającej się infekcji. Po wyleczeniu tego zaostrzenia dziecko na ogół wraca do pełnego zdrowia, a więc pobyt w sanatorium musi być wystarczająco długi, by był na to czas.

Powikłania

Powikłania ogólne to schorzenia dolnych dróg oddechowych, np. astma, a powikłania miejscowe to np. polipy nosa.

Rokowanie

W przypadkach niepowikłanych rokowanie jest dobre, gdyż choroba ustępuje najczęściej samoistnie po 10.–12. rż.

23.2.3
Urazy nosa

W populacji pediatrycznej, ze względu na ruchliwość dzieci, urazy nosa występują częściej niż u dorosłych. Jednak z uwagi na większy udział elementów chrzęstnych w budowie szkieletu nosa dziecka, skutki urazów są często mniejsze, szybciej dochodzi też do gojenia. Należy o tym pamiętać przy złamaniach kości i chrząstek nosa. Po tygodniu od urazu stwierdza się już zrost w miejscu złamania, zatem repozycja powinna nastąpić przed tym terminem. Z drugiej strony bezpośrednio po złamaniu występuje obrzęk nosa, co zmienia jego kształt. Nastawienie w tym okresie nie jest precyzyjne i czasem pogarsza rezultaty kosmetyczne. Procedurę należy więc przeprowadzić po zejściu obrzęku, czyli po 5–6 dniach od urazu, a więc na jej wykonanie pozostają zwykle maksymalnie 2 dni. Repozycja nosa u dziecka odbyć się może wyłącznie w znieczuleniu ogólnym, a więc wcześniej należy wykonać podstawowe badania laboratoryjne.

Rozleglejsze urazy nosa i środkowej części twarzy powodują skutki, których usuwaniem zajmuje się nie tylko laryngolog, ale także chirurg szczękowy, okulista czy neurochirurg.

Uraz nosa u dziecka może spowodować przemieszczenie elementów szkieletowych. Jeśli skutki takiego zdarzenia nie zostaną naprawione w okresie podanym powyżej, dochodzi do utrwalenia się deformacji. Skutkiem jej mogą być pogorszenie skuteczności oddychania przez nos i defekt kosmetyczny. Dla pacjenta w wieku rozwojowym dobra drożność nosa i skuteczna jego funkcja oddechowa ma znaczenie dla pełnego wykorzystania możliwości rozwojowych, zarówno w aspekcie fizycznym, jak i intelektualnym. Dlatego też deformacje należy leczyć operacyjnie bezpośrednio po ich rozpoznaniu. Wprowadzona w Stanach Zjednoczonych w latach 50. XX wieku metoda Cottle'a umożliwia skuteczne i bezpieczne dokonywanie takich zabiegów. Jeżeli w wyniku urazu bądź wady wrodzonej u pacjenta stwierdza się ubytek elementów chrzęstnych przegrody, zabieg operacyjny polegać musi na takiej zamianie miejscami elementów chrząstki czworokątnej, która spowoduje skuteczne podparcie słupka i grzbietu nosa, a więc tych miejsc, które mają decydujące znaczenie dla funkcji oddechowej i wyglądu nosa. Zabieg taki nosi nazwę translokacji chrząstki, nie jest zatem celem, lecz środkiem do poprawy możliwości oddechowych nosa i jego wyglądu.

Operację przegrody nosa poprawiającą oddychanie przez górne drogi oddechowe wykonać należy bezpośrednio po ustaleniu rozpoznania deformacji szkieletu nosa. Wiek dziecka nie stanowi przeciwwskazania do zabiegu, natomiast warunkuje rodzaj operacji.

23.3
PIERŚCIEŃ WALDEYERA

Układ obronny organizmu dziecka różni się od analogicznego układu u dorosłego budową i funkcjonowaniem. U dorosłego obrona miejscowa w obrębie błon śluzowych jest zwykle wystarczająco sprawna, by ochronić organizm przed negatywnymi skutkami kontaktu z większością czynników chorobotwórczych. U dzieci pierwszy skuteczny mechanizm obronny stanowi dopiero reakcja lokalnych narządów siateczkowo-śródbłonkowych. Najlepiej zorganizowane z nich to migdałki podniebienne i migdałek gardłowy.

23.3.1
Migdałki podniebienne i migdałek gardłowy

Migdałki podniebienne
Intensywne przewlekłe pobudzanie migdałków przez bodźce wirusowe, bakteryjne lub alergenowe może spowodować ich znaczny przerost, który czasem utrudnia połykanie i oddychanie (zwłaszcza w czasie snu, bezdechy senne) oraz zmienia brzmienie głosu. Migdałki należy operacyjnie zmniejszyć do takich rozmiarów, by nie upośledzały normalnego funkcjonowania, a więc wykonać tonsilotomię. Operacja całkowitego wyłuszczenia migdałków podniebiennych, a więc tonsilektomia, powinna być zarezerwowana wyłącznie dla szczególnych przypadków, np. onkologicznych czy niektórych wad wrodzonych (nieszczelna torebka migdałka skutkująca nawracającymi ropniami okołomigdałkowymi).

W migdałkach podniebiennych, ze względu na charakterystyczny sposób ukrwienia i budowę systemu naczyń limfatycznych, nie mogą powstać przewlekłe ogniska zakażenia, co sugerować by mogły niektóre doniesienia z literatury. Dlatego też częste anginy nie powinny być wskazaniem do tonsilektomii.

Migdałek gardłowy
Migdałek gardłowy u dziecka znajduje się w nosowej części gardła i w czasie badania ogólnego jest niewidoczny. Zgrupowanie tkanki chłonnej w tym miejscu

odpowiada za reakcje obronne w obrębie nosa i zatok przynosowych. Fizjologicznie nie wpływa na drożność górnych dróg oddechowych, natomiast w warunkach patologicznych dochodzi niekiedy do przerostu migdałka, co może utrudniać oddychanie przez nos. W takiej sytuacji w czasie snu dziecko oddycha przez usta, a infekcje nosowo-zatokowe przeciągają się. Dochodzi z jednej strony do niedotlenienia organizmu, z drugiej do narażenia na toksyny bakteryjne. Powoduje to charakterystyczne objawy ogólne, takie jak nerwowość, męczliwość, potliwość, nadruchliwość i wygładzenie fałdów twarzy (charakterystyczny wygląd, tzw. twarz adenoidalna). Ze względu na lokalizację ujścia gardłowego trąbki słuchowej w pobliżu migdałka gardłowego może również dojść do blokady trąbek słuchowych, ze skutkami w postaci nawracającego zapalenia uszu i niedosłuchu.

W przypadku podejrzenia przerostu migdałka gardłowego należy skierować dziecko do laryngologa, który po potwierdzeniu rozpoznania powinien podjąć próbę leczenia infekcji, która do tego stanu doprowadziła. Przy niemożliwości lub nieskuteczności takiej terapii oraz wtedy, gdy występuje blokada trąbki słuchowej, wykonuje się usunięcie migdałka gardłowego (adenotomia). Jednak jeśli czynniki, które doprowadziły do przerostu migdałka pozostają w organizmie, może dojść do jego odrośnięcia. Szczególnie dotyczy to przewlekłych infekcji nosowo-zatokowych, defektów odpornościowych, skrzywienia przegrody nosa i mononukleozy.

23.3.2

Angina

łac. *angina*

ang. sore throat

Definicja

Reakcja odczynowa migdałków na pojawiające się we krwi czynniki patologiczne, takie jak bakterie, wirusy czy alergeny.

Epidemiologia

Anginy występują najczęściej między 4. a 12. rż. Wiąże się to według Danielewicza z rozwojem mechanizmów obronnych ustroju. Reakcja obronna typu anginowego jest wg niego najlepiej zorganizowanym mechanizmem immunologicznym dotyczącym zakażenia generalizowanego. U dzieci do 4. rż. ta forma chorowania jest rzadka i wynika najczęściej z ge-

neralizowanej infekcji wirusowej. U dzieci w wieku szkolnym wg autorów amerykańskich częstość tego schorzenia wynosi 15–20%.

Etiologia i patogeneza

W wyniku przedostania się do krwiobiegu różnych czynników szkodliwych dochodzi do zaktywizowania układu siateczkowo-śródbłonkowego, a zwłaszcza jego najlepiej rozwiniętego elementu, jakim jest migdałek podniebienny. Aktywizacja ta klinicznie przyjmuje obraz anginy. Najczęściej chorobę wywołują rhinowirusy, adenowirusy, coronawirusy, wirus opryszczki, wirusy grypy i paragrypy. Spośród czynników bakteriologicznych stwierdza się paciorkowce, *Haemophilus*, *Moraxella catarrhalis*, *Corynebacterium diphtheriae*, rzadziej *Neisseria gonorrhoeae*, sporadycznie *Mycoplasma pneumoniae* i grzyby. U niektórych dzieci do rozwoju choroby przyczyniają się również alergeny pokarmowe.

Mechanizmy patogenetyczne wg Danielewicza polegają na tym, że czynnik szkodliwy w wyniku gorszej odporności miejscowej w obrębie błon śluzowych dostaje się do krwiobiegu, a następnie zostaje rozpoznany i zneutralizowany przez narządy należące do układu siateczkowo-śródbłonkowego. Najlepiej rozwiniętym z tych narządów jest, jak wspomniano, migdałek podniebienny, dlatego też angina występuje u tych dzieci, u których jego funkcja jest najaktywniejsza, a więc między 4. a 12. rż. U młodszych dzieci reakcje te dotyczą zwykle nie tylko migdałków podniebiennych, lecz także grudek chłonnych zlokalizowanych w innych narządach. U dzieci > 14. rż. i u dorosłych odporność miejscowa błon śluzowych poprawia się znacznie i w związku z tym dochodzi do inwolucji migdałków podniebiennych.

Obraz kliniczny

Objawy anginy to zwykle ból gardła, gorączka, powiększenie węzłów chłonnych szyjnych, wysięk śluzowy ropny lub włóknikowy na powierzchni migdałków i masywne przekrwienie łuków podniebiennych przy zwykle niezmienionej błonie śluzowej gardła.

Metody diagnostyczne

W przebiegu anginy ważnym badaniem jest wymaz z gardła. Dobrze, jeśli jest to tzw. „szybki test", gdyż pozwala on uzyskać we właściwym czasie odpowiedź na pytanie, czy jest to angina paciorkowcowa. Jeśli tak, koniecznym będzie szybkie wdrożenie zaproponowanego poniżej leczenia. Celowym bywa wykonanie morfologii krwi z rozmazem – jego przesunięcie w kierunku granulocytów świadczyć może o bakteryjnej etiologii schorzenia, natomiast przewaga limfocytów jest charakterystyczna dla większości angin wirusowych. Poza tym pojawienie się komórek monocytoidalnych może przemawiać za rozpoznaniem mononukleozy zakaźnej. W celu ewentualnego jej potwierdzenia wykonuje się badania immunologiczne.

Różnicowanie

Znaczenie kliniczne ma odróżnienie etiologii wirusowej od bakteryjnej anginy. Angina wirusowa przebiega zwykle z katarem surowiczo-śluzowym, kaszlem, bólami mięśniowymi i zapaleniem spojówek, a wysięk na migdałkach ma charakter śluzowy. Anginę paciorkowcową rozpoznaje się wtedy, gdy pacjent w ciągu ostatnich 2 tygodni miał kontakt z osobą chorą na paciorkowcowe zapalenie gardła. Charakteryzuje się ona nagłym, ostrym początkiem. Przebiega z wysoką gorączką, nalotem na migdałkach oraz powiększeniem i bolesnością węzłów chłonnych.

Szczególną formą anginy wirusowej jest mononukleoza zakaźna (patrz rozdz. 19 „Choroby zakaźne"). Na powierzchni migdałków występuje wówczas szary śluzowy nalot, stwierdza się umiarkowane przekrwienie łuków podniebiennych, prawie zawsze powiększone są węzły chłonne, śledziona i wątroba. Niekiedy pojawia się wysypka plamista na skórze. Schorzenie to jest trudne do rozpoznania, gdyż jego objawy pojawiają się w różnym okresie trwania choroby i nie są charakterystyczne. Występują obrzęk powiek, nasady nosa i łuków brwiowych, wybroczyny na podniebieniu miękkim oraz wysypki plamisto-grudkowe czy wybroczynowe na skórze.

Leczenie

Podstawę leczenia anginy stanowi eliminacja z krwiobiegu czynników szkodliwych. Najgroźniejszym z nich jest paciorkowiec, gdyż poza reakcją zapalną w obrębie migdałków może wywoływać uszkodzenia reumatyczne w innych narządach, np. w sercu czy w nerkach (patrz rozdz. 18 „Reumatologia wieku rozwojowego"). Dlatego niezwykle ważne jest szybkie wdrożenie skutecznego leczenia o odpowiednim czasie trwania. Anginę paciorkowcową należy bezwzględnie leczyć penicyliną lub jej pochodnymi. Leczenie miejscowe nie ma w zasadzie znaczenia klinicznego.

Rzeczą niezwykle ważną dla lekarza jest odróżnienie anginy paciorkowcowej od innych angin. Przydatnym być tu może szybki test wykrywający infekcje paciorkowcowe.

Leczenie mononukleozy opisano w rozdz. 19 „Choroby zakaźne".

Powikłania

Angina paciorkowcowa może dać powikłania ogólne o charakterze reumatycznym, obejmujące uszkodzenia serca, nerek i stawów. Anginy bakteryjne u dzieci, u których torebka migdałka nie jest szczelna mogą skutkować powikłaniami miejscowymi, np. wikłać się ropniem okołomigdałkowym. Ropień taki objawia się nawrotem silnego bólu gardła, wysokiej gorączki i utrudnienia połykania. W gardle widoczne jest jednostronne uwypuklenie łuku podniebienno-językowego wypychające migdałek ku linii pośrodkowej. Niekiedy uwypuklenie to na szczycie prześwieca na żółto. Ropień okołomigdałkowy wymaga intensywnej antybiotykoterapii oraz nacięcia i ewakuacji treści. Nieleczony może przebić się samoistnie do gardła, uszkodzić ścianę tętnicy szyjnej wewnętrznej i wywołać jej tętniaka, ew. przebić się do przestrzeni przygardłowej, wywołując jej ropowicę.

Rokowanie

Przy prawidłowym leczeniu jest dobre.

23.3.3
Zapalenie gardła

łac. *pharyngitis*

ang. pharyngitis

Definicja

Zapalenie objawiające się miejscowymi zmianami na błonie śluzowej gardła.

Epidemiologia

Schorzenie bardzo częste u dzieci, najczęściej występuje w wieku przedszkolnym i szkolnym, pojawia się przeciętnie 5–8 razy w ciągu roku.

Etiologia i patogeneza

Czynnikiem etiologicznym zapalenia gardła są najczęściej wirusy. Spośród bakterii, jak wynika z aktualnych badań dotyczących pacjentów polskich, najczęściej występują *Streptococcus pneumoniae*, *Haemophilus influenzae* i *Moraxella catarrhalis*.

Obraz kliniczny

Stwierdza się ból gardła, podwyższoną temperaturę ciała i uczucie ogólnego rozbicia. Bardzo często występują też objawy infekcji kataralnej i zajęcia krtani, tchawicy czy oskrzeli.

Metody diagnostyczne

Do postawienia rozpoznania wystarczą najczęściej wywiad i badanie kliniczne. Niekiedy w celu rozróżnienia infekcji wirusowej od bakteryjnej celowym bywa wykonanie morfologii krwi z rozmazem. Posiew z gardła ma mniejsze znaczenie kliniczne – powinien być wykonany w sytuacjach, gdy są podstawy np. do podejrzewania infekcji paciorkowcowej.

Różnicowanie

Od anginy ta jednostka chorobowa różni się zwykle brakiem wysięku na migdałkach oraz mniej nasilonymi objawami ogólnymi.

Leczenie

Podaje się preparaty przeciwgorączkowe, przeciwbólowe i ogólnie poprawiające odporność. Leczenie antybiotykiem nie jest konieczne, chyba że pojawią się objawy sugerujące infekcję bakteryjną. Ze względu na to, że wyniki bakteriologiczne uzyskuje się zwykle zbyt późno w stosunku do potrzeby włączenia antybiotyku, dobór leku powinien nastąpić na podstawie znajomości najczęściej stwierdzanej w zapaleniach gardła flory bakteryjnej, odmiennej w różnych krajach i zmiennej w czasie. W Polsce antybiotykiem z wyboru jest obecnie amoksycylina.

U dzieci w wieku przedszkolnym i wczesnoszkolnym infekcje gardła w okresie jesienno-zimowo-wiosennym występują wielokrotnie, często jedna po drugiej. Wynika to ze sprzyjających uwarunkowań odpornościowych. Aby zapobiec zbyt częstemu nawracaniu zakażeń, wskazane bywa podawanie leków stymulujących odporność i leczenie klimatyczne.

23.4
CHOROBY KRTANI I TCHAWICY

Krtań dziecka jest nie tylko mniejsza, lecz także inaczej zbudowana niż krtań dorosłego. W okolicy podgłośniowej występuje w obrębie błony podśluzowej wyraźnie więcej niż u dorosłego luźnej tkanki łącznej. Zwiększa to skłonność do obrzęków tej okolicy, a ponieważ drogi oddechowe są w tym miejscu proporcjonalnie wąskie, obrzęk taki może być powodem uduszenia się dziecka.

Podstawowymi funkcjami krtani są: funkcja oddechowa, funkcja fonacyjna i funkcja obronna. Dlatego też objawy choroby krtani to duszność, chrypka lub bezgłos. Wyrazem funkcji obronnej może być kaszel

szczekający. O duszności krtaniowej mówi się wówczas, gdy utrudnienie oddychania powoduje efekt akustyczny – stridor, utrudniona jest faza wdechowa przy w miarę swobodnej fazie wydechowej.

23.4.1
Zapalenie krtani rozlane

łac. *laryngitis diffusa*
ang. diffuse laryngitis

Najczęstsza forma zapalenia krtani. Zapalenie przechodzi przez ciągłość z gardła środkowego i dolnego, obejmuje zwykle przedsionek krtani, nie powoduje duszności ani kaszlu, czasem występuje chrypka. Schorzenie to jest formą wirusowej infekcji nieżytowej górnych dróg oddechowych. Ze względu na to, że nie ma tu charakterystycznych objawów, rzadko jest też rozpoznawane. Leczenie, podobnie jak infekcji kataralnej nosa czy gardła, jest objawowe.

23.4.2
Podgłośniowe zapalenie krtani

łac. *laryngitis subglottica*
ang. subglottic laryngitis

Druga co do częstości występowania forma schorzeń zapalnych krtani. Przebiega w formie obrzęku w okolicy podgłośniowej i z tego powodu zwykle daje duszność wdechową, niekiedy groźną dla życia dziecka. Poza tym często występują chrypka i szczekający kaszel. Infekcja wirusowa, która zwykle odpowiada za te objawy, może skutkować pojawieniem się symptomów ogólnych, takich jak gorączka, złe samopoczucie, zaburzenia apetytu. Infekcja ta może, poza lokalizacją w krtani, dawać też powikłania infekcyjne w nosie, uszach, oskrzelach czy płucach. Rozpoznanie postawić należy w oparciu o wspomniane powyżej objawy.

W przypadkach gdy objawy są nietypowe bądź schorzenie przebiega ciężko koniecznym bywa obejrzenie bezpośrednie krtani, tzn. direktoskopia (laryngoskopia bezpośrednia). Wykonuje się ją, zakładając przez usta i część ustną gardła do części krtaniowej gardła rurę direktoskopową (ryc. 23.2). Umożliwia to pewną i dokładną, np. pod mikroskopem, ocenę krtani.

Zaznaczyć tu trzeba, że obraz fiberoskopowy nie zawsze jest wystarczająco precyzyjny do ustalenia

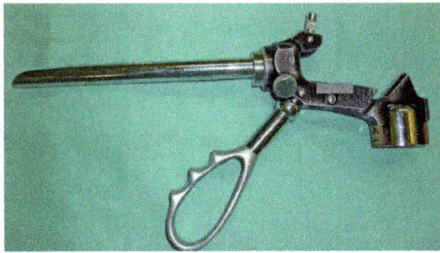

Rycina 23.2. Rura direktoskopowa.

pewnego rozpoznania, stąd konieczna zatem niekiedy bywa wspomniana direktoskopia. W ostatnich latach obserwuje się zmianę etiologii tego schorzenia z wyłącznie wirusowej na mieszaną wirusowo-alergiczną. Wynikają z tego wnioski terapeutyczne.

Leczenie – podgłośniowe zapalenie krtani powinno być w zasadzie leczone w szpitalu, gdyż przebieg choroby może grozić uduszeniem dziecka. W przypadku pojawienia się duszności podawać należy dożylnie bądź doodbytniczo glikokortykosteroidy w dużych dawkach. Zmniejszają one zwykle obrzęki okolicy podgłośniowej i powodują ustępowanie duszności. W przypadkach gdy leki te są nieskuteczne, a duszność staje się niebezpieczna dla życia, konieczna bywa intubacja.

Choroba ma charakter napadowy. Napady trwają zwykle kilka godzin i ustępują. Po takim czasie można podjąć próbę wyjęcia rurki intubacyjnej u dziecka zaintubowanego. Leczenie antybiotykami schorzenia niepowikłanego infekcją bakteryjną nie jest celowe. Podawanie leków antyhistaminowych powinno być ograniczone wyłącznie do pacjentów z udowodnioną alergią i z zachowaniem wszelkich ostrożności, gdyż leki te mogą powodować zwiększenie gęstości wydzieliny w obrębie dolnych dróg oddechowych, a więc mogą wywoływać nasilenie się duszności, gdyż wydzielina taka z trudnością przechodzi przez i tak zwężoną okolicę podgłośniową krtani.

23.4.3
Zapalenie krtani, tchawicy i oskrzeli

łac. *laryngotracheobronchitis*
ang. laryngotracheobronchitis

Schorzenie to jest ciężkim powikłaniem podgłośniowego zapalenia krtani. Obrzęk dotyczy nie tylko okolicy podgłośniowej krtani, lecz także występuje niżej i zwęża tchawicę i oskrzela. Powoduje to znaczne zwiększenie oporów oddechowych. Nawet obecnie, przy współczesnych metodach intensywnej terapii jest ono bardzo często groźne dla życia. Prawie zawsze wymaga intubacji, niekiedy tracheotomii, stosuje się intensywną antybiotykoterapię, leczenie glikokortykosteroidami, lekami rozrzedzającymi śluz oraz obkurczającymi błonę śluzową. Schorzenie to rozpoznaje się w oparciu o obraz laryngotracheobronchoskopowy.

23.4.4
Złośliwe zapalenie krtani, tchawicy i oskrzeli

łac. *laryngotracheobronchitis maligna*
ang. malignant laryngotracheobronchitis

Ta forma zapalenia dolnych dróg oddechowych różni się od powyżej opisanej tym, że oprócz obrzęków w krtani, tchawicy czy oskrzelach, pojawia się tam krwisty, zasychający w strupy wysięk. Ta forma schorzenia jest szczęśliwie bardzo rzadka, gdyż obarczona jest wysoką śmiertelnością.

Leczenie analogiczne do opisanego poprzednio uzupełnić należy mechanicznym usuwaniem strupów w trakcie bronchoskopii, a więc możliwe jest do wykonania jedynie w wysokowyspecjalizowanych ośrodkach intensywnej terapii oraz laryngologii dziecięcej.

23.4.5
Zapalenie nagłośni

łac. *epiglottitis*
ang. epiglottitis

Stan zapalny tkanek w obrębie nagłośni wywołany wyłącznie przez czynnik bakteryjny, najczęściej *Haemophilus influenzae*. Stanowi potencjalne zagrożenie życia, więc powinien być leczony wyłącznie w warunkach szpitalnych. Objawia się masywnym czerwonym obrzękiem nagłośni, która widoczna jest w czasie ostrożnego oglądania. Pojawia się silny ból przy połykaniu i ślinotok, głos zmienia barwę na tzw. barani. W przypadkach nieleczonych, gdy ciężar i obrzęk nagłośni powodują, że opada ona i zamyka przedsionek krtani, pojawia się gwałtowna duszność doprowadzająca do śmierci. Dlatego w przypadku podejrzenia zapalenia krtani dziecko karetką reanimacyjną należy przetransportować do szpitala, a rozpoznanie powinno zostać potwierdzone jak najszybciej.

Rozpoznanie zapalenia nagłośni jest wskazaniem do zaintubowania pacjenta i podania antybiotyków zwalczających skutecznie *Haemophilus influenzae*. Pobyt w szpitalu powinien trwać tak długo, jak długo utrzymują się zmiany zapalne w obrębie nagłośni.

Doniesienia z literatury nie są zgodne, co do zapobiegawczego znaczenia szczepienia przeciwko *Haemophilus influenzae* odnośnie do przypadków zapalenia nagłośni u dzieci.

23.4.6
Wady wrodzone krtani

Wrodzony świst krtaniowy
łac. *stridor laryngis congenitus*
ang. congenital laryngeal stridor

Prawidłowo rozwijające się donoszone dziecko w momencie urodzenia powinno mieć sprawnie funkcjonujące drogi oddechowe. Nierzadko jednak w wyniku działania czynników genetycznych bądź zewnętrznych upośledzających rozwój płodu w momencie urodzenia drogi oddechowe w krtani i jej sąsiedztwie są zwężone.

Najczęstszą formę niedorozwoju krtani u noworodka stanowi jej wiotkość – laryngomalacja. Krtań jest wówczas mniejsza niż powinna, ma wiotki szkielet chrzęstny i przy wdechu się zapada, wywołując efekt akustyczny zwany świstem krtaniowym (stridor). Może on powstać również wtedy, gdy w obrębie krtani występuje nadmiar błony śluzowej, która przy wdechu może formować zwężenie. W obu przypadkach dźwięki związane z oddychaniem nie upośledzają sprawności działania układu oddechowego i funkcji fonacyjnej. Taki świst krtaniowy ustępuje zwykle do końca 1. rż.

Przy poważniejszych formach niedorozwoju krtani dochodzić może do wystąpienia duszności zagrażającej życiu dziecka. Przykład stanowi zbyt wiotka i długa nagłośnia, która wymaga niekiedy leczenia operacyjnego.

Podejrzenie wady wysuwa się na podstawie objawów klinicznych i badania fiberoskopowego krtani. Potwierdzenie rozpoznania następuje poprzez badanie bezpośrednie krtani – direktoskopię.

U dzieci z wrodzonym świstem krtaniowym tracheotomii, poza bezwzględnymi wskazaniami życiowymi, w zasadzie się nie wykonuje, gdyż funkcja oddechowa stanowi dla krtani bodziec stymulujący rozwój. Przeprowadzenie tracheotomii opóźnia rozwój krtani i skutkuje koniecznością utrzymania rurki tracheotomijnej nawet do 4. rż.

Wrodzone zwężenia krtani
łac. *stenosis laryngis congenita*
ang. congenital laryngeal stenosis

W rzadkich przypadkach powyżej lub poniżej głośni w wyniku zaburzeń rozwojowych pojawia się błoniasta przegroda zwężająca w różnym stopniu drogi oddechowe. Objawia się to głośnym oddychaniem i rozpoznawane jest na podstawie direktobronchoskopii. Leczenie polega na przecięciu zwężenia.

Niekiedy zwężenie krtani wynikające z zaburzeń rozwojowych ma charakter chrzęstny – zbyt wąska chrząstka pierścieniowata krtani lub górny odcinek tchawicy. Jeśli zwężenie jest niewielkie, leczy się je za pomocą nacięć wewnętrznych krtani, przy większych zwężeniach konieczne bywa wykonanie rekonstrukcji tego odcinka dróg oddechowych z użyciem wszczepu z chrząstki żebrowej.

Zwężenie krtani może być wywołane przez nowotwór tej okolicy. Złośliwe nowotwory krtani u dzieci są niezwykłą rzadkością, natomiast do najczęstszych nowotworów łagodnych w obrębie tego narządu należą naczyniaki. Naczyniak krtani ma charakter najczęściej wrodzony, zwykle nie jest izolowany – często kojarzy się z naczyniakami na skórze. Czasem naczyniak może być powodem uduszenia się dziecka ze względu na znaczne rozmiary. Niekiedy zdarza się też, że naczyniak wyjściowo niewielki w sposób nagły wypełnia się krwią i zwiększa znacznie rozmiary. U noworodka i małego niemowlęcia, które na skórze ma naczyniaki, badaniem koniecznym jest laryngoskopia bezpośrednia (direktoskopia).

Obraz kliniczny naczyniaka krtani, a więc przeświecające czerwono uwypuklenie zwłaszcza w okolicy podgłośniowej krtani, potwierdza podejrzenie naczyniaka tej okolicy. W razie wątpliwości wykonać można TK krtani z kontrastem naczyniowym.

W celu zabezpieczenia dziecka przed uduszeniem wykonać należy u niego w sposób planowy tracheotomię.

Naczyniaki krtani nieleczone powiększają się najczęściej do 2. rż, a następnie ulegają inwolucji. Zwykle jest ona całkowita, choć niekiedy pozostają drobne fragmenty zmiany. Ze względu na to, że obecność naczyniaka w krtani wymaga założenia sztucznej drogi oddechowej, należy jak najszybciej doprowadzić do wyleczenia.

Metody mikrochirurgiczne usuwania naczyniaków krtani są obarczone możliwością powikłań, np. bliznowatego zwężenia pooperacyjnego. Próby redukcji tkanki naczyniaków laserem, koagulacją czy krioterapią również nie dawały zadowalających rezultatów, a są obarczone ryzykiem znacznego krwawienia śródoperacyjnego. Optymalną w chwili obecnej metodą leczenia jest terapia farmakologiczna propranololem. Lek ten przyspiesza znacznie inwolucję naczyniaka, choć niezbyt długi okres stosowania tej metody nie pozwala na pełną jej ocenę.

23.4.7
Zmiany pourazowe krtani

W wyniku urazu zewnętrznego (np. komunikacyjnego) bądź wewnętrznego (np. długotrwała lub urazowa intubacja) dochodzi czasem do bliznowatego zwężenia albo nawet zarośnięcia krtani. Jeśli blizna upośledza w sposób istotny oddychanie, powinno się przeprowadzić tracheotomię, a następnie należy poszerzać miejsca zwężone metodą nacięć wewnętrznych. Gdy ten zabieg okaże się nieskuteczny, pozostaje rekonstrukcja plastyczna krtani z użyciem wszczepu chrzęstnego.

23.5
CHOROBY USZU

Jednym z najczęściej rozpoznawanych schorzeń u dzieci jest zapalenie uszu. Zwykle rozwija się ono w przebiegu infekcji kataralnej nosa i gardła, choć może też być izolowane. Jeśli pojawia się w niemowlęctwie, sugeruje istnienie istotnych defektów immunologicznych bądź anatomiczno-funkcjonalnych w obrębie ucha środkowego.

Ze względu na częstość występowania zapaleń uszu i ich ewentualne komplikacje wziernikowanie uszu u pacjentów w wieku rozwojowym jest obowiązkową częścią badania ogólnego. Poprawne wykonanie badania i uzyskanie oczekiwanych informacji diagnostycznych wymaga odpowiednich kwalifikacji i treningu. Jeśli lekarz ogólny lub pediatra stwierdzi istnienie zmian otoskopowych na błonie bębenkowej, powinien niezwłocznie poprosić o konsultację laryngologiczną. W wielu wypadkach opóźnienie leczenia skutkuje bowiem czasowym lub trwałym uszkodzeniem słuchu, a w sytuacjach, gdy pojawią się komplikacje wewnątrzczaszkowe, może zagrażać życiu.

23.5.1
Zapalenie przewodu słuchowego zewnętrznego
łac. *otitis externa*
ang. otitis externa

Zmiany zapalne zwykle dotyczą skóry przewodu słuchowego zewnętrznego. Ze względu na temperaturę i wilgotność częściej niż w innych miejscach występują tu zakażenia grzybicze, choć najczęstszymi patogenami są bakterie (*Pseudomonas aeruginosa, Staphylococcus aureus*).

Skóra przewodu zawiera gruczoły potowe i łojowe, a zatem może rozwinąć się tu czyrak. Należy go różnicować z ropnym zapaleniem wyrostka sutkowatego, które jest groźnym schorzeniem. Dlatego każdego pacjenta z podejrzeniem czyraka należy skierować do laryngologa.

W pozostałych przypadkach zapalenia skóry przewodu słuchowego zewnętrznego możliwe jest leczenie przez lekarza ogólnego. Stosownie do etiologii pacjent powinien otrzymać antybiotyk o spektrum obejmującym ropne zapalenie skóry lub leki przeciwgrzybicze, zarówno ogólne, jak i miejscowe. Należy zwrócić uwagę, by przepisany antybiotyk nie był ototoksyczny.

23.5.2
Ciała obce przewodu słuchowego zewnętrznego
łac. *corpus alienum meatus acustici externi*
ang. foreign body of external auditory canal

Zjawisko wkładania ciał obcych do otworów naturalnych ciała jest wśród dzieci częstsze niż wśród dorosłych. Ciało obce wprowadzone do przewodu słuchowego zewnętrznego może być niebezpieczne z wielu względów. Po pierwsze próba własnoręcznego usunięcia go przez dziecko lub opiekunów może skończyć się uszkodzeniem błony bębenkowej, a nawet kosteczek słuchowych. Po drugie ciało obce pęczniejące, np. ziarno grochu czy fasoli, wprowadzone do przewodu słuchowego zewnętrznego po kilku godzinach zwiększa swe wymiary i do jego usunięcia konieczne jest operacyjne zdjęcie kostnej ściany przewodu. Z tego też względu pacjenta z takim ciałem obcym należy najszybciej jak to możliwe kierować do laryngologa. Niebezpieczne ciało obce to również bateria guzikowa, która w wilgotnym środowisku przewodu słuchowego może się szybko rozszczelnić. Wyciekająca z niej silnie żrąca alkaliczna zawartość prowadzi do groźnej nawet dla życia rozległej martwicy tkanek. Lekarze ogólni i pediatrzy w ramach oświaty sanitarnej powinni ostrzegać rodziców przed udostępnianiem dzieciom takich bateryjek. Natomiast w przypadku wprowadzenia ich do ucha czy nosa bądź połknięcia dziecko w trybie pilnym powinno trafić do specjalisty.

Stosunkowo częstym ciałem obcym w przewodzie słuchowym zewnętrznym jest żywy owad. Ze względu na znaczny niepokój, który wywołuje, należy go jak najszybciej usunąć. Oczywiście po uprzednim zakropleniu alkoholu, gdyż powinno się usuwać martwego owada.

23.5.3
Woskowina

łac. *cerumen*

ang. cerumen (ear wax)

Woskowina produkowana przez gruczoły zawarte w skórze przewodu słuchowego zewnętrznego powinna stanowić barierę zabezpieczającą tę przestrzeń przed owadami. Zwykle woskowina zasycha w drobne łuski i samoistnie wydostaje się z przewodu. Jednak w sytuacjach, gdy jej lepkość jest duża, może zalegać w nim, formując zatykające czopy. Wtedy usuwa się ją strumieniem płynu. Ucho można płukać wodą o temperaturze ciała, jeśli nie ma wątpliwości, że błona bębenkowa jest zdrowa. W przypadku podejrzenia perforacji błony bębenkowej procedurę powinien wykonać laryngolog z wykorzystaniem sterylnego roztworu soli fizjologicznej, a niekiedy – wody utlenionej lub spirytusu.

Rodziców należy przestrzegać przed mechanicznym czyszczeniem przewodu słuchowego zewnętrz-nego dziecka wacikami nawiniętymi na metalowy drut lub zapałkę. Do tego celu nie nadają się także dostępne w handlu „patyczki do czyszczenia uszu". Mechaniczne czyszczenie ucha powoduje drażnienie skóry przewodu słuchowego, wywołując zwiększenie produkcji woskowiny. Dodatkowo, jeśli w przewodzie słuchowym zalega stary twardy czop woskowiny, jego zepchnięcie na bębenek może spowodować uszkodzenie struktur ucha środkowego. W przewodzie słuchowym nie można manipulować bez kontroli wzrokowej. Rada dla rodziców – wcale nie czyścić.

23.5.4
Zapalenia ucha środkowego

łac. *otitis media*

ang. otitis media

Ostre kataralne zapalenie ucha środkowego

łac. *otitis media acuta*

ang. acute otitis media

Bardzo często towarzyszy infekcji kataralnej górnych dróg oddechowych. Ma charakter wirusowy. Objawami mogą być gorączka i niepokój, a także u niemowląt wymioty, a u starszych dzieci pogorszenie słuchu. Ból ucha przy tej formie zapalenia nie jest stałym zjawiskiem, zatem zdarza się, że dopiero badanie otoskopowe stanowi podstawę rozpoznania. Uwidocznia się przekrwienie, zatarcie szczegółów i niekiedy niewielkie wciągnięcie lub uwypuklenie błony bębenkowej. Rzadziej dochodzi do powiększenia okolicznych węzłów chłonnych.

Leczenie jest wyłącznie objawowe. W ok. 80% przypadków zapalenie ustępuje samoistnie w ciągu kilku dni. Choroba nie wymaga podawania antybiotyku, należy jednak co najmniej raz dziennie kontrolować obraz otoskopowy. Natomiast jeśli dziecko jest małe (< 6. mż.) i środowisko domowe nie gwarantuje wspomnianej powyżej regularnej kontroli pacjenta, antybiotyk dobrany empirycznie podać należy. Czujne wyczekiwanie polega na tym, że u dziecka z ostrym zapaleniem ucha, póki przeważa faza kataralna (wirusowa), pozostaje się tylko przy lekach objawowych. Okres oczekiwania wynosi 1–2 dni. Jeśli następuje poprawa, kontynuuje się leczenie objawowe, jeśli dołączają się zmiany bakteryjne, podaje się antybiotyk.

Ostre ropne zapalenie ucha środkowego

łac. *otitis media purulenta acuta*

ang. acute suppurative otitis media

Może rozwinąć się na podłożu ostrego zapalenia ucha środkowego lub samoistnie. Czynnikiem wywołującym najczęściej są bakterie. W warunkach polskich dominują *Streptococcus pneumoniae*, *Haemophilus influenzae* i *Moraxella catarrhalis*.

Objawy to gorączka i silny ból ucha. Otoskopowo stwierdza się obwodowe przekrwienie błony bębenkowej oraz jej centralne uwypuklenie z przeświecaniem żółtej wydzieliny. W miejscu największego uwypuklenia czasami dochodzi do perforacji. Pojawia się wówczas ropny wyciek z ucha i zmniejszają się objawy ogólne.

Ze względu na ryzyko perforacji wskazane bywa przecięcie błony bębenkowej – paracenteza i odbarczenie nadciśnienia w obrębie jamy bębenkowej. Dotyczy to zwłaszcza niemowląt i małych dzieci. Zabieg jest bardzo bolesny, wymaga więc u dziecka znieczulenia ogólnego. Farmakoterapia obejmuje ogólne stosowanie antybiotyku (amoksycylina) oraz miejscowe podawanie do przewodu słuchowego leków przeciwzapalnych i przeciwbakteryjnych.

U dzieci z nawracającymi zapaleniami ucha środkowego powinno się poszukiwać przyczyny takiego stanu. Najczęściej jest nią przerost migdałka gardłowego, ale także nadmierna ekspozycja na zakażenie, obniżenie odporności ogólnej i/lub miejscowej oraz wady rozwojowe (np. rozszczep podniebienia).

Ostre ropne zapalenie ucha środkowego może przejść w formę przewlekłą, która objawia się stałym lub nawracającym ropnym wyciekiem z przewodu słuchowego zewnętrznego, często z istnieniem stałych perforacji błony bębenkowej. Niekiedy w jamie bębenkowej i w wyrostku sutkowatym rozwija się ziarnina. Ta forma zapalenia nierzadko daje powikłania wewnątrzskroniowe (zapalenie wyrostka sutkowatego) czy wewnątrzczaszkowe (ropnie nad- i podoponowe, zakrzepowe zapalenie zatoki jamistej, ropne zapalenie opon m.-r. czy ropnie mózgu). Ze względu na wagę tych schorzeń leczenie musi być intensywne. Podaje się antybiotyki, najlepiej na podstawie antybiogramu. Nagromadzenia ropy, jeśli występują w obrębie ucha lub wyrostka sutkowatego, należy otworzyć i zdrenować, wykonując w zależności od potrzeb paracentezę lub operację otwarcia wyrostka sutkowatego. Po wprowadzeniu antybiotyków powikłania, aczkolwiek rzadko, również się zdarzają.

Wysiękowe zapalenie ucha środkowego

łac. *otitis media exudativa*

ang. otitis media with effusion

Choroba objawiająca się zaleganiem wydzieliny surowiczo-śluzowej w obrębie ucha środkowego w związku z infekcją wirusową i specyficznymi defektami odporności. Występuje najczęściej u dzieci w wieku przedszkolnym i wczesnoszkolnym, u których w wyniku schorzeń górnych dróg oddechowych (przerost migdałka gardłowego, polipy nosa, alergia) oraz specyficznych zmian wyściółki ucha środkowego i błony śluzowej trąbek słuchowych, miejscowa reakcja na infekcję jest nieprawidłowa.

Wysiękowe zapalenie ucha środkowego rozwija się najczęściej na podłożu ostrego zapalenia ucha środkowego, przy czym proces chorobowy nie kończy się w ciągu 2–3 tygodni, lecz trwa dłużej. Objawy to pogorszenie słuchu i ścieńczenie błony bębenkowej z jej żółtym przeświecaniem i widocznymi niekiedy pęcherzykami płynu. W tympanoskopii pneumatycznej ruchomość bębenka jest ograniczona, co potwierdzić należy badaniem tympanometrycznym.

Diagnostykę przyczyn zapalenia wysiękowego należy przeprowadzić, jeśli zmiany utrzymują się > 3 miesięcy. W przypadku przewlekłego zapalenia jam nosa i zatok przynosowych konieczna bywa antybiotykoterapia połączona z adenotomią, operacją przegrody nosa, zabiegiem poszerzania ujść zatok przynosowych lub polipektomią. Zwykle postępowanie takie okazuje się skuteczne i zmiany w uszach ustępują. W rzadkich przypadkach, gdy występują nieprawidłowości składu śluzu (mukowiscydoza), zaburzenia ruchomości rzęsek lub wady w zakresie układu mięśniowego trąbki słuchowej (rozszczep podniebienia), może jednak nie wystarczyć. Jeśli odbudowa funkcji trąbki słuchowej wydaje się niemożliwa, konieczne bywa zdrenowanie jamy bębenkowej przez nacięcie błony bębenkowej i założenie drenów wentylacyjnych.

23.5.5

Perlak ucha środkowego

łac. *cholesteatoma*

ang. cholesteatoma

Definicja

Perlak to twór składający się ze zrogowaciałych mas naskórka otoczonych elementami skóry, które te masy produkują. Zlokalizowany jest najczęściej, choć nie wyłącznie, w uchu środkowym i spneumatyzowanych przestrzeniach wyrostka sutkowatego.

Epidemiologia

Częstość występowania perlaka u dzieci szacuje się na 4,7–9,2 : 100 000.

Etiologia i patogeneza

Najczęściej perlak rozwija się jako powikłanie zmian zapalnych ucha środkowego połączonych z ubytkiem błony bębenkowej lub jej fragmentarycznym wciągnięciem do jamy bębenkowej w formie tzw. kieszonki retrakcyjnej. Możliwe jest również powstanie perlaka bez wcześniejszych zmian zapalnych jako formy wady rozwojowej polegającej na wszczepieniu się elementów skóry w obręb jamy bębenkowej. Perlaki tej grupy mogą być wrodzone. Reasumując, przyczyny powstawania perlaka nie są do końca ustalone. Złuszczający się naskórek w obrębie ucha środkowego ulega zainfekowaniu i zropieniu. Zmiany te, tj. wrastanie naskórka i ropienie gromadzących się tam mas rogowych, powodują destrukcję ważnych elementów ucha środkowego. Perlak u dziecka jest klinicznie bardziej agresywny niż u dorosłego.

Obraz kliniczny

W przewodzie słuchowym zewnętrznym pojawia się obfita, ropna, cuchnąca wydzielina. Zwykle stwierdza się perforację błony bębenkowej, często z wyrastaniem przez otwór ziarniny. Objawy ogólne początkowo są niewielkie (wydzielina z ucha). Dramatycznie nasilają się w przypadku pojawienia się komplikacji wewnątrzskroniowych (ropne zapalenie wyrostka sutkowatego) lub wewnątrzczaszkowych (ropnie nad- i podoponowe, ropień mózgu, zakrzepowe zapalenie zatoki esowatej), które zagrażają życiu.

Dziecko, u którego stwierdza się cuchnącą, ropną wydzielinę w przewodzie słuchowym zewnętrznym, powinno być jak najszybciej skierowane do laryngologa.

Metody diagnostyczne

W badaniu audiometrycznym w przypadku perlaka ucha stwierdza się zwykle niedosłuch przewodzeniowy do ok. 60 dB. Jeśli perlak niszczy kosteczki słuchowe, niedosłuch może być większy, a gdy przebija się do ucha wewnętrznego, pojawia się głęboki niedosłuch czuciowo-nerwowy. Badanie radiologiczne, zwłaszcza tomografia komputerowa, wykazuje niszczenie struktur kostnych ucha środkowego i wyrostka sutkowatego. Badania bakteriologiczne ujawniają obecność patogenów bakteryjnych kolonizujących masy perlaka. Są to najczęściej bakterie tlenowe (*Pseudomonas aeruginosa, Pseudomonas fluorescens, Proteus, Escherichia coli, Klebsiella-Enterobacter-Serratia*) oraz bakterie beztlenowe (*Bacteroides, Peptococcus-Peptostreptococcus, Propionibacterium acnes*).

Laryngolog dziecięcy wykonuje m.in. badanie bakteriologiczne wydzieliny z ucha w celu ustalenia najskuteczniejszego leczenia przeciwbakteryjnego, badanie TK kości skroniowej ukazujące rozmiar zmian i pomagające w różnicowaniu z innymi schorzeniami przebiegającymi z cuchnącą wydzieliną, a także badanie audiometryczne.

Różnicowanie

Perlak ucha środkowego u dzieci różnicować należy z innymi schorzeniami, które objawiać się mogą m.in. cuchnącym wyciekiem z ucha:

■ z ciałem obcym przewodu słuchowego zewnętrznego – rozpoznanie na podstawie badania klinicznego, ew. TK,

■ z guzem kości skroniowej w stanie rozpadu (choroba niezwykle rzadka) – o rozpoznaniu decyduje wywiad dotyczący objawów towarzyszących, TK, MR, ew. badanie audiometryczne.

Leczenie

Leczenie perlaka ucha jest wyłącznie operacyjne. Jeśli to możliwe, wrastające w obręb ucha środkowego elementy naskórka należy usunąć w całości. W pozostałych przypadkach tworzy się komunikację między przestrzeniami ucha środkowego a przewodem słuchowym zewnętrznym w celu odbarczenia ucha i zapobieganiu powstawania powikłań.

Powikłania

Ropne zapalenie wyrostka sutkowatego, ropień podoponowy, ropień nadoponowy, zapalenie opon m.-r., zakrzepowe zapalenie zatoki jamistej, ropień mózgu, porażenie nerwu twarzowego, zniszczenie kosteczek słuchowych.

Rokowanie

Nawet przy skutecznej operacji rokowanie co do wyleczenia jest niepewne – nawroty perlaka obserwuje się, zależnie od ośrodka leczącego, w kilku – kilkudziesięciu procentach przypadków.

23.5.6
Choroby ucha wewnętrznego

W uchu wewnętrznym znajdują się narząd równowagi i struktury zamieniające bodźce akustyczne na sygnały nerwowe. W związku z tym, że struktury nerwowe podlegają regeneracji w niewielkim stopniu, objawy ich uszkodzenia są w większości przypadków nieodwracalne.

Nieprawidłowości w obrębie ucha wewnętrznego mogą wynikać z działania leków ototoksycznych (aminoglikozydy, diuretyki pętlowe) czy obecności czynników genetycznych, a także stanowić następstwo urazów mechanicznych (nadmiernie głośny dźwięk) i infekcji (świnka).

Diagnostyka zaburzeń funkcji słuchowych i narządu równowagi należy do laryngologa, ewentualnie we współpracy z neurologiem.

23.5.7
Niedosłuch

łac. *hypoacusis*

ang. hypoacusis

Niedosłuch może wynikać z procesu obejmującego:

- ucho zewnętrzne – np. czop woskowinowy w przewodzie słuchowym,
- ucho środkowe – np. stany zapalne bębenka, urazy, wady wrodzone,
- ucho wewnętrzne – infekcje, leki ototoksyczne, urazy mechaniczne, czynniki genetyczne, nerw VIII (przedsionkowo-ślimakowy), drogę słuchową i ośrodki korowe słuchu.

U dzieci gorzej słyszących, zwłaszcza małych, usunięcie przyczyny zaburzeń słuchu, jeśli jest możliwe, powinno być wykonane jak najszybciej. Pomocne bywa odblokowanie przewodu słuchowego zewnętrznego czy wyleczenie stanów zapalnych ucha środkowego z ewentualną rekonstrukcją chirurgicz-

ną łańcucha kosteczek słuchowych. Jeśli przyczyny niedosłuchu nie daje się usunąć, dziecko, zwłaszcza w okresie rozwoju mowy, należy jak najszybciej zdiagnozować oraz zaopatrzyć w aparat słuchowy i rehabilitować. W przypadkach całkowitej głuchoty odbiorczej konieczne bywa zastosowanie implantu ślimakowego z późniejszą rehabilitacją słuchową.

23.6
CHOROBY ŚLINIANEK

Najczęstszym schorzeniem gruczołów ślinowych u dzieci jest świnka, która została szczegółowo opisana w rozdz. 19 „Choroby zakaźne". Przebycie świnki daje zwykle długotrwałą odporność. W każdym przypadku powtórnego pojawienia się bolesnego obrzęku ślinianek proces diagnostyczny objąć musi więc również inne stany w ten sposób przebiegające, czyli m. in. choroby autoimmunizacyjne i kamicę ślinianek.

Piśmiennictwo

1. Clement P.A., Bluestone C.D., Gordts F. i wsp.: *Management of rhinosinusitis in children*. Int. J. Pediatr. Otorhinolaryngol., 1999, 49(suppl. 1): 95–100.
2. Chmielik M.: *Chronic and subacute recurring sinusitis in children*. New Medicine, 2010, 4: 122–127.
3. Chmielik M. (red.): *Schorzenia otorynolaryngologiczne u dzieci*. WUM, Warszawa 2010.
4. Danielewicz J.: Choroby gardła. Obronna rola narządów limfoepitelialnych w: *Otolaryngologia wieku rozwojowego* (red. E. Kossowska). Wydawnictwo Lekarskie PZWL, Warszawa 1979.
5. Dębska M.: *Parotitis acuta in infancy*. New Medicine, 2007, 11: 102–104.
6. Frąckiewicz M., Chmielik L.P., Chmielik M.: *Bacterial aetiology of chronic rhinosinusitis in children*. New Medicine, 2008, 3: 57–60.
7. Hryniewicz W., Ozorowski T., Radzikowski A. i wsp: *Rekomendacje postępowania w pozaszpitalnych zakażeniach układu oddechowego*. Narodowy Instytut Leków, Warszawa 2010.
8. Gerber M., Holinger L.: Congenital laryngeal anomalies w: *Pediatric otolaryngology* (red. C. Bluestone, S. Stool, C. Alper i wsp.). Saunders Co, Filadelfia 2003.
9. Kubicka K., Kawalec W. (red.): *Pediatria*. Wydawnictwo Lekarskie PZWL, Warszawa 2006.
10. Potsic P.W., Cotton R.T., Handler D.S.: *Surgical pediatric otolaryngology*. Thieme, Nowy Jork 1997.

WYBRANE ZAGADNIENIA Z CHIRURGII, UROLOGII, NEUROCHIRURGII I ORTOPEDII DZIECIĘCEJ

red. Andrzej Kamiński

24.1
Andrzej Kamiński

CHIRURGIA DZIECIĘCA

24.1.1

Ostre zapalenie wyrostka robaczkowego

łac. *appendicitis acuta*

ang. acute appendicitis

◢ Definicja

Ostre zapalenie wyrostka robaczkowego jest najczęstszą ostrą chorobą jamy brzusznej u dzieci, która wymaga leczenia chirurgicznego.

◢ Epidemiologia

Na oddziałach pełniących ostry dyżur pacjenci z ostrym zapaleniem wyrostka robaczkowego stanowią 2–10% operowanych. Choroba może się rozwinąć w każdym wieku, najczęściej u nastolatków 25 : 10 000 rocznie, najrzadziej u niemowląt i dzieci do 4. rż. (1–2 : 10 000 rocznie).

◢ Etiologia i patogeneza

Bezpośrednią przyczyną choroby jest zatkanie światła wyrostka robaczkowego przez fragmenty kału lub obrzęk grudek chłonnych w jego ścianie będący reakcją na zakażenie (np. górnych dróg oddechowych).

◢ Obraz kliniczny

Choroba ma charakter narastający. Klasyczną triadę objawów stanowią ból, nudności przechodzące w wymioty i wzrost temperatury ciała. Początkowo niewielki ból odczuwalny jest w okolicy pępka, gdyż wzrost ciśnienia wewnątrz wyrostka i rozciąganie jego ścian przez gromadzący się zakażony płyn odbierane są przez receptory nerwu trzewnego związane

z 10. zwojem piersiowym. Z chwilą gdy proces zapalny obejmuje pełną grubość ściany wyrostka, ból lokalizuje się w miejscu zapalenia otrzewnej, a więc najczęściej w prawym dole biodrowym. Pęknięcie wyrostka lub długo trwające jego ropne zapalenie wywołuje objawy rozlanego zapalenia otrzewnej. Nudności i początkowo pojedyncze wymioty stanowią skutek podrażnienia otrzewnej. W wypadku rozlanego zapalenia otrzewnej z niedrożnością porażenną jelit wymioty nasilają się, przyjmując charakter zastoinowy. Temperatura ciała rzadko przekracza 38°C.

Obraz kliniczny zależy od wieku pacjenta i zaawansowania choroby. Początkowo u dzieci młodszych obserwuje się niecharakterystyczne objawy, jak niepokój, płaczliwość i niechęć do jedzenia. Dzieci starsze wskazują na narastający ból brzucha, który wymusza pozycję z przywiedzeniem nóg i nie pozwala zasnąć. Wzrasta ciepłota ciała, pojawiają się wymioty. W badaniu brzucha uwagę zwraca tkliwość w prawym podbrzuszu ze wzmożonym napięciem mięśni, a po kilku godzinach bolesność uciskowa w punkcie McBurneya i inne objawy (patrz rozdz. 5 „Badanie kliniczne dziecka"). W obowiązkowym badaniu *per rectum* stwierdza się żywą bolesność w kierunku prawego dołu biodrowego. U starszych dzieci z obfitą tkanką tłuszczową bywa to jedyny sposób stwierdzenia objawów otrzewnowych.

◢ Metody diagnostyczne

Decydującą rolę odgrywa badanie kliniczne. Badania laboratoryjne i radiologiczne, a więc stwierdzany

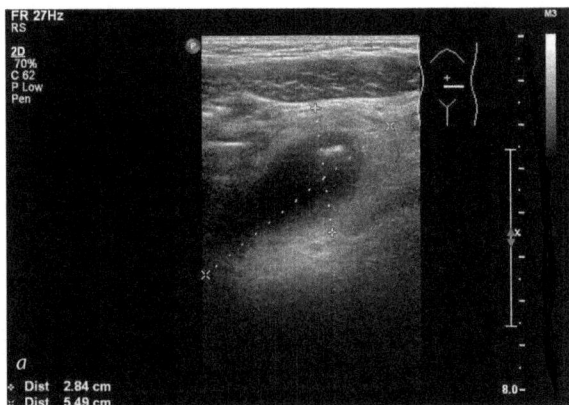

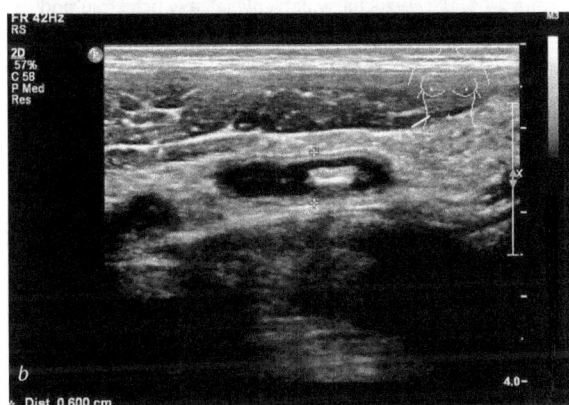

Rycina 24.1. Badanie USG jamy brzusznej: (*a*) powiększony wyrostek robaczkowy, wypełniony płynną treścią, o obrzękniętej ścianie; (*b*) ten sam wyrostek robaczkowy w przekroju poprzecznym.

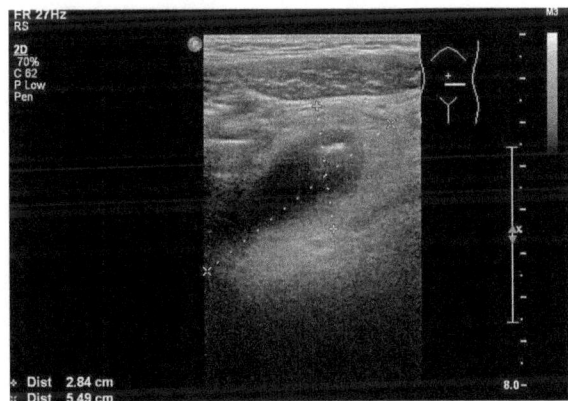

Rycina 24.2. Badanie USG jamy brzusznej: powiększony wyrostek robaczkowy z widocznym w jego świetle kamieniem kałowym.

w ciągu kilku godzin obserwacji wzrost leukocytozy i stężenia CRP, brak cech zakażenia w badaniu ogólnym moczu i obraz poszerzonego wyrostka robaczkowego w USG (ryc. 24.1 i 24.2), mają znaczenie uzupełniające. Wcześniejsze zastosowanie środków przeciwbólowych lub antybiotyku z innych wskazań może utrudnić rozpoznanie.

Różnicowanie

Uraz brzucha oraz wszystkie inne przyczyny ostrego brzucha u dzieci.

Leczenie

Leczenie jest pilne i wyłącznie operacyjne. Należy przeprowadzić resekcję zmienionego zapalnie wyrostka i ewakuację z jamy otrzewnej płynu zapalnego. Resekowany wyrostek powinien być zbadany histopatologicznie. Standardem jest operacja techniką laparoskopową, rzadziej stosuje się metodę klasyczną.

Powikłania

Ryzyko wystąpienia powikłań rośnie wraz z zaawansowaniem choroby. Do najczęstszych należą zrostowa niedrożność jelit i tworzenie ropni międzypętlowych.

Rokowanie

Rokowanie jest dobre.

24.1.2

Wgłobienie

łac. *invaginatio*

ang. intusussception

Definicja

Teleskopowe wsunięcie się bliższego odcinka jelita w dalszy bez możliwości samoistnego powrotu do stanu wyjściowego. Najczęściej dochodzi do wgłobienia fragmentu jelita cienkiego w grube.

Epidemiologia

Występuje z częstością 1 : 2000 żywych urodzeń, 2-krotnie częściej u płci męskiej. Jest to przede wszystkim choroba niemowląt ze szczytem występowania między 4. a 7. mż.

Etiologia i patogeneza

W ponad 90% przypadków przyczyna wgłobienia pozostaje nieustalona. Zaobserwowano sezonowe występowanie odpowiadające szczytom zakażeń wirusowych. Czasem ma związek z luźnymi wypróżnieniami. Zaledwie u kilku procent chorych wykrywa się anatomiczną przyczynę. Wówczas wiodącą częścią wgłobienia, jego głową, jest pakiet powiększonych węzłów chłonnych, uchyłek Meckela, polip lub guz.

Wgłobienie powoduje początkowo utrudnienie odpływu z naczyń krezkowych. Ściana jelita ulega obrzękowi, a w jego świetle gromadzi się podbarwiona krwią treść. Przedłużające się wgłobienie wywołuje zaburzenia ukrwienia tętniczego, co prowadzi do martwicy, a następnie perforacji.

Obraz kliniczny

Charakterystycznym objawem wgłobienia są trwające od kilkunastu do kilkudziesięciu sekund napadowe bóle brzucha, które u młodszych dzieci wyrażają się niepokojem i krzykiem. Początkowo ból występuje w odstępach kilkunastominutowych, zgodnie z aktywnością perystaltyki. Potem odstępy między kolejnymi napadami stopniowo się skracają i wydłuża czas ich trwania. Dokonana martwica ściany jelita z perforacją wywołują wstrząs. Nudności i wymioty mają początkowo charakter odczynowy na rozciąganie otrzewnej, w miarę upływu czasu stają się objawem niedrożności mechanicznej, a ostatecznie rozlanego zapalenia otrzewnej.

Metody diagnostyczne

W ponad 50% przypadków przy badaniu brzucha wyczuwa się opór odpowiadający wgłobionemu jelitu, tym większy, im dłuższy jest odcinek wgłobienia. Podczas obowiązkowego badania *per rectum* stwierdza się opór wgłobienia, a na badającym palcu widać podbarwioną krwią galaretowatą treść.

Rozstrzygające jest badanie USG z charakterystycznym obrazem tarczy strzelniczej (ryc. 24.3), która odpowiada koncentrycznie ułożonym na przekroju poprzecznym obrzękniętym ścianom wgłobienia. Na przekroju podłużnym ocenia się długość zmiany (ryc. 24.4). Badanie dopplerowskie pozwala na ocenę ukrwienia wgłobionego odcinka jelita (ryc. 24.5). Przeglądowe zdjęcie jamy brzusznej wykonuje się w wypadku wątpliwego obrazu USG lub w zaawansowanym stadium choroby. Stwierdza się wówczas cechy niedrożności mechanicznej (ryc. 24.6).

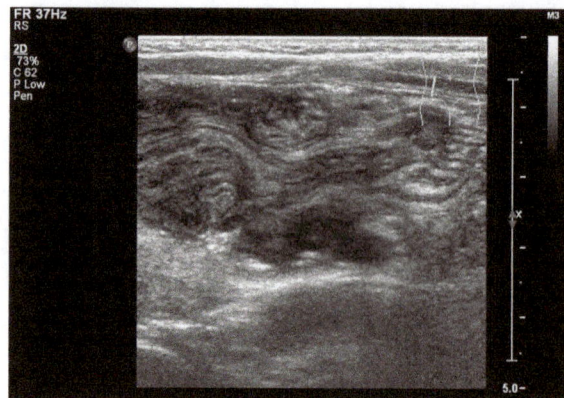

Rycina 24.4. USG brzucha: wgłobienie jelita w przekroju podłużnym.

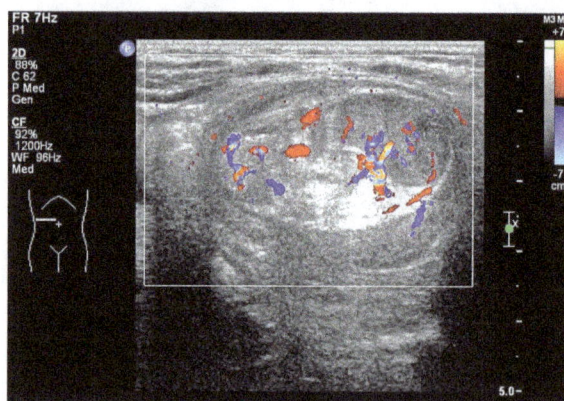

Rycina 24.5. USG dopplerowskie brzucha: widoczny zachowany tętniczy i żylny przepływ naczyniowy we wgłobionym jelicie.

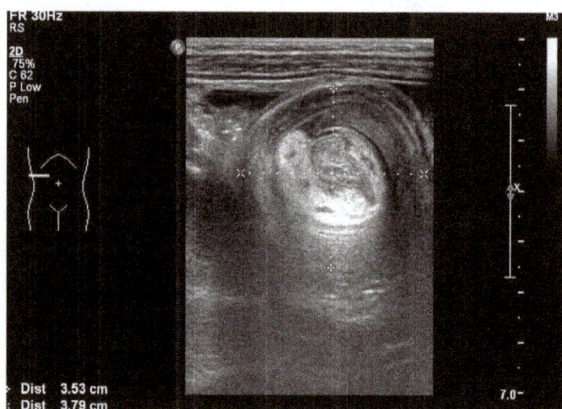

Rycina 24.3. USG brzucha: charakterystyczny obraz tarczy strzelniczej w poprzecznym przekroju wgłobionego jelita.

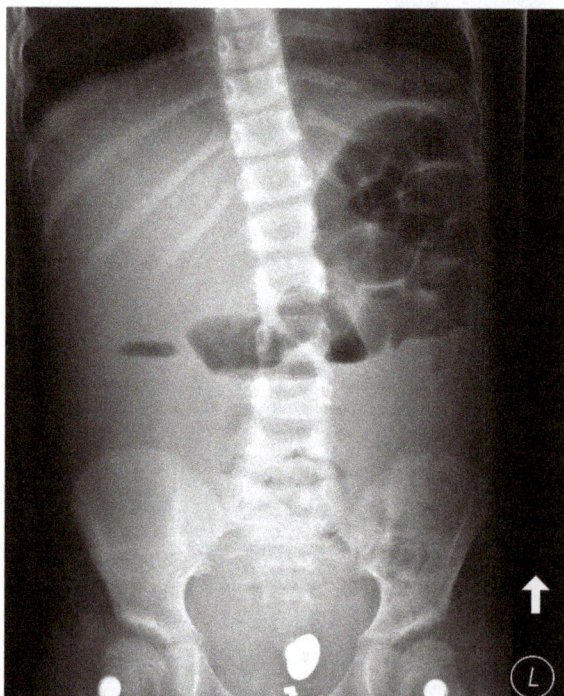

Rycina 24.6. RTG przeglądowe brzucha AP: cechy niedrożności mechanicznej spowodowanej wgłobieniem jelita.

Leczenie

Standard postępowania w większości przypadków stanowi próba odgłobienia pod kontrolą USG z wykorzystaniem podawanej doodbytniczo z odpowiednim ciśnieniem soli fizjologicznej. Technika ta jest skuteczna w ok. 90% przypadków. Brak odgłobienia, wgłobienie nawracające, długotrwałość choroby lub cechy zapalenia otrzewnej to wskazania do leczenia operacyjnego. Polega ono na odgłobieniu i ocenie żywotności wgłobionego jelita z ewentualną jego resekcją, a niekiedy także na usunięciu przyczyny choroby bądź pobraniu materiału do badania histopatologicznego.

Rokowanie

Rokowanie nawet w bardzo zaawansowanej chorobie jest bardzo dobre.

24.1.3

Martwicze zapalenie jelit

łac. *enterocolitis necroticans neonatorum*

ang. necrotising enterocolitis (NEC)

Definicja

Ciężka martwiczo-zapalna choroba przewodu pokarmowego u noworodków, zwłaszcza u wcześniaków (patrz rozdz. 7 „Choroby okresu noworodkowego").

Epidemiologia

Choroba występuje z częstością 1 : 1000 urodzeń.

Etiologia i patogeneza

Etiologia choroby pozostaje nieznana. Czynniki ryzyka wystąpienia choroby wymieniono w rozdz. 7 „Choroby okresu noworodkowego".

Obraz kliniczny

Objawy ogólne obejmują niestabilność ciepłoty ciała, apatię, bradykardię i bezdechy aż po cechy wstrząsu septycznego w wyniku pełnościennej martwicy jelita z perforacją. Objawy brzuszne rozpoczynają się wzdęciem i zaleganiem pokarmu w żołądku. Ostatecznie obserwuje się obraz połyskliwego i zasinionego brzucha oraz podbarwione krwią stolce.

Metody diagnostyczne

Na przeglądowym zdjęciu jamy brzusznej stwierdza się charakterystyczny obraz poszerzonych pętli jelitowych o obrzękniętej ścianie z widocznymi w jej obrębie pęcherzykami gazu (pneumatoza, *pneumatosis intestinalis*) (ryc. 24.7 i 24.8). Pęcherzyki gazu obserwuje się także w dorzeczu żyły wrotnej. Mniej typo-

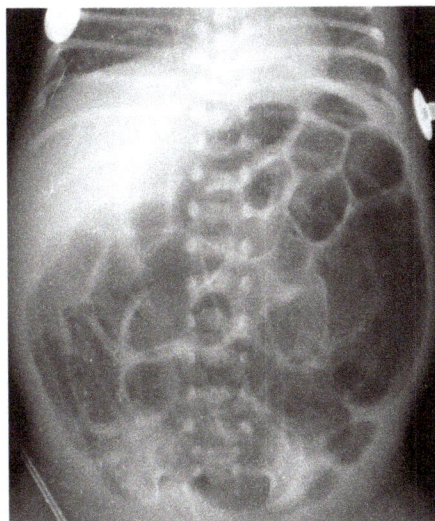

Rycina 24.7. RTG przeglądowe brzucha: poszerzone pętle jelita o obrzękniętej ścianie i z pęcherzykami gazu widocznymi w ścianie.

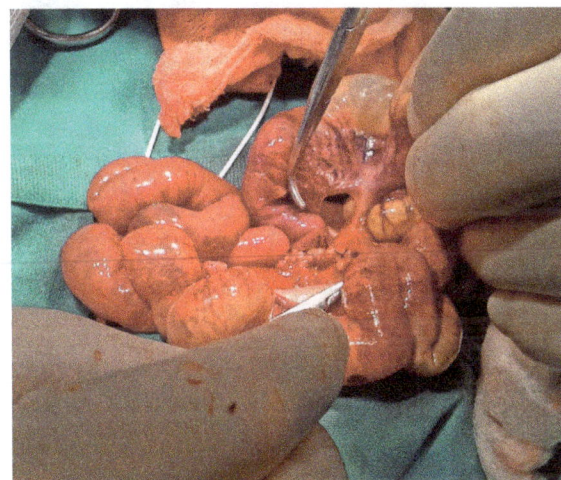

Rycina 24.8. Obraz śródoperacyjny: *pneumatosis intestinalis*.

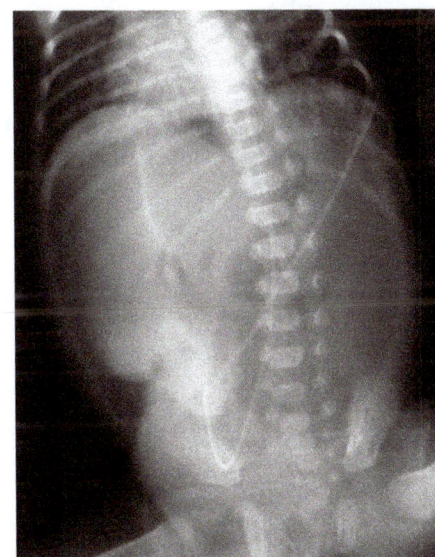

Rycina 24.9. RTG przeglądowe brzucha: *pneumoperitoneum*.

wy jest obraz utrzymującego się sztywnego poszerzenia jednej pętli jelitowej lub poszerzonych pętli jelitowych otoczonych dużą ilością płynu. Dla perforacji jelita charakterystyczne jest stwierdzenie wolnego powietrza w jamie otrzewnej (ryc. 24.9), a dla perforacji oklejonej, gdy sąsiadujące tkanki uszczelniają otwór w ścianie jelita – obraz bezpowietrznych jelit (ryc. 24.10). Wykonuje się również USG jamy brzusznej.

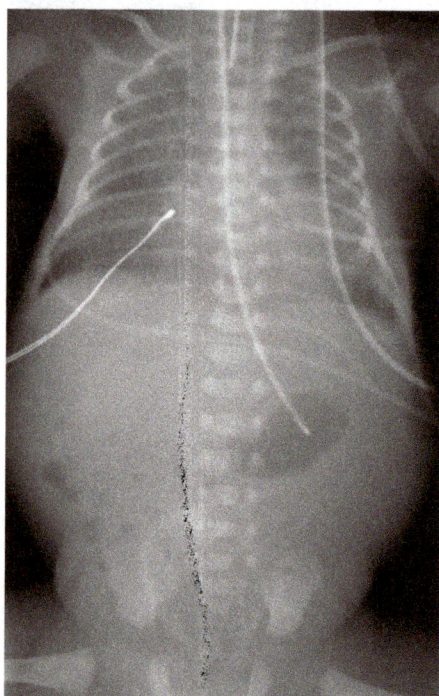

Rycina 24.10. Przeglądowe RTG brzucha: obraz bezpowietrznego brzucha z oklejoną perforacją w prawym dole biodrowym.

Leczenie

Leczenie przedoperacyjne opisano w rozdz. 7 „Choroby okresu noworodkowego". Wskazania do leczenia chirurgicznego stanowią perforacja przewodu pokarmowego oraz brak poprawy stanu ogólnego pacjenta leczonego zachowawczo, co najczęściej jest wynikiem dokonanej martwicy jelita bądź perforacji oklejonej, a więc niemej radiologicznie.

W przypadku pacjentów niestabilnych w najcięższym stanie stosuje się przezskórny drenaż jamy otrzewnej (ryc. 24.11). Ma on znaczenie diagnostyczne i jednocześnie terapeutyczne, prawdopodobnie dzięki ewakuacji zakażonej zawartości otrzewnej, zmniejszeniu ciśnienia śródbrzusznego i wynikającej z tego poprawie wentylacji.

Zasadą leczenia operacyjnego jest resekcja zmienionego martwiczo odcinka jelita, wypłukanie i zdrenowanie jamy otrzewnej oraz wyłonienie przetoki w części bliższej (ryc. 24.12). W skrajnych przypadkach niezbędna okazuje się resekcja prawie całego jelita cienkiego i grubego (ryc. 24.13), co w konsekwencji wyklucza możliwość karmienia enteralnego. Nie ma konieczności resekowania jelita z rozsianymi cechami martwicy wtedy, gdy nie obejmuje ona całego obwodu jelita i pełnej grubości jego ściany (ryc. 24.14). Tego typu zmiany mają szanse wygojenia się, lecz zwykle z tworzeniem blizn przewężających światło jelita. Ciągłość przewodu pokarmowego odtwarza się po ok. 3 miesiącach. Wcześniej rutynowo wykonuje się badanie kontrastowe jelita za przetoką i biopsję odbytnicy dla wykluczenia nieprawidłowego unerwienia.

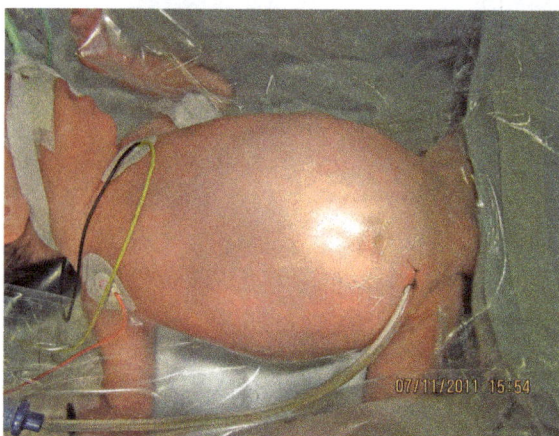

Rycina 24.11. Przezskórny drenaż otrzewnej. W drenie widoczny mętny zabarwiony smółką płyn.

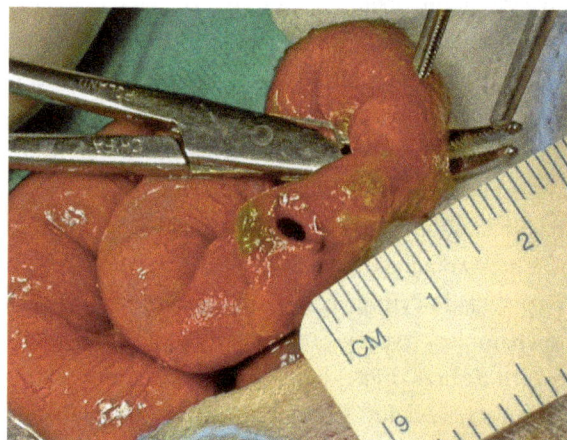

Rycina 24.12. Obraz śródoperacyjny: punktowa perforacja w obrębie zdrowego jelita.

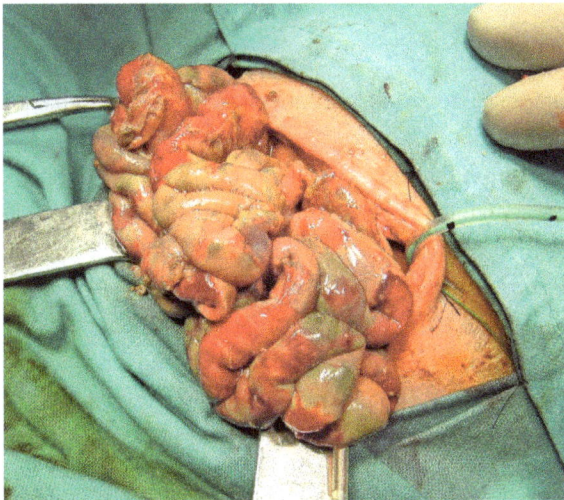

Rycina 24.13. Obraz śródoperacyjny: dokonana martwica całego jelita.

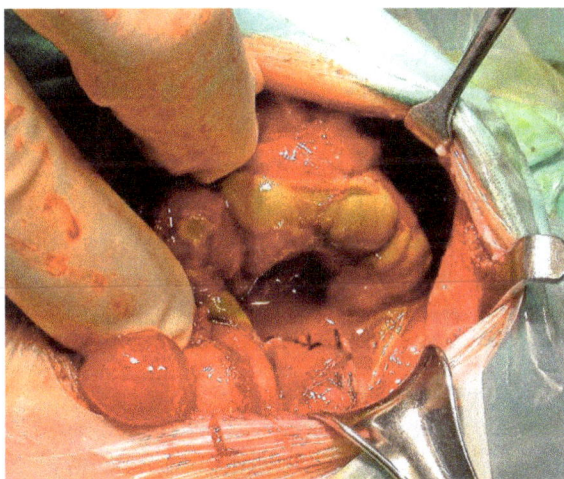

Rycina 24.14. Obraz śródoperacyjny: odcinkowa martwica ściany poprzecznicy.

Rokowanie

Przeżycie zależy od dojrzałości noworodka, zakresu choroby i czasu jej trwania przed operacją. Ogólnie ocenia się je na 70–80%. W wypadku martwicy całego jelita śmiertelność jest bliska 100%.

24.1.4

Przerostowe zwężenie odźwiernika

łac. *pylorostenosis hypertrophica*

ang. hypertrophic pylorostenosis

Definicja

Częściowa niedrożność przewodu pokarmowego na poziomie odźwiernika. Odźwiernik ma kształt oliwki o znacznie pogrubiałej ścianie, przypominającej konsystencją chrząstkę. Czasem można go wyczuć przez powłoki brzuszne.

Epidemiologia

Jedno z najczęstszych wskazań do leczenia operacyjnego u noworodków i niemowląt. Występuje z częstością 1 : 300–1000 noworodków, 4 razy częściej u chłopców.

Etiologia i patogeneza

Nie została jednoznacznie ustalona. Wskazuje się zarówno na możliwość zaburzeń unerwienia podśluzówkowego i śródmięśniowego w ścianie odźwiernika czy lokalne zmniejszenie stężenia tlenku azotu (mediatora rozkurczu mięśni gładkich), jak i bliżej niesprecyzowane czynniki dziedziczne, gdyż ryzyko wystąpienia przerostowego zwężenia odźwiernika wzrasta u dzieci matek operowanych w dzieciństwie z tego powodu.

Obraz kliniczny

Objawy ujawniają się między 3. a 6. tż. Początkowo są to pojedyncze wymioty treścią pokarmową, które stopniowo przechodzą w charakterystyczne chlustające wymioty po każdym posiłku. Długotrwałe wymioty powodują odwodnienie z zasadowicą metaboliczną. Treść może być podbarwiona krwią ze względu na narastający stan zapalny żołądka i przełyku. W surowicy krwi rośnie stężenie bilirubiny z przewagą bilirubiny pośredniej.

Metody diagnostyczne

W USG jamy brzusznej obserwuje się przerost warstwy mięśniowej odźwiernika do 3–4 mm i wydłużenie jego kanału do > 17 mm (ryc. 24.15). Przy stwierdzeniu wartości granicznych konieczne jest kilkukrotne powtórzenie badania. Obecnie nie ma wskazań do wykonywania badań kontrastowych.

Leczenie

Leczenie wstępne polega na odbarczeniu żołądka, nawodnieniu dożylnym i wyrównaniu zaburzeń wodno-elektrolitowych. Podczas zabiegu operacyjnego nacina się 2 zewnętrzne warstwy odźwiernika aż do swobodnego uwypuklenia się błony śluzowej. Operację zwykle wykonuje się techniką klasyczną, chociaż nie brak zwolenników wykorzystania laparoskopii.

Powikłania

Powikłania są rzadkie i wiążą się z nieszczelnością lub niedoszczętnym przecięciem przerośniętej warstwy mięśniowej.

Rokowanie

Rokowanie jest bardzo dobre. Stopniowo zwiększane porcje pokarmu można podawać już po 6–8 godzinach od operacji.

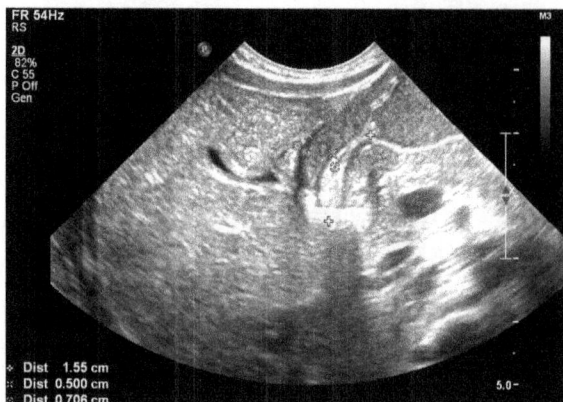

Rycina 24.15. USG jamy brzusznej: podłużny przekrój przez odźwiernik o wydłużonym kanale i pogrubiałej ścianie.

24.1.5

Wrodzona przepuklina przeponowa

łac. *hernia diaphragmatica congenita*
ang. congenital diaphragmatic hernia

Definicja

Wrodzone przemieszczenie narządów jamy brzusznej do klatki piersiowej przez ubytek w przeponie. Wyróżnia się dwie formy wrodzonej przepukliny przeponowej:

- przednia (Morgagniego) – częściej po stronie prawej,
- tylno-boczna (Bochdaleka) – zwykle po stronie lewej, odpowiada za 90% przypadków wszystkich przepuklin przeponowych.

Epidemiologia

Występuje z częstością 1 : 6000–10 000 urodzeń, 2-krotnie częściej u płci męskiej.

Etiologia i patogeneza

Etiologia wady nie została ustalona. Zwykle stanowi ona konsekwencję nieprawidłowej budowy przepony.

Charakterystyczna dla przepukliny jest hipoplazja płuca po stronie defektu i niekiedy także do pewnego stopnia po stronie przeciwnej. Hipoplazja obejmuje nie tylko ograniczenie objętości płuca, ale także zmniejszenie liczby rozgałęzień drzewa oskrzelowego i pęcherzyków płucnych oraz nieprawidłowości łożyska naczyniowego.

Po urodzeniu zmniejszenie wentylacji i perfuzji płuc skutkuje rozwojem nadciśnienia płucnego z odwróceniem przepływu przez przewód tętniczy.

Sztuczna wentylacja prowadzi do upowietrznienia jelit, zwiększając objętość przepukliny i ucisk na płuca, pogarszając proporcje objętości przepukliny do pojemności jamy brzusznej i zwiększając ryzyko niepowodzenia w zamknięciu powłok brzucha po operacji.

Obraz kliniczny

Najczęściej tuż po urodzeniu stwierdza się sinicę i duszność, które wymagają intubacji i sztucznej wentylacji. Rzadko zdarzają się przypadki bezobjawowe lub skąpoobjawowe (kaszel, bezdechy, ból za mostkiem), głównie przy przepuklinie Morgagniego. Charakterystyczne są nadmierne uwypuklenie klatki piersiowej po stronie przepukliny i zapadnięty brzuch.

Metody diagnostyczne

Wada może być rozpoznana prenatalnie już przed 24. tc. Decydujące jest stwierdzenie żołądka w klatce piersiowej. Istotny czynnik rokowniczy stanowi pomiar proporcji powierzchni płuc do powierzchni głowy. Wynik < 1 jest wskazaniem do FETENDO (fetal endoscopic tracheal occlusion) – czasowego zatkania balonem tchawicy, które stymuluje wzrost i rozwój hipoplastycznego płuca.

Po urodzeniu rozstrzygające jest zdjęcie przeglądowe klatki piersiowej i brzucha z uwidocznieniem przemieszczenia jelit do opłucnej (ryc. 24.16 i 24.17).

Leczenie

Leczenie wstępne ma na celu zapewnienie prawidłowej wentylacji i przeciwdziałanie nadciśnieniu płucnemu. Noworodki ze skrajną niewydolnością oddechową urodzone > 35. tc. i wskaźnikiem oksygenacji > 25 kwalifikowane są do leczenia pozaustrojowym utlenowaniem krwi (extracorporeal membrane oxygenation, ECMO). Najmniej traumatycznym sposobem wentylacji jest stosowanie wentylacji oscylacyjnej wysokimi częstotliwościami (high frequency oscillation ventilation, HFOV). Odma po stronie przeciwnej do przepukliny znacznie pogarsza rokowanie. Leczenie nadciśnienia płucnego opisano w rozdz. 10 „Choroby układu krążenia".

Leczenie operacyjne możliwe jest dopiero po ustabilizowaniu stanu pacjenta. Wykonuje się odprowadzenie narządów jamy brzusznej z klatki piersiowej i zamknięcie ubytku w przeponie (ryc. 24.18 i 24.19). Jeśli w skład przepukliny wchodzi płat wątroby, jego przemieszczenie do jamy otrzewnej wiąże się z ryzykiem ucisku na spływ żył wątrobowych i żyły głównej dolnej.

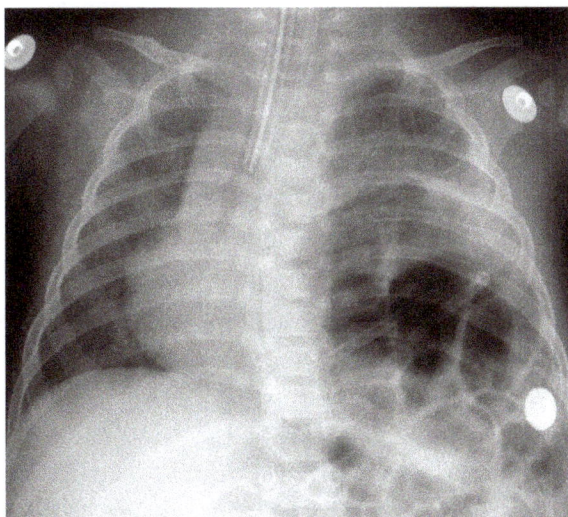

Rycina 24.16. Lewostronna przepuklina przeponowa. Przemieszczone do lewej opłucnej pętle jelit przemieszczają śródpiersie na prawą stronę, uciskając na prawidłowo upowietrznione prawe płuco.

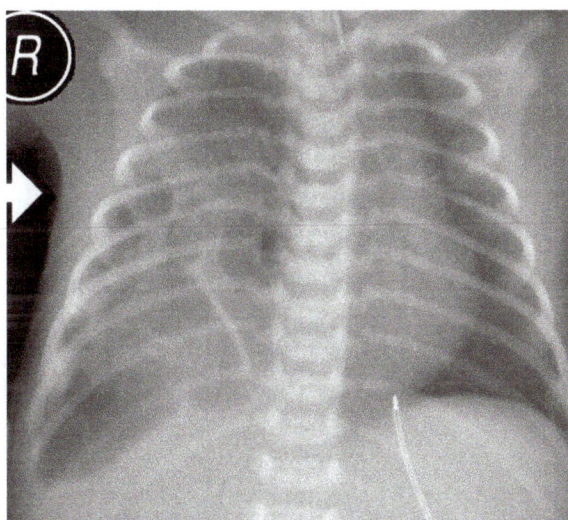

Rycina 24.17. Prawostronna przepuklina przeponowa. Przemieszczone do prawej opłucnej pętle jelit i część wątroby przemieszczają śródpiersie na stronę lewą.

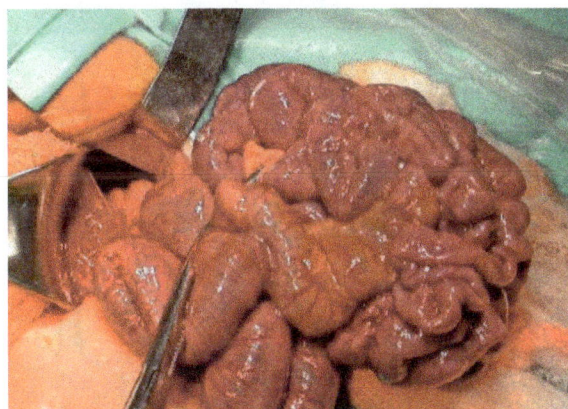

Rycina 24.18. Obraz śródoperacyjny: ewentrowane z klatki piersiowej trzewia, w głębi widoczny otwór w przeponie.

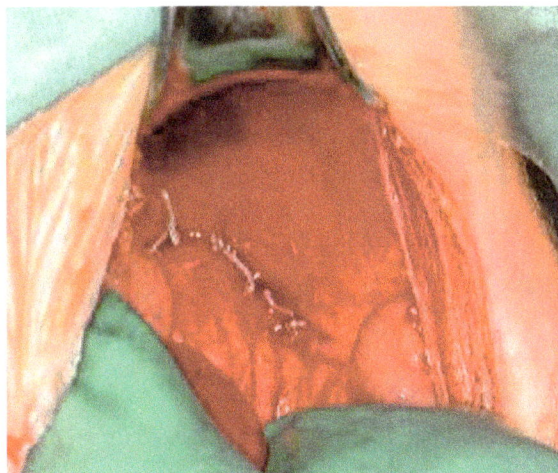

Rycina 24.19. Obraz śródoperacyjny: widoczna linia szwów zamykających ubytek w przeponie.

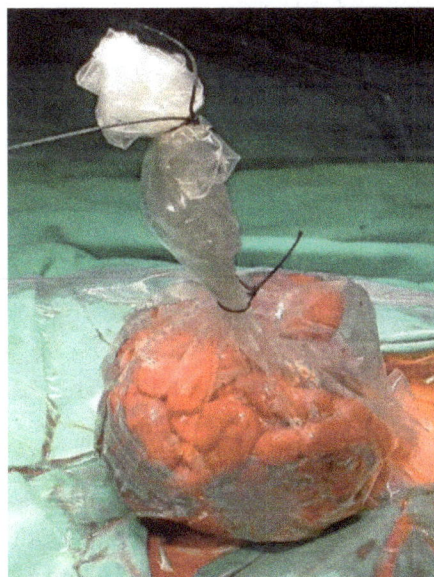

Rycina 24.20. Przemieszczenie trzewi do poliwinylowego worka ze względu na ciasnotę wewnątrzbrzuszną po zamknięciu ubytku w przeponie.

Wielkość ubytku w przeponie mieści się w granicach od 1,5 cm do całkowitego jej braku. W 20–30% przypadków do odtworzenia przepony konieczne jest wykorzystanie materiału sztucznego, co w przyszłości powoduje deformację klatki piersiowej.

Mała pojemność jamy otrzewnej czasami wymaga czasowego przemieszczenia narządów jamy brzusznej na zewnątrz do poliwinylowego worka (ryc. 24.20).

Powikłania

Najczęstszym powikłaniem wczesnym jest wznowa przepukliny w wyniku nieszczelności szwu przepony, a powikłaniem późnym deformacja klatki piersiowej tym większa, im większy był ubytek przepony.

Rokowanie

Rokowanie jest poważne. Pomimo ogromnego postępu śmiertelność wciąż sięga 40%.

24.1.6

Atrezja przełyku

łac. *atresia oesophagi*

ang. esophageal atresia

Definicja

Wrodzone przerwanie ciągłości przełyku. Wyróżnia się 6 postaci wady w zależności od stosunków anatomicznych przełyku i tchawicy (ryc. 24.21). Najczęstsza jest postać z dolną przetoką przełykowo-tchawiczą, która odpowiada za ok. 85% przypadków wady.

Epidemiologia

Wada występuje z częstością 1 : 3000 żywych urodzeń, częściej u chłopców. W ponad 60% współistnieje z innymi wadami, przede wszystkim serca i nerek, ale także z wadami genetycznymi:

- asocjacja VACTERL – wada kręgosłupa, atrezja odbytu, wrodzone wady serca, przetoka tchawiczo-przełykowa, atrezja przełyku, wady nerek/dysplazja kości promieniowej, wady kończyn,
- asocjacja CHARGE – coloboma, wada serca, atrezja nozdrzy tylnych, zahamowanie wzrostu, wady układu moczowo-płciowego, głuchota i nieprawidłowa budowa ucha – przetoka przełykowo-tchawicza stanowi kryterium mniejsze,

- asocjacja ARTICLE – przetoka przełykowo-tchawicza, wady odbytu, nerek, jelit, serca i kończyn,
- zespół Pataua,
- zespół Edwardsa.

Etiologia i patogeneza

Etiologia wady pozostaje nieznana.

W najczęstszej postaci niedrożności istnieją 2 mechanizmy zagrożenia życia, które prowadzą do rozwoju zapalenia płuc:

- ślina gromadząca się w ślepo zakończonym górnym odcinku przełyku wypełnia go, a następnie ewakuowana jest przez jamę ustną i nosową, długotrwałość tego stanu sprzyja aspiracji śliny, szczególnie u niedojrzałych noworodków z ograniczoną zdolnością odkrztuszania,
- powietrze przedostające się do żołądka przez dolną przetokę przełykowo-tchawiczą podczas wdechu miesza się z jego kwaśną zawartością, która podczas wydechu zarzucana jest wstecznie do dróg oddechowych.

Obraz kliniczny

Objawy zależą od dojrzałości noworodka, współistniejących wad i postaci niedrożności przełyku. Najbardziej charakterystycznym objawem w najczęstszej postaci niedrożności jest pienista wydzielina w jamie ustnej i nosowej, gromadząca się tam pomimo regularnego odsysania. Poza tym w zależności od typu wady występować mogą kaszel, sinica i duszność przy karmieniu. Charakterystyczny jest też opór przy próbie wprowadzenia cewnika do żołądka.

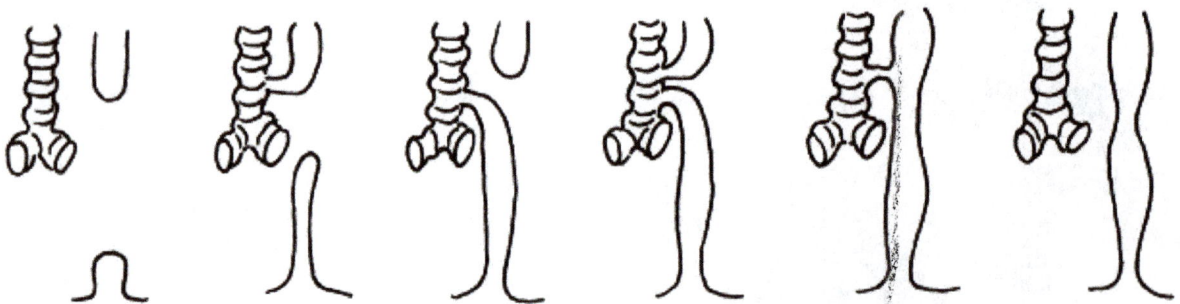

Rycina 24.21. Podział postaci wrodzonej niedrożności przełyku wg Grossa: niedrożność bez przetoki, niedrożność z górną przetoką, niedrożność z dolną przetoką, niedrożność z górną i dolną przetoką, izolowana przetoka H, zwężenie przełyku bez przetoki.

Metody diagnostyczne

Wada może być rozpoznana prenatalnie od 16. tc. Charakterystyczną cechą jest niewidoczny żołądek i poszerzony górny odcinek przełyku oraz typowe dla niedrożności przewodu pokarmowego wielowodzie.

Do rozpoznania niedrożności przełyku wystarczy stwierdzenie niemożności wprowadzenia sondy do żołądka. Przeglądowe zdjęcie klatki piersiowej i brzucha pozwala na uwidocznienie sondy zwijającej się w górnym ślepo zakończonym odcinku przełyku, a obecność powietrza w żołądku lub jego brak umożliwia stwierdzenie lub wykluczenie istnienia dolnej przetoki przełykowo-tchawiczej (ryc. 24.22). Badanie to ujawnia także współistniejące wady układu kostnego, nieprawidłowe położenie i wielkość serca czy obecność zmian zapalnych w płucach.

Leczenie

Leczenie operacyjne polega na zaopatrzeniu przetoki przełykowo-tchawiczej i odtworzeniu ciągłości przełyku. Niewielka elastyczność obu odcinków umożliwia ich zespolenie wówczas, gdy odstęp między nimi nie przekracza 2 cm. Większa odległość określana jest mianem długoodcinkowej i wymaga zastosowania przez kilka tygodni różnych technik mechanicznego wydłużania, a w razie niepowodzenia wykorzystania substytucji przełyku z żołądka lub jelita.

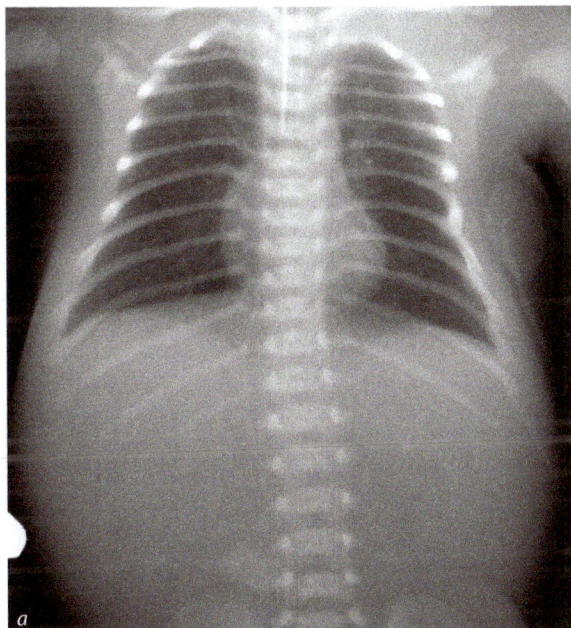

Powikłania

Powikłania wczesne związane są z gojeniem się zespolonego przełyku, a więc przede wszystkim z nieszczelnością lub zwężeniem. Do powikłań odległych należą wsteczny odpływ żołądkowo-przełykowy i tracheomalacja.

Rokowanie

Rokowanie zależy od dojrzałości noworodka, współistniejących wad i postaci niedrożności. Do jego oceny powszechnie stosowana jest skala ryzyka Spitza (tab. 24.1).

Tabela 24.1. Skala ryzyka Spitza dla noworodków z wrodzoną niedrożnością przełyku, w nawiasach podano % przeżycia

I	masa ciała > 1500 g i brak istotnej wady serca (98,5%)
II	masa ciała < 1500 g lub obecność ciężkiej wady serca (82%)
III	masa ciała < 1500 g i obecność ciężkiej wady serca (50%)

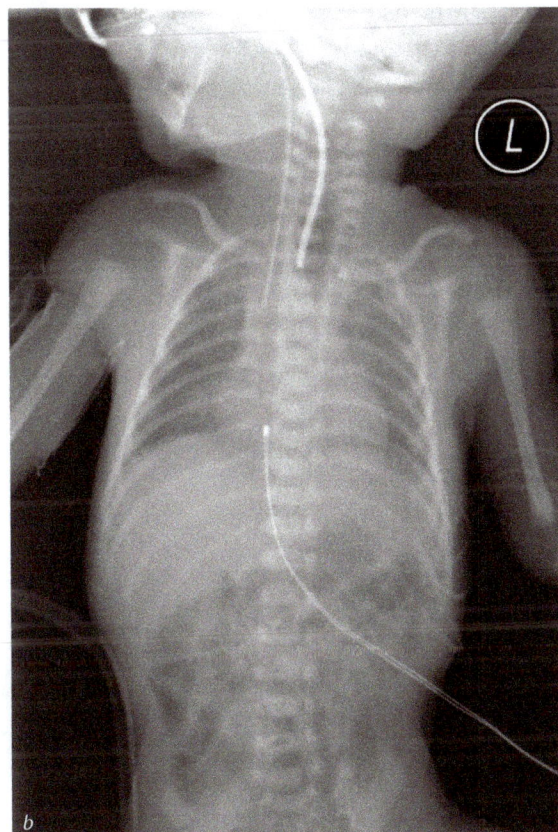

Rycina 24.22. Przeglądowe zdjęcie klatki piersiowej i brzucha: (*a*) sonda w górnym przełyku sięga do Th2, brak powietrza w żołądku świadczy o braku dolnej przetoki przełykowo-tchawiczej; (*b*) sonda zagina się na wysokości Th2 w ślepo zakończonym i zakontrastowanym powietrzem górnym odcinku przełyku, upowietrznienie żołądka i jelit świadczy o istnieniu dolnej przetoki przełykowo-tchawiczej.

24.1.7

Atrezja dwunastnicy

łac. *atresia duodeni*

ang. duodenal atresia

Definicja

Wrodzone przerwanie ciągłości dwunastnicy. Wyróżnia się niedrożność całkowitą lub częściową, spowodowaną przez czynniki wewnętrzne lub zewnętrzne. Wśród czynników wewnętrznych wymienia się całkowite zarośnięcie dwunastnicy lub zwężenie jej ściany, a także całkowitą lub częściową przegrodę łącznotkankową. Do czynników zewnętrznych należą trzustka obrączkowata, ucisk przez nieprawidłowo przebiegające naczynie (najczęściej przeddwunastniczą żyłę wrotną lub naczynia krezkowe), ucisk przez pasma łącznotkankowe (najczęściej w zespole Ladda), zdwojenie dwunastnicy i torbiel ujścia przewodu żółciowego (*choledochocoele*).

Epidemiologia

Występuje z częstością 1 : 10 000 urodzeń. W połowie przypadków współistnieje z innymi wadami rozwojowymi, najczęściej serca, i z nieprawidłowościami genetycznymi, przede wszystkim z zespołem Downa.

Etiologia i patogeneza

Etiologia wady pozostaje nieustalona.

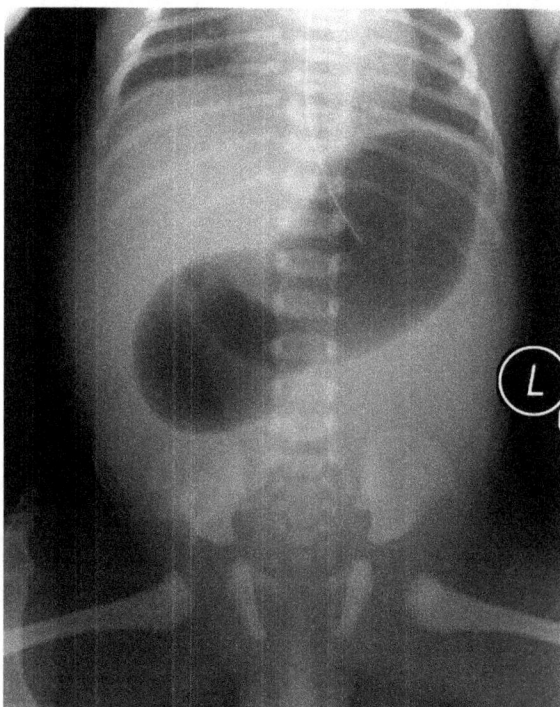

Rycina 24.23. Przeglądowe zdjęcie jamy brzusznej z widocznymi dwoma zbiornikami odpowiadającymi żołądkowi i dwunastnicy.

Obraz kliniczny

Charakterystycznym objawem są obfite podbarwione żółcią wymioty, gdyż przeszkoda w ok. 80% znajduje się poniżej ujścia brodawki Vatera. Występują odbarwione stolce. Przed wymiotami obserwuje się wzdęcie nadbrzusza odpowiadające wypełnionemu żołądkowi i dwunastnicy przed przeszkodą.

Metody diagnostyczne

Prenatalnie wadę można rozpoznać od 15. tc. Charakterystyczną cechą jest stwierdzenie poszerzonego żołądka i części dwunastnicy. Do tego uwidocznia się wielowodzie występujące we wszystkich postaciach niedrożności przewodu pokarmowego.

U noworodka z całkowitą niedrożnością dwunastnicy do rozpoznania wystarczy przeglądowe zdjęcie klatki piersiowej i brzucha z charakterystycznymi dwiema bańkami wypełnionego powietrzem żołądka i dwunastnicy (double bubble) (ryc. 24.23). Rozpoznanie częściowej niedrożności wymaga badania kontrastowego, a czasem także endoskopowego. Stwierdzenie ucisku przez nieprawidłowo przebiegające naczynia możliwe jest w badaniu dopplerowskim, a przez *choledochocoele* – w scyntygrafii dynamicznej wątroby.

Leczenie

Leczenie wstępne polega na odbarczeniu żołądka sondą i wyrównaniu istniejących zaburzeń wodno-elektrolitowych. Leczenie chirurgiczne prowadzi do przywrócenia drożności dwunastnicy przez zespolenie jej zarośniętych odcinków lub przez omijające przeszkodę połączenie bliższej części dwunastnicy lub żołądka z pierwszą pętlą jelita czczego.

Powikłania

Występują rzadko i związane są z gojeniem się zespolenia. Charakterystyczny w okresie pooperacyjnym wydłużony nawet do kilku tygodni okres zalegania w żołądku i dwunastnicy, który odracza możliwość karmienia doustnego, wynika z powolnej adaptacji początkowego odcinka przewodu pokarmowego.

Rokowanie

Rokowanie jest dobre, jednak istotnie zależy od współistniejących wad.

24.2   *Małgorzata Baka-Ostrowska*

UROLOGIA DZIECIĘCA

Spośród wielu wad i chorób układu moczowo-płciowego, którymi zajmuje się urologia dziecięca, wybrano te, w których ostatnie lata przyniosły najwięcej zmian diagnostyczno-terapeutycznych i których znajomość może być przydatna w pracy pediatry. Brak nerek, ich hipoplazję, dysplazję i ektopię opisano w rozdz. 14 „Choroby układu moczowego".

24.2.1

Wodonercze

łac. *hydronephrosis*
ang. hydronephrosis

Definicja

Poszerzenie układu kielichowo-miedniczkowego spowodowane obecnością przeszkody w połączeniu miedniczkowo-moczowodowym.

Epidemiologia

Wodonercze jest jedną z najczęstszych wad układu moczowego. Stanowi 50% nieprawidłowości stwierdzanych w USG prenatalnym. Częstość występowania wodonercza wrodzonego szacuje się na 11,5 : : 100 000 urodzeń.

Etiologia i patogeneza

Przeszkoda w połączeniu miedniczkowo-moczowodowym może mieć charakter czynnościowy (zaburzenia fali perystaltycznej) lub anatomiczny (zwężenie podmiedniczkowe, wysokie odejście moczowodu, naczynie dodatkowe uciskające miejsce połączenia miedniczkowo-moczowodowego, zastawka moczowodu). Następstwem przeszkody podmiedniczkowej jest wzrost ciśnienia w układzie kielichowo-miedniczkowym, co może prowadzić do uszkodzenia nefronów i obniżenia filtracji kłębuszkowej z niewydolnością nerki włącznie (tzw. nefropatia zaporowa).

Obraz kliniczny

Objawy są niecharakterystyczne. U noworodków i niemowląt zwykle stwierdza się guz w obrębie jamy brzusznej. U dzieci starszych czasem występują bóle w okolicy lędźwiowej czy zakażenia układu moczowego, a niekiedy nadciśnienie tętnicze.

Metody diagnostyczne

Diagnostyka opiera się na badaniu USG oraz renoscyntygrafii dynamicznej. W badaniu USG konieczne jest podanie wymiaru przednio-tylnego miedniczki (AP), szerokości kielichów oraz grubości kory nerki.

Różnicowanie

Skrajne wodonercze wymaga różnicowania z nerką wielotorbielowatą, w której poza przestrzeniami płynowymi nie stwierdza się obecności miąższu nerkowego.

Leczenie

Leczenie zależy od rozległości poszerzenia układu kielichowo-miedniczkowego i stopnia uszkodzenia funkcji nerki, a także od wieku dziecka i występowania objawów dodatkowych. Interwencja chirurgiczna jest konieczna w następujących sytuacjach:

- u noworodka wymiar AP miedniczki przekracza 30 mm,
- miedniczka poszerza się istotnie w kolejnych badaniach USG,
- występuje upośledzenie funkcji nerki (GFR [glomerular filtration rate] < 40%),
- obserwuje się pogarszanie funkcji nerki w kolejnych badaniach izotopowych.

W postępowaniu chirurgicznym, dobieranym indywidualnie dla każdego pacjenta, wyróżnia się czasowe odbarczenie (nefrostomia przezskórna lub operacyjna) i operację naprawczą połączenia miedniczkowo-moczowodowego (metodą otwartą, laparoskopową lub endoskopową).

Powikłania

Wczesne – przeciek moczu przez zespolenie, późne – zwężenie zespolenia. Następstwem uszkodzenia nefronów może być nadciśnienie tętnicze.

Rokowanie

Rokowanie zależy od stopnia uszkodzenia nerki. Upośledzenie funkcji może się pogłębiać pomimo zlikwidowania przeszkody w odpływie moczu.

24.2.2

Odpływ pęcherzowo-moczowodowy

łac. *refluxus vesicoureteralis*
ang. vesicoureteral reflux

Definicja

Zjawisko cofania się moczu z pęcherza moczowego do moczowodu.

Epidemiologia

Odpływy występują u 1–2% zdrowej populacji dziecięcej, w 30% przypadków wodonercza płodowego, u 40% dzieci z ZUM (zakażeniem układu moczowego) bez gorączki i 70% dzieci z ZUM z gorączką.

Etiologia i patogeneza

Odpływ stanowi zwykle następstwo wysokiego ciśnienia śródpęcherzowego spowodowanego obecnością przeszkody podpęcherzowej, która może mieć charakter anatomiczny (np. zastawki cewki) lub czynnościowy (np. dyskoordynacja zwieracz–wypieracz). Nieprawidłowa budowa ujścia moczowodu występuje rzadko i na ogół towarzyszy zdwojeniu moczowodu. W zależności od wysokości odpływu i poszerzenia moczowodu oraz układu kielichowo--miedniczkowego, wyróżnia się pięć stopni odpływów wstecznych.

Obraz kliniczny

Objawy są niecharakterystyczne i zależą od wieku dziecka oraz stopnia uszkodzenia nerek. Najczęściej stwierdza się ZUM, jako następstwo niecałkowitego opróżniania pęcherza.

Przebieg naturalny

Odsetek obserwowanych odpływów maleje wraz z wiekiem, szczególnie w 1. rż., co wynika z dojrzewania układu nerwowego. Do 5. rż. samoistnie ustępuje 80–90% odpływów I° i II°, 70% III°, 50% IV° oraz 30% V°. U dzieci z zaburzeniami mikcji samoistne ustępowanie odpływów jest istotnie mniejsze.

Metody diagnostyczne

Diagnostyka opiera się na cystografii mikcyjnej i renoscyntygrafii statycznej. Badanie izotopowe pozwala ocenić udział nerki w oczyszczaniu i ew. stwierdzić obecność blizn korowych. Nieprawidłowości w obrębie kory nerki zwykle są wyrazem jej hipoplazji lub dysplazji, czasem obserwuje się włóknienie pozapalne.

Ponieważ odpływ jest zjawiskiem dynamicznym, konieczna jest ocena funkcji pęcherza. Podstawowe badanie stanowi wywiad dotyczący mikcji i defekacji. Następnie przeprowadza się badanie przepływu cewkowego (uroflowmetria) z pomiarem zalegania po mikcji. W niektórych przypadkach konieczne jest wykonanie badania urodynamicznego (cystometria) i cystoskopii. Ta ostatnia umożliwia wykluczenie ew. przeszkody podpęcherzowej, a także pozwala na wykonanie ostrzyknięcia ujścia moczowodu.

Różnicowanie

Stwierdzenie obecności odpływu pęcherzowo-moczowodowego jest jednoznaczne. Natomiast w rozpoznaniu różnicowym należy brać pod uwagę przyczyny, jakie mogą być odpowiedzialne za wystąpienie zjawiska cofania się moczu z pęcherza do moczowodów (np. zastawki cewki, nabyte zwężenia cewki, neurogenna dysfunkcja pęcherza, zaburzenia mikcji itp.).

Leczenie

Leczenie zależy od przyczyny odpływu oraz płci, wieku i stanu ogólnego dziecka. Podstawę terapii stanowi likwidacja przeszkody podpęcherzowej, a u dzieci starszych leczenie zaburzeń mikcji i defekacji.

U noworodków oraz niemowląt płci żeńskiej z masywnymi odpływami i niewydolnością nerek postępowaniem z wyboru jest wytworzenie przetoki pęcherzowo-skórnej (vesicostomia). U chłopców w tym wieku najczęściej przyczyną są zastawki cewki tylnej, których leczenie omówiono dalej (patrz str. 1156).

W każdym przypadku, gdy normalizacja czynności pęcherza wymaga dłuższego leczenia, można dodatkowo ostrzyknąć ujście moczowodu materiałem biodegradowalnym (metoda endoskopowa).

Leczenie operacyjne (antyrefluksowe przeszczepienie moczowodu) metodą otwartą lub laparoskopową stosuje się w wyjątkowych przypadkach i tylko u dzieci > 1. rż.

Powikłania

Powstawanie nowych blizn, postępujące upośledzenie funkcji nerki i nadciśnienie tętnicze obserwuje się nawet po wyeliminowaniu odpływu. W zapobieganiu powstawania nowych blizn korowych istotne jest wdrożenie antybiotykoterapii w ciągu 1. doby ZUM z gorączką.

Rokowanie

Zlikwidowanie odpływów wstecznych zależy od możliwości wyeliminowania przyczyny odpowiedzialnej za zjawisko cofania się moczu z pęcherza do moczowodów. Upośledzenie funkcji nerek może się pogłębiać pomimo likwidacji odpływów pęcherzowo--moczowodowych. U kobiet ciężarnych, u których w dzieciństwie stwierdzano obecność odpływów, istnieje duże ryzyko wystąpienia OOZP.

24.2.3

Zdwojenie moczowodu

łac. *ureter duplex*

ang. ureteral duplication

Definicja

Wada wrodzona polegająca na obecności dwóch moczowodów, z których każdy drenuje oddzielny układ kielichowo-miedniczkowy i miąższ nerki, ale torebka nerkowa jest wspólna.

Epidemiologia

Zdwojenie moczowodu występuje u 1,5% i może być niecałkowite (5 razy częściej oba moczowody uchodzą razem do pęcherza moczowego) lub całkowite (stwierdza się 2 osobne ujścia moczowodowe). Często obserwuje się wadę obustronną.

Etiologia i patogeneza

Zdwojenie moczowodu jest następstwem powstania dwóch pączków moczowodowych na przewodzie śródnerczowym Wolffa (zdwojenie całkowite) lub pojedynczego pączka, który ulega rozdwojeniu podczas wzrastania w kierunku tkanki nerkotwórczej (zdwojenie niecałkowite).

Obraz kliniczny

Znaczenie kliniczne mają tylko te postacie, którym towarzyszy dodatkowa patologia, tj. odpływ pęcherzowo-moczowodowy (patrz str. 1153), przemieszczenie ujścia moczowodu czy ureterocele (torbiel ujścia moczowodu).

Przemieszczenie ujścia moczowodu zwykle dotyczy moczowodu układu górnego, którego ujście znajduje się w cewce moczowej. U chłopców zawsze znajduje się ono pod kontrolą zwieracza. U dziewczynek przemieszczenie pozazwieraczowe powoduje moczenie moczowodowe, tj. stały kroplowy wyciek moczu niezależny od prawidłowej mikcji.

Ureterocele zawsze dotyczy moczowodu układu górnego. Powoduje znaczne poszerzenie moczowodu i wodonercze górnego układu z upośledzeniem funkcji. Zmiana może osiągać duże rozmiary i wstawiać się do cewki moczowej, a u dziewczynek wypadać na zewnątrz, utrudniając odpływ moczu z pozostałych układów.

Metody diagnostyczne

Diagnostyka obejmuje badanie USG, cystografię mikcyjną, badanie izotopowe nerek i czasem urografię lub rezonans magnetyczny. We wszystkich przypadkach konieczna jest cystoskopia, a niekiedy także pielografia wstępująca.

Leczenie

Odpływ pęcherzowo-moczowodowy zwykle dotyczy moczowodu dolnego układu i najczęściej wymaga leczenia operacyjnego ze względu na nieprawidłowe połączenie moczowodu z pęcherzem.

Leczenie przemieszczenia ujścia moczowodu zależy od czynności górnego układu. Jeśli jego czynność jest znacznie upośledzona, usuwa się go operacyjnie (heminefrektomia), a jeśli jest dobra, moczowód przeszczepia się w obręb pęcherza lub zespala z miedniczką nerki dolnej.

Ureterocele, w przypadku urosepsy u noworodka, może stanowić bezpośrednie zagrożenie życia i wówczas wymaga niezwłocznego nacięcia. W innych okolicznościach leczenie może być planowe. Polega na usunięciu górnego układu (heminefrektomia) z jednoczesnym wycięciem torbieli z pęcherza i przeszczepieniem moczowodu dolnego układu, a niekiedy także moczowodu strony przeciwnej (operacja radykalna), lub na wykonaniu heminefrektomii górnej z odessaniem zawartości ureterocele i uzależnieniem ew. usunięcia torbieli od trudności w opróżnianiu pęcherza i występowania ZUM (II etap leczenia konieczny tylko u 25% pacjentów). Istnieje także możliwość endoskopowego nacięcia lub nakłucia torbieli, ale zawsze należy się liczyć z prawdopodobieństwem wystąpienia odpływu do układu z ureterocele i ew. koniecznością wykonania operacji radykalnej w przyszłości.

Powikłania

Możliwość wystąpienia powikłań i ich rodzaj zależy od dodatkowej patologii towarzyszącej zdwojeniu moczowodu i sposobu postępowania terapeutycznego. Może to być utrzymywanie się odpływu wstecznego, uszkodzenie funkcji układu pozostałego po heminefrektomii, nawracające ZUM spowodowane utrudnieniem opróżniania pęcherza przez pozostawione ureterocele lub zaburzenie trzymania moczu w następstwie jatrogennego uszkodzenia zwieracza.

Rokowanie

Rokowanie jest dobre w przypadku osób leczonych bez powikłań.

24.2.4

Zastawki cewki tylnej

łac. *valvulae urethrae posterioris*
ang. posterior urethral valves

Definicja

Wada wrodzona polegająca na przeroście fałdów błony śluzowej cewki moczowej, które stanowią przeszkodę w odpływie moczu z pęcherza. Według Younga wyróżnia się 3 typy wady:

- I – typ klasyczny (dwa płatki odchodzą od wzgórka nasiennego, biegną ku dołowi i bocznie w kierunku ściany cewki moczowej i łączą się na godzinie 12),
- II – typ nieistniejący (dwa płatki biegną ku górze od wzgórka nasiennego do szyi pęcherza),
- III – typ przesłonowy (poprzeczny fałd z otworem centralnym, położony poniżej wzgórka nasiennego).

Epidemiologia

Występuje u chłopców z częstością 1 : 8000 żywych urodzeń.

Etiologia i patogeneza

Etiologia wady nie została jednoznacznie ustalona. Jej obecność skutkuje zastojem moczu w całym układzie i różnego stopnia upośledzeniem funkcji nerek. Uszkodzenie nerek następuje już we wczesnym okresie rozwoju płodowego. Zawsze bardziej uszkodzona jest nerka z odpływem wstecznym (hipoplazja lub dysplazja nerki). Następstwem uszkodzenia nerek płodu jest małowodzie, które prowadzi do hipoplazji płuc.

Obraz kliniczny

Objawy zależą od typu wady. Mogą być widoczne już u płodu bądź ujawniają się w okresie noworodkowym czy niemowlęcym, a nawet później. Zwykle są to objawy niewydolności nerek lub zakażenia układu moczowego, choć u starszych chłopców pierwszym symptomem może być moczenie nocne.

Metody diagnostyczne

W USG prenatalnym stwierdza się grubościenny, stale wypełniony pęcherz moczowy lub objaw „dziurki od klucza", a także małe nerki bez zróżnicowania korowo-rdzeniowego lub wodonercze z moczowodem olbrzymim i małowodzie.

W USG postnatalnym stwierdzić można zatarcie struktury korowo-rdzeniowej, różny stopień poszerzenia moczowodów i miedniczek nerkowych, prze-

rost ściany pęcherza moczowego i zaleganie moczu po mikcji.

Cystografia mikcyjna ukazuje poszerzenie cewki tylnej, cechy przerostu wypieracza i szyi pęcherza i niekiedy odpływy wsteczne.

Konieczne jest oznaczenie parametrów wydolności nerek, a następnie wykonanie badania izotopowego nerek (udział w oczyszczaniu, zastój).

Najważniejszym badaniem diagnostycznym jest cystoskopia, która pozwala ostatecznie zdefiniować rozpoznanie, a jednocześnie wykonać przecięcie zastawek (transurethral incision, TUI).

Różnicowanie

Zastawki cewki tylnej należy różnicować z innymi przeszkodami podpęcherzowymi, takimi jak: zastawki cewki przedniej, wrodzone lub nabyte zwężenia cewki, polip cewki, uchyłek cewki, przerost wzgórka nasiennego, wzmożone napięcie przepony miednicznej itp.

Leczenie

Leczenie polega na endoskopowym przecięciu zastawek. W zależności od stanu pęcherza moczowego i górnych dróg moczowych może zachodzić konieczność wdrożenia dodatkowego postępowania, tj.: wytworzenia przetok moczowodowo-skórnych (w przypadku moczowodu olbrzymiego i niewydolności nerek) lub podawania α-blokera (przy znacznym przeroście szyi pęcherza). U noworodka z objawami zastawek w życiu płodowym należy natychmiast po urodzeniu wprowadzić cewnik do pęcherza przez cewkę moczową lub drogą nakłucia nadłonowego. Fakt oddawania moczu przez noworodka nie wyklucza istnienia nawet masywnych zastawek.

Powikłania

Przerost i zwłóknienie wypieracza ustępują po zlikwidowaniu zastawek u 70–80% pacjentów, u pozostałych utrwalone zmiany prowadzą do zaburzeń czynności pęcherza moczowego i wytworzenia tzw. pęcherza zastawkowego. Następstwem zastawek może być hipoplazja lub dysplazja nerki, do której zachodził odpływ, a także nefropatia zaporowa, prowadząca do niewydolności nerek.

Rokowanie

Rokowanie zależy od stopnia uszkodzenia nerek i pęcherza. Około 30% pacjentów, po przecięciu zastawek w wieku noworodkowo-niemowlęcym, rozwija objawy przewlekłej niewydolności nerek w okresie dojrzewania. Wg różnych statystyk, 9–27% dzieci oczekujących na przeszczep nerki stanowią chłopcy po leczeniu zastawek. U 14–38% chłopców obserwuje się moczenie nocne pomimo przecięcia zastawek.

24.2.5
Zespół wynicowania i wierzchniactwa

łac. *exstrophia et epispadiasis complexus*

ang. exstrophy-epispadias complex

Definicja

Kompleks wad wrodzonych obejmujących wynicowanie steku (ryc. 24.24), wynicowanie pęcherza moczowego (ryc. 24.25) i wierzchniactwo (ryc. 24.26). W każdej postaci patologia dotyczy zewnętrznych narządów płciowych oraz cewki moczowej i pęcherza moczowego, a także miednicy i powłok brzusznych, chociaż w wierzchniactwie w stopniu najmniejszym. W przypadku wynicowania steku w obręb wady włączony jest także układ pokarmowy (niedorozwój ślepo zakończonego jelita grubego) i rodny (zdwojenie pochwy i macicy). U dziecka z wynicowaniem steku obecna jest także – różnych rozmiarów – przepuklina pępowinowa (omphalocele).

Epidemiologia

Wynicowanie steku występuje u 1 : 300 000 noworodków, z równą częstością u chłopców i dziewcząt. Wynicowanie pęcherza moczowego stwierdza się u 1 : 30 000 noworodków, 3 razy częściej u chłopców. Wierzchniactwo dotyczy 1 : 150 000 noworodków, 4 razy częściej chłopców.

Etiologia i patogeneza

Wady wchodzące w skład zespołu wynicowania i wierzchniactwa są następstwem nieprawidłowego rozwoju błony stekowej, której przerost uniemożliwia wniknięcie mezodermy, zaburzając rozwój dolnej ściany powłok brzusznych i narządów płciowych zewnętrznych. O tym jaka postać wady powstanie, decyduje czas i miejsce perforacji błony stekowej. Gdy perforacja poprzedzi proces zstępowania przegrody

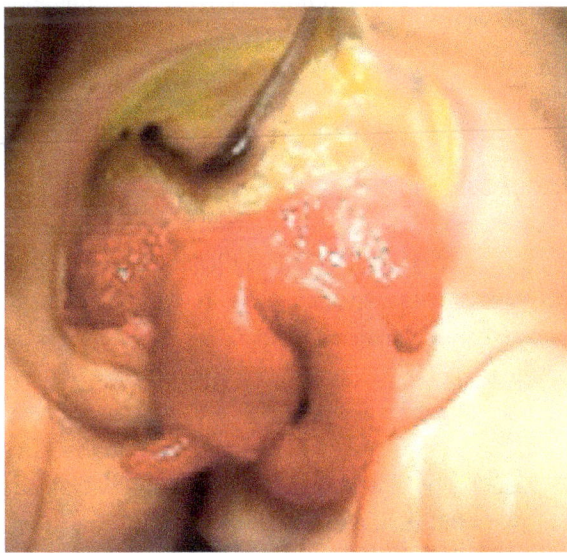

Rycina 24.24. Wynicowanie steku.

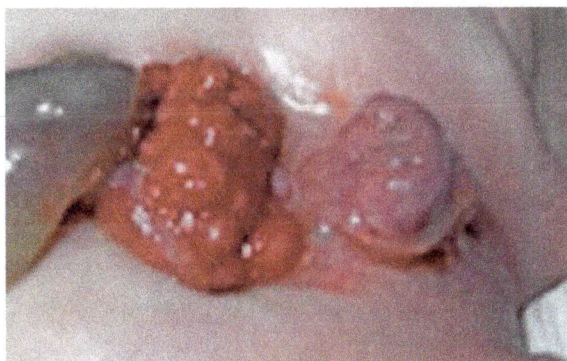

Rycina 24.25. Wynicowanie pęcherza.

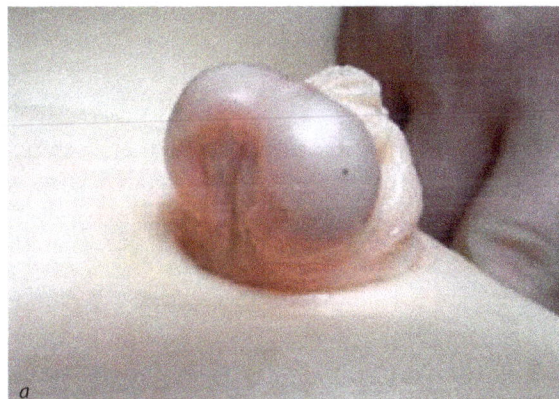

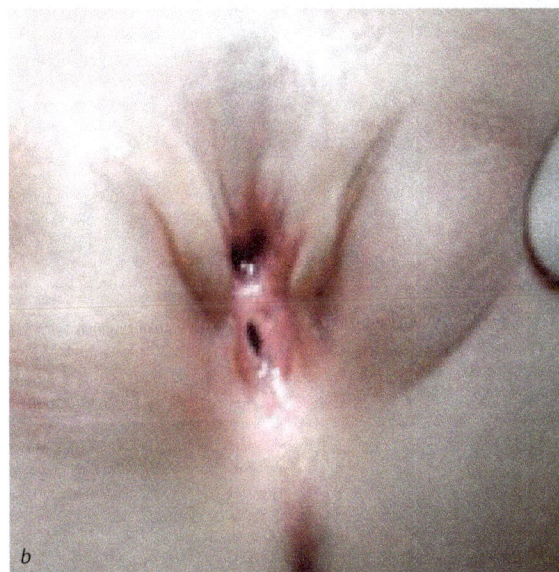

Rycina 24.26. Wierzchniactwo u chłopca (*a*) i u dziewczynki (*b*).

moczowo-odbytowej – dochodzi do wynicowania ste-ku. Późniejsza perforacja błony stekowej, w jej środko-wej części, powoduje wynicowanie pęcherza. Pęknię-cie obwodowej części błony stekowej jest przyczyną wierzchniactwa.

Obraz kliniczny

Obraz kliniczny zależy od postaci wady, co ilustrują ryciny 24.24, 24.25 i 24.26. Wynicowaniu steku często towarzyszą wady nerek i narządu rodnego, wady kręgosłupa i cewy nerwowej oraz wady kończyn dolnych. W przypadku wynicowanego pęcherza obecność wad dodatkowych jest znacznie mniejsza, a u dzieci z wierzchniactwem występują spora-dycznie.

Metody diagnostyczne

Wszystkie postacie zespołu są widoczne u noworod-ka, nawet wierzchniactwo u dziewczynki, ale jego rozpoznanie wymaga dokładnego obejrzenia sromu.

W diagnostyce noworodka konieczna jest ocena stanu górnych dróg moczowych (USG, urografia lub badanie izotopowe nerek). Należy zwrócić uwagę na współistnienie dodatkowych wad, szczególnie u dziec-ka z wynicowaniem steku.

Różnicowanie

Charakterystyczny wygląd wszystkich postaci zespo-łu pozwala jednoznacznie ustalić rozpoznanie w oparciu o badanie fizykalne.

Leczenie

Leczenie jest operacyjne, ale czas i rodzaj zabiegu za-leżą od postaci wady. Obecnie odstępuje się od zamy-kania wynicowanego pęcherza w pierwszych dobach życia, odraczając operację o kilka tygodni i łącząc ją zawsze z osteotomią kości miednicy. Rekonstrukcję zewnętrznych narządów płciowych oraz szyi pęche-rza wykonuje się później, w zależności od warunków anatomicznych.

Powikłania

Istnieje duże ryzyko występowania nawrotowych ZUM, pojawienia się kamicy pęcherza moczowego czy rozwoju przewlekłej niewydolności nerek. U chłopców po rekonstrukcji cewki i prącia częste są zapalenia najądrza. Zła czynność pęcherza i zastój w górnych drogach moczowych może być przyczyną konieczności wykonania stałego nadpęcherzowego odprowadzenia moczu.

Rokowanie

Wyniki operacji rekonstrukcyjnych zależą od warun-ków anatomicznych i stanu czynnościowego dróg

moczowych. Uzyskanie suchości jest możliwe, cho-ciaż często wymaga wprowadzenia przerywanego cewnikowania, powiększenia pęcherza moczowego czy stałego nadpęcherzowego odprowadzenia moczu.

24.2.6
Zaburzenia różnicowania płci

Charakteryzują się nieprawidłową budową zewnętrz-nych i/lub wewnętrznych narządów płciowych wywołaną zaburzeniami kariotypu (np. mieszana dysgenezja gonad, obojnactwo prawdziwe), niepra-widłowym wydzielaniem i działaniem hormonów jądra płodowego (np. niedobór hormonu antymüllerow-skiego, niedobór androgenów, niedobór 5α-reduktazy, brak wrażliwości tkankowej na androgeny) lub andro-genizacją płodu żeńskiego (np. wrodzony przerost nadnerczy – WPN). Stopień zaburzeń jest różny, od całkowitej niezgodności pomiędzy genotypem a feno-typem, do niewielkich nieprawidłowości, których wyrazem jest nieprawidłowe dojrzewanie i niepłod-ność.

We wszystkich postaciach zaburzeń różnicowania płci narządy płciowe zewnętrzne mogą być w różnym stopniu zwirylizowane. Wstępne różnicowanie opie-ra się na obecności lub braku wyczuwalnych gonad. We wszystkich przypadkach należy oznaczyć kario-typ i wykluczyć WPN. Dalszą diagnostykę endokry-nologiczną i urologiczną (poszukiwanie elementów płci przeciwnej) należy prowadzić w wyspecjalizowa-nym ośrodku, w którym także powinna być podjęta decyzja o przynależności płciowej dziecka. Dzieci z WPN i kariotypem 46,XX powinny pozostać płci żeńskiej bez względu na stopień wirylizacji. Dokład-ny opis WPN znajduje się w rozdz. 17 „Choroby ukła-du wydzielania wewnętrznego".

Leczenie chirurgiczne obejmuje rekonstrukcję ze-wnętrznych narządów płciowych zgodnie z ustaloną płcią dziecka oraz usunięcie elementów płci przeciw-nej. Listwę płciową i dysgenetyczne jądro brzuszne należy wyciąć ze względu na duże ryzyko nowotwo-rzenia (gonadoblastoma).

Wynik rekonstrukcji zewnętrznych narządów płciowych nie powinien budzić wątpliwości co do przynależności płciowej dziecka. W wielu przypad-kach po rekonstrukcji w kierunku żeńskim konieczna jest dodatkowa operacja poszerzająca wejście do po-chwy, wykonywana zwykle ok. 17. rż. Obecność jajnika oraz jajowodu z macicą i pochwą stwarza potencjalne szanse na płodność, co dotyczy przede wszystkim pacjentek z WPN.

Obecność jądra nie zapewnia płodności. Chłopcy w większości są niepłodni, ale mają wzwody. Niektórzy mogą wymagać operacji ginekomastii. Proteza jądra powinna być implantowana po zakończeniu wzrostu pokwitaniowego. Niskorosłość u pacjentów z mieszaną dysgenezją gonad jest wskazaniem do leczenia hormonem wzrostu.

24.2.7

Spodziectwo

łac. *hypospadiasis*
ang. hypospadias

Definicja
Wada wrodzona cewki polegająca na nieprawidłowym położeniu ujścia cewki moczowej. Zależnie od lokalizacji ujścia cewki, przy wyprostowanym prąciu, wyróżnia się spodziectwo żołędziowe i rowkowe (tzw. przednie – 65% przypadków), prąciowe (tzw. środkowe – 20%) oraz mosznowe i kroczowe (tzw. tylne – 15%). Przygięcie prącia z rozszczepieniem napletka, ale zachowanym ujściem cewki moczowej na szczycie żołędzi nazywa się „spodziectwem bez spodziectwa".

Epidemiologia
Występuje u 1 : 250 żywo urodzonych chłopców.

Etiologia i patogeneza
Spodziectwo wynika z zaburzenia zamykania płytki cewkowej i/lub rekanalizacji żołędzi, czego następstwem jest położenie ujścia cewki na powierzchni brzusznej prącia, a w skrajnych przypadkach nawet pomiędzy fałdami rozszczepionej moszny lub na kroczu. Najczęściej towarzyszy mu rozszczepienie napletka z jego niedorozwojem po stronie brzusznej i nadmiarem po stronie grzbietowej prącia oraz różnego stopnia przygięcie prącia. Jeżeli spodziectwu towarzyszy wnętrostwo, to zawsze należy podejrzewać obecność struktur müllerowskich (15% przy wyczuwalnych jądrach i 50% przy jądrach niewyczuwalnych). Prawdopodobieństwo zaburzenia różnicowania płci jest tym większe, im bardziej zaawansowana postać spodziectwa.

Obraz kliniczny
Prącie zwykle jest przygięte, z rozszczepionym napletkiem i jego nadmiarem po stronie grzbietowej. Ujście cewki moczowej położone na brzusznej po-

wierzchni prącia lub pomiędzy fałdami rozszczepionej moszny, a w skrajnych przypadkach na kroczu.

Metody diagnostyczne
Badanie przedmiotowe jest podstawą rozpoznania. W przypadku wnętrostwa konieczna jest ocena ultrasonograficzna gonad, a jądra brzuszne wymagają przeprowadzenia diagnostyki endokrynologicznej.

Leczenie
W leczeniu najważniejsze jest wyprostowanie prącia, a następnie odtworzenie brakującego odcinka cewki moczowej z plastyką żołędzi i skóry napletka. W zależności od rodzaju spodziectwa stosuje się techniki etapowej rekonstrukcji lub operacje jednoetapowe. Wybór metody należy do chirurga, ale powinien być przedyskutowany z rodzicami. Efekty kosmetyczne zabiegów naprawczych oceniane pozytywnie przez chirurga często są niezadowalające dla rodziców i pacjentów.

Powikłania
Najczęstszym powikłaniem jest przetoka cewkowo-skórna. Prawdopodobieństwo jej powstania zależy przede wszystkim od rodzaju spodziectwa, ale także od zastosowanej techniki operacyjnej. Przetoka niemal zawsze wymaga operacyjnego zamknięcia, co powinno być wykonane mniej więcej po roku od pierwotnej operacji.

Drugie co do częstości występowania powikłanie stanowi zwężenie cewki moczowej. Występuje ono zwykle w miejscu zespolenia wytwarzanej cewki z cewką własną pacjenta, ale może też być następstwem obecności włosów i tworzenia się kamieni w zrekonstruowanej cewce. Przetrwałe zwężenie cewki może doprowadzić do rozwoju pęcherza przeszkodowego z zastojem w górnych drogach moczowych lub odpływami wstecznymi.

Sposób postępowania zależy od rodzaju zwężenia, od endoskopowego rozcięcia zwężenia do całkowitego wycięcia zwężonego odcinka cewki i ponownej rekonstrukcji z użyciem śluzówki przedsionka jamy ustnej.

Rokowanie
Rokowanie co do zachowania prawidłowych funkcji płciowych jest na ogół korzystne.

24.3 *Marcin Roszkowski*
NEUROCHIRURGIA DZIECIĘCA

Chirurgia układu nerwowego wieku wczesnodziecięcego jest wąskim zakresem działalności neurochirurga dotyczącym w głównej mierze operacji naprawczych wad wrodzonych. Rzadziej spotykane są w tym okresie patologie nowotworowe czy naczyniowe, które również mają zazwyczaj charakter wrodzony.

Do najczęstszych patologii wrodzonych układu nerwowego wymagających leczenia chirurgicznego zalicza się wady rozszczepowe i wodogłowie oraz anomalie prowadzące do jego powstania.

24.3.1
Wodogłowie
łac. *hydrocephalia*
ang. hydrocephalus

Definicja
Stan patologiczny, w którym zaburzenie równowagi między wytwarzaniem a wchłanianiem płynu mózgowo-rdzeniowego doprowadza do poszerzenia wewnątrzczaszkowych przestrzeni płynowych, przede wszystkim układu komorowego mózgu.

Epidemiologia
Wodogłowie nie może być uważane za odrębną jednostkę chorobową, ani za jednolity zespół kliniczny. Występuje jako izolowana patologia mózgu lub jako jeden z objawów w różnych chorobach ośrodkowego układu nerwowego. Bogactwo form wodogłowia sprawia, że dane epidemiologiczne są fragmentaryczne i różnią się istotnie w zależności od źródła. Wodogłowie wrodzone występuje w 0,9–1,5 przypadków na 1000 urodzeń. Częstość występowania wrodzonego wodogłowia u noworodków z rozszczepami kręgosłupa jest oceniana na 0,32–0,52 na 1000 żywych urodzeń. Zapadalność na wodogłowie towarzyszące przepuklinom oponowo-rdzeniowym sięga 1,3–2,9 przypadków na 1000 porodów. U większości niemowląt urodzonych przedwcześnie wodogłowie jest następstwem krwawień komorowych. Według szwedzkich danych epidemiologicznych 26% chorych z wodogłowiem rozpoznanym w wieku noworodkowym i niemowlęcym umiera przed ukończeniem 2. rż.

Etiologia i patogeneza
Hipotetycznie wodogłowie może powstać w jednym z 3 mechanizmów:

- niedrożność (obturacja) dróg płynowych,
- nadprodukcja płynu mózgowo-rdzeniowego,
- upośledzenie odpływu krwi żylnej z jamy czaszki.

Wodogłowie spowodowane zaburzeniami drożności dróg płynowych, czyli **wodogłowie obturacyjne**, wynika z obecności przeszkody utrudniającej przepływ płynu m.-r. Wskutek zakłócenia jego transferu do miejsca wchłaniania w prawie każdym przypadku wodogłowia istnieje deficyt absorpcji płynu m.-r. Dla celów klinicznych defekt ten można podzielić na 2 grupy:

- zmiany chorobowe wywołujące niedrożność układu komorowego mózgu – prowadzą do powstania wodogłowia niekomunikującego,
- zmiany chorobowe wywołujące niedrożność przestrzeni podpajęczynówkowych – rozwija się wodogłowie komunikujące.

Najczęściej spotykana postać wodogłowia obturacyjnego to **wodogłowie trójkomorowe** wynikające ze zwężenia lub niedrożności wodociągu mózgu (wodociągu Sylwiusza). Jego stenoza spowodowana bywa różnymi wtórnymi procesami patologicznymi (postać nabyta), takimi jak zmiany zapalne, odczyny pokrwotoczne czy nowotwory (ryc. 24.27), ew. wynika z wady rozwojowej (postać pierwotna) (ryc. 24.28).

Przykładem pierwotnej stenozy wodociągu mózgu, której objawy pod postacią trójkomorowego wodogłowia obserwuje się w czasie prenatalnych badań USG u płodów, jest wada wrodzona wodociągu o podłożu genetycznym. Dziedziczenie związane z płcią sprawia, że choroba dotyczy jedynie płodów płci męskiej. Stwierdzenie zaburzeń tego typu legło u podstaw rozwoju wewnątrzmacicznego leczenia wodogłowia poprzez wytwarzanie połączeń komór mózgu płodu z jamą owodni.

Typowe przyczyny wodogłowia obturacyjnego spowodowanego niedrożnością otworu pośrodkowego i otworów bocznych komory IV stanowią guz tylnej jamy czaszki i zrosty pozapalne będące następstwem neuroinfekcji, blokujące wypływ płynu m.-r. z komór mózgu. Innym przykładem jest wodogłowie w zespole Dandy'ego–Walkera (ryc. 24.29). Na zespół ten składają się: wodogłowie, torbiel tylnego dołu czaszki i niedorozwój (dysgenezja) dolnego robaka móżdżku. W wielu przypadkach towarzyszą mu inne wady OUN, najczęściej struktur linii środkowej mózgu

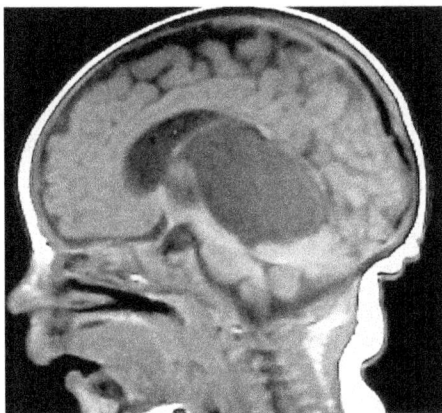

Rycina 24.27. Obraz MRI T1, zwężenie wodociągu mózgu spowodowane przez wrodzoną torbiel pajęczynówki zbiornika blaszki czworaczej.

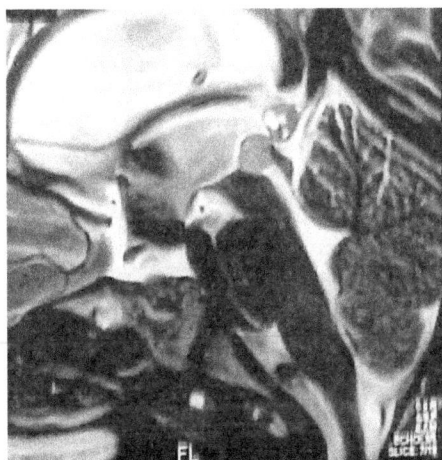

Rycina 24.28. Obraz MRI T2, masa łagodnego nowotworu (strzałka) zamykająca ujście wodociągu.

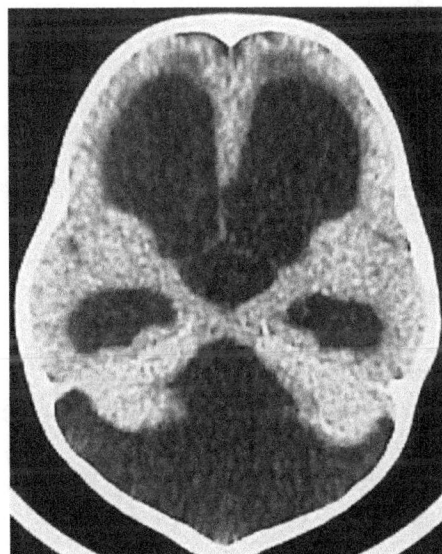

Rycina 24.29. Obraz CT, zespół Dandy'ego–Walkera. Wodogłowie nadnamiotowe z hipoplazją robaka i półkul móżdżku oraz torbielą tylnej jamy czaszki.

(np. niedorozwój ciała modzelowatego), oraz wady innych narządów w zakresie układów kostnego, oddechowego, pokarmowego i moczowo-płciowego.

W wyniku zablokowania przepływu płynu m.-r. na poziomie zbiorników pajęczynówki podstawy mózgu rozwija się **wodogłowie czterokomorowe**. W badaniach obrazowych ten typ wodogłowia wyróżnia się poszerzeniem wszystkich czterech komór, ale przestrzeń podpajęczynówkowa na sklepistości mózgu pozostaje nieposzerzona. W neurochirurgii dziecięcej ze zjawiskiem tym można spotkać się w pokrwotocznym wodogłowiu wcześniaków.

W przypadkach wodogłowia, w których dochodzi do poszerzenia części lub całości układu komorowego mózgu, używa się nazwy **wodogłowie wewnętrzne**. Natomiast zablokowanie lub zarośnięcie kosmków pajęczynówki prowadzące do niewydolności wchłaniania płynu m.-r. do zatok żylnych opony twardej to postać tzw. **wodogłowia zewnętrznego**.

Wodogłowie wrodzone może być spowodowane wrodzonym brakiem lub niedorozwojem kosmków pajęczynówki. W badaniach obrazowych ten typ wodogłowia charakteryzuje się poszerzeniem przestrzeni podpajęczynówkowej na sklepistości mózgu i pewnego stopnia poszerzeniem układu komorowego. Jest to obraz dość często spotykany i w większości przypadków nie wymaga leczenia operacyjnego, ulegając samoistnemu wyrównaniu. Niezbędne jest jednak regularne monitorowanie badaniami USG i obserwacją kliniczną.

Wodogłowie powstawać może również w wyniku przewagi wytwarzania płynu m.-r. nad jego wchłanianiem, co z kolei prowadzi do gromadzenia nadmiaru objętości płynu w jamie czaszki, zwykle w układzie komorowym mózgu. Modelowy przykład stanowi tu nowotwór wrodzony, brodawczak splotu naczyniówkowego (ryc. 24.30), wytwarzający nadmierne objętości płynu m.-r. Brodawczaki są również bezpośrednią przyczyną utrudnienia przepływu płynu m.-r. w układzie komorowym oraz źródłem niewielkich nawracających krwawień, z utrwalonym wzrostem stężenia białka w płynie m.-r., co także wtórnie utrudnia jego absorpcję.

Zaburzenia odpływu żylnego prowadzą do rozwoju wodogłowia u noworodków i niemowląt z wrodzonymi malformacjami naczyniowymi o dużym przepływie (malformacje z grupy tętniaka żyły Galena) czy z wadami wrodzonymi serca, w których występu-

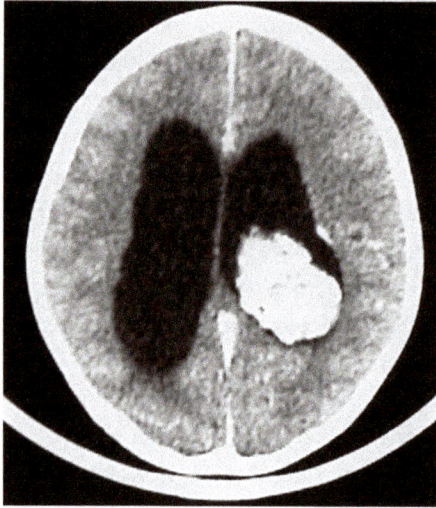

Rycina 24.30. Obraz CT brodawczaka splotu naczyniówkowego trójkąta komory bocznej z towarzyszącym wodogłowiem.

je znaczne podwyższenie ciśnienia w prawym przedsionku serca, a także w wadach podstawy czaszki, głównie w przebiegu achondroplazji i w złożonych kraniostenozach (zespół Crouzona, zespół Pfeiffera). Ten ostatni mechanizm wiąże się z utrudnieniem odpływu krwi żylnej na poziomie opuszki żyły szyjnej wewnętrznej, co prowadzi do przewlekłego nadciśnienia żylnego w jamie czaszki i niewydolności mechanizmów wchłaniania płynu m.-r.

Obraz kliniczny

Niekiedy rozpoznanie wodogłowia jest oczywiste tuż po urodzeniu. Stwierdza się powiększenie obwodu głowy, dysproporcję między częścią mózgową a trzewną czaszki oraz niskie osadzenie oczu i uszu. Powłoki czaszki są cienkie, a układ żył powierzchownych głowy jest wyraźnie poszerzony. Obserwuje się duże, napięte i uwypuklone ciemiączko przednie. Najczęściej żyły powierzchowne i ciemiączkowe nie zapadają się nawet przy dłuższym utrzymywaniu noworodka lub niemowlęcia w pozycji pionowej. Kolejne objawy to rozejście się szwów czaszkowych, niedowłady nerwów odwodzących (n. VI) czy porażenie skojarzonego ruchu gałek ocznych ku górze (objaw zachodzącego słońca). Dodatni jest również tzw. odgłos pękniętego garnka przy opukiwaniu czaszki, czyli objaw Macewena – przy opukiwaniu czaszki na granicy kości skroniowej, ciemieniowej i potylicznej wysłuchuje się różniący się od prawidłowego, dźwięczny odgłos opukowy.

Ukształtowanie głowy może przemawiać za poszczególnymi typami wodogłowia:

- wodogłowie obturacyjne wywołane niedrożnością wodociągu mózgu – powiększenie sklepienia czaszki i rozejście szwów czaszkowych w tej okolicy oraz mały tylny dół czaszkowy,
- wodogłowie komunikujące – równomierne powiększenie czaszki z rozejściem szwów czaszkowych, zarówno w okolicy nad-, jak i podnamiotowej,
- wrodzona niedrożność otworów odpływowych komory IV (Luschki i Magendiego, zespół Dandy'ego–Walkera) – powiększenie rozmiarów tylnego dołu czaszkowego.

Dzieci starsze z zamkniętymi szwami czaszkowymi prezentują zespół wzmożonego ciśnienia śródczaszkowego pod postacią uporczywych nudności i wymiotów (szczególnie porannych), bólów głowy oraz obrzęku tarcz nerwów wzrokowych. Często tym objawom towarzyszą zaburzenia zachowania i senność, a w przypadkach przewlekłych także regres rozwoju. Stwierdzenie powyższych dolegliwości powinno skłaniać do jak najszybszego wykonania badań diagnostycznych i kontaktu z neurochirurgiem. Nieleczone, aktywne wodogłowie prowadzi do nieodwracalnych zmian w zakresie mózgu, prowadząc w przewlekłych stanach do jego zaniku i znaczącego upośledzenia funkcji, a w przypadkach ostrych dochodzi do przemieszczeń fragmentów mózgowia w obręb naturalnych otworów, tzw. wgłobień. Stan ten jest bezpośrednim zagrożeniem życia dziecka wymagającym natychmiastowej interwencji.

Metody diagnostyczne

Celem badań neuroradiologicznych jest ocena stopnia poszerzenia układu komorowego i jego charakteru (wodogłowie ostre czy przewlekłe) oraz lokalizacja przeszkody w krążeniu płynu m.-r. i określenie jej przyczyny.

Wielkość wodogłowia szacuje się na podstawie pomiarów dokonywanych standardowo w przekroju osiowym na wysokości otworów Monro (otwory międzykomorowe). W praktyce najczęściej wykonywanymi i porównywanymi w kolejnych badaniach pomiarami są wskaźnik Evansa i szerokość przedniej części komory III. Wskaźnik Evansa określa stosunek szerokości między najbardziej zewnętrznymi zarysami rogów czołowych komór bocznych a największym wymiarem poprzecznym czaszki mierzonym między blaszkami wewnętrznymi kości. Jego wartość > 0,3 świadczy o poszerzeniu komór bocznych.

Istotne jest, aby w kolejnych kontrolnych badaniach dokonywać pomiarów zawsze tej samej przestrzeni w tym samym przekroju.

Analiza przestrzenna układu komorowego, przestrzeni podpajęczynówkowej i współistniejących kolekcji płynowych umożliwia często precyzyjne określenie miejsca przeszkody w krążeniu płynu m.-r. Morfologiczna ocena mózgowia dostarcza dodatkowych informacji o towarzyszących zmianach w ośrodkowym układzie nerwowym, które mogą być przyczyną wodogłowia. Podstawowymi metodami obrazowania wykorzystywanymi w ocenie wodogłowia i w monitorowaniu jego leczenia są przezciemiączkowe badania ultrasonograficzne, tomografia komputerowa i rezonans magnetyczny (ryc. 24.31).

USG przezciemiączkowe pozwala na bezpośrednią ocenę struktur mózgowia przez otwarte ciemię. Jest metodą szybką, powtarzalną, łatwo dostępną i nieobciążającą dziecka. Jest to metoda niezastąpiona w diagnostyce patologii wieku noworodkowego, szczególnie w grupie wcześniaków. Jeśli jego wynik nie przynosi rozstrzygnięcia diagnostycznego, powinno się wykonać TK lub MR.

Tomografia komputerowa umożliwia dokładną ocenę układu komorowego i tkanek mózgu, a w wielu przypadkach również na ustalenie przyczyny wo-

dogłowia. Jest to obecnie szeroko stosowana metoda w rozpoznawaniu i monitorowaniu wodogłowia u wszystkich chorych po zarośnięciu ciemiączka oraz u niemowląt w przypadku wątpliwości diagnostycznych. Jej wady stanowią konieczność stosowania znieczulenia i promieniowanie X, ograniczające powtarzalność badania.

Rezonans magnetyczny w diagnostyce wodogłowia wykorzystuje się głównie w przypadku trudności diagnostycznych. Jest on szczególnie przydatny w ocenie struktur tylnej jamy czaszki, zwłaszcza okolicy pokrywy śródmózgowia. Stosuje się go także w diagnostyce guzów mózgu, w celu określenia ich dokładnej lokalizacji przed planowanym zabiegiem operacyjnym. Aparaty MR wyposażone są w opcję „kina" pozwalającą na ustalenie kierunku i prędkości przepływu płynu m.-r. przez wodociąg. MR nie jest stosowany rutynowo w monitorowaniu wodogłowia.

Leczenie

Nie każde poszerzenie komór mózgu (wentrikulomegalia) wymaga leczenia operacyjnego. Wodogłowie należy leczyć chirurgicznie jedynie wtedy, gdy stwierdza się postępujący, aktywny proces chorobowy. O ile w przypadkach ostrego wodogłowia u dzieci starszych, młodzieży i dorosłych konieczność leczenia operacyjnego nie budzi wątpliwości, to wskazania operacyjne u małych niemowląt są często trudne do ustalenia, choć nadmierne przyrosty obwodu głowy i objawy wzmożonego ciśnienia wewnątrzczaszkowego zwykle wystarczą. W trudnych diagnostycznie

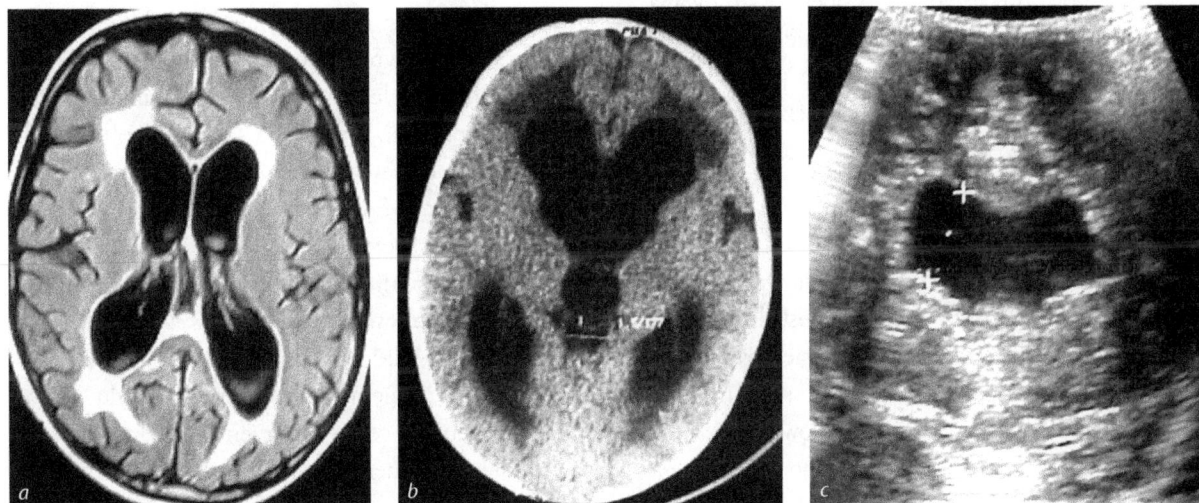

Rycina 24.31. Obraz ostrego wodogłowia w badaniu MRI (*a*), CT (*b*) i USG przezciemiączkowym (*c*).

przypadkach pomocne mogą być cechy radiologiczne poszerzenia komór mózgu, takie jak obrzęk przykomorowy istoty białej mózgu, wygładzenie bruzd kory mózgu czy poszerzenie i zaokrąglenie rogów przednich i skroniowych komór bocznych.

1 Leczenie farmakologiczne

Pozwala jedynie na przejściowe złagodzenie objawów nadciśnienia wewnątrzczaszkowego w okresie oczekiwania na operację. Stosowane zwykle środki hiperosmotyczne (mannitol), leki moczopędne (furosemid), inhibitory anhydrazy węglanowej (acetazolamid) czy glikokortykosteroidy pozwalają na chwilowe ograniczenie produkcji płynu m.-r. lub zmniejszenie objętości mózgowia. Nie ma środków zwiększających wchłanianie płynu m.-r.

2 Leczenie operacyjne

Kontrolę wodogłowia można osiągnąć przez:

- usunięcie przyczyny – udrożnienie anatomicznych dróg płynowych poprzez usunięcie przeszkód (leczenie przyczynowe) jest możliwe w przypadkach wodogłowia towarzyszącego guzom mózgu i niektórym wadom wrodzonym,
- implantację układu zastawkowego odprowadzającego płyn m.-r. poza jamę czaszki – najczęściej stosowany sposób leczenia wodogłowia, w którym wykorzystuje się zastawkowe drenaże płynu z jamy czaszki do różnych okolic ciała, zwykle do jamy otrzewnej; metoda przydatna przede wszystkim u tych chorych, u których nie można usunąć przyczyny wodogłowia,
- wykonanie zabiegu endoskopowego, najczęściej wentrikulostomii komory III – operacja stosowana przede wszystkim w wodogłowiu niekomunikującym (obturacyjnym), gdy leczenie przyczynowe nie jest możliwe lub ma być odroczone; typowe wskazanie stanowi wodogłowie trójkomorowe w przebiegu zwężenia wodociągu mózgu.

◣ Powikłania

Najczęściej stosowana metoda leczenia wodogłowia, czyli drenaż zastawkowy, obarczony jest dużą liczbą powikłań. U 40% chorych stwierdza się objawy dysfunkcji zastawki w pierwszych 2 latach po jej implantacji. Generalnie powikłania zastawkowego leczenia wodogłowia dotyczą ponad połowy chorych, ale częstość ich występowania zależy od wieku pacjenta. Niedrożności w 1. roku po implantacji są znacznie częstsze u dzieci < 6. mż. (35–47%) niż u pozostałych (14%). Częstość występowania zakażeń zastawkowych ocenia się na od 2 do 39% operacji, ze średnią mieszczącą się zwykle między 5 a 10%. Jednak w grupie noworodków i niemowląt wartość ta osiąga zwykle > 30%.

Powikłania mogą występować w trybie ostrym, zwykle z burzliwymi objawami wymagającymi pilnej interwencji chirurgicznej, lub przewlekłym. Stąd wynika konieczność regularnych kontroli stanu klinicznego i badań obrazowych wykonywanych początkowo raz w roku, a później, przy sprawnym działaniu sytemu zastawkowego, co 3 lata.

◣ Rokowanie

Przyjmuje się, że ok. 60% chorych z wodogłowiem prowadzi samodzielne życie. Najgorsze wyniki obserwuje się u dzieci po przebytych neuroinfekcjach i krwawieniach komorowych. W tej grupie stwierdza się 30–40% przypadków ciężkiego kalectwa. Ogólnie większość dzieci kończy szkoły powszechne (63%) lub szkoły specjalne (21%).

24.3.2

Otwarte wady dysraficzne cewy nerwowej

łac. *spina bifida aperta*
ang. open neural tube defects

◣ Definicja

Termin *spina bifida aperta* odnosi się do otwartych wad cewy nerwowej w obrębie kręgosłupa. Zamiennie używa się również określenia *spina bifida cystica*, ponieważ stałym elementem tej anomalii jest obecność torbieli płynowych. Nazwa *spina bifida occulta* oznacza z kolei wrodzone wady cewy nerwowej kręgosłupa obecne, ale niewidoczne, w chwili urodzenia. Wady dysraficzne kręgosłupa to pojęcie obejmujące wszystkie wady cewy nerwowej tego obszaru, otwarte i zamknięte (ryc. 24.32).

Najczęściej spotykaną wadą typu otwartego, widoczną bezpośrednio po urodzeniu, jest **przepuklina oponowo-rdzeniowa** (*myelomeningocele*). W chorobie tej rozwinięte właściwie opony twarda i miękka zrośnięte są z brzegiem nieprawidłowej tkanki nerwowej, wykazującej cechy zaburzeń architektoniki i glejozy. Elementy nerwowe (rdzeń kręgowy, niekiedy z korzeniami) widoczne w obrębie przepukliny otacza obszar nadmiernie rozwiniętej sieci naczyniowej.

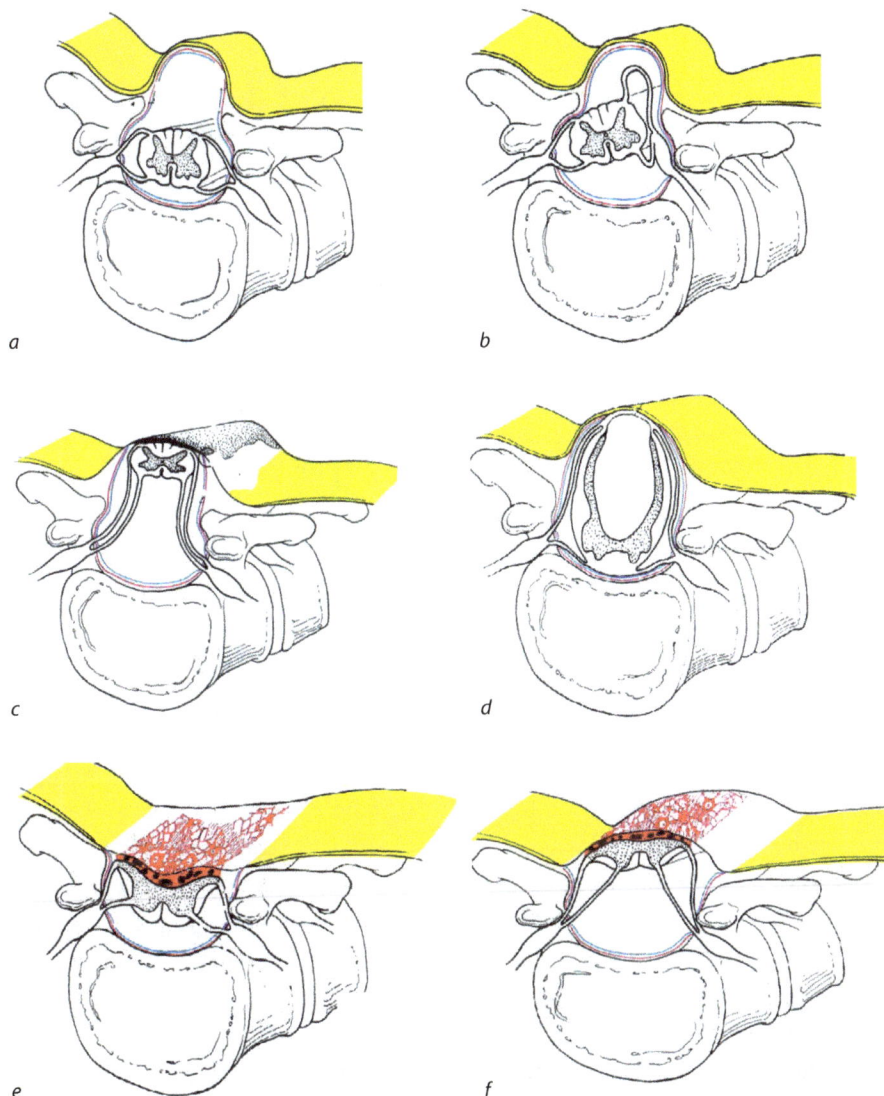

Rycina 24.32. Otwarte wady dysraficzne rdzenia i łuków kręgów: (*a, b*) proste meningocele – przepuklina oponowa; (*c, d*) meningomyelocele – przepuklina oponowo-rdzeniowa; (*e, f*) myeloschisis – rozszczep rdzenia.

Kompleks ten nosi nazwę płytki neuralnej (neural plate) i odpowiada tkance nerwowej w miejscu, w którym doszło do zamknięcia pierwotnej cewy nerwowej. W końcu dogłowowym zmiany płytka neuralna przechodzi z reguły w prawidłowo rozwinięty rdzeń kręgowy.

Przepuklina oponowa (*meningocele*) to otwarta, torbielowata zmiana uwypuklająca się przez ubytek w tylnej ścianie kanału kręgowego. W jej skład wchodzą opona twarda i pajęczynówka zawierająca płyn m.-r. Jama torbieli komunikuje się bezpośrednio z przestrzenią podpajęczynówkową rdzenia kręgowego, który jest prawidłowy i nie stanowi elementu

wady. Przepuklinie oponowej, tak jak oponowo-rdzeniowej, towarzyszy rozszczep łuków tylnych kręgów na zajętym odcinku.

Rozszczep rdzenia kręgowego (*myeloschisis*) to wada stanowiąca w zasadzie odpowiednik przepukliny oponowo-rdzeniowej, ale z reguły dotycząca znacznego obszaru. Stwierdza się brak wyraźnego zrostu opon i płytki neuralnej na jej brzegach. Różnicowanie pomiędzy *meningomyelocele* a *myeloschisis* przeprowadza się wyłącznie na podstawie rozległości wady i ciężkości towarzyszącego jej deficytu neurologicznego – w rozszczepie rdzenia kręgowego obraz jest zwykle poważniejszy.

Epidemiologia

Badania epidemiologiczne wskazują na zróżnicowaną geograficznie częstość występowania wad cewy nerwowej i zmniejszającą się liczbę rejestrowanych przypadków w ostatnich dziesięcioleciach w krajach rozwiniętych. Częstość występowania wszystkich wad cewy nerwowej wynosi 0,6 : 1000, w tym rozszczepów kręgosłupa 0,43 : 1000 noworodków. Wady mogą występować na różnych poziomach rdzenia kręgowego (tab. 24.2).

Defekty cewy nerwowej są zasadniczym czynnikiem zwiększającym śmiertelność (ok. 28% spośród żywo urodzonych noworodków z otwartą wadą cewy nerwowej) oraz główną przyczyną porażeń i niedowładów kończyn dolnych w populacji dziecięcej.

Etiologia i patogeneza

Badania epidemiologiczne wskazują na możliwe przyczyny wad cewy nerwowej. Zauważalna jest różnica w częstości ich występowania w poszczególnych obszarach geograficznych, z najwyższą wśród rasy kaukaskiej. Stwierdzono również, że odmienne warunki środowiskowe wynikające z migracji ludności zmieniają częstość występowania wad cewy nerwowej, co wskazuje na ścisły związek z warunkami życia i odżywiania, a ogólnie z oddziaływaniami środowiskowymi.

Dwa znane czynniki mają niewątpliwie związek z częstością pojawiania się wad cewy nerwowej. Pierwszy to hipertermia wywołana chorobami infekcyjnymi we wczesnym okresie ciąży. Drugi, którego wpływ na powstanie wady udowodniono w sposób niezaprzeczalny badaniami populacyjnymi, to niedobór kwasu foliowego. Wykazano 70% redukcję ryzyka powstania wady u kolejnych dzieci matek stosujących suplementację wysokimi dawkami kwasu foliowego w ciąży potencjalnie zagrożonej, które urodziły uprzednio dziecko z wadą rozszczepową.

Badania genetyczne pozwalają na wyróżnienie dwóch postaci wad cewy nerwowej: zależnych od niedoboru kwasu foliowego (neural tube defect – folate sensitive) oraz niezależnych od kwasu foliowego (neural tube defect – folate resistant). Wykazano, iż wady rozszczepowe nie są związane z pierwotnym niedoborem w pożywieniu kwasu foliowego, lecz z defektem metabolicznym u matek, który może być korygowany przez podawanie odpowiednio wysokich dawek tego związku. Krytyczne ogniwo stanowi droga przemian homocysteiny w metioninę. Potwierdza-

ją to wysokie stężenia homocysteiny stwierdzane u kobiet ciężarnych z rozpoznaną wadą cewy nerwowej płodu. W defekcie tym dochodzi do zaburzenia funkcji jednego z enzymów odpowiedzialnych za metabolizm homocysteiny (methylenetetrahydrofolate reductase, MTHFR). Za zmniejszenie jego aktywności (tzw. wariant termolabilny MTHFR) odpowiada polimorfizm genu zlokalizowanego w chromosomie 1 (1p36.3). Wynikiem tego jest wysokie stężenie homocysteiny, które można obniżyć przez suplementację kwasem foliowym. Badania wskazują na 7-krotnie wyższe ryzyko wystąpienia wady u matek obciążonych powyższym defektem metabolicznym.

Zaleca się stosowanie kwasu foliowego w dawce 0,4 mg dziennie przez wszystkie kobiety mogące zostać matkami. Oczekiwanym efektem tego postępowania ma być redukcja częstości występowania wad cewy nerwowej w populacji o 50%. Inne działania profilaktyczne to zmiany nawyków żywieniowych ze stosowaniem produktów bogatych w kwas foliowy lub wzbogacanie pożywienia (mąka w USA) w syntetyczny kwas foliowy.

Pomimo udokumentowania wpływu powyższych czynników na częstość występowania wad cewy nerwowej sam mechanizm ich powstawania nie został poznany. Znajomość etapów rozwoju zarodka i płodu pozwala na ustalenie dokładnego czasu, w którym dochodzi do wytworzenia się otwartego defektu. Zamykanie cewy nerwowej rozpoczyna się w jej części środkowej w 22.–23. dniu życia płodowego. Niepeł-

Tabela 24.2. Rozkład częstości występowania otwartych wad cewy nerwowej w zależności od poziomu

POZIOM WADY	PROCENT
Szyjny	4
Piersiowy	7
Piersiowo-lędźwiowy	11
Lędźwiowy	40
Piersiowo-lędźwiowo-krzyżowy	2
Lędźwiowo-krzyżowy	26
Krzyżowy	10

ne zamknięcie dwóch neuroporów w końcu dogłowowym lub ogonowym zarodka prowadzi do powstania otwartych anomalii między 23. a 30. dniem życia płodowego. Z tego względu żadne czynniki teratogenne działające po tym okresie nie mogą mieć wpływu na powstanie wad rozszczepowych.

Obraz kliniczny

Obserwowany w ostatnich 2 dekadach spadek częstości występowania wad cewy nerwowej w krajach rozwiniętych wynika przede wszystkim z poprawy zdrowotności i warunków bytowych kobiet w okresie rozrodczym oraz stosowania metod skriningowych pozwalających na wczesne wykrycie wady i przerwanie ciąży. Wczesną diagnostyką prenatalną powinny być objęte wszystkie kobiety, które były w ciąży z wykrytą wadą cewy nerwowej płodu bądź urodziły dziecko z taką malformacją. Ryzyko urodzenia kolejnego dziecka z wadą rozszczepową kręgosłupa wynosi ok. 4% (8%, włączając wodogłowie i bezmózgowie).

Obecnie w diagnostyce prenatalnej zastosowanie znajdują 2 metody przesiewowe: badanie surowicy krwi matki w kierunku α-fetoproteiny i ultrasonografia płodu. Otwarta wada cewy nerwowej płodu między 5. a 9. tc. umożliwia przenikanie α-fetoproteiny bezpośrednio z płynu mózgowo-rdzeniowego do płynu owodniowego i poprzez łożysko do krwi matki, w której osiąga maksymalne stężenie ok. 14. tc. Badanie surowicy krwi matki zalecane jest w 16. tc., gdyż w tym okresie istnieje możliwość wykrycia 75% otwartych wad rozszczepowych. Jeśli wynik badania połączy się z wczesnym badaniem USG płodu, współczynnik ten wzrasta do 90%.

Po potwierdzeniu obecności otwartej wady cewy nerwowej należy zaplanować dalsze postępowanie wraz z rodzicami. Wymagane są seryjne badania USG płodu z oceną dojrzałości układu oddechowego i rozwiązanie drogą cięcia cesarskiego, gdy ta dojrzałość zostanie osiągnięta, co z reguły ma miejsce przed powstaniem czynnego wodogłowia.

Doniesienia ostatnich lat, oparte na założeniach teoretycznych oraz badaniach na zwierzętach, zwracają uwagę na fakt, iż odsłonięta płytka nerwowa będąca fragmentem rdzenia kręgowego, nie jest najprawdopodobniej całkowicie funkcjonalnie uszkodzona w momencie wykształcania się wady. Elementy nerwowe ulegają wtórnemu zniszczeniu w dalszym życiu płodowym. Uszkodzenie powstaje w wyniku bezpośrednich urazów nieosłoniętej tkan-

ki nerwowej i toksycznego wpływu wód płodowych zawierających wydalane produkty metabolizmu. Dlatego w ostatnich latach zaczęto wykonywanie interwencji wewnątrzmacicznych zamykania otwartych przepuklin w 22.–25. tc. Zabiegi te prowadzi się drogą otwartą lub endoskopową. Dodatkowym celem takiego postępowania, poza próbą zachowania teoretycznie istniejącej jeszcze w tym okresie funkcji rdzenia kręgowego, jest zapobieganie powstaniu zespołu Arnolda–Chiariego i jego następstw.

Bezpośrednio po porodzie otwarta wada rozszczepowa jest dobrze widoczna. Wstępne badanie neurologiczne powinno dążyć do szczegółowego określenia stopnia dysfunkcji czynnościowej i strukturalnej, gdyż stanowi podstawę do późniejszej oceny ewentualnego pogorszenia. Szczególnie ważnymi aspektami badania przedmiotowego są pomiary obwodu głowy, ocena reaktywności (płacz i odruch ssania), czynności ruchowe kończyn górnych, czynność zwieraczy pęcherza moczowego i odbytu oraz badanie czucia i stopnia niedowładu w obrębie tułowia i kończyn dolnych. Należy dokładnie ocenić kształt i rozmiar przepukliny. W planowaniu zabiegu operacyjnego istotne są wygląd i rozmiar płytki nerwowej oraz zmiany troficzne otaczającej skóry i tkanek miękkich.

Nieleczone chirurgicznie otwarte wady rozszczepowe prowadzą do 70–80% śmiertelności noworodków. Ten wysoki współczynnik zgonów spowodowany jest głównie poprzez infekcje oponowo-mózgowe i współistniejące wodogłowie.

Metody diagnostyczne

W ocenie klinicznej, klasyfikacji do leczenia operacyjnego i ustaleniu najlepszego czasu wykonania zabiegu naprawczego bierze się pod uwagę następujące cechy wady:

- zawartość worka przepuklinowego – elementy opon, tkanki nerwowej,
- stan powłok skórnych i ew. sączenie płynu m.-r.,
- umiejscowienie przepukliny,
- obecność nieprawidłowych krzywizn kręgosłupa (deformacji kostnych) w miejscu przepukliny lub w jej pobliżu.

Przygotowanie do zabiegu operacyjnego wymaga przeprowadzenia rutynowych przedoperacyjnych badań laboratoryjnych i badań związanych z normalną oceną noworodka. Niezwykle istotne jest wykonanie USG i TK/MR głowy pozwalających na ocenę stopnia poszerzenia układu komorowego mózgu i uwidocznienie towarzyszących patologii wewnątrzczaszkowych. Przedoperacyjne RTG kręgosłupa pomaga w ocenie stopnia deformacji, choć obecnie zaleca się raczej wykonywanie MR całej osi układu nerwowego. Pozwala on na kompleksową ocenę towarzyszących malformacji z grupy ukrytych wad rozszczepowych kręgosłupa, często współwystępujących z widoczną otwartą wadą.

Leczenie

Cele leczenia operacyjnego:

- usunięcie worka przepuklinowego,
- wodoszczelne zamknięcie opon i zabezpieczenie przed infekcją płynowych przestrzeni rdzeniowo-mózgowych,
- zabezpieczenie przed ciasnotą wewnątrzczaszkową i wewnątrzkanałową, której skutkami są wodogłowie i jamistość rdzenia,
- zapobieganie tworzeniu blizny łącznotkankowej, ucisku i wtórnego zakotwiczenia rdzenia z postępującym uszkodzeniem,
- odtworzenie fizjologicznego przepływu płynu m.-r. dzięki zamknięciu warstwowemu,
- usunięcie wad współistniejących, jeżeli jest to możliwe.

Jak wynika z powyższego operacja nie ma na celu przywrócenia prawidłowej funkcji układu nerwowego, lecz zachowanie jego czynności i odtworzenie warstw anatomicznych, co równocześnie zmniejsza ryzyko rozwoju infekcji. Największe szanse na spełnienie tych założeń daje zamknięcie otwartej przepukliny kanału kręgowego w ciągu 48 godzin (72 wg niektórych autorów) po urodzeniu.

Powikłania

Większość powikłań pooperacyjnych związana jest z obecnością współistniejącego z otwartymi wadami rozszczepowymi kręgosłupa u niemal wszystkich pacjentów zespołu Arnolda–Chiariego typu II. W jego skład wchodzą następujące malformacje rozwojowe: mała pojemność tylnej jamy czaszki, niski przyczep namiotu móżdżku oraz wrodzone wklinowanie migdałków móżdżku do kanału kręgowego i ku górze w obręb wcięcia namiotu z wtórnym uciskiem śródmózgowia i wodociągu mózgu. U 95% z tych dzieci występuje poszerzenie komór mózgu, a 85% z nich wymaga implantacji zastawki.

U 25% noworodków z przepuklinami oponowo-rdzeniowymi stwierdza się wodogłowie wrodzone (obecne już w okresie płodowym). U większości chorych wodogłowie jest bezobjawowe do chwili wykonania operacyjnej plastyki przepukliny. Dopiero zamknięcie worka przepuklinowego i zatrzymanie płynotoku powoduje jego uczynnienie (ryc. 24.33).

W pierwszych dniach po zabiegu należy ocenić funkcję układu moczowego i rozpocząć cewnikowanie pęcherza moczowego, by zapobiec rozwojowi infekcji i nie dopuścić do zalegania moczu. Zaledwie od 6 do 17% noworodków z wadami dysraficznymi ma zachowane prawidłowo funkcje zwieraczy. Pozostałe dzieci, jeżeli zostaną pozostawione bez terapii, prezentować będą zespół nietrzymania, a niepełne

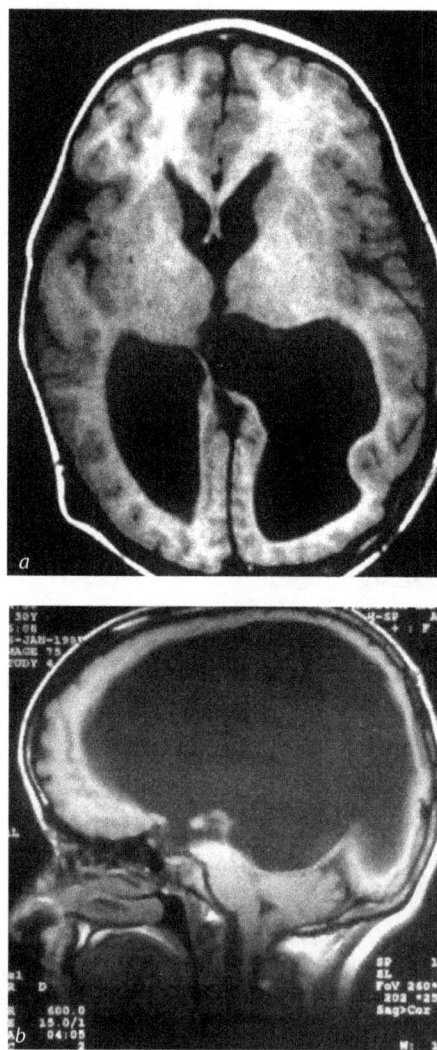

Rycina 24.33. Obraz MRI T1, *a* – przekrój osiowy, *b* – przekrój strzałkowy. Asymetryczne wodogłowie u dziecka operowanego z powodu przepukliny oponowo-rdzeniowej. Wodogłowie dwukomorowe, poszerzenie dotyczy głównie rogów potylicznych. Zwraca uwagę mała tylna jama czaszki.

opróżnianie pęcherza moczowego doprowadzi do nawracających infekcji, refluksu pęcherzowo-moczowodowego, wodonercza i w konsekwencji niewydolności nerek.

▶ Rokowanie

Przy stosowaniu nieselektywnych wskazań do zabiegu operacyjnego ok. 80% chorych przeżywa okres noworodkowy. Z tej grupy 83–92% rozwija wodogłowie wymagające leczenia zastawką. W odległej obserwacji prawie 70% pacjentów osiąga IQ > 80. Opóźnienie rozwoju intelektualnego wynika przede wszystkim z obecności wodogłowia i ogromnej liczby powikłań leczenia zastawkowego.

24.4
Jarosław Czubak

ORTOPEDIA DZIECIĘCA

Urazy są głównym powodem śmierci u dzieci i drugą przyczyną zapaleń infekcyjnych. Złamania stanowią u dzieci jeden z najczęstszych powodów wizyty u lekarza ortopedy. Uszkodzenia narządów ruchu stanowią 15% wszystkich następstw urazów. Rodzaje złamań zmieniają się wraz z wiekiem pacjenta, przy czym uszkodzenia kończyny górnej są częstsze niż kończyny dolnej (tab. 24.3 i 24.4).

Złamania typowe dla dzieci to:

- ■ złamania zielonej gałązki – dotyczą trzonów kości długich i występują dlatego, że odłamy zbitej kości korowej po złamaniu stabilizowane są przez silną okostną,

- ■ złamania nasadowe – złamania końców kości długich, w których jedną z części stanowiących fragment odłamów jest chrząstka nasadowa, czyli element odpowiadający za wzrost kości na długość, np. złamania nasady dalszej kości promieniowej; wyróżnienie tego typu złamań jest związane z następstwami, jakie może w ich wyniku wywołać uszkodzenie chrząstki nasadowej,

- ■ złamania awulsyjne – urazy nasad kości występujące wyłącznie wtedy, gdy chrząstki nasadowe są niezarośnięte, dotyczą niedojrzałych kości, np. złamanie awulsyjne kolca biodrowego przedniego dolnego.

Pozostałe złamania przypominają te, które występują u dorosłych. Jednak ich patomechanizm, zakres przemieszczeń odłamów i wyniki leczenia są istotnie lepsze od stwierdzanych u chorych dorosłych.

Tabela 24.3. Częstość występowania rodzajów złamań u dzieci w zależności od wieku

TYP ZŁAMANIA	WIEK 0,5–5 LAT (%)	WIEK 6–12 LAT (%)
Złamania „zielonej gałązki"	15	47
Złamania nasadowe	2	14
Złamania trzonów poprzeczne	6,5	10
Złamania trzonów skośne, spiralne	7	3
Złamania awulsyjne	0,5	1,5

Tabela 24.4. Częstość występowania złamań w zależności od lokalizacji u dzieci

LOKALIZACJA ZŁAMANIA	%
Dystalny koniec kości promieniowej	36
Dystalny koniec kości promieniowej i łokciowej	15
Ręka i nadgarstek	7
Dalszy koniec kości ramiennej	7
Stopa	6,5
Trzony kości promieniowej i łokciowej	6,3
Obojczyk	4,5
Kość piszczelowa i strzałkowa	4
Staw skokowy	3,6
Bliższy koniec kości promieniowej	1,5
Bliższy koniec kości ramiennej	1,2
Trzon kości udowej	1

W minionych latach obowiązywał pogląd, że większość złamań u dzieci należy leczyć nieoperacyjnie. Trend ten uległ zmianie w ciągu ostatnich dwóch dekad wraz ze wzrostem oczekiwań dotyczących szybkiego powrotu chorych do pełnej funkcji i normalnego życia po urazach. W latach 80. grupa Metazaeu rozpoczęła stosowanie śródszpikowych zespoleń elastycznych u chorych ze złamaniami trzonów kości udowej i piszczelowej, trzonów kości przedramienia i kości ramiennej. Taki sposób postępowania skrócił lub wyeliminował konieczność zewnętrznego unieruchomienia opatrunkiem gipsowym, wprowadził możliwość szybkiego usprawniania/chodzenia oraz zmniejszył ryzyko rozwoju powikłań wczesnych i późnych.

24.4.1
Budowa kości rosnącej

Kości w okresie dzieciństwa i dorastania charakteryzują się odmienną budową w porównaniu z kośćmi dorosłych, co ma istotny wpływ zarówno na gojenie różnych złamań, jak i na sposoby leczenia. W kościach długich u dzieci występują następujące części: trzon (*diaphysis*), przynasady (*metaphysis*), chrząstki nasadowe (*physis*) i nasady (*epiphysis*).

Cechą najbardziej typową dla kości rosnącej jest jej potencjał do przebudowy po złamaniu i przemieszczeniu. Zdolność ta zależy od lokalizacji złamania i wieku, jaki pozostał do zakończenia wzrostu. Największe zdolności do przebudowy występują w obrębie końców kości długich (przynasady, chrząstki nasadowe i nasady). Choć ich trzony również mają zdolność do przebudowy, głównie dzięki funkcjonowaniu prawa Wolffa–Delpecha oraz wspomnianych już elementów końców stawowych. Na wzrost kości mają ponadto wpływ takie czynniki, jak działanie mięśni odpowiadających za kształt kości, siła grawitacji i funkcjonowanie OUN.

24.4.2
Złamania dystalnych końców kości promieniowej i łokciowej

Definicja
Złamania dystalnych końców kości promieniowej i łokciowej to grupa obejmująca złamania nasadowe, przynasady, zgnieceniowe, zielonej gałązki i wyrostka rylcowatego kości łokciowej. Złamania nasadowe nazywane bywają też złuszczeniem nasad i w różny sposób obejmują uszkodzenia chrząstki nasadowej. Stopień uszkodzenia obrazuje podział Saltera–Harrisa, który ma też znaczenie rokownicze. Złamania nasadowe dotyczą przynasad kości przedramienia.

Epidemiologia
Złamania kości przedramienia stanowią ok. 40% wszystkich złamań u dzieci, a złamania dystalnych końców są najczęstsze spośród tych złamań. Stwierdza się pewną sezonowość występowania powyższych urazów, nasilenie występuje w okresie letnim.

Etiologia i patogeneza
Mechanizm złamania to najczęściej upadek na wyprostowaną rękę. W ponad 90% przypadków złamanie występuje z mechanizmu wyprostnego. Zwykle jest to związane z uprawianiem sportu (jazda na rowerze, piłka nożna).

Obraz kliniczny
Obraz kliniczny jest charakterystyczny. Występuje dość silny ból i wrażliwość bezpośrednio powyżej miejsca złamania, a także ograniczenie ruchów przedramienia, nadgarstka i ręki. Zniekształcenie zależy od stopnia przemieszczenia odłamów, w dużych przemieszczeniach przypomina odwrócony widelec. Niezależnie od stopnia deformacji przed rozpoczęciem leczenia kończyna wymaga dokładnego badania. Najistotniejsze jest badanie obecności tętna i funkcji nerwów. Należy również zwrócić uwagę na okolicę łokcia w poszukiwaniu ewentualnych dodatkowych uszkodzeń.

Metody diagnostyczne
Zdjęcia RTG w 2 projekcjach – przednio-tylnej i bocznej (ryc. 24.34).

Leczenie
W leczeniu złamań dystalnych końców kości przedramienia obowiązują następujące opcje:

- nastawienie zamknięte i unieruchomienie w opatrunku gipsowym,
- nastawienie zamknięte, stabilizacja drutami Kirschnera i unieruchomienie,
- nastawienie otwarte, stabilizacja drutami Kirschnera i unieruchomienie.

Złamania nieprzemieszczone nie wymagają nastawienia. Unieruchomienie w opatrunku gipsowym ramiennym stosuje się w zależności od typu złamania i wieku przez okres od 3 do 6 tygodni.

Powikłania
Powikłania tych złamań są stosunkowo rzadkie. Możliwy jest wadliwy zrost czy jego brak powikłany dodatkowo infekcją. Inne rzadkie powikłanie to pourazowy zespół cieśni kanału nadgarstka.

Rokowanie
Rokowanie jest dobre, choć w przypadku powikłań należy pamiętać, że dystalne chrząstki nasadowe odpowiadają w 75–80% za wzrost kości przedramienia na długość.

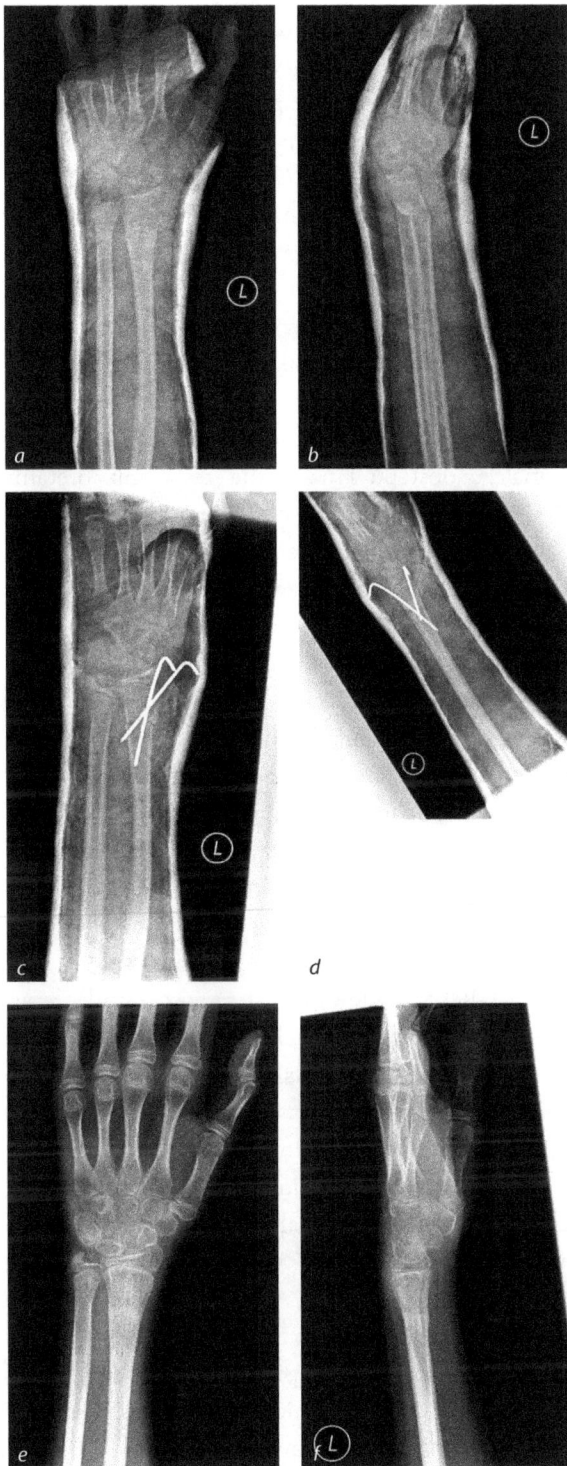

Rycina 24.34. Złamanie końca dalszego przedramienia: (a, b) obraz radiologiczny złamania; (c, d) w trakcie leczenia; (e, f) po leczeniu.

24.4.3
Złamania trzonów kości przedramienia

Definicja
Złamania trzonów kości przedramienia stanowią jedną z najczęstszych przyczyn konieczności pomocy ortopedycznej u dzieci po urazach. Z uwagi na różnice w leczeniu i rokowaniu zostały one wyróżnione spośród pozostałych złamań kości przedramienia. Występują w postaci złamań zielonej gałązki, urazowego zagięcia i złamań z przemieszczeniem.

Epidemiologia
Częstość występowania tych złamań ocenia się na 6–10% wszystkich złamań u dzieci. Ryzyko takiego urazu rośnie do 11.–12. rż., a następnie istotnie maleje. U dzieci starszych ten typ uszkodzenia występuje dwukrotnie częściej u chłopców.

Etiologia i patogeneza
Mechanizm złamań trzonów kości przedramienia to najczęściej uraz pośredni, upadek na wyprostowaną kończynę. Siła urazu wywołuje proporcjonalne następstwa. Rzadko do złamań trzonów dochodzi z urazu bezpośredniego.

Obraz kliniczny
Objawy kliniczne są typowe: ból i zniekształcenie obrysów przedramienia. Przy małych przemieszczeniach w złamaniach zielonej gałązki stwierdza się początkowo ograniczony ruch pronacji i supinacji, który wraz z upływem czasu zanika. Charakterystyczne jest zniekształcenie przedramienia proporcjonalne do stopnia przemieszczenia.

Metody diagnostyczne
Ostateczne rozpoznanie ustala się na podstawie badania radiologicznego, które należy wykonać w projekcji przednio-tylnej i bocznej (ryc. 24.35).

Do złamania może dojść w $^1/_3$ bliższej, środkowej lub dalszej. Każdy z tych urazów wymaga innego ustawienia przedramienia po repozycji. **Złamanie Monteggii** to złamanie $^1/_3$ bliższej trzonu kości łokciowej ze zwichnięciem w stawie ramienno-promieniowym, a **złamanie Galeazziego** to złamanie $^1/_3$ dalszej kości promieniowej ze zwichnięciem kości łokciowej w nadgarstku. Dlatego na zdjęciach radiologicznych zawsze należy uwidocznić całe przedramię wraz z łokciem i nadgarstkiem.

Leczenie
Poglądy na temat leczenia złamań trzonów kości przedramienia zmieniły się w ciągu ostatnich 2 de-

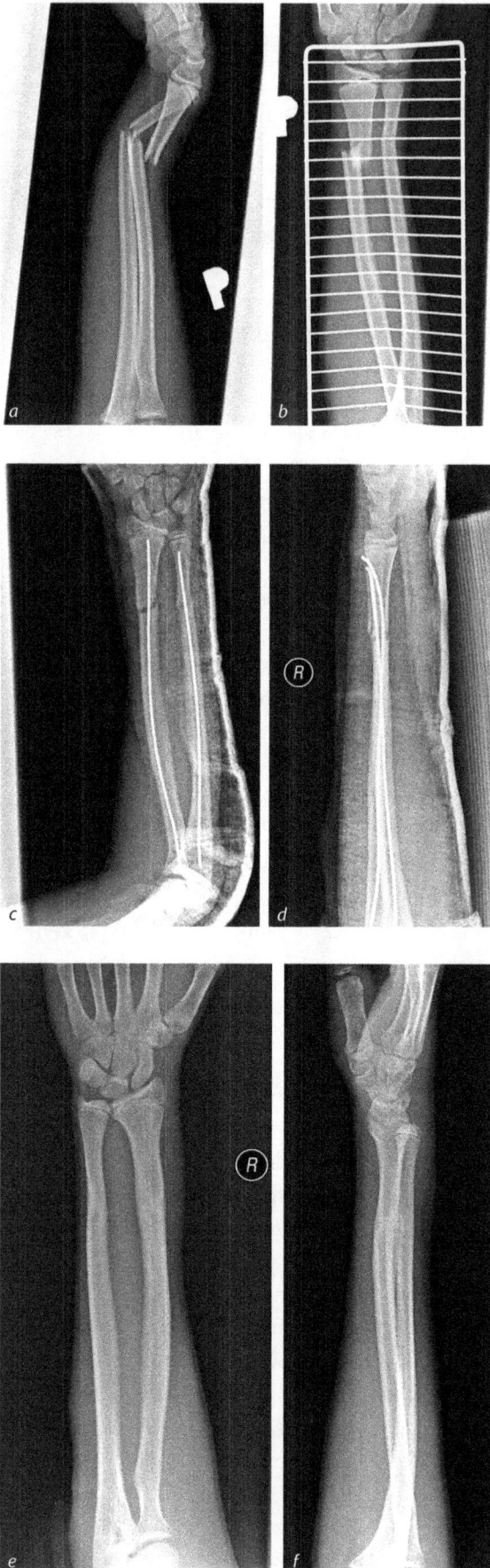

kad. Przyjmuje się, że u dzieci < 3,5–4,5 lat należy wykonać zamkniętą repozycję w znieczuleniu i następnie unieruchomienie gipsowe w odpowiednim ustawieniu w zależności od lokalizacji złamania ($^1/_3$ bliższa odwrócenie, $^1/_3$ środkowa pośrednio, $^1/_3$ dalsza nawrócenie). Potem stosuje się dopasowany gips ramienny przez okres 6–8 tygodni. U pozostałych pacjentów leczeniem z wyboru jest zamknięta repozycja odłamów i zespolenie ich za pomocą elastycznych prętów śródszpikowych metodą Metazaeu i Lascombe'a. Brak możliwości nastawienia metodą zamkniętą wymaga wykonania otwartej repozycji z małego dostępu i następnie zespolenia prętami śródszpikowymi. Ten sposób leczenia jest małoinwazyjny, a jednocześnie znosi niedogodności związane z przedłużającym się czasem stosowania unieruchomienia opatrunkiem gipsowym oraz istotnie zmniejsza ryzyko rozwoju powikłań.

Powikłania

Najczęstsze powikłania to zrost w wadliwym ustawieniu i ponowne złamanie. Powikłaniami, które mogą doprowadzić do nieodwracalnego upośledzenia funkcji przedramienia są zrost krzyżowy i infekcja.

Najcięższe powikłanie, które może wystąpić w czasie leczenia złamań kości przedramienia stanowi zespół ciasnoty podpowięziowej (compartment syndrome). Rekomendowane jest przyjęcie do leczenia szpitalnego każdego dziecka, u którego wykonano zamkniętą repozycję odłamów i unieruchomiono kończynę w opatrunku gipsowym. Chory taki wymaga ścisłej kontroli, szczególnie w czasie 3–4 godzin po repozycji. Kontrola obejmuje stan ogólny (ból), ukrwienie i ruchomość palców oraz ew. ocenę tętna na tętnicy promieniowej.

Rokowanie

Poprawne nastawienie lub zastosowanie zespoleń elastycznymi prętami śródszpikowymi wydatnie poprawiło rokowanie, szczególnie w zakresie zmniejszenia częstości występowania powikłań.

Rycina 24.35. Złamanie trzonów obu kości przedramienia: (*a, b*) obraz radiologiczny złamania; (*c, d*) po zespoleniu TEN; (*e, f*) po leczeniu.

24.4.4

Złamania obojczyka

Definicja

Złamania obojczyka są częste, co wynika z faktu, że leży on tuż pod skórą i większość sił występujących w czasie upadku na kończynę górną zostaje przeniesiona na tułów właśnie przez tę kość.

Epidemiologia

Złamania obojczyka stanowią ok. 90% wszystkich złamań okołoporodowych i 8–15% wszystkich złamań u dzieci w późniejszym okresie.

Etiologia i patogeneza

Do złamań w czasie porodu dochodzi częściej u dużych płodów (> 4000 g) oraz wtedy, gdy do zakończenia porodu konieczne jest wykonywanie manewrów położniczych. Jednak większość tych złamań występuje w czasie porodów nieskomplikowanych i należy je traktować jako niepożądane, ale czasem nieuniknione następstwo porodu naturalnego.

U starszych dzieci do złamania dochodzi w wyniku urazu pośredniego, najczęściej upadku na ramię, lub bezpośredniego, gdy siła urazu działa na położoną pod skórą kość.

Obraz kliniczny

Pośrednim objawem złamania obojczyka u noworodka jest rzekomo porażenne ustawienie kończyny, tak jak przy porażeniu splotu ramiennego. Dziecko nie wykazuje spontanicznej czynności kończyny górnej. Bezpośrednio stwierdza się trzeszczenie odłamów, które nieraz bywa bardzo subtelne. Po 7–10 dniach pojawia się zgrubienie obojczyka, będące efektem powstawania nowej kostniny w miejscu złamania.

U dzieci starszych objawy są klasyczne – umiarkowany lub lekki ból w miejscu złamania oraz ograniczenie ruchów kończyny. W złamaniach z dużym przemieszczeniem dochodzi do znacznego zniekształcenia obrysu barku, czasem z wystawaniem fragmentów kości tuż pod skórą.

Metody diagnostyczne

Rozpoznanie ustala się na podstawie badania klinicznego i RTG (A-P lub tzw. zdjęcie osiowe) (ryc. 24.36).

Leczenie

Na szczęście pomimo tego, że obojczyka nie da się unieruchomić, złamania tej kości goją się niezwykle dobrze, z minimalną liczbą powikłań. U noworodków pozostawienie kończyny w spokoju pozwala na wygojenie złamania w ciągu kilkunastu dni. U dzieci

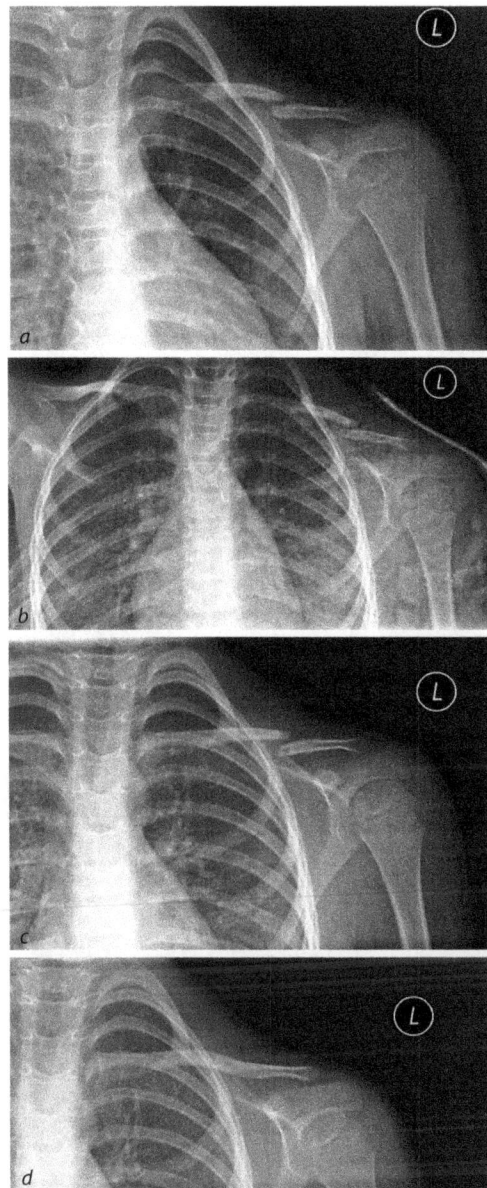

Rycina 24.36. Złamanie obojczyka: (a, b) obraz radiologiczny złamania; (c) po zdjęciu unieruchomienia gipsowego; (d) po 6 mies.

starszych najczęściej stosuje się podwieszki, opatrunki „ósemkowe". Opatrunki Dessaulta są obecnie niepolecane.

Wskazania do leczenia operacyjnego złamań obojczyka występują rzadko. Dotyczą złamań otwartych, współwystępującego uszkodzenia struktur naczyniowych lub nerwowych, a także urazu wielomiejscowego.

Powikłania

Brak zrostu (bardzo rzadko).

Rokowanie

Złamanie to rokuje dobrze.

24.4.5
Złamania nadkłykciowe kości ramiennej

Epidemiologia

Drugie co do częstości występowania złamanie w obrębie kończyny górnej i najczęstsze w łokciu. Najwięcej przypadków notuje się między 5. a 7. rż. z przewagą u chłopców.

Etiologia i patogeneza

Złamanie występuje w dwóch typach:

- wyprostny (90% złamań nadkłyciowych) – skutek upadku na kończynę górną z łokciem ustawionym w wyproście lub przeproście,
- zgięciowy (10%) – konsekwencja upadku na zgięty łokieć.

Obraz kliniczny

Objawy kliniczne to pogrubienie i bolesność okolicy łokcia u dziecka po upadku.

Metody diagnostyczne

Ostateczne rozpoznanie pozwala ustalić zdjęcie radiologiczne. Najistotniejsza jest projekcja boczna, która umożliwia ocenę stopnia przemieszczenia wg klasyfikacji Gartlanda:

- typ I – złamanie bez przemieszczenia (ryc. 24.37),
- typ II – złamanie z lekkim przemieszczeniem i zachowaniem tylnej warstwy korowej (ryc. 24.38),
- typ III – złamanie z całkowitym przemieszczeniem i przerwaniem tylnej warstwy korowej (ryc. 24.39).

Leczenie

Leczenie złamania nadkłykciowego polega na repozycji (w znieczuleniu z kontrolnym RTG):

- w typie I najczęściej przez zwykłe zgięcie w stawie łokciowym do kąta 90°,
- w typie II w większości przypadków bez dodatkowej stabilizacji drutami Kirschnera,

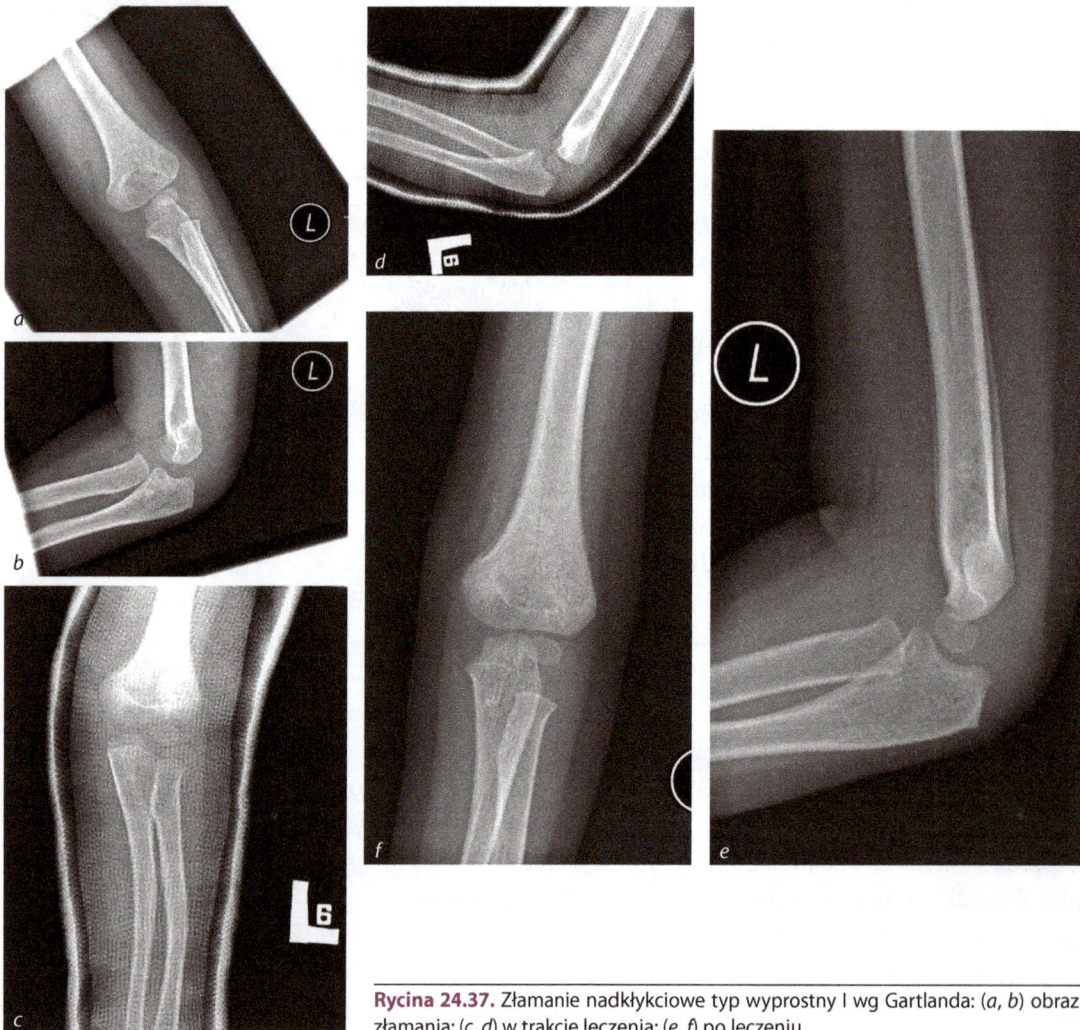

Rycina 24.37. Złamanie nadkłykciowe typ wyprostny I wg Gartlanda: (*a, b*) obraz radiologiczny złamania; (*c, d*) w trakcie leczenia; (*e, f*) po leczeniu.

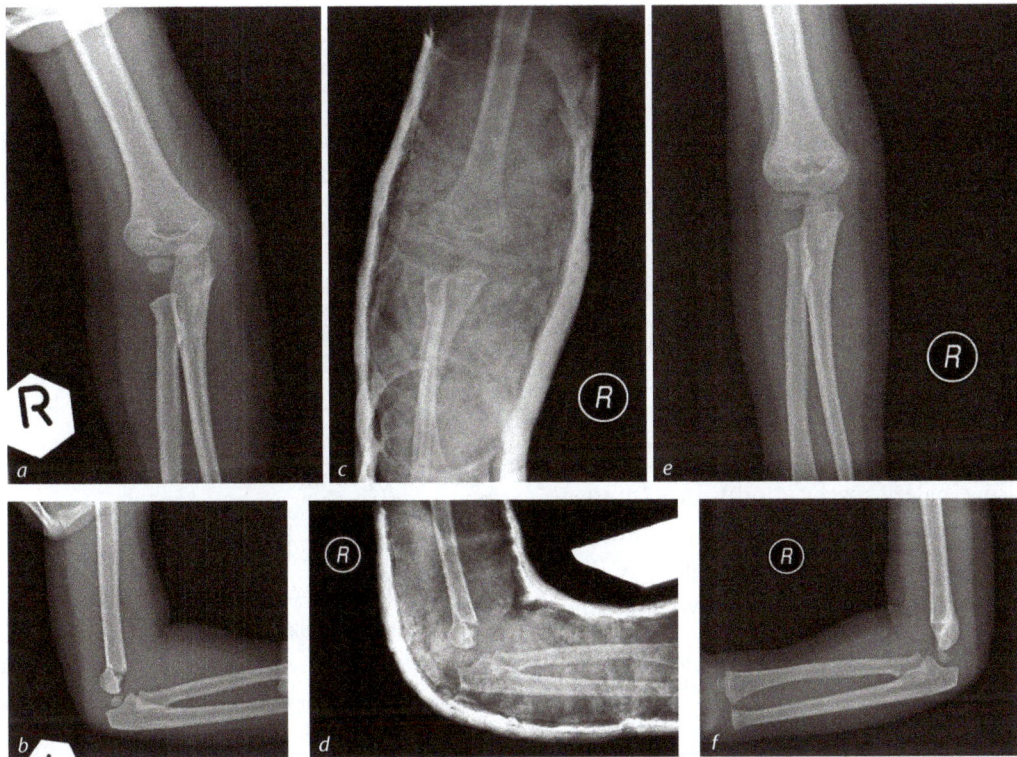

Rycina 24.38. Złamanie nadkłykciowe typ wyprostny II wg Gartlanda: (*a*, *b*) radiologiczny obraz złamania; (*c*, *d*) w trakcie leczenia; (*e*, *f*) po leczeniu.

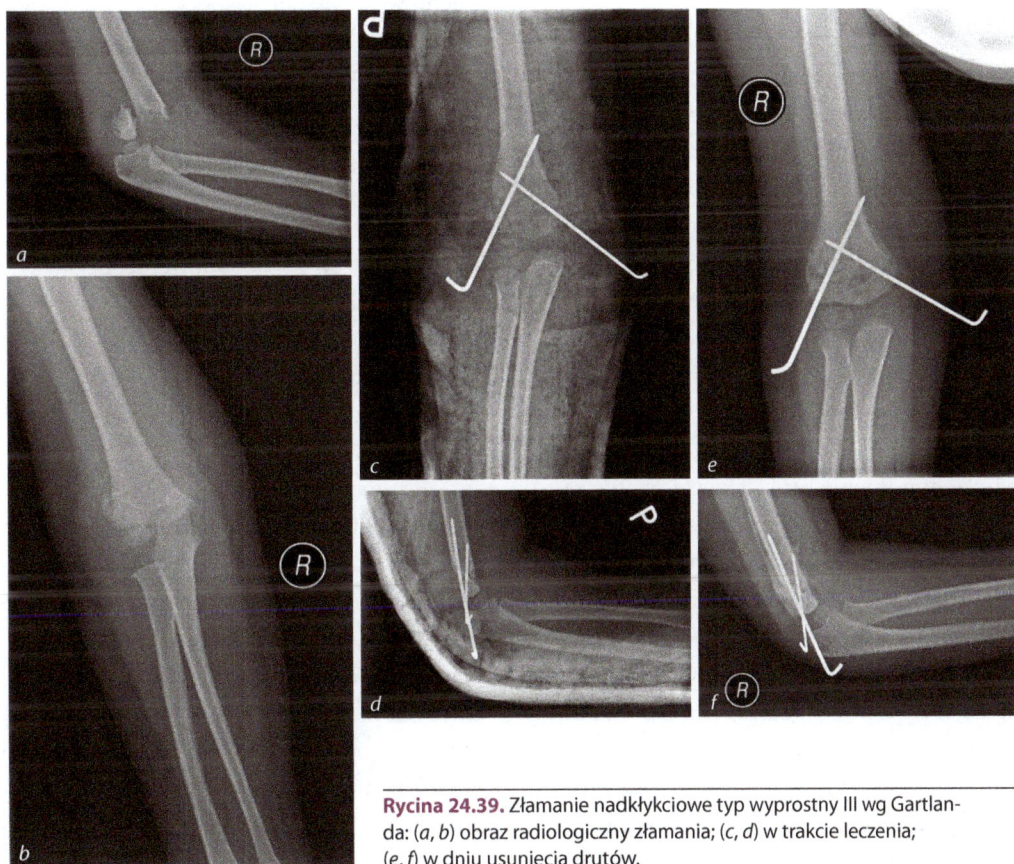

Rycina 24.39. Złamanie nadkłykciowe typ wyprostny III wg Gartlanda: (*a*, *b*) obraz radiologiczny złamania; (*c*, *d*) w trakcie leczenia; (*e*, *f*) w dniu usunięcia drutów.

- w typie III jako zamknięta repozycja, która jest zwykle możliwa, o ile nastawienie wykonujemy w 1. dobie po urazie, następnie kości stabilizuje się 2 lub 3 drutami Kirschnera.

Po repozycji zawsze należy dokładnie ocenić ukrwienie ręki i przedramienia, a następnie założyć opatrunek gipsowy ramienny na 6 tygodni.

Powikłania

Każdy chory po leczeniu złamania nadkłykciowego wymaga hospitalizacji. W przypadku pojawienia się objawów zaburzeń unaczynienia, takich jak brak tętna na tętnicy promieniowej czy zblednięcie lub zasinienie palców, należy rozchylić opatrunek gipsowy i muślinowy. Gdy to nie wystarczy, powinno się zmniejszyć zgięcie lub zdjąć opatrunek gipsowy. Brak poprawy wymaga eksploracji tętnicy ramiennej w dole łokciowym. Wszystko to ma zabezpieczyć chorego przed najcięższymi powikłaniami, którymi są zespół ciasnoty podpowięziowej i przykurcz Volkmanna. W przypadku wystąpienia tego ostatniego konieczna jest fascjotomia.

24.4.6

Złamania trzonu kości ramiennej

Epidemiologia

Złamania trzonu kości ramiennej stanowią ok. 10% złamań tej kości i 2–6% wszystkich złamań u dzieci. Najczęściej występują między 3. a 12. rż.

Etiologia i patogeneza

Do złamań dochodzi najczęściej w wyniku upadku lub bezpośredniego urazu ramienia. Obecnie z uwagi na częsty udział dzieci w sportach ekstremalnych złamania kości ramiennej występują wraz innymi złamaniami wielomiejscowymi w wyniku urazów o dużej energii.

Obraz kliniczny

Objawy to ból, ograniczenie funkcji łokcia i stawu ramiennego oraz zniekształcenie ramienia, w zależności od stopnia przemieszczenia. Często dziecko podtrzymuje ciężar dotkniętej urazem kończyny.

Metody diagnostyczne

Rozpoznanie ustala się na podstawie RTG A-P i bocznego ramienia (ryc. 24.40). Podział złamań trzonu w zależności od lokalizacji ($1/_3$ bliższa, środkowa lub dalsza kości ramiennej) i przemieszczenia (bez przemieszczenia, z niewielkim przemieszczeniem lub całkowicie przemieszczone z odłamem pośrednim).

Leczenie

Kość ramienna nie jest obciążana, w związku z tym nie ma konieczności anatomicznego nastawiania odłamów jak w kończynie dolnej. Opcje leczenia nieoperacyjnego to:

- podwieszka (temblak),
- orteza stabilizująca typu U,
- gips wiszący,
- gips Dessaulta.

Gojenie złamania trzonu kości ramiennej trwa od 6 do 12 tygodni.

Chory może wcześniej zacząć używać kończyny, jeśli zastosuje się leczenie operacyjne z użyciem elastycznych prętów śródszpikowych. Ich wykorzystanie zrewolucjonizowało dotychczasowe poglądy na temat leczenia trzonów kości długich u dzieci. Najistotniejszy walor takiego postępowania to uzyskanie repozycji odłamów i zespolenie bez konieczności otwierania miejsca złamania.

Powikłania

Powikłania, które występują w czasie leczenia złamań trzonu kości ramiennej, to uszkodzenia nerwu promieniowego, zespół ciasnoty podpowięziowej i zaburzenia zrostu kostnego.

24.4.7

Złamania trzonu kości udowej

Definicja

Złamania trzonu kości udowej to ciężkie następstwa urazów o dużej energii prowadzące do dużej niesprawności.

Epidemiologia

Stanowią ok. 2% wszystkich złamań u dzieci. Częściej występują u chłopców.

Etiologia i patogeneza

Do złamań tych dojść może zarówno z mechanizmu pośredniego (np. upadki z wysokości), jak i bezpośredniego. W tym drugim przypadku prawie zawsze występują dodatkowe odłamy pośrednie.

Obraz kliniczny

Chory ze złamaniem trzonu kości udowej nie potrafi wstać i chodzić, skarży się na silny ból. Występują obrzęk i zniekształcenie obrysów uda. Niektórzy poszkodowani tracą dużo krwi i mogą pojawić się objawy wstrząsu hipowolemicznego.

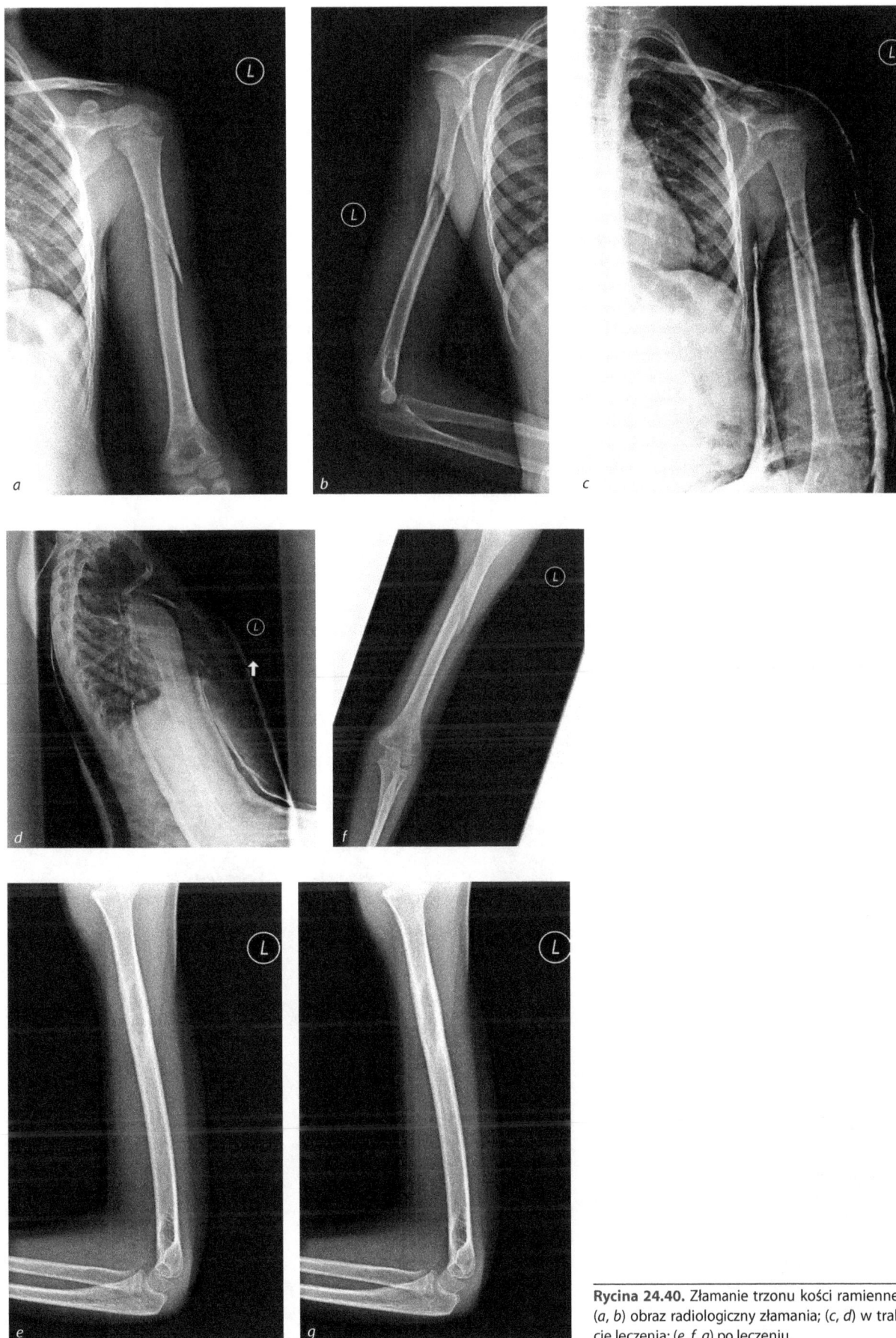

Rycina 24.40. Złamanie trzonu kości ramiennej. (a, b) obraz radiologiczny złamania; (c, d) w trakcie leczenia; (e, f, g) po leczeniu.

Metody diagnostyczne

Podstawą rozpoznania jest RTG, co najmniej A-P i boczne (ryc. 24.41). Złamania trzonu kości udowej dzieli się ze względu na ich lokalizację ($^1/_3$ bliższa, środkowa lub dalsza) i na rodzaj szczeliny złamania (poprzeczne, skośne, spiralne lub wieloodłamowe).

Leczenie

Sposób leczenia złamań trzonu kości udowej zależy od wieku pacjenta. W 1. rż. stosuje się wyciąg ponad głowę i szelki Pavlika. W 2.–4. rż. możliwe jest leczenie nieoperacyjne polegające na nastawieniu w znieczuleniu i unieruchomieniu w opatrunku gipsowym biodrowym. U starszych dzieci wykonuje się zabiegi operacyjne z wykorzystaniem elastycznych prętów śródszpikowych wprowadzanych wstecznie od okolicy nadkłykciowej lub postępująco od okolicy podkrętarzowej. Zaletę takiego postępowania stanowi brak konieczności zakładania zewnętrznego unieruchomienia gipsowego i możliwość szybkiego podjęcia usprawniania. U dzieci tuż przed zakończeniem wzrostu i rozwoju leczenie złamań trzonu kości udowej nie odbiega od prowadzonego u dorosłych i polega na stosowaniu gwoździ śródszpikowych blokowanych. W przypadku ciężkich złamań wieloodłamowych lub złamań otwartych stosuje się stabilizatory zewnętrzne.

Powikłania

Powikłania leczenia złamań trzonu kości udowej to wydłużenie lub skrócenie kończyny, zaburzenia osi w płaszczyźnie czołowej i strzałkowej, zaburzenia rotacyjne, zaburzenia zrostu i infekcje. Należy przyznać, że poprawne postępowanie lekarskie w przypadku nawet skomplikowanych złamań trzonu kości udowej prowadzi zwykle do zrostu kostnego w ciągu od 6 do 10 tygodni.

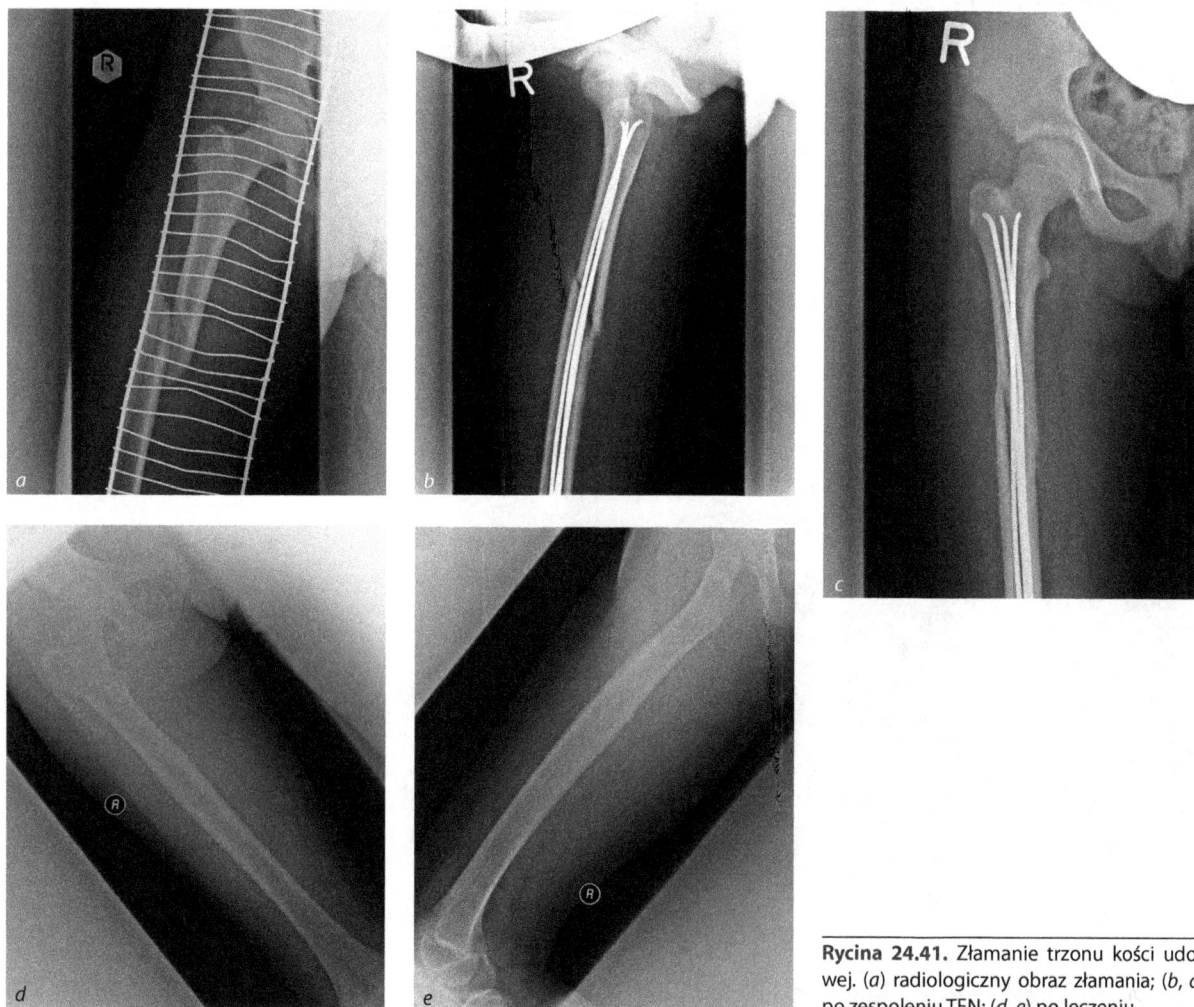

Rycina 24.41. Złamanie trzonu kości udowej. (a) radiologiczny obraz złamania; (b, c) po zespoleniu TEN; (d, e) po leczeniu.

Piśmiennictwo

1. Bacewicz L.: *Wrodzona przepuklina przeponowa* w: *Chirurgia noworodka* (red. P. Kaliciński), Invest Druk, Warszawa 2004.

2. Baka-Ostrowska M.: *Zespół wynicowania i wierzchniactwa* w: *Chirurgia noworodka* (red. P. Kaliciński). Invest Druk, Warszawa 2004.

3. Baka-Ostrowska M.: *Obojnactwo* w: *Chirurgia dziecięca* (red. J. Czernik). Wydawnictwo Lekarskie PZWL, Warszawa 2005.

4. Garne E., Loane M., Wellesley D., Barisic I.: *Congenital hydronephrosis: prenatal diagnosis and epidemiology in Europe*. Journal of Pediatric Urology, 2009, 5 (1): 47–52.

5. Kamiński A.: *Wrodzona niedrożność przełyku.* w: *Chirurgia noworodka* (red. P. Kaliciński), Invest Druk, Warszawa 2004.

6. Okłot K.: *Urazy kostno-stawowe u dzieci.* Wydawnictwo Lekarskie PZWL, Warszawa 2008.

7. Rintoul N.E., Sutton L.N., Hubbard A.M. i wsp.: *A new look at myelomeningoceles: functional level, vertebral level, shunting, and the implications for fetal intervention.* Pediatrics, 2002, 109 (3): 409–413.

8. Roszkowski M.: *Chirurgia układu nerwowego noworodka* w: *Chirurgia noworodka* (red. P. Kaliciński). Invest Druk, Warszawa 2004.

9. Roszkowski M.: *Wodogłowie wieku rozwojowego.* EMU, Warszawa 2000.

POSTĘPOWANIE W STANACH ZAGROŻENIA ŻYCIA U DZIECI | *Małgorzata Manowska*

25.1
STANY ZAGROŻENIA ŻYCIA

Stanem zagrożenia życia określa się czasową niewydolność układów niezbędnych do utrzymywania czynności życiowych:

- układu oddechowego,
- układu krążenia,
- ośrodkowego i obwodowego układu nerwowego,
- układu krwionośnego,
- czynności mięśni.

Bezpośrednią przyczyną zagrożenia życia jest najczęściej niewydolność oddechowo-krążeniowa, prowadząca do niedotlenienia ośrodkowego układu nerwowego i w konsekwencji do nieodwracalnej dysfunkcji mózgu. Skutków tych zmian nie można cofnąć żadnymi metodami leczniczymi i dziecko pozostaje trwale uszkodzone i niezdolne do samodzielnego życia.

Stany zagrożenia życia częściej dotyczą dzieci niż dorosłych, a najczęściej noworodków, wcześniaków i małych niemowląt. Częstość ich występowania maleje z wiekiem i spośród wszystkich takich zdarzeń u dzieci wynosi:

- u dzieci < 1. rż. – 40%,
- u dzieci między 1. a 5. rż. – 30%,
- u dzieci między 6. a 10. rż. – 10%,
- u dzieci między 11. a 15. rż. – 5%,
- u dzieci > 15. rż. – 5%.

Ustalenie przyczyny zagrożenia życia u dziecka wymaga energicznego postępowania i bardzo szybkiej diagnostyki. Prawidłowe rozpoznanie oraz ustalenie właściwego i skutecznego leczenia jest trudne. Wiąże się to z uwzględnieniem specyfiki anatomii i patofizjologii wieku dziecięcego, a także z koniecznością dostosowania leczenia do wieku i masy ciała pacjenta.

Należy podkreślić, że u noworodków i niemowląt niedojrzałość wielu narządów szybko prowadzi do istotnych zaburzeń czynności ustroju, a budowa górnych dróg oddechowych usposabia do niedrożności (tab. 25.1).

Cele doraźnego postępowania u dzieci w stanie zagrożenia życia:

- wstępna stabilizacja stanu pacjenta – kontakt lekarza z pacjentem w stanie ciężkim, określanym jako stan zagrożenia życia, często następuje w atmosferze stresu i chaosu, stąd konieczność poznania i usystematyzowania zasad postępowania w takich sytuacjach (ryc. 25.1),
- szybkie i odpowiednio zorganizowane przeniesienie dziecka na oddział intensywnej terapii (OIT) przez zespół medyczny, który przejmuje opiekę nad pacjentem (ryc. 25.2),
- zasadnicze leczenie z ostateczną diagnostyką – na OIT.

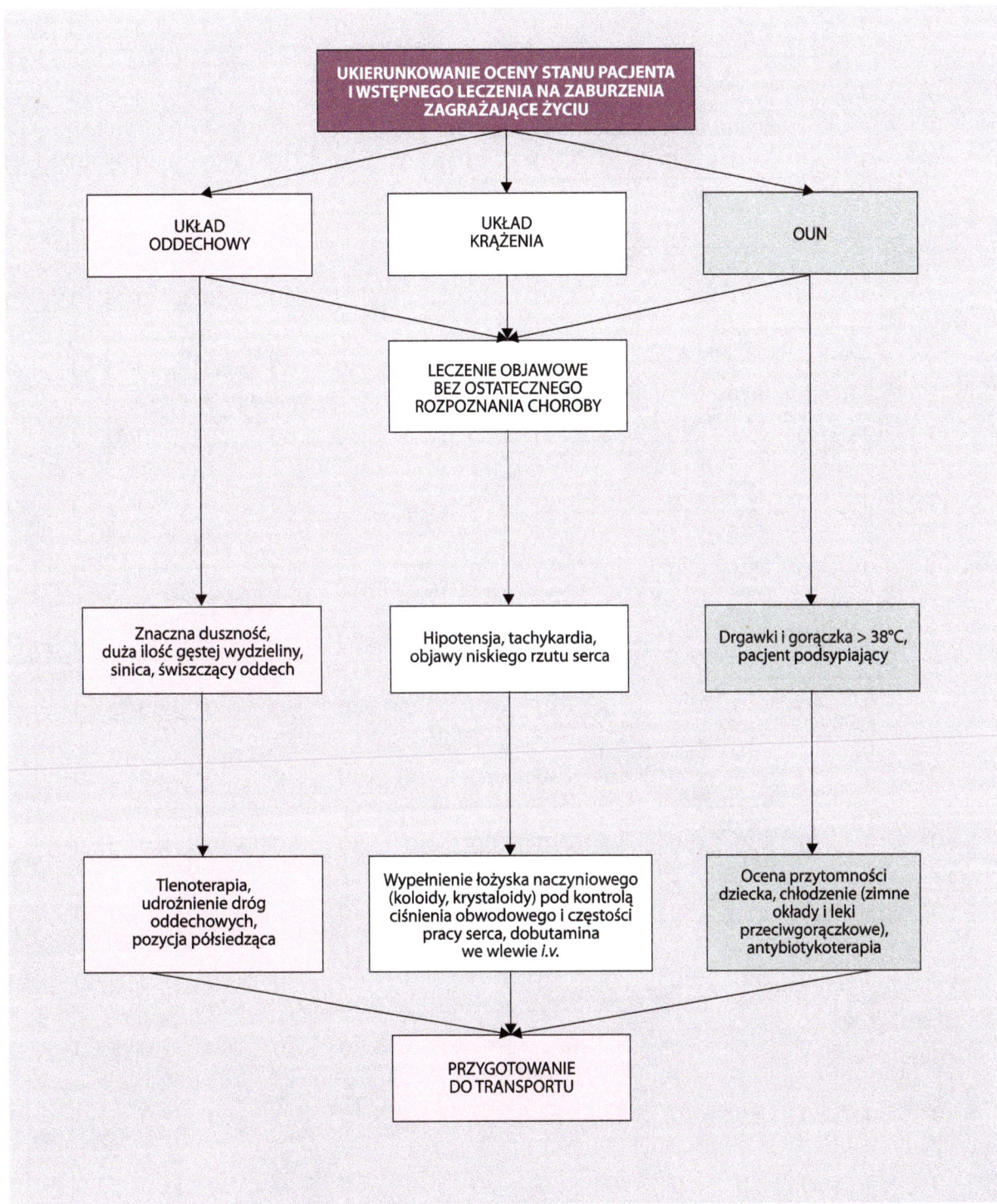

Rycina 25.1. Algorytm wstępnej oceny pacjenta w stanie zagrożenia życia.

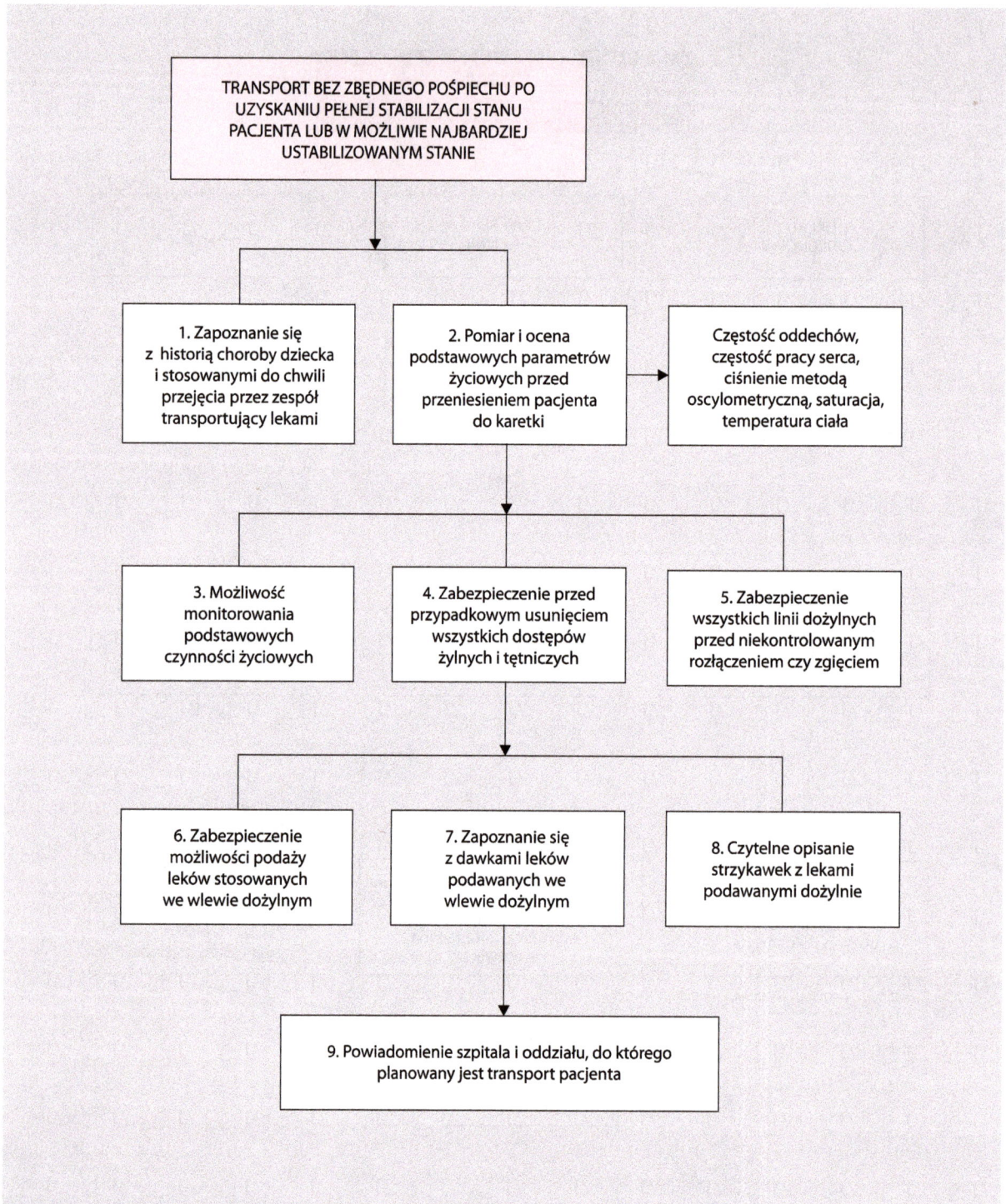

Rycina 25.2. Zasady obowiązujące w trakcie transportu na oddział intensywnej terapii.

Tabela 25.1. Różnice w budowie i funkcji górnych dróg oddechowych u noworodków i małych niemowląt w odniesieniu do dzieci starszych

CECHA NOWORODKÓW I NIEMOWLĄT	SKUTEK
Wąskie i długie nozdrza	Usposabiają do niedrożności, a ponieważ u noworodka jest to fizjologiczna droga oddychania (noworodki oddychają wyłącznie przez nos) mogą pojawić się bezdechy czy zaburzenia oddychania
Duży, cofnięty ku tyłowi język	Usposabia do niedrożności
Wysoko ustawiona krtań	Łatwe blokowanie głośni poprzez nasadę języka
Ostry kąt tworzony przez podstawę języka i szparę głośni	Rurka intubacyjna kieruje się do góry i opiera się na więzadle pierścienno-tarczowym, przebiegającym bardziej skośnie
Długa, wąska i zwisająca nagłośnia	Utrudnia intubację
Fizjologiczne zwężenie podgłośniowe, znajdujące się poniżej strun głosowych, na poziomie chrząstki pierścieniowatej	Predysponuje do zmian obturacyjnych i/lub obrzękowych powodujących kurcz krtani (pojawia się stridor)
Wysoka podatność dróg oddechowych	Sprzyjające warunki dla zapadania się tchawicy i oskrzeli przy blokadzie dróg oddechowych
Niewielka odległość między chrząstką pierścieniowatą a rozwidleniem tchawicy	Ułatwia przedostawanie się śliny i pokarmu do prawego oskrzela, co sprzyja rozwojowi zachłystowego zapalenia płuc
	Ułatwia przemieszczanie się rurki intubacyjnej do prawego oskrzela, co skutkuje wystąpieniem zmian niedodmowych w lewym płucu, a często też rozedmowych w płucu prawym (barotrauma)
Nie w pełni wykształcony odruch kaszlowy	Predysponuje do zachłystywania się dziecka pokarmem czy śliną, a w konsekwencji do zaburzeń oddychania i zachłystowego zapalenia płuc
Nie w pełni rozwinięta termoregulacja	Wyziębienie prowadzi do wtórnych bezdechów i niedotlenienia, a przegrzanie może wywołać drgawki lub zaburzenia rytmu serca (tachykardia pogłębiająca niewydolność krążenia)
Przemiana metaboliczna i zużycie tlenu są dwukrotnie wyższe niż u dzieci starszych i u dorosłych	Łatwiejsze wystąpienie niedotlenienia, a w konsekwencji uszkodzenia OUN
Dysproporcja między powierzchnią a masą ciała	Łatwiejsza utrata ciepła prowadząca do zaburzeń termoregulacji
Niedojrzałość układu immunologicznego	Sprzyja rozwojowi chorób bakteryjnych i wirusowych, znacznie szybciej prowadzi do rozległych procesów zapalnych i zakażeń ustroju ze wstrząsem septycznym włącznie

25.2
ZABIEGI WYKONYWANE W WARUNKACH ODDZIAŁU INTENSYWNEJ TERAPII

25.2.1
Intubacja dotchawicza i ekstubacja

Wskazania do intubacji dotchawiczej:

- ostra niewydolność oddechowa (kryteria intubacji w tekście),
- niewydolność krążenia z objawami niskiego rzutu serca z narastającą kwasicą metaboliczną oraz zastoinowa (np. ostra niewydolność lewokomorowa z obrzękiem płuc),
- niedrożność górnych dróg oddechowych powodująca ostrą niewydolność oddechową,
- prowadzenie reanimacji,
- zamiar prowadzenia przedłużonej wentylacji mechanicznej,
- utrata przytomności i brak odruchów obronnych,
- ryzyko zachłyśnięcia się u chorego nieprzytomnego,
- przygotowanie do operacji i inwazyjnych zabiegów diagnostycznych prowadzonych w znieczuleniu ogólnym z wykorzystaniem leków zwiotczających mięśnie,
- przygotowanie do innych zabiegów leczniczych – np. leczenie stomatologiczne u pacjentów niewspółpracujących lub opóźnionych/upośledzo-

PRZYSTĘPUJĄC
DO INTUBACJI

Sprawdź
potrzebny sprzęt

Dobierz właściwy do wieku,
wzrostu i wagi pacjenta sprzęt:

Laryngoskop
(żarówkę
i baterie)

Dostępność
tlenu

Drożność rurki
intubacyjnej
i szczelność
mankietu

Worek
samorozprężalny

Łopatkę laryngoskopu

Rozmiar cewnika do odsysania

Rozmiar rurki intubacyjnej (Fr);
dobrać tak, aby zachować
niewielki przeciek
na szczycie wdechu

Wyliczyć ze wzoru
Fr = wiek/4 + 4 mm
lub
20 + wiek (w latach)

Noworodek
– 3,0 mm

Niemowlę 6/12
– 3,5 mm

Dziecko roczne
– 4,5 mm

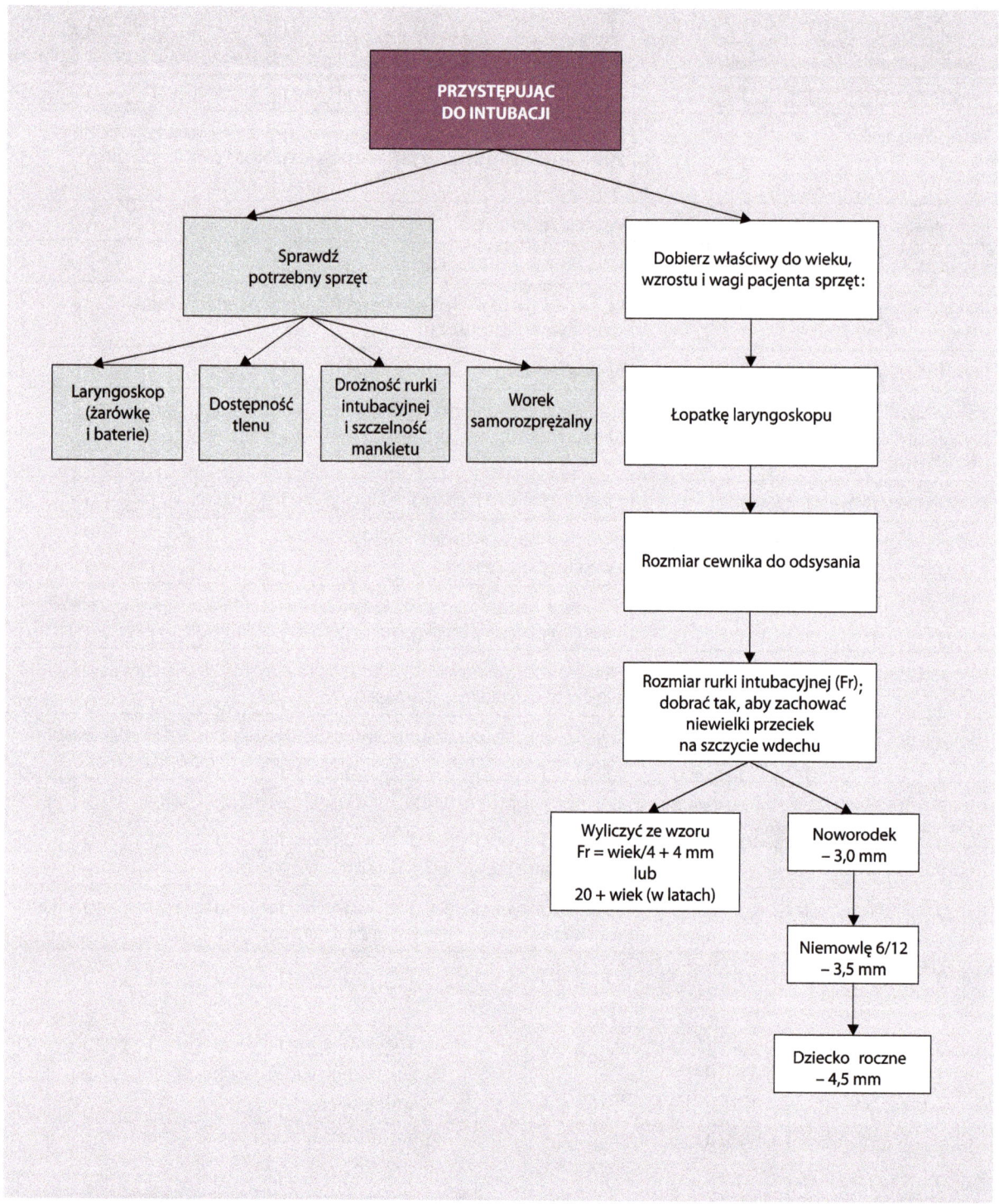

Rycina 25.3a. Technika intubacji dotchawiczej.

Technika intubacji ustno-tchawiczej	
Preoksygnacja	Czas trwania intubacji – nie dłużej niż 30 sekund, trzeba ją poprzedzić wentylacją 100% tlenem przez minimum 15 sekund
Ułożenie głowy	Szyja powinna być lekko zgięta z delikatnie przygiętą głową, odgiętą przez podłożenie małej poduszeczki pod potylicę (drogi oddechowe w tzw. pozycji węszącej); jeżeli trzeba się liczyć z możliwością uszkodzenia szyjnego odcinka kręgosłupa, głowę i szyję należy utrzymywać w neutralnej pozycji osiowej
Otworzyć jamę ustną	Laryngoskop trzyma się w lewej ręce i ogląda jamę ustną (u dzieci ruszające się zęby, wielkość języka, u dorosłych – obecność protezy, ocenia się ilość wydzieliny i w razie potrzeby szybko ją odsysa)
Ustalić trzy ważne punkty odniesienia	**Migdałki podniebienne** → laryngoskop ustawić po prawej stronie języka i wprowadzić tak, aby koniec łyżki sięgał migdałka **Języczek** → przesunąć łyżkę laryngoskopu w lewo, spychając język do linii pośrodkowej, aż do uwidocznienia języczka **Nagłośnia** → objąć wzrokiem tylną część jamy ustnej, aż do podstawy języka, powoli przesunąć laryngoskop po podstawie języka aż do uwidocznienia zaokrąglonego wierzchołka nagłośni
Koniec łyżki laryngoskopu umieścić w dołku nagłośniowym pomiędzy podstawą nagłośni, a podstawą języka	Unieść łyżkę ku górze w osi rękojeści laryngoskopu, która powinna być skierowana pod kątem 45° w stosunku do osi ustawienia pacjenta, skutecznie unosząc nagłośnię i odsłaniając fałdy głosowe
Obejrzeć krtań	Wejście do krtani ma kształt trójkąta o wierzchołku skierowanym ku przodowi, a z boku jest ograniczone biało-żółtymi fałdami głosowymi, czasami konieczne jest delikatne uciśnięcie (najlepiej przez osobę asystującą) na chrząstkę tarczowatą, co ułatwia uwidocznienie fałdów głosowych
Odsysanie	W celu dobrego uwidocznienia krtani czasem potrzebne jest krótkotrwałe odsysanie wydzieliny, krwi lub treści pokarmowej z gardła i okolicy wejścia do krtani
Wprowadzanie rurki intubacyjnej do krtani	Rurkę intubacyjną należy wprowadzić od prawego kącika ust, ciągle obserwując krtań, do momentu, aż koniec rurki znajdzie się poniżej fałdów głosowych
Sprawdzenie, czy rurka intubacyjna jest w tchawicy i ponad jej rozwidleniem	Po wprowadzeniu rurki należy połączyć ją z urządzeniem do wentylacji i przy użyciu stetoskopu sprawdzić, czy słyszalny jest szmer pęcherzykowy i czy jest on symetryczny (można też ocenić oglądaniem ruch klatki piersiowej – czy unosi się symetrycznie przy wentylacji ręcznej)

Rycina 25.3b. Technika intubacji dotchawiczej.

nych umysłowo, odetkanie płuca w przypadku jego niedodmy lub intensywna fizjoterapia, pobranie BAL (bronchoalveolar lavage) w celu badania mikrobiologicznego,

■ transport pacjenta granicznie wydolnego oddechowo (np. utrudniony dostęp do pacjenta podczas transportu helikopterem – wskazanie względne, zależne od lekarza odpowiedzialnego za transport pacjenta).

Przygotowanie i technikę intubacji dotchawiczej przedstawiono na ryc. 25.3. Ważny jest dobór odpowiedniej rurki intubacyjnej. Rurki z mankietem uszczelniającym mają zastosowanie u dzieci w okresie dojrzewania, a więc od ok. 9. rż. W tym okresie rozwoju dziecka krtań zmienia kształt. Przed okresem pokwitania najwęższym miejscem krtani jest okolica podgłośniowa, u dorosłego najmniejsze światło znajduje się na poziomie strun głosowych, a rozszerzenie w okolicy podgłośniowej, co wymaga uszczelnienia mankietem.

Dobór rurki zależy też od rodzaju intubacji – przez usta lub przez nos. Łatwiejsza i mniej traumatyczna jest intubacja przez usta, natomiast wygodniejsza i bezpieczniejsza przez nos, zwłaszcza przy długotrwałej intubacji, gdyż pozwala stabilniej umocować rurkę intubacyjną oraz ułatwia toaletę jamy ustnej i zwiększa komfort pacjenta. Poleca się ją również przy niektórych zabiegach chirurgicznych, np. stomatologicznych lub laryngologicznych. Do intubacji przez nos używa się rurki o mniejszej średnicy niż do intubacji przez usta. W celu jej uszczelnienia można założyć seton (bardzo przydatny w zabiegach w jamie ustnej i gardle). Powinno się go umieścić w gardle po obu stronach rurki intubacyjnej, a jego koniec powinien wystawać na zewnątrz jamy ustnej. Należy zawsze pamiętać o usunięciu setonu przed ekstubacją pacjenta.

Do intubacji pacjent zostaje znieczulony (tab. 25.2).

Powikłania intubacji dotchawiczej:

■ wczesne:
  ▪ uszkodzenie warg i błony śluzowej jamy ustnej,
  ▪ usunięcie zęba mlecznego i możliwość przemieszczenia go do krtani i gardła, złamanie zębów stałych lub koronek,
  ▪ zwichnięcie żuchwy,
  ▪ uszkodzenie krtani i strun głosowych,

Tabela 25.2. Sposoby znieczulenia do intubacji

RODZAJ ZNIECZULENIA	LEKI STOSOWANE DO ZNIECZULENIA
Znieczulenie miejscowe	Środek miejscowo znieczulający w aerozolu powierzchniowo (dotchawiczo) lub przez blokadę nerwu krtaniowego górnego
Znieczulenie ogólne wziewne	Mieszanina gazów – O_2/N_2O lub O_2/powietrze + wziewne środki anestetyczne (sewofluran, izofluran)
Znieczulenie ogólne dożylne	Barbiturany – tiopental 3–5 mg/kg mc./dawkę lub Propofol 2 mg/kg lub midazolam 0,1–0,3 mg/kg mc./dawkę
	Opioidy – fentanyl 2 µg/kg mc./dawkę lub morfina 0,1 mg/kg mc./dawkę
	Środki zwiotczające mięśnie depolaryzujące – sukcynylocholina (Scolina) 1 mg/kg mc./dawkę (do intubacji)
	Środki zwiotczające mięśnie niedepolaryzujące – do intubacji i/lub kontynuacji znieczulenia – wekuronium (Norkuron) 0,1 mg/kg mc./dawkę lub cisatrakurium (Nimbex) 0,1 mg/kg mc./dawkę, lub rokuronium (Esmeron) 0,5–0,6 mg/kg mc./dawkę lub atracurium (Trakrium) 0,5 mg/kg mc./dawkę lub pankuronium (Arduan) 0,1 mg/kg mc./dawkę
Znieczulenie ogólne wziewne i dożylne	Środki anestetyczne wziewne + O_2/N_2O + opioidy + środki zwiotczające mięśnie szkieletowe

■ krwotok przy intubacji przez nos z powodu uszkodzenia ściany gardła lub migdałków podniebiennych,
■ wymioty i w konsekwencji zachłyśnięcie (intubacja pacjenta z pełnym żołądkiem),
■ nagłe zatrzymanie krążenia,
■ późne (najczęściej po długotrwałej intubacji):
  ▪ pojawienie się owrzodzeń języka, krtani i tchawicy z konsekwencją w postaci zwężenia dróg oddechowych,
  ▪ uszkodzenie strun głosowych,
  ▪ zakażenie.

Ekstubacja – zabieg wyjęcia rurki intubacyjnej z tchawicy wykonuje się wtedy, gdy:

■ pacjent oddycha spontanicznie (jeśli był zwiotczony, to po odwróceniu bloku nerwowo-mięśniowego),

- występuje pewność, że drogi oddechowe chorego są drożne (po wcześniejszym odessaniu pacjenta cewnikiem z dróg oddechowych przez rurkę intubacyjną),
- nie ma ryzyka regurgitacji treści pokarmowej.

Przed ekstubacją należy podawać pacjentowi 100% tlen, aby zapobiec hipoksji i zapewnić rezerwę tlenową w przypadku zatrzymania oddechu lub kaszlu. Po ekstubacji należy sprawdzić, czy pacjent jest zdolny do utrzymania drożności dróg oddechowych i (jeżeli to konieczne) zastosować tlenoterapię bierną przez maskę.

25.2.2
Wentylacja mechaniczna

Wentylacja mechaniczna ma na celu przede wszystkim przywrócenie prawidłowej wymiany gazowej w płucach pod kontrolą parametrów badania gazometrycznego. Zwykle wykorzystuje się do tego respiratory sterowane objętością, z użyciem objętości oddechowych (tidal volume, TV) rzędu 7,5– –10 ml/kg mc. i stosunkiem wdechu do wydechu 1 : 2, bez wyraźnego ograniczenia ciśnienia szczytowego. Wartość dodatniego ciśnienia końcowowydechowego (positive end-expiratory pressure, PEEP) jest tak dobierana, by zapewnić zadowalającą oksygenację przy stosunkowo bezpiecznym FiO_2 (fraction of inspired oxygen).

W ostatnich kilku latach zmodyfikowano zasady wentylacji mechanicznej, co pozwala zminimalizować zagrożenie wystąpienia respiratorowego uszkodzenia płuc (barotrauma). Zalecana jest tzw. łagodna wentylacja z permisywną hiperkapnią, z tolerancją w gazometrii pH > 7,25 i $PaCO_2$ 55–65 mmHg. Polega ona na ograniczeniu ciśnienia w drogach oddechowych, stosowaniu małych objętości oddechowych (TV rzędu 6–8 ml/kg mc.) z PEEP i FiO_2 dobranymi tak, by utrzymać SaO_2 > 90%.

U noworodków najczęściej stosuje się oddech kontrolowany, sterowany ciśnieniem, czasowo zmienny z niewielkim dodatnim ciśnieniem końcowowydechowym. W przypadku dzieci ze zmniejszonym przepływem płucnym w następstwie siniczej wady serca, a także po operacji zwężenia pnia płucnego i po zespoleniach systemowo-płucnych, wartość saturacji nie powinna przekraczać 76–80%.

Podłączając pacjenta do respiratora, należy ustawić kilka parametrów:

- przepływ gazów – w granicach 6–8 l/min, na tyle duży, by możliwe było uzyskanie zaplanowanego ciśnienia szczytowego wdechu i dodatniego końcowowydechowego,
- zawartość tlenu w mieszaninie oddechowej (FiO_2) – rozpoczynając wentylację, stosuje się zwykle FiO_2 ok. 0,5, a następnie modyfikuje się je pod kontrolą saturacji lub PaO_2 w gazometrii (wartość PaO_2 powinna przekraczać 100 mmHg),
- częstość oddechów – zależna od stosunku czasu wdechu do wydechu, zaleca się dobieranie częstości oddechów do wieku dziecka pod kontrolą wartości $PaCO_2$, najczęściej stosuje się czas trwania wdechu (T_i) 0,45–0,6 s i czas trwania wydechu (T_e), który jest pochodną pożądanej częstości oddechów (f) i czasu wdechu (T_i).
- szczytowe ciśnienie wdechowe (peak inspiratory pressure, PIP) – powinno zapewniać prawidłową ruchomość klatki piersiowej; zwykle uzyskuje się ją, stosując 7,5 ml gazu przedostającego się do płuc/kg mc.,
- dodatnie ciśnienie końcowowydechowe (PEEP) – zwykle powinno wynosić około 3–5 cmH_2O, wyższe wartości (od 8 cmH_2O) stosuje się w przypadkach znacznych zaburzeń stosunku wentylacji do perfuzji; zwiększenie PEEP o 1 cmH_2O powinno wywołać wzrost PaO_2 o ok. 10 mmHg, jednak dopiero zwiększenie się PaO_2 o 20–30 mmHg świadczy o efektywności stosowanego PEEP.

Tryby wentylacji mechanicznej:

1 Wentylacja konwencjonalna:
- wentylacja przerywana ciśnieniem dodatnim (intermittent positive pressure ventilation, IPPV) – polega na podawaniu w równych odstępach czasu wdechów mechanicznych o zaprogramowanym ciśnieniu szczytowym, czasem też objętości oddechowej i czasie trwania wdechu,
- przerywana wentylacja obowiązkowa (intermittent mandatory ventilation, IMV) – najczęściej stosowany tryb wentylacji u noworodków, polega na utrzymywaniu stałego przepływu gazów w układzie respiratora, co pozwala na zachowanie oddechów własnych noworodka z okresowym włączeniem oddechów wymuszonych; zaprogramowana

minimalna liczba oddechów wymuszonych gwarantuje prawidłową wymianę gazową,

■ synchronizowana przerywana wentylacja obowiązkowa (synchronized intermittent mandatory ventilation, SIMV) – podobna do IMV, polega na podawaniu zaprogramowanych oddechów mechanicznych, w przerwie między nimi możliwy jest oddech własny pacjenta. W SIMV wdech synchronizowany jest z wysiłkiem oddechowym pacjenta (tzw. Flow trigger), a w IMV – brak jest tej synchronizacji.

■ wentylacja o regulowanym ciśnieniu i kontrolowanej objętości (pressure-regulated volume-controlled, PRVC) – zaplanowana objętość oddechowa podawana jest pod najniższym możliwie ciśnieniem, zawsze mniejszym o co najmniej 5 cmH$_2$O od nastawionej jego górnej granicy, przepływ gazów podlega odpowiedniej regulacji, w związku z czym ciśnienie szczytowe rośnie możliwie mało z jednoczesną opcją wyzwalania dodatkowych oddechów przez pacjenta.

2 Specjalne techniki wentylacji – stosowane w sytuacjach, gdy wentylacja konwencjonalna jest nieskuteczna pomimo stosowania PIP > 30 mmHg i zwiększania częstości oddechów, a także w przypadku hipoplazji płuc i przepukliny przeponowej, u pacjentów z opornym na leczenie nadciśnieniem płucnym w skojarzeniu z lekami obniżającymi ciśnienie w tętnicy płucnej (NO, epoprostenol, nitraty), w ARDS, w ciężkim zapaleniu płuc, a także w sytuacji wystąpienia powikłań w postaci uszkodzenia oskrzela albo płuca z dopełniającą się odmą prężną:

■ wentylacja wysokimi częstotliwościami (high-frequency ventilation, HFV) – metoda o częstotliwości oddechów podawanych przez respirator w granicach 60–1800/min, u dzieci najczęściej stosowana jest wentylacja oscylacyjna (high-frequency oscillatory ventilation, HFOV), w której częstość oddechów, a właściwie drgań, zawiera się między 400 a 3000/minutę, cechą charakterystyczną tej wentylacji jest obecność zarówno aktywnego wdechu, jak i wydechu,

■ pozaustrojowe utlenowanie krwi (extracorporeal membrane oxygenation, ECMO) – zmodyfikowana forma krążenia pozaustrojowego umożliwiająca przedłużone wspomaganie układu oddechowego i/lub krążenia na OIT lub też całkowite zastąpienie

układu oddechowego pacjenta, stosuje się ją u dzieci z masą ciała > 2000 g i w wieku płodowym > 35. tc., w stanach możliwych do wyleczenia: ZZO (zespół zaburzeń oddychania), przetrwałe nadciśnienie płucne, przepuklina przeponowa, MAS (meconium aspiration syndrome), wrodzone zapalenie płuc, przetrwałe krążenie płodowe, pooperacyjna niewydolność krążenia; ważne są również wskazania obejmujące parametry wydolności oddechowej:

■ indeks utlenowania (oxygenation index, OI), który jest prognostykiem wyników leczenia hipoksemicznej niewydolności oddechowej u dzieci, oblicza się ze wzoru:

$$MAP \times FiO_2/PaO_2$$
[mean airway pressure (cmH$_2$O) × fraction of inspired oxygen (%)/partial pressure of oxygen in arteria blond (torr)].

OI > 40 jest wskazaniem do rozważenia włączenia pacjenta do ECMO; OI 0–25 – dobry wynik leczenia, 25–40 – zły wynik leczenia, włącznie ze zgonem pacjenta, 30–1000 > 4 godzin – zwiększone ryzyko pogorszenia stanu pacjenta, włącznie ze zgonem,

■ utrzymywanie się niskiego PaO$_2$ (30–50 mmHg) wraz z pogorszeniem wydolności układu krążenia i narastającą kwasicą w badaniach gazometrycznych.

Uwolnienie pacjenta od wentylacji zastępczej wymaga spełnienia licznych warunków:

■ stwierdza się stabilność kliniczną i hemodynamiczną,

■ pacjent jest przytomny, żywo reaguje na bodźce zewnętrzne, z dobrze zachowanym napięciem mięśniowym, ma odruch kaszlowy,

■ występuje wydolność oddechowa (wg skali oceny wydolności oddechowej oraz monitorowania częstości oddechów),

■ stwierdza się wydolność układu krążenia podczas kontynuowanego leczenia,

■ temperatura ciała mieści się w przedziale od 36,5 do 38°C,

■ wykonuje się badanie radiologiczne płuc, w celu oceny powietrzności płuc oraz sylwetki serca (np. niedodma płuc wymagająca przed ekstubacją fizjoterapii, zbyt duży przepływ płucny wymagający dużego PEEP i rozważenia planowego włączenia nieinwazyjnego wspomagania oddychania z CPAP (continuous positive airway pressure) > 6, bezpośrednio po ekstubacji),

■ brak istotnych zaburzeń elektrolitowych, prawidłowe wartości morfologii krwi,
■ prawidłowe wartości gazometrii i saturacji krwi,
■ prawidłowa diureza lub skuteczne leczenie nerkozastępcze,
■ brak czynnego krwawienia.

Uwalnianie z wentylacji zastępczej powinno być stopniowe – przełączanie z trybu wentylacji obowiązkowej na tryb wentylacji wspomaganej:

■ zmniejszanie PIP do wartości fizjologicznych dla wieku dziecka,
■ zredukowanie PEEP < 4 cmH$_2$O,
■ obniżenie FiO$_2$ < 50%,
■ zmniejszenie częstości oddechów obowiązkowych < 5–10/min.

W czasie przygotowywania pacjentów do ekstubacji należy uwzględnić (kontynuować) leczenie przeciwbólowe i sedacyjne, które są bardzo istotne w czasie całego procesu leczenia dziecka w OIT.

25.2.3
Tracheostomia i konikotomia

Tracheostomia – zewnętrzna przetoka tchawicy, polegająca na chirurgicznym połączeniu tchawicy ze światłem zewnętrznym w celu ominięcia górnych dróg oddechowych. Polega na wycięciu otworu w II lub III chrząstce tchawicy, przez który wprowadza się do tchawicy rurkę tracheotomijną – metalową, srebrną lub z tworzywa sztucznego.

Tracheotomia – jest to otolaryngologiczny zabieg otwarcia przedniej ściany tchawicy i wprowadzenie rurki do światła dróg oddechowych i tą drogą prowadzenia wentylacji płuc. W wyniku tracheotomii zapewnia się dopływ powietrza do płuc z pominięciem nosa, gardła i krtani.

Może być wykonana na bloku operacyjnym lub na oddziale intensywnej opieki medycznej; najczęściej wykonuje się ją w znieczuleniu ogólnym.

Ze wskazań pilnych wykonuje się ją w przypadku całkowitej niedrożności dróg oddechowych, jeśli zaintubowanie pacjenta jest niemożliwe, np. wtedy, gdy występuje:

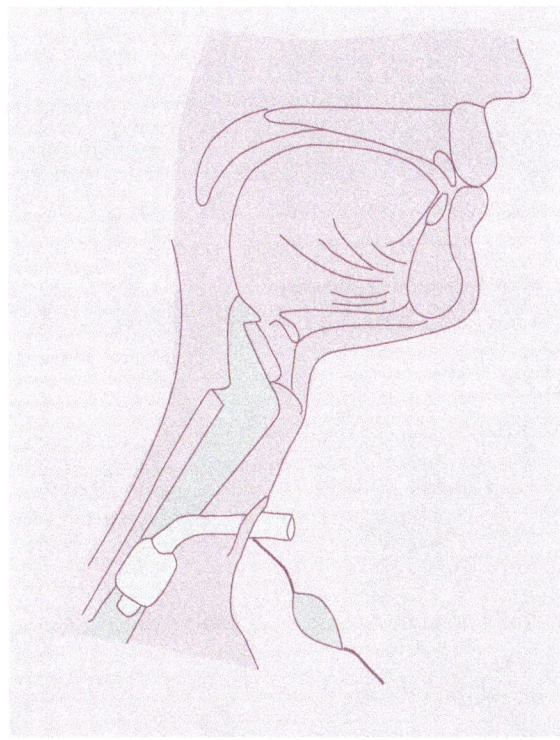

Rycina 25.4. Tracheostomia.

■ obrzęk krtani,
■ nowotwór naciekający krtań,
■ wady wrodzone krtani lub górnego odcinka tchawicy,
■ w ciężkich urazach twarzoczaszki,
■ w oparzeniach górnych dróg oddechowych,
■ w przypadku obustronnego porażenia fałdów głosowych,
■ w przypadku przedłużonej intubacji.

W przypadkach nagłej niedrożności dróg oddechowych alternatywną metodę ich udrożnienia stanowi konikotomia. Polega ona na nakłuciu lub nacięciu więzadła pierścienno-tarczowego w odległości 2–3 cm poniżej chrząstki tarczowatej. Po wstępnym zabezpieczeniu wentylacji pacjenta i ustabilizowaniu jego stanu można naciąć skalpelem skórę i przy użyciu rozszerzaczy powiększyć otwór do rozmiarów pozwalających na wprowadzenie rurki tracheostomijnej.

Powikłania tracheostomii:

■ wczesne:
  ■ krwotok,
  ■ przemieszczenie się lub zatkanie rurki tracheostomijnej,
  ■ trudności w założeniu lub wymianie rurki,

- uszkodzenie tchawicy,
- zasychanie wydzieliny w tchawicy,
- odma podskórna lub opłucnowa,
- późne:
  - zakażenie wskutek zanieczyszczenia podczas odsysania czy zabrudzenia nawilżacza, zakażenie rany tracheostomijnej,
  - owrzodzenie tchawicy,
  - zwężenie tchawicy.

25.2.4
Nakłucie jamy opłucnej

Wskazania do nakłucia jamy opłucnej przedstawiono w tabeli 25.3.

Powikłania tej procedury to:

- odma opłucnowa (najczęściej niewielkich rozmiarów),
- uszkodzenie płuca,
- przetoka opłucnowo-oskrzelowa,
- krwiak opłucnej,
- zakażenie.

25.2.5
Kaniulacja żył obwodowych i centralnych

Czynniki, które należy wziąć pod uwagę przy wyborze dostępu naczyniowego:

- odporność żyły na działanie podawanych do niej leków i płynów (ich pH i osmolarność),
- przewidywana długość trwania wlewu,
- stan układu żylnego,
- dostępność poszczególnych naczyń,
- możliwości wystąpienia powikłań,
- komfort pacjenta.

Kaniulacja żył obwodowych jest prostym i krótkim zabiegiem, odbywającym się pod kontrolą wzroku, niedającym groźnych powikłań. Nie wymaga specjalnego sprzętu, wystarczy igła lub wenflon. Nie jest konieczne znieczulenie ogólne, wystarczy płytka sedacja lub tylko krem Emla.

Wskazania do nakłucia żyły obwodowej:

- rutynowe pobrania krwi i wstrzyknięcia,
- krótkotrwałe leczenie płynami,
- szybkie wlewy dużych objętości płynów,
- podawanie leków lub płynów o osmolarności < 600 mOsm/l.

Tabela 25.3. Wskazania do nakłucia jamy opłucnej i metody znieczulenia

WSKAZANIA	
Diagnostyczne	Różnicowanie ropniaków i krwiaków
	Różnicowanie niespecyficznych wysięków i przesięków
	Pobranie płynu z jamy opłucnej do badań
	Różnicowanie odmy prężnej
Lecznicze	Odbarczenie niewielkiego wysięku w jamie opłucnej
	Odbarczenie otorbionego ropnia lub krwiaka opłucnej
	Podanie antybiotyku do jamy opłucnej
	Odbarczenie odmy prężnej
ZNIECZULENIE	
Premedykacja przed nakłuciem klatki piersiowej	Midazolam 0,05–0,1 mg/kg mc./dawkę + fentanyl 2 µg/kg mc./dawkę lub ketamina 1–2 mg/kg mc./dawkę *i.v.*
Znieczulenie miejscowe	Ostrzyknięcie miejsca nakłucia środkiem miejscowo znieczulającym, np. 2% lidokainą

Tabela 25.4. Powikłania kaniulacji żył centralnych i przeciwwskazania do tej procedury

Powikłania wczesne	- Nakłucie tętnicy → krwiak - Rozerwanie ściany kaniulowanej żyły → krwiak - Przypadkowe nakłucie osklepka opłucnej → odma opłucnowa - Zaburzenia krzepnięcia - Uszkodzenie nerwów (rzadko) - Wylew krwi do worka osierdziowego z tamponadą serca włącznie
Powikłania późne	- Zakażenie - Tamponada serca - Zakrzepica
Przeciwwskazania do kaniulacji żyły centralnej	Bezwzględne - Brak zgody rodziców/opiekunów pacjenta Względne - Leczenie przeciwzakrzepowe - Nasilone zaburzenia krzepnięcia i trombocytopenia - Rany, oparzenia i proces zapalny w okolicy miejsca wkłucia

Najlepiej do nakłucia nadają się:

- żyły powierzchowne kończyny górnej:
  - żyły dołu łokciowego – odpromieniowa (na całej długości, nie tylko w dole łokciowym), pośrodkowa łokcia, odłokciowa (raczej do wkłuć głębokich),
  - żyła pośrodkowa przedramienia,
  - żyły grzbietu ręki,
- żyły powierzchowne kończyny dolnej:
  - żyła odpiszczelowa,
  - żyła brzeżna boczna,
  - żyły grzbietu stopy,
- żyły głowy lub szczytu czaszki,
- żyła szyjna przednia,
- żyła szyjna zewnętrzna – częściej stanowi dostęp pośredni do kaniulacji żyły szyjnej wewnętrznej, w przypadku długotrwałej terapii lekami podawanymi dożylnie i braku dostępu do innych żył powierzchownych nadaje się do przezskórnego nakłucia i zamocowania krótkiej kaniuli lub długiego cewnika.

Kaniulacja żył centralnych jest wskazana w następujących sytuacjach:

- konieczność długotrwałego leczenia płynami,
- żywienie pozajelitowe,
- podawanie leków uszkadzających śródbłonek żył,
- brak możliwości uzyskania szybkiego dostępu do żył obwodowych (wstrząs, oparzenie, zakrzepica po wcześniejszych nakłuciach).

Kaniulacja żył głębokich pozwala na:

- prowadzenie hemodializy w ostrej niewydolności nerek,
- szybkie wprowadzanie elektrody stymulatora serca,
- pomiar ośrodkowego ciśnienia żylnego,
- pomiar rzutu minutowego serca,
- pomiar ciśnienia zaklinowania w tętnicy płucnej.

Najczęściej stosowane dostępy żylne:

- żyła pępowinowa (maks. do 7.–10. dż.),
- żyła szyjna wewnętrzna,
- żyła udowa,
- żyła podobojczykowa,
- inne – dostęp przez żyłę szyjną zewnętrzną, odłokciową, odpiszczelową czy pachową.

W każdym przypadku przed nakłuciem żyły centralnej należy zastanowić się, czy korzyści płynące z tego dostępu przewyższają niebezpieczeństwo powikłań i czy nie ma przeciwwskazań (tab. 25.4).

25.2.6

Kaniulacja tętnic

Pozwala na ciągły krwawy pomiar ciśnienia tętniczego krwi. W tym ułatwia śródoperacyjną i pooperacyjną kontrolę stanu krążenia u dzieci poddawanych rozległym zabiegom chirurgicznym.

Wskazania:

- rozległe operacje wymagające ciągłego monitorowania ciśnienia systemowego (np. kardiochirurgiczne, torakochirurgiczne, neurochirurgiczne),
- niestabilny stan dziecka przebywającego na oddziale intensywnej opieki medycznej lub pooperacyjnym,
- konieczność wielokrotnego pobierania próbek krwi u dzieci wentylowanych mechanicznie,
- życiowe – skrajnie ciężki stan pacjenta wymagający częstego monitorowania badań biochemicznych, gazometrycznych, ale przede wszystkim ciągłego pomiaru ciśnienia systemowego.

Najczęściej kaniulowane naczynia:

- tętnica promieniowa,
- tętnica udowa,
- tętnica pępkowa u noworodków,
- tętnica grzbietowa stopy,
- tętnica skroniowa powierzchowna (niezalecana i kaniulowana rzadko).

Tętnicę skroniową i grzbietową stopy kaniuluje się rzadko w celu założenia krwawego pomiaru ciśnienia tętniczego, za to częściej w celu pobierania krwi do badań.

Kaniulację tętnicy wykonuje się przezskórnie kaniulą teflonową. Ważnym warunkiem bezpieczeństwa przewlekłej kaniulacji tętnicy jest prawidłowe krążenie oboczne w części kończyny położonej obwodowo od miejsca założenia kaniuli. Zabieg wykonuje się w warunkach jałowych, po uprzedniej sedacji dziecka. Po nakłuciu tętnicy kaniulę należy umocować i oznaczyć jej końcówkę tak, by nie doszło do pomyłkowego podania do niej leków. Dla zapobiegania zakrzepnięcia kaniuli podłącza się w stałym wlewie tzw. płuczkę z heparyną lub papaweryną.

Powikłania kaniulacji tętnic:

■ skurcz tętnicy i niedokrwienie kończyny (w przypadku słabego krążenia obocznego),
■ zakrzepica,
■ zatory powietrzne lub spowodowane zakrzepami prowadzące do zaburzeń krążenia obwodowego i w konsekwencji do martwicy kończyny,
■ przypadkowe dotętnicze podanie leku, które może wywołać ciężkie reakcje niedokrwienne.

Przeciwwskazaniem do zabiegu są znacznego stopnia zaburzenia krzepnięcia krwi.

Arteriosekcja, czyli chirurgiczne odsłonięcie tętnicy w celu wprowadzenia do niej kaniuli, jest wykonywana rzadko (najczęściej na tętnicy promieniowej lub udowej). Najczęściej planuje się ją w sytuacjach, gdy należy prowadzić stałe monitorowanie ciśnienia systemowego, a wielokrotne próby kaniulacji tętnicy zakończyły się niepowodzeniem.

25.2.7
Wenesekcja

Wenesekcja to operacyjne odsłonięcie żyły w celu wprowadzenia do niej kaniuli, wykonywane zwykle wtedy, gdy inne metody uzyskania dostępu dożylnego czy doszpikowego zawiodły. Najczęściej wykorzystywane naczynia to:

■ żyła odłokciowa,
■ żyła pośrodkowa łokcia,
■ żyła odpromieniowa,
■ żyła odpiszczelowa,
■ żyła szyjna zewnętrzna,
■ żyła szyjna wewnętrzna i żyła podobojczykowa – do założenia cewnika typu Broviac lub Groshong.

Powikłania wenesekcji to:

■ zakrzepowe zapalenie żył,
■ zakażenie rany,
■ nieprawidłowe wprowadzenie kaniuli,
■ rozerwanie żyły i krwiak,
■ uszkodzenie sąsiednich struktur,
■ zapalenie tkanki łącznej.

25.2.8
Dostęp doszpikowy

Wskazaniem do wykonania dostępu doszpikowego jest brak możliwości uzyskania wkłucia dożylnego u pacjenta w stanie zagrożenia życia. Najczęstszym miejscem założenia dostępu jest bliższy koniec kości piszczelowej, około 2 cm poniżej guzowatości piszczeli na powierzchni przednio-przyśrodkowej (kość leży w tym miejscu blisko skóry, jest łatwa do zlokalizowania) oraz 2 cm powyżej kostki przyśrodkowej na dalszym końcu kości piszczelowej. Przy braku możliwości wkłucia do piszczeli zalecanym miejscem dostępu jest koniec dalszy kości udowej. Podczas zakładania takiego dostępu u dzieci zaleca się unikanie zakładania go w bliskości głównych chrząstek wzrostowych. Ponadto u starszych dzieci można wykonać wkłucie doszpikowe na rękojeści mostka w linii pośrodkowej 1,5 cm poniżej wcięcia jarzmowego.

Wprowadzenie igły do jamy szpikowej umożliwia uzyskanie szybkiego dostępu do krążenia, ponieważ czas przepływu krwi z kości piszczelowej do serca wynosi 10–20 sekund. Do nakłucia jamy szpikowej zaleca się specjalne igły, stosowane standardowo do pobierania szpiku do badań diagnostycznych (krótkie igły z kołnierzem lub igły rdzeniowe), lecz w przypadku ich braku można wykonać nakłucie jamy szpikowej igłą iniekcyjną. Dostępne są również igły wbijane automatycznie.

Z uwagi na powikłania (zapalenie kości i szpiku) kaniulę doszpikową utrzymuje się możliwie jak najkrócej (maks. 24 godziny).

25.2.9
Monitorowanie w czasie leczenia na OIT

W zależności od stanu klinicznego dziecka i postawionego rozpoznania wymagane jest:

1 monitorowanie podstawowe:
■ pulsoksymetria:
  ■ częstość pracy serca,
  ■ saturacja,
■ nieinwazyjny pomiar ciśnienia metodą oscylometryczną,
■ temperatura ciała mierzona:
  ■ przezskórnie,

- w odbytnicy,
- pod pachą,
- monitorowanie bilansu płynów i koloidów,

2 monitorowanie rozszerzone:
- zapis EKG (najczęściej w odprowadzeniu II),
- częstość oddechów (zapis krzywej oddechowej),
- bezpośredni pomiar ciśnienia tętniczego,
- pomiar ośrodkowego ciśnienia żylnego,
- pomiar stężenia wydechowego dwutlenku węgla (kapnografia),
- monitorowanie przepływu mózgowego i trzewnego (in vivo optical spectroscopy),

3 monitorowanie specjalistyczne:
- pomiar ciśnienia śródczaszkowego,
- pomiar ciśnienia w tętnicy płucnej,
- pomiar ciśnienia w lewym przedsionku,

4 monitorowanie bakteriologiczne:
- posiewy:
  - gardło/popłuczyny oskrzelikowo-pęcherzykowe,
  - mocz,
  - wymaz z odbytu/kał,
  - krew z kaniuli centralnej i z nakłucia.

25.3
OSTRA NIEWYDOLNOŚĆ ODDECHOWA

25.3.1
Obraz ostrej niewydolności oddechowej

Definicja

Niewydolność oddechowa oznacza stan, w którym dochodzi do zakłócenia prawidłowych czynności życiowych ustroju w następstwie zaburzeń wymiany gazowej w płucach, niezależnie od mechanizmu ich powstawania (tab. 25.5). Ostra niewydolność oddechowa to brak możliwości utrzymania homeostazy przez ustrój w sytuacji, gdy nie zostanie zastosowany oddech zastępczy (czego miernikiem są wartości pH, pCO_2 i HCO_3) (tab. 25.6). Oznacza to, że wszystkie mechanizmy kompensacyjne organizmu dziecka, włączając w to układy buforowe (tab. 25.13), zostały wyczerpane, co grozi narastaniem kwasicy metabolicznej i niedotlenieniem, powodującym nieodwracalne uszkodzenie mózgu.

Ostre uszkodzenie płuc (acute lung injury, ALI) zdefiniowano jako następstwo procesu zapalnego i zwiększonej przepuszczalności śródbłonka naczyń płucnych obejmujące objawy kliniczne, gazometryczne i radiologiczne, które nie mogą być wytłumaczone nadciśnieniem w lewym przedsionku serca.

Zespół ostrej niewydolności oddechowej (acute respiratory distress syndrome, ARDS) cechuje się triadą objawów – hipoksemią oporną na tlenoterapię, rozsianymi zmianami niedodmowymi w radiogramie płuc oraz zmniejszoną podatnością płuc. Obie jednostki chorobowe rozpoznaje się na podstawie określonych kryteriów (tab. 25.7).

Tabela 25.5. Podziały niewydolności oddechowej

KRYTERIUM	NIEWYDOLNOŚĆ ODDECHOWA
Czas wystąpienia	Ostra – rozwija się nagle i jest potencjalnie odwracalna
	Przewlekła – rozwija się stopniowo i nie jest w pełni odwracalna
Etiologia	Płucna
	Pozapłucna
Obraz kliniczny	Hiperdynamiczna – nadmierny wysiłek oddechowy (tachypnoë, zapadanie mostka, wciąganie międzyżebrzy, stękanie wydechowe)
	Hipodynamiczna – oddechy zbyt płytkie, zbyt wolne, bezdechy 1 wadliwa czynność ośrodka oddechowego – zapalenie mózgu, wylew do OUN, uraz mózgu, przedawkowanie leków, np. opioidów lub barbituranów 2 urazy rdzenia kręgowego – mechaniczny, guzy, krwiak, polekowy 3 niewydolność mięśni oddechowych
Wynik badania równowagi kwasowo-zasadowej	Częściowa – tylko hipoksemia
	Całkowita – hipoksemia + hiperkapnia

Tabela 25.6. Kryteria rozpoznawcze ostrej niewydolności oddechowej (2 kryteria kliniczne i 2 laboratoryjne)

KLINICZNE	LABORATORYJNE
1 Duszność 2 Tachypnoë 3 Zaburzenia świadomości 4 Osłabienie szmeru pęcherzykowego 5 Uruchomienie dodatkowych mięśni oddechowych	1 $PaO_2 < 50$ mmHg przy $FiO_2 = 0,21$ 2 $PaCO_2 > 50$ mmHg 3 $pH < 7,20$ 4 Narastanie stężenia kwasu mlekowego w surowicy 5 $SaO_2 < 80\%$

Tabela 25.7. Definicja ALI i ARDS wg American-European Consensus Conference z 1994 r.

KRYTERIUM	OPIS
Początek choroby	Nagły i trwały
Kryteria kwalifikujące	Bezpośrednie – zapalenie płuc o ciężkim przebiegu, zwłaszcza na tle aspiracyjnym
	Pośrednie – stany septyczne, ciężkie urazy, przedłużająca się hipoksemia, rozległe złamania, wielokrotne przetoczenia preparatów krwiopochodnych
Oksygenacja	ALI – $PaO_2/FiO_2 \leqslant 300$ i PAOP < 18 mmHg (2,4 kPa)
	ARDS – $PaO_2/FiO_2 \leqslant 200$
Kryteria radiologiczne	Obustronne zagęszczenia wskazujące na obrzęk płuc
Kryteria wykluczające	PAOP $\geqslant$ 18 mmHg, kliniczne objawy nadciśnienia w lewym przedsionku

PaO_2/FiO_2 – indeks tlenowy, PAOP – ciśnienie zaklinowania (w tętnicy płucnej)

Tabela 25.8. Zespół ostrej niewydolności oddechowej (ARDS) – Definicja Berlińska z 2012 r.[1]

ZAKTUALIZOWANA I POPRAWIONA DEFINICJA ARDS – BERLIN 2012 R. JAMA, opublikowano elektronicznie 21.05.2012 r.		
Początek choroby	Czynniki ryzyka ARDS zidentyfikowane w ciągu 7 dni od pierwszych klinicznych objawów niewydolności oddechowej	
Kryteria radiologiczne*	Obustronne zagęszczenia z cechami obrzęku płuc, którego powodem mogą być: wysięk, niedodma, guzki – płuca	
Pochodzenie obrzęku płuc	Przyczyna niewydolności oddechowej nie do końca wyjaśniona, może nią być zarówno dysfunkcja pęcherzyków płucnych związana z przerostem naczyń płucnych, jak również niewydolność lewej komory serca – konieczna ocena obiektywna, np. ECHO serca (usunięto z definicji konieczność pomiaru PAOP)	
Oksygenacja**	**łagodna**	200 mmHg < $PaO_2/FiO_2 \leqslant$ 300 mmHg z PEEP//CPAP $\geqslant$ 5 cmH_2O***
	umiarkowana	100 mmHg < $PaO_2/FiO_2 \leqslant$ 200 mmHg z PEEP $\geqslant$ 5 cmH_2O
	ostra	$PaO_2/FiO_2 \leqslant$ 100 mmHg z PEEP $\geqslant$ 5 cmH_2O

* rozpoznawane na podstawie RTG lub CT płuc
** jeżeli wysokość jest większa niż 1000 m, współczynnik korekcji należy obliczyć w następujący sposób: PaO_2/FiO_2 (ciśnienie barometryczne/760)
*** PEEP – dodatnie ciśnienie końcowydechowe (wentylacja mechaniczna) lub CPAP – ciągłe dodatnie ciśnienie (nieinwazyjne wspomaganie oddechu)

[1] Definicja zmodyfikowana w maju 2012 na konferencji w Berlinie zorganizowanej z inicjatywy Europejskiego Towarzystwa Intensywnej Opieki Medycznej (*European Society of Intensive Care Medicine*) i zatwierdzonej przez Amerykańskie Stowarzyszenie Medyczne (*American Medical Assiociation*).

Epidemiologia

Dokładna częstość występowania ostrej niewydolności oddechowej u dzieci jest trudna do ustalenia. Lista najczęstszych przyczyn jest zmienna i zależy od sytuacji klinicznej. Do najczęstszych przyczyn ostrej niewydolności oddechowej w grupie pacjentów wymagających wentylacji mechanicznej, zalicza się pooperacyjną niewydolność oddechową, zapalenia płuc (o różnej etiologii), wcześniactwo, posocznicę i uraz.

Etiologia i patogeneza

Do niewydolności oddechowej mogą prowadzić zaburzenia wentylacji spowodowane stanami chorobowymi płuc i zaburzeniami centralnej regulacji oddychania, zaburzenia perfuzji płuc wywołane przeciekami wewnątrzpłucnymi, pierwotnymi chorobami naczyń płucnych czy przekrwieniem niewentylowanych części płuc oraz zaburzenia dyfuzji gazów powstające wskutek różnych stanów chorobowych skutkujących zwiększeniem przestrzeni między światłem pęcherzyków a naczyniami włosowatymi płuc (obrzęk, zastój, zapalenie). Spektrum przyczyn ostrej niewydolności oddechowej różni się w zależności od wieku dziecka (tab. 25.9).

Obraz kliniczny

Skala Silvermana pozwala obiektywnie ocenić stopień nasilenia niewydolności oddechowej u noworodka na podstawie objawów klinicznych. Stopień 0 oznacza pacjenta wydolnego oddechowo, stopień I lekką niewydolność oddechową, a stopień II ciężką niewydolność oddechową (wskazanie do intubacji i zastosowania oddechu kontrolowanego) (tab. 25.10).

Downes i Raphaely opracowali skalę oceny duszności związanej z zaburzeniami drożności dróg oddechowych (tab. 25.10). Uzyskanie 6 lub 7 punktów stanowi względne wskazanie do intubacji, a co najmniej 8 jest wskazaniem bezwzględnym.

Tabela 25.9. Przyczyny ostrej niewydolności oddechowej w zależności od wieku dziecka

WIEK DZIECKA	PRZYCZYNY
Okres noworodkowy	■ Zespół zaburzeń oddychania ■ Przejściowy szybki oddech noworodków ■ Zespół aspiracji smółki ■ Przetrwałe nadciśnienie płucne u noworodka ■ Zapalenie płuc ■ Bezdechy ■ Sepsa ■ Wady wrodzone układu oddechowego (np. atrezja nozdrzy tylnych, wrodzona wiotkość krtani) ■ Wady wrodzone układu krążenia (np. TGA, TAPVD, HLHS)
Okres niemowlęcy	■ Zapalenie płuc ■ Zapalenie oskrzelików ■ Sepsa ■ Choroby nerwowo-mięśniowe – przerwanie przewodnictwa nerwowego w wyniku: urazu rdzenia, zapalenia rdzenia, tężca, blokada nerwowo-mięśniowa oraz niewydolność mięśni oddechowych: polekowa, wywołana urazem lub chorobą zwyrodnieniową lub zanikową mięśni ■ Zapalenie podgłośniowe krtani ■ Ciało obce w drogach oddechowych ■ Urazy
> 1. rż.	■ Zespół ostrej niewydolności oddechowej ■ Urazy ■ Sepsa ■ Astma oskrzelowa ■ Zapalenie nagłośni ■ Choroby nerwowo-mięśniowe ■ Obrzęk płuc ■ Zator tętnicy płucnej

Ilościową ocenę stopnia zaburzeń oddychania można przeprowadzić z wykorzystaniem skali Vidyasagara (tab. 25.11).

▶ **Metody diagnostyczne**

1 Badanie gazometryczne

Podstawowa metoda rozpoznawania niewydolności oddechowej. Obiektywnym i dokładnym badaniem oceniającym wydolność oddechową pacjenta jest gazometria krwi tętniczej. Badając krew pobraną z tętnicy, sprawdza się dokładnie ciśnienie parcjalne tlenu (PaO_2) i dwutlenku węgla ($PaCO_2$), saturację (SaO_2), zawartość wodorowęglanów we krwi (HCO_3) oraz jej pH (tab. 25.12).

Rozpoznanie niewydolności oddechowej na podstawie badania gazometrycznego wymaga nie tylko znajomości wartości prawidłowych poszczególnych parametrów, ale również zrozumienia zasad utrzymania równowagi kwasowo-zasadowej (tab. 25.13).

U pacjenta oddychającego spontanicznie niedostateczna kompensacja kwasicy metabolicznej może wskazywać na niewystarczającą rezerwę wentylacyjną, nawet wtedy, gdy $PaCO_2$ pozostaje w granicach normy. U osób z przewlekłą zaporową chorobą płuc i współistnieniem hipoksycznego napędu oddechowego bardzo trudno podjąć decyzję o sposobie terapii oddechowej, dopóki nie dysponuje się wynikiem pełnego badania gazometrycznego.

Oddychaniem „steruje" ośrodek oddechowy w pniu mózgu – oddychanie pogłębia się m.in. pod wpływem zwiększenia ciśnienia parcjalnego CO_2 i zmniejszenia O_2 – hipoksji. To zjawisko nazywa się w fizjologii „napędem oddechowym" (respiratory dri-

Tabela 25.10. Skala duszności [Downes i Raphaely, w modyfikacji dr. Marcina Rawicza]

CECHA	LICZBA PUNKTÓW (ZA KAŻDY PARAMETR ODDZIELNIE)		
	0	1	2
Szmer wdechowy	Prawidłowy	Zaostrzony, rzężenia	Wydłużony
Duszność	Brak	Wdechowa	Mieszana
Kaszel	Brak	Chrypka	Szczekający
Zapadanie się międzyżebrzy i poruszanie skrzydełkami nosa	Brak	Poruszanie skrzydełkami nosa, wciąganie dołka jarzmowego	Jak w 1 + wciąganie przestrzeni międzyżebrowych i wyrostka mieczykowatego
Sinica lub $SaO_2 < 85\%$	Brak	Przy oddychaniu powietrzem	Przy podaży 40% O_2

Tabela 25.11. Skala Vidyasagara

CECHA	LICZBA PUNKTÓW (ZA KAŻDY PARAMETR ODDZIELNIE)		
	0	1	2
Liczba oddechów na minutę	< 60/min	60–80/min	> 80/min lub bezdech
Sinica	Przy oddychaniu powietrzem	Przy oddychaniu 40% tlenem	Przy wyższych stężeniach tlenu
Zaciąganie klatki piersiowej	Nie występuje	Średnie	Znaczne
Szmer wydechowy	Niesłyszalny	Słyszalny stetoskopem	Słyszalny bez stetoskopu
Wdech	Prawidłowy	Opóźniony lub utrudniony	Utrudniony i słyszalny

Tabela 25.12. Parametry mierzone badaniem gazometrycznym – zakresy normy

PARAMETR	ZAKRES NORMY	KOMENTARZ
pH	7,35–7,45	Obrazuje kwasowość/zasadowość krwi, układ oddechowy utrzymuje pH krwi przez regulację ciśnienia parcjalnego dwutlenku węgla (pCO_2)
$PaCO_2$	35–45 mmHg	Zawartość dwutlenku węgla we krwi tętniczej; wskazuje skuteczność eliminacji CO_2 po zużyciu tlenu
PaO_2	75–100 mmHg	Zawartość tlenu we krwi tętniczej, obrazuje, jak skutecznie płuca pobierają tlen i z jaką łatwością dostaje się on do krwi
HCO_3	22–26 mmol/l	Stężenie molowe jonów wodorowęglanowych – wartości normy odpowiadają osoczu próbki krwi w pełni utlenowanej przy prawidłowym pCO_2 i temperaturze 37°C
BE (base excess) – niedobór zasad	–3 do +3 mmol/l	Zasób zasad (nadmiar lub niedobór) – określa ilość kwasu lub zasady potrzebną do osiągnięcia przez krew prawidłowej wartości pH (nie zależy od pCO_2 i stężenia hemoglobiny)
SaO_2	94–100%	Wysycenie krwi tętniczej tlenem

ver). Główną rolę odgrywa CO_2. Ten mechanizm działa zarówno „z oddechu na oddech" (stężenie CO_2 we krwi zmniejsza się i zwiększa podczas oddychania), jak i reaguje na długoterminowe zmiany prężności CO_2 we krwi.

W grupie pacjentów z niewydolnością oddechową hipoksja (spadek ciśnienia parcjalnego tlenu we krwi) odgrywa istotną rolę, ponieważ pobudza ośrodek oddechowy. Rola CO_2 jest mniejsza ze względu na adaptację (zmniejszenie wrażliwości) ośrodka oddechowego na hiperkapnię, czyli wzrost CO_2 we krwi. Wobec utraty wrażliwości ośrodka oddechowego na CO_2 istotne jest monitorowanie w tych warunkach pH krwi, HCO_3, BE i SaO_2. Wartość $PaCO_2$, chociaż nadal istotna, nabiera drugorzędnego znaczenia.

U dzieci z niewydolnością oddechową pochodzenia kardiogennego (wrodzone wady serca, niewydol-

ność krążenia) ocena wydolności oddechowej na podstawie badania gazometrycznego podlega własnym regułom. Toleruje się niższe wartości pH krwi (do 7,2 przy saturacji > 80%) i wyższe $PaCO_2$ (nawet > 65 mmHg). Należy wziąć pod uwagę FiO_2 mieszaniny oddechowej podawanej pacjentowi w trakcie pobierania krwi.

2 Inne metody diagnostyczne

- Zdjęcie RTG klatki piersiowej – w celu oceny płuc (niedodma, odma, zastój, zmiany zapalne, wady wrodzone) oraz sylwetki serca (powiększona – wada serca, płyn w osierdziu, niewydolność serca lub zbyt mała – hipowolemia).
- USG głowy (przezciemiączkowe) – wykluczenie/ /ocena wylewu do OUN, jamy brzusznej – ocena wątroby, położenia i wielkości nerek lub obecności

Tabela 25.13. Zaburzenia równowagi kwasowo-zasadowej i stan po zadziałaniu mechanizmów kompensacyjnych

	pH	pCO$_2$	HCO$_3$	BE
Kwasica oddechowa				
Ostra nieskompensowana	↓	↑	Norma	Norma
Podostra, częściowo skompensowana	↓	↑	↑	↑
Przewlekła, w pełni skompensowana	Norma	↑	↑	↑
Zasadowica oddechowa				
Ostra nieskompensowana	↑	↓	Norma	Norma
Podostra, częściowo skompensowana	↑	↓	↓	↓
Przewlekła, w pełni skompensowana	Norma	↓	↓	↓
Kwasica metaboliczna				
Ostra nieskompensowana	↓	Norma	↓	↓(−)
Podostra, częściowo skompensowana	↓	↓	↓	↓(−)
Przewlekła, w pełni skompensowana	Norma	↓	↓	↓(−)
Zasadowica metaboliczna				
Ostra nieskompensowana	↑	Norma	↑	↑(−)
Podostra, częściowo skompensowana	↑	↑	↑	↑(−)
Przewlekła, w pełni skompensowana	Norma	↑	↑	↑(+)

↑ – wzrost
↓ – spadek
(+) i (−) = odchylenie dodatnie lub ujemne

patologicznych tworów ograniczających ruchomość przepony lub będących powodem niewydolności krążenia, ewentualnie ocena przepływu krwi w naczyniach (doppler) – np. nerkowych, wątrobowych.
■ ECHO serca – przy podejrzeniu wady wrodzonej serca w celu sprecyzowania rozpoznania, ocena kurczliwości mięśnia sercowego, jam serca, zastawek oraz wykluczenie płynu w osierdziu, skrajnie – tamponady serca.
■ EEG – badanie bioelektrycznej czynności mózgu – u pacjenta nieprzytomnego – np. wykluczenie/ /potwierdzenie padaczki czy ocena obrzęku/uszkodzenia mózgu (przy braku możliwości – z uwagi na skrajnie ciężki, niestabilny stan – przewiezienia pacjenta do pracowni CT lub MRI).
■ Tomografia komputerowa, rezonans magnetyczny – ocena uszkodzenia mózgu, malformacji naczy-

niowych, krwawienia do OUN, ocena rdzenia kręgowego – przy urazie komunikacyjnym, angio-CT – obrazujące zarówno serce, jak i płuca, drogi oddechowe i śródpiersie.
■ Badania mikrobiologiczne – posiewy w celu diagnostyki zakażenia o różnej etiologii.

Leczenie
Podstawę leczenia niewydolności oddechowej stanowią zwiększenie wentylacji pęcherzykowej, zastosowanie oddechu wspomaganego, tlenoterapia i sedacja dziecka. Zwykle konieczna jest intubacja, która może być zabiegiem bezpośrednio ratującym życie. Czynności lecznicze:

1 tlenoterapia bierna (100% tlenem):
■ przez maskę,
■ przez nebulizator,
■ insuflacja przez kaniule donosowe,

2 utrzymanie drożności dróg oddechowych:

- zabiegi udrażniające górne drogi oddechowe (np. uniesienie żuchwy),
- odsysanie wydzieliny z górnych dróg oddechowych,
- pobudzanie do kaszlu,
- zastosowanie rurki ustno-gardłowej,

3 utrzymanie pacjenta w pozycji siedzącej,

4 sedacja farmakologiczna,

5 utrzymanie prawidłowej temperatury ciała,

6 wypełnienie łożyska naczyniowego,

7 wspomaganie oddechu – wentylacja mechaniczna.

Wskazania do intubacji i wentylacji mechanicznej w ostrej niewydolności oddechowej:

- powtarzające się bezdechy z bradykardią (u dzieci młodszych),
- narastający lub utrzymujący się wysiłek oddechowy,
- obniżająca się saturacja krwi pomimo zwiększania FiO_2,
- zatrzymanie oddechu i krążenia,
- wskazania gazometryczne – narastająca hiperkapnia i hipoksemia z postępującą kwasicą i narastaniem stężenia kwasu mlekowego we krwi,
- postępująca niewydolność krążeniowo-oddechowa mimo braku wskazań gazometrycznych,
- znieczulenie ogólne do operacji lub badań diagnostycznych (np. badanie MRI u małych dzieci).

U dzieci z ostrą niewydolnością oddechową stosuje się różne typy oddechu zastępczego, dobrane tak, aby utrzymać normokapnię (z wyjątkiem dzieci z nadciśnieniem płucnym i obrzękiem mózgu) i nie dopuścić do uszkodzenia płuc. Tryb wentylacji zastępczej powinien zostać dobrany w sposób uniemożliwiający nadmierne rozdęcie płuc, a przy tym zapewniający utrzymanie otwartych płuc i ułatwiający oddech własny, przy jednoczesnym uniknięciu zmęczenia pacjenta samodzielnym wysiłkiem oddechowym.

Oddech zastępczy i sedacja z użyciem barbituranów i opioidów zmniejszają zapotrzebowanie organizmu na tlen, powodują poprawę przepływu trzewnego, wzrost diurezy i ustępowanie kwasicy metabolicznej, a w konsekwencji prowadzą do poprawy wydolności krążenia i wentylacji płuc.

25.3.2
Niedrożność górnych dróg oddechowych

Niedrożność górnych dróg oddechowych u dzieci występuje dość często z powodu wąskiego ich światła. Pierwszym niepokojącym objawem klinicznym jest głośny szmer oddechowy – świst, któremu często towarzyszy ostry, szczekający kaszel. Szmer ten stanowi ważny czynnik różnicujący, na jakim poziomie dróg oddechowych doszło do zwężenia. Słyszalny w fazie wdechowej świadczy o zmianach patologicznych w górnych drogach oddechowych (stridor), a w fazie wydechowej o procesie patologicznym w dolnych drogach oddechowych. Przyczyny stridoru:

- krup wirusowy (laryngotracheobronchitis),
- zapalenie nagłośni,
- powikłania po intubacji (pointubacyjny obrzęk krtani, porażenie strun głosowych),
- krztusiec,
- inne (ropień pozagardłowy, brodawczaki krtani, laryngomalacja, oparzenia termiczne i chemiczne, ciała obce, ucisk przez guzy położone na zewnątrz dróg oddechowych).

Podczas badania dziecka ze stidorem najistotniejsze jest upewnienie się, czy nie doszło do zapalenia nagłośni, ponieważ choroba ta stanowi stan, który w większości przypadków wymaga natychmiastowej intubacji.

Postępowanie w niedrożności górnych dróg oddechowych:

1 uspokojenie dziecka – sedacja farmakologiczna (np. midazolam – w dawkach frakcjonowanych 0,1 mg/kg mc./dawkę lub we wlewie dożylnym 0,05–0,1 mg/kg mc./dobę),

2 ułożenie w pozycji półsiedzącej,

3 tlenoterapia bierna – chłodnym, dobrze nawilżonym tlenem (zapewnić podaż tlenu w sposób, który pacjent dobrze toleruje – np. nebulizator – a nie maska twarzowa, która może drażnić, nakierowana na twarz dziecka, pod kontrolą saturacji i gazometrii),

4 inhalacje z 0,9% NaCl, steroidów w dawkach zgodnie z zaleceniami w stosunku do wieku pacjenta i 0,1% adrenaliny w dawce 0,01 mg/kg mc. (dawka może być zwiększona do 0,05 mg/kg mc./inhalację),

5 monitorowanie pacjenta – częstość oddechów, saturacja, częstość pracy serca,

6 badanie równowagi kwasowo-zasadowej (gazometria),

7 przy braku efektu leczenia, tj. nasileniu duszności, tachykardii czy hiperkapni z pH < 7,25 z postępującym spadkiem saturacji, należy wykonać znieczulenie ogólne i zaintubować dziecko oraz zastosować oddech zastępczy (najlepiej w warunkach oddziału intensywnej terapii).

25.3.3
Niedrożność dolnych dróg oddechowych

Choroby dolnych dróg oddechowych występują najczęściej u dzieci z:

- astmą oskrzelową,
- zapaleniem oskrzelików,
- dysplazją oskrzelowo-płucną,
- innymi przyczynami (aspiracja, uszkodzenie chemiczne, ciało obce, zwłóknienie torbielowate).

Obraz kliniczny:

- świst o charakterze wydechowym – im większa obturacja dróg oddechowych, tym dłuższa jest faza wydechowa,
- świsty pochodzące z drobnych dróg oddechowych,
- rzężenia powstające w drogach oddechowych o większej średnicy,
- postękiwanie, jako sposób aktywnego zwiększenia skuteczności wydechu,
- w RTG klatki piersiowej i w badaniu przedmiotowym – nadmierne rozdęcie płuc (gdy płuca nie rozprężają się całkowicie, dochodzi do uwięzienia powietrza w pęcherzykach płucnych).

Astmę oskrzelową opisano w rozdz. 21 „Choroby alergiczne". Znaczne zaostrzenie astmy stanowi stan zagrożenia życia i czasem wymaga intubacji, stosowania oddechu zastępczego i leczenia na OIT. Intubacja wykonywana jest w znieczuleniu ogólnym. Zaleca się tzw. łagodną wentylację (gentle ventilation) z permisywną hiperkapnią, czyli tolerowaniem wysokich wartości pCO_2, często > 70–80 mmHg, z małą częstością oddechów i z wydłużoną fazą wdechu, z niskim PEEP (3–4 mmHg), zawsze pod kontrolą saturacji i badania równowagi kwasowo-zasadowej.

25.3.4
Aspiracja ciała obcego do dróg oddechowych

Umiejscowienie ciała obcego:

- najczęściej – prawe oskrzele,
- rzadziej – lewe oskrzele, krtań lub gardło (w zależności od kształtu ciała obcego),
- ciała obce w przełyku również mogą zamykać drogi oddechowe, zwłaszcza wtedy, gdy uciskają na tchawicę w miejscu jej zwężenia (np. na poziomie rozwidlenia lub łuku aorty).

Objawy kliniczne aspiracji ciała obcego do dróg oddechowych to:

- kaszel,
- sinica,
- duszność o różnym stopniu nasilenia,
- bezdechy,
- zaciąganie jednej strony klatki piersiowej,
- zmiany osłuchowe – osłabienie szmeru pęcherzykowego, świsty, rzężenia,
- objawy radiologiczne:
  - jeżeli ciało obce pochłania promienie rentgenowskie, to zdjęcie RTG klatki piersiowej potwierdzi rozpoznanie i zobrazuje umiejscowienie ciała obcego,
  - zdjęcie RTG wykonane w ciągu pierwszych 24 godzin może nie wykazywać patologii, w późniejszym okresie mogą być widoczne niedodma, rozedma, przemieszczenie serca i śródpiersia na stronę przeciwną czy zapalenie płuc.

Leczenie polega na usunięciu ciała obcego w płytkim znieczuleniu wziewnym, najlepiej przy utrzymywaniu oddechu własnego pacjenta. Przy bronchoskopii wykonywanej sztywnym bronchoskopem wskazane jest znieczulenie miejscowe krtani i tchawicy – roztworem lidokainy o stężeniu 4 mg/ml, połączone z odpowiednio głębokim znieczuleniem ogólnym. Po usunięciu ciała obcego drożność dróg oddechowych może być podtrzymywana za pomocą rurki intubacyjnej lub maski krtaniowej do momentu wybudzenia pacjenta i ekstubacji. Po ekstubacji wymagana jest tlenoterapia bierna 100% tlenem i monitorowanie podstawowych czynności życiowych.

25.4
NIEWYDOLNOŚĆ KRĄŻENIA

25.4.1
Obraz niewydolności krążenia

Definicja

Niewydolność krążenia ostra to szybko pogłębiające się upośledzenie czynności układu krążenia, najczęściej na skutek dużego uszkodzenia serca o różnej etiologii (np. wady wrodzone serca, zapalenie mięśnia sercowego).

Niewydolność mięśnia sercowego (heart failure) oznacza niezdolność serca do transportu tlenu do tkanek w ilości koniecznej do prawidłowych przemian metabolicznych, czego konsekwencją jest uszkodzenie mięśnia sercowego oraz dysfunkcja innych narządów i układów. Zastoinowa niewydolność krążenia to termin stosowany w przypadku przeciążenia krążenia płucnego i obrzęków obwodowych, będących wynikiem wtórnej retencji soli i wody.

Najważniejszą funkcję układu krążenia stanowi dostarczanie tlenu do komórek. Parametrem określającym wydolność tego układu jest rzut serca (pojemność minutowa), oznaczający objętość krwi, którą serce tłoczy w ciągu jednej minuty do naczyń krwionośnych. Stanowi iloczyn częstości skurczów serca i objętości wyrzutowej.

$$\text{Rzut serca} =$$
$$= \text{objętość wyrzutowa} \times \text{częstość pracy serca}$$

W niewydolności krążenia serce nie może utrzymać właściwego rzutu serca, niezbędnego do pokrycia zapotrzebowania organizmu na tlen. Najczęstszą przyczyną takiego stanu jest upośledzenie kurczliwości mięśnia sercowego. Przy dalszym spadku rzutu serca rozwija się wstrząs.

Etiologia i patogeneza

Przyczyną niewydolności mięśnia sercowego nie jest „choroba serca", lecz uszkodzenie lub wyczerpanie kompensacyjnych mechanizmów hemodynamicznych i neurohormonalnych. Powoduje to postępujące zmniejszanie kurczliwości mięśnia sercowego, spadek objętości wyrzutowej i pojemności minutowej, powiększenie serca i zwiększenie stymulacji współczulnej. Dochodzi do nieprawidłowej dystrybucji krwi w łożysku naczyniowym, czego objawy stanowią tachykardia oraz retencja wody i sodu (ryc. 25.5).

Stany prowadzące do wystąpienia ostrej niewydolności mięśnia sercowego:

- ciężkie niedotlenienie okołoporodowe,
- hipowolemia (nagła utrata krwi, odwodnienie),
- procesy chorobowe toczące się w płucach (ZZO, zapalenie płuc, odma opłucnowa, wady wrodzone układu oddechowego, nadciśnienie płucne),
- wrodzone i nabyte wady serca, np. wrodzone zaburzenia rytmu serca, TGA z nieprawidłowym odejściem tętnic wieńcowych, pooperacyjne zwężenie tętnic wieńcowych i w konsekwencji zawał mięśnia sercowego, pooperacyjne zapalenie wsierdzia, nabyte patologie zastawek serca,
- zaburzenia rytmu serca,
- zakażenia (bakteryjne, wirusowe, grzybicze),
- zatrucie lekami (β-blokery i inne leki antyarytmiczne, antywirusowe, chemioterapeutyki),
- wady genetyczne, np. zaostrzenie wrodzonej tyrozynemii,
- wrodzone zapalenie mięśnia sercowego,
- kardiomiopatia.

Inne czynniki, które mogą wywołać lub nasilić niewydolność krążenia to:

- hipotermia lub hipertermia,
- zaburzenia jonowe (tab. 25.14),
- hipoglikemia,
- zaburzenia metaboliczne,
- zaburzenia hormonalne.

Obraz kliniczny

Objawy kliniczne niewydolności krążenia to:

- przyspieszenie/zwolnienie częstości pracy serca,
- słabo wyczuwalne tętno na tętnicach obwodowych,
- obniżone ciśnienie tętnicze,
- zmiana zabarwienia skóry – bladość, sinica, skóra marmurkowata, obkurczenie naczyń obwodowych (zimne kończyny),
- zaburzenia przepływu obwodowego:
  - wydłużony czas powrotu krążenia włośniczkowego > 3 sekund,
  - różnica między powierzchniową a głęboką temperaturą ciała > 2°C,
- zaburzenia oddychania:
  - przyspieszenie/zwolnienie częstości oddechów,
  - znaczny wysiłek oddechowy – zaciąganie mostka i międzyżebrzy, stękanie,

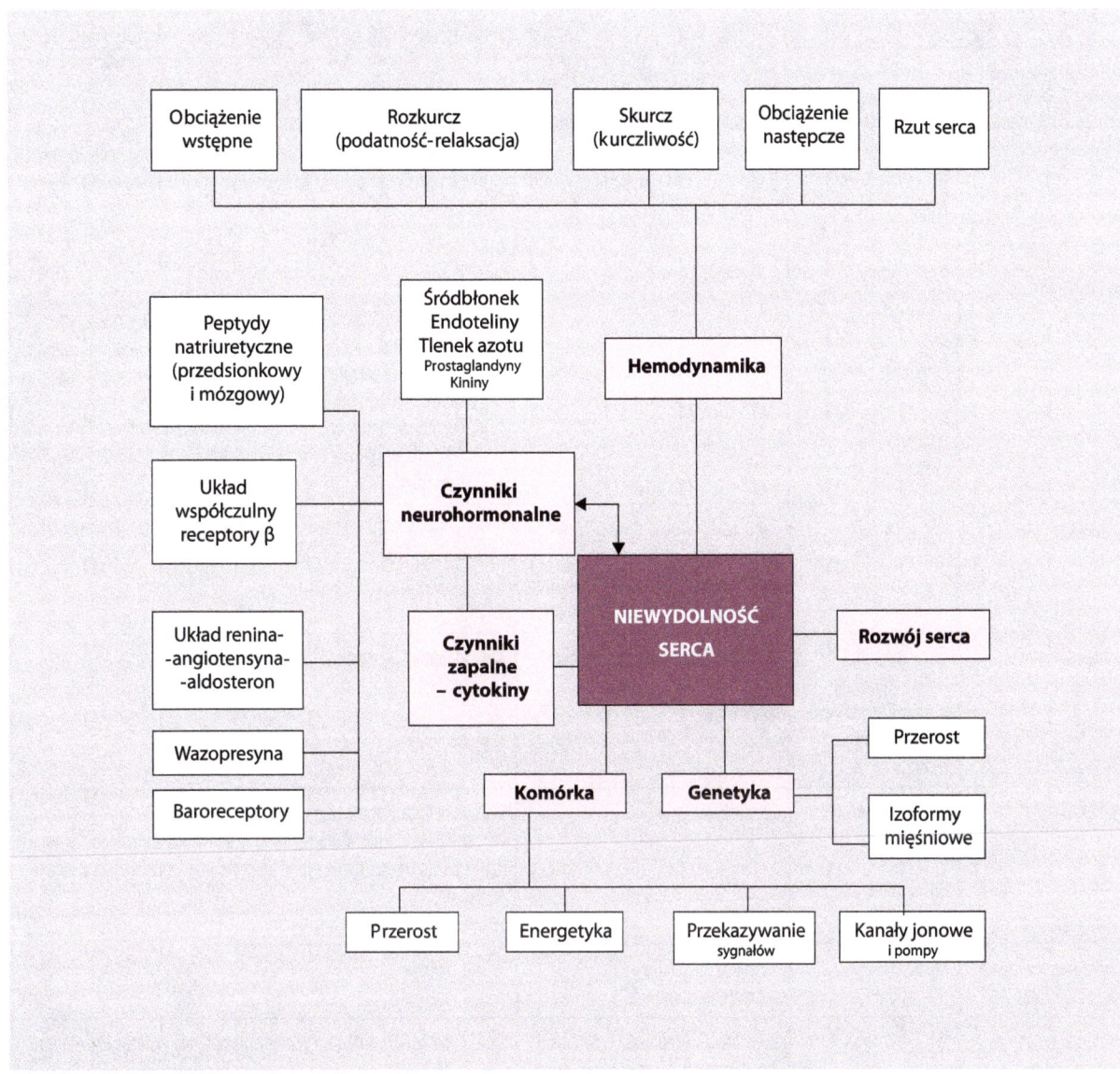

Rycina 25.5. Schemat patomechanizmów niewydolności serca.

- skąpomocz (do anurii włącznie), obrzęki,
- rozszerzenie żył szyjnych, powiększenie wątroby i śledziony.

Leczenie

1 Leczenie niefarmakologiczne
- Prawidłowe wypełnienie łożyska naczyniowego.
- Utrzymanie optymalnej temperatury otoczenia (zmniejszenie wydatku energetycznego związanego z termogenezą).
- Wysokie ułożenie noworodka.
- Podanie tlenu do oddychania.
- Utrzymanie prawidłowego stężenia hemoglobiny (zapobieganie hipoksji przez prawidłowy dowóz tlenu do tkanek).

- Utrzymanie równowagi kwasowo-zasadowej → wyrównywanie glikemii i niedoborów jonów.

2 Niewydolność krążeniowo-oddechowa – algorytm postępowania.
- Sedacja – barbiturany + opioidy.
- Oddech zastępczy – nawet mimo braku kryteriów „gazometrycznych":
  - zmniejszenie zapotrzebowania na O_2,
  - poprawa przepływu trzewnego,
  - poprawa diurezy i ustępowanie kwasicy metabolicznej,
  - poprawa wydolności oddechowej i krążenia.
- Zabezpieczenie dostępu do naczyń.

Tabela 25.14. Wpływ zaburzeń jonowych na układ krążenia

RODZAJ ZABURZEŃ JONOWYCH	STĘŻENIE W SUROWICY	WPŁYW NA UKŁAD KRĄŻENIA	LECZENIE
Hiperkaliemia	K > 5,5 mEq/l (u noworodków K > 6 mEq/l)	Zaburzenia przewodnictwa prowadzące do bradykardii, asystolii czy migotania komór	1. Podaż soli wapnia – wlew 10–20 ml 10% CaCl przez 10–20 min pod kontrolą poziomu magnezu w surowicy (można wlew skrócić do 5 min) 2. Podaż roztworu glukozy i insuliny (10 j. ins. kryst. w 50 ml 40% glukozy – wlew 1–2 ml/godz., kontrola poziomu magnezu po 30 min) 3. Podaż resonium (siarczanu sodowego polistyrenu – doustnie 10–20 g 20% sorbitolu co 4–6 godz. lub wlewka doodbytnicza 25–50 g w 25–50 ml 70% sorbitolu w 50–100 ml wody z utrzymaniem minimum 30 min 4. Podaż furosemidu – w dawkach frakcjonowanych 1–2 mg/kg mc./ /dawkę lub we wlewie 6 mg/kg mc./dobę 5. Dializoterapia
Hipokaliemia	K < 3,5 mEq/l	Zaburzenia funkcjonowania mięśnia sercowego –zmniejszenie kurczliwości prowadzące do arytmii i ostatecznie zatrzymania akcji serca	Dożylny wlew KCl – pod kontrolą poziomu potasu w surowicy krwi co 3–4 godz. (standardowe rozcieńczenie 10 mEq 15% KCl w 10 ml 0,9% NaCl – 0,5–2 ml/godz.)
Hiperkalcemia	Ca (wapń całk.) > 10,5 mg/dl (Ca > 14 mg/dl stanowi wskazanie do leczenia na OIT)	Bradykardia, blok przedsionkowo- -komorowy, zahamowania zatokowe	Nawodnienie (krystaloidy), furosemid, hemodializa
Hipokalcemia	Ca < 6–7 mg/dl	Częstoskurcz	Suplementacja wapnia i fosforu – 10% calc. gluconatum (188 mg Ca) lub 10% cal. chloratum (272 mg Ca) 1–3 mg/kg mc./dawkę lub 0,5–1,5 mg/kg mc./godz. – pod kontrolą poziomu Ca w surowicy co 4–6 godz. Witamina D, leczenie przyczynowe
Hipermagnezemia	Mg > 1,05 mmol/l	Przedłużenie odstępu PQ, poszerzenie zespołu QRS	1. Sole wapnia 2. Dializoterapia
Hipomagnezemia	Mg < 0,65 mmol/l	Zaburzenia rytmu serca (częstoskur- cze, migotanie przedsionków, migo- tanie komór)	Sole magnezu 0,1 ml/kg mc./dobę pod kontrolą poziomu co 4 godz.
Hipernatremia	Na > 150 mEq/l	Hipotensja często spowodowana hipowolemią (nadmierną utratą wody)	1. Resuscytacja płynowa 2. Wazopresyna w przypadku moczówki
Hiponatremia	Na < 130 mEq/l	Niewydolność krążenia związana z przewodnieniem	18–12 mmol/l/dobę, wlew 1–2 mmol/l/godz., zalecane bardzo wolne uzupełnianie jonów sodu, pod kontrolą poziomu w surowicy co 4–6 godz.

25.4.2

Nadciśnienie płucne

Nadciśnienie płucne (patrz rozdz. 7 „Choroby okresu noworodkowego") najczęściej towarzyszy wadom wrodzonym, takim jak przepuklina przeponowa, hipoplazja płuc czy wady serca ze zwiększonym przepływem płucnym. Może być także wywołane zaburzeniami okołoporodowymi związanymi z nie-

dotlenieniem, kwasicą, hipoglikemią lub hipotermią. Często stwierdza się je w zespole aspiracji smółki.

Nadciśnienie płucne może wystąpić u noworodków po operacjach wad serca w krążeniu pozaustrojowym. We wczesnym okresie pooperacyjnym, gdy pacjent znajduje się pod wpływem działania leków stosowanych w czasie znieczulenia do operacji, w dużej liczbie przypadków nie obserwuje się objawów wskazujących na nadciśnienie płucne. Obraz płuc w badaniu radiologicznym również jest niecharakterystyczny. Dopiero podczas wybudzania pacjenta, po zmniejszeniu parametrów wentylacji, mogą pojawić się incydenty nadciśnienia płucnego. Występują niepokój dziecka i pogłębiająca się sinica z równoległym obniżeniem się saturacji bez reakcji na zwiększanie wentylacji i FiO$_2$. Szybko dołączają się hipotensja i bradykardia, a przy braku właściwego rozpoznania i leczenia może dojść do zgonu dziecka.

Leczenie musi być energiczne i zdecydowane:

1 zastosowanie głębokiej sedacji:
- dożylny wlew opioidów i barbituranów,
- podanie leków zwiotczających we wlewie dożylnym (cisatrakurium) lub w dawkach frakcjonowanych (pipekuronium),

2 wprowadzenie oddechu kontrolowanego:
- ze zwiększonym stężeniem tlenu w mieszaninie oddechowej nawet do 100%,
- z zastosowaniem hiperwentylacji (uzyskanie PaCO$_2$ ok. 35 mmHg i pH > 7,45),
- z podawaniem wodorowęglanów, jeżeli nie udaje się zalkalizować ustroju pacjenta przez stosowanie hiperwentylacji,
- z podaniem leków obniżających ciśnienie w tętnicy płucnej (tlenek azotu, epoprostenol).

Celem leczenia jest zapobieganie wystąpienia tzw. **kryzy nadciśnienia płucnego**. Objawy tego powikłania to gwałtowny spadek SaO$_2$ i ciśnienia systemowego bez reakcji na standardowe leczenie, często z towarzyszącą bradykardią, a także wzrost ciśnienia w tętnicy płucnej powyżej ciśnienia systemowego. Algorytm postępowania w kryzie nadciśnienia płucnego:

1 wentylacja ręczna (hiperwentylacja) przy użyciu układu Reesa lub Ambu 100% tlenem,

2 pogłębienie sedacji – podaż bolusa leków stosowanych w analgosedacji (benzodiazepiny, np. midazolam, i opioidy, np. morfina), podaż leków zwiotczających w bolusie,

3 podaż wodorowęglanów – 1 mEq/kg mc./dawkę dożylnie oraz zwiększenie dawki tlenku azotu/epoprostenolu lub włączenie tych leków, jeśli nie były do tej pory stosowane.

25.4.3

Tamponada serca

Definicja
Zespół zaburzeń hemodynamicznych bezpośrednio zagrażających życiu, do których dochodzi na skutek nagromadzenia się płynu w nierozciągliwym włóknistym worku osierdziowym.

Etiologia i patogeneza
Jama osierdzia to przestrzeń między zewnętrzną i wewnętrzną blaszką osierdzia zawierająca ok. 1 ml//kg mc. przejrzystego płynu. Ciśnienie w worku osierdziowym jest równe ciśnieniu panującemu w jamie opłucnej i nieco niższe od ciśnienia atmosferycznego i ciśnienia krwi w przedsionkach serca. Takie właściwości osierdzia umożliwiają prawidłowe wypełnianie serca krwią. Podstawowe zaburzenia hemodynamiczne w tamponadzie serca to upośledzenie rozkurczu i uniemożliwienie wypełniania serca wskutek ucisku z zewnątrz. W miarę narastania objętości płynu i wzrostu ciśnienia w worku osierdziowym dochodzi do upośledzenia podatności ścian serca, co w konsekwencji skutkuje wzrostem ciśnienia w jamach serca, upośledzenia ich napełniania i zmniejsza pojemność minutową.

Wszystkie stany, w przebiegu których dochodzi do wysięku lub krwawienia do worka osierdziowego mogą być wikłane tamponadą. Zalicza się tu m.in. choroby zapalne, metaboliczne, nowotworowe, zakażenia, zawał serca, rozwarstwienie tętniaka aorty i urazy, w tym jatrogenne. Nierzadko etiologia wysięku osierdziowego pozostaje nieustalona. W praktyce klinicznej najczęstsze przyczyny ostrej tamponady to okołozawałowe pęknięcie wolnej ściany lewej komory, pęknięcie tętniaka aorty, urazy serca oraz uszkodzenie jatrogenne podczas inwazyjnych procedur diagnostycznych lub leczniczych w obrębie naczyń i serca. Do rozwoju objawów tamponady podostrej dochodzi najczęściej w przebiegu infekcyjnego zapalenia osierdzia (zwłaszcza bakteryjnego i gruźliczego), chorób nowotworowych (chłoniak, rak płuca, rak sutka, radioterapia) i mocznicy.

Obraz kliniczny
Klasyczne objawy tamponady serca to:

- spadek ciśnienia tętniczego krwi, ciche tony serca i przepełnienie żył szyjnych – **triada Becka**,
- objawy niskiego rzutu serca (tachykardia, zimne kończyny, upośledzenie powrotu włośniczkowego,

oliguria/anuria, kwasica metaboliczna, wzrost stężenia mleczanów, duszność jako próba kompensacji kwasicy metabolicznej),
- znaczny niepokój,
- nadmierna potliwość,
- zasłabnięcie/utrata przytomności,
- tętno paradoksalne (spadek ciśnienia skurczowego podczas wdechu o ponad 10–15 mmHg),
- powiększenie wątroby.

Ostra tamponada serca prowadzi do wstrząsu kardiogennego.

Metody diagnostyczne

- EKG – niski woltaż zespołów QRS we wszystkich odprowadzeniach, niespecyficzne zmiany odcinka ST-T, naprzemienność elektryczna zespołów QRS oraz załamków P i T, zwykle tachykardia zatokowa. W ostrej tamponadzie zapis EKG może przypominać świeży zawał serca. Czasem zapis jest całkowicie prawidłowy.
- Zdjęcie RTG klatki piersiowej – znaczne powiększenie sylwetki serca, wyprostowanie lewego zarysu serca, brak objawów zastoju w krążeniu małym.
- ECHO – badanie rozstrzygające, uwidocznia ilość płynu w worku osierdziowym i upośledzoną kurczliwość mięśnia sercowego.

Leczenie

1 Interwencja
Zabiegiem ratującym życie jest nakłucie worka osierdziowego i ewakuacja płynu pod kontrolą echokardiografii. U dzieci przezskórne nakłucie worka osierdziowego powinno być wykonywane w znieczuleniu ogólnym. W zależności od umiejscowienia wysięku można skorzystać z dostępu koniuszkowego, przymostkowego lub podżebrowego. Najczęściej nakłucie przeprowadza się w kącie między wyrostkiem mieczykowatym a lewym łukiem żebrowym. Po nakłuciu wskazane jest pozostawienie cewnika w worku osierdziowym. Ponowne nagromadzenie się krwi lub wątpliwości diagnostyczne stanowią wskazanie do wykonania torakotomii lub sternotomii z szerokim otwarciem worka osierdziowego.

Płyn należy poddać badaniu mikroskopowemu, cytologicznemu i hodowli bakteryjnej. Drenaż worka osierdziowego utrzymuje się do chwili, gdy objętość płynu zmniejszy się na tyle, że kardiochirurg oceniający wynik kontrolnego badania echokardiograficz-

nego oceni jego ilość jako „niewymagającą drenażu" – zależy to zarówno od oceny strat z drenażu osierdziowego, jak i klinicznej oceny stanu pacjenta. Leczenie wspomagające:

- Tlenoterapia.
- Katecholaminy.
- Inhibitory fosfodiesterazy.
- Prawidłowe wypełnienie łożyska naczyniowego (krystaloidy, koloidy),
- Leki diuretyczne.
- Antybiotykoterapia, o ile to możliwe na podstawie wyniku badania bakteriologicznego.
- Intubacja + wspomaganie oddechu – należy unikać wentylacji z dodatnim ciśnieniem z uwagi na nasilenie upośledzenia napełniania jam serca.

Powikłania – tamponada serca jest najczęściej powikłaniem choroby podstawowej lub interwencji leczniczej – chirurgicznej lub kardiologicznej bądź badania diagnostycznego w ramach kardiologii interwencyjnej. Rokowanie jest poważne z możliwością zgonu pacjenta włącznie.

25.5
WSTRZĄS

Definicja
Wstrząs to stan zagrażający życiu charakteryzujący się uogólnionym i niedostatecznym przepływem krwi przez tkanki. Wyróżnia się kilka typów wstrząsu (tab. 25.15).

Etiologia i patogeneza
Wspólną cechą dla wszystkich typów wstrząsów jest zapaść krążenia i dysproporcja między objętością krwi krążącej a pojemnością łożyska naczyniowego (tab. 25.16). Obserwuje się spadek ciśnienia tętniczego, hipoperfuzję tkanek, niedotlenienie i niewydolność wielonarządową. Wskutek niedotlenienia dochodzi do utraty napięcia naczyń krwionośnych, co powoduje nieodwracalne uszkodzenie tkanek i narządów i w rezultacie prowadzi do śmierci wskutek niewydolności krążeniowo-oddechowej.

Obraz kliniczny
Wstrząs jest procesem postępującym. Zwykle dzieli się go na trzy okresy (tab. 25.17).

Tabela 25.15. Rodzaje wstrząsu

RODZAJ WSTRZĄSU		PRZYCZYNY
Kardiogenny		▪ Zespół małego rzutu serca ▪ Zaburzenia rytmu serca ▪ Wrodzone wady serca z utrudnionym odpływem z komór serca lub z przeciekiem układowo-płucnym ▪ Ostry zawał serca
Obturacyjny		▪ Tamponada serca ▪ Masywny zator płucny ▪ Ostre nadciśnienie płucne
Oligowolemiczny		▪ Krwotok ▪ Utrata płynów ustrojowych – np. wymioty, biegunka, wodobrzusze, duże straty z opłucnej
Dystrybucyjny	Septyczny	▪ Zakażenie
	Anafilaktyczny	▪ Kontakt z alergenem
	Neurogenny	▪ Udar mózgu ▪ Uraz rdzenia kręgowego ▪ Stres
Urazowy		▪ Uszkodzenie tkanek i ostry ból

Metody diagnostyczne

Określenie rodzaju wstrząsu może być trudne. Istotne znaczenie ma różnicowanie między wstrząsem przebiegającym z dużym lub małym rzutem serca.

Leczenie

1 Tlenoterapia – 100% tlen do oddychania.

2 Ogrzanie dziecka i zapobieganie wychłodzeniu – okrycie dziecka, przetaczanie ogrzanych płynów.

3 Założenie dostępów naczyniowych (lub dostępu szpikowego).

4 Podaż płynów (krystaloidy) → 20 ml/kg mc.

5 Założenie cewnika do pęcherza moczowego w celu pomiaru diurezy godzinowej (1–2 ml/kg mc./godz.).

6 Terapia płynowa:
▪ krystaloidy:
  ▪ roztwór soli fizjologicznej,
  ▪ płyn wieloelektrolitowy,
  ▪ płyn Ringera,
▪ koloidy:
  ▪ albuminy – 5%, 20%,

Tabela 25.16. Podział wstrząsu ze względu na dystrybucję krwi w naczyniach

RODZAJ WSTRZĄSU	OPIS
Hipowolemiczny	Wywołany zmniejszeniem objętości krwi krążącej lub osocza, które może być spowodowane masywnym krwotokiem czy znaczną utratą wody (oparzenia, wymioty lub biegunka)
Hiperkinetyczny	Wstrząs z nieprawidłowym rozdziałem krwi, a nie jego bezwzględnym zmniejszeniem (wstrząs względnie hipowolemiczny)

Tabela 25.17. Fazy wstrząsu

FAZA WSTRZĄSU	OBJAWY
Faza wczesna – zmiany są subtelne (spadek ciśnienia następuje najpóźniej)	▪ Tachykardia (często z niejasnych przyczyn) ▪ Zmniejszenie amplitudy tętna na obwodzie (bez spadku ciśnienia) ▪ Tachypnoë (osłuchowo rzężenia bez objawów zapalenia płuc) ▪ Zimne, spocone kończyny, skóra marmurkowata ▪ Umiarkowana oliguria ▪ Niepokój, splątanie ▪ Nadmierna potliwość ▪ W badaniach laboratoryjnych umiarkowana kwasica metaboliczna (pH w granicach normy lub niskie wtórnie do kompensacji oddechowej)
Faza rozwiniętego wstrząsu	▪ Tachykardia ▪ Spadek ciśnienia tętniczego, słabo wyczuwalne tętno ▪ Tachypnoë z narastającym wysiłkiem oddechowym ▪ Oliguria ▪ Zaburzenia świadomości i reakcji na bodźce ▪ Nadmierna potliwość ▪ W badaniach laboratoryjnych wyraźna kwasica metaboliczna z pH w granicach normy
Faza późna – stan agonalny	▪ Tachykardia, potem bradykardia poprzedzająca zatrzymanie krążenia ▪ Znaczny spadek ciśnienia tętniczego, tętno niewyczuwalne na obwodzie ▪ Znaczne zwiększenie liczby oddechów z powtarzającymi się bezdechami do zatrzymania oddechu włącznie ▪ Lodowato zimne kończyny z widoczną sinicą obwodową ▪ Stan nieprzytomności i śpiączka ▪ W badaniach laboratoryjnych niskie wartości pH z hiperkapnią i kwasica mieszana wskazują na uszkodzenie wielonarządowe

- świeżo mrożone osocze – przy hipowolemii i zaburzeniach krzepnięcia,
- preparaty skrobi (HES) – ograniczenia w stosowaniu u dzieci,
- żelatyny – krótki czas działania,
- roztwory soli hipertonicznej – 7,5% NaCl:
  - osmolarność – 2400 mOsm/l,
  - dawkowanie: 2–4 ml/kg mc. we wlewie dożylnym przez 2–5 minut,
  - zwiększa objętość krwi krążącej przez 30–90 minut,
  - rozszerza naczynia w krążeniu systemowym i płucnym – zmniejsza następstwa niedokrwienia i reperfuzji,
  - poprawia powrót żylny – wzrost ciśnienia tętniczego i rzutu serca.

7 Terapia katecholaminami.
- Kryteria włączenia leczenia:
  - prawidłowa wolemia (OCŻ 12–15 mmHg),
  - MAP (mean arterial pressure) < 60 mmHg,
  - oliguria – diureza < 1 ml/kg mc./godz.
- Kryteria skuteczności:
  - MAP > 70–75 mmHg,
  - powrót diurezy – $\geq$ 1 ml/kg mc./godz.,
  - obniżanie poziomu mleczanów,
  - prawidłowa perfuzja skóry.

8 Ocena pacjenta.
- Brak poprawy:
  - ponownie koloidy/krystaloidy 20 ml/kg mc.,
  - kontrola równowagi kwasowo-zasadowej, morfologii krwi, glikemii,
  - kontynuacja terapii płynami i/lub koloidami – 20 ml/kg mc.,
  - jeżeli Ht < 30% – KKCz 10 ml/kg mc.,
  - kontrola OCŻ → krwawy pomiar ciśnienia – 10 mmHg > inotropia, 10 mmHg płynoterapia (5–10 ml/kg mc.).
- Poprawa stanu pacjenta:
  - kontynuacja terapii płynowej,
  - ustalenie przyczyny wstrząsu i leczenie przyczynowe.

Powikłania

Niedotlenienie i uszkodzenie mózgu, udar mózgu, wylew do OUN, krwotok do jam ciała i narządów, uszkodzenie narządów miąższowych – np. nerek, wątroby, uszkodzenie mięśnia sercowego, zawał mięśnia sercowego, przewlekłe niedokrwienie kończyn, martwicze uszkodzenie tkanek, owrzodzenia, zespół rozsianego wykrzepiania śródnaczyniowego, ostre owrzodzenie żołądka i jelit, martwica i/lub niedrożność jelit.

Rokowanie

Rokowanie jest złe, a wyniki leczenia, zwłaszcza u dzieci, obarczone dużą śmiertelnością (u dorosłych > 40%).

25.6
RESUSCYTACJA KRĄŻENIOWO- -ODDECHOWA U DZIECI

25.6.1
Nagłe zatrzymanie krążenia

Nagłe zatrzymanie krążenia (NZK) to stan, w którym wskutek zaniknięcia czynności skurczowej mięśnia sercowego dochodzi do nagłego ustania czynności układu krążenia. Wtórnie prowadzi to do zatrzymania oddechu, a w konsekwencji do uszkodzenia ośrodkowego układu nerwowego.

Najczęstszą przyczyną NZK jest niedotlenienie spowodowane niedrożnością dróg oddechowych związaną z procesami zapalnymi lub obecnością ciała obcego. U dzieci nagłe zatrzymanie krążenia występuje częściej niż u dorosłych. Inne przyczyny mogące doprowadzić do NZK to utonięcie, wrodzone wady serca, zatrucia, wstrząs anafilaktyczny, urazy czy zespół nagłej śmierci niemowląt.

Pewnymi objawami nagłego zatrzymania krążenia są:

- utrata przytomności,
- brak tętna na dużych tętnicach (np. szyjnych, udowych),
- patologiczny oddech lub bezdech.

Rozpoznanie NZK musi być ustalone szybko. U dzieci do zatrzymania akcji serca najczęściej dochodzi w mechanizmie bradykardii lub asystolii, a migotanie komór stwierdza się najwyżej w 10% przypadków (inaczej niż u dorosłych). Bradykardia występuje częściej od asystolii. U małych dzieci jest porównywalna z czynnościowym zatrzymaniem akcji serca, gdy częstość pracy serca wynosi < 60/min. W tej grupie wiekowej objętość minutowa prawie wyłącznie zależy od częstości pracy serca, dlatego skrajna brady-kardia oznacza niedostateczne zaopatrzenie organizmu w krew. Nieleczona asystolia i nasilona brady-kardia prowadzą do niedotlenienia i zatrzymania akcji serca. Rozpoznanie zatrzymania krążenia i decyzja o rozpoczęciu RKO nie mogą przekroczyć 10 s. W każdym przypadku możliwie jak najszybciej należy podłączyć monitor EKG, aby ustalić przyczynę zatrzymania akcji serca.

25.6.2

Resuscytacja krążeniowo-oddechowa

Postępowanie w nagłym zatrzymaniu krążenia – resuscytacja krążeniowo-oddechowa (RKO), opiera się na standardach opracowanych przez Europejską Radę Resuscytacji w 2005 roku i zmodyfikowanych w 2010 roku. Działanie jest dwuetapowe:

- podstawowe zabiegi resuscytacyjne – PBLS (paediatric basic life support),
- zaawansowane zabiegi resuscytacyjne – PALS (paediatric advanced life support).

25.6.3

Podstawowe zabiegi resuscytacyjne

Postępowanie podstawowe (ryc. 25.6) dotyczy chorego, u którego wystąpiła niewydolność oddechowa i zatrzymanie czynności serca. W nowelizacji wytycznych z 2010 roku RKO rozpoczyna się od uciskania klatki piersiowej, a nie od oddechów ratunkowych (schemat C-A-B zamiast A-B-C). Rozpoczęcie działań od uciskania klatki piersiowej, a nie od wentylacji, prowadzi do mniejszego opóźnienia wykonania pierwszego uciśnięcia. Postępuje się według schematu C, A, B:

- **C** (circulation) – przywrócenie i utrzymanie wydolnego krążenia,
- **A** (airways) – zapewnienie drożności dróg oddechowych,
- **B** (breathing) – rozpoczęcie i utrzymanie oddychania.

Zasady postępowania:

1 Ocena przytomności dziecka.
- Sprawdzenie reakcji dziecka na delikatnie potrząsanie i zawołanie (nie potrząsaj dzieckiem, jeśli

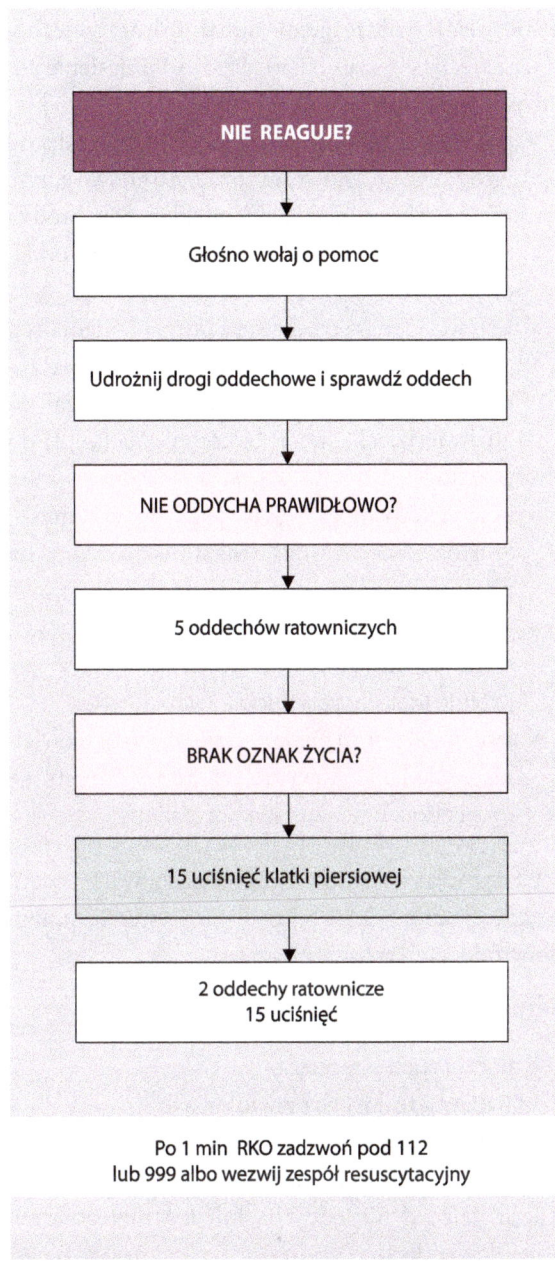

Po 1 min RKO zadzwoń pod 112
lub 999 albo wezwij zespół resuscytacyjny

Rycina 25.6. Podstawowe zabiegi resuscytacyjne u dzieci.

podejrzewasz u niego uraz szyjnego odcinka kręgosłupa).
- Jeśli dziecko odpowiada słowami lub poruszeniem się:
  - pozostaw dziecko w pozycji, w jakiej je zastałeś (pod warunkiem, że jest ona dla niego bezpieczna),
  - oceń jego stan i udziel pomocy w razie potrzeby,
  - powtarzaj regularnie ocenę stanu ogólnego dziecka.

■ Jeśli dziecko nie reaguje – udrożnij drogi oddechowe dziecka poprzez odgięcie głowy i uniesienie żuchwy w następujący sposób:

- połóż rękę na czole dziecka i delikatnie odegnij jego głowę ku tyłowi oraz bródkę unieś ku górze, nie naciskając na tkanki miękkie pod bródką (można spowodować niedrożność dróg oddechowych),
- jeśli wciąż masz trudności z udrożnieniem dróg oddechowych, spróbuj metody wysunięcia żuchwy – połóż palce wskazujące obydwu rąk za żuchwą dziecka, po jej bokach i popchnij ją do przodu,
- obie metody mogą być łatwiejsze do wykonania, jeśli dziecko zostanie delikatnie obrócone na plecy,
- jeżeli podejrzewasz istnienie urazu okolicy szyi, staraj się udrożnić drogi oddechowe, używając jedynie metody wysunięcia żuchwy,
- jeśli nadal jest to nieskuteczne, zastosuj niewielkie odchylenie głowy do tyłu, do momentu aż drogi oddechowe zostaną udrożnione.

2 Utrzymując drożność dróg oddechowych, oceń, nie dłużej niż przez 10 sekund, czy występują prawidłowe oddechy (ryc. 25.7):

- obserwuj ruchy klatki piersiowej,
- słuchaj szmerów oddechowych,
- poczuj ruch powietrza.

■ Jeśli dziecko oddycha prawidłowo:

- ułóż dziecko w pozycji bezpiecznej,
- kontroluj oddech, czy nadal jest obecny.

■ Jeśli dziecko nie oddycha lub ma nieregularne, rzadkie oddechy:

- delikatnie usuń widoczne ciała obce mogące powodować niedrożność dróg oddechowych,
- wykonaj 5 pierwszych oddechów ratowniczych,
- podczas wykonywania oddechów ratowniczych zwróć uwagę na pojawienie się kaszlu lub odruchów z tylnej ściany gardła w odpowiedzi na twoje działania.

3 Oddechy ratownicze u dziecka > 1. rż. powinny być wykonane w następujący sposób:

- zapewnij odgięcie głowy i uniesienie żuchwy (ryc. 25.8),
- kciukiem i palcem wskazującym ręki leżącej na czole zaciśnij miękkie części nosa,

- rozchyl nieco usta dziecka, ale utrzymuj uniesienie bródki,
- nabierz powietrza, obejmij szczelnie swoimi ustami usta dziecka i upewnij się, że nie ma przecieku powietrza,
- wykonaj powolny wydech do ust poszkodowanego trwający 1–1,5 sekundy, obserwując równocześnie unoszenie się klatki piersiowej (ryc. 25.9),
- utrzymując odgięcie głowy i uniesienie żuchwy, przerwij wentylację,
- obserwuj, czy podczas wydechu opada klatka piersiowa,
- ponownie nabierz powietrza i powtórz opisaną sekwencję 5 razy,
- oceń jakość oddechu, obserwując klatkę piersiową dziecka – powinna się unosić i opadać jak przy normalnym oddechu.

4 Jeśli wykonanie skutecznego oddechu natrafia na trudności, drogi oddechowe mogą być niedrożne:

- otwórz usta dziecka i usuń z nich wszelkie widoczne przeszkody (nigdy nie staraj się usunąć ciała obcego na ślepo),
- upewnij się, że głowa jest prawidłowo odgięta, a bródka uniesiona, a także że szyja nie jest nadmiernie wygięta,
- jeśli odgięcie głowy i uniesienie brody nie powoduje udrożnienia dróg oddechowych, spróbuj metody wysunięcia żuchwy,
- podejmij do 5 prób w celu uzyskania efektywnych oddechów, jeśli nadal jest to nieskuteczne, rozpocznij uciskanie klatki piersiowej.

5 Oceń układ krążenia dziecka w czasie nie dłuższym niż 10 sekund.

■ Sprawdzenie tętna – u dziecka > 1. rż. tętno sprawdza się na tętnicy szyjnej, a u niemowlęcia na tętnicy ramiennej na wewnętrznej stronie ramienia.

6 Jeśli brak tętna lub tętno jest wolne (< 60/min z objawami złej perfuzji) lub nie masz pewności, czy tętno jest obecne:

■ rozpocznij uciskanie klatki piersiowej,

■ połącz oddechy ratownicze z uciskaniem klatki piersiowej:

- stosunek uciśnięć klatki piersiowej do wentylacji u dzieci zależy od tego, czy pomocy udziela jeden czy dwóch ratowników,

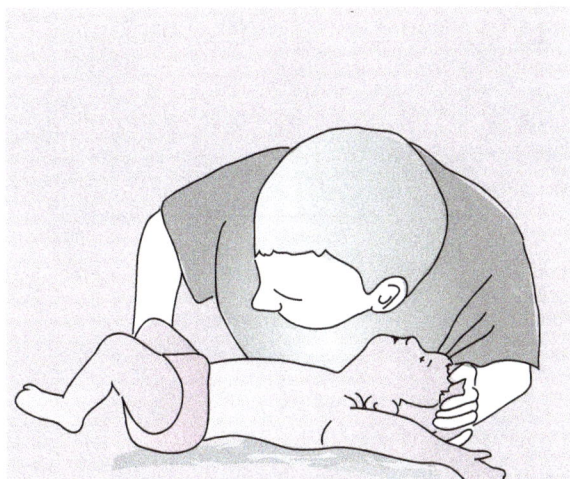

Rycina 25.7. Ocena występowania prawidłowych oddechów.

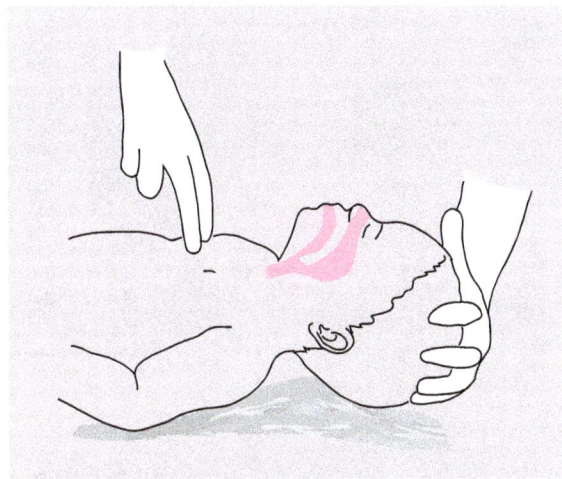

Rycina 25.10. Uciskanie klatki piersiowej u niemowlęcia.

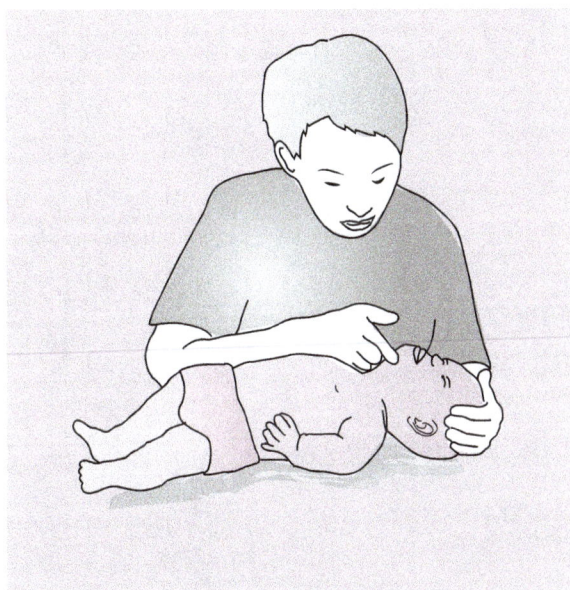

Rycina 25.8. Odchylenie głowy i uniesienie żuchwy przed podaniem oddechów ratowniczych.

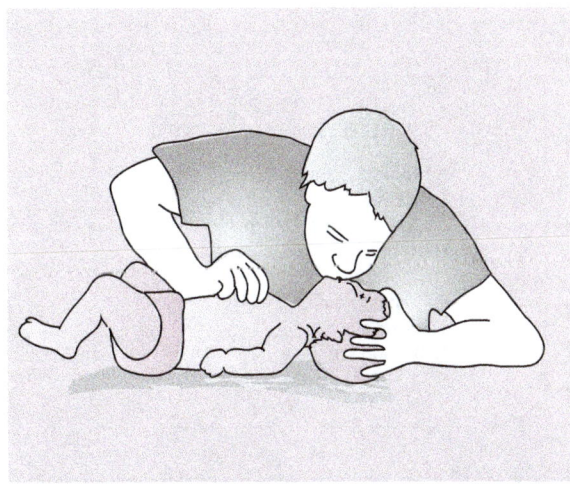

Rycina 25.9. Oddech ratowniczy.

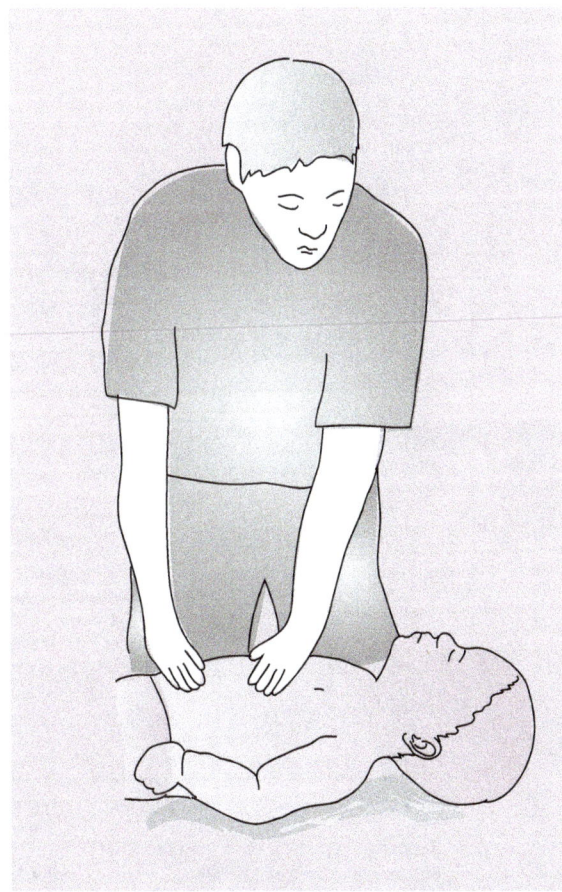

Rycina 25.11. Uciskanie klatki piersiowej u kilkuletniego dziecka.

Nie reaguje?
Brak oddechu lub tylko
pojedyncze westchnięcia

↓

RKO (5 wstępnych oddechów
ratowniczych, potem 15:1)
Podłącz defibrylator/monitor
Minimalizuj przerwy

↔

Wezwij zespół
resuscytacyjny
Jeśli pojedynczy ratownik,
najpierw 1 min RKO

↓

Oceń rytm serca

Do defibrylacji
(VF/VT bez tętna)
– migotanie
komór/częstoskurcz
komorowy

↔

Nie do defibrylacji
(PEA /asystolia)
– aktywność
elektryczna
bez tętna

1 defibrylacja
4 J/kg mc.

**Powrót spontanicznego
krążenia**

Natychmiast
podejmij RKO
przez 2 min
Minimalizuj przerwy

**NATYCHMIASTOWA OPIEKA
PORESUSCYTACYJNA**

- Zastosuj schemat ABCDE
- Kontroluj wentylację i oksygenację
- Badania
- Lecz przyczynę zatrzymania krążenia
- Kontrola temperatury
- Terapeutyczna hipotermia?

Natychmiast
podejmij RKO
przez 2 min
Minimalizuj przerwy

PODCZAS RESUSCYTACJI KRĄŻENIOWO-ODDECHOWEJ

- Zapewnij wysokiej jakości uciśnięcia klatki
  piersiowej – częstość, głębokość, właściwe odkształcenie
- Zaplanuj działanie zanim przerwiesz RKO
- Podaj tlen
- Dostęp naczyniowy (dożylny, doszpikowy)
- Podawaj adrenalinę co 3–5 minut
- Rozważ zaawansowane zabezpieczenie dróg
  oddechowych i kapnografię
- Nie przerywaj uciskania klatki piersiowej po zabezpieczeniu
  dróg oddechowych
- Lecz odwracalne przyczyny

**ODWRACALNE PRZYCZYNY
ELEKTROMECHANICZNE**

- Hipoksja
- Hipowolemia
- Hipo- lub hiperkaliemia
- Zaburzenia metaboliczne
- Hipotermia
- Odma prężna
- Zatrucia
- Tamponada serca
- Zaburzenia zatorowo-zakrzepowe

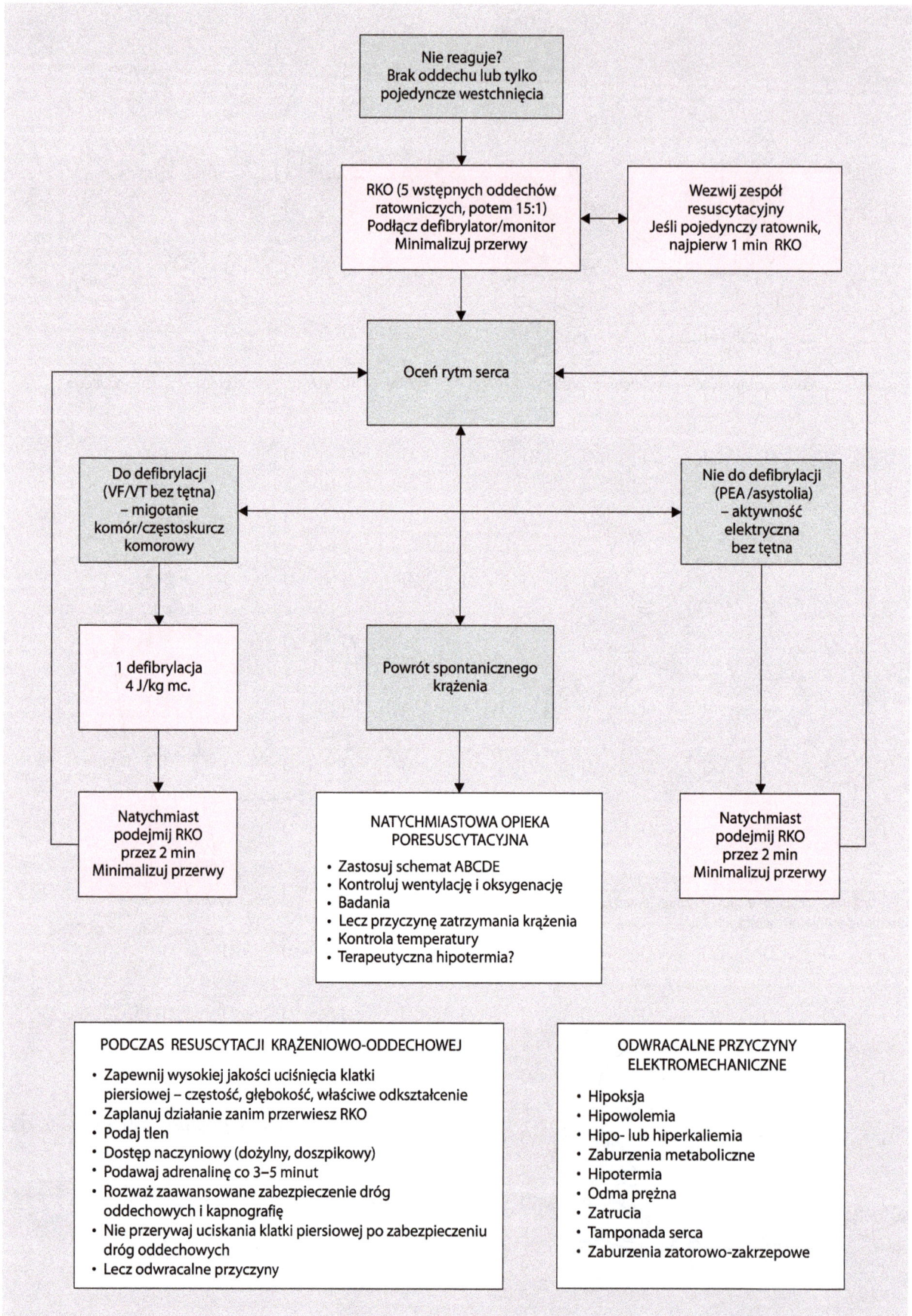

Rycina 25.12. Zaawansowane zabiegi resuscytacyjne u dzieci.

- jeden ratownik – 30 uciśnięć klatki piersiowej i 2 oddechy ratownicze,
- dwóch ratowników – 15 uciśnięć klatki piersiowej i 2 oddechy,
- u dzieci klatkę piersiową należy uciskać w dolnej połowie mostka (zlokalizować wyrostek mieczykowaty – znaleźć miejsce, gdzie łuki żebrowe łączą się ze sobą i uciskać w miejscu o szerokość palca wyżej od tego punktu), na głębokość ok. $\frac{1}{3}$ wymiaru przednio-tylnego klatki piersiowej (4 cm u niemowląt, 5 cm u dzieci starszych),
- u niemowląt w przypadku jednego ratownika klatkę piersiową uciska się opuszkami dwóch palców (ryc. 25.10), a przy obecności dwóch ratowników należy użyć techniki dwóch kciuków i dłoni obejmujących klatkę piersiową (kciuki układa się jeden obok drugiego w kierunku głowy niemowlęcia w $\frac{1}{3}$ dolnej mostka, pozostałe palce obu dłoni obejmują klatkę piersiową, a ich końce palców podtrzymują plecy niemowlęcia),
- u dzieci > 1. rż. nadgarstek jednej ręki umieszcza się w $\frac{1}{3}$ dolnej mostka, powinno się unieść palce, by nie uciskać żeber (ryc. 25.11), następnie należy ustawić się pionowo nad klatką piersiową ratowanego, wyprostować ramiona i uciskać klatkę piersiową, u młodzieży można używać dwóch splecionych dłoni,
- po każdym uciśnięciu należy zwolnić ucisk i powtarzać cykl z częstością co najmniej 100/minutę, ale nie więcej niż 120/minutę,
- po 15 uciśnięciach, należy odgiąć głowę, unieść żuchwę i wykonać 2 efektywne oddechy.

25.6.4
Zaawansowane zabiegi resuscytacyjne

Zaawansowane zabiegi resuscytacyjne (ryc. 25.12) wymagają dostępu do specjalistycznego sprzętu i leków.

Zaawansowane czynności w czasie resuscytacji:

1 Intubacja dotchawicza (patrz str. 1183):
- najskuteczniejszy sposób zapewnienia drożności dróg oddechowych i wentylacji oddechowej,
- czas trwania intubacji nie może przekraczać 30 sekund, a między kolejnymi próbami należy prowadzić wentylację 100% tlenem,
- prawidłowe położenie rurki intubacyjnej z uwagi na możliwość nieprawidłowej intubacji do przełyku lub wprowadzenia rurki do prawego oskrzela musi być sprawdzone przez:
  - osłuchanie stetoskopem klatki piersiowej,
  - monitorowanie saturacji,
  - monitorowanie końcowowydechowego stężenia dwutlenku węgla,
  - wykonanie RTG klatki piersiowej,
- można bezpiecznie używać rurek intubacyjnych z mankietem u niemowląt i małych dzieci,
- rozmiar rurki intubacyjnej dobiera się stosownie do wieku (patrz ryc. 25.3),
- po prawidłowej intubacji rurkę należy odpowiednio umocować, aby nie wyślizgnęła się podczas dalszego postępowania resuscytacyjnego.

2 Dostęp dożylny i iniekcje do jamy szpikowej kości:
- dostęp dożylny (patrz str. 1211) – powinien zostać uzyskany możliwie najszybciej:
  - wybór żyły zależy od zręczności i doświadczenia osoby wkłuwającej się,
  - żeby lek szybciej dotarł do krążenia centralnego, po jego podaniu cewnik należy przepłukać solą fizjologiczną,
- wstrzyknięcie do jamy szpikowej (patrz str. 1211):
  - stosowane przy trudnościach z założeniem cewnika dożylnego,
  - działanie leków występuje z prawie taką samą szybkością jak po podaniu dożylnym,
  - przy punkcji jamy szpikowej należy wyczuć zmniejszenie oporu i zaaspirować szpik – leki i płyny muszą być wprowadzane swobodnie, bez tworzenia się obrzęku pod skórą w miejscu nakłucia.
- Wstrzyknięcie dosercowe – może być wykonane tylko wtedy, gdy wszystkie inne metody zawiodły.
- Obecnie nie rekomenduje się podawania leków do rurki intubacyjnej.

25.6.5
Leki stosowane w czasie resuscytacji

- **Adrenalina** – podaje się ją niezależnie od przyczyny zatrzymania krążenia dożylnie lub doszpikowo w dawce 0,01 mg/kg mc. (maks. pojedyncza dawka wynosi 1 mg) co 3–5 minut.

- **Atropina** – nie jest rutynowo zalecana; można ją stosować w przypadku asystolii lub czynności elektrycznej bez tętna (pulseless electrical activity, PEA), może być podawana w skrajnej bradykardii 0,01 mg/kg mc. (maks. pojedyncza dawka wynosi 1 mg).
- **Wapń** – rutynowe podawanie wapnia nie jest zalecane w przypadku zatrzymania krążenia i oddechu, podaje się go w hipokalcemii, przedawkowaniu blokerów kanałów wapniowych, hipermagnezemii i hiperkaliemii.
- **Wodorowęglan sodu** ($NaHCO_3$) – wskazania to nasilona kwasica metaboliczna, przedłużona resuscytacja, nadciśnienie płucne, hiperkaliemia, dawka wstępna – 1 mEq/kg mc., następnie 0,5 mEq/kg mc. co 10 minut resuscytacji. Obliczanie dawki wodorowęglanów: 0,3 × masa ciała (kg) × deficyt zasad (BE) = dawka $NaHCO_3$ (mEq).

25.6.6
Defibrylacja

Defibrylacja jest postępowaniem z wyboru przy objawach rozkojarzenia elektromechanicznego. Nie ustalono dokładnego zakresu energii defibrylacji u dzieci. Wstępną defibrylację należy zaczynać od dawki 2––4 J/kg mc. W przypadku konieczności zastosowania kolejnych wyładowań poziom energii powinien wynosić co najmniej 4 J/kg mc. W sytuacjach krytycznych można stosować jeszcze wyższe dawki energii, nie przekraczając 10 J/kg mc.

Po przywróceniu krążenia należy monitorować wysycenie oksyhemoglobiny krwi tętniczej. W sytuacjach, w których dostępny jest odpowiedni sprzęt, właściwe może być stopniowanie podawania tlenu w taki sposób, aby utrzymać wysycenie oksyhemoglobiny krwi tętniczej na poziomie ⩾ 94%. Jeśli dostępny jest odpowiedni sprzęt, po uzyskaniu przywrócenia spontanicznego krążenia krwi należy dostosować wartość FiO_2 do minimalnego stężenia koniecznego dla uzyskania wysycenia oksyhemoglobiny krwi tętniczej na poziomie ⩾ 94%. Ponieważ 100% wysycenie oksyhemoglobiny krwi tętniczej może odpowiadać wartości PaO_2 w zakresie od 80 mmHg do 500 mmHg, ogólnie zaleca się odstawienie FiO_2 w przypadku wysycenia wynoszącego 100%, pod warunkiem że będzie można je utrzymać na poziomie ⩾ 94%.

25.6.7
Zakończenie resuscytacji

Resuscytację krążeniowo-oddechową należy prowadzić do czasu:

- powrotu oznak życia u dziecka (spontaniczny oddech, tętno, ruch),
- przybycia wykwalifikowanej pomocy i zasygnalizowania przez członków zespołu reanimacyjnego gotowości do podjęcia zabiegów resuscytacyjnych,
- wyczerpania własnych sił (koniecznie wezwać pomoc).

Kiedy przerwać resuscytację u pacjenta, u którego nie udało się uzyskać powrotu oznak życia:

- gdy nastąpiło nieodwracalne uszkodzenie mózgu (szerokie, areaktywne źrenice, utrzymująca się hipoksja i kwasica metaboliczna w gazometrii oraz saturacja < 70% pomimo prawidłowej wentylacji płuc),
- gdy RKO jest prowadzona bardzo długo (powyżej 90 minut).

25.6.8
Powikłania resuscytacji

Powikłania resuscytacji mogą wystąpić pomimo stosowania prawidłowej techniki. Najczęstsze to:

- złamania żeber i mostka,
- odma opłucnowa,
- krwiak opłucnej,
- pęknięcie wątroby, śledziony czy żołądka,
- pęknięcie przepony,
- wymioty i aspiracja kwaśnej treści żołądka do płuc – najczęściej u pacjentów niezaintubowanych.

25.6.9
Opieka po resuscytacji

U pacjentów nieprzytomnych szybki powrót odruchów ocznych i odruchów z górnych dróg oddechowych uważa się za dobry objaw rokowniczy. Rokowanie dotyczące powrotu czynności mózgu jest niekorzystne przy utracie przytomności trwającej > 12 godz., gdy stwierdza się brak odruchu oczno--mózgowego i oczno-przedsionkowego oraz brak reakcji źrenic na światło, a także wtedy, gdy po przejściowej poprawie stanu neurologicznego dochodzi do pogorszenia.

Po pierwotnie skutecznej resuscytacji w przebiegu dalszego przedłużonego leczenia szpitalnego umiera ok. 70% pacjentów. Najczęstsze przyczyny zgonu to śpiączka mózgowa, powikłania kardiologiczne, niewydolność wielonarządowa, zakażenia i posocznica.

25.6.10
Procedura DNR

Zadaniem intensywnej terapii jest rozpoznanie przyczyny zagrożenia życia, podtrzymywanie czynności życiowych i leczenie pacjenta. Po usunięciu przyczyny będącej powodem zagrożenia życia, pacjent stopniowo wraca do zdrowia. Natomiast w przypadku, gdy przyczyna zagrożenia życia jest nieodwracalna i nie można pacjenta wyleczyć (np. trwałe uszkodzenie mózgu, choroba nowotworowa niepoddająca się leczeniu), lekarz ma prawo nie stosować nadzwyczajnych środków przedłużających okres leczenia i nie podejmować resuscytacji krążeniowo-oddechowej. Szczegółowe zasady zostały opisane w Kodeksie Etyki Lekarskiej.

Decyzja DNR (do not resuscitate) podejmowana jest wtedy, gdy lekarz stwierdza, że wyczerpał wszystkie metody postępowania i nie ma możliwości odwrócenia stanu zagrożenia życia. Decyzja ta jest jawna, wpisywana do historii choroby pacjenta i powiadomiona zostaje o niej rodzina pacjenta. W sytuacji, gdy u tego pacjenta dojdzie do zatrzymania krążenia, lekarz może powstrzymać się od czynności resuscytacyjnych.

25.7
ŚMIERĆ MÓZGU

Definicja

Stan nieodwracalnego zaniku wszystkich zintegrowanych funkcji kresomózgowia, móżdżku i pnia mózgu przy sztucznie podtrzymywanej czynności oddechu i krążenia. Według kryteriów naukowych i medycznych śmierć mózgu jest jednoznaczna ze śmiercią człowieka.

Etiologia i patogeneza

Przyczyną śmierci mózgu jest ostre, ciężkie pierwotne lub wtórne uszkodzenie mózgu, które powoduje wzrost ciśnienia śródczaszkowego z zatrzymaniem krążenia mózgowego. Po upływie 10 minut dochodzi

do nieodwracalnego zaniku zintegrowanych funkcji mózgu.

Mechanizmy powstawania uszkodzenia mózgu:

- pierwotne (dotyczą struktur mózgu):
  - urazy mózgu,
  - krwawienia śródczaszkowe,
  - zawał mózgu,
  - guzy mózgu,
  - ostre wodogłowie zamknięte,
- wtórne (dotyczą przemian metabolicznych w mózgu) – prowadzą do nich:
  - hipoksja,
  - zatrzymanie krążenia z przyczyn kardiologicznych,
  - długotrwały wstrząs.

Uszkodzenia mózgu można również podzielić na nadnamiotowe i podnamiotowe mózgu. W związku z wątpliwościami, czy obszary te ulegają jednoczesnemu nieodwracalnemu zniszczeniu do procedury stwierdzania śmierci mózgu wprowadzono badania instrumentalne pozwalające wykluczyć czynność elektryczną mózgu i przepływ krwi przez mózgowie. W większości przypadków obrzęk mózgu wynikający z jego uszkodzenia narasta od strony przestrzeni nadnamiotowej, a pień mózgu umiera jako ostatnia część. W takich sytuacjach czynnikiem potwierdzającym śmierć mózgu jest nieodwracalny brak funkcji pnia mózgu. Z kolei pierwotnie izolowane patologie podnamiotowe, czyli obejmujące struktury tylnego dołu czaszki i dolnej części pnia mózgu, mogą prowadzić do całkowitego zatrzymania mózgowego przepływu krwi w przestrzeni nadnamiotowej.

Metody diagnostyczne

Śmierć mózgu rozpoznaje się na podstawie stwierdzenia nieodwracalnej utraty jego funkcji. Postępowanie kwalifikacyjne jest wieloetapowe, należy:

- ustalić etiologię uszkodzenia mózgu,
- wykluczyć potencjalnie odwracalne przyczyny uszkodzenia mózgu,
- wykazać w badaniu klinicznym nieobecność odruchów z nerwów czaszkowych i brak funkcji ośrodka oddechowego podczas próby bezdechu.

Odmienność anatomiczna i patofizjologiczna mózgu małego dziecka powoduje, że trwałość i nieodwracalność uszkodzenia tkanek mózgowia wymagają dłuższego czasu obserwacji klinicznej i wykonania jednego z badań instrumentalnych, rekomendowanych do rozpoznania śmierci mózgu. Dzieci podzielono na 3 grupy wiekowe:

- dzieci > 2. rż. podlegają procedurom diagnostycznym jak dorośli, czyli okres obserwacji wstępnej wynosi 6 i 12 godzin.
- u noworodków dopuszczono wdrożenie procedury rozpoznania śmierci mózgu po zachowaniu minimalnego okresu 7 dni od urodzenia, odstęp między badaniami klinicznymi jest nie krótszy niż 72 godziny, a rozpoznanie musi być potwierdzone badaniem instrumentalnym,
- u dzieci między 1. mż. a 2. rż. odstęp między badaniami klinicznymi wynosi nie mniej niż 24 godziny i rozpoznanie należy potwierdzić badaniem instrumentalnym.

Nowe przepisy dotyczące orzekania o śmierci mózgu rozszerzyły kompetencje lekarza. Badanie kliniczne (dwie próby kliniczne zgodnie z protokołem śmierci mózgu) może wykonać lekarz upoważniony przez ordynatora. Przepisy nie zabraniają lekarzowi prowadzącemu przeprowadzić procedury diagnostycznej stwierdzającej śmierć mózgu i przewodniczyć komisji ds. śmierci osobniczej. Podobnie członkowie komisji ds. śmierci osobniczej oraz jej przewodniczący mogą być powołani przez osobę upoważnioną decyzją dyrektora szpitala. Opis całego procesu rozpoznania śmierci mózgu przekracza ramy tego podręcznika.

25.8
WYBRANE STANY ZAGROŻENIA ŻYCIA W NEUROLOGII

25.8.1
Wzmożone ciśnienie śródczaszkowe

Definicja
Stan, w którym doszło do wzrostu ciśnienia wewnątrz czaszki powyżej wartości normy dla wieku:

- noworodki – 0,7–1,5 mmHg,
- niemowlęta – 1–6 mmHg,
- dzieci – 3–8 mmHg,
- młodzież – 7–15 mmHg.

Etiologia i patogeneza
Wnętrze czaszki wypełniają trzy składniki: płyn mózgowo-rdzeniowy (10% jej objętości), krew (10%) i tkanka mózgowa (80%). Łącznie wywierają tzw. ciśnienie śródczaszkowe. Zmiana ciśnienia lub objętości jednego z elementów wpływa na cechy pozostałych. Wynika to z braku podatności czaszki na rozciąganie, wyjątek stanowią małe dzieci, u których ciemiączko i szwy czaszkowe nie uległy jeszcze skostnieniu.

Do nadciśnienia wewnątrzczaszkowego prowadzą:

- narastanie dodatkowej patologicznej masy wewnątrzczaszkowej – guz (nowotworowy, zapalny), krwiak, pasożyty,
- zwiększenie objętości płynu międzykomórkowego lub wewnątrzkomórkowego – obrzęk mózgu (np. pourazowy),
- znaczny wzrost objętości krwi zalegającej w mózgu – obrzmienie mózgu wywołane patologicznym rozszerzeniem się naczyń mózgowych (krążenie mózgowe nie ma autonomicznej regulacji nerwowej obecnej w krążeniu obwodowym),
- wzrost objętości płynu mózgowo-rdzeniowego – wodogłowie (zaburzenia produkcji, przepływu lub resorpcji płynu m.-r.),
- samoistny obrzęk mózgu – rzekomy guz mózgu (*pseudotumor cerebri*).

Leczenie
1 Ułożenie pacjenta w pozycji półsiedzącej (kąt 30°) – głowa prosto dla ułatwienia powrotu żylnego.

2 Ograniczenia wodno-sodowe – podstawowe zapotrzebowanie płynowe należy utrzymać na poziomie $2/3$ normy, nie może jednak powodować hipowolemii.

3 Leki odwadniające:
- 20% mannitol – 1–2 g/kg mc. we wlewie dożylnym przez 60 minut (przez efekt osmotyczny obniża lepkość krwi i opór naczyniowy),
- Furosemid – 2–5 mg/kg mc./dawkę lub we wlewie dożylnym 6–10 mg/kg mc./dobę (zmniejsza wtórnie produkcję płynu mózgowo-rdzeniowego i obniża ośrodkowe ciśnienie żylne).

4 Intubacja i sztuczna wentylacja – gdy występują określone wskazania, musi zapewnić PaO_2 do 100 mmHg (u wcześniaków < 80 mmHg) i $PaCO_2$ między

30 a 35 mmHg (tzw. umiarkowana hiperwentylacja), PEEP stosuje się tylko wtedy, gdy jego użycie jest konieczne do zniesienia hipoksji, wentylując pacjenta nie wolno dopuszczać do hiperkapni, hipoksji i wzrostu ciśnienia wewnątrzpłucnego.

5 Uzyskanie właściwej sedacji (zwłaszcza w czasie prowadzenia sztucznej wentylacji) – leki nie mogą zwiększać mózgowego przepływu krwi, metabolizmu mózgu ani ciśnienia śródczaszkowego, stosuje się barbiturany, np. tiopental (w tzw. śpiączce farmakologicznej początkowo bolus 10 mg/kg mc. przez 15–30 min, a następnie wlew dożylny 2–3 mg/kg mc./min), i opioidy (działanie sedacyjne i przeciwbólowe).

6 Utrzymanie odpowiedniego ciśnienia tętniczego – katecholaminy lub leki obniżające opór obwodowy.

7 Leczenie przyczynowe – najczęściej interwencja chirurgiczna, np. w przypadku wodogłowia założenie zastawki komorowo-otrzewnowej lub drenażu zewnętrznego, a w guzie mózgu kraniotomia i próba usunięcia zmiany. Wzmożone ciśnienie śródczaszkowe stanowi przeciwwskazanie do wykonania punkcji lędźwiowej.

25.8.2
Stan padaczkowy

Definicja
Napad padaczkowy trwający dłużej niż 30 minut lub kilka napadów, pomiędzy którymi dziecko nie podejmuje należnych czynności życiowych.

Etiologia i patogeneza
Przyczyny stanu padaczkowego są podobne do przyczyn 1. w życiu napadu padaczkowego (konieczny wywiad od rodziców/opiekunów dziecka):

- zakażenia OUN,
- zmiana leczenia przeciwdrgawkowego,
- nieregularne stosowanie leków przeciwpadaczkowych,
- urazy głowy,
- niedotlenienie,
- zaburzenia metaboliczne,
- zatrucia,
- guzy OUN,
- zmiany naczyniowe w OUN, postępujące i przewlekłe schorzenia OUN.

Obraz kliniczny
Stan padaczkowy może przebiegać z napadami drgawkowymi, bezdrgawkowymi lub powtarzającymi się napadami częściowymi (ogniskowymi) bez utraty świadomości.

Stan padaczkowy napadów częściowych złożonych
Najczęściej przybiera postać napadów ogniskowych z przedłużonymi zaburzeniami świadomości. Stan padaczkowy napadów nieświadomości odnosi się do przedłużonego uogólnionego napadu nieświadomości, któremu towarzyszą zmiany w zapisie EEG (najczęściej typu iglica – fala wolna 3 Hz).

Stan padaczkowy napadów częściowych prostych
Cechuje się bardzo bogatą symptomatologią i bywa często błędnie traktowany jako zaburzenia zachowania, zatrucie lub u osób starszych jako zaburzenia psychiczne lub otępienie. W różnicowaniu decydującą rolę odgrywa badanie EEG.

Leczenie

1 Zapewnienie drożności dróg oddechowych przez odgięcie głowy do tyłu, wysunięcie żuchwy do przodu i przyciśnięcie jej do szczęki, a następnie założenie rurki ustno-gardłowej lub nosowo-gardłowej.

2 Zapewnienie właściwej wentylacji płuc i utlenienia tkanek:
- tlenoterapia bierna mieszaniną gazów wzbogaconą w tlen lub 100% tlenem (pod kontrolą saturacji),
- intubacja dziecka i zastosowanie oddechu zastępczego (czasem niezbędna w związku z wielokrotnym podaniem leków przeciwpadaczkowych, które m.in. działają depresyjnie na oddech dziecka).

3 Założenie kaniuli dożylnej.

4 Monitorowanie stanu pacjenta:
- częstość pracy serca,
- częstość oddechów,
- saturacja krwi,
- ciśnienie tętnicze – metodą nieinwazyjną (mankiet),
- temperatura ciała.

5 Podaż leków przeciwpadaczkowych dożylnie (diazepam 0,3 mg/kg mc./dawkę albo klonazepam 0,05 mg/kg mc./dawkę).

6 Śpiączka farmakologiczna w przypadku nieskutecznego leczenia standardowymi metodami:
- wlew dożylny tiopentalu – 3–5 mg/kg mc./min,

■ wlew fenobarbitalu – 20 mg/kg mc. w powolnym 24-godzinnym wlewie, a po 24 godzinach od dawki nasycającej 2–8 mg/kg mc./dobę w dawkach podzielonych pod kontrolą stężenia fenobarbitalu w surowicy krwi.

7 Zastosowanie leków wazopresyjnych (katecholamin) w celu utrzymania odpowiedniego ciśnienia tętniczego – często podczas śpiączki wywołanej podażą benzodiazepin.

8 Wskazane leczenie na OIT.

25.9
ZATRUCIA

W populacji pediatrycznej zatrucia mają najczęściej charakter przypadkowy, stanowią ok. 1% przyczyn przyjęć do szpitala. Zatrucia są następstwem:

■ spożycia trucizny – przypadkowe lub celowe (próba samobójcza),
■ wdychania substancji toksycznej,
■ podania dożylnego,
■ narażenia na szkodliwy wpływ skażonego środowiska,
■ przedawkowania leków – najczęściej leków zawierających żelazo, przeciwdepresyjnych, kardiologicznych, salicylanów, wodorowęglanów,
■ przedostania się pestycydów do organizmu pacjenta.

Podjęcie odpowiednich działań uzależnione jest od stanu klinicznego pacjenta, stopnia zaburzeń podstawowych funkcji życiowych i rodzaju toksyny, którą dziecko się zatruło. Ciężkie zatrucia powinny być leczone w ośrodkach toksykologii lub na oddziałach intensywnej terapii.

◣ Wywiad

■ Rodzaj trucizny lub leku, na które dziecko mogło być narażone (dobrze, jeśli rodzice przywieźli ze sobą opakowanie preparatu).
■ Ilość spożytej substancji (warto spytać o liczbę brakujących w opakowaniu tabletek).
■ Czas, który upłynął od spożycia trucizny/leku.
■ Dostępność innych szkodliwych substancji w domu (ktoś z domowników powinien sprawdzić, czy ich również nie brakuje).

◣ Diagnostyka

Diagnostykę ułatwia znajomość zespołu objawów wynikających z działania toksyny lub grupy toksyn na poszczególne układy i narządy (tab. 25.18). Obecność niektórych substancji można też wykryć we krwi lub w moczu.

Ogólne zasady leczenia ostrych zatruć

1 Przerwanie narażenia na truciznę.
■ Wyniesienie dziecka ze skażonej atmosfery – w zatruciach drogą oddechową.
■ Zdjęcie skażonej odzieży, przemycie skóry – w zatruciach przezskórnych.
■ Przemycie oczu – w skażeniach przezspojówkowych.

2 Monitorowanie i utrzymanie podstawowych funkcji życiowych pacjenta.
■ Kontrola i monitorowanie oddechu – drożność dróg oddechowych, częstość oddechów, saturacja.
■ Kontrola i monitorowanie czynności serca i układu krążenia – częstość pracy serca, ciśnienie tętnicze, kontrola ośrodkowego ciśnienia żylnego.
■ Kontrola diurezy, bilansu płynów i biochemicznej funkcji nerek.
■ Kontrola biochemicznych wskaźników wydolności wątroby i układu krzepnięcia krwi.

3 Usunięcie trucizny z organizmu – dekontaminacja przewodu pokarmowego pozwala na usunięcie niewchłoniętej jeszcze dawki trucizny.
■ **Prowokowanie wymiotów i płukanie żołądka – przeciwwskazania:**
  ■ chory niestabilny krążeniowo lub oddechowo (zabezpieczenie podstawowych funkcji życiowych zawsze ma pierwszeństwo!),
  ■ zaburzenia świadomości powodujące zniesienie odruchów obronnych dróg oddechowych (do momentu intubacji i uszczelnienia mankietu rurki intubacyjnej),
  ■ drgawki,
  ■ brak współpracy ze strony chorego,
  ■ zagrożenie krwawieniem z przewodu pokarmowego (żylaki przełyku, koagulopatia, stan po zabiegu operacyjnym). Uwaga, w przypadku zatrucia salicylanami i solami metali ciężkich, krwotoczny nieżyt żołądka, wynikający z ich miejscowego działania drażniącego, nie stanowi przeciwwskazania do płukania żołądka,

Tabela 25.18. Zespoły toksyczne

ZESPÓŁ	TOKSYNY	OBJAWY	LECZENIE
Zespół cholinergiczny – nadmierne pobudzenia układu przywspółczulnego	■ Leki (pilokarpina, karbachol) ■ Grzyby zawierające muskarynę (muchomor czerwony, strzępiaki, lejkówki) ■ Pestycydy (insektycydy fosfoorganiczne, karbaminiany) ■ Alkaloidy nikotynowe (koniina – szczwół plamisty, lobelina – lobelia rozdęta, nikotyna) ■ Gazy bojowe (tabun, soman, sarin)	■ Ślinotok ■ Łzawienie ■ Wielomocz ■ Biegunka ■ Nadmierna potliwość ■ Zaburzenia żołądkowo-jelitowe ■ Wymioty ■ Śluzotok oskrzelowy ■ Bradykardia	■ Atropina – 1 mg/kg mc./dawkę ■ Przy zatruciu pestycydami leki swoiście stosowane w tych zatruciach (konsultacja z ośrodkiem toksykologicznym)
Zespół cholinolityczny (antycholinergiczny) – wynika z kompetycyjnego blokowania przez ksenobiotyki działania acetylocholiny na receptory muskarynowe i nikotynowe	■ Trójpierścieniowe leki przeciwdepresyjne (amitryptylina, imipramina, doksepina) ■ Neuroleptyki (chloropromazyna, flufenazyna, klozapina) ■ Leki przeciwhistaminowe (difenhydramina, cetyryzyna, ranitydyna) ■ Leki stosowane w chorobie Parkinsona (biperyden) ■ Rośliny (bieluń dzięдzierzawa, pokrzyk wilcza jagoda, lulek czarny, mandragora lekarska)	■ Zahamowanie aktywności gruczołów wewnątrzwydzielniczych (zmniejszenie sekrecji w drzewie oskrzelowym, gruczołów ślinowych, gruczołów potowych) ■ poszerzenie źrenic, zaburzenia akomodacji oka ■ tachykardia ■ atonia przewodu pokarmowego i dróg moczowych	■ Leki sedacyjne (benzodiazepiny) przy pobudzeniu ■ Intubacja i oddech zastępczy przy depresji oddechowej ■ W hipertermii chłodzenie fizyczne (okłady) i farmakologiczne (leki przeciwgorączkowe)
Zespół sympatykomimetyczny – wynika z silnego pobudzenia układu współczulnego	■ Narkotyki i substancje psychoaktywne (kokaina, amfetamina, efedryna, pseudoefedryna) ■ Inhibitory monoaminooksydazy ■ Grzyby i substancje halucynogenne	■ Uczucie niepokoju, gonitwa myśli ■ Zmiany zachowania (pobudzenie psychoruchowe, agresywność) ■ Zaburzenia świadomości ■ Hipertermia ■ Drgawki ■ Wzrost ciśnienia tętniczego ■ Tachykardia, zaburzenia rytmu serca	■ Zatrucie amfetaminą – chloropromazyna ■ Hipertermia – chłodzenie ■ Prawidłowe nawodnienie ■ Rabdomioliza – nawodnienie i alkalizacja moczu
Złośliwy zespół neuroleptyczny – zespół różnorodnych objawów klinicznych, wynikający z istotnego obniżenia aktywności neuronów dopaminergicznych w układzie nerwowym	■ Neuroleptyki ■ Metoklopramid ■ Rezerpina ■ Amantadyna ■ Karbamazepina ■ Fenytoina ■ Lit ■ Trójpierścieniowe leki przeciwdepresyjne ■ Kokaina	■ Hipertermia > 40°C (im dłużej trwa, tym gorsze rokowanie) ■ Sztywność mięśni o charakterze parkinsonowskim ■ Ilościowe i jakościowe zaburzenia świadomości ■ Tachykardia, zaburzenia rytmu seca ■ Obniżenie ciśnienia tętniczego ■ Tachypnoë ■ Wzmożona potliwość ■ Ślinotok ■ Powikłania – rabdomioliza, ostra niewydolność nerek, obrzęk płuc, sepsa, DIC	■ W warunkach OIT (monitorowanie podstawowych czynności życiowych) ■ Płynoterapia z bilansem płynów ■ Wyrównywanie zaburzeń elektrolitowych ■ Monitorowanie stężenia mioglobiny ■ Leczenie przeciwgorączkowe ■ Czasami podaż dantrolenu (w przypadku gwałtownie narastającej gorączki) *i.v.* ■ Drgawki – benzodiazepiny, niekiedy wlew tiopentalu (3–5 mg/kg mc./dobę)

- brak zgody rodziców/opiekunów na płukanie żołądka,
- spożycie substancji żrących (stężonych kwasów i zasad),
- spożycie pochodnych ropy naftowej,
- spożycie detergentów,
- spożycie substancji niewchłaniających się z przewodu pokarmowego (np. rtęci metalicznej).

- **Płukanie jelit** – jest metodą szczególnie poleconą w przypadkach zatrucia wysokimi dawkami soli żelaza, powlekanymi tabletkami uwalniającymi swoją zawartość w jelitach (typu enteric-coated, slow release) oraz połknięcia torebek z narkotykami w celu przemytu (tzw. body packing).

- **Węgiel aktywowany** – w przypadku leków podlegających krążeniu wątroba-jelito, niebezpieczeństwo niedrożności i perforacji jelit w dawkach w zależności od wieku pacjenta:
  - dzieci do 1. rż.: 10–25 g lub 0,5–1 g/kg mc.,
  - dzieci od 1. do 12. rż.: 25–50 g lub 0,5–1 g/kg mc.,
  - dzieci starsze i dorośli: 25–100 g.
  - nie ma wskazań do podawania węgla po spożyciu związków ołowiu, żelaza, litu, baru, kwasu bornego, etanolu i innych alkoholi, fluorków, cyjanków, pochodnych ropy naftowej, które są słabo adsorbowane,
  - **przeciwwskazania do stosowania węgla aktywowanego:**
    - chory nie współpracuje,
    - zaburzenia świadomości,
    - niesprawne odruchy obronne z dróg oddechowych (do momentu intubacji dotchawiczej i uszczelnienia mankietu rurki intubacyjnej),
    - sytuacje, w których zwiększone jest ryzyko aspiracji zawartości żołądka do dróg oddechowych, np. zatrucie węglowodorami,
    - u chorych ze schorzeniami przewodu pokarmowego, w krótkim czasie po zabiegach operacyjnych obejmujących górny odcinek przewodu pokarmowego (niebezpieczeństwo związane z jego stosowaniem może przewyższać korzyści),
    - węgiel aktywowany utrudnia lub wręcz uniemożliwia ocenę endoskopową przewodu pokarmowego,

- planowanie doustnego podawania odtrutki (np. N-acetylocysteiny w zatruciu paracetamolem).
- **Środki przeczyszczające**.

4 Przyspieszenie eliminacji trucizny z organizmu.
- **Diureza forsowana** (płyny: 1500–2500 ml/m² pc., monitorując wydolność układu krążenia + furosemid w dawkach frakcjonowanych lub we wlewie dożylnym) – prowadzi do zwiększonej filtracji kłębuszkowej w wyniku podawania dużej ilości płynów i diuretyków, można ją stosować tylko przy zachowanej wydolności nerek, jest skuteczna, wtedy gdy trucizna:
  - nie uległa wchłonięciu do tkanek i znajduje się nadal we krwi,
  - w minimalnym stopniu wiąże się z białkami,
  - jest wydalana z moczem.

Tabela 25.19. Odtrutki

TRUCIZNA	ODTRUTKA
β-adrenolityki	Glukagon
Benzodiazepiny	Flumazenil
Blokery kanałów wapniowych	Wapń
Cyjanki	Azotan amylu, azotyn sodu, tiosiarczan sodu
Glikol etylenowy/metanol	Etanol
Tlenek azotu – methemoglobinemia	Błękit metylenowy
Naparstnica	Fragmenty Fab
Ołów	Wersenian wapniowo-disodowy, dimerkaprol, kwas dimerkapto-bursztynowy
Opioidy	Nalokson
Paracetamol	N-acetylocysteina
Rtęć/arszenik	Dimerkaprol, D-penicylamina
Tlenek węgla	Tlen
Trójcykliczne leki przeciwdepresyjne	Wodorowęglan sodu
Związki fosfoorganiczne	Atropina, chlorek pralidoksymu
Żelazo	Deferoksamina

■ Diureza forsowana z alkalizacją moczu – zalecana w zatruciach barbituranami i salicylanami, podaje się 8,4% roztwór NaHCO$_3$ w dawce 20–40 ml na każde 1500 ml podawanych dożylnie płynów.

■ Hemodializa – zalecana w zatruciach środkami o niskiej masie cząsteczkowej, rozpuszczalnymi w wodzie, takimi jak alkohol metylowy, glikol etylenowy, sole litu, salicylany i wiele innych (dane dostępne w ośrodkach toksykologicznych).

■ Hemoperfuzja – polega na zatrzymywaniu przez absorbent (węgiel aktywowany lub żywicę) cząstek trucizny znajdujących się we krwi przepływającej przez kolumnę absorpcyjną, wskazaniami są ciężkie zatrucia barbituranami, teofiliną i fenytoiną.

5 W przypadkach zatrucia substancjami wiążącymi się z albuminami istnieją wskazania do pozaustrojowej eliminacji toksyn drogą plazmaferezy lub tzw. dializy albuminowej.

6 Leczenie swoiste z zastosowaniem odtrutek możliwe jest w niektórych zatruciach (tab. 25.19). Odtrutki zmniejszają toksyczność substancji przez zahamowanie jej działania na efektor lub narząd końcowy, obniżenie jej stężenia we krwi lub nasilenie jej wydalania.

Piśmiennictwo

1. Aoki B.Y., McCloskey K.: *Dziecko w stanie zagrożenia życia.* Medycyna Praktyczna, Kraków 1999.
2. Ban C.H., Tsui M.D.: *Physiological considerations related to the pediatric airway.* Canadian Journal of Anesthesia, 2011, 58: 476–77.
3. Finucane B.T., Ban C., Santora A.: *Anatomy of the Airway.* w *Principles of airway management* (red. B.T. Finucane i in.). Springer 2011.
4. Fuhrman B.P., Zimmerman J.: *Pediatric critical care.* Elsevier, Filadelfia 2006.
5. Heinrich S., Birkholz T., Ihmsen H.: *Incidence and predictors of difficult laryngoscopy in 11.219 pediatric anesthesia procedures.* Pediatr Anesth, 2012, 22: 729–736.
6. Kruszewski Z.: *Wstrząs septyczny.* Wydawnictwo Lekarskie PZWL, Warszawa 2007.
7. Kruszewski Z.: *Zespół ostrych zaburzeń oddechowych (ARDS).* Wydawnictwo Lekarskie PZWL, Warszawa 2008.
8. Kubicka K., Kawalec W.: *Kardiologia dziecięca.* Wydawnictwo Lekarskie PZWL, Warszawa 2003.
9. Larsen R.: *Anestezjologia.* Elsevier, Wrocław 2008.
10. Matthay M.A., Zimmerman G.A., Esmon C. i wsp.: *Future research directions in acute lung injury: summary of a National Heart, Lung, and Blood Institute working group.* Am. J. Respir. Crit. Care Med., 2003, 167(7): 1027–1035.
11. Rawicz M.: *Wskazania do intubacji dotchawiczej.* Medycyna Wieku Rozwojowego, 2008, 4: 851–856.
12. Szreter T.: *Postępowanie w stanach zagrożenia życia.* w *Pediatria* (red. K. Kubicka, W. Kawalec). Wydawnictwo Lekarskie PZWL, Warszawa 2006.
13. Von Ungern-Sternberg B., Boda K., Chambers N.A., Rebmann C., Johnson C.: *Risk assessment for respiratory complications in paediatric anaesthesia: a prospective cohort study.* Lancet 2010; 4: 773–783.

BADANIA I NORMY W PEDIATRII

red. Piotr Socha

W pediatrii posługiwanie się wartościami norm stanowi szczególny problem, gdyż prawidłowe wartości podlegają zmianie nie tylko ze względu na płeć, ale również wiek dziecka. Duża zmienność dotyczy szczególnie okresu noworodkowego i niemowlęcego oraz pokwitania. Należy podkreślić, że w ostatnim czasie skorygowano wiele norm, zarówno w odniesieniu do parametrów antropometrycznych, jak i laboratoryjnych. Stworzono aktualne, polskie siatki centylowe norm antropometrycznych oraz ciśnienia tętniczego. W obecnym wydaniu zostały przedstawione najbardziej aktualne normy rozwojowe.

Pojęcie normy wskazuje na optymalny zakres prawidłowych wartości danego parametru, jednak ich przekroczenie nie jest równoznaczne z chorobą i musi podlegać interpretacji w kontekście objawów klinicznych oraz innych badań (przekroczenia norm innych badań). Stopień przekroczenia normy ma również istotne znaczenie w diagnostyce wielu chorób i często samo pojęcie normy ma ograniczoną przydatność.

Dlatego zachęcamy do ostrożnej interpretacji podawanych norm laboratoryjnych. Celowo w tym rozdziale zostały pominięte niektóre szczegółowe parametry, aby umożliwić ich właściwą interpretację w kontekście analizowanego problemu. Z drugiej strony znacznie rozwinięto omówienie wybranych norm laboratoryjnych (np. z immunologii i nefrologii), gdyż ich ogólne przedstawienie mogłoby stwarzać ryzyko popełnienia błędu. Wybrane badania zostały przedstawione w formie opisowej (np. z gastroenterologii) ze względu na ich specyfikę.

*Barbara Woynarowska,
Zbigniew Kułaga, Mieczysław Litwin*

26.1
NORMY ROZWOJOWE

W pediatrii dla oceny rozwoju dziecka opracowano normy i standardy rozwojowe wyznaczone na podstawie centylowego rozkładu danej cechy w populacji, z uwzględnieniem płci i wieku.

26.1.1
Standardy WHO rozwoju fizycznego dzieci w wieku 0–5 lat

Rekomendacji dotyczących powszechnego wykorzystania w Polsce Standardów WHO rozwoju fizycznego dzieci w wieku 0–5 lat udzielili: Komitet Rozwoju Człowieka Polskiej Akademii Nauk, Komitet Antropologii Polskiej Akademii Nauk, Zarząd Główny Polskiego Towarzystwa Antropologicznego, Instytut Matki i Dziecka, Instytut Żywności i Żywienia. Informacje o zasadach konstruowania standardów podano w rozdziale 1 „Rozwój fizyczny oraz motoryczny dzieci i młodzieży”.

26.1.2
Normy rozwoju fizycznego dzieci i młodzieży w wieku 5–18 lat w Polsce

W latach 2007–2010 Instytut „Pomnik-Centrum Zdrowia Dziecka” koordynował ogólnopolski projekt badawczy opracowania zakresów referencyjnych ciśnienia tętniczego oraz aktualizacji norm rozwoju fizycznego dzieci i młodzieży w wieku 7–18 lat (OLAF), a w latach 2010–2012 projekt opracowania norm ciśnienia dla dzieci w wieku przedszkolnym

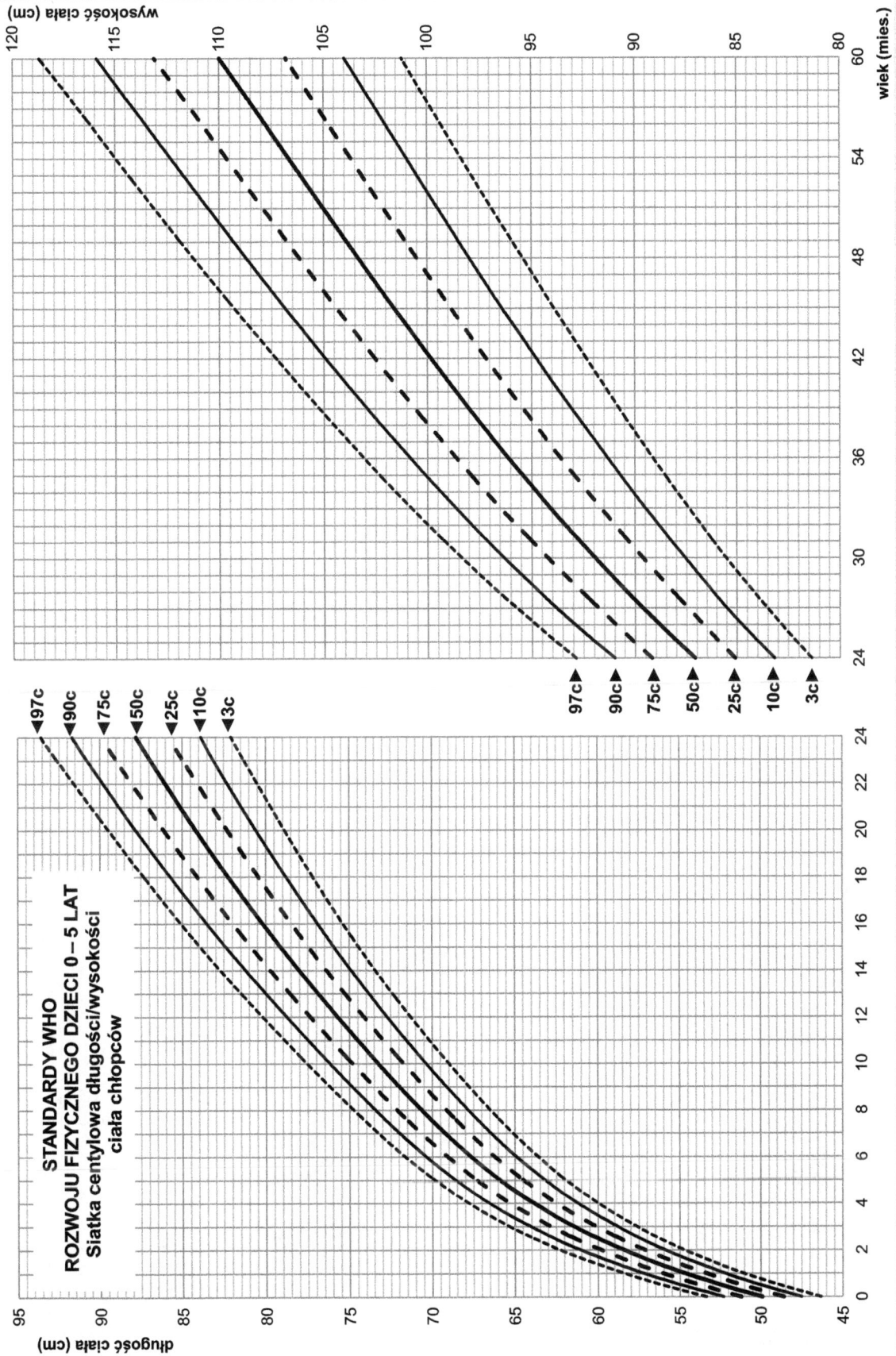

STANDARDY WHO ROZWOJU FIZYCZNEGO DZIECI 0–5 LAT
Siatka centylowa długości/wysokości ciała chłopców

Rycina 26.1 *a*. Siatka centylowa długości/wysokości ciała chłopców w wieku 0–24 miesięcy i 24–60 miesięcy (Standardy WHO Rozwoju Fizycznego Dzieci w wieku 0–5 lat).

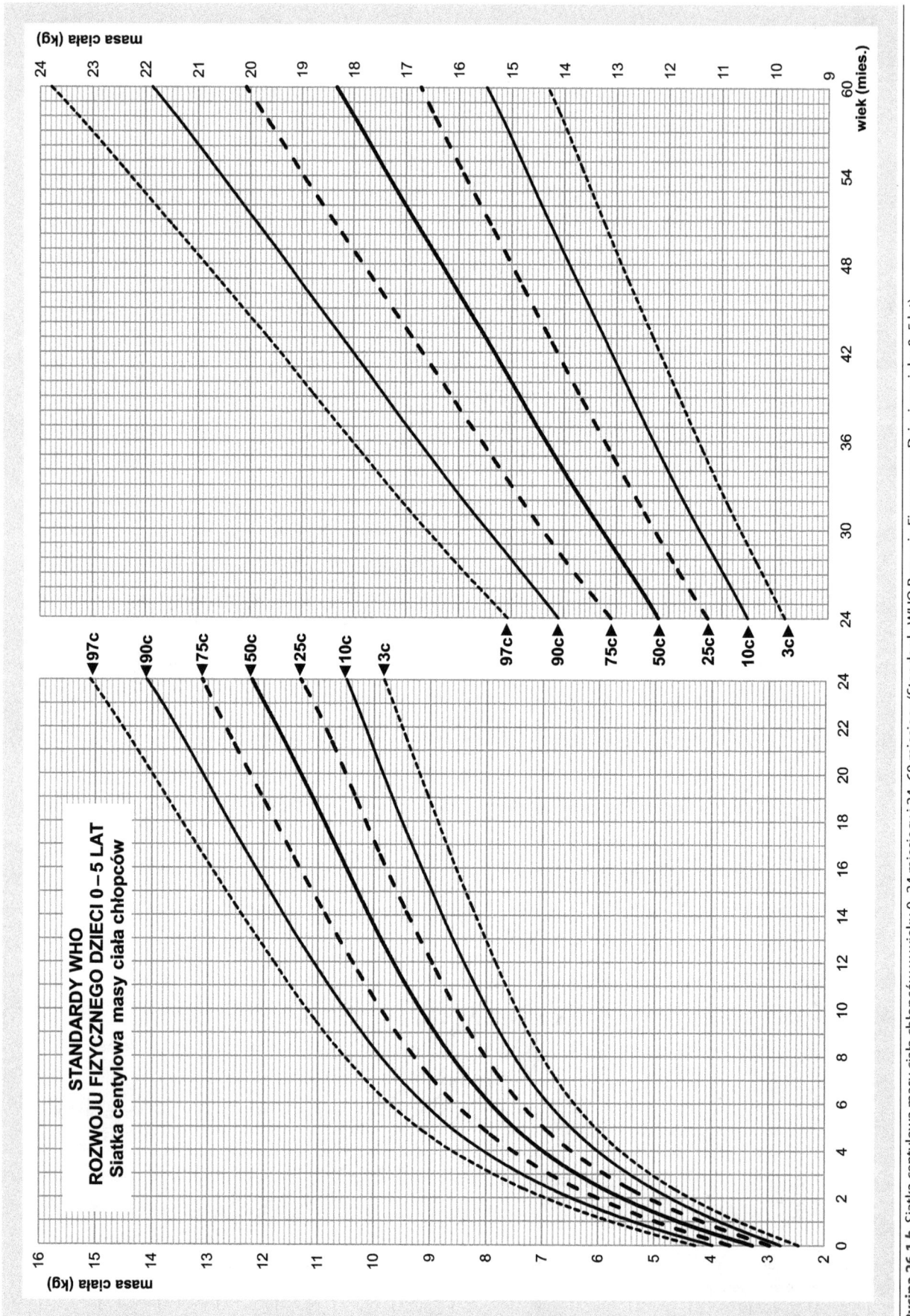

STANDARDY WHO
ROZWOJU FIZYCZNEGO DZIECI 0–5 LAT
Siatka centylowa masy ciała chłopców

masa ciała (kg)

wiek (mies.)

97c
90c
75c
50c
25c
10c
3c

Rycina 26.1 b. Siatka centylowa masy ciała chłopców w wieku 0–24 miesięcy i 24–60 miesięcy (Standardy WHO Rozwoju Fizycznego Dzieci w wieku 0–5 lat).

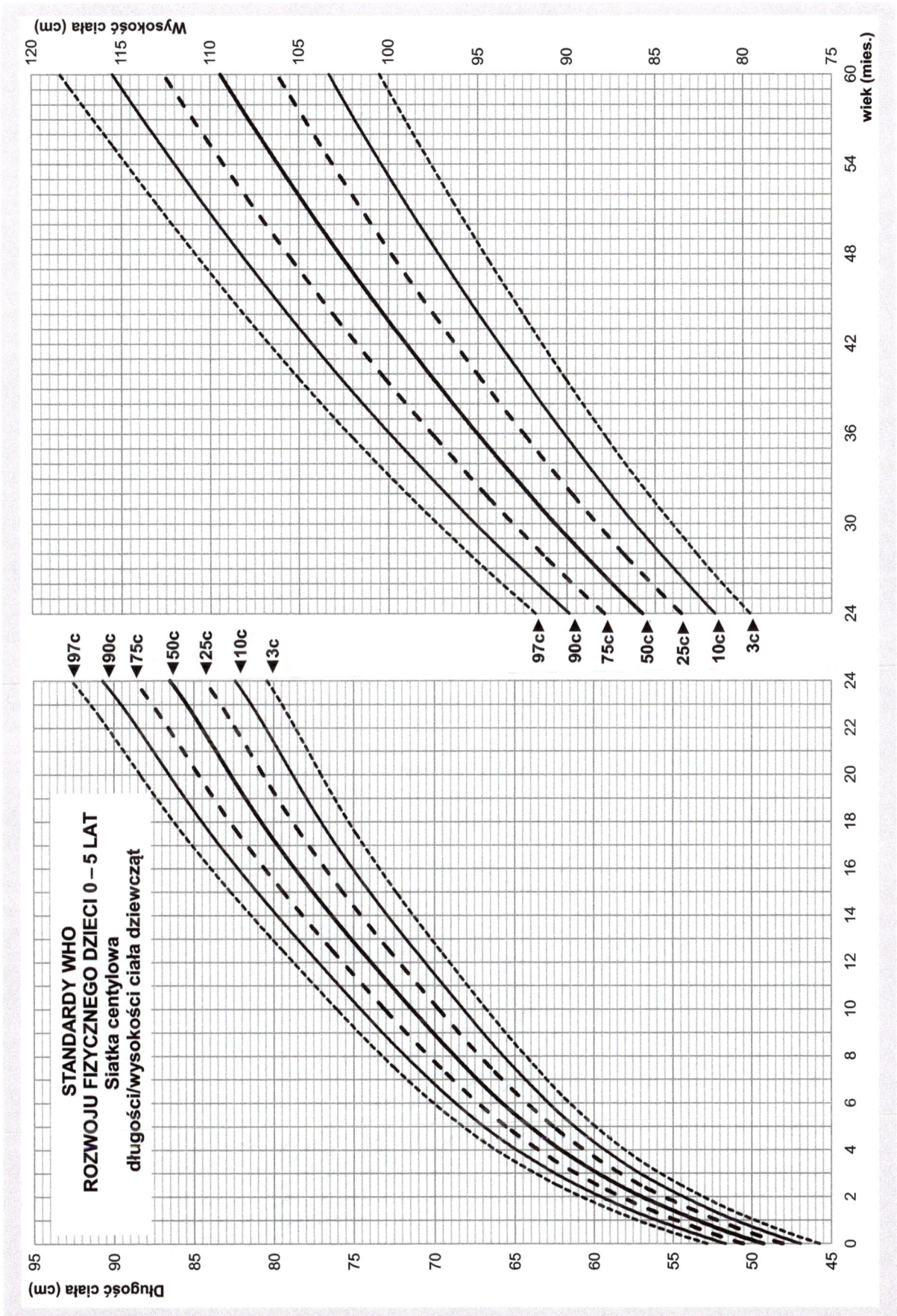

STANDARDY WHO ROZWOJU FIZYCZNEGO DZIECI 0–5 LAT
Siatka centylowa
długości/wysokości ciała dziewcząt

Długość ciała (cm)

Wysokość ciała (cm)

wiek (mies.)

97c
90c
75c
50c
25c
10c
3c

Rycina 26.2 a. Siatka centylowa długości/wysokości ciała dziewcząt w wieku 0–5 lat (Standardy WHO Rozwoju Fizycznego Dzieci w wieku 0–5 lat).

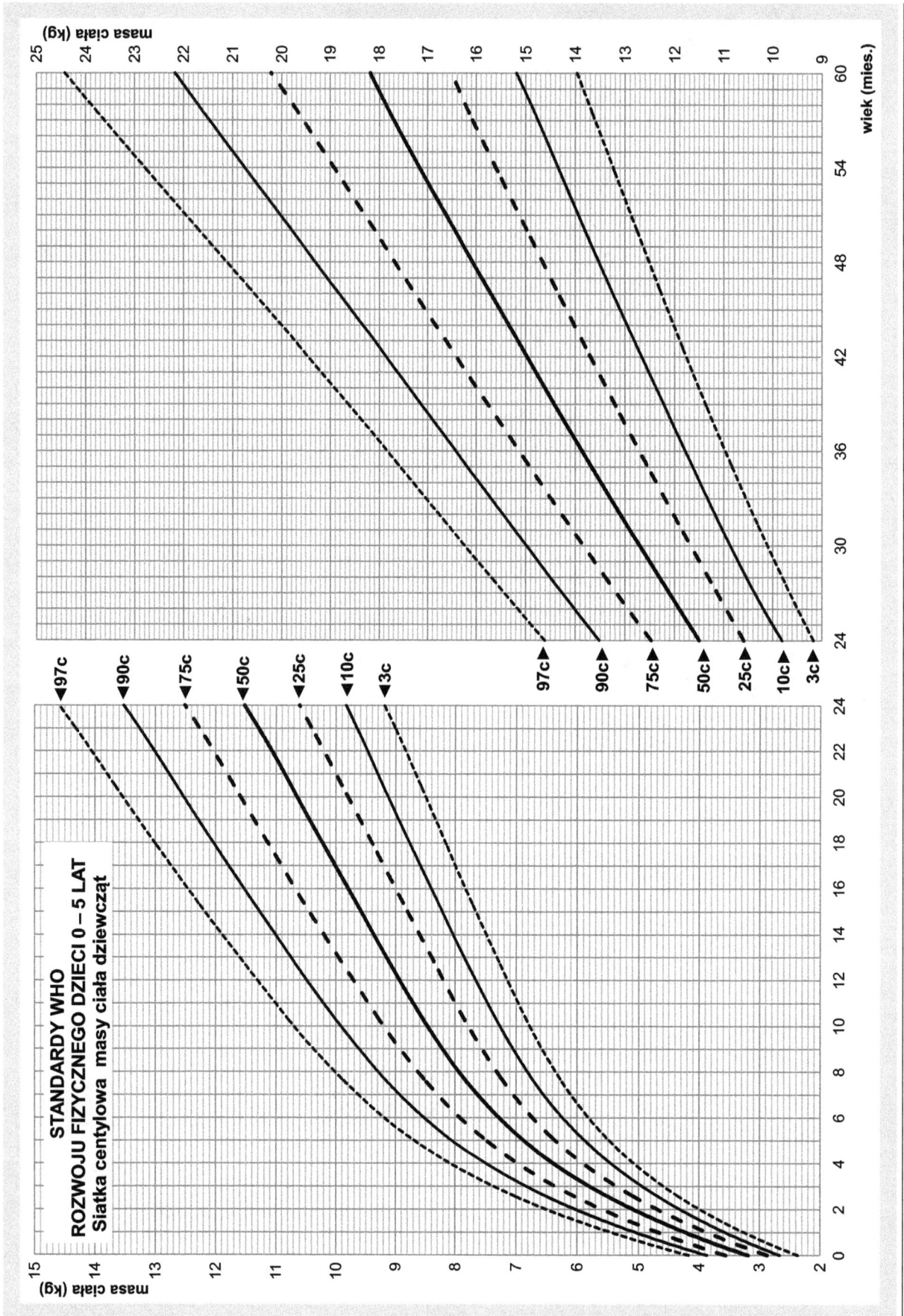

STANDARDY WHO
ROZWOJU FIZYCZNEGO DZIECI 0 – 5 LAT
Siatka centylowa masy ciała dziewcząt

masa ciała (kg)

wiek (mies.)

Rycina 26.2 b. Siatka centylowa masy ciała dziewcząt w wieku 0–24 miesięcy i 24–60 miesięcy (Standardy WHO Rozwoju Fizycznego Dzieci w wieku 0–5 lat).

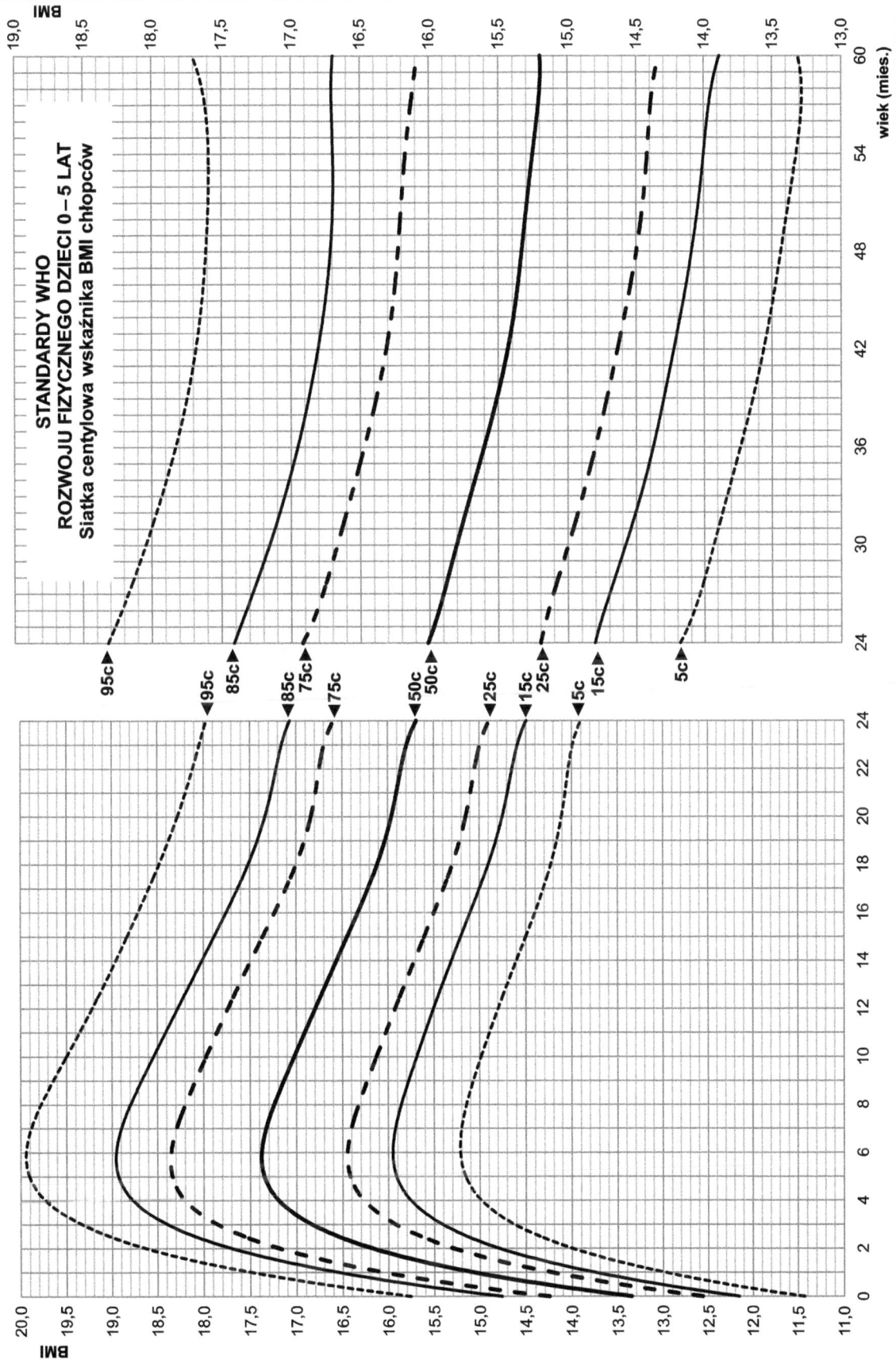

**STANDARDY WHO
ROZWOJU FIZYCZNEGO DZIECI 0–5 LAT**
Siatka centylowa wskaźnika BMI chłopców

Rycina 26.3 a. Siatka centylowa wskaźnika masy ciała (BMI) chłopców w wieku 0–24 miesięcy i 24–60 miesięcy (Standardy WHO Rozwoju Fizycznego Dzieci w wieku 0–5 lat).

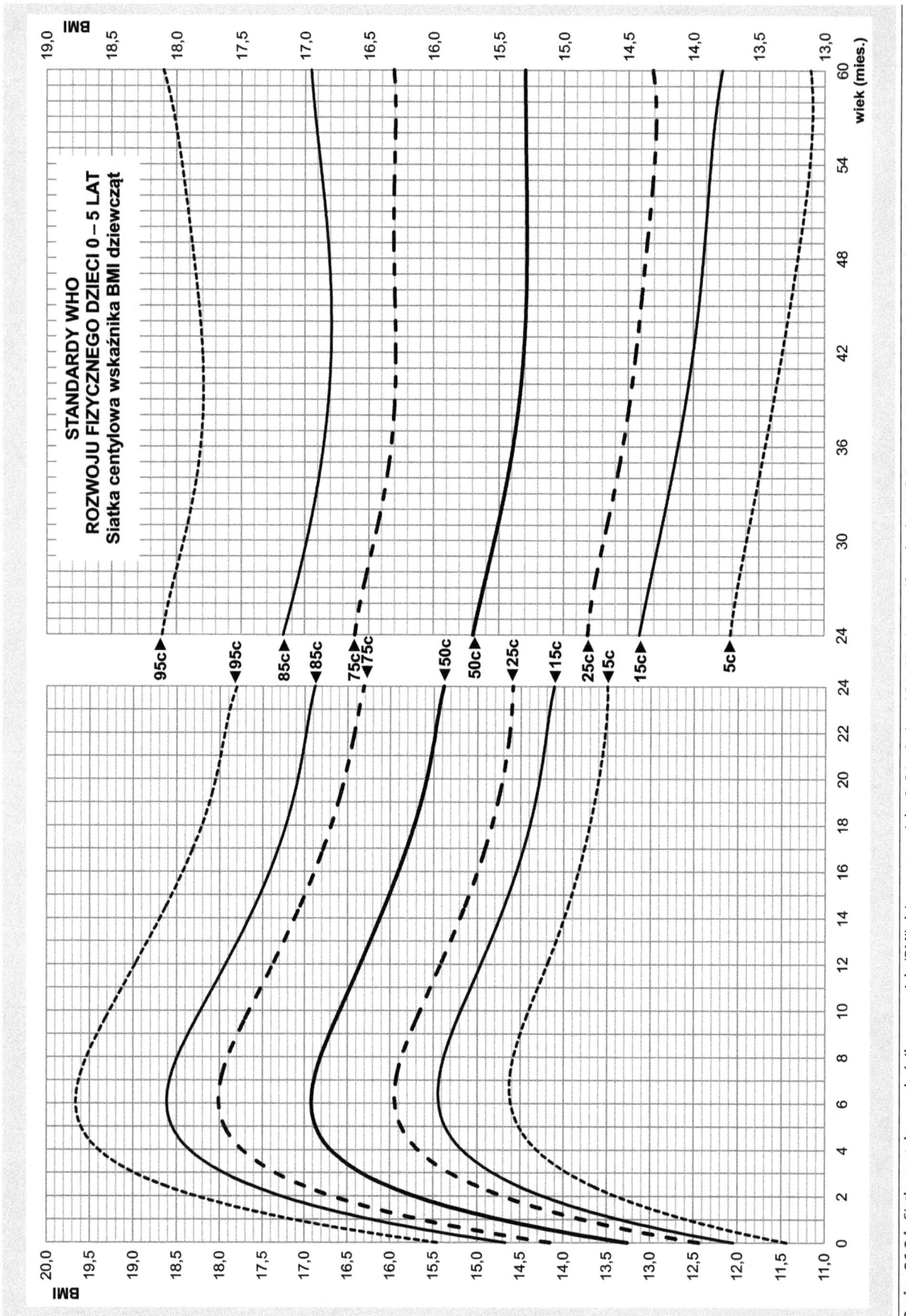

STANDARDY WHO
ROZWOJU FIZYCZNEGO DZIECI 0 – 5 LAT
Siatka centylowa wskaźnika BMI dziewcząt

Rycina 26.3 b. Siatka centylowa wskaźnika masy ciała (BMI) dziewcząt w wieku 0–24 miesięcy i 24–60 miesięcy (Standardy WHO Rozwoju Fizycznego Dzieci w wieku 0–5 lat).

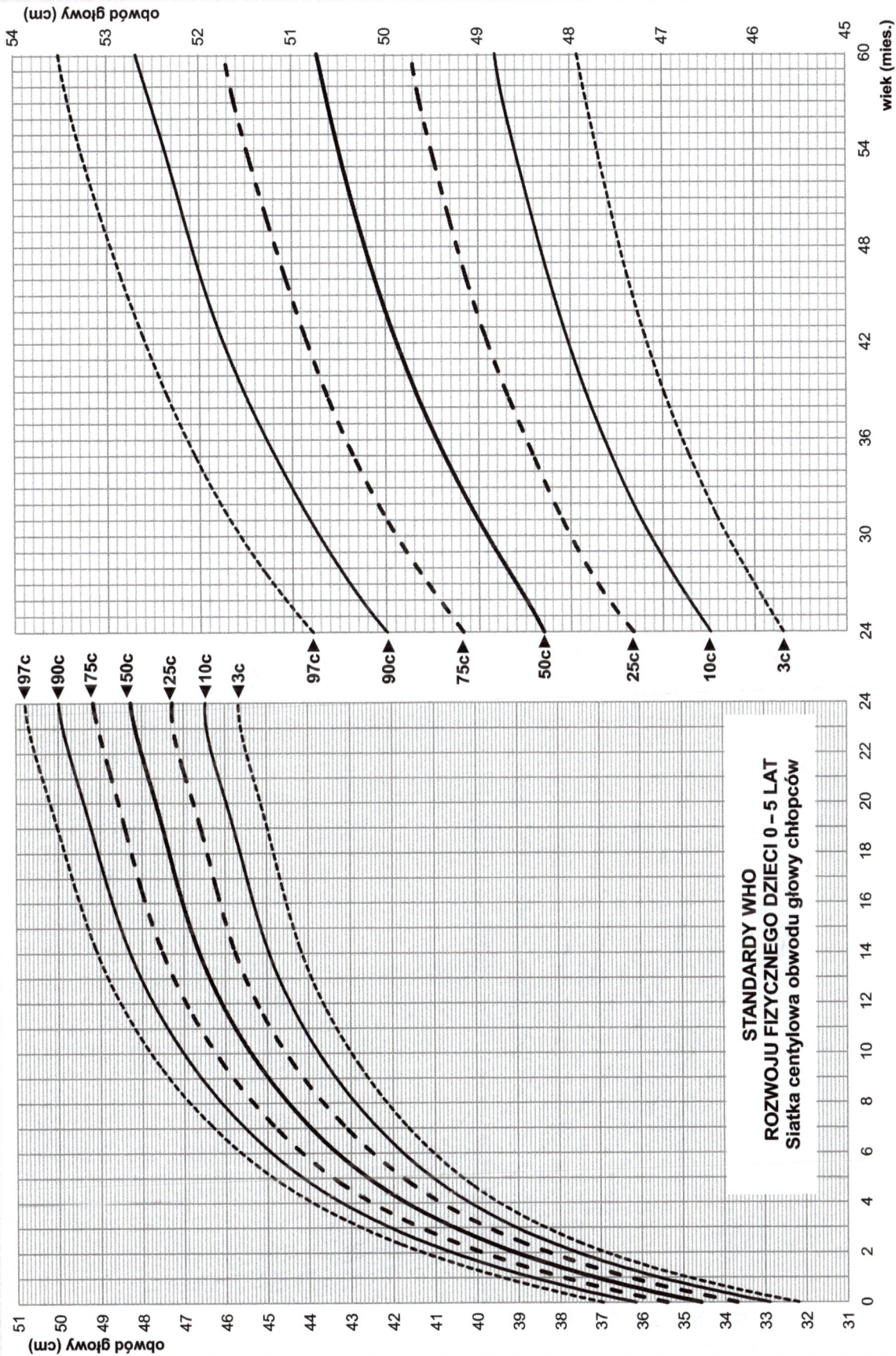

STANDARDY WHO
ROZWOJU FIZYCZNEGO DZIECI 0–5 LAT
Siatka centylowa obwodu głowy chłopców

Rycina 26.4. Siatka centylowa obwodu głowy chłopców w wieku 0–24 miesięcy i 24–60 miesięcy (Standardy WHO Rozwoju Fizycznego Dzieci w wieku 0–5 lat).

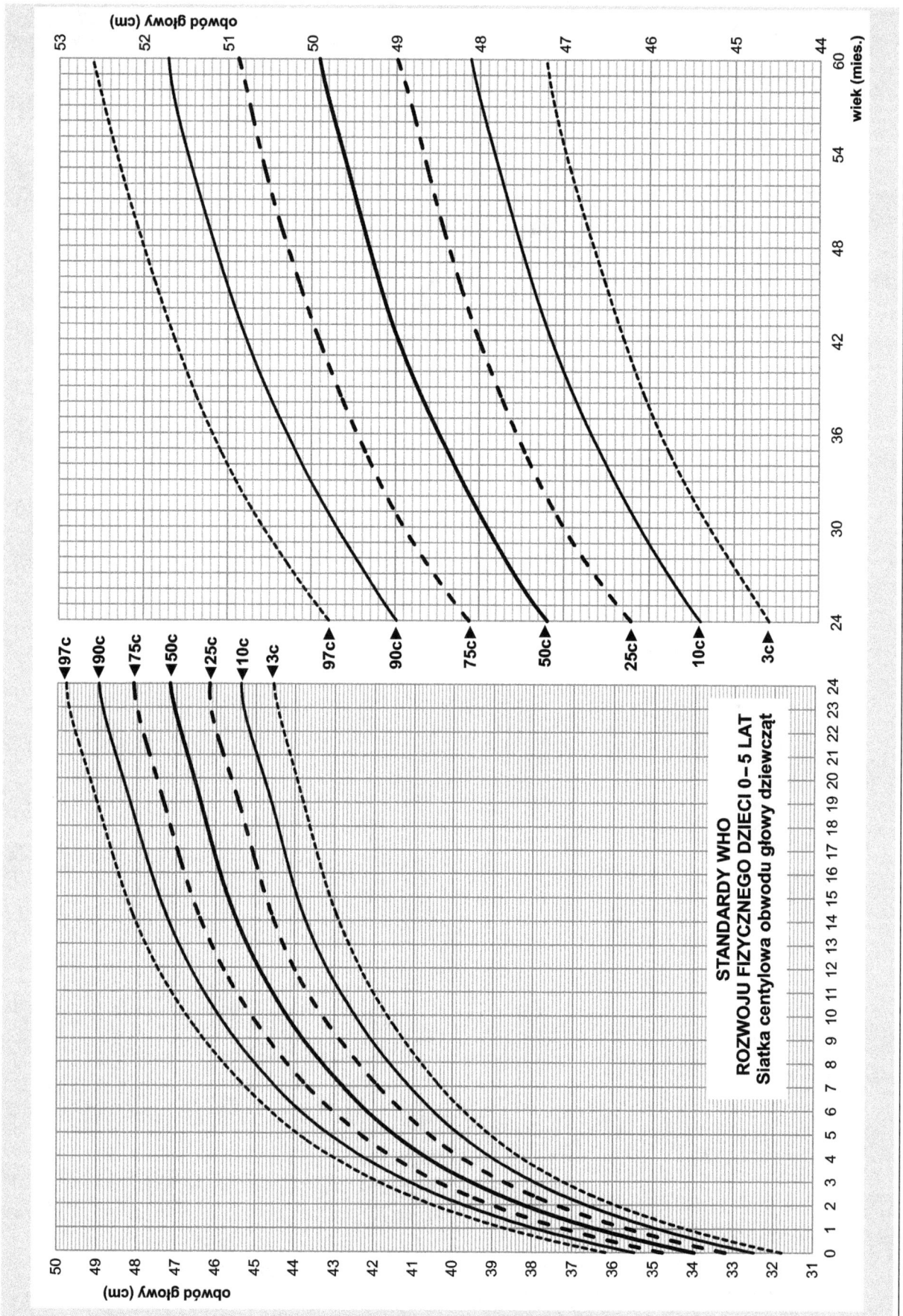

Rycina 26.5. Siatka centylowa obwodu głowy dziewcząt w wieku 0–24 miesięcy i 24–60 miesięcy (Standardy WHO Rozwoju Fizycznego Dzieci w wieku 0–5 lat).

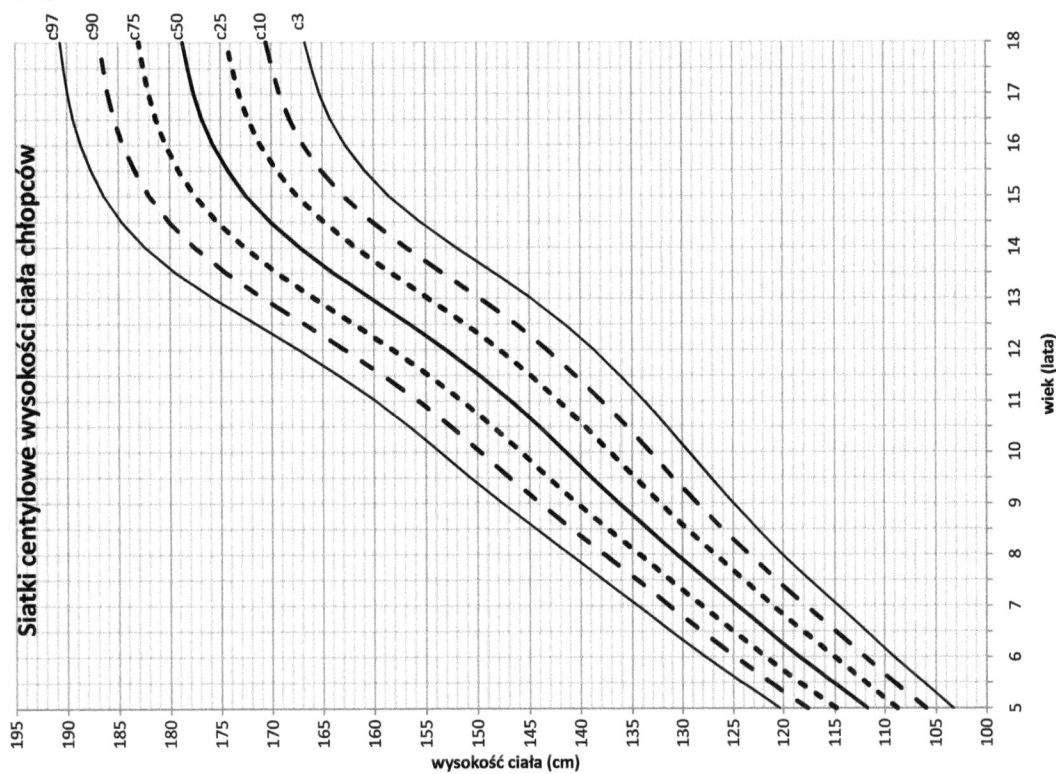

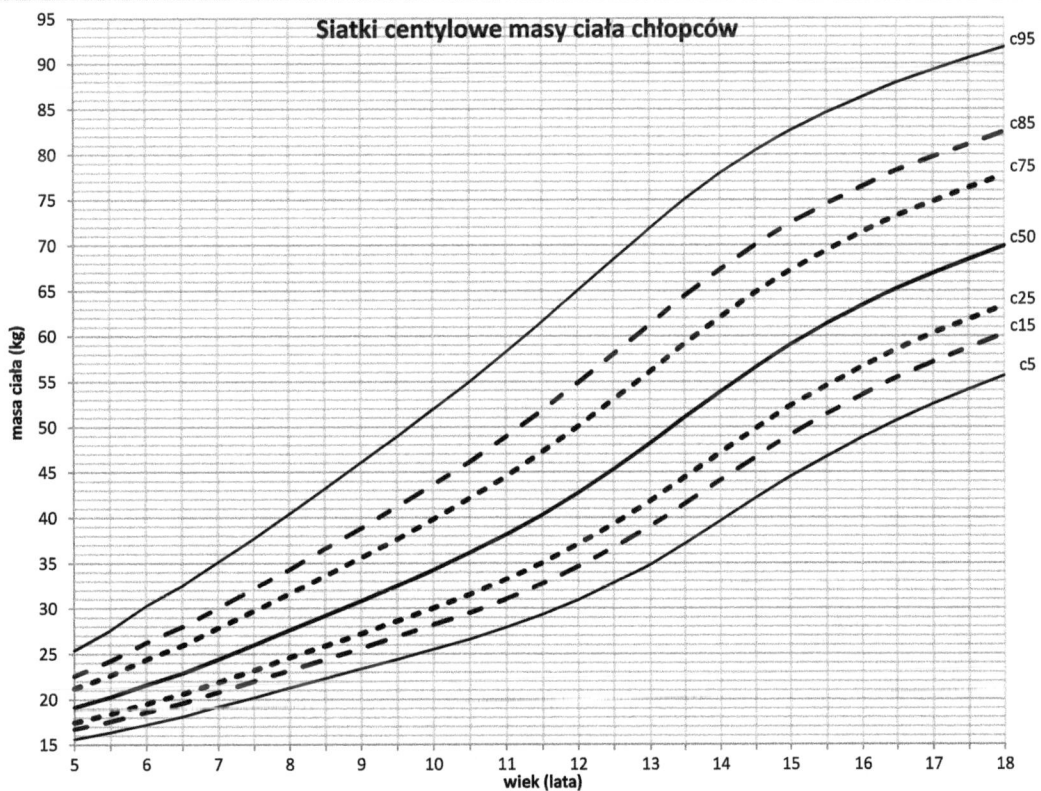

Rycina 26.6 *a*, *b*. Siatki centylowe wysokości i masy ciała chłopców w wieku 5–18 lat. (Siatki opracowane przez zespół IP-CZD: *Aneta Grajda, Magdalena Góźdź, Beata Gurzkowska, Zbigniew Kułaga, Małgorzata Wojtyło, Agnieszka Różdżyńska-Świątkowska, Anna Świąder, Mieczysław Litwin* – kierownik projektów).

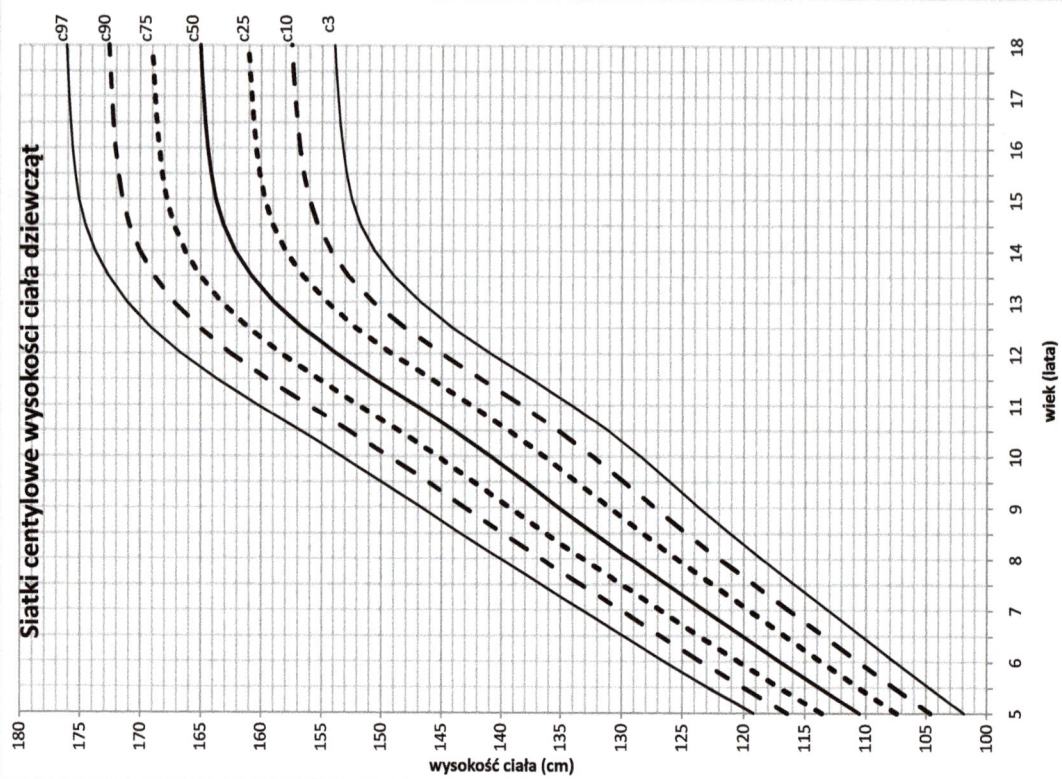

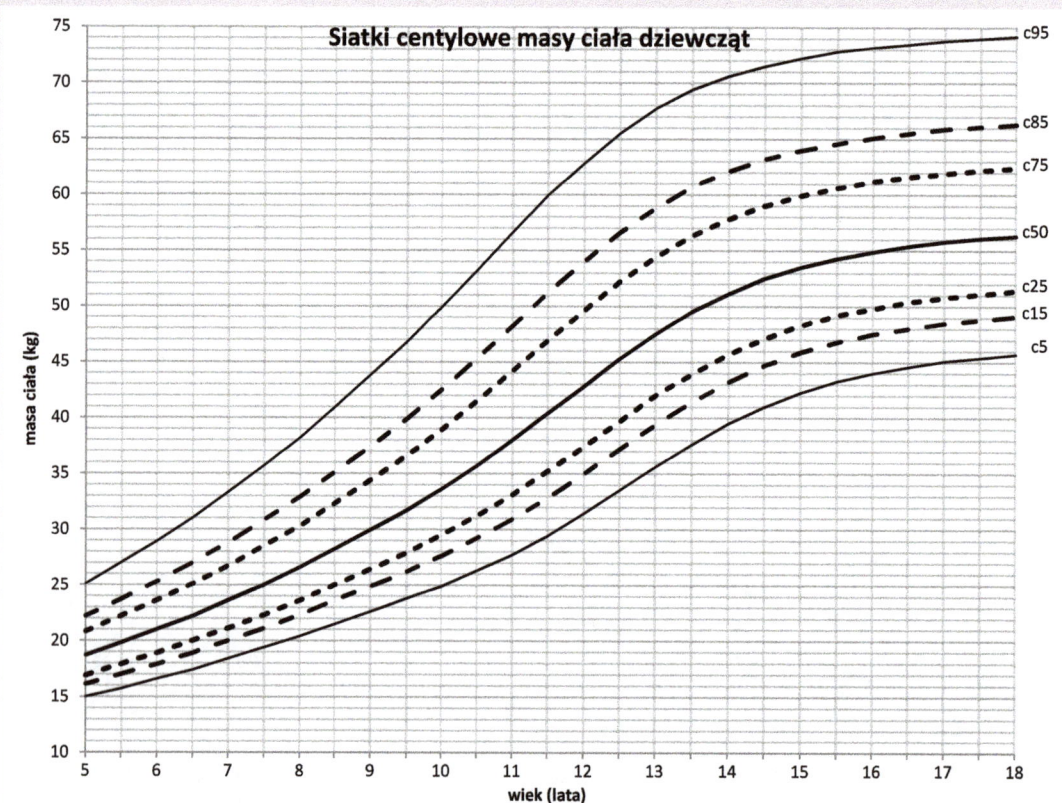

Rycina 26.7 *a, b.* Siatki centylowe wysokości i masy ciała dziewcząt w wieku 5–18 lat. (Siatki opracowane przez zespół IP-CZD: *Aneta Grajda, Magdalena Góźdź, Beata Gurzkowska, Zbigniew Kułaga, Małgorzata Wojtyło, Agnieszka Różdżyńska-Świątkowska, Anna Świąder, Mieczysław Litwin* – kierownik projektów).

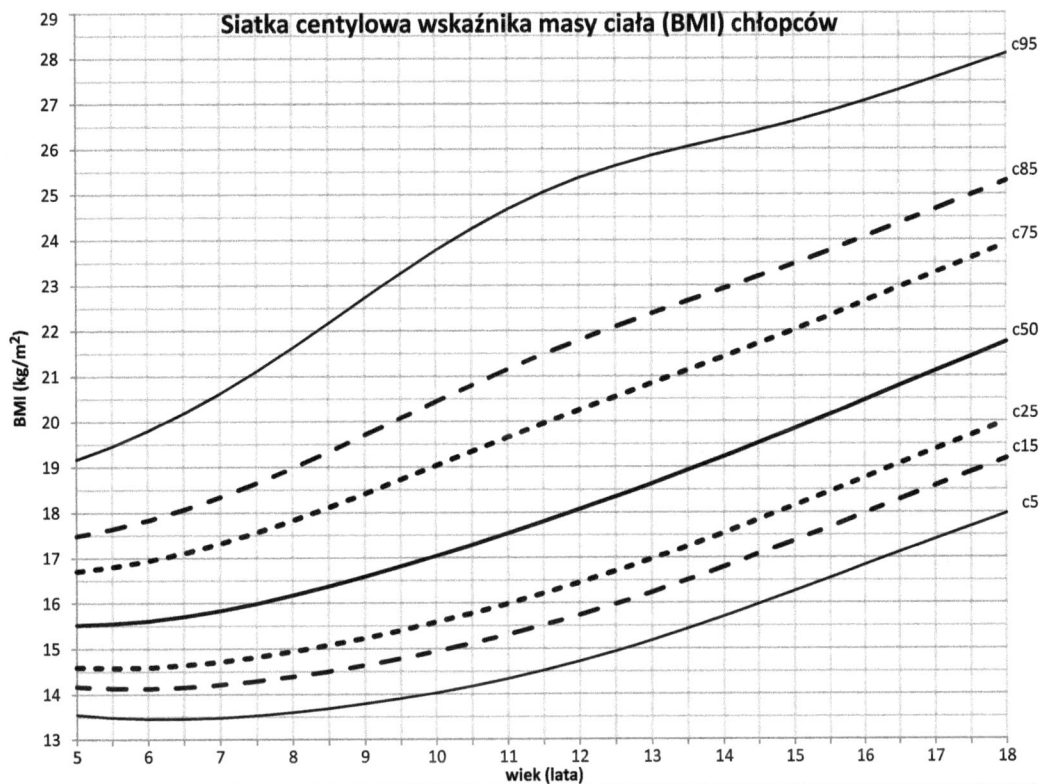

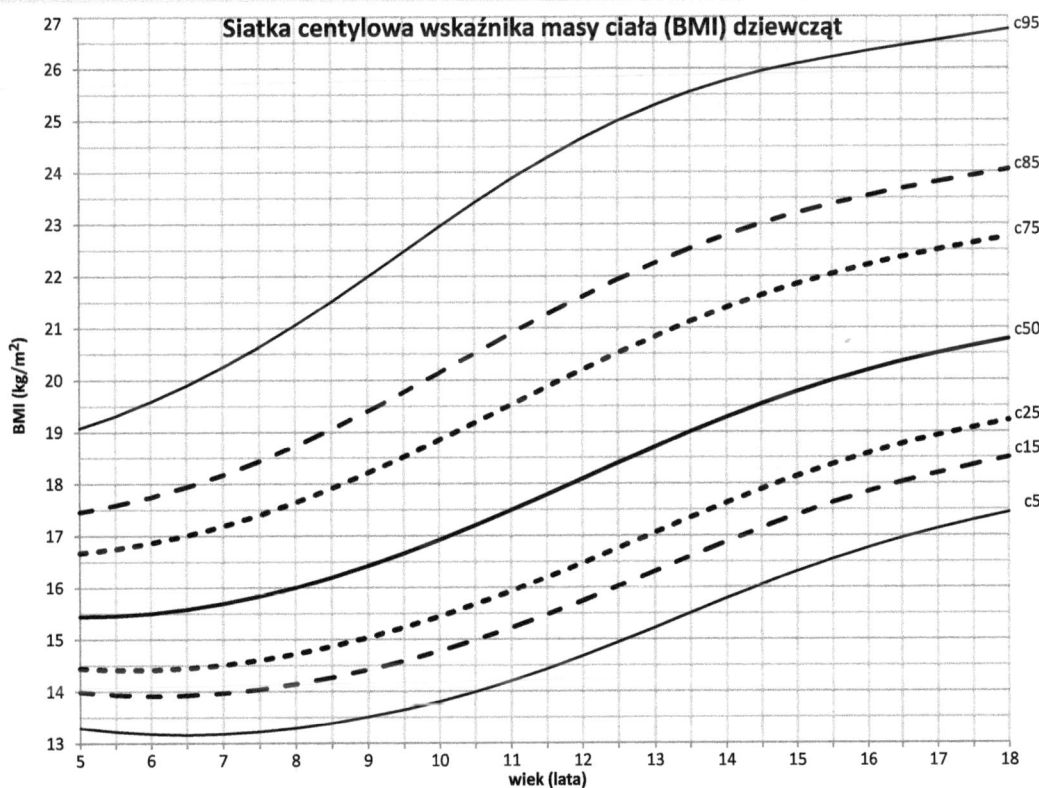

Rycina 26.8 *a, b.* Siatki centylowe wskaźnika masy ciała (BMI) chłopców i dziewcząt w wieku 5–18 lat. (Siatki opracowane przez zespół IP-CZD: *Aneta Grajda, Magdalena Góźdź, Beata Gurzkowska, Zbigniew Kułaga, Małgorzata Wojtyło, Agnieszka Różdżyńska-Świątkowska, Anna Świąder, Mieczysław Litwin* – kierownik projektów).

(OLA). Badania przeprowadzono na podstawie dwustopniowego losowania: dobór losowy szkół z operatu wszystkich szkół w kraju (w przypadku badania OLAF) oraz dobór podmiotów leczniczych z operatu wszystkich podmiotów leczniczych prowadzących podstawową opiekę zdrowotną (w przypadku badania OLA), a także losowy dobór uczniów/dzieci w wylosowanej szkole/podmiocie leczniczym z zachowaniem proporcjonalnej reprezentacji dzieci i młodzieży wiejskiej w stosunku do miejskich rówieśników. Pomiary i badania wykonały zespoły przeszkolonych profesjonalistów z wykorzystaniem rygorystycznej metodologii oraz jednolitego sprzętu pomiarowego. Dokładny opis metodologii badania jest dostępny we wcześniejszych publikacjach (patrz piśmiennictwo do tego rozdziału). Projekty OLAF i OLA wyróżniają nie tylko reprezentatywność dla całej krajowej populacji dzieci i młodzieży w wieku szkolnym oraz dbałość o jakość danych, ale także fakt, iż stan zdrowia uczestników został potwierdzony badaniem lekarskim. Projekt OLAF przeprowadzono

w 416 szkołach z udziałem ponad 17 500 uczestników w wieku 6–19 lat, a projekt OLA w 81 podmiotach leczniczych z udziałem ponad 5100 dzieci w wieku 2–7 lat. Ważnym wyróżnikiem siatek centylowych badania OLAF jest zastosowana metoda statystyczna analizy i opracowania danych – metoda zgodna z aktualnym, światowym stanem wiedzy i praktyki w analizach statystycznych danych biologicznych rozwoju dzieci i młodzieży.

Warto również przedstawić wartości graniczne parametrów antropometrycznych, przy których wzrasta ryzyko wystąpienia nadciśnienia tętniczego (tab. 26.1) i kryteria rozpoznania zespołu metabolicznego (tab. 26.2).

Tabela 26.1. Wartości progowe BMI i obwodu talii u chłopców i dziewczynek rasy białej, powyżej których wzrasta narażenie na występowanie klasterowe biochemicznych czynników ryzyka i nadciśnienia tętniczego [wg Katzmarzyk P.T., Srinivasan S.R., Chen W. i wsp.: *Body mass index, waist circumference, and clustering of cardiovascular disease risk factors in a biracial sample of children and adolescents*. Pediatrics 2004; 144(2): 198–205]

WIEK [LATA]	BMI [kg/m²] CHŁOPCY	BMI [kg/m²] DZIEWCZYNKI	OBWÓD TALII [cm] CHŁOPCY	OBWÓD TALII [cm] DZIEWCZYNKI
5	15,6	15,3	52,4	50,6
6	16,1	15,3	54,1	52,7
7	16,5	16,6	56,0	55,0
8	16,9	17,5	58,3	57,6
9	17,5	18,4	61,4	60,5
10	18,3	19,1	64,4	63,3
11	19,1	19,9	67,8	65,8
12	20,0	20,5	71,3	68,0
13	20,7	21,2	74,2	69,7
14	21,3	21,6	76,4	70,9
15	21,8	21,9	77,9	71,3
16	22,1	22,1	79,0	71,3
17	22,5	22,4	79,8	71,3
18	22,7	22,7	80,4	71,2

Tabela 26.2. Definicje zespołu metabolicznego u dzieci wg International Diabetes Federation

WIEK	KRYTERIA
< 10. rż.	Nie należy rozpoznawać zespołu metabolicznego; wskazane rozszerzenie diagnostyki w grupach ryzyka
10.–15. rż. (< 16. rż.)	Obwód talii ≥ 90. centyla lub ≥ punktu odcięcia dla dorosłych **oraz** co najmniej 2 z poniższych kryteriów: ■ Stężenie triglicerydów ≥ 150 mg/dl ■ Stężenie HDL < 40 mg/dl ■ Ciśnienie skurczowe ≥ 130 mmHg i/lub rozkurczowe ≥ 85 mmHg ■ Glikemia na czczo ≥ 100 mg/dl lub rozpoznana cukrzyca typu 2
> 16. rż.	Kryteria jak u dorosłych: Obwód talii ≥ 94 cm u chłopców i 80 cm u dziewcząt **oraz** co najmniej 2 z poniższych kryteriów: ■ Stężenie HDL < 40 mg/dl u chłopców i < 50 mg/dl u dziewcząt ■ Ciśnienie skurczowe ≥ 130 mmHg i/lub rozkurczowe ≥ 85 mmHg lub leczenie hipotensyjne ■ Glikemia na czczo ≥ 100 mg/dl lub rozpoznana cukrzyca typu 2

26.2   *Józef Ryżko, Joanna Kuszyk, Piotr Socha*
GASTROENTEROLOGIA I HEPATOLOGIA – BADANIA HISTOPATOLOGICZNE

26.2.1

Wątroba

Biopsja wątroby pozostaje nadal ważnym narzędziem diagnostycznym w przewlekłych chorobach wątroby u dzieci, a badanie histopatologiczne stanowi integralną część ich diagnostyki i monitorowania przebiegu.

Najczęściej biopsja wątroby wykonywana jest w przypadku przewlekłego zapalenia wątroby i choroby stłuszczeniowej wątroby. Ostre zapalenie wątroby zwykle nie stanowi wskazania do biopsji, chyba że istnieją wątpliwości dotyczące klinicznej diagnozy.

Biopsja wątroby to badanie inwazyjne. Najczęstszymi jej powikłaniami są krwawienie, wyciek żółci i ból w prawej części nadbrzusza, rzadkimi odma opłucnowa i otrzewnowa oraz wstrząs septyczny. Śmiertelność z powodu tego badania wynosi ok. 0,01%. Zwykle wykonuje się biopsję igłową, a w szczególnych przypadkach biopsję chirurgiczną.

Materiał pobrany drogą biopsji gruboigłowej wątroby powinien być długości co najmniej 1,5 cm. Materiał jest utrwalany rutynowo w 10% zbuforowanej formalinie, a także w szczególnych sytuacjach w 3% zbuforowanym aldehydzie glutarowym (badanie w mikroskopie elektronowym) lub zamrożony w ciekłym azocie bądź suchym lodzie i izopentanie (barwienia na obecność tłuszczów, ocenę aktywności enzymatycznej, badanie białek, DNA i RNA pochodzenia wirusowego).

Badanie mikroskopowe wycinka wątrobowego polega na ocenie cytoarchitektoniki narządu, przestrzeni wrotnych i zrazików, blaszki granicznej nacieków zapalnych, włóknienia oraz sieci naczyniowej wraz z zatokami. W przewlekłym zapaleniu wątroby biopsja narządu umożliwia ocenę aktywności nacieku zapalnego i zaawansowania włóknienia – obecnie stosuje się numeryczną skalę aktywności zapalnej, włóknienia i przebudowy marskiej wg Battsa i Ludwiga (tab. 26.3).

W algorytmie METAVIR brane są pod uwagę zmiany martwicze śródzrazikowe i martwica kęsowa oraz włóknienie przęsłowe i przebudowa marska.

W przypadku **autoimmunizacyjnego zapalenia wątroby** zmiany morfologiczne charakteryzują się obfitym naciekiem zapalnym palczasto wnikającym w głąb zrazików, złożonym głównie z limfocytów i komórek plazmatycznych. W diagnostyce **cholestazy niemowlęcej** szczególnie istotne jest postawienie rozpoznania **atrezji dróg żółciowych** – charakterystyczne zmiany mikroskopowe występują pod postacią cholestazy wewnątrzwątrobowej z obecnością czopów żółci w pierwotnych kanalikach żółciowych, bilirubinostazy w hepatocytach z ich transformacją olbrzymiokomórkową, proliferacji przewodzików żółciowych i zmian typu ductal plate malformation

Tabela 26.3. Skala aktywności zapalnej, włóknienia i przebudowy marskiej wątroby wg Battsa i Ludwiga	
AKTYWNOŚĆ ZAPALNA	STOPIEŃ ZAAWANSOWANIA WŁÓKNIENIA I PRZEBUDOWY MARSKIEJ
Stopień I – aktywność minimalna: obecne nacieki zapalne w przestrzeniach wrotnych z minimalnym przekraczaniem blaszki granicznej **Stopień II** – aktywność mała: obecne nacieki zapalne w przestrzeniach wrotnych i zrazikach, z ogniskową martwicą kęsową i zrazikową **Stopień III** – aktywność średnia: wyraźne przekraczanie blaszki granicznej i martwica wewnątrzzrazikowa **Stopień IV** – aktywność duża: obfite nacieki zapalne w przestrzeniach wrotnych i martwica przęsłowa	**Stopień I** – włóknienie przestrzeni wrotnych **Stopień II** – włóknienie okołowrotne, obecne pojedyncze mostki włókniste **Stopień III** – obecne mostki włókniste porto-portalne, porto-centralne, zaburzenia cytoarchitektoniki, nie ma guzków regeneracyjnych **Stopień IV** – marskość, włóknienie mostowe, guzki regeneracyjne

oraz przerostu błony mięśniowej naczyń tętniczych. Nieprawidłowościom tym towarzyszy włóknienie przęsłowe do marskości włącznie oraz drobne nacieki limfoidalne.

W **zespole Alagile'a** charakterystyczną cechą morfologiczną jest duktopenia (liczba przewodów żółciowych < 7 na 10 przestrzeni wrotnych). W chorobach związanych z rodzinnymi cholestazami wewnątrzwątrobowymi dominują zastój żółci w rozetkowato ułożonych hepatocytach oraz punktowa martwica hepatocytów. Choroby te należy różnicować z olbrzymiokomórkowym zapaleniem wątroby, spowodowanym m.in. zakażeniem wirusowym czy bakteryjnym towarzyszącym anemii hemolitycznej.

W grupie chorób włóknisto-torbielowatych wyróżnia się **chorobę Caroliego** (zaburzenie dojrzewania średniej wielkości przewodów żółciowych) i **wrodzone włóknienie wątroby** (pierścieniowate, nieprawidłowo wykształcone przewody żółciowe w przestrzeniach wrotnych).

26.2.2
Przewlekłe choroby zapalne jelita cienkiego i choroba trzewna

Dwunastnica

Ryzyko wystąpienia błędu interpretacji może wynikać m.in. z nieprawidłowego pobierania wycinków (tzw. sampling terror), w tym wystąpienia obrzęku i wylewów krwi, pobrania wycinków powierzchownie, bez warstwy mięśniówki, pobrania < 4 wycinków (w przypadku zmian ogniskowych) i tylko z opuszki dwunastnicy.

Prawidłowy obraz mikroskopowy dwunastnicy – stosunek długości krypt do kosmków wynosi od 1 : 3 do 1 : 5 (w zależności od pobrania wycinka w opuszce lub w dalszej części jelita), a liczba limfocytów śródnabłonkowych nie przekracza 25 limfocytów śródnabłonkowych (IEL, intraepithelial lymphocyte) na 100 enterocytów (E).

W przypadku enteropatii glutenozależnej stosuje się klasyfikację zmian strukturalnych wg skali Marsha:

- Marsh 0 – prawidłowy obraz błony śluzowej
- Marsh 1 – stadium naciekowe (prawidłowe kosmki, zwiększona limfocytoza śródnabłonkowa)
- Marsh 2 – stadium hiperplastyczne (skrócone kosmki i hiperplazja krypt)
- Marsh 3 – stadium zanikowe:
  3a – zanik częściowy kosmków
  3b – zanik prawie całkowity kosmków
  3c – zanik całkowity kosmków.

Żołądek

Ocena histopatologiczna błony śluzowej żołądka powinna być wykonana na podstawie 5 wycinków pobranych z jamy odźwiernikowej (*antrum*) i trzonu. Klasyfikacja Sydney dotycząca przewlekłych zapaleń zawiera ocenę zmian błony śluzowej wg stopnia nasilenia:

- obecność bakterii *Helicobacter pylori*,
- zmiany zanikowe w *antrum* i trzonie,
- naciek zapalny granulocytarny,
- naciek zapalny limfoidalny,
- metaplazja jelitowa.

W ocenie mikroskopowej polipów żołądka należy brać pod uwagę zmiany hiperplastyczne w różnicowaniu ze zmianami dysplastycznymi i nowotworowymi, nacieki zapalne, zmiany heterotopowe (utkanie trzustki, gruczoły Brunnera) oraz zmiany hamartomatyczne (m.in. polipowatość Peutza–Jeghersa).

Jelito grube

Materiał pobrany drogą endoskopową zwykle ma wymiary 4–8 mm, chociaż u małych dzieci bioptaty wielkości 2 mm są również diagnostyczne.

W różnicowaniu przewlekłych zmian zapalnych jelita grubego należy brać pod uwagę wrzodziejące zapalenie jelita grubego, chorobę Leśniowskiego––Crohna i eozynofilowe zapalenie. We **wrzodziejącym zapaleniu jelita grubego** zmiany zapalne mają zwykle charakter ciągły i nasilają się w końcowym odcinku z zajęciem odbytnicy, z zaburzoną budową krypt i ziarniniakami okołokryptowymi (mucin granuloma), czasami zmiany występują w końcowym odcinku jelita cienkiego pod postacią tzw. backwash ileitis. W **chorobie Leśniowskiego–Crohna** zmiany zapalne mają zwykle charakter ogniskowy, często bez zajęcia odbytnicy, jednak mogą pojawiać się również w górnym odcinku przewodu pokarmowego, obecna jest hiperplazja grudek chłonnych i ziarniniaki olbrzymiokomórkowe (epithelioid granuloma). W **eozynofilowym zapaleniu** przewodu pokarmowego należy zwracać uwagę na skład morfotyczny nacieków zapalnych i liczbę granulocytów kwasochłonnych przekraczającą 15 komórek w polu widzenia przy powiększeniu 400×.

W **chorobie Hirschsprunga** dobrą metodą diagnostyczną jest pobranie dwóch wycinków zawierających błonę śluzową i podśluzową w odbytnicy > 4 cm od kresy odbytowo-skórnej (*linea pectinata*). Poniżej tej linii nabłonek gruczołowy przechodzi w wielowarstwowy płaski i wycinek jest niediagnostyczny. Prawidłowo wykonane badanie polega na zbadaniu > 100 przekrojów błony śluzowej jelita grubego. Przy dodatnim wyniku reakcji ACHE i braku obecności komórek zwojowych w warstwie podśluzowej należy rozpoznać aganglionozę.

Mieczysław Litwin, Jan Zawadzki, Ryszard Grenda

26.3
NEFROLOGIA I HIPERTENSJOLOGIA

Normy z zakresu chorób nerek obejmują wskaźniki laboratoryjne opisujące czynność nerek w odniesieniu do filtracji kłębuszkowej i funkcji cewek nerko-

wych oraz wskaźniki litogenności moczu. Obecnie dostępne są polskie normy ciśnienia tętniczego, które powinny być wykorzystywane w codziennej praktyce medycznej.

26.3.1
Normy ciśnienia tętniczego

Przedstawione normy ciśnienia tętniczego w postaci siatek centylowych zostały opracowane na podstawie koordynowanych w latach 2010–2012 przez Instytut „Pomnik-Centrum Zdrowia Dziecka” projektów badawczych OLAF (obejmującego reprezentatywną grupę dzieci i młodzieży w wieku 7–18 lat) oraz OLA (obejmującego dzieci w wieku 3–6 lat) – dobór próby badanej patrz rozdz. 26.1.2 „Normy rozwoju fizycznego dzieci i młodzieży w wieku 5–18 lat w Polsce”. Pomiary ciśnienia (wykonywane aparatem oscylometrycznym Datascope Accutorr Plus) u dzieci w wieku szkolnym przeprowadzono w szkołach, a u dzieci w wieku przedszkolnym ciśnienie mierzono w obecności rodziców w zakładach POZ.

Odmienność miejsca i okoliczności wykonywania pomiarów może stanowić o różnicy wartości prezentowanych centyli krwi między wiekiem 6,5 lat i 7 lat. Centyle w grupie dzieci szkolnych (7 lat) są wyższe o ok. 1–3 mmHg, niż wynika to z ekstrapolacji przebiegu krzywej od wieku 2,5 lat i powyżej 6,5 lat. Z tego powodu wykresy centyli przedstawiono oddzielnie dla dzieci w wieku 3–6 lat (badanie OLA, przedszkolaki) oraz dzieci i młodzieży w wieku 7–18 lat (badanie OLAF). Siatki centylowe ciśnienia krwi wg wieku i wysokości ciała opracowano z użyciem metody LMS.

Zgodnie z wytycznymi European Society of Hypertension postępowania w przypadku wysokiego ciśnienia krwi u dzieci i nastolatków, definicja oraz klasyfikacja nadciśnienia tętniczego w tej grupie wieku wyróżnia: ciśnienie prawidłowe poniżej 90. centyla; ciśnienie wysokie normalne: ⩾ 90. do < 95. centyla lub ⩾ 120/80 mmHg, nawet jeżeli SBP lub DBP jest poniżej 90. centyla u nastolatków; nadciśnienie I°: ⩾ 95. do 99. centyla + 5 mmHg; nadciśnienie II°: > 99. centyla + 5 mmHg. Z tego powodu centyle 90., 95. i 99. ciśnienia krwi, jako graniczne dla prawidłowego ciśnienia i dla nadciśnienia, mają istotne znaczenie w diagnostyce oraz leczeniu nadciśnienia tętniczego wśród dzieci i młodzieży.

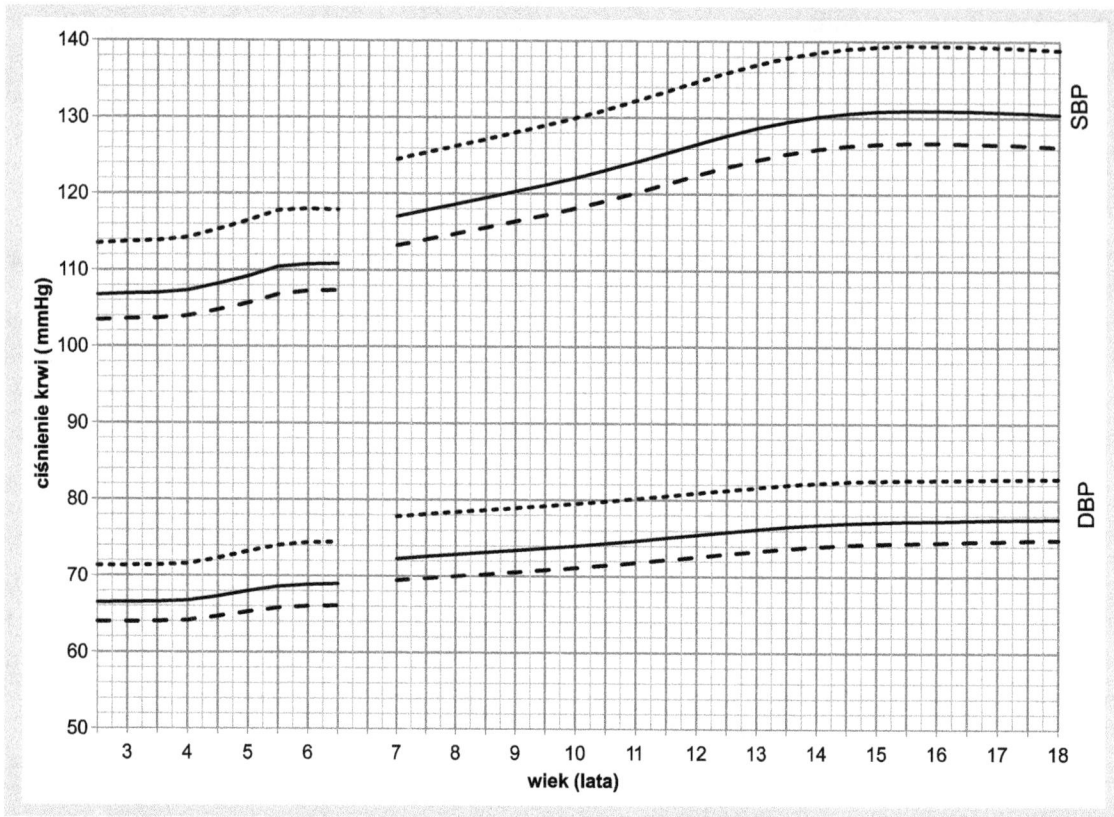

Rycina 26.9. Centyle ciśnienia krwi: skurczowego (SBP) i rozkurczowego (DBP) dziewcząt wg wieku; centyl 90. – linia przerywana, centyl 95. – linia ciągła, centyl 99. – linia kropkowana. Źródło: Kułaga Z. i wsp.: *Standardy Med.* Pediatria 2013; 10: 22–30.

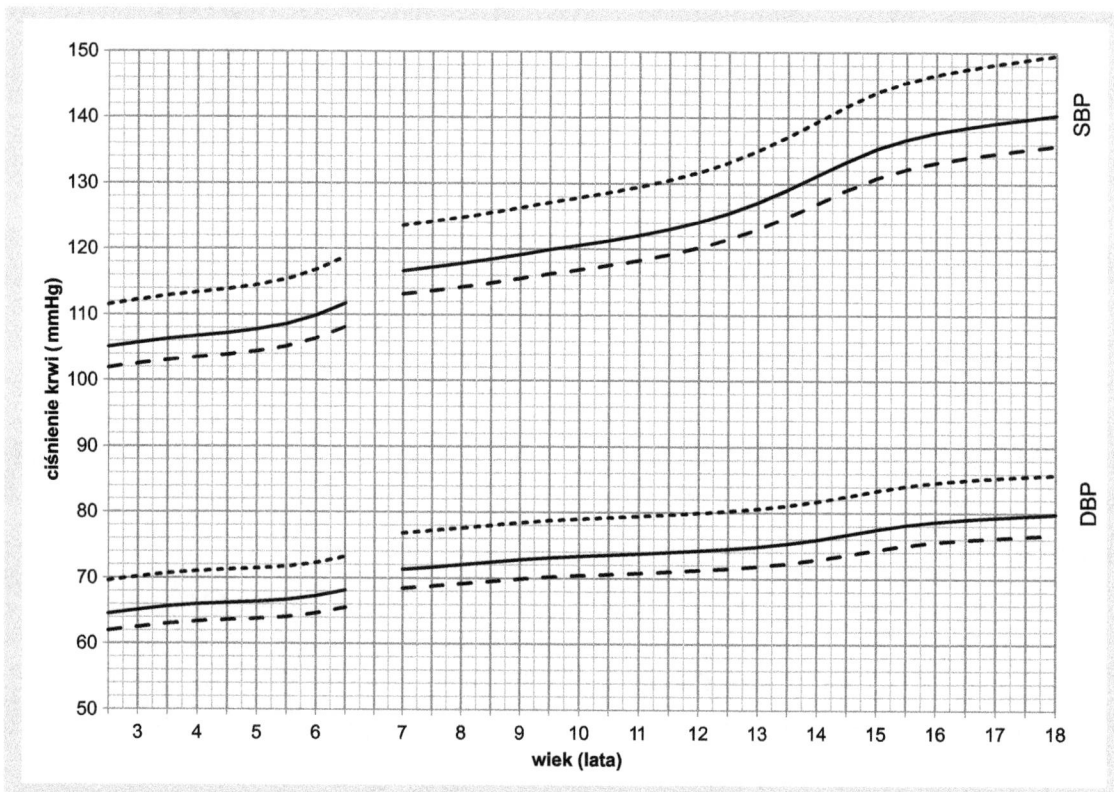

Rycina 26.10. Centyle ciśnienia krwi: skurczowego (SBP) i rozkurczowego (DBP) chłopców wg wieku; centyl 90. – linia przerywana, centyl 95. – linia ciągła, centyl 99. – linia kropkowana. Źródło: Kułaga Z. i wsp.: *Standardy Med.* Pediatria 2013; 10: 22–30.

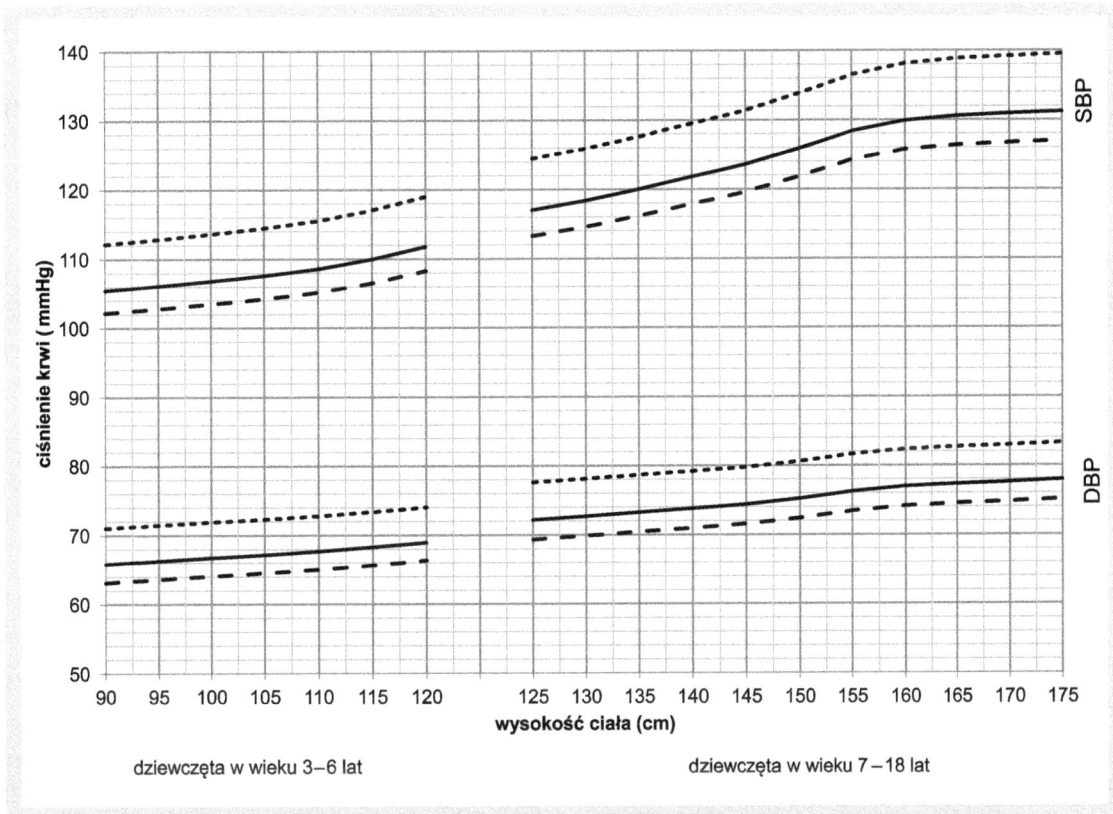

Rycina 26.11. Centyle ciśnienia krwi: skurczowego (SBP) i rozkurczowego (DBP) dziewcząt wg wysokości ciała; centyl 90. – linia przerywana, centyl 95. – linia ciągła, centyl 99. – linia kropkowana. Źródło: Kułaga Z. i wsp.: *Standardy Med*. Pediatria 2013; 10: 22–30.

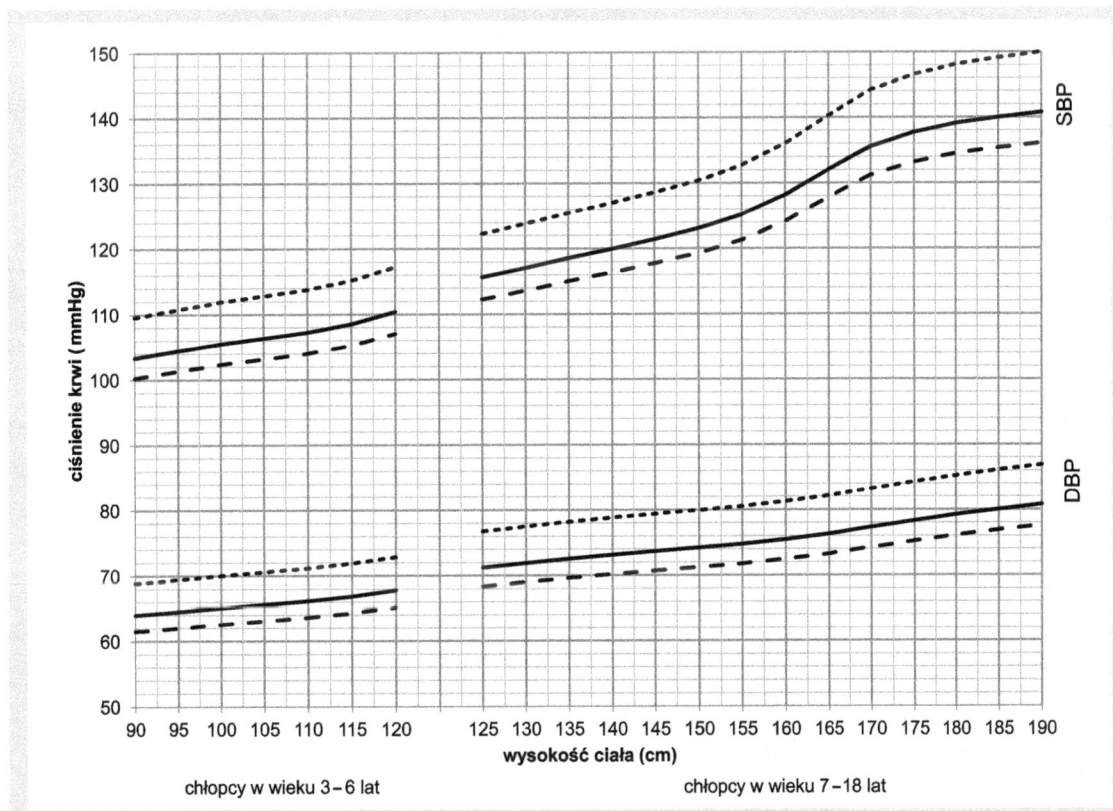

Rycina 26.12. Centyle ciśnienia krwi: skurczowego (SBP) i rozkurczowego (DBP) chłopców wg wysokości ciała; centyl 90. – linia przerywana, centyl 95. – linia ciągła, centyl 99. – linia kropkowana. Źródło: Kułaga Z. i wsp.: *Standardy Med*. Pediatria 2013; 10: 22–30.

26.3.2
Normy grubości kompleksu błona wewnętrzna–błona środkowa (IMT) tętnic szyjnych wspólnych i tętnic udowych powierzchownych

Pediatryczne normy IMT w tętnicach szyjnych wspólnych (cIMT) i tętnicach udowych powierzchownych (fIMT) zostały opracowane w ramach projektu UE ESCAPE Study. Populację badaną stanowiły dzieci i młodzież w wieku 10–20 lat z Niemiec i Polski (tab. 26.4 i 26.5).

26.3.3
Normy laboratoryjne

Współczynnik przesączania kłębuszkowego (GFR) liczony ze wzoru Schwartza:

$$GFR = (K \times \text{wzrost w cm}) / \text{stężenie kreatyniny w mg/dl}$$

K dla wieku:

- wcześniaki, niska urodzeniowa mc. – 0,33
- donoszone noworodki, niemowlęta – 0,45
- 2.–12. rż. – 0,55
- dziewczynki 13.–21. rż. – 0,55
- chłopcy 13.–21. rż. – 0,70.

Przy oznaczaniu stężenia kreatyniny inną techniką niż metodą Jaffego stosuje się zmodyfikowany wzór

Tabela 26.4. Średnie wartości grubości IMT tętnic szyjnych wspólnych u dzieci i młodzieży w wieku 10–20 lat [wg Jourdan C. i wsp.]. IMT mierzono na ścianie dalszej tętnic szyjnych wspólnych 1 cm pod rozwidleniem na odległości 1 cm

WIEK [LATA]	10–13	14–16	17–20
IMT [mm] ♂	0,38 ± 0,04	0,40 ± 0,04	0,39 ± 0,03
IMT [mm] ♀	0,38 ± 0,03	0,39 ± 0,05	0,40 ± 0,03

Tabela 26.5. Wartości referencyjne grubości IMT tętnic szyjnych wspólnych (cIMT) i tętnic udowych powierzchownych (fIMT) – 50., 90. i 97. centyl wyrażone w milimetrach [wg Jourdan C. i wsp.; opr. J. Śladowska-Kozłowska]

CENTYL	50.		90.		97.	
WIEK [LATA]	cIMT	fIMT	cIMT	fIMT	cIMT	fIMT
10	0,38	0,31	0,44	0,35	0,46	0,37
11	0,39	0,31	0,44	0,35	0,46	0,37
12	0,39	0,32	0,44	0,36	0,47	0,38
13	0,39	0,32	0,44	0,36	0,47	0,38
14	0,39	0,33	0,44	0,37	0,47	0,39
15	0,39	0,33	0,45	0,37	0,48	0,39
16	0,39	0,34	0,45	0,37	0,48	0,40
17	0,39	0,34	0,45	0,38	0,48	0,40
18	0,40	0,34	0,45	0,38	0,48	0,40
19	0,40	0,35	0,45	0,39	0,49	0,41
20	0,40	0,35	0,46	0,39	0,49	0,41

Tabela 26.6. Zakres prawidłowych wartości wielkości przesączania kłębuszkowego (GFR) u dzieci, obliczonych metodą Schwartza

WIEK	ŚREDNIA WARTOŚĆ GFR (ml/min/1,73 m²)
Wcześniaki (< 34. t. ciąży) 2.– 8. dż.	15,3 ± 5,6
4.–28. dż.	28,7 ± 13,8
Dzieci urodzone o czasie 1. tż.	41 ± 15
2.–8. tż.	66 ± 25
> 8. tż.	96 ± 22
2.–12. rż.	133 ± 27
13.–21. rż. (chłopcy)	140 ± 30
13.–21. rż. (dziewczęta)	126 ± 22

Geary D.F., Schaefer F. (red.): *Comprehensive Pediatric Nephrology*. Mosby, Elsevier, Philadelphia 2008.

Schwartza, w którym dla dzieci w wieku 1–16 lat wartość K wynosi 0,413. Normy GFR przedstawiono w tabeli 26.6.

Wydalanie sodu, potasu, wapnia, magnezu, fosforanów, szczawianów, kwasu moczowego, cytrynianów i kreatyniny z moczem przedstawiono w tabeli 26.7.

26.3.4

Testy czynnościowe nerek

Diagnostyka zaburzeń transportu cewkowego jonu wodorowego

Ocena zdolności zakwaszania moczu:

1 Krótki test zdolności zakwaszania moczu po podaniu doustnym chlorku amonu

Tabela 26.7. Normy dobowego wydalania z moczem (wartość netto) sodu, potasu, wapnia, magnezu, fosforanów, kwasu moczowego, szczawianów, cytrynianów i kreatyniny – w odniesieniu do wieku i płci

PARAMETR		< 1. RŻ.	2.–3. RŻ.	4.–6. RŻ.	7.–9. RŻ.	10.–12. RŻ.	13.–15. RŻ.
Sód	Ż	13 ± 7,1	38,7 ± 8,9	60,4 ± 9,8	69,3 ± 14,5	71,4 ± 16,1	124,8 ± 50,3
	M	11,3 ± 4,1	35,6 ± 7,5	56,4 ± 9,0	79,2 ± 10,6	91 ± 11,1	111,3 ± 15,2
Potas	Ż	10,2 ± 4,1	18,9 ± 5,2	22,3 ± 3,2	34,2 ± 7,7	28,0 ± 4,6	50,5 ± 13,3
	M	11,7 ± 3,1	18,9 ± 3,6	26,8 ± 4,2	32,4 ± 6,1	38,7 ± 4,2	45,7 ± 5,9
Wapń	Ż	0,24 ± 0,14	0,78 ± 0,26	1,02 ± 0,20	1,43 ± 0,36	1,58 ± 0,41	1,71 ± 0,63
	M	0,28 ± 0,1	1,16 ± 0,41	1,37 ± 0,25	2,53 ± 0,50	2,50 ± 0,37	2,36 ± 0,63
Magnez	Ż	0,32 ± 0,18	1,07 ± 0,32	1,62 ± 0,36	2,25 ± 0,48	1,91 ± 0,45	2,50 ± 0,52
	M	0,33 ± 0,09	1,32 ± 0,25	1,82 ± 0,26	2,62 ± 0,43	2,74 ± 0,27	2,80 ± 0,36
Fosforany	Ż	3,9 ± 1,6	6,7 ± 1,6	9,3 ± 1,3	12,8 ± 2,3	13,3 ± 2,3	20,6 ± 5,1
	M	5,1 ± 1,3	7,8 ± 1,3	11,5 ± 1,5	16,2 ± 3,0	19,5 ± 2,2	22,4 ± 2,9
Kwas moczowy	Ż	0,36 ± 0,15	0,77 ± 0,16	0,99 ± 0,14	1,46 ± 0,26	1,45 ± 0,26	2,47 ± 0,65
	M	0,38 ± 0,08	0,94 ± 0,16	1,24 ± 0,19	1,48 ± 0,18	2,08 ± 0,21	2,53 ± 0,41
Szczawiany	Ż	0,028 ± 0,011	0,119 ± 0,03	0,150 ± 0,037	0,196 ± 0,05	0,214 ± 0,092	0,262 ± 0,093
	M	0,082 ± 0,018	0,144 ± 0,035	0,187 ± 0,034	0,188 ± 0,02	0,235 ± 0,026	0,307 ± 0,051
Cytryniany	Ż	0,30 ± 0,15	0,52 ± 0,16	0,74 ± 0,13	1,11 ± 0,33	1,0 ± 0,33	1,22 ± 0,46
	M	0,34 ± 0,1	0,62 ± 0,13	0,96 ± 0,17	1,21 ± 0,17	1,56 ± 0,17	1,74 ± 0,26
Kreatynina	Ż	0,32 ± 0,17	1,46 ± 0,29	2,49 ± 0,34	3,94 ± 0,74	4,8 ± 0,71	5,53 ± 1,47
	M	0,61 ± 0,15	1,83 ± 0,29	2,96 ± 0,36	4,63 ± 0,65	5,93 ± 0,56	7,78 ± 1,19

[mmol/24 godz.] – wartości średnie ± dwa odchylenia standardowe
Ż (płeć żeńska) – dziewczęta; M (płeć męska) – chłopcy
współczynniki konwersji:
1 mmol =
sód – 22,99 mg; potas – 39,1 mg; wapń – 40,08 mg; magnez – 24,31 mg; fosforany – 94,47 mg; kwas moczowy – 168,11 mg; szczawiany – 127,07 mg; cytryniany – 192,12 mg; kreatynina – 113,12 mg

Hesse A., Tiselius H.-G., Jahnen A.: *Urinary stones. Diagnosis, Treatment and Prevention of Recurrence*. Wyd. 2. Karger, Basel 2002.

■ Jednorazowa dawka testowa przy stężeniu HCO_3 w osoczu między 21–26 mmol/l wynosi 0,1 g/kg mc. (nie należy przekraczać 7 g/dawkę).

■ Przy wartości HCO_3 < 16 mmol/l test przebiega bez podawania chlorku amonu (w stanie spontanicznej kwasicy).

■ Przy pośrednich wartościach HCO_3 między 16 i 21 mmol/l dawka chlorku amonu jest odpowiednio niższa i dobrana tak, aby obniżyć stężenie HCO_3 do 16 mmol/l (dawka nie przekracza 2 g)

■ Wartości prawidłowe po podaniu dawki testowej:
  ■ pH moczu < 5,5
  ■ NH_4 > 40 μmol/min/1,73 m²

TA (kwaśność miareczkowa) > 30 μmol/min/1,73 m²

Cl^- > ($Na^+ + K^+$): tzn. luka anionowa w moczu jest ujemna, co oznacza, że suma stężeń kationów jest mniejsza od anionu (chlorkowego)

2 Przedłużony test zakwaszania moczu chlorkiem amonu

■ Dawka testowa (przy HCO_3 między 21–26 mmol/l) wynosi 0,1 g/kg mc. podzielona na trzy dawki dziennie (nie należy przekraczać 7 g/dawkę), podawana przez 3 kolejne dni.

■ Wartości prawidłowe po podaniu dawki testowej:
  ■ pH moczu < 5,5
  ■ NH_4 > 100 μmol/min/1,73 m²

3 Test doustnego obciążenia $NaHCO_3$

■ Cel – ocena wydajności sekrecyjnej cewek nerkowych w zakresie wydalania jonu wodorowego.

■ Dawka testowa 4 g/1,73 m², doustnie.

■ Normy po podaniu dawki testowej:
  ■ przy pH moczu > 7,6:
    – pCO_2 moczu > 70 mmHg
    – ΔpCO_2 (mocz-krew) > 20 mmHg

4 Test dożylnego obciążenia $NaHCO_3$

■ Cel – ocena wielkości frakcyjnego wydalania wodorowęglanów ($FE_{HCO_3^-}$)[1] z moczem w stanie zwiększania stężenia HCO_3 we krwi z szybkością o 2–3 mmol/l/godzinę dla zróżnicowania typu kwasicy cewkowej.

■ Skład roztworu testowego – objętość 177 ml, w tym 45 ml 5% glukozy + 90 ml 0,9% NaCl + 42 ml 8,4% $NaHCO_3$.

■ Dawka wstępna: 1,4 ml/min/m² powierzchni ciała, co powinno zwiększać stężenie HCO_3 we krwi o 2 mmol/l/godzinę.

■ Wartości $FE_{HCO_3^-}$ przy stężeniu HCO_3^- osocza w zakresie 21–27 mmol/l:
  ■ kwasica typu 2 – $FE_{HCO_3^-}$ > 15%
  ■ kwasica typu 1 – $FE_{HCO_3^-}$ < 5%
  ■ kwasica typu 3 – $FE_{HCO_3^-}$ między 5 a 15%

$$FE_{HCO_3^-} = \frac{kreat_{sur} \times HCO_{3mocz}}{kreat_{mocz} \times HCO_{3sur}}$$

Zaburzenia cewkowego transportu wody

Testy zagęszczania moczu służą do oceny zdolności zagęszczania moczu przy podejrzeniu moczówki. Można wykonać wstrzymanie podaży płynów pod ścisłą kontrolą stanu nawodnienia i objętości wydalanego moczu (obniżenie wolemii nie może przekraczać 3% masy ciała) – im młodszy pacjent, tym krótsza przerwa w podawaniu płynów, przy niewielkim defekcie przerwa w podaży płynów nie może przekraczać 17 godzin. Drugi sposób to podanie desmopresyny – dawka testowa (preparat *Minirin*) wynosi 10–20 μg donosowo. Prawidłowa zdolność zagęszczania moczu oznacza uzyskanie osmolalności moczu > 800 mOsm/kg H_2O.

Diagnostyka hiperkalciurii

Wykonuje się test doustnego obciążenia wapniem według Paka w modyfikacji Stapletona. Dawka testowa (ilość wapnia elementarnego) to 1 g/1,73 m² doustnie, jednorazowo. Wartości prawidłowe wskaźnika wapń/kreatynina (mg/mg):

■ przed obciążeniem na czczo (tj. po 12 godzinach od ostatniego posiłku) (w 2-godzinnej zbiórce moczu):
  ■ u dzieci < 0,21
  ■ u młodzieży i młodych dorosłych < 0,11
■ po obciążeniu wapniem (w 4-godzinnej zbiórce moczu):
  ■ u dzieci < 0,28
  ■ u młodzieży i młodych dorosłych < 0,18.

---

[1] FE (Fractional Excretion) – wydalanie frakcyjne.

Wanda Kawalec, Małgorzata Manowska,
Anna Turska-Kmieć, Lidia Ziółkowska

26.4
CHOROBY UKŁADU KRĄŻENIA

26.4.1
Parametry zapisu EKG

W tabeli 26.8 przedstawiono wybrane parametry zapisu EKG u dzieci do 16. rż.

26.4.2
Dawkowanie leków stosowanych w kardiologii dziecięcej

Poniżej przedstawiono dawkowanie leków antyarytmicznych (tab. 26.9) i stosowanych u dzieci z niewydolnością serca (tab. 26.10 i 26.11).

Tabela 26.8. Wybrane parametry zapisu EKG u dzieci do 16. rż. [wg Davignona], powyżej 16. rż. normy jak dla dorosłych

GRUPA WIEKO-WA	*CZYNNOŚĆ SERCA UDERZENIA (min)	*OŚ ELEK-TRYCZNA Â QRS°	*ODSTĘP PQ LUB PR (s)	*CZAS QRS (s)	**Q$_{III}$ (mm)	**QV$_6$ (mm)	*RV$_1$ (mm)	*SV$_1$ (mm)	*RV$_6$ (mm)	*SV$_6$ (mm)	**SV$_1$+ +RV$_6$ (mm)	**(R+S) V$_4$ (mm)
< 1. dż.	93–154 (123)	+59 do +192 (137)	0,08–0,16 (0,11)	0,03––0,07 (0,05)	4,5	2	5–26 (14)	0–23 (8)	0–11 (4)	0–9,5 (3)	28	52,5
1.–2. dż.	91–159 (123)	+64 do +197 (134)	0,08–0,14 (0,11)		6,5	2,5	5–27 (14)	0–21 (9)	0–12 (4,5)	0–9,5 (3)	29	52
2.–6. dż.	91–166 (129)	+77 do +187 (132)	0,07–0,14 (0,1)		5,5	3	3–24 (13)	0–17 (7)	0,5–12 (5)	0–10 (3,5)	24,5	49
1.–3. tż.	107–182 (148)	+65 do +161 (110)	0,07–0,14 (0,1)	0,03––0,08 (0,05)	6	3	3–21 (11)	0–11 (4)	2,5––16,5 (7,5)	0–10 (3,5)	21	49
1.–2. mż.	121–179 (149)	+31 do +113 (74)	0,07–0,13 (0,1)		7,5	3	3–18 (10)	0–12 (5)	5–21,5 (11,5)	0–6,5 (3)	29	53,5
3.–5. mż.	106–186 (141)	+7 do +104 (60)	0,07–0,15 (0,11)		6,5	3	3–20 (10)	0–17 (6)	6,5––22,5 (13)	0–10 (3)	32	61,5
6.–11. mż.	109–169 (134)	+6 do +99 (56)	0,07–0,16 (0,11)		8,5	3	1,5–20 (9,5)	0,5–18 (4)	6–22,5 (12,5)	0–7 (2)	32	53
1.–2. rż.	89–151 (119)	+7 do +101 (55)	0,08–0,15 (0,11)	0,04––0,08 (0,06)	6	3	2,5–17 (9)	0,5–21 (8)	6–22,5 (13)	0–6,5 (2)	39	49,5
3.–4. rż.	73–137 (108)	+6 do +104 (55)	0,09–0,16 (0,12)		5	3,5	1–18 (8)	0,2–21 (10)	8–24,5 (15)	0–5 (1,5)	42	53,5
5.–7. rż.	65–133 (100)	+11 do +143 (65)	0,09–0,16 (0,12)		4	4,5	0,5–14 (7)	0,3–24 (12)	8,5––26,5 (16)	0–4 (1)	47	54
8.–11. rż.	62–130 (91)	+9 do +114 (61)	0,09–0,17 (0,13)	0,04––0,09 (0,06)	3	3	0–12 (5,5)	0,3–25 (12)	9–25,5 (16)	0–4 (1)	45,5	53
12.–15. rż.	60–119 (85)	+11 do +130 (59)	0,09–0,18 (0,14)	0,04––0,09 (0,07)	3	3	0–10 (4)	0,3–21 (11)	6,5–23 (14)	0–4 (1)	41	50

* Wartość minimalna–maksymalna (średnia)
** 98. centyl .

min – minuta; s – sekunda; mm – milimetry

Tabela 26.9. Dawkowanie najczęściej stosowanych leków antyarytmicznych u dzieci

LEK	DAWKOWANIE		UWAGI/OBJAWY UBOCZNE/ NAJWAŻNIEJSZE PRZECIWWSKAZANIA
	DAWKOWANIE DOŻYLNE[1] [d – NA DAWKĘ; 24 h – NA DOBĘ]	DAWKOWANIE DOUSTNE[2] [d – NA DAWKĘ; 24 h – NA DOBĘ]	
Adenozyna	0,0375–0,25 mg/kg mc./d**	–	Może spowodować skurcz oskrzeli (astma), duszność, ucisk w klatce piersiowej, zaczerwienienie twarzy; objawy szybko mijają
Amiodaron	**1. doba** 15–20 mg/kg mc./24 h (w 3–4 dawkach). Pierwsza dawka w 1. dobie 5 mg/kg mc./d*; kolejne dawki podawane we wlewie *i.v.* w pompie infuzyjnej przez co najmniej 1–2 godziny. **2.–3. doba** do 10 mg/kg mc./24 h (w 2–3 dawkach). **Następne doby** (indywidualnie ustalana dawka podtrzymująca) dawka stopniowo zmniejszana od 5 do 1 mg/kg mc./24 h (w 1–2 dawkach). Należy przejść z dawkowania dożylnego na dawkowanie podtrzymujące doustne jak tylko pozwoli na to stan kliniczny pacjenta	**Dawka nasycająca** 10–15 mg/kg mc./24 h w 1–2 dawkach przez 7–10 dni. **Dawka podtrzymująca** (po nasycaniu *p.o.* lub *i.v.*) początkowo 5 mg/kg mc./24 h, następnie 2–3 mg/kg mc./24 h (można stosować tylko przez 5–6 kolejnych dni w tygodniu, z 1–2-dniową przerwą). Okres nasycania około 3 tygodnie, okres eliminacji leku po odstawieniu nawet do kilku tygodni	Nie można stosować u dzieci z LQTS (lek wydłuża QTc), zaburzeniami czynności tarczycy. Można stosować u dzieci z niewydolnością serca. Z uwagi na objawy uboczne konieczna jest okresowa kontrola czasu QTc w EKG (wydłuża, *torsades des pointes*), aktywności hormonów tarczycy, obecności złogów leku w rogówce (badanie w lampie szczelinowej), badanie spirometryczne (ryzyko zwłóknienia płuc), unikanie opalania się (niebieskie plamy – złogi leku w skórze). Wskazane uzupełnianie stężenia magnezu (preparaty doustne, wlew *i.v.*)
Atropina	0,02 mg/kg mc./d***	–	Przeciwwskazania: jaskra z wąskim kątem, schorzenia powodujące zaburzenia drożności dróg moczowych lub przewodu pokarmowego
Digoksyna	Patrz tab. 26.11	Patrz tab. 26.11	Patrz tab. 26.11
Lidokaina	1–3 mg/kg mc./d***. Dawka podtrzymująca (wlew *i.v.*) stopniowo malejąca 20–50 mcg/kg mc./min	–	Lek można stosować u dzieci z niewydolnością serca. Objawy uboczne głównie ze strony OUN
Meksyletyna	–	6–15 mg/kg mc./24 h przez 4–5 dni (okres nasycania) w 4 dawkach, następnie w 3 dawkach (średnio 2–3 mg/kg mc./d)	Lek można stosować u dzieci z niewydolnością serca. Objawy uboczne: zaburzenia żołądkowo-jelitowe i ze strony OUN. Przeciwwskazanie: miastenia
Metoprolol	Brak doświadczeń w stosowaniu *i.v.* u dzieci z zaburzeniami rytmu serca. Dorośli – 10–15 mg/d* w porcjach 5 mg co 5–10 min	0,5–2 mg/kg mc./24 h w 2–3 dawkach, w LQTS 1–3 mg/kg mc./24 h	Betabloker kardioselektywny. Lek kardiodepresyjny. Hipotensja. Nie łączyć z werapamilem. Przy podawaniu *i.v.* ryzyko wystąpienia istotnej bradykardii i hipotensji
Propranolol	Dzieci: 0,02–0,2 mg/kg mc./d powoli*, dorośli: 1,5 mg/d powoli. Leku *i.v.* nie można stosować u dzieci z niewydolnością serca, leczonych werapamilem	1–5 mg/kg mc./24 h w 3 (dzieci starsze) lub 4 dawkach (niemowlęta), w LQTS u dzieci najczęściej 2–5 mg/kg mc./24 h	Betabloker niekardioselektywny. Przeciwwskazanie: stany spastyczne oskrzeli, hipotensja. Lek kardiodepresyjny. Nie łączyć z werapamilem. Przy podawaniu *i.v.* ryzyko wystąpienia istotnej bradykardii i hipotensji
Propafenon	0,5–1 mg/kg mc./d*. Dawka podtrzymująca (wlew *i.v.*) 4–10 mcg/kg mc./min przez 60 min	150–600 mg/m² pc./24 h w 3 dawkach	Poszerza zespół QRS (konieczna okresowa kontrola EKG). Proarytmia. Lek kardiodepresyjny. Nie można podawać w niewydolności serca i blokach odnóg pęczka Hisa

Tabela 26.9 cd.

LEK	DAWKOWANIE		UWAGI/OBJAWY UBOCZNE/ NAJWAŻNIEJSZE PRZECIWWSKAZANIA
	DAWKOWANIE DOŻYLNE[1] [d – NA DAWKĘ; 24 h – NA DOBĘ]	DAWKOWANIE DOUSTNE[2] [d – NA DAWKĘ; 24 h – NA DOBĘ]	
Sotalol	0,2–1,5 mg/kg mc./d*. Ryzyko hipotensji i bradykardii	1–5 mg/kg mc./24 h (90–200 mg/m^2 pc./24 h) w 2–3 dawkach	Konieczna okresowa kontrola czasu QTc w EKG (wydłuża). Nie można stosować w LQTS i w niewydolności serca. Objawy uboczne: bradykardia, *torsades des pointes*, stan spastyczny oskrzeli, hipotensja. Lek kardiodepresyjny
Werapamil	Dzieci: 0,10– 0,15 mg/kg mc./d*. Dawka podtrzymująca (wlew *i.v.*) 4–7 mcg/kg mc./min przez 60–120 min	4–7 mg/kg mc./24 h w 3–4 dawkach	Obecnie rzadko stosowany w częstoskurczu nadkomorowym. Może być zastosowany w częstoskurczu komorowym werapami-lowrażliwym (sporadyczne przypadki u dzieci < 10. rż.). Przy podawaniu *i.v.* ryzyko hipotensji. Leku nie można podawać *i.v.* w niewydolności serca, w zespole preekscytacji, u aktualnie leczonych β-blokerem i < 1. rż.

 * W wolnym bolusie dożylnym przez co najmniej 5–10 minut lub we wlewie dożylnym przez 60–120 minut

 ** Szybki bolus dożylny

*** Wolny bolus dożylny

[1] Pod kontrolą zapisu EKG i ciśnienia tętniczego krwi

[2] Pod kontrolą okresowo wykonywanego rutynowego i 24-godzinnego zapisu EKG

m^2 pc. – metr kwadratowy powierzchni ciała

Tabela 26.10. Dawkowanie leków stosowanych w intensywnej terapii u dzieci z niewydolnością serca

NAZWA LEKU	DROGA PODANIA	DAWKA	UWAGI	
Dopamina	Wlew *i.v.*	3–10 mcg/kg mc./min	Pobudza receptory β$_1$ ■ ↑ rzut serca ■ ↓ opór naczyniowy ■ ↑ kurczliwość mięśnia sercowego	1. Naturalna amina katecholowa, prekursor norepinefryny 2. Pobudza receptory dopaminergiczne i adrenergiczne β$_1$ i α$_1$
		0,5–3 mcg/kg mc./min	↑ przepływ przez nerki, frakcję filtracyjną i diurezę	
		10–30 mcg/kg mc./min	Pobudza receptory α$_1$ ■ obkurczenie naczyń ■ ↑ systemowy opór naczyniowy ■ objawy uboczne ⟶ zaburzenia ukrwienia przyległych tkanek	
Dobutamina (Dobutreks)	Wlew *i.v.*	5–20 mcg/kg mc./min	1. Syntetyczna amina katecholowa 2. Działanie chronotropowe ⟶ tachykardia 3. Pobudza receptory β$_1$ ■ ↑ kurczliwość mięśnia sercowego ■ ↓ oporu naczyniowego – R$_p$ i R$_s$ ■ ↑ pojemności wyrzutowej i minutowej serca ■ poprawa perfuzji tkankowej ■ ↑ dostępność i zużycie tlenu u pacjentów we wstrząsie	

Tabela 26.10 cd.

NAZWA LEKU	DROGA PODANIA	DAWKA	UWAGI
Epinefryna (Adrenalina)	Wlew *i.v.*	0,05–1 mcg/kg mc./min	1. Naturalny neurotransmiter 2. Pobudza receptory β_1, β_2, α_1 ■ ↑ siłę skurczu mięśnia sercowego ■ ↑ oporu naczyniowego i ABP 3. Z wyboru przy resuscytacji krążeniowo-oddechowej → kieruje strumień krwi do mózgu i serca 4. W sytuacjach, w których próby leczenia innymi katecholaminami nie powiodły się
Norepinefryna (Noradrenalina)	Wlew *i.v.*	Dawkowanie indywidualne, zależne od stanu pacjenta tak, aby utrzymać pożądane ciśnienie systemowe	1. Naturalny neurotransmiter 2. Agonista receptorów α- i β_1-adrenergicznych ■ uogólniony skurcz naczyń krwionośnych ■ ↑ ABP ■ ↓ przepływu przez nerki, wątrobę, krążenie trzewne i mięśniowe 3. Stosowana → wskazane jest utrzymanie wysokiego ciśnienia systemowego
Izoprenalina (Isuprel)	Wlew *i.v.*	0,01–0,5 (maks. 2) mcg/kg mc./min	1. Syntetyczna amina katecholowa 2. Receptory → β_1 i β_2; (nie działa na α) ■ ↑ HR i siłę skurczu serca ■ ↓↓ R_p i R_s 3. Blok A-V III° 4. W zespole małego rzutu z wolną czynnością serca
Milrinon (Corotrope)	Wlew *i.v.*	0,35–0,75 mcg/kg mc./min (zalecana dawka wstępna 50 mcg/kg mc. – w bolusie dożylnym)	1. Hamuje działanie enzymu rozkładającego cAMP (fosfodwuesterazy) 2. Powoduje ↑ cAMP w komórce, ↑ transportu Ca^{++} do komórki → ↑ kurczliwości mięśnia sercowego
Winkoram (Amrinon)	Wlew *i.v.*	3–10 mcg/kg mc./min	3. Działa inotropowo (+) oraz rozkurcza łożysko naczyniowe – systemowe i płucne 4. Poprawia rzut serca 5. Synergistyczne z katecholaminami
Nitrogliceryna	Wlew *i.v.*	0,5–5 mcg/kg mc./min	1. Organiczny azotan → na pojemnościowe naczynia żylne 2. Dawki 0,5–5 mcg/kg mc./min ■ ↓ R_s i R_p ■ poprawia bilans energetyczny mięśnia sercowego ■ stosowana → upośledzony przepływ wieńcowy
Nitroprusydek sodu	Wlew *i.v.*	0,25–0,5 mcg/kg mc./min	1. Wykazuje silne działanie wazodylatacyjne dzięki egzogennemu NO, który jest uwalniany z cząsteczki leku 2. Stosowany doraźnie w celu obniżenia ciśnienia systemowego (działa szybko – już po 3–5 min) 3. Nie stosować dłużej niż 5–10 godz. → zatrucie cyjankami 4. **Bardzo ostrożnie u małych dzieci**
Prostaglandyna E_1		0,05–0,1 mcg/kg mc./min (można dawkę zmniejszać do 0,01–0,02 mcg/kg mc./min)	Wskaźnikami terapeutycznego działania prostaglandyny E_1 są wzrost PO_2, wzrost pH i pojawienie się szmeru nad sercem

Tabela 26.11. Dawkowanie leków stosowanych w przewlekłej niewydolności serca u dzieci

NAZWA LEKU	DROGA PODANIA	DAWKA	UWAGI I GŁÓWNE OBJAWY UBOCZNE
Digoksyna	p.o.	Dawka dobowa nasycająca: wcześniaki (> 1500 g) 0,006–0,01 mg/kg mc./dobę niemowlęta donoszone 0,02–0,03 mg/kg mc./dobę 1.–10. rż. 0,03–0,04 mg/kg mc./dobę > 10. rż. 0,01–0,015 mg/kg mc./dobę	Połowę całej dawki dobowej stanowi pierwsza dawka, $1/4$ dawki dobowej podaje się po 6–8 godzinach i $1/4$ dawki po kolejnych 8–12 godzinach. Konieczne utrzymanie prawidłowego stężenia potasu w surowicy krwi. Przeciwwskazania: m.in. zespół preekscytacji, arytmia komorowa, blok przedsionkowo-komorowy II–III stopnia, hipokaliemia
	p.o.	Dawka dobowa podtrzymująca: 25–30% dawki dobowej nasycającej	Podaje się w 1–2 dawkach podzielonych
	i.v.	Dawki dożylne stanowią 75–80% dawek doustnych	
Furosemid	i.v.	1–2 mg/kg mc./dawkę, 1–5 mg/kg mc./dobę (ostra i przewlekła niewydolność serca)	Diuretyk pętlowy. Konieczne utrzymanie prawidłowego stężenia potasu w surowicy krwi. Bolus lub czasem wlew i.v. Objawy uboczne: hipokaliemia, hiponatremia, hipokalcemia, hipomagnezemia, hipotonia. Przeciwwskazania: bezmocz, nadwrażliwość na furosemid lub sulfonamidy
	p.o.	1–2 mg/kg mc./dawkę, 1–5 mg/kg mc./dobę	Podaje się w 2–4 dawkach podzielonych. Konieczne utrzymanie prawidłowego stężenia potasu w surowicy krwi. Objawy uboczne: hipokaliemia, hiponatremia, hipokalcemia, hipomagnezemia
Hydrochloro-tiazyd	p.o.	> 2. rż. 0,5–3 mg/dobę 2.–7. rż. nie przekraczać 12,5 mg/dobę > 7. rż. nie przekraczać 25 mg/dobę Młodzież – nie przekraczać 50 mg/dobę	Diuretyk tiazydowy w 2 dawkach podzielonych. Objawy uboczne: hipomagnezemia. W niewydolności serca zwykle stosowany w terapii skojarzonej
Spironolakton	p.o.	1–3,5 mg/kg mc./dobę	Antagonista aldosteronu. Podaje się przez 5 dni, następnie 2 dni przerwy. Można stosować przy prawidłowej funkcji nerek. Nie wymaga suplementacji potasu. Nie stosować łącznie z lekami podwyższającymi poziom potasu i niesteroidowymi lekami przeciwzapalnymi
Kaptopryl	p.o.	Noworodek 0,05–0,1 mg/kg mc./dawkę Niemowlę 0,1–0,5 mg/kg mc./dawkę (maksymalnie 6 mg/kg mc./dobę) Dzieci 0,3–0,5 mg/kg mc./dawkę (maksymalnie 6 mg/kg mc./dobę) Młodzież 6,5–25 mg/kg mc./dawkę	Inhibitor konwertazy angiotensyny II. Dawki stopniowo zwiększane do dawki optymalnej. Podaje się w 3 dawkach podzielonych co 8 godzin. Dawki stosowane w niewydolności serca są niższe niż w leczeniu nadciśnienia systemowego. Można stosować łącznie z digoksyną, lekami moczopędnymi, spironolaktonem. Przeciwwskazania: zwężenie tętnicy nerkowej, zwężenie drogi odpływu prawej lub lewej komory, hipotensja, obrzęk naczynioruchowy, hiperkaliemia. Objawy uboczne: kaszel, hipotensja, obrzęk naczynioruchowy
Enalapryl	p.o.	Niemowlęta 0,08–0,1 mg/kg mc./dobę Małe dziecko 0,1–0,5 mg/kg mc./dobę Młodzież, dorośli 2,5–20 mg/dobę	Inhibitor konwertazy angiotensyny II. Dawki stopniowo zwiększane do dawki optymalnej. Podaje się w 1–2 dawkach podzielonych. Dawki stosowane w niewydolności serca są niższe niż w leczeniu nadciśnienia systemowego. Można stosować łącznie z digoksyną, lekami moczopędnymi, spironolaktonem. Przeciwwskazania: patrz kaptopryl. Objawy uboczne: hipotensja, obrzęk naczynioruchowy

Tabela 26.11. cd.

NAZWA LEKU	DROGA PODANIA	DAWKA	UWAGI I GŁÓWNE OBJAWY UBOCZNE
Karwedilol	*p.o.*	Dzieci początkowo 0,08–0,2 mg/kg mc./dobę, dawka stopniowo zwiększana do maksymalnie 0,75 mg/kg mc./dobę (średnio 0,46 mg/kg mc./ /dobę)	β-bloker niekardioselektywny i bloker receptora $α_1$ (działanie wazodylatacyjne). Dawki stopniowo zwiększane (podwajanie dawki co 2 tygodnie), aż do osiągnięcia dawki optymalnej. Podaje się 2 razy na dobę. Objawy uboczne: hipotonia, bradykardia, skurcz oskrzeli. Można stosować łącznie z lekami moczopędnymi, spironolaktonem, inhibitorami konwertazy angiotensyny II, digoksyną. Nie należy stosować łącznie z aminami katecholowymi

Uwaga: dawka optymalna = maksymalna dawka tolerowana przez chorego

26.5

Marek Kaciński

NEUROLOGIA

26.5.1

Normy ogólnego badania płynu mózgowo-rdzeniowego

- Leukocyty do 5/mm^3.
- Erytrocyty brak.
- Białko do 40 mg%.
- Glukoza $2/3$ wartości stężenia we krwi.

26.5.2

Oznaczanie stężenia leków przeciwpadaczkowych

Cel – leczenie padaczki kontrolowane stężeniem leku we krwi.

Sposób pobrania materiału – krew do oznaczenia pobiera się z żyły obwodowej przed podaniem porannej dawki leku, dziecko nie musi być na czczo (ostatnia dawka w godzinach wieczornych).

Oznaczenia wykonuje się z częstością wynikającą ze wskazań praktycznych (podstawowe dawkowanie, kontrola zażywania leku, zatrucie), a wynik porównuje się z normami (tab. 26.12).

Tabela 26.12. Normy oznaczanych aktualnie stężeń leków przeciwpadaczkowych we krwi

LEK	ZAKRES NORMY
Kwas walproinowy	50–100 µg/ml
Karbamazepina	4–12 µg/ml
Fenobarbital	15–40 µg/ml
Fenytoina	8–20 µg/ml
Etosuksymid	40–100 µg/ml
Lewetyracetam	6–46 µg/ml
Lamotrygina	3–15 µg/ml
Primidon	5–12 µg/ml
Topiramat	2–25 µg/ml

26.6

Ewa Bernatowska

CHOROBY UKŁADU ODPORNOŚCI I SZCZEPIENIA OCHRONNE

Tabela 26.13. Prawidłowa liczba bezwzględna granulocytów obojętnochłonnych w różnych grupach wiekowych

GRUPA WIEKOWA	LICZBA NEUTROFILÓW
Pierwsze 48 godzin życia	< 8000/µl
Niemowlęta	> 1000/µl
1.–8. rż.	> 1500/µl
> 8. rż.	> 1800/µl

Tabela 26.14. Rozkład odsetkowy podstawowych subpopulacji limfocytów u dzieci (mediana oraz zakres 5.–95. centyl) [wg Piątosa i wsp.]

FENOTYP / SUBPOPULACJA LIMFOCYTÓW		T CD3$^+$	T POMOCNICZY CD3$^+$4$^+$	T SUPRESORO-WY CD3$^+$8$^+$	CD4 : CD8	NK CD16,56$^+$3$^-$	B CD19$^+$
Krew pępowinowa	Mediana Zakres	63,9 46,2–76,5	45,0 28,4–55,7	19,2 11,8–29,6	2,4 1,3–3,2	16,4 5,8–26	17,2 13,2–25,4
0.–7. dż.	Mediana Zakres	78,5 60,1–87,5	57,7 41,6–68,2	22,8 15,8–30,1	2,5 1,8–4,4	7,5 2,7–20,3	10,9 6,2–24,9
8.–60. dż.	Mediana Zakres	69,5 54,6–80,5	48,4 38,1–61,2	18,6 10,1–24,7	2,8 2,0–4,2	9,9 4,0–14,2	19,9 10–30,7
3.–5. mż.	Mediana Zakres	62,4 57,1–72,4	42,9 37,7–50,3	19 13,6–24,2	2,3 1,8–4,3	6,7 4,6–9,6	27,3 18,4–37,5
6.–9. mż.	Mediana Zakres	65,9 58,5–77,1	46,2 48–57,4	17 12,1–21,7	2,7 1,9–4,2	6,2 3,8–10,5	25,5 15,7–34,1
10.–15. mż.	Mediana Zakres	71,7 54,9–79,2	47,8 34,8–59,9	20 14,6–28,8	2,4 1,4–3,6	5,1 3,4–14,9	21,2 13,9–28,2
16.–24. mż.	Mediana Zakres	67,9 57,9–75,9	44,6 34,5–53,2	20,4 13,9–27,7	2,2 1,4–3,4	6,2 3,5–14,3	22,7 16,1–34,4
3.–5. rż.	Mediana Zakres	68,9 54,9–77,6	41,7 32,8–46,9	22,7 14,5–30,4	1,8 1,1–2,8	6 2,9–19,8	21,4 14,1–28,5
6.–10. rż.	Mediana Zakres	70,5 52,4–77,9	39,4 26,7–46,2	25 15–35,4	1,5 0,8–2,5	9,8 6,2–29,8	15,7 9,7–23,7
11.–16. rż.	Mediana Zakres	69,9 52,9–79,1	40,5 27,4–54,3	25,1 18,2–33,2	1,5 1,1–2,7	13,9 5,2–28,6	14,2 9,4–22,8
> 16. rż.	Mediana Zakres	72,9 59,7–82,0	39,2 30,4–51,2	28,3 19–38,9	1,4 0,8–2,5	12,3 7,3–24,0	11,6 7,2–22,5

Tabela 26.15. Liczby bezwzględne poszczególnych supopulacji limfocytów ($\times 10^6$/l) u dzieci (mediana i zakres 5.–95. centyl) [wg Piątos i wsp.]

FENOTYP	SUBPOPULACJA LIMFOCYTÓW	T CD3$^+$	T POMOCNICZY CD3$^+$4$^+$	T SUPRESOROWY CD3$^+$8$^+$	NK CD16,56$^+$3$^-$	B CD19$^+$
Krew pępowinowa	Mediana	2,3	1,7	0,7	0,7	0,9
	Zakres	1,6–4,9	1,1–3,8	0,5–1,4	0,2–1,7	0,4–1,4
0.–7. dż.	Mediana	2,5	1,8	0,7	0,2	0,3
	Zakres	1,6–4,1	1,1–3,2	0,4–1,2	0,1–0,7	0,2–0,8
8.–60. dż.	Mediana	3,5	2,6	1	0,5	1
	Zakres	2,2–5,5	1,4–4,2	0,4–1,4	0,2–1	0,7–1,8
3.–5. mż.	Mediana	3,5	2,3	1,1	0,4	1,4
	Zakres	2–4,7	1,5–3,2	0,5–1,4	0,2–0,7	0,7–2,4
6.–9. mż.	Mediana	4,3	3	1	0,4	1,5
	Zakres	2,8–5,7	1,8–4,4	0,6–1,5	0,2–0,8	0,7–2,8
10.–15. mż.	Mediana	3,6	2,1	1	0,3	1
	Zakres	1,7–6	1,2–4	0,3–1,7	0,1–1,1	0,4–2,9
16.–24. mż.	Mediana	3,2	2	0,9	0,3	1,1
	Zakres	1,9–5	1,3–3,4	0,5–1,7	0,2–0,9	0,6–1,9
3.–5. rż.	Mediana	2,6	1,6	0,9	0,2	0,9
	Zakres	1,4–5,3	0,9–2,8	0,5–1,5	0,1–0,7	0,4–1,7
6.–10. rż.	Mediana	1,8	0,9	0,6	0,2	0,4
	Zakres	1–2,6	0,5–1,5	0,3–1	0,1–0,7	0,3–0,6
11.–16. rż.	Mediana	1,6	0,9	0,6	0,3	0,3
	Zakres	1–2,7	0,5–1,6	0,3–1,1	0,1–0,8	0,2–0,6
> 16. rż.	Mediana	1,5	0,8	0,6	0,3	0,2
	Zakres	0,9–2,6	0,5–1,6	0,3–1,2	0,1–0,5	0,1–0,6

Tabela 26.16. Stężenia podklas immunoglobulin w surowicy krwi zdrowych dzieci [g/l] [wg Gregorek i wsp.]

WIEK	LICZEBNOŚĆ GRUPY	IgG1	IgG2	IgG3	IgG4
Krew pępowinowa	30	6,28 (2,83–13,93)	1,5 (0,69–3,23)	0,49 (0,12–1,93)	0,15 (0,029–0,79)
4.–6. mż.	15	2,86 (1,87–4,39)	0,52 (0,27–0,96)	0,27 (0,07–1,03)	0,08 (0,014–0,47)
7.–12. mż.	16	3,68 (2,28–5,95)	0,6 (0,39–0,93)	0,26 (0,1–0,72)	0,1 (0,018–0,61)
13. mż.–3. rż.	25	5,79 (3,47–9,66)	0,86 (0,27–2,82)	0,40 (0,16–0,96)	0,17 (0,022–1,41)
$3^{1/12}$ rż.–5. rż.	20	5,55 (3,53–8,71)	1,16 (0,43–3,12)	0,41 (0,13–1,28)	0,19 (0,05–0,74)
$5^{1/12}$ rż.–8.rż.	20	6,33 (3,43–11,67)	1,56 (0,71–3,41)	0,4 (0,16–1,03)	0,3 (0,07–1,27)
$8^{1/12}$ rż.–12.rż.	25	6,73 (5,24–8,64)	2,05 (1,07–3,92)	0,55 (0,25–1,24)	0,26 (0,7–0,94)
12. rż.–14. rż.	21	7,04 (4,98–9,94)	2,69 (1,34–5,4)	0,5 (0,24–1,07)	0,33 (0,08–1,32)
$14^{1/12}$ rż.–16. rż.	10	7,39 (4,81–11,34)	2,74 (1,36–5,51)	0,56 (0,24–1,32)	0,48 (0,18–1,27)
Dorośli	30	6,98 (4,35–11,2)	2,85 (1,16–7,02)	0,61 (0,23–1,57)	0,46 (0,19–1,13)

Tabela 26.17. Stężenia podklas immunoglobulin w surowicy krwi zdrowych dzieci [g/l] [wg Gregorek i wsp.]

WIEK	LICZEBNOŚĆ GRUPY	IgG1	IgG2	IgG3	IgG4
Krew pępowinowa	30	6,28 (2,83–13,93)	1,5 (0,69–3,23)	0,49 (0,12–1,93)	0,15 (0,029–0,79)
4.–6. mż.	15	2,86 (1,87–4,39)	0,52 (0,27–0,96)	0,27 (0,07–1,03)	0,08 (0,014–0,47)
7.–12. mż.	16	3,68 (2,28–5,95)	0,6 (0,39–0,93)	0,26 (0,1–0,72)	0,1 (0,018–0,61)
13.–36. mż.	25	5,79 (3,47–9,66)	0,86 (0,27–2,82)	0,40 (0,16–0,96)	0,17 (0,022–1,41)
37.–60. mż.	20	5,55 (3,53–8,71)	1,16 (0,43–3,12)	0,41 (0,13–1,28)	0,19 (0,05–0,74)
61.–96. mż.	20	6,33 (3,43–11,67)	1,56 (0,71–3,41)	0,4 (0,16–1,03)	0,3 (0,07–1,27)
97.–144. mż.	25	6,73 (5,24–8,64)	2,05 (1,07–3,92)	0,55 (0,25–1,24)	0,26 (0,7–0,94)
145.–168. mż.	21	7,04 (4,98–9,94)	2,69 (1,34–5,4)	0,5 (0,24–1,07)	0,33 (0,08–1,32)
169.–192. mż.	10	7,39 (4,81–11,34)	2,74 (1,36–5,51)	0,56 (0,24–1,32)	0,48 (0,18–1,27)
Dorośli	30	6,98 (4,35–11,2)	2,85 (1,16–7,02)	0,61 (0,23–1,57)	0,46 (0,19–1,13)

26.7
NORMY PODSTAWOWYCH PARAMETRÓW OCENIANYCH WE KRWI

Tabela 26.18.

PARAMETR [PRÓBKA]	GRUPA WIEKOWA	NORMA	KOMENTARZ
Morfologia krwi obwodowej			
Hemoglobina (Hb, Hgb) [krew pełna/EDTA]	1.–7. dż. 8.–14. dż. 15.–30. dż. 2. mż. 3.–6. mż. 7.–9. mż. 10.–12. mż. 2.–7. rż. 8.–12. rż. 13.–18. rż.	[g/dl] 13,5–21,5 12,5–19,5 10–18 9–14 9,5–13,5 10–13 11,2–13,8 11,0–14,5 11,5–15,5 brak	$\times 0,155 =$ [mmol/l]

Tabela 26.18 cd.

PARAMETR [PRÓBKA]	GRUPA WIEKOWA	NORMA	KOMENTARZ
Hematokryt (Hct) [krew pełna/EDTA]		Komórki $\times$ 100 [%]	$\times$ 0,01 = V erytrocytów/V krwi
	1.–7. dż.	42–66	
	8.–14. dż.	39–63	
	15.–30. dż.	31–55	
	2. mż.	28–48	
	3.–6. mż.	30–38	
	7.–9. mż.	33–39	
	10.–12. mż.	34–40	
	2.–7. rż.	34–42	
	8.–12. rż.	36–43	
	13.–18. rż.	brak	
Erytrocyty (RBC) [krew pełna/EDTA]		(M/dl)	
	1.–7. dż.	4,5–6	
	8.–14. dż.	4,4–5,7	
	15.–30. dż.	4,1–5,5	
	2. mż.	3,4–5,1	
	3.–6. mż.	3,7–4,4	
	7.–9. mż.	3,8–5,3	
	10.–12. mż.	3,9–5,4	
	2.–7. rż.	4,3–5,5	
	8.–12. rż.	4,4–5,5	
	13.–18. rż.	brak	
MCV [krew pełna/EDTA]		fl (μm^3)	
	1.–7. dż.	98–110	
	8.–14. dż.	95–110	
	15.–30. dż.	85–106	
	2. mż.	77–99	
	3.–6. mż.	74–94	
	7.–9. mż.	70–86	
	10.–12. mż.	71–88	
	2.–7. rż.	75–89	
	8.–12. rż.	77–93	
	13.–18. rż.	brak	
MCHC		32–35 g/dl	
Leukocyty (WBC)		4,00–12,00 $\times 10^3$/µl	
Rozmaz Neutrocyty Limfocyty Monocyty Eozynocyty Bazocyty Retikulocyty		1.50–7,00 $\times 10^3$/µl 1.50–7,00 $\times 10^3$/µl 0,20–1,20 $\times 10^3$/µl 0,20–1,20 $\times 10^3$/µl 0,00–0,15 $\times 10^3$/µl 5–15‰	Nie podano zmienności wiekowej
Płytki		140–420 $\times 10^3$/µl	
Elektrolity			
Sód		135–145 mmol/l	
Potas		3,5–5,0 mmol/l	
Chlorki		98–106 mmol/l	

Tabela 26.18 cd.

PARAMETR [PRÓBKA]	GRUPA WIEKOWA	NORMA	KOMENTARZ
Magnez		1,8–3,0 mg/dl	
Wapń całkowity	< 1. tyg.	7,0–12,0 mg/dl	
	Starsze dzieci	8,0–11,0 mg/dl	
Wapń zjonizowany		3,0–4,5 mg/dl	
Wątrobowe			
AlAT	Niemowlęta i małe dzieci	Brak dobrych norm dla tej grupy wiekowej. Najczęściej wykorzystywane normy dla starszych grup wiekowych 0–35 j./l	W ostatnim czasie normy zmieniane i uzależniane od wieku
	> 10. rż.	0–35 j./l	
AspAT	1.–3. rż.	20–60 j./l	W ostatnim czasie normy zmieniane i uzależniane od wieku
	4.–6. rż.	15–50 j./l	
	7.–9. rż.	15–40 j./l	
	10.–11. rż.	10–60 j./l	
	Chłopcy 12.–15. rż.	15–40 j./l	
	Dziewczęta 12.–15. rż.	10–30 j./l	
	> 60. rż.	0–35 j./l	
GGTP		6–19 j./l	Nie uwzględniono zmienności wiekowej, wyższa górna granica normy w okresie wczesno-niemowlęcym
Bilirubina całkowita	Zmienne wartości w okresie noworodkowym		
	> 1. mż.	< 1,0 mg/dl	
Bilirubina bezpośrednia	> 1. mż.	0,1–0,3 mg/dl	Zgodnie z normą podawaną przez laboratorium
LDH	Noworodki	160–1500 U/l	
	Niemowlęta	150–360 U/l	
	Starsze dzieci	150–300 U/l	
Nerki			
Kreatynina	Noworodki Niemowlęta Dzieci do 12. rż. Młodociani	0,3–0,5 ml/dl 0,2–0,5 ml/dl 0,3–1,0 ml/dl 0,6–1,2 ml/dl	Przelicznik: mg/dl × 88,4 = μmol/l
Mocznik	Noworodki Niemowlęta Dzieci	6–50 mg/dl 10–36 mg/dl 10–36 mg/dl	Przelicznik: mg/dl × 0,375 = mmol/l

Tabela 26.18 cd.

PARAMETR [PRÓBKA]	GRUPA WIEKOWA	NORMA	KOMENTARZ
Kwas moczowy	Noworodki Niemowlęta Dzieci w wieku: 1.–5. rż. 6.–11. rż. 12.–19. rż.	1,0–4,6 mg/dl 1,0–5,6 mg/dl 1,7–5,8 mg/dl 2,2–6,6 mg/dl 2,7–7,7 mg/dl	Przelicznik: mg/dl × 0,059 = mmol/l
Wskaźniki zapalenia			
CRP		< 0,50 mg/dl	Inne laboratoria podają normy do wartości > 10 mg/dl
OB		1–10 mm/h	
ASO		< 200 IU/ml	
Prokalcytonina		< 0,5 ng/ml – infekcja nie jest prawdopodobna 0,5–2 ng/ml – infekcja prawdopodobna > 2 ng/ml – infekcja jest bardzo prawdopodobna > 5 ng/ml – bardzo prawdopodobne rozwinięcie ciężkiej infekcji bakteryjnej lub sepsy	Uwaga: możliwość nieswoistego podwyższenia PCT: noworodki do 48 godzin życia oraz pierwsze doby po ciężkim urazie, oparzeniu, resustytucji, wstrząsie kardiogennym, ciężkie zaburzenia perfuzji narządowej, poważne interwencje chirurgiczne, inwazyjne zakażenie grzybicze
Białka			
Białko całkowite	Niemowlęta donoszone i małe dzieci	4,6–7,4 g/dl	
	Wiek 7.–19. rż.	6,3–8,6 g/dl	
Albuminy	Niemowlęta donoszone i małe dzieci	2,5–3,4 g/dl	
	Wiek 7.–19. rż.	3,7–5,6 g/dl	
Globuliny	< 1. rż.	0,4–3,7 g/dl	
	1.–3. rż.	1,6–3,5 g/dl	
	4.–9. rż.	1,9–3,4 g/dl	
	Młodzież	2,0–3,5 g/dl	
Gospodarka żelaza			
Fe		50,0–170,0 µg/dl	
Transferyna		250,0–380,0 µg/dl	
Ferrytyna		20–200 µg/l	
Kwas foliowy		3–35 ng/ml	
Lipidy			
Cholesterol		< 200 mg/dl	Nie podano zmienności wiekowej
HDL		> 40 mg/dl	Nie podano zmienności wiekowej
LDL		< 130 mg/dl	Podano wysoką górną granicę normy, nie podano zmienności wiekowej
Triglicerydy		25–175 mg/dl	Podano szeroki zakres normy, nie uwzględnia zmienności wiekowej

Tabela 26.18 cd.

PARAMETR [PRÓBKA]	GRUPA WIEKOWA	NORMA	KOMENTARZ
Tarczyca			
TSH	1.–4. dż. 2. tyg.–2. rż. > 2. rż.	1,0–38,9 µmol/ml 0,8–9,1 µmol/ml 0,3–4,0 µmol/ml	
fT3		3,0–8,1 pmol/l	
fT4		10,0–25,0 pmol/l	
TgAb		< 60 j.m./ml	
TPOAb		< 60 j.m./ml	
Mięśnie i serce			
CK	Mężczyźni	60–400 j./l	
	Kobiety	40–150 j./l	
CK–MB		< 5% całości	Patrz rozdz. 10 „Choroby układu krążenia"
Trzustka			
Lipaza		0–160 j./l	
Gospodarka kwasowo–zasadowa			
Parametry	Krew tętnicza	Krew żylna	
pH	7,35–7,45	7,35–7,45	
pCO_2 (mmHg)	($paCO_2$) 35–45	41–51	paO_2 – spada progresywnie z wiekiem → paO_2 (mmHg) = = 102 – (0,33 × wiek w latach)
TCO_2 (mmol/l)	23–27	25–29	
pO_2 (mmHg)[1]	(paO_2) 70–105	35–40	
O_2 Sat (%)	96–98	70–75	
HCO_3 (mmol/l)	22–26	24–28	
BE (mmol/l)	−2 do +3	−2 do +3	
Osmolarność osocza (mOsm/l)	285–300	285–300	
Kwas mlekowy	do 2 mmol/l **lub** do 20 mg/dl	do 2 mmol/l **lub** do 20 mg/dl	
	Wiek Wcześniaki		
pH	7,35–7,50		
HCO_3 (mmol/l)	18,0–26,0		
	Noworodki		
pH	7,29–7,45		
pCO_2 (mmHg)	27–40		

Tabela 26.18 cd.

PARAMETR [PRÓBKA]	GRUPA WIEKOWA	NORMA	KOMENTARZ
pO$_2$ (mmHg)	54–95		
HCO$_3$ (mmol/l)	17,2–23,6		
BE (mmol/l)	od −10 do −2		
O$_2$Sat (%)	40–90		
	Niemowlęta		
pH	7,34–7,46		
pCO$_2$ (mmHg)	27–41		
pO$_2$ (mmHg)	83–108		
HCO$_3$ (mmol/l)	19,0–23,9		
BE (mmol/l)	od −7 do −1		
O$_2$Sat (%)	95–98		
	Dzieci		
pH	7,35–7,46		
pCO$_2$ (mmHg)	32–48		
pO$_2$ (mmHg)	83–108		
HCO$_3$ (mmol/l)	16,3–23,9		
BE (mmol/l)	od −4 do +2		
O$_2$Sat (%)	95–98		
	Dorośli		
pH	7,35–7,45		
pCO$_2$ (mmHg)	32–48		
pO$_2$ (mmHg)	83–108		
HCO$_3$ (mmol/l)	18,0–23,0		

Tabela 26.18 cd.			
PARAMETR [PRÓBKA]	GRUPA WIEKOWA	NORMA	KOMENTARZ
BE (mmol/l)	od −2 do +3		
O$_2$Sat (%)	95–98		
Węglowodany			
Glukoza	·	60–100 mg/dl	W zależności od metody, nie uwzględniono zmienności normy w okresie noworodkowym
HbA1C			

[1] paO$_2$ – spada progresywnie z wiekiem → paO$_2$ (mmHg) = 102 − (0,33 × wiek w latach)

Piśmiennictwo

1. Davignon A. i wsp.: *Normal ECG standards for infants and children*. Pediatr Cardiol 1979/80, 1: 123–152.
2. Gregorek H., Imielska D., Górnicki J., Mikołajewicz J. i wsp.: *Development of IgG subclasses in healthy Polish children*. Arch Immunol Ther Exp 1994, 42: 377––382.
3. Kułaga Z., Litwin M.: *Wartości referencyjne ciśnienia tętniczego dzieci i młodzieży - historia, stan aktualny, perspektywy*. w: Nadciśnienie tętnicze u młodzieży i młodych dorosłych (red. M. Litwina, A. Januszewicza, A. Prejbisza). Wydawnictwo Medycyna Praktyczna, Kraków 2011.
4. Kułaga Z., Grajda A., Gurzkowska B. i wsp.: *Siatki centylowe do oceny ciśnienia tętniczego dzieci i młodzieży w wieku 3–18 lat*. Standardy Medyczne 2013 (w druku).
5. Kułaga Z., Litwin M., Tkaczyk M. i wsp.: *Polish 2010 growth references for school-aged children and adolescents*. Eur J Pediatr 2011, 170: 599–609.
6. Kułaga Z., Różdżyńska A., Palczewska I. i wsp.: *Siatki centylowe wysokości, masy ciała i wskaźnika masy ciała dzieci i młodzieży w Polsce - wyniki badania OLAF*. Standardy Medyczne 2010, 7: 690–699.
7. Lurbe E., Cifkova R., Cruickshank J.K., Dillon M.J., Ferreira I., Invitti C., Kuznetsova T., Laurent S., Mancia G., Morales-Olivas F., Rascher W., Redon J., Schaefer F., Seeman T., Stergiou G., Wühl E., Zanchetti A.: *Management of high blood pressure in children and adolescents: recommendations of the European Society of Hypertension*. J Hypertens 2009, 27: 1719–1742.
8. Piątosa B., Wolska-Kuśnierz B., Siewiera K., Grzduk H., Gałkowska E., Bernatowska E.: *Distribution of leukocyte and lymphocyte subsets in peripheral blood. Age related normal values for preliminary evaluation of the immune status in Polish children*. Centr Eur J Immunol 2010, 35: 168–175.
9. Różdżyńska-Świątkowska A., Kułaga Z., Grajda A. i wsp.: *Wartości referencyjne wysokości, masy ciała i wskaźnika masy ciała dla oceny wzrastania i stanu odżywienia dzieci i młodzieży w wieku 3–18 lat*. Standardy Medyczne 2013 (w druku).
10. Wolska-Kuśnierz B., Gregorek H., Zapaśnik A. i wsp.: *Wartości referencyjne stężeń immunoglobulin G, A, M i D w surowicy zdrowych dzieci i osób dorosłych, mieszkańców województwa mazowieckiego*. Standardy Medyczne 2010 t. 7, 3: 524–532.

SKOROWIDZ

DROGI CZYTELNIKU

Aby skorzystać z interaktywnego testu, zapraszamy do portalu

www.medistudent.pl/pediatria

Prosimy o założenie konta w serwisie medistudent.pl i wpisanie – podczas pierwszego logowania – kodu znajdującego się poniżej:

PZWL-PEXIA

W razie problemów technicznych prosimy o kontakt pod adresem e-mail:

mediportals@pzwl.pl